Prisma Woordenboeken
drs. H.W.J. Gudde
Nederlands-Frans

Prisma
Het Nederlandse pocketboek

Nederlands
Frans

drs. H.W.J. Gudde

PRISMA
POCKET

Uitgeverij Het Spectrum
Utrecht / Antwerpen

Vormgeving: Studio Spectrum
Eerste druk 1955
Veertiende, geheel herziene druk 1981
Zeventiende druk 1983

Voorwoord

Taal die gesproken en geschreven wordt verandert steeds. Sommige woorden krijgen meer, andere minder betekenis. Weer andere worden van een heel nieuwe betekenis voorzien. Daarnaast worden nieuwe woorden en uitdrukkingen gemeengoed, omdat de ontwikkelingen in de samenleving en de wetenschap in de taal weerspiegeld worden. Het bij de tijd houden van een woordenboek eist dan ook voortdurende studie. In deze herziene druk zijn naast verbeteringen duizenden nieuwe woorden opgenomen.
Moge dit boek een goed instrument blijven.

H. W. J. Gudde

a.	aan	herv.	(Nederlands-)hervormd
aanw.	aanwijzend	hum.	humor(istisch)
aardr.	aardrijkskunde		
abs.	absoluut	i.a.b.	in alle betekenissen
abstr.	abstract	id.	idem
act.	actief	iem.	iemand
afk.	afkorting	ind.	indicatief (aantonende wijs)
afl.	afleiding	Ind.	Indonesië, Indonesisch, Indisch
Afr.	(Zuid-)Afrika, Afrikaans	inf.	infinitief (onbepaalde wijs)
alg.	algemeen	instr.	instrument
Am.	(Noord-)Amerika, Amerikaans,	inz.	inzonderheid
	amerikanisme	i.p.v.	in plaats van
anat.	anatomie	iron.	ironisch
angl.	anglicisme	Isr.	Israëlitisch
Arab.	Arabië, Arabisch	It.	Italië, Italiaans
arch.	architectuur, bouwkunde		
arg.	argot	jur.	juridisch, rechtsterm
astr.	astronomie, sterrenkunde		
attr.	attributief	kerk.	kerkelijke term
Austr.	Australië, Australisch	kind.	kindertaal
bep.	bepaald(e), bepaling	landb.	landbouw
bet.	betekenis(sen)	Lat.	Latijn(s)
betr. vnw	betrekkelijk voornaamwoord	lett.	letterlijk
beurst.	beursterm	lijd.	lijdend
bez. vnw	bezittelijk voornaamwoord	lit.	literair, letterkundig
Bijb.	Bijbel(s)	luchtv.	luchtvaart
bijv.	bijvoorbeeld	lw	lidwoord
bijv. vnw	bijvoeglijk voornaamwoord		
bijz. t.	bijzondere taal	m	mannelijk
biol.	biologie	mach.	machine
bkh.	boekhouden	mar.	maritiem, zee-, scheepsterm
bn	bijvoeglijk naamwoord	mech.	mechanica
bw	bijwoord(elijk)	med.	medische term
		meetk.	meetkunde
ca.	circa, ongeveer	met.	meteorologie, weerkunde
chem.	chemie, scheikunde	mijnb.	mijnbouw
chir.	chirurgie	mil.	militaire term
comp.	computer	min.	minachtend
concr.	concreet	m mv	mannelijk meervoud
cul.	culinair	muz.	muziek(leer)
		mv	meervoud
d.	de	myth.	mythologie
dgl.	dergelijk(e)		
dial.	dialectisch	N.	noord(en), noordelijk
dicht.	dichterlijk	nat.	natuurkunde
dierk.	dierkunde	Ned.	Nederland(s)
dim.	diminutief, verkleinwoord	nl.	namelijk
Du.	Duits(land)	N.T.	Nieuwe Testament
dw	deelwoord	nv	naamval
		Nw.	Nieuw-
e.	een		
econ.	economie	o	onzijdig
e.d.	en dergelijke	O.	oost(en), oostelijk
eig.	eigenlijk	o.dw	onvoltooid deelwoord
elektr.	elektriciteit, elektrisch	off.	officieel
Eng.	Engeland, Engels	onbep.	onbepaald
enigsz.	enigszins	onderw.	onderwijs
enz.	enzovoort	ong.	ongunstig
etc.	et cetera	ongev.	ongeveer
euf.	eufemisme	onpers.	onpersoonlijk
ev	enkelvoud	ontk.	ontkenning
		onr.	onregelmatig
fam.	familiaar, gemeenzaam	onv.	onveranderlijk
fig.	figuurlijk	on.w	onovergankelijk werkwoord
fil.	filosofie, wijsbegeerte	oorspr.	oorspronkelijk
fot.	fotografie	O.T.	Oude Testament
Fr.	Frankrijk, Frans	o.telw	onbepaald telwoord
		o.vnw	onbepaald voornaamwoord
geb. w	gebiedende wijs, imperatief	o.v.t.	onvoltooid verleden tijd
geol.	geologie	ov.w	overgankelijk werkwoord
germ.	germanisme		
gesch.	geschiedenis, historie	parl.	parlement(aire term)
gew.	gewoonlijk	pass.	passief
gewest.	gewestelijk	path.	pathologie
gmv	geen meervoud	ped.	pedagogie
godsd.	godsdienst	pers.	persoon
Gr.	Griekenland, Grieks	pers. vnw	persoonlijk voornaamwoord
gram.	grammatica(al)	plk.	plantkunde
gymn.	gymnastiek	pol.	politiek
		pop.	populair
h.	het	Port.	Portugal, Portugees
H.	Heilig(e)	pred.	predikatief
hand.	handelsterm	prot.	protestant(s)
Hebr.	Hebreeuws	psych.	psychologie
her.	heraldiek, wapenkunde		

qc	quelque chose = iets	*v*	vrouwelijk
qn(e)	quelqu'un(e) = iemand	*v.*	van, voor
		v.d.	van de
rad.	radio	*v.dw*	voltooid deelwoord
rek.	rekenkunde	*v.e.*	van een
rk	rooms-katholiek	*vero.*	verouderd
Rom.	Romeins	*vgl.*	vergelijk
Rus.	Rusland, Russisch	*vgw*	voegwoord
		v.h.	van het
Sch.	Schotland, Schots	*Vl.*	Vlaanderen, Vlaams
scheldn.	scheldnaam	*v mv*	vrouwelijk meervoud
scherts.	schertsend	*vnl.*	voornamelijk
schoolt.	schoolterm	*vnw*	voornaamwoord
sk	samenkoppeling	*volkst.*	volkstaal
Skr.	Sanskriet	*vr. vnw*	vragend voornaamwoord
sp.	sportterm	*vsch.*	verscheidene
Sp.	Spanje, Spaans	*v.t.*	verleden tijd
spec.	speciaal	*vulg.*	vulgair
spoorw.	spoorwegen	*vv*	voorvoegsel
spot.	spottend	*vz*	voorzetsel
spr.	spreek uit		
ss	samenstelling(en)	*W.*	west(en), westelijk
stud.	studententaal	*wed. ww*	wederkerig (-end) werkwoord
subj.	subjunctief (aanvoegende wijs)	*wetensch.*	wetenschappelijke term
Sur.	Suriname, Surinaams	*W. Ind.*	West-Indië, Westindisch
		wisk.	wiskunde
taalk.	taalkunde	*ww*	werkwoord
tech.	techniek		
tegenst.	tegenstelling	*z.*	zich
tel.	telecommunicatie	*z.a.*	zie aldaar
telw.	telwoord	*Z.*	zuid(en), zuidelijk
theat.	theater, toneel, dramaturgie	*Z.Am.*	Zuid-Amerika, Zuidamerikaans
t.o.v.	ten opzichte van	*zegsw.*	zegswijze(n)
tv	televisie	*Z. Eur.*	Zuid-Europa, Zuideuropees
tw	tussenwerpsel	*zgn.*	zogenaamd
t.w.	te weten	*zn*	zelfstandig naamwoord
typ.	typografie	*Z.N.*	Zuid-Nederland
		zw	zwak
univ.	universiteit, universitair	*Zw.*	Zwitserland, Zwitsers

Bijzondere tekens

— staat in een afgeleide ingang in de plaats van (een deel van) het
voorafgaande trefwoord.

— vervangt het trefwoord in uitdrukkingen.

▼ verbindt trefwoorden die een semantische relatie hebben.

... geeft aan dat een woord of zinsdeel tussen- of toegevoegd kan
worden.

Soms helpt een tussen haakjes gezette Franse uitdrukking om een
duidelijker indruk te geven van zekere schakeringen in de betekenis.
De hoofdbetekenissen van een woord worden voorafgegaan door
Arabische cijfers; de woordsoorten door Romeinse cijfers bijv. **lichten**
I *on.w* **1** luire; **2** faire des éclairs. **II** *ov.w* **1** déchanger; **2** lever.
Bij reeksen zelfstandige naamwoorden van hetzelfde geslacht staat de
geslachtsaanduiding achter het laatste.
Voltooide deelwoorden zijn meestal te vinden, waar het hele
werkwoord staat.
Samengestelde woorden als **eraan**, **erop** staan vaak gegeven bij **aan**,
op enz.
Als een woord niet in dit boek te vinden is, staat er mogelijk wel een
ander in, dat dezelfde betekenis heeft (een synoniem).

a 1 a *m*; 2 (*muz.*) la; *hij kent geen a voor een b,* il ne sait ni a ni b; *een A-Z-polis,* une police tous risques; *wie a zegt moet ook b zeggen,* quand le vin est tiré, il faut le boire; *van a tot z doorlezen,* lire d'un bout à l'autre; *hij heeft mij alles van a tot z verteld,* il m'a raconté tout dans les détails.
aai caresse *v.* ▼**—en** caresser, flatter.
aak chaland *m,* péniche *v.* ▼**—schipper** patron *m* de chaland; batelier *m.*
aal anguille *v; hij is zo glad als een —,* il glisse comme une anguille entre les mains.
aalbes groseille *v.* ▼**—seboom** groseillier *m.*
▼**—senjenever** cassis *m.*
aalmoes aumône *v; een — geven,* donner une aumône, faire l'aumône, - la charité; *een — vragen,* demander l'aumône, - la charité.
▼**aalmoezenier** aumônier *m.*
aalscholver cormoran *m.*
aambeeld *zie* **aanbeeld**.
aambeien hémorroïdes *v mv.*
aamborstig asthmatique, court d'haleine.
▼**—heid** asthme *m.*
aan I *vz* 1 (*datief*); *— God de eer,* à Dieu l'honneur; 2 (*vast tegen*) *— de muur,* au mur, contre le mur; *— de kust,* sur la côte; *— de kant van deze weg,* au bord de cette route; *— het kruis,* en croix; 3 (*dichtbij*) *— de deur,* à la porte; *twee — twee,* deux à deux; 4 (*in*) *— de hemel,* dans le ciel; *— stukken,* en pièces; 5 (*richting*) *— land roeien,* toucher à terre; 6 (*oorzaak*) *— de koorts sterven,* mourir de la fièvre; 7 (*bezigheid*) *— het lezen,* en train de -, à l'œuvre; *— een werk,* occupé à un travail; *een kamer — de straat,* une chambre sur la rue; *een de kinderen — het lachen,* et les enfants de rire; *de slag — de Marne,* la bataille de la Marne; *10 man — doden,* 10 hommes de tués; *wij hebben de tijd — ons,* nous avons le temps devant nous; *ik ben er nog niet — toe,* je n'en suis pas encore là; *we zijn er mooi — toe,* nous voilà dans de beaux draps; *ik wil weten waar ik — toe ben,* je veux savoir à quoi m'en tenir. II *bw: de boot is —,* le bateau est arrivé; *er is niets —,* 1 ce n'est pas (plus) difficile (que cela); 2 ce n'est guère intéressant; *er is niets van —,* il n'en est rien.
aanbakken *on.w* attacher; cramer.
aanbeeld enclume *v; steeds op hetzelfde — slaan,* revenir toujours sur le même chapitre.
aanbelanden *on.w* arriver, aborder.
aanbelang importance *v,* intérêt *m.* ▼**—en** concerner, intéresser, regarder, toucher; *wat mij aanbelangt,* quant à moi, pour ma part.
aanbellen sonner, tirer la sonnette.
aanbenen presser le pas.
aanbest/eden faire un forfait, mettre en adjudication. ▼**—eder,** ▼**—eedster** adjudicateur *m,* -trice *v.* ▼**—eding** adjudication *v.*
aanbetaling acompte *m;* arrhes *v mv.*
aanbevelen recommander; préconiser; *zich —, se* recommander. ▼**—swaardig** recommandable. ▼**aanbeveling** recommandation *v,* apostille *v; op — van,* à la recommandation de.
aanbid/delijk I *bn* adorable. II *bw* adorablement. ▼**—den** adorer. ▼**—der,**

—ster adorateur *m,* -trice *v.* ▼**—ding** adoration *v.*
aanbied/en offrir (*bijv.* ses services); présenter (*bijv.* une somme); déposer (une dépêche au guichet); mettre (en vente). ▼**—er** (*handel*) présentateur. ▼**—ing** 1 offre *v;* 2 (*handel*) présentation *v.*
aanbijten I *ov.w* mordre à, entamer d'un coup de dent. II *on.w* mordre, mordre à l'hameçon.
aanbinden 1 lier, attacher; 2 (*schaatsen*) ettre, boucler; chausser; *de kat de bel —,* attacher le grelot; *de strijd —,* engager le combat.
aanblaffen aboyer contre (qn); aboyer à (la lune); (*fig.*) engueuler.
aanblazen souffler sur (le feu); (*fig.*) attiser, exciter (*bijv.* la discorde); *aangeblazen h,* h aspiré(e) *m* (v).
aanblijven 1 (*in een betrekking*) rester au pouvoir; conserver ses fonctions; 2 (*vuur*) ne pas s'éteindre; *de lamp moet aanblijven,* il faut que la lampe reste allumée.
aanblik aspect *m,* vue *v,* spectacle *m; bij de eerste —,* à première vue, au premier abord.
aanbod offre *v,* proposition *v; de wet van vraag en —,* la loi de l'offre et de la demande.
aanbonzen: *— tegen,* heurter, donner contre.
aanboren mettre en forage; toucher, rencontrer (le pétrole); sonder (un fromage).
aanbotsen *zie* **aanbonzen**; *tegen elkaar —,* se heurter, s'entrechoquer, se bousculer.
aanbouw 1 ('t *bouwen*) construction *v;* 2 (*teelt*) culture *v; in — zijn,* être en (voie de) construction. ▼**—element** module, élément *m; boekenkast samengesteld uit — en,* bibliothèque *v* composée d'un ensemble de modules assemblés. ▼**—en** 1 construire, bâtir; 2 (*telen*) cultiver; 3 (*bijbouwen*) ajouter.
aanbranden faire revenir.
aanbranden I *on.w* 1 brûler; 2 prendre feu. II *ov.w* entamer par le feu; *aangebrand ruiken,* sentir le brûlé.
aanbreien mettre à.
aanbreken I *on.w* commencer, arriver, naître. II *ov.w* entamer. III *zn: bij het — van de dag,* à la pointe du jour; *bij het — van de nacht,* à la nuit tombante.
aanbreng apport *m.* ▼**—en** *ov.w* 1 (*brengen*) apporter (qc), amener (qn, qc); 2 (*maken*) pratiquer (*bijv.* un chemin); placer (un ornement); installer (*bijv.* le téléphone); appliquer (des couleurs); introduire (une modification); ménager (une porte dans la façade); opérer, apporter (un changement); 3 (*geven*) donner, procurer, porter (bonheur); causer (malheur); 4 (*werven*) recruter, embaucher; 5 (*verklikken*) dénoncer, rapporter. ▼**—er** rapporteur *m,* dénonciateur *m.* ▼**—geld,** —premie prime *v* de recrutement, - à l'embauche. ▼**—ing** dénonciation *v,* délation *v.* ▼**—ster** dénonciatrice, délatrice *v.*
aandacht/(igheid) 1 attention, application *v;* 2 dévotion *v;* recueillement *m; — schenken aan,* faire (donner) attention à; *zijn aandacht vestigen op,* porter (fixer) son attention sur. ▼**—ig** I *bn* attentif (à), appliqué (à). II *bw* attentivement.
aandeel 1 (*deel*) part, portion *v,* contingent *m;* 2 (*in handelszaak*) action *v;* (*in de winst*) part(icipation) *v* aux bénéfices; *— aan toonder,* action au porteur; *— op naam,* action nominative; *preferent —,* action *v* de priorité of privilégiée; *maatschappij op —en,* société *v* par actions; *— hebben in,* avoir part à, participer à; *verzekerde met — in de winst,* assuré participant *m.* ▼**—bewijs** action *v,* titre *m.* ▼**—houder** actionnaire; porteur (d'actions) *m.* ▼**—houderschap** actionnariat *m.* ▼**—kapitaal** capital-actions *m.* ▼**—pakket** paquet *m* d'actions.
aandenken souvenir *m;* mémoire *v; tot — aan,* en commémoration de.
aandienen annoncer, introduire.
aandikken grossir, renforcer; (*fig.*) charger, souligner en gras.
aandoen 1 (*v. kleren*) mettre, endosser,

revêtir; 2 (*veroorzaken*) faire (l'honneur), causer (de la joie); 3 (*treffen*) émouvoir, toucher; 4 (*v. trein*) s'arrêter à; *Elst en Tiel geregeld aandoen*, desservir E. et T.; (*boot*) faire escale à; 5 infliger; affecter (les poumons); 6 (*licht*) allumer; *dat doet mij pijnlijk aan*, cela me fait de la peine. ▼—**ing** 1 sensation *v*; 2 émotion *v*; attendrissement *m*. ▼—**lijk** I *bn* 1 (*v. verhaal*) touchant, attendrissant; 2 (*v. persoon*) impressionnable, sensible. II *bw* d'une manière touchante. ▼—**lijkheid** 1 (*v. persoon*) impressionnabilité *v*, sensibilité *v*; 2 (*v. verhaal*) le pathétique, le caractère touchant.

aandraaien tourner, serrer (la vis); allumer.
aandrang 1 ('*t aandringen*) instance(s) *v* (*mv*), insistance *v*; impulsion *v*; 2 (*gedrang*) foule *v*; poussée *v*; 3 (*v. bloed*) congestion *v*; *op — van*, sur les instances de.
aandrift impulsion *v*; instinct *m*.
aandrijfas arbre *m* de transmission.
▼**aandrijven/en** I *ov.w* 1 pousser, presser, inciter; 2 (*mach.*) mettre en marche; faire fonctionner. II *on.w: komen —*, flotter, arriver en flottant. ▼—**er** instigateur *m*. ▼—**ing** mise *v* en marche.
aandringen I *on.w* presser, pousser; (*bij iem.*) *op iets —*, insister sur qc (auprès de qn); *op een maatregel —*, réclamer une mesure. II *zn* instance, insistance *v*; *op — van*, sur les instances de.
aandrukken presser, serrer (sur son cœur; qn, qc contre soi); *zich tegen de muur —*, se coller -, se plaquer -, se serrer contre le mur.
aanduiden 1 indiquer, désigner; 2 marquer, annoncer, signaler. ▼**aanduiding** indication *v*, désignation *v*; *een nadere — geven*, préciser; *onder — van*, en spécifiant.
aandurven oser entreprendre (qc); oser attaquer (un ennemi); se mesurer à, - avec (qn); se risquer à, ne pas reculer devant (qc); *alles —*, oser tout; *iem. —*, oser tenir tête à qn.
aanduwen pousser (la porte), (*tabak*) tasser.
aandweilen: (*de vloer —*) donner un coup de serpillière (à).
aaneen 1 (*achter elkaar*) de suite, sans interruption, d'affilée; 2 (*samen*) ensemble; *twee dagen —*, deux jours de suite; *jaren —*, pendant de longues années; *dicht — staan*, être serrés. ▼—**binden** nouer, lier, attacher ensemble, lier en faisceau, - en gerbe; unir, réunir. ▼—**blijven** tenir ensemble. ▼—**boeien** enchaîner (ensemble). ▼—**breien** joindre au tricot, - en tricotant. ▼—**flansen** bâcler. ▼—**groeien** se joindre, se souder. ▼—**haken** réunir au crochet, agrafer. ▼—**hangen** se tenir; *het hangt van leugens aaneen*, c'est un tissu de mensonges. ▼—**hechten** joindre, attacher (ensemble); *zich —*, se lier. ▼—**hechting** (*tech.*) soudure *v*; (*med.*) suture *v*. ▼—**kleven** (se) coller ensemble. ▼—**leggen** mettre bout à bout. ▼—**schakelen** enchaîner, attacher l'un à l'autre, joindre. ▼—**schakeling** enchaînement *m*, jonction *v*; (*fig.*) suite, succession, série *v*. ▼—**sluiten** I *ov.w* joindre, fermer, serrer (les rangs); *zich —*, s'unir, serrer les rangs, se solidariser. II *on.w* joindre. ▼—**sluiting** jonction, réunion, union, solidarité *v*. ▼—**voegen** joindre, réunir (les 2 bouts); assembler (des planches). ▼—**voeging** réunion *v*, assemblage *m*.
aanfluiting risée *v*, objet *m* de risée; caricature, honte *v*.
aangaan I *on.w* 1 (*v. vuur*) s'allumer, prendre (feu); 2 (*beginnen*) commencer; *dat gaat niet aan*, cela ne se passe pas ainsi; *bij iem. —*, passer chez qn; *er —*, y passer. II *ov.w* 1 (*sluiten*) faire, conclure, contracter; *een huwelijk —*, se marier, contracter mariage; 2 (*betreffen*) concerner, regarder, toucher; *wat mij aangaat*, en ce qui me concerne; pour ma part; *dat gaat u niet aan*, cela ne vous regarde pas; *wat gaat mij dat aan?*, que m'importe; *wat... aangaat*, quant à. ▼—**de** concernant, touchant, pour ce qui est de (cela).

aangapen regarder bouche bée.
aangebedene bien aimé(e) *m* (*v*).
aangebonden: *kort — zijn*, avoir la tête près du bonnet.
aangeboren inné, naturel, congénital.
aangedaan touché, ému.
aangegeven: *brieven met — waarde*, des lettres chargées.
aangeklaagde accusé(e); inculpé(e) *m* (*v*).
aangeleerd appris, acquis, étudié.
aangelegen adjacent, attenant.
aangelegenheid 1 affaire; 2 importance *v*.
aangelijnd en laisse.
aangenaam I *bn* agréable, (*fam.*) sympa; *een — mens*, un homme charmant; *het is hier —*, il fait bon ici; *— (kennis te maken)*, enchanté (de faire votre connaissance). II *bw* agréablement, avec plaisir. ▼—**heid** agrément *m*.
aangenomen 1 (*v. kind*) adoptif; 2 (*v. naam*) d'emprunt; *— naam*, pseudonyme, nom *m* de guerre; 3 (*v. werk*) à prix fait; *'t is geen — werk*, nous ne sommes pas payés à l'heure; 4 *—!*, d'accord, (*fam.*) dac; *— dat*, supposé que (*met subj.*).
aangeschoten 1 (*getroffen*) blessé; 2 (*dronken*) gris, entre deux vins; (*fam.*) éméché.
aangeschreven: *goed* (*slecht*) *staan —*, être bien (mal) vu (de qn).
aangeslagene imposé *m*; *de hoogst —n*, les plus haut cotés.
aangesloten 1 (*staf*) associé; (*ouvrier*) syndiqué; affilié (à une société); abonné (au téléphone); inscrit (à un parti).
aangespen boucler, attacher; ceindre (une épée).
aangesprokene personne à qui on s'est adressé, - à qui on a parlé, - qu'on a abordé.
aangetekend recommandé; *— verzenden*, envoyer en recommandé.
aangetrouwd allié; par alliance.
aangevallen agressé; *zich — voelen*, se sentir agressé.
aangeven I *ov.w* 1 (*aanreiken*) passer; 2 (*bij douane*) déclarer; 3 (*aanduiden*) nommer, indiquer, marquer, tracer (une ligne); 4 (*bij politie*) dénoncer; 5 (*bij burgerl. stand*) faire inscrire, déclarer; *zijn bagage —*, faire enregistrer ses bagages. II *zich — 1* (*voor dienst, examen*) se présenter, se faire inscrire; 2 (*bij justitie*) se dénoncer. ▼**aangever** 1 celui qui déclare; 2 dénonciateur, délateur *m*.
aangewezen 1 désigné; qualifié; 2 *— zijn op*, en être réduit à.
aangezicht visage *m*, face, figure *v*; *hem in het — slaan*, le frapper au visage; *iem. iets in het — zeggen*, dire qc à la face de qn; *van — kennen*, connaître de vue; *van — tot —*, face à face. ▼—**shoek** angle *m* facial. ▼—**spijn** névralgie *v* faciale.
aangezien attendu que, vu que, puisque, d'autant que.
aangifte 1 (*bij douane*) déclaration *v*; (*v. belasting*) déclaration *v* d'impôts, - de revenues; 2 (*bij justitie*) dénonciation *v*; 3 (*voor examen*) inscription *v*. ▼—**biljet** déclaration *v* de revenues; feuille *v* d'impôts.
aangorden ceindre (une épée); (*fig.*) courir aux armes.
aangrenzend adjacent, avoisinant, attenant, à côté (une chambre).
aangrijnzen regarder en ricanant.
aangrijp/en 1 (*pakken*) saisir; empoigner; prendre; s'accrocher à; 2 (*aanvallen*) attaquer, assaillir; 3 (*fig.*) (*ontroeren*) affecter, émouvoir; *de gelegenheid —*, saisir l'occasion. ▼—**end** émouvant, saisissant, poignant. ▼—**ingspunt** point *m* d'application.
aangroei accroissement *m*, augmentation *v*. ▼—**en** 1 *ov.w* grandir, croître, pousser; *— tegen*, s'attacher à; *tot een boom —*, devenir un arbre; *tot een storm —*, grossir en tempête. II *zn* extension *v*.

aanhak/en accrocher, agrafer, atteler (un wagon). ▼—**ing** accrochage, attelage *m*.

aanhalen I *ov.w* **1** (*dichterbij brengen*) attirer; **2** *nauwer* —, serrer; **3** (*woorden*) répéter par des guillemets; mettre entre guillemets; **4** (*rek.*) descendre; **5** citer (un texte); alléguer (un argument); **6** (*vleien*) attirer, allécher, gagner le cœur de; cajoler, câliner; *elkaar* —, se faire des caresses; **7** (*ondernemen*) entreprendre; **8** marquer au crayon. **II** *on.w* rapprocher (*kijker*). ▼**aanhalig** câlin, cajoleur, caressant; — *doen*, minauder. ▼—**heid** câlinerie, cajolerie v, chatteries *v mv*. ▼**aanhaling 1** (*v. schrijver*) citation *v*; **2** (*inbeslagneming*) saisie *v*. ▼—**stekens** guillemets *m mv*; *tussen* —, entre guillemets.

aanhang parti *m*, faction *v*; *politieke* —, clientèle *v*; partisans *m mv*. ▼—**en I** *on.w*: *zijn kleren hangen hem aan het lijf*, il est dépenaillé; **2** adhérer à, coller à **3**. **II** *ov.w* **1** (*iets ergens*) suspendre, accrocher (qc à); **2** adhérer à (une opinion), se prononcer pour; **3** (*iem.*) être attaché à, être dévoué à (qn). ▼—**er** adhérent, partisan, disciple *m*; — *van het koningschap*, royaliste *m*. ▼—**ig** pendant (*proces*); en litige (*zaak*); — *maken*, **1** (*in de raad*) mettre une affaire en discussion; **2** (*bij rechtbank*) saisir un tribunal d'une affaire. ▼—**sel 1** (*v. boek*) appendice *m*, annexe *v*; **2** (*v. testament*) codicille *v*; **3** (*v. contractpolis*) avenant *m*. ▼—**wagen** remorque *v*; side-car *m*.

aanhankelijk dévoué, attaché. ▼—**heid** attachement, dévouement *m*.

aanharden durcir.

aanharken ratisser (une allée), (*bijeen-*) râteler.

aanhebben avoir (sur le corps, sur le dos), porter; *kleren* —, être vêtu; *schoenen, kousen* —, être chaussé; *zijn pijp* —, avoir allumé sa pipe.

aanhecht/en attacher, ajouter (le sceau); rattacher (un fil); joindre; annexer. ▼—**ing** jonction, apposition, réunion, soudure, suture (de tissus); annexion *v*. ▼—**ingsplaats** attache, soudure *v*. ▼—**ingspunt** point *m* d'attache; — (*in gesprek*) point *m* de départ.

aanhef 1 (*muz.*) intonation *v*; les premières notes *v mv*; **2** (*v. boek*) commencement, début *m*; **3** (*v. rede*) exorde *m*; **4** (*v. brief*) introduction *v*. ▼—**fen** entonner (une chanson); pousser, jeter, lancer (un cri); commencer (un discours).

aanhelpen aider à mettre.

aanhit/sen exciter, provoquer, stimuler; — *op*, exciter contre; — *tot*, inciter à. ▼—**ser** instigateur, provocateur *m*. ▼—**sing** incitation, instigation *v*.

aanhoor/der, —ster écouteur, -euse; auditeur, -trice. ▼**aanhoren** écouter, entendre; *het is niet om aan te horen*, c'est insupportable; *het is hem wel aan te horen dat…*, on n'a qu'à l'entendre pour s'apercevoir que…; *ten* — *van*, en présence de, devant.

aanhouden I *ov.w* **1** (*arresteren*) arrêter (un voleur); saisir (des marchandises); **2** (*niet laten uitgaan*) laisser brûler (la lumière); entretenir (le feu); **3** (*niet uittrekken*) ne pas quitter, garder; **4** (*niet afbreken*) prolonger; continuer; **5** (*behouden*) garder (un domestique); **6** (*blijven doorgaan met*) entretenir (son français); **7** (*niet beslissen*) réserver, remettre (sa décision); ajourner, tenir en suspens (une affaire). **II** *on.w* **1** (*stoppen*) s'arrêter (quelque part); **2** (*niet ophouden*) continuer; **3** (*niet wijken*) persister, persévérer, continuer; **4** (*'t niet opgeven*) persévérer; insister; *het gerucht blijft* —, le bruit persiste; — *op*, se diriger sur; *links* (*rechts*) —, appuyer à gauche (à droite). **III** *onpers.* durer; *het houdt lang aan*, cela n'en finit pas. **IV** *zn* continuité *v* (d'un bruit); persévérance, persistance *v*; arrestation; saisie *v*.

aanhoud/end I *bn* continuel, persistant, constant. **II** *bw* continuellement,

constamment, sans cesse. ▼—**er**, —**ster** qui persiste dans, personne persévérante; *de* — *wint*, la persévérance vient à bout de tout. ▼**aanhouding 1** (*v. pers.*) arrestation *v*; **2** (*v. goederen*) saisie *v*; *bevel van* —, mandat *m* d'arrêt; — *de dépôt*. ▼—**spremie**, —**sprijs** prime *v* à l'arrestation.

aanhuw/en s'allier -, s'apparenter par mariage à. ▼—**ing** alliance *v* par mariage.

aanjagen presser, faire aller plus vite; *schrik* —, faire peur, effrayer; **aanjager** pompe *v* alimentaire; ventilateur *m*.

aankaarten mettre sur le tapis.

aankap coupe (d'un bois) *v*. ▼—**pen** couper, mettre en coupe réglée.

aankijken regarder; *elkaar* —, se regarder; (*fig.*) **1** regarder faire qc; **2** he pas se mêler de qc; **3** attendre le résultat de qc; *hem niet* —, ne pas daigner le regarder; *schuin* —, regarder de travers; *met schele ogen* —, porter envie à; *strak* —, *brutaal* —, dévisager (qn).

aanklaagster accusatrice, dénonciatrice, plaignante *v*. ▼**aanklacht** accusation, inculpation *v*; *een* — *indienen*, porter plainte; *zijn* — *intrekken*, retirer sa plainte; *geheime* —, délation *v*. ▼**aanklagen** accuser, dénoncer, incriminer; — *wegens smaad*, déposer plainte en diffamation. ▼**aanklager** accusateur, plaignant *m*.

aanklampen 1 aborder (un navire); **2** (*fig.*) accoster, aborder qn.

aankled/en I *ov.w* habiller. **II** *zich* — s'habiller, faire sa toilette; (*een kamer*) —, garnir, arranger, meubler. ▼—**ing** habillement *m*; *de* — *v. e. stuk*, la mise en scène; *de* — *v. e. boek*, la présentation.

aankleef, aanklevé dépendances *v mv*; accessoire(s) *m* (*mv*), reste *m*; *met al de* — *van dien*, avec tout ce qui s'y rapporte.

aanklev/en coller à, adhérer à, s'attacher à. ▼—**en**, —**ing** l'adhérence *v*.

aankloppen *on.w* frapper (à la porte); *blij iem.* —, avoir recours à qn, s'adresser à qn; *om geld* —, demander de l'argent. **II** *ov.w* enfoncer (davantage), chasser.

aanknippen: *'t licht* —, allumer.

aanknop/en nouer, lier, (r)attacher; ajouter; *er een dagje* —, rester un jour de plus; *een briefwisseling* —, entrer en correspondance; *een gesprek* —, entamer d'engager une conversation; *weer* — *bij*, renouer avec (le passé *bijv.*). ▼—**ingspunt** point *m* de contact; point de départ (conversation).

aankomeling nouveau débarqué, -venu; novice, apprenti *m*. ▼**aankomen I** *on.w* **1** (*arriveren*) arriver à; **2** (*raak zijn*) porter (*v. klap*); **3** (*beginnen*) prendre (*v. brand*); **4** (*toenemen*) prendre (un kilo en une semaine), gagner (en poids), engraisser; **5** (*aanraken*) toucher; *zien* —, s'attendre à; *hij zal je zien* —, inutile de t'adresser à lui; *de aangekomen goederen*, les arrivages *m mv*; *bij iem.* —, passer chez qn; *wat komt het er op aan*, tant pis; qu'importe; *daar komt het op aan*, tout est là, c'est l'essentiel; *het komt er op aan goed op te letten*, il s'agit de faire bien attention; *met het hoofd* — *tegen*, donner (of heurter) de la tête contre (la lampe). **II** *zn*: *er is geen* — *aan*, **1** pas moyen de l'avoir; **2** c'est inabordable. ▼**aankomend 1** (*eig.*) arrivant; **2** (*toekomstig*) prochain; **3** (*jong*) jeune, débutant; — *de talenten*, des talents naissants. ▼**aankomst** arrivée *v* (de personnes); (*sp.*) ligne *v* d'arrivée; arrivage *m* (de navires).

aankondig/en I **1** annoncer, publier; notifier (officiellement); **2** faire le compte rendu (d'un livre). **II** *zich* — (**als**) s'annoncer (comme). ▼—**er** annonceur, speaker, avertisseur *m*; avant-coureur, précurseur *m*. ▼—**ing** annonce (dans les journaux); publications (*v*); notice (d'un livre) *v*; faire-part *m* (d'un mariage); avis *m*.

aankoop acquisition *v*, achat *m*; *door* —, par voie d'achat. ▼—**commissie**, —**order** commission *v* -, ordre *m* d'achat. ▼—**prijs** prix *m* d'achat. ▼—**vereniging** société *v*

coöperatief d'acquisition. ▼**aankopen**
acheter, acquérir (à prix d'argent).
▼**aankoper** acheteur, acquéreur *m.*
aankoppel/en accoupler, apparier; embrayer
(une machine); atteler (un wagon). ▼**—ing**
accouplement, embrayage, attelage *m.*
aankorst/en s'incruster. ▼**—ing** incrustation
v.
aankrijgen 1 (*kleren*) pouvoir mettre, parvenir
à passer; **2** (*vuur*) parvenir à allumer;
3 (*koopwaar*) recevoir (des marchandises).
aankruisen (*hokje*) cocher (une case).
aankunnen 1 (*iem.*) être plus fort que qn;
valoir qn; **2** (*een werk*) être à même de faire
qc; **3** (*kleren*) pouvoir mettre; *op iem.* —,
pouvoir se fier à qn. - compter sur qn.
aankweekbaar cultivable. ▼**aankweken**
cultiver, développer. ▼**aankweking** culture *v,*
développement *m.*
aanlanden aborder, toucher terre; débarquer;
arriver (au port); *ik weet niet waar hij is
aangeland,* j'ignore ce qu'il est devenu.
▼**aanlanding** abordage, atterrissage,
débarquement *m,* arrivée *v.*
aanlassen assembler, joindre, souder.
▼**aanlassing** assemblage *m,* soudure *v.*
aanlaten 1 (*kleren*) ne pas ôter; **2** (*vuur*) ne
pas éteindre; **3** (*deur*) laisser tout contre.
aanleg 1 (*toeleg*) projet, dessein *m;* intention
v; **2** (*ontwerp*) plan; **3** (*voor iets*) aptitude,
disposition *v* (pour apprendre qc); **4** (*med.*)
prédisposition *v;* **5** (*bouw*) construction *v*
(d'un pont); constitution *v* (d'une collection);
aménagement *m* (d'un jardin); pose *v* (du
gaz); installation *v* (de l'électricité); **6** (*wijze v.
aanleggen*) disposition *v;* — *hebben voor,*
être doué pour, avoir des dispositions
naturelles pour (la musique); être prédisposé
à (la phtisie); *in — zijn,* être en voie de
construction. ▼**aanleggen I** *ov.w*
1 (*aandoen*) mettre, appliquer;
2 (*aanbrengen*) poser (le gaz), installer;
3 (*maken*) aménager, construire (un chemin);
creuser (un canal); établir (un barrage); faire
(du feu); dresser (une liste); organiser (une
fête); **4** (*richten*) mettre (le fusil) en joue,
braquer, viser; *hoe zal ik dat —?,* comment m'y
prendre?; *het zo — dat,* s'arranger pour.
II *on.w* **1** (*in herberg*) faire halte; **2** (*v. schip*)
aborder, accoster; **3** (*om te mikken*) mettre en
joue un fusil; *op een haas* —, ajuster un lièvre;
op hem —, le coucher en joue, le viser. **III** *zn*
1 (*'t maken*) construction *v,* établissement *m;*
constitution *v;* **2** (*v. schip*) amarrage,
accostage *m,* escale *v.* ▼**aanlegger** auteur,
instigateur; constructeur; installateur *m.*
▼**aanleg/haven** port *m* d'escale.
▼**—kapitaal** capital *m* engagé. ▼**—plaats**
débarcadère, quai *m,* escale *v.* ▼**—plan** projet
m d'urbanisation. ▼**—steiger** appontement,
débarcadère *m.*
aanleidend: —*e oorzaak,* cause *v* motrice, -
première. ▼**aanleiding** occasion *v,* sujet *m;*
motif *m,* cause *v;* — *geven tot,* donner lieu à;
provoquer (l'hilarité); faire l'objet de; *naar —
van,* par suite de, à l'occasion de, à propos de;
naar — van uw advertentie, me référant à
votre annonce.
aanlengen délayer (des couleurs), couper
(avec de l'eau); allonger (la sauce).
▼**aanlenging** délayement *m,* dilution *v.*
aanleren I *ov.w* apprendre. **II** *on.w* faire des
progrès.
aanleunen: — *tegen,* s'appuyer contre,
s'adosser à; *hij laat zich dat niet* —, **1** il
n'accepte pas cela; **2** il ne se laisse pas dire
cela; il ne s'en laisse pas conter.
aanliggend adjacent, contigu.
aanlokkelijk attrayant, séduisant. ▼**—heid**
attraits, charmes *m mv.* ▼**aanlokken** tenter;
allécher; séduire (qn). ▼**aanlokking**
attrait(s), charme(s) *m* (*mv*); séduction *v.*
aanloop élan *m;* (*fig.*) préambule *m;* monde *m,*
visiteurs *m mv; veel — hebben,* voir beaucoup
de monde; *een — nemen,* prendre son élan.
▼**—haven** port *m* de relâche. ▼**—kosten** frais

m mv de démarrage. ▼**—periode** période *v* de
mise en œuvre. ▼**aanlopen 1** marcher plus
vite, presser le pas; **2** (*komen* —) accourir; —
bij, passer chez; — *tegen,* heurter (*of* donner)
contre.
aanmaak confection *v; in — zijn,* être en cours
de fabrication. ▼**aanmaken 1** faire,
confectionner (des vêtements); **2** (*bereiden*)
préparer; faire (la salade); **3** (*aansteken*)
allumer.
aanman/en exhorter; avertir; **2** sommer de
payer. ▼**—ing** exhortation; sommation *v.*
aanmarcheren marcher sur (un but), - contre
(un ennemi); doubler le pas.
aanmatig/en (*zich* —) s'arroger (un droit).
▼**—end I** *bn* arrogant, insolent. **II** *bw*
arrogamment. ▼**—ing** arrogance, insolence *v.*
aanmelden I annoncer; *zich laten* —, se faire
annoncer. **II** *zich* — s'annoncer; *zich bij iem.*
—, se présenter chez qn; *zich bij de justitie* —,
se constituer prisonnier; *zich voor een
betrekking* —, se présenter. ▼**aanmelding**
inscription; présentation *v.* ▼**—sformulier**
fiche *v.* ▼**—splicht** obligation *v* de se faire
inscrire (à); - de déclarer (*v. ziekte bijv.*).
aanmengen délayer, détremper, assaisonner
(la salade). ▼**aanmenging** délayage *m,*
assaisonnement *m.*
aanmerkelijk *bn* (& *bw*) considérable(ment).
▼**aanmerken** remarquer, observer; *iets aan te
merken hebben,* avoir à redire. ▼**aanmerking**
remarque, observation, critique *v; in —
komen,* compter; être proposé (pour); *in —
nemen,* considérer; *in — genomen,* étant
donné; —*en krijgen,* recevoir des
observations.
aanmeten prendre la mesure de (l'habit à qn)
qn. ▼**aanmeting** mesure *v.*
aanminnig aimable, gentil, charmant.
▼**—heid** charme, agrément *m.*
aanmoedig/en encourager, animer (qn à).
▼**—end I** *bn* encourageant. **II** *bw* d'une
manière encourageante. ▼**—ing**
encouragement *m.*
aanmonster/en inscrire (sur le rôle
d'équipage), enrôler. ▼**—ing** enrôlement *m.*
aanmunten frapper, monnayer.
▼**aanmunting** frappe *v;* monnayage *m.*
aanname acceptation, admission *v.*
▼**aannemelijk** acceptable; (*fig.*) admissible;
— *voorwendsel,* prétexte *m* plausible; — *zijn,*
être de mise. ▼**—heid** admissibilité *v.*
▼**aannemen 1** (*in 't alg.*) prendre (un avocat,
une habitude); (*fig.*) revêtir (un caractère);
2 (*goederen*) prendre livraison de; **3** ('t
aangebodene) accepter, recevoir; admettre
(un élève); agréer (des excuses); **4** (*op zich
nemen*) entreprendre; **5** (*tot 't zijne maken*)
adopter (un enfant); **6** (*als lid v.d. kerk*)
confirmer; **7** (*in dienst nemen*) engager;
8 (*niet afwijzen*) voter (une loi); croire;
9 (*veronderstellen*) poser, admettre (que…);
iemands hoed —, débarrasser qn de son
chapeau; *de schijn* —, faire semblant (de);
een godsdienst —, embrasser une religion;
—*!,* Garçon! ▼**aannemer 1** (*v. bouwwerk*)
entrepreneur *m;* **2** (*v. wissel*) tiré *m.*
▼**—sbedrijf** entreprise *v* (de bâtiment *bijv.*).
▼**aanneming 1** acceptation; admission;
2 adoption *v;* **3** entreprise *v;* **4** confirmation *v;*
5 engagement *m.* ▼**—ssom** prix *m* de
soumission, - à forfait.
aanpak entreprise *v.* ▼**—ken I** *ov.w*
1 (*vastgrijpen*) empoigner (un bâton), saisir,
prendre; **2** (*beginnen*) aborder (une
question), entamer, commencer (un
ouvrage), entreprendre; **3** (*ontroeren*)
émouvoir, toucher; *niet weten hoe men iets
zal* —, ne pas savoir comment s'y prendre.
II *on.w* mettre la main à la pâte; *hij weet van
—,* il est courageux.
aanpappen: *met iem.* —, lier conversation
avec qn; s'aboucher avec qn.
aanpassen I *ov.w* **1** (*kleding*) essayer;
2 (*aansluiten*) adapter, ajuster (*bij gestegen
kostenpeil*) revaloriser; (*aan ander werk*)

convertir. II **zich** — s'adapter, s'accommoder (à), se régler (sur). ▼**aanpassing** adaptation v; essayage; ajustement, aménagement m; conversion v. ▼**—svermogen** adaptabilité m.

aanplak/biljet affiche v, placard m. ▼**—bord** tableau m d'affichage; grille v aux affiches. ▼**—ken** afficher, placarder, apposer. ▼**—ker** afficheur, colleur m. ▼**—king** affichage m; door —, par voie d'affichage. ▼**—zuil** colonne v d'affiches; (in Parijs) colonne v Morris.

aanplant culture v; nieuwe —, nouvelle plantation v; superficie v plantée. ▼**—en** cultiver, planter, boiser (une contrée), agrandir (un bois). ▼**—ing** plantation v.

aanporren aiguillonner, stimuler.

aanpoten I ov.w planter. **II** on.w travailler dur.

aanpraten persuader (qn de prendre qc); faire valoir (sa marchandise).

aanprijzen recommander, vanter; zijn waar —, faire l'article.

aanpunten aiguiser, faire une pointe à.

aanraden conseiller, engager à; op — van, sur l'avis de, sur les conseils de.

aanraken 1 toucher; **2** (even) effleurer. ▼**aanraking** contact m; hen met elkaar in — brengen, les mettre en contact; met de politie in — komen, avoir des démêlés avec la police. ▼**—spunt** point m de contact.

aanrand/en agresser, attaquer; porter atteinte à (la liberté); attenter à (la pudeur); violer. ▼**—er** assaillant, agresseur m. ▼**—ing** agression, attaque v, (fig.) insulte v; viol m.

aanrecht plan m de travail, - de préparation. ▼**—en** dresser (la table); servir (les mets); donner (un repas). ▼**—keuken** office m. ▼**—tafel** dressoir m d'office.

aanreiken passer, remettre; het —, la remise v.

aanrekenen porter en (ligne de) compte; (fig.) attribuer, imputer; het zich als een eer —, se faire honneur de qc; het hem niet —, ne le lui compter à rien; het hem zwaar —, le lui compter comme faute grave.

aanrennen: komen —, arriver au galop, - en courant.

aanrichten faire, causer, organiser; schade — causer -, faire des dégâts.

aanrijden I on.w: wat —, aller plus vite; bij iem. —, passer chez qn; tegen iets —, donner contre, heurter contre. **II** ov.w: iets (of iem.) —, accrocher, heurter, emboutir; door een taxi aangereden, heurté, écrasé par un taxi. ▼**aanrijding** accrochage, tamponnement m, collision v; ik heb een — gehad met een vrachtwagen, j'ai eu un accrochage avec un camion. ▼**—sformulier** formulaire de relevé d'accident; (bij alleen materiële schade) constat m amiable d'accident.

aanrijgen enfiler (des perles); lacer.

aanroep appel m. ▼**—en** appeler, crier à, héler (une voiture); invoquer (Dieu). ▼**—ing** invocation, imploration v.

aanroeren toucher; laten we dit onderwerp niet verder —, laissons cela.

aanrukken (op) s'avancer (vers), marcher (sur); laten —, faire venir.

aanschaffen se procurer, acheter, se payer. ▼**aanschaffing** acquisition v, achat m.

aanscherpen aiguiser, affiler, affûter.

aanschieten I ov.w **1** (met vuurwapen) atteindre; **2** (kleding) passer à la hâte, enfiler. **II** on.w: op iem. —, s'élancer sur, se jeter sur.

aanschijn 1 (gezicht) face, figure v, visage m; **2** (aanblik) apparence v, air m.

aanschouw/en I bn clair, intelligible; het — maken, en donner une idée claire; — onderwijs, leçons de choses v. **II** bw d'une manière vivante. ▼**—heid** vivacité v de la description. ▼**aanschouw/en** regarder, contempler; 't levenslicht —, voir le jour; ten — van, en présence de; devant. ▼**—er, —ster** spectateur m, spectatrice v. ▼**—ing** vue v; contemplation v.

aanschrappen marquer (d'un trait).

aanschrijv/en 1 noter, inscrire; **2** porter en compte (des marchandises); **3** (kennisgeven)

informer (qn de qc); notifier à (qn que...). ▼**—ing** circulaire; notification v.

aanschroeven visser, serrer la vis.

aanschuiven I ov.w **1** pousser, approcher (une chaise). **II** on.w **1** approcher sa chaise; **2** se serrer un peu; **3** se mettre à table.

aanslaan I ov.w **1** (vastmaken) mettre (un écriteau); afficher; **2** (aanraken) toucher (une corde); **3** (aansteken) mettre en perce (un tonneau); **4** (schatten) estimer, évaluer; **5** (belasten) imposer (qn pour...); **6** être applaudi; **7** (v. motor) partir. **II** on.w **1** (v. kogel) ricocher; **2** (v. soldaat) faire le salut militaire; **3** (v. hond) appeler, se mettre à aboyer; **4** (v. ruit) s'embuer. ▼**aanslag 1** attentat m (à la vie); **2** (belasting) cote v; **3** (v. pianist) toucher m; **4** (op raam) buée v; zijn geweer in de — brengen, épauler son fusil. ▼**—biljet** feuille v d'impôts.

aanslibben accroître par alluvion; aangeslibde laag, couche v alluviale. ▼**aanslibbing** accrue, alluvion v.

aanslijpen aiguiser, affiler, affûter.

aansluiten I on.w **1** (v. dingen) (se) joindre; **2** (v. treinen) correspondre; **3** (v. kleding) coller; mouler la taille; **4** (fig.) avancer progressivement; **5** (v. elektr.) brancher sur le secteur; **6** serrer les rangs; **7** (onderw.) être en liaison. **II** ov.w **1** joindre, relier à; **2** (nauwer) serrer; **3** (tel.) mettre en communication; relier (au réseau); — op, brancher à (l'amenée d'eau); brancher sur (le secteur). **III** zich — se joindre (à); —d, se joignant; se moulant sur la taille, collant. ▼**aansluiting 1** jonction v; **2** (v. treinen) correspondance v; **3** (v. tel.) communication v; **4** (v. toestel) prise v de raccordement; (v. autowegen) raccordement m; — op elektriciteitsnet, branchement m au secteur; de — halen, avoir la correspondance; — krijgen, obtenir la communication v; in — aan ons schrijven, faisant suite à notre lettre; in — met, nous référant à. ▼**aansluit/klem** borne v. ▼**—mogelijkheid**: — voor batterijen (lichtnet of accu), prise-pile (-secteur, -batterie); — voor bandrecorder, prise v magnétophone.

aan/smeren graisser, crépir (un mur); iem. iets —, coller qc à qn. ▼**—snijden** entamer, attaquer, ouvrir. ▼**—spannen 1** atteler (les chevaux); **2** tendre (une corde); **3** een proces —, intenter un procès. ▼**—spoelen I** ov.w jeter sur la plage, rejeter. **II** on.w être jeté sur la plage.

aansporen éperonner; animer; (fig.) stimuler, exciter, encourager (à). ▼**aansporing** stimulation, excitation v, encouragement m; op — van, à l'instigation de.

aanspraak 1 (aanspreking) apostrophe v; **2** (rede) harangue, allocution v; **3** (recht) prétention v; droit m; zijn aanspraken doen gelden, faire valoir ses titres (of droits); hij heeft hier weinig —, il ne connaît presque personne ici; — hebben op, avoir droit à; — maken op, prétendre à.

aansprakelijk responsable (de=voor); — stellen, rendre responsable; (wijten aan) imputer (qc à qn); zich — stellen, se porter garant (de); hoofdelijk —, solidaire; wettelijk —, civilement responsable. ▼**—heid** responsabilité v; wettelijke —, responsabilité civile. ▼**—heidsverzekering** assurance v de responsabilité civile.

aanspreekbaar aimable; d'un abord facile.

▼**aanspreken I** ov.w **1** adresser la parole (à qn), s'adresser à (qn); **2** (dagvaarden) assigner, citer (en justice); **3** (fig.) entamer (son capital); met jij en jou —, tutoyer (qn). **II** on.w parler, résonner; de stem spreekt gemakkelijk aan, l'émission v est facile.

aanspreker employé des pompes funèbres.

aanstaan être entr'ouvert(e); (bevallen) plaire, convenir; de deur laten —, laisser la porte ouverte; tegen iets —, s'appuyer contre qc; de radio staat aan, le poste est allumé. ▼**—d(e) I** bn (in de toekomst) prochain proche, futur; **2** (in 't verleden) suivant. **II** zn

futur *m*, -e *v*.
aanstalten préparatifs *m mv*; — *maken om*, se disposer à; être près de.
aanstampen 1 (*met de voet*) fouler, enfoncer; **2** (*met stamper*) tasser.
aanstappen marcher plus vite, doubler le pas; — *op*, s'avancer vers.
aanstaren regarder fixement; fixer.
aanstekelijk contagieux, communicatif; fou (rire). ▼—**e** contagion *v*. ▼**aanstek/en** I *ov.w* **1** frotter (une allumette), enflammer; **2** allumer (une lampe); **3** mettre le feu (à une maison); **4** mettre en perce (un tonneau); **5** communiquer une maladie à qn. II *on.w: die ziekte steekt licht aan*, cette maladie se gagne facilement. ▼—**er 1** allumeur *m*; **2** briquet *m* (à gaz). ▼—**ing** contagion, infection *v*; allumage *m*.
aanstell/en I *ov.w* établir, nommer, installer (un fonctionnaire). II **zich** — poser; *zich kinderachtig* —, faire l'enfant; *stel je niet aan*, ne fais pas la bête. ▼—**er** poseur *m*, poseuse *v*; snob *m*. ▼—**erig** plein de pose, poseur. ▼—**erij** affectation, pose *v*. ▼—**ing 1** nomination *v*; **2** brevet *m*.
aansterken reprendre des forces.
aanstevenen: — *op*, cingler sur (*of* vers); *komen* —, arriver à toutes voiles.
aansticht/en prendre l'initiative *v* de; tramer (un complot). ▼—**er** initiateur *m*. ▼—**ing** machination, initiative *v*.
aanstippen marquer d'un point; toucher; *iets kort* —, relever qc en passant.
aanstok/en activer, attiser (le feu, une querelle); exciter (qn); *op* — *van*, à l'instigation de. ▼—**er** fauteur (de troubles); provocateur *m*; meneur *m* (d'une grève); promoteur *m* (de guerre); ▼—**ing** excitation *v*.
aanstonds tout à l'heure; tantôt.
aanstoot 1 (*eig.*) choc *m*; **2** (*ergernis*) scandale *m*; — *geven*, scandaliser; — *nemen aan*, s'offusquer de. ▼**aanstotelijk** I *bn* choquant, indécent. II *bw* scandaleusement. ▼—**heid** indécence *v*. ▼**aanstoten** I *ov.w* heurter contre, pousser (qn ou qc). II *on.w* trinquer.
aan/strepen marquer (au crayon).
▼—**strijken 1** frotter, craquer (une allumette); **2** crépir (un mur). ▼—**sturen** I *on.w*: — *op*, se diriger sur; (*fig.*) tendre à, viser à. II *iem. iets* —, envoyer qc chez qn.
aantal nombre *m*; *een* — *schrijvers*, divers auteurs.
aantasten 1 (*aanpakken*) saisir; **2** (*aanvallen*) attaquer; **3** (*aandoen*) attaquer (les poumons), entamer (la peau); ébranler (les nerfs); **4** (*inwerken op*) attaquer; **5** (*fig.*) flétrir (l'honneur); nuire (à).
aanteken/boekje calepin *m*. ▼—**en 1** noter; **2** charger (une lettre); **3** interjeter (appel); **4** faire publier les bans (du mariage). ▼—**ing 1** note, annotation *v* (sur un texte); **2** chargement *m* (d'une lettre); **3** publication *v* des bans.
aantijgen imputer (qc à qn). ▼**aantijging** imputation *v*.
aantikken 1 toucher; taper sur; **2** (*hoog oplopen*) chiffrer; *dat tikt aan*, ça chiffre.
aantocht approche *v*; *in* — *zijn*, s'approcher, (*fig.*) être dans l'air.
aantonen 1 (*wijzen*) montrer, dénoncer (un vice); **2** (*bewijzen*) démontrer; —*de wijs*, (mode) indicatif *m*.
aantreden se rassembler; *met de linkervoet* —, partir du pied gauche; *laten* —, faire rassembler; faire avancer.
aantreffen trouver, rencontrer.
aantrekkelijk I *bn* attrayant, séduisant. II *bw* d'une manière attrayante. ▼—**heid** attraction *v*, charme *m*, séduction *v*.
aantrekken I *ov.w* **1** (*tot zich trekken*) tirer (à soi), attirer; **2** serrer (un nœud); **3** (*kleding*) revêtir, mettre, passer; **4** chausser (des souliers). II *on.w* (*v. vuur bijv.*) prendre; (*v. prijzen*) monter. III *zich iem.* — s'intéresser à qn; *zich iets* —, **1** rapporter à soi (ce qui se

dit); **2** *hij heeft zich haar dood aangetrokken*, sa mort l'a affecté; **3** se soucier de (qc); *trek je er maar niets van aan*, ne t'en fais pas.
▼**aantrekking** attraction; séduction *v*. ▼—**skracht** attraction; affinité; gravitation; (*v. aarde*) pesanteur *v*.
aanvaard/baar acceptable. ▼—**en 1** (*aannemen*) accepter (un cadeau); prendre (le commandement); agréer (des félicitations); assumer (la responsabilité); **2** (*beginnen*) commencer, entreprendre; *te — bij tekening van het contract*, libre à la signature; *meteen te* ←, clefs en main. ▼—**ing** entrée *v* en fonctions; prise *v* de possession; — *van opdracht*, — *van verantwoordelijkheid*, prise *v* en charge.
aanval 1 attaque *v*; **2** assaut *m* (faire l'assaut à); **3** (*met blanke wapens*) charge *v*; **4** crise *v*; accès *m*. ▼—**len** I *ov.w* attaquer; *iem. wegens zijn meningen* —, attaquer les opinions de qn; *z. aangevallen voelen*, se sentir agressé. II tomber sur (contre); *de vliegtuigen hebben aangevallen*, l'aviation a donné. ▼—**lend** I *bn* offensif, agressif. II *bw* offensivement, agressivement. ▼—**ler** assaillant, agresseur *m*.
aanvallig I *bn* gracieux, gentil. II *bw* gracieusement, gentiment. ▼—**heid** grâce, gentillesse *v*.
aanvals/front front *m* d'attaque. ▼—**golf** vague *v* d'assaut. ▼—**kreet** cri *m* de guerre. ▼—**mijn** mine *v* d'approche. ▼—**oorlog** guerre *v* offensive. ▼—**plan** plan *m* d'attaque. ▼—**spits** avant-garde *v*; fer *m* de lance. ▼—**wapen** arme *v* offensive.
aanvang commencement, début *m*; origine *v*; *van de — af*, d'emblée. ▼—**en** I *on.w* commencer, débuter. II *ov.w* entreprendre, se mettre à; *wat zullen we nu met hem* —, que faire de lui. ▼—**er** débutant, novice *m*. ▼—**sonderwijs** enseignement *m* primaire élémentaire. ▼—**ssalaris** traitement *m* initial. ▼—**ssnelheid** vitesse *v* initiale; — de départ. ▼**aanvankelijk** I *bn* premier; élémentaire; initial. II *bw* d'abord, à l'origine, au début.
aanvaren heurter contre, entrer en collision; *op iem* —, se diriger vers. ▼**aanvaring** abordage *m*, collision *v*.
aanvatten prendre, saisir; (*fig.*) entamer, entreprendre; *hij weet niet hoe hij het zal* —, il ne sait pas comment s'y prendre; *'t verkeerd* —, s'y prendre mal.
aanvecht/baar attaquable, discutable. ▼—**en 1** contester; **2** tenter; porter au mal. ▼—**ing** envie; tentation *v*.
aanvegen balayer; *even* —, donner un coup de balai (à la chambre *bijv.*).
aanverwant allié, apparenté; —*e wetenschappen*, sciences *v mv* connexes. ▼—**schap** parenté, alliance *v*.
aanvliegen I *on.w* **1** voler sur; (*komen* —) s'approcher en volant; **2** (— *op, tegen*) se jeter sur, donner contre; **3** (*in brand*) prendre feu. II *ov.w: iem.* —, se jeter sur qn.
aanvliegroute couloir *m* d'approche.
aanvlijen: *zich* — *tegen*, se serrer contre, se blottir contre.
aanvoegen joindre; assembler; ajuster. ▼—**de**: — *wijs* (mode) subjonctif *m*.
aanvoel/en I *ov.w* tâter, toucher, manier; (*fig.*) sentir. II *on.w: zacht* —, être doux au toucher. ▼—**ing** toucher *m*, (*fig.*) intuition *v*.
aanvoer arrivages *m mv* (de marchandises), adduction *v* (d'eau); distribution *v* (du gaz); transport *m* (des matériaux). ▼—**buis** conduite *v*. ▼—**der 1** chef, capitaine, commandant *m*; **2** (*v. bende*) meneur *m*; **3** (*spier*) adducteur *m*. ▼—**en 1** commander, conduire; **2** (*aanbrengen*) transporter, amener; **3** (*aanhalen*) alléguer. ▼—**ing 1** (*leiding*) commandement *m*, direction *v*; **2** (*aanhaling*) citation *v*.
aanvraag (*verzoek*) demande *v*; **2** (*bestelling*) commande *v*; *op* —, sur demande; *op* — *vertonen*, présenter (son ticket) à toute réquisition. ▼—**briefje** bulletin *m* de demande. ▼—**formulier** formule *v* de

demande. ▼**aanvragen 1** (*vragen*)
demander, requérir; **2** (*bestellen*) commander.
▼**aanvrager** demandeur *m*. requérant,
pétitionnaire *m*.

aanvreten entamer, ronger, attaquer,
corroder.

aanvull/en remplir (les vides); combler (une
lacune); compléter (une collection); ajouter à
(la nature); suppléer. ▼**—end** supplémentaire,
complémentaire; **—e begroting**, loi *v*
rectificative de finances. ▼**aanvulling**
supplément, complément; (*bij manuscript*)
ajout *m*. ▼**—sbegroting** budget *m*
supplémentaire, - additionnel. ▼**—stroepen**
troupes *v mv* de renfort. ▼**aanvulsel**
complément; supplément; remplissage *m*.

aanvuren animer, exciter. ▼**aanvuring**
excitation, stimulation *v*.

aanwaaien *komen —*, être amené par le vent;
hij is hier komen —, il est tombé du ciel; *dat is
hem zo maar aangewaaid*, cela lui est venu
comme ça.

aanwakkeren I *ov.w* animer, encourager qn;
activer (le feu). **II** *on.w* **1** (*v. brand*) s'étendre;
2 (*v. wind*) s'élever; fraîchir.

aanwas 1 augmentation *v*; **2** (*v. water*) crue *v*;
3 (*v. grond*) alluvion *v*. ▼**—sen** croître, grossir,
monter; (*fig.*) augmenter, grandir, croître.

aanwend/en 1 (*gebruiken*) employer; se
servir de; **2** (*toepassen*) appliquer, user (de);
pogingen —, faire des efforts. ▼**—ing**
1 emploi, usage *m*; **2** application *v*, mise *v* en
œuvre.

aanwen/nen (zich) s'accoutumer, s'habituer.
▼**—sel** (mauvaise) habitude, manie *v*.

aanwerven 1 (*v. soldaten*) enrôler, recruter,
engager; **2** (*ronselen*) racoler; **3** (*werkvolk*)
embaucher. ▼**aanwerving 1** enrôlement,
engagement; recrutement; racolage *m*;
2 embauchage *m*.

aanwezig présent; *— zijn*, être là, assister (à);
de —e voorraad, stock *m*; *dit artikel is niet
meer —*, cet article est épuisé; *de —en*,
l'assemblée, l'assistance *v*. ▼**—heid** présence
v, existence *v*. ▼**—aantonen** (*chem.*), déceler.

aanwijsbaar assignable, apparent.

▼**aan/wijzen 1** (*aanduiden*) montrer,
indiquer; (*officieel als kandidaat*) investir;
désigner (un lieu); **2** (*wijzen op*) accuser;
signaler; **3** (*bestemmen*) affecter (une
somme); *men kan ze bij honderden —*, on les
trouve par centaines. ▼**—wijzend:** *—
voornaamwoord*, pronom démonstratif *m*.
▼**—wijzer 1** indicateur *m*; **2** (*wisk.*) exposant
m. ▼**aanwijzing 1** (*aanduiding*) indication *v*,
indice *m*; **2** désignation *v*; investigation *v*;
3 (*voorschrift, inlichting*) instruction,
information *v*; enseignement *m*. ▼**—sbord**
tableau *m* indicateur. ▼

aanwinnen gagner, acquérir; *land —*,
agrandir ses terres. ▼**aanwinst** acquisition *v*,
profit, gain *m*.

aanwippen: *even —*, passer chez qn.

aanwoekeren se multiplier; pulluler.

aanwonende riverain *m*.

▼**aanwrijven** frotter contre; (*fig.*) imputer (qc à
qn).

aanzegg/en annoncer, faire savoir; signifier,
notifier; *ik heb hem de wacht aangezegd*, je lui
ai dit à quoi s'en tenir; je lui ai ôté l'envie de le
recommencer. ▼**—er** annonciateur *m*. ▼**—ing**
annonce *v*; faire-part *m*; notification *v*.

aanzet/riem cuir *m* à rasoir. ▼**—schakelaar**
démarreur *m*. ▼**—sel** croûte *v*; dépôt,
sédiment *m*. ▼**—stuk** rallonge *v*. ▼**—ten**
I *ov.w* **1** (*deur*) entrouvrir; **2** (*zetten aan,
tegen*) coudre, mettre (un bouton à); attaquer
(une note); appliquer (une échelle); **3** (*vaster
draaien*) serrer (la vis, le frein d'une auto); **4**
(*scherper maken*) affiler (un couteau); **5** (*aan
de gang maken*) mettre en marche; lancer (un
moteur); ouvrir, (*fam.*) allumer (la radio, la
télé); **6** (*harder doen gaan*) activer; presser; **7**
(*fig.*) pousser, animer, inciter (à la révolte). **II**
on.w **1** (*v. vloeistof*) se déposer; (*v. spijs*)
attacher; (*v. ketel*) s'entartrer; **2** (*v.*

---

voedsel) nourrir; **3** arriver; *daar komt hij —*, le
voilà qui s'amène. **III** *zich —* attacher; se
déposer. ▼**—ter** instigateur, excitateur *m*.
▼**—ting 1** (*aansporing*) excitation *v*;
2 (*neerslag*) dépôt *m*; **3** (*het slijpen*) aiguisage
m.

aanzicht vue *v*; aspect *m*.

aanzien I *ov.w* voir; regarder, considérer;
(*brutaal*) dévisager; (*oplettend*) contempler,
considérer; envisager; *— doet gedenken*, loin
des yeux, loin du cœur; *zie me dat eens aan*,
regardez-moi ça; *hoe kunt u dat —?*, comment
pouvez-vous souffrir cela?; *ik kan dat niet
langer —*, je n'y tiens plus; *hem met de nek —*,
le regarder de haut; *iets nog wat —*, patienter
un peu; *men kan het hem —*, il y paraît; *men
kan het hem niet — dat hij zo rijk is*, on ne le
croirait pas si riche; *men ziet hem zijn leeftijd
niet aan*, il ne paraît pas son âge; *dat is
vreselijk om aan te zien*, c'est terrible à voir; *ze
zien er u op aan*, leurs soupçons se portent sur
vous; *iem. voor een ander —*, prendre qn pour
un autre; *iem. voor iets —*, regarder qn comme
of pour; *waar ziet u mij voor aan?*, pour qui me
prenez-vous?; *het laat zich —, dat…*, il y a
(quelque) apparence que…; *naar het zich laat
aanzien*, à en juger d'après les apparences,
selon toute probabilité; *zich goed (slecht)
laten —*, se présenter (of s'annoncer) bien
(mal). **II** *zn* **1** (*gezicht*) vue *v*, aspect *m*;
2 (*uiterlijk*) air *m*, apparence *v*; **3** (*achting*)
considération, importance *v*; *zonder — des
persoons*, sans acception de personne; *een
ander — krijgen*, changer de face; *het —
krijgen van*, prendre l'air de; *een ernstig —
krijgen*, devenir sérieux; *in — zijn*, être estimé,
être bien vu; *ten — van*, **1** en vue de; **2** par
rapport à, quant à. ▼**—lijk I** *bn* **1** notable,
important, distingué, éminent; **2** considérable,
important; *de —en*, les élites *v mv*, les
notables *m mv*. **II** *bw* considérablement.
▼**—lijkheid 1** considération *v*; **2** grandeur,
importance *v*.

aanzijn existence; présence *v*; *het — geven*,
donner la vie.

aanzitten être à table; *gaan —*, s'attabler.
▼**—den** convives *m mv*.

aanzoek demande (en mariage), sollicitation
v; *— doen*, faire sa demande; *— krijgen*, être
demandé en mariage. ▼**—en** solliciter, prier,
rechercher, demander.

aanzuiver/en liquider, payer, acquitter (une
dette); suppléer, combler (un déficit). ▼**—ing**
liquidation *v* (de dettes).

aanzwellen se gonfler.

aanzwengelen démarrer.

aap singe *m*; *daar komt de — uit de mouw*, le
pot aux roses se découvre; *in de — gelogeerd
zijn*, être dans de jolis draps. ▼**—achtig I** *bn*
ressemblant à un singe, de singe, simiesque.
II *bw* comme un singe. ▼**—je 1** petit singe *m*;
2 fiacre *m*.

aar 1 épi *m*; **2** (*ader*) veine *v*.

aard 1 (*geaardheid*) nature *v*, tempérament *m*;
2 (*soort*) caractère *m*, espèce, qualité *v*, genre
m; *van geldelijke —*, d'ordre pécuniaire; *dat
ligt niet in zijn —*, ce n'est pas son genre; *uit
de — van de zaak*, il va sans dire que; *van die
— dat*, tel que…; *van voorbijgaande —*,
passager; *hij heeft een —je naar zijn vaartje*,
tel père tel fils.

aardachtig terreux. ▼**—heid** couleur *v*
terreuse, nature *v* terreuse, goût *m* terreux.

aardappel pomme *v* de terre; *gebakken —en*,
pommes (de terre) sautées; *pommes (de
terre) frites*. ▼**—meel** fécule *v* (de pomme de
terre). ▼**—meelfabriek** féculerie *v*.
▼**—rooier** arracheur *m*. ▼**—rooimachine**
arracheuse *v*. ▼**—schil** pelure *v* de pomme de
terre. ▼**—schillen** épluchures *v mv* de pomme
de terre. ▼**—schiller, —schilmes** couteau *m*
à éplucher. ▼**—ziekte** maladie *v* des pommes
de terre.

aard/as axe *m* de la terre. ▼**—bei** fraise *v*.
▼**—beienijs** glace *v* aux fraises. ▼**—beving**
tremblement *m* de terre. ▼**—bewoner** terrien

m. ▼—**bodem** (surface de la) terre *v.* ▼—**bol** globe *m* (terrestre). ▼**aarde** terre *v*; *zwarte* —, terreau *m*; *boven* — *staan*, attendre sa sépulture; *in goede* — *vallen*, être bien reçu; *hier op* —, sur cette terre; *ter* —, à terre, par terre; *ter* — *bestellen*, enterrer, inhumer; *op* — *zijn, op* — *verkeren*, être du nombre des vivants; *van de* — *scheiden*, passer de vie à trépas; *hij rust onder de* —, il repose dans la tombe; *hemel en* — *bewegen*, remuer ciel et terre; *de ogen ter* — *slaan*, baisser les yeux; *(een geheim) mee onder de* — *nemen*, emporter dans la tombe; *dat heeft veel voeten in de* — *gehad*, cela n'est pas allé tout seul. ▼**aarden I** de terre, d'argile. **II** *on.w* se plaire dans un lieu; — *naar*, tenir de (qn). **III** *ov.w (elektr.)* mettre à la terre.

aardewerk poterie *v*; vaisselle *v* de terre; *fijn* —, faïence *v*; *Keuls* —, grès *m*. ▼—**fabriek** faïencerie *v*, fabrique *v* de céramique.

aardgas gaz *m* naturel; *synthetisch* —, gaz naturel de synthèse; *vloeibaar* —, gaz naturel liquéfié. ▼—**produktie** production *v* du gaz naturel.

aardig I *bn* **1** *(lief)* joli, gentil, mignon, charmant, sympa; **2** *(grappig)* drôle, plaisant, comique, spirituel; **3** *(niet onbeduidend)* joli, confortable; *zij ziet er* — *uit*, elle est très bien; *wees nu niet* —, ne fais pas le plaisant; *je bent niet* — *tegen haar*, tu n'es pas gentil avec elle; *dat is heel* — *van u*, c'est bien gentil à vous; *(fam.) dat is* — *van je*, tu es chic; *dat is* — *van hem*, c'est chic de sa part; *het is niet* — *van u om*, vous avez mauvaise grâce à. **II** *bw* joliment, gentiment; — *wat geld kosten*, coûter gros; *zij zingt heel* —, elle ne chante pas mal; *zich* — *vervelen*, s'ennuyer joliment. ▼—**heid 1** gentillesse; **2** plaisanterie *v*; **3** un petit cadeau, un petit rien; — *in iets hebben*, se plaire à qc; *ik snap de* — *van dit gezegde niet*, je ne comprends pas le fin mot de ce qu'il dit; *geen aardigheden kunnen velen*, ne pas entendre raillerie; *voor de* —, par plaisanterie, pour rire.

aard/kluit motte *v* de terre. ▼—**korst** écorce *v* terrestre. ▼—**kunde** géologie *v*. ▼—**laag** couche; strate *v*. ▼—**leiding** fil *m* de terre; prise *v* de terre. ▼—**mannetje** gnome *m*. ▼—**meting** géodésie *v*; opération *v* géodésique. ▼—**noot** arachide *v*. ▼—**olie** pétrole *m* brut, huile *v* minérale. ▼—**olie-industrie** industrie *v* pétrolière. ▼—**plaat** perd-fluide *m*. ▼—**rijk** terre *v*, monde *m*. ▼—**rijkskunde** géographie *v*. ▼—**rijkskundig** géographique. ▼—**rijkskundige** géographe *m*. ▼**aards** terrestre; terrestre; *het* — *e slijk*, l'or *m*, les biens *m mv* terrestres; *los van al het* —*e*, détaché des biens de la terre; *het* —*e*, les choses de la terre. ▼**aard/satelliet** satellite *m* artificiel. ▼—**schok** secousse *v* tellurique. ▼—**schol** plaque *v* du globe. ▼—**slak** limace *v*. ▼—**sluiting** circuit *m* terrestre. ▼—**storting** éboulement *m* de terrain, glissement *m*. ▼—**stralen** raies *v mv* telluriques; radiation *v* tellurique. ▼—**stroom** courant *m* tellurique. ▼—**varken** oryctérope *m*. ▼—**verbinding** prise *v* de terre. ▼—**verschuiving** *zie* —**storting**. ▼—**warmte-energie** houille *v* rouge. ▼—**worm** ver *m* de terre, lombric *m*.

aars anus *m*. ▼—**vin** nageoire *v* anale.

aarts archi-, de premier ordre. ▼—**bedrieger** archifripon *m*. ▼—**bisdom** archidiocèse *m*. ▼—**bisschop** archevêque *m*. ▼—**bisschoppelijk** archiépiscopal; —**bisschoppelijk paleis**, archevêché *m*. ▼—**dief** maître voleur *m*. ▼—**dom** archibête, bête comme tout. ▼—**engel** archange *m*. ▼—**gierig** d'une avarice sordide. ▼—**hertog** archiduc *m*. ▼—**hertogdom** archiduché *m*. ▼—**liefhebber** amateur *m* acharné. ▼—**lui** archiparesseux. ▼—**priester** archiprêtre *m*. ▼—**vader** patriarche *m*. ▼—**vaderlijk** patriarcal. ▼—**vijand** ennemi *m* mortel.

aarzel/en hésiter, balancer; *zonder* —, sans

hésiter; résolument. ▼—**end** hésitant, irrésolu. ▼—**ing** hésitation, irrésolution *v*.

aas 1 *(voedsel)* pâture, nourriture *v*; **2** *(lok*—) appât *m*, amorce *v*; **3** *(kreng)* charogne *v*; **4** *(in spel)* as *m*. ▼—**gier** vautour *m* fauve. ▼—**je** parcelle *v*, soupçon *m*; *geen* —*je*, pas l'ombre de ...; *een* —*je wind*, un souffle. ▼—**vlieg** mouche *v* dorée.

abc abc *m*; *kennen als het* —, connaître comme ses poches, posséder à fond. ▼**abc-boek** abécédaire *m*. ▼**abc-oorlog** guerre *v* ABC. ▼**abc-wapens** armes *v mv* ABC.

abces abcès *m*.

abdis abbesse *v*. ▼**abdij** abbaye *v*.

abeel peuplier blanc *m*.

aberratie aberration *v*.

Abessinië Abyssinie *v*. ▼—**r** Abyssin(ien) *m*.

abituriënt bachelier *m*. ▼—**sexamen** baccalauréat, bac, bachot *m*.

ablatief ablatif *m*.

abnormaal *bn (& bw)* anormal(ement). ▼**abnormaliteit** anomalie, déformation *v*.

abolitie abolition *v*.

abonnee abonné souscripteur; porteur *m* de carnet d'abonnement. ▼**abonnement 1** *(op een boek)* souscription *v*; **2** *(op een schouwburg)* abonnement *m*. ▼—**skaart** carnet *m* d'abonnement. ▼—**starief** tarif *m* d'abonnement. ▼—**svoorstelling** représentation *v* réservée aux abonnés. ▼**abonneren (zich)** s'abonner; souscrire un abonnement.

aborteren avorter. ▼**abortus** avortement *m*. — *provocatus*, avortement volontaire. ▼—**kliniek** clinique *v* d'avortement.

Abraham Abraham; *in* —*s schoot*, dans le sein d'Abraham, pleinement satisfait; *hij weet waar* — *de mosterd haalt*, il est informé, - au courant; il est déluré.

abrikoos abricot *m*.

abrupt abrupt.

absent absent; *zich* — *melden*, se faire excuser; *hij is dikwijls* —, 1 il est souvent absent; **2** *(fig.)* il a souvent des absences. ▼—**eïsme** absentéisme *m*. ▼—**eren** *zich* —, s'absenter. ▼—**ie** absence *v*; *(fig.)* absence d'esprit, distraction *v*. ▼—**ielijst** registre *m* des absences.

absolutie absolution *v*.

absoluut *bn (& bw)* absolu(ment); — *onmogelijk*, physiquement *(of* matériellement) impossible; *absolute muziek*, musique pure.

absolveren absoudre.

absorberen absorber. ▼**absorptie** absorption *v*.

abstract I *bn* **1** abstrait; **2** *(verstrooid)* distrait. **II** *bw* abstraitement. ▼—**ie 1** abstraction; **2** distraction *v*. ▼**abstraheren** abstraire.

absurd *bn (& bw)* absurde(ment). ▼—**iteit** absurdité *v*.

abt abbé; supérieur *m* d'une abbaye.

abuis erreur, méprise *v*; — *hebben*, se méprendre; *per* —, par méprise, par erreur. ▼**abusief** erroné, incorrect. ▼**abusievelijk** par erreur.

acacia acacia *m*.

academicus personne *v* qui a fait des études universitaires. ▼**academie 1** *(genootschap)* académie *v*; **2** université *v*. ▼—**burger** étudiant *m*. ▼—**jaar** année *v* universitaire. ▼—**stad** ville *v* universitaire. ▼—**ie 1** années *v mv* d'université. ▼—**vriend** compagnon *m* d'études. ▼—**zetel** fauteuil *m*. ▼**academisch I** *bn* universitaire, académique; — *proefschrift*, thèse *v* (de doctorat); — *ziekenhuis*, centre *m* hospitalier universitaire; **II** *bw* académiquement; *te* — *behandelen*, traiter (la question) trop académiquement; — *gevormd*, sorti de l'université.

a cappella a cappella.

accent accent *m*. ▼—**uatie** accentuation *v*. ▼—**ueren** accentuer.

accept acceptation *v*, billet *m* à ordre. ▼—**abel** acceptable. ▼—**ant** accepteur *m*. ▼—**eren**

accepter. ▼—**girokaart** carte v de versement-virement.

accijns impôt m de consommation; *stedelijke* —, octroi m. ▼—**biljet** passavant m. ▼—**vrij** exempt d'impôt.

acclamatie: *bij* —, par acclamation v.

acclimatis/atie acclimatation v. ▼—**eren** s'acclimater. ▼—**ering** acclimatation v.

accolade accolade v.

accommodatie 1 accommodation v; **2** installations v mv; équipement v.

accompagn/ateur accompagnateur m. ▼—**eren** I ov.w accompagner. II *zich* — s'accompagner (au piano).

accordeon accordéon m.

accountancy science —, profession v de l'expert-comptable. ▼**accountant** expert-comptable m. ▼—**sonderzoek** expertise v d'expert-comptable.

accrediteren accréditer.

accres accroissement m.

accu accu m; (v. *auto*) batterie v; (v. *radio*) pile v; — *opladen*, recharger la batterie. ▼—**lader** chargeur m de batterie. ▼—**mulatieradiator** radiateur m à accumulation. ▼—**mulator** accumulateur m.

accuraat I *bn* exact, précis, ponctuel. **II** *bw* exactement, précisément, ponctuellement. ▼**accuratesse** exactitude v, précision, ponctualité v.

acetaat acétate m. ▼**aceton** acétone v. ▼**acetyleen** acétylène m; —*lamp*, lampe v à l'acétylène.

ach hélas, ah, tant pis; — *en wee roepen*, se lamenter (de).

Achilles Achille m. ▼**a**—**hiel** talon m d'Achille. ▼**a**—**pees** tendon m d'Achille.

acht I *t/w* huit; *vandaag over* — *dagen*, d'aujourd'hui en huit; *ze zijn met hun* —*en*, ils sont huit; *na* —*en*, passé huit heures. **II** *zn* attention v, soin m, garde v; — *slaan op*, faire attention à; *weinig* — *slaan op*, se soucier peu (de); *geeft* —*l*, garde à vous; *de wet in* —*nemen*, observer la loi; *zich in* — *nemen*, être sur ses gardes, se ménager.

achtbaar estimable, respectable, honorable. ▼—**heid** respectabilité, honorabilité v.

achteloos I *bn* négligent, nonchalant. **II** *bw* négligemment, nonchalamment. ▼—**heid** négligence, nonchalance v.

achten 1 estimer, considérer; **2** (*houden voor*) croire, tenir (pour); **3** (*letten op*) faire attention à; *gering* —, faire peu de cas de, mépriser. ▼—**swaard(ig)** *zie* **achtbaar** enz.

achter I *vz* derrière; après; — *elkaar*, l'un après l'autre; (*achtereenvolgens*) de suite; — *iets komen*, découvrir qc; — *zich kijken*, regarder derrière soi; *de deur* — *zich sluiten*, fermer la porte sur soi. **II** *bw* en arrière; — *wonen*, demeurer (sur le) derrière; — *zijn* (v. *klok*), retarder; *ik ben er* —, j'y suis; — *in het boek*, à la fin du livre; — *in de tuin*, au fond du jardin. ▼**achteraan** derrière, à la suite de, en arrière de; — *instappen*, monter en queue; — *uitstappen*, descendre par l'arrière; *hij loopt* —, il marche le dernier. ▼—**komen** venir à la suite des autres, être le dernier (à venir). ▼**achteraf 1** (v. *plaats*) à l'écart; **2** (v. *tijd*) après coup; *zich wat* — *houden*, se dissimuler; — *wonen*, demeurer dans un quartier écarté, - dans une rue peu fréquentée.

achteras essieu m arrière; *stijve* —, essieu rigide arrière.

achterbak coffre m.

achterbaks I *bw* en cachette, à la dérobée; — *houden*, réserver, dissimuler; *zich* — *houden*, reculer, se cacher. **II** *bn* secret, caché.

achter/balkon 1 (v. *huis*) balcon m arrière; **2** (v. *tram*) plate-forme v d'arrière. ▼—**ban** masse v des membres, - des électeurs. ▼—**band** pneu m arrière. ▼—**bank** banquette v du fond.

achterblijven 1 demeurer en arrière, s'attarder; **2** rester; **3** *een koffer is achtergebleven*, une malle est restée en panne; *drie kinderen zijn achtergebleven*, il a

laissé (en mourant) trois enfants; — *bij de anderen*, rester en arrière des autres; *niet willen* — (*bij de anderen*), ne pas vouloir demeurer en reste (de générosité); *de* —*den*, les survivants m mv. ▼**achterblijver** retardataire, traîneur, cancre (élève) m.

achter/buurt quartier m pauvre; les bas quartiers (de Paris). ▼—**deel** derrière v, fond m, partie postérieure v. ▼—**dek** arrière-pont m. ▼—**deur** porte v de derrière; *door een* —*tje*, par la petite porte.

achterdocht soupçon m, ombrage m, défiance v; — *hebben*, avoir -, nourrir des soupçons; — *krijgen*, prendre ombrage; — *wekken* (*bij*), faire ombrage (à). ▼—**ig** I *bn* soupçonneux, ombrageux, méfiant. II *bw* soupçonneusement, avec méfiance. ▼—**igheid** réserve, dissimulation v.

achtereen (tout) d'un trait; de suite; *maanden* —, plusieurs mois de suite, durant des mois. ▼—**volgend** successif, consécutif. ▼—**volgens** successivement; consécutivement; de suite; d'affilée.

achtereind(e) derrière m; extrémité v.

achteren: *naar* —, en arrière; *naar* — *gaan*, s'absenter, aller aux toilettes, - au W.C.

achtergebleven (v. *gebied*) resté en arrière; sous-développé; en voie de développement.

achtergrond 1 fond m, arrière-plan m; *op de* — *blijven*, rester dans l'ombre; **2** atmosphère v morale; dessous m mv; *tegen de* — *van* (*oorzaak*), en fonction de. ▼—**geluid** bruitage m.

achterhalen atteindre, rattraper; dépasser; *achterhaald zijn*, être dépassé. ▼—**heen**: *ergens* — *zitten*, pousser qc, s'occuper activement d'une affaire. ▼—**hoede** arrière-garde v. ▼—**hoofd** occiput m.

achterhoud(en) 1 retenir, détenir; **2** cacher, dissimuler; **3** taire. ▼—**end** dissimulé, réservé, réticent. ▼—**endheid** réserve, dissimulation v.

achter/in au fond; par derrière. ▼—**kamer** chambre v de derrière, pièce v du fond. ▼—**kant 1** arrière-côté m; **2** (v. *stof*) envers m; **3** (v. *papier*) verso m. ▼—**klap** médisance v. ▼—**klep** hayon m arrière; - relevable. ▼—**kleinkind** arrière-petit-enfant m. ▼—**lamp** phare m arrière. ▼—**land** arrière-pays m, intérieur m. ▼—**laten 1** laisser, abandonner; **2** distancer, laisser derrière soi; **3** déposer; *met achterlating van ...*, en laissant(après soi). ▼—**licht** feu m arrière. ▼—**liggen** être couché (of situé) derrière; (*fig.*) céder le pas à qn. ▼—**lijf** postérieur, (v. *insekt*) abdomen m.

achterlijk 1 (v. *gewas*) tardif; **2** (v. *mens*) arriéré, en retard; (*fig.*) attardé, (*fam.*) débile. ▼—**heid 1** tardiveté v, retard; **2** (v. *kind*) arriération v (mentale); idées arriérées v mv.

achterlopen 1 marcher derrière; **2** retarder.

achterna après, après coup; par la suite. ▼—**lopen** courir après; (*pop.*) coller.

achter/naam nom m de famille. ▼—**neef** arrière-neveu (- cousin) m. ▼—**nicht** arrière-nièce (- cousine) v. ▼—**om** I *bw* par derrière. II *zn* ruelle v; — *lopen*, faire le tour, contourner la maison; — *kijken*, regarder derrière soi. ▼—**op** derrière, en croupe (*te paard*); —*komen* rattraper, rejoindre (qn).

achterover à la renverse, sur le dos, en arrière. ▼—**drukken** pousser à la renverse, (*fig.*) détourner. ▼—**hellen** pencher en arrière. ▼—**leggen** coucher sur le dos. ▼—**liggen** être renversé, être couché. ▼—**vallen** tomber à la renverse. ▼—**zitten** se tenir renversé sur.

achter/plaats arrière-cour v (dans une maison); **2** place v de fond (au théâtre). ▼—**poort** porte v de derrière. ▼—**poot** pied m (*of patte v*) de derrière. ▼—**portierbeveiliging** sécurité v portes arrière. ▼—**raken** rester en arrière. ▼—**ruit** lunette v arrière; *verwarmde* —, l. a. chauffante. ▼—**ruitverwarming** dégivrage m de la lunette arrière. ▼—**schip** arrière m. ▼—**speler** arrière m. ▼—**staan** être (placé) en arrière; — *bij*, demeurer en reste de; être inférieur à; *bij iem.* — *in*, le céder à qn en.

achterstal arriérés *m mv*. ▼—**lig** arriéré, en
retard (de paiement); —*e schuld*, arriéré *m*;
het —e, l'arriéré *m*. ▼**achterstand** arrérages
m mv; retard, arriéré *m*; — *inhalen*, rattraper
—, combler un retard.
achterste I *bn* dernier, dernière. **II** *zn* derrière,
postérieure, séant *m*.
achterstellen (*v.belang*) subordonner; (*v.
vriend*) négliger; reléguer au second plan; *hij
wordt bij zijn broers achtergesteld*, on lui
préfère ses frères. ▼**achterstelling**
négligence, défaveur *v*, oubli *m*; *met — van*,
au mépris de (ses devoirs).
achtersteven étambot *m*, poupe *v*.
achtervoren sens devant derrière.
achteruit en arrière, dans le sens opposé à la
marche; à reculons; *zie ook plaats*; (*v.
machine*) en marche arrière; —*!*, arrièrel,
reculez! machine arrière!; *in zijn —- zetten*,
faire marche arrière. ▼—**deinzen** reculer.
▼—**dringen** refouler (la foule); reculer (qc).
▼—**gaan** reculer, faire marche arrière; (*v.
barometer*) baisser; (*handel*) péricliter;
(*gezondheid*) décliner; (*zieke*) aller plus mal.
▼—**gaand**: — *geboortencijfer*, natalité en
régression. ▼—**gang** régression, récession *v*;
(*fig.*) déclin *m*, décadence, baisse *v*; (*deur*)
porte -, sortie de derrière *v*. ▼—**kijkspiegel**
rétroviseur *m*. ▼—**krabbelen** reculer, se
dédire, se dérober. ▼—**rijden** reculer; faire
machine arrière; faire marche arrière.
▼—**rijlamp** phare *m* de recul. ▼—**wijken**
reculer, se retirer. ▼—**zetten** reculer; retarder
(la montre); rétrograder (un fonctionnaire);
négliger (qn).
achtervoeg/en ajouter. ▼—**ing** addition,
apposition *v*. ▼—**sel** suffixe *m*.
achtervolg/en poursuivre, traquer; hanter,
obséder (idée); s'acharner sur (malheur).
▼—**ing** poursuite; hantise, obsession *v*.
▼—**ingswedstrijd** poursuite *v*.
achter/waarts I *bn* rétrograde. **II** *bw* en
arrière, à reculons. ▼—**wege**: — *blijven*, ne
pas se faire; — *houden*, retenir; cacher; passer
sous silence; — *laten*, ne pas faire. ▼—**wiel**
roue *v* arrière. ▼—**wielaandrijving**: *met —*,
dont les roues arrière sont motrices. ▼—**zijde**
zie **achterkant**.
achthoek octogone *m*. ▼—**ig** octogone,
octogonal.
achting estime, considération *v*; égard *m*; —
hebben voor, avoir (qn) en estime; — *krijgen
voor*, concevoir de l'estime pour; *hem —
toedragen*, lui porter respect; *met de meeste*
— (*a. eind v. brief*), Recevez, Monsieur, mes
salutations distinguées.
acht/ste I *telw*. huitième; — *noot*, croche *v*;
de — mei, le huit mai; *Hendrik de —*, Henri
huit. **II** *zn* un huitième; *ten —*, huitièmement.
▼—**tal** huitaine *v*. ▼—**tien** dix-huit.
▼—**tiende** dix-huitième; *de — juni*, le
dix-huit juin; *den — de*, un dix-huitième.
▼—**urendag** journée *v* de huit heures.
▼—**voud** octuple *m*. ▼—**voudig** octuple.
acne acné *v*.
acquisiteur démarcheur *m*. ▼**acquisitie**
démarchage, (*fam.*) porte-à-porte *m*.
acrobaat acrobate *m*. ▼**acrobat/iek**
acrobatie *v*. ▼—**isch** acrobatique.
act/eren jouer (la comédie). ▼—**eur** acteur *m*.
actie action *v*; jeu *m* (d'un acteur); — *voeren*,
mener une campagne. ▼—**comité** comité *m*
d'action. ▼**actief I** *bn* actif; en activité de
service. **II** *zn* actif. **III** *bw* activement; —
dienend, en activité de service. ▼**actieradius**
rayon *m* d'action; (*fig.*) champ *m* d'activité.
▼**activa** actifs *m mv*. ▼**activ/eren** activer.
▼—**isme** activisme *m*. ▼—**ist** activiste
m. ▼—**iteit** activité *v*.
actrice actrice *v*.
actualiseren actualiser. ▼**actualiteit**
actualité *v*.
actuaris actuaire *m*.
actueel actuel; (*artikel*) d'actualité; (*fig.*) de
saison.
acupunct/eur acupuncteur *m*. ▼—**uur**

acupuncture *v*.
acuut aigu; urgent (*zie* **dringend**).
Adam Adam *m*; — *de oude* — *afleggen*,
dépouiller le vieil homme. ▼—**sappel** pomme
v d'Adam. ▼—**skostuum** habit *m* du père
Adam; *in —*, nu comme un ver.
adapter adaptateur *m*.
adat coutume *v*; (—*recht*) droit *m* coutumier;
(*fig.*) usage *m*.
adder vipère *v*, aspic *m*; *er schuilt een —
onder het gras*, il y a quelque anguille sous
roche; *een — aan zijn borst koesteren*,
réchauffer un serpent dans son sein. ▼—**beet**
morsure *v* de vipère. ▼—**gebroed** race *v* de
vipères.
adel noblesse *v*, les nobles *m mv*; *van —*,
noble; (*fig.*) noblesse, élévation *v*.
adelaar 1 aigle *m*; 2 (*veldteken*) aigle *v*.
▼—**sblik** regard *m* d'aigle; œil *m* perçant.
▼—**sjong** aiglon *m*.
adel/boek (recueil) nobiliaire *m*. ▼—**borst**
aspirant *m* de marine. ▼—**brief** lettre *v* de
noblesse; (*fig.*) titre *m* de noblesse. ▼—**dom**
noblesse *v*. ▼—**en** anoblir; (*fig.*) ennoblir.
▼—**lijk** 1 (*famille*) noble; (*titre*) nobiliaire; —
bloed, sang *m* bleu; 2 (*v. wild*) faisandé.
▼—**stand** noblesse *v*; *in de — verheffen*,
anoblir.
adem 1 haleine *v*; souffle *m*; 2 (*ademhaling*)
respiration *v*; *buiten —*, à bout de souffle; —
scheppen, respirer, prendre haleine; *buiten —
raken*, perdre haleine; *op — komen*, reprendre
haleine; *naar — hijgen*, respirer bruyamment;
van lange —, de longue haleine.
▼—**benemend** qui coupe le souffle. ▼—**en**
respirer, souffler; *weer vrij —*, respirer (plus
librement); *diep —*, respirer à fond.
▼—**haling** respiration *v*, souffle *m*;
kunstmatige —, respiration *v* artificielle.
▼—**halingswegen** voies *v mv* respiratoires.
▼—**halingswerktuigen** organes *m mv*
respiratoires. ▼—**loos** hors d'haleine, tout
essoufflé; mortel (silence); accablant
(chaleur). ▼—**nood** étouffement *m*,
suffocation *v*; *hevige —*, crise *v*
d'étouffements. ▼—**pauze** pause *v*; arrêt *m*.
▼—**test** alcootest *m*. ▼—**tocht** respiration *v*,
souffle *m*; *tot de laatste —*, jusqu'au dernier
soupir.
adequaat adéquat *m*.
ader veine *v*; filet *m* (d'eau). ▼—**laten** saigner.
▼—**lating** saignée *v*. ▼—**verkalking**
artériosclérose *v*.
ad fundum jusqu'au fond; — *leegdrinken*,
vider d'un trait; faire cul sec en buvant.
adhesie adhésion *v*; — *betuigen*, souscrire
(à); 2 (*nat.*) adhérence *v*.
ad hoc ad hoc.
adieu au revoir.
adjectief adjectif *m*.
adjudant aide-de-camp *m*; (—*onderofficier*)
adjudant *m*.
adjunct adjoint, aide *m*. ▼—**chef** chef-adjoint
m. ▼—**directeur** directeur *m* adjoint,
sous-directeur *m*.
administr/eur 1 administrateur *m*; 2 (*op
schip*) commissaire *m* du bord; 3 (*v. krant*)
gérant *m*. ▼—**ie** administration *v*. ▼—**ief I** *bn*
administratif. **II** *bw* administrativement.
▼—**iekantoor** bureau *m* d'administration;
entreprise *v* de gestion. ▼—**iekosten** frais *m
mv* d'administration. ▼**administreren**
administrer, gérer.
admiraal amiral *m*. ▼—**schap** amirauté *v*.
▼—**schip** (*vaisseau*) amiral *m*.
▼—**svlag**
pavillon *m* amiral. ▼**admiraliteit** 1 amirauté
v; 2 (*in Frankrijk*) ministère *v* de la marine.
admissie admission *v*.
adopteren adopter. ▼**adoptie** adoption *v*; —
tussen steden, jumelage *m*.
ad rem ad rem; au fait; prompt à la riposte.
adrenaline adrénaline *v*.
adres 1 (*op brief*) adresse *v*; destination *v*;
(—*band*, —*strook*) bande-adresse *v*;
2 (*verzoekschrift*) pétition, requête *v*, *u bent
aan het verkeerde —*, vous vous trompez de

porte; *per* —..., aux (bons) soins de..., chez.
▼—**boek 1** livre *m* d'adresses; annuaire *m*;
2 (*te Parijs*) Bottin *m*. ▼—**kaart** carte-adresse
v; (*post*) bulletin *m* de colis postal. ▼—**sant**
pétitionnaire, solliciteur *m*. ▼—**seermachine**
adressographe *m*. ▼—**seren** adresser; envoyer
une requête. ▼—**wijziging** changement *m*
d'adresse.
Adriatisch: *de —e Zee*, l'Adriatique *v*.
adstru/ctie appui *m*; *ter* —, à titre de prèuve;
pour étayer mon opinion. ▼—**eren** appuyer,
étayer.
advent (*rk*) avent *m*. ▼—**ist** adventiste *m/v*.
adverteerder annonceur *m*. ▼**advertentie**
annonce *v*; (*tussen regels v. artikel*)
communiqué *m*; *een* — *plaatsen*, faire insérer
une annonce; *op een* — *schrijven*, répondre à
une annonce. ▼—**blad** feuille *v* d'annonces;
les petites affiches. ▼—**bureau** agence *v* (*of
service m*) de publicité. ▼—**zuil** *de*
aanplakzuil. ▼**adverteren I** *ov.w* annoncer.
II *on.w* faire de la publicité; faire insérer une
annonce. **III** *het* —, la publicité.
advies 1 avis, conseil *m*, opinion *v*;
(*post*)feuille *v* d'avis. ▼—**bureau** bureau *m* de
conseil. ▼—**prijs** prix *m* indicatif.
▼**advis/eren** conseiller. ▼—**erend**
consultant; —*e stem*, voix *v* consultative.
▼—**eur** conseiller *m*; *juridisch* —, avocat *m*
conseil; *medisch* —, médecin *m* conseil;
wiskundig —, actuaire *m*.
advocaat 1 avocat *m*; *vrouwelijke* —, avocate
v; **2** liqueur faite d'œufs et d'eau-de-vie.
▼—**generaal** avocat-général *m*.
Aegeïsch: *de —e Zee*, la mer Egée.
aëro/dynamica aérodynamique *v*. ▼—**trein**
aérotrain *m*.
af I *bn* fini, achevé; — *zijn*, être fini *of* achevé
(*v. werk bijv.*); être à bout de forces; être
rompu (*verloving bijv.*); (*uitgeschakeld*) être
écarté; *da's* —, voilà qui est fait; *mijn werk is*
—, mon travail est fait. **II** *bw*: *een kwartier van
de stad* —, à un quart d'heure de la ville;
zonder dat ik er iets van — *weet*, à mon insu;
op de man —, à bout portant; *op de rij* —, à
tour de rôle; (*tegen hond*) —, couche-toi; (*op
toneel*) il (elle) sort; *ik kan het niet* —, je suis
débordé, surchargé; *daar wil ik van* — *zijn*, je
n'en suis pas sûr; *het was op het kantje* —, il
s'en fallut de peu; *hij is er van* —, il en est
débarrassé; *en wij de trap* —, et nous (autres)
de descendre; — *en aan draven*, aller et venir;
— *en toe*, de temps à autre; *ik moet er eens op*
—, il faut que j'aille voir; *op de minuut* —, à la
minute; *van* ... —, depuis; à partir de, dès;
(éloigné) de (la ville); *niet ver* —, pas loin
d'ici.
afbaken/en tracer (une ligne de chemin de
fer); délimiter (une frontière); marquer (une
distance); *iem. weg* —, jalonner la voie de qn.
▼—**ing** jalonnement; tracé *m*; délimitation,
démarcation *v*.
afbedelen I obtenir en mendiant, mendier;
2 parcourir en mendiant.
afbeelden représenter, figurer, (dé)peindre.
▼**afbeelding** représentation, image *v*, portrait
m, description *v*.
afbekken engueuler.
afbellen 1 annoncer le départ par la cloche;
2 raccrocher (le récepteur); *zie ook*
aftelefoneren.
afbestellen décommander, annuler.
▼**afbestelling** contre-ordre *m*.
afbetal/en 1 (*schuld*) solder, acquitter, payer
intégralement; **2** (*iets v.e. schuld*) payer par
acomptes; *op zijn rekening 10 gulden* —,
payer un acompte de 10 florins. ▼**afbetaling**
1 (*geheel*) paiement *m* (intégral);
acquittement *m*; **2** (*gedeeltelijk*) acompte *m*;
op —, (vendre) à tempérament, (acheter)
avec des facilités de paiement; *in* — *op*, à
valoir sur. ▼—**stermijn** acompte; terme *m*;
échéance *v*.
afbeulen I *ov.w* éreinter, harasser, surmener.
II *zich* — s'esquinter, se surmener, s'éreinter;
zich — *om*, se tuer à...

afbidden 1 conjurer; **2** implorer.
afbijt/en 1 mordre; couper avec les dents; se
ronger (les ongles); **2** (*fig.*) *van zich* —, avoir
bec et ongles; *het spits* —, faire la grosse
besogne; *zijn woorden kort* —, marteler ses
mots. **3** (*tech.*) saponifier; décaper.
▼—**middel** saponifiant; décapant *m*.
afbikken regratter (le mortier); riper; décrépir.
afbinden délier, détacher, ôter; lier, ligaturer
(une veine).
afbladderen s'écailler.
afbladeren I *ov.w* effeuiller. **II** *on.w* s'écailler.
afblazen I *ov.w* **1** enlever en soufflant; **2** vider
(une machine); **3** flamber (un canon). **II** *on.w*
sonner la fin de (l'alerte).
afblijven: — *van*, ne pas toucher; ne pas se
mêler de; *blijf* (*van me*) *af*, bas les pattes.
afboeken mettre à jour; porter ailleurs; amortir.
afboenen 1 nettoyer; **2** mettre à la porte.
afborstelen brosser.
afbraak 1 démontage *m*; démolition *v*; *voor* —
verkopen, vendre pour démolir; **2** démolitions
v mv. ▼—**pand** immeuble *m* sacrifié. ▼—**prijs**
prix *m* très bas. ▼—**produkt** produit *m* de
déchet; - de décomposition.
afbranden I *ov.w* réduire en cendres; brûler,
incendier; flamber (une couche de peinture).
II *on.w* être consumé (par le feu).
afbreekbaar: *biologisch* —, biodégradable.
—**heid**: *biologische* —, biodégradabilité *v*.
▼**afbrek/en I** *ov.w* **1** (*een huis*) démolir;
2 (*kraam*) démonter; **3** (*een tak*) détacher;
4 (*woord*) diviser, couper; **5** interrompre;
6 (*chem.*) décomposer; *door snikken
afgebroken*, entrecoupé de sanglots; *kort* —,
couper court. **II** *on.w* **1** se casser; **2** cesser de
parler; **3** démolir. ▼—**end**: —*e kritiek*, critique
v négative; éreintement *m*. ▼—**er** démolisseur;
(*fig.*) éreinteur *m*. ▼—**ing** interruption;
rupture; coupure *v*. ▼—**ingsteken** tiret *m*;
points *m mv* de suspension.
afbrengen: *er het leven* —, avoir la vie sauve;
het er goed —, s'en tirer bien; *l'échapper belle*;
het er slecht —, échouer, s'en tirer mal; *iem.
van zijn mening* —, faire changer qn d'avis;
iem. van de rechte weg —, détourner qn du
droit chemin.
afbreuk tort *m*; — *doen aan*, porter atteinte à,
- préjudice à, nuire à, faire tort à.
afbrokkel/en I *ov.w* morceler, émietter.
II *on.w* se désagréger, s'émietter; (*v. koers*)
baisser. ▼—**ing** émiettement; (*v. beurskoers*)
fléchissement *m*, baisse *v*.
afbuigen I *ov.w* écarter. **II** *on.w* dévier,
s'écarter de sa direction.
afchecken vérifier liste en main.
afdak auvent, appentis, hangar *m*.
afdal/en descendre; *in bijzonderheden* —,
entrer dans les détails. ▼—**ing** descente *v*.
afdammen barrer.
afdank/en congédier (un domestique); se
défaire (d'un objet); repousser (un amant);
renvoyer (des troupes); réformer (un officier).
▼—**ing** renvoi, congé *m*, réforme *v*.
afdekken 1 couvrir; **2** *de tafel* —, desservir la
table; **3** *iem.* —, passer qn à tabac.
afdeling 1 (*als handeling*) division,
classification *v*; **2** (*resultaat*) division, section,
classe, branche *v*; corps (d'armée),
détachement *m*; **3** (*v. wagon*) compartiment
m; **4** partie, catégorie *v*; **5** (*v. kast*) case *v*; **6** (*v.
winkel*) rayon *m*; **7** (*v. gebied*) circonscription
v; **8** (*v. ziekenhuis enz.*). service *m*; *in de* —*en
gaan*, se réunir dans les commissions.
▼—**schef 1** chef *m* de division; **2** chef *m* de
rayon, - de section.
afdingen rabattre (du prix), marchander; (*fig.*)
diminuer la valeur du fait; *op alles af te dingen
hebben*, trouver à redire à tout; *daar valt niets
op af te dingen*, il n'y a pas à dire.
afdoen I *ov.w* **1** enlever, ôter, quitter, se défaire
de (son manteau); **2** nettoyer (ses souliers);
3 achever (un travail); décider, arranger (une
affaire); **4** payer (dette); acquitter (une
note); *dat zal er niet toe- of* —, cela n'y fera
rien; *iets van de prijs* —, rabattre du prix; *dat is*

afgedaan, c'est fini, - fait. **II** *on.w:* hij heeft
afgedaan, il a eu son temps; *hij heeft bij mij
afgedaan,* c'est fini entre nous; j'ai perdu toute
confiance en lui. ▼**afdoend** I *bn* 1 (*v. manier*)
définitif; 2 (*v. middel*) efficace; 3 (*v.bewijs*)
catégorique, concluant; *dat is —,* c'est net, -
tranchant. **II** *bw* définitivement. ▼**afdoening
1** (*v. schuld*) acquittement *m;* 2 (*v. zaak*)
arrangement *m; de — der lopende zaken,*
l'expédition *v* des affaires courantes.

afdraaien I *on.w* tourner. **II** *ov.w* enlever;
fermer à clef (la porte); baisser (le gaz); tordre,
rompre; moudre (un air); tourner (un disque).

afdragen 1 descendre, porter en bas; 2 (*v.
kleren*) user, finir; 3 (*v. geld*) remettre, verser.

afdreggen suivre en draguant, sonder.

afdreig/en obtenir par chantage; *iem. geld —,*
faire chanter qn.▼**—ing** chantage *m.*

afdrijv/en I *ov.w* repousser, chasser, purger
(qn de), faire avorter. **II** *on.w* (*v. bui*) passer,
s'éloigner; (*v. schip*) dériver. ▼**—end** purgatif;
abortif. ▼**—ing** (*v. schepen*) descente, dérive
v; (*v. vrucht*) avortement *m.*

afdrogen essuyer, sécher. ▼**afdroogdoek**
linge, torchon *m* d'office.

afdruip/bak, —rek égouttoir *m.* ▼**—en**
1 dégoutter, tomber goutte à goutte; 2 (*fig.*) se
sauver, s'en retourner la queue entre les
jambes.

afdruk 1 impression *v,* tirage *m;* 2 exemplaire
m (d'un livre); épreuve *v* (d'une photo); copie
v; 3 (*fig.*) image, empreinte *v.* ▼**—ken** I *ov.w*
1 (*v. boek*) imprimer, tirer; 2 (*in lak*)
empreindre; 3 (*v. geweer*) presser la détente.
II *on.w* imprimer. ▼**—sel** empreinte, image,
figure *v.*

afduwen pousser; repousser.

afdwalen s'égarer, se fourvoyer; *— van,*
s'écarter de (la question); s'éloigner de (son
sujet); se détourner de, quitter (la foi).
▼**afdwaling** égarement *m;* aberration *v.*

afdwingen extorquer; obtenir de vive force;
tirer, arracher; *achting —,* commander
l'estime.

afeten I *ov.w* manger, ronger. **II** *on.w* terminer
-, finir de dîner.

affaire 1 (*winkel*) (fonds de) commerce *m;*
2 (*handel*) affaire, transaction *v; een smerige
— met de politie,* une (sale) histoire avec la
police.

affect émotion, affection *v,* sentiment *m.*
▼**affectie** affection *v.*

affiche affiche *v;* programme *m.*

affiniteit affinité *v.*

affreus affreux.

affront affront *m,* offense, injure *v.* ▼**—eren**
offenser; faire un affront, insulter.

affuit affût *m.*

afgaan I *on.w* 1 descendre (un escalier);
2 (*afnemen*) diminuer; 3 (*afwijken*) s'éloigner
de, s'écarter de; 4 (*verlaten*) quitter,
abandonner; 5 partir; 6 (*v. geweer*) partir;
7 (*stoelgang hebben*) aller à selle; 8 (*figuur
slaan*) faire triste figure; ne pas se montrer
compétent; *het geweer is niet afgegaan,* le
fusil a raté; *dat gaat hem goed af,* il s'en tire
bien; *daar gaat niets van af,* on ne saurait le
nier; *er is een knoop van mijn jas afgegaan,* un
bouton s'est détaché de mon pardessus; *—
op,* s'approcher de (qn), marcher sur
(l'ennemi); (*fig.*) se fier à, partir de; *van zijn
vrouw —,* divorcer d'avec sa femme; *hij zal er
niet van —,* il n'en démordra pas. **II** *ov.w* aller
jusqu'au bout; suivre, parcourir (la série);
courir (les magasins). ▼**afgang** 1 bide; four
m; 2 descente; 3 (*stoelgang*) selle *v.*

afgedragen usé; fini.

afgeladen (vol) complet; comble.

afgelasten décommander, contremander.

afgeleefd usé, cassé (de vieillesse), décrépit.
▼**—heid** décrépitude *v.*

afgelegen 1 (*ver*) éloigné, écarté; 2 (*ver v.
centrum*) peu fréquenté; 3 (*eenzaam*) isolé,
solitaire. ▼**—heid** éloignement *v,* situation *v*
isolée.

afgelopen dernier; qui vient de s'écouler.

afgemat las (de), épuisé (de fatigue).
▼**—heid** lassitude *v,* épuisement *m.*

afgemeten I *bn* compté; mesuré, réservé.
II *bw* 1 à pas comptés; 2 en comptant ses
mots.

afgepast fait sur mesure; tout fait; (*v. geld*)
compté; *het publiek wordt verzocht met —
geld te betalen,* on ne rend pas la monnaie;
met — geld betalen, faire l'appoint.

afgerond arrondi; (*v. bedrag*) rond.

afgescheiden I *bn* séparé. **II** *zn* —e dissident,
séparatiste *m; — van,* sans parler de,
abstraction faite de.

afgesloofd épuisé, usé, cassé.

afgesloten fermé, barré, clos; *— rijweg,* rue *v*
barrée.

afgesproken d'accord, (*fam.*) dac; *dat is —
werk,* c'est un coup monté.

afgestompt abruti; affaibli.

afgestorven mort. ▼**—e** *m* (*& v*) mort(e),
défunt(e).

afgestreken ras; *— eetlepel,* cuiller *v* à soupe
rase.

afgestudeerd diplômé; ancien.

afgetobd harassé, épuisé, crevé.

afgetrokken 1 abstrait; 2 (*verstrooid*) distrait,
absent, préoccupé; *— thee,* thé *m* affaibli.
▼**—heid** 1 abstraction *v;* 2 distraction *v;*
3 préoccupation *v.*

afgevaardigde délégué, mandataire, député
m.

afgevallene renégat *m.*

afgeven I *ov.w* 1 (*overgeven*) remettre; porter
(une commission); rendre; transmettre (une
nouvelle); céder; déposer (sa carte); 2 (*in
bewaring geven*) déposer; 3 tirer (une traite);
4 répandre (une odeur); 5 (*vergunning bijv.*)
délivrer. **II** *on.w* 1 (*v. potlood*) marquer; 2 (*v.
kleuren*) déteindre (sur); dégorger; *— op,*
critiquer, blâmer. **III** *zich — met* se
commettre avec; se mêler de.

afgewerkt 1 fini, achevé; 2 (*fabrikaat*)
manufacturé; 3 (*verbruikt*) usé; 4 (*v.
personen*) à bout.

afgezaagd rebattu, banal, usé; *—e deun, —
gezegde,* rengaine *v.*

afgezant envoyé, ambassadeur *m; pauselijk
—,* nonce, légat *m.* ▼**—e** ambassadrice *v.*

afgezien *— van,* sans parler de, abstraction
faite de; *— daarvan,* à part ça.

afgezonderd isolé; solitaire; *— leven,* vivre
retiré.

Afghaan, —se Afghan *m,* Afghane *v.*
▼**Afghaans** afghan.

afgieten 1 faire écouler; égoutter; 2 (*chem.*)
décanter; 3 mouler; clicher; *er wat —,* en
(dé)verser un peu.

afgifte remise, délivrance *v;* dépôt *m; tegen —
van,* contre remise de.

afglijden glisser en bas de, glisser sur.

afgod idole *v.* ▼**—endienaar** idolâtre *m & v.*
▼**—endienst** idolâtrie *v.* ▼**—sbeeld** idole *v.*

afgooien jeter par terre, - en bas; (*v. kleding
bijv.*) se débarrasser de.

afgraven aplanir, déblayer; égaliser.

afgrazen tondre, brouter.

afgrendelen barrer; verrouiller.

afgrijselijk I *bn* horrible, affreux, atroce. **II** *bw*
horriblement, affreusement, atrocement.
▼**—heid** horreur, atrocité *v.* ▼**afgrijzen**
horreur *v; een — hebben van,* avoir en
horreur.

afgrissen arracher (qc à qn).

afgrond abîme, gouffre, précipice *m.*

afgunst envie, jalousie *v; iem. — toedragen,*
porter envie à qn. ▼**—ig** I *bn* envieux, jaloux.
II *bw* avec envie.

afhaken décrocher.

afhakken couper, trancher.

afhalen aller (*of* venir) chercher, prendre;
retirer (de l'argent, des lettres); enlever (les
bagages) à domicile; (*van huis, met wagen*)
prendre, cueillir; arracher; *bed —,* défaire le lit;
bonen —, éplucher des haricots verts; *van de
trein —,* attendre (qn) à la gare; *'t vel — van,*
écorcher; *schilderij van de muur —,* décrocher

le tableau.

afhandel/en 1 terminer, arranger (une affaire); **2** vider (un différend); **3** traiter (à fond), épuiser (un sujet). ▼—**ing** conclusion *v*; épuisement *m*.

afhandig: *iem. iets — maken*, déposséder qn de qc; arracher, subtiliser qc à qn.

afhang/en I *on.w* dépendre, retomber; — *van*, dépendre de; *dat hangt er van af*, cela dépend; *het hangt slechts van u af te ...*, il ne tient qu'à vous de ... **II** *ov.w* dépendre, détacher. ▼—**end** pendant, retombant; —*e schouders*, épaules tombantes. ▼**afhankelijk** dépendant, subordonné; — *van*, dépendant de; en fonction de; — *zijn van*, être fonction de; — *zijn van iem.*, relever -, dépendre de qn. ▼—**heid** dépendance *v*.

afhechten attacher en faisant un point.

afhellen aller en pente, incliner, pencher.

afhelpen aider à descendre; délivrer (de), débarrasser (de).

afhoeven: *het werk hoeft niet af*, inutile d'achever le travail.

afhouden I *ov.w* **1** tenir à distance, empêcher (qn) d'approcher; **2** retenir (un florin sur le montant); *iem. van iets —*, détourner qn de qc; *iem. van zijn werk —*, empêcher qn de travailler; *de boot —*, déborder l'embarcation; *(fig.)* ne pas participer à une action (*of* une œuvre commune); refuser. **II** *on.w* s'éloigner de terre, prendre le large.

afhouwen abattre, couper, trancher; *iem. het hoofd —*, décapiter qn.

afhuren louer; affréter (un vaisseau).

afjakkeren *zie* afbeulen.

afkalven s'affouiller, se creuser; s'ébouler.

afkammen peigner, carder (la laine) *(fig.)* bêcher, éreinter.

afkant/en terminer (*breiwerk bijv.*); délarder. ▼—**ing** terminaison *v*; délardage *m*.

afkapen chiper, voler, piquer.

afkapp/en *zie* **afhouwen** (*gram.*) retrancher, élider. ▼—**ing** retranchement *m*, élision *v* (d'une lettre). ▼—**ingsteken** apostrophe *v*.

afkeer répugnance, aversion, antipathie *v*; dégoût *m*; *een — hebben van*, avoir ... en aversion; — *inboezemen*, répugner. ▼—**wekkend** dégoûtant, répugnant. ▼**afkeren I** *ov.w* **1** détourner (la tête); *(fig.)* écarter (un danger); **2** repousser (une attaque); **3** parer (un coup); **II** *zich —* (*van*) se détourner (de). ▼**afkerig** dégoûté (de); — *maken van*, détourner de; — *zijn van*, avoir en aversion. ▼—**heid** aversion *v*; dégoût *m*.

afketsen I *ov.w* faire échouer, refuser. **II** *on.w* échouer, rater, ricocher.

afkeur/en 1 désapprouver, blâmer, condamner (la conduite); **2** réformer; **3** rejeter (ce qui ne peut plus servir); *hij is afgekeurd (voor de dienst)*, il a été réformé. ▼—**end I** *bn* désapprobateur, de blâme. **II** *bw* **1** en signe de désapprobation; **2** d'une façon dépréciative. ▼—**enswaardig** blâmable, à blâmer. ▼—**ing 1** désapprobation *v*; blâme *m*; mise *v* à la réforme, rejet *m*; *een motie van — aannemen*, voter un blâme; *(in parlement)* -une motion de censure.

afkicken se désintoxiquer.

afkijken copier; tricher; *een laan —*, regarder une allée jusqu'au bout.

afkloppen battre; nettoyer; *(bijgelovig)* toucher du bois.

afkluiven, afknagen ronger.

afknabbelen grignoter.

afknappen I *ov.w* casser, rompre. **II** *on.w* se détacher net, se casser net, se rompre; *(fig.)* s'épuiser; *op iem. —*, être déçu dans qn (qc); *(lichamelijk en psychisch)* craquer. ▼**afknapper** déception *v*.

afknippen couper, cisailler.

afknotten étêter; *afgeknotte kegel*, tronc *m* de cône.

afkoel/en I *ov.w* rafraîchir (l'air); refroidir (un fer chaud); frapper (des boissons). **II** *on.w* se rafraîchir, se refroidir. ▼—**ing** rafraîchissement, refroidissement *m*; baisse *v*

de (la) température.

afkoken cuire, faire bouillir (la viande); blanchir (les légumes).

afkomen 1 (*v. wacht*) descendre; **2** *zijn benoeming is afgekomen*, sa nomination est devenue officielle; *het werk zal niet —*, le travail ne sera pas fini; *er goed —*, l'échapper belle; *er heelhuids —*, sortir indemne de qc; *er met de schrik —*, en être quitte pour la peur; *op iem. —*, **1** s'avancer vers qn.; **2** marcher sur (l'ennemi); *van het latijn —*, dériver du latin; *ik kom juist van mijn broer af*, je viens de chez mon frère. ▼**afkomst** origine; descendance, naissance *v*; *van geringe —*, de basse extraction; *zonder — of geboorte*, de rien. ▼—**ig** issu (de), né (de), natif (de), originaire (de); *dit doosje is uit Parijs —*, cette boîte vient de Paris.

afkondig/en annoncer, proclamer, publier (un mariage); promulguer (une loi); décréter (l'état de siège). ▼—**ing 1** proclamation *v*; **2** publication *v* (d'un mariage); **3** promulgation *v* (d'une loi).

afkooksel décoction *v*.

afkoop rachat *m*. ▼—**baar** rachetable. ▼—**som** prix *m* de rachat; *(bij contractbreuk)* dédit *m*; *(fig.)* rançon *v*. ▼**afkopen 1** acheter (qc à qn); **2** racheter, expier.

afkoppelen (*mach.*) débrayer; (*wagon*) dételer; (*elektr.*) débrancher; déconnecter. ▼**afkoppeling** débrayage *v*, dételage *m*.

afkort/en raccourcir, écourter (la queue); abréger (un mot); résumer; (*v. geld*) retrancher. ▼—**ing 1** abréviation *v*, abrégé, résumé *m*; **2** retranchement *m*.

afkraken démolir; bêcher.

afkrijgen 1 *iets van de tafel —*, prendre qc sur la table; **2** enlever, faire disparaître (une tache); **3** terminer, achever (une tâche); **4** rabattre, déduire (qc du prix).

afkunnen I *ov.w* pouvoir finir; pouvoir se défaire (de qn); suffire à (une tâche). **II** *on.w* pouvoir se défaire; *dat kan er niet af*, je ne puis me permettre cela.

afkussen essuyer d'un baiser; *het —*, faire la paix par un baiser.

aflaat indulgence *v*; *volle —*, indulgence plénière.

afladen décharger, enlever.

aflaten I *ov.w* **1** (faire) descendre; **2** (*weglaten*) omettre, supprimer; **3** ne pas mettre (un chapeau). **II** *on.w* diminuer; — *van iets*, se désister de; *laat af*, cessez!, arrêtez!; *laat van haar af*, laissez-la.

afleggen 1 mettre bas (les armes); mettre de côté (son chagrin); dépouiller (sa honte); **2** ôter (son manteau); abandonner (une habitude); **3** couvrir, franchir (une distance); **4** rendre (visite); prêter (serment); passer (un examen); faire (un aveu); prononcer (un vœu); **5** faire la toilette (d'un mort); *het —*, **1** (*v. zieke*) mourir; **2** (*v. leraar*) échouer (devant sa classe); **3** (*v. student*) rater; *het tegen iem. —*, céder le pas à qn. ▼**aflegger** habit *m* de rebut, défroque *v*.

afleid/en 1 faire descendre; **2** dériver (l'eau), détourner (un cours d'eau); **3** conclure, déduire; **4** faire dériver (un mot); **5** distraire, divertir. ▼—**end** dérivatif; distrayant, amusant. ▼—**ing 1** distraction *v*; **2** (*woord—*) dérivation, étymologie *v*; **3** dérivé *m*.

afleren désapprendre, oublier (ce qu'on sait); désaccoutumer (qn d'une habitude); *ik zal hem dat wel —*, je lui en ferai passer l'envie.

afleveren livrer, fournir; remettre. ▼**aflevering 1** remise *v*, livraison *v*, envoi *m*; **2** (*deel v. boek*) fascicule *m*.

aflezen lire; proclamer; *namen —*, faire l'appel nominal.

afloop 1 (*v. vloeistof*) écoulement *m*; **2** (*v.d. zee*) reflux *m*; **3** (*v. helling*) descente, pente *v*; **4** (*uitkomst*) issue *v*, résultat *m*; fin *v*; **5** (*v. toneelstuk*) dénouement *m*; *na — der vergadering*, à l'issue -, à la sortie de la réunion; *na — bal*, on dansera; *met dodelijke —*, mortel, fatal. ▼**aflopen I** *ov.w* **1** (*uitlopen*)

aller jusqu'au bout de -, descendre (la rue);
2 (*doorlopen*) parcourir (la ville); faire (les
musées; toutes les classes); **3** user (ses
souliers); courir (les magasins). **II** *on.w*
1 (*hellen*) descendre; **2** (*wegvloeien*)
s'écouler (de l'eau); **3** (*uitwerken*) s'épuiser;
4 (*eindigen*) tirer à sa fin, expirer, se terminer,
finir; *het is afgelopen*, c'est fini, c'en est fait;
mijn horloge is afgelopen, ma montre ne
marche plus, s'est arrêtée; *de wekker loopt af*,
le réveille-matin sonne; *goed —*, se passer
bien; *slecht —*, tourner mal; *het loopt af met
hem*, il touche à sa fin; *een schip laten —*,
lancer un navire. ▼**aflopend 1** (*vlak*) incliné;
2 (*tarif*) dégressif.

aflos/baar amortissable, remboursable; *niet
aflosbare lening*, rente v perpétuelle. ▼**—sen
1** (*de wacht*) relever; **2** (*bij 't werk*) relayer,
remplacer; **3** (*gelden*) amortir; rembourser;
éteindre (une dette); purger (une
hypothèque). ▼**—sing 1** relève v (de la
garde); **2** (*v. schuld*) amortissement,
remboursement m; libération v; *vervroegde
—*, remboursement m anticipé.

afluisterapparatuur appareillage m
d'écoute. ▼**afluisteren I** *ww* surprendre,
écouter, découvrir en étant aux écoutes. **II** *zn*
écoute v téléphonique.

afmaken 1 (*voltooien*) achever, terminer, finir;
2 rompre (les fiançailles); **3** (*doden*) finir, tuer,
achever; **4** (*fig.*) abattre, tuer (un livre),
exécuter (un ministre en quelques phrases),
éreinter (un auteur); *zich van iets —*, se
débarrasser de qc; s'excuser de qc.

afmars départ *m*.

afmatten I *ov.w* fatiguer, harasser, épuiser,
exténuer. **II** *zich —* s'exténuer, s'éreinter,
s'épuiser. ▼**afmatting** fatigue, lassitude v,
épuisement *m*.

afmelden: *zich —*, présenter ses devoirs.

afmeten mesurer; *tegen elkaar —*, comparer.
▼**afmeting 1** (*het afmeten*) mesurage *m*;
2 (*grootte*) dimension v.

afmonster/en libérer. ▼**—ing** libération v.

afname 1 (*vermindering*) décroissance v;
2 (*afkoop*) débit m.

afneembaar amovible, démontable.
▼**afnem/en I** *ov.w* **1** décrocher (un tableau);
descendre le corps de la croix); enlever (les
rideaux); **2** ôter (son chapeau); retirer (du
feu); **3** lever (un bandage); enlever (le
déjeuner); desservir (la table); **4** enlever (la
poussière); épousseter (les meubles); **5** faire
passer (un examen); faire prêter serment à qn;
6 (*kopen van*) prendre (pour...) à, acheter à;
7 couper (une jambe; les cartes). **II** *on.w*
1 diminuer, faiblir; **2** (*v. maan*) décroître; **3** (*v.
gezicht, gezondheid*) baisser, s'affaiblir;
décliner; **4** (*v. krachten*) diminuer, s'épuiser.
▼**—er** preneur, acheteur *m*. ▼**—ing** déclin *m*,
diminution v (de forces); décroissement *m*
(du nombre); descente v (de croix); coupe v
(des cartes).

aforisme aphorisme *m*.

afpakken 1 (*ontnemen*) ôter, prendre de
force, arracher; (*fam.*) chiper, (*pop.*) faucher;
2 (*afladen*) décharger, débarrasser.

afpassen 1 mesurer au pas; **2** mesurer au
compas; ajuster.

afpellen éplucher; (*noot*) écaler.

afperken 1 tracer (un jardin); **2** (*met palen*)
palissader, limiter.

afpers/en *zie* **afdwingen.** ▼**—ing** exaction;
(*door ambtenaar*) concussion v; extorsion v
(de fonds); chantage *m*.

afpijnigen I *ww* tourmenter. **II** *zich —* se
tourmenter.

afpikken 1 picoter; arracher en picotant;
2 (*stelen*) rafler.

afpingelen marchander, chipoter.

afplakken poser un ruban de masquage.

afplatten aplatir.

afplukken cueillir.

afpoeieren renvoyer, éconduire (qn), envoyer
promener.

afprijzen baisser le prix de.

afraden déconseiller (qc à qn); dissuader (qn
de qc).

afraffelen *zie* **afroffelen.**

afraken (*v. engagement*) se rompre; — *van*,
s'éloigner de, perdre; se défaire de, renoncer à
(une habitude); *van de weg —*, se fourvoyer,
s'égarer.

aframmelen 1 (*les*) bredouiller; **2** (*slaag
geven*) *zie* **afranselen.**

afranselen rosser, tabasser, rouer de coups.

afraster/en entourer d'un grillage. ▼**—ing**
treillage, grillage *m*; claire-voie v.

afreageren abréagir.

afreis départ *m*. **afreizen I** *on.w* partir, se
mettre en route. **II** *ov.w* parcourir (en
voyageant).

afrekenen I *ov.w* déduire, rabattre, défalquer;
mijn voorschot is af gerekend, défalcation
faite de ma provision. **II** *on.w* solder (une
dette); liquider, régler un compte (avec qn);
wij hebben afgerekend, nous sommes quittes;
we hebben al afgerekend, nous avons déjà
réglé (le garçon); *we zullen wel met hem —*,
nous allons lui faire son affaire; *met de kelner
—*, payer l'addition v. ▼**—ing** décompte *m*,
règlement *m* de(s) compte(s); liquidation v (à
la bourse); *in — op*, à valoir sur; à compte sur;
op —, à compte, à valoir.

afremmen freiner, diminuer la vitesse.

africhten dresser, entraîner; chauffer (des
élèves); *afgericht*, discipliné, stylé
(domestique).

afrijden I *ov.w* donner du mouvement à (un
cheval); surmener, harasser (un cheval);
rompre (un cheval trop fougueux); promener
(un cheval); *iem. een been —*, écraser la
jambe à qn; (*een weg*) —, descendre,
franchir, parcourir. **II** *on.w* partir.

Afrika l'Afrique v. ▼**Afrikaan/(se)**
Africain(e) *m* (v). ▼**—s** africain. ▼**—tje** œillet
m d'Inde.

afrit 1 départ *m*; **2** sortie v; (*weg omlaag*)
descente v.

Afro-Aziatisch afro-asiatique.

afroepen 1 (*wegroepen*) appeler, déranger;
2 (*afkondigen*) annoncer, crier; *de namen —*,
faire l'appel (des noms).

afroffelen bâcler, expédier, torcher.

afromen écrémer. ▼**afroming** écrémage *m*.

afronden arrondir; *op duizend francs naar
beneden afgerond*, arrondi au millier de francs
inférieur; (*discussie*) conclure.

afrossen tabasser, rosser, rouer de coups.

afruilen (*bij schaken*) échanger.

afruimen desservir, débarrasser (la table).

afrukken arracher, enlever de force, faire
sauter (un bouton).

afschaduwen tracer une silhouette de;
ébaucher.

afschaff/en abolir; abroger (une loi);
supprimer (*bijv.* le sucre); congédier (un
domestique); renoncer à (une habitude).
▼**—er 1** (*v. slavernij*) abolitionniste *m*; **2** (*v.
sterke drank*) tempérant *m*. ▼**—ing** abolition v
(de l'esclavage); suppression v (d'un emploi);
abrogation v; congé *m*.

afschampen effleurer, glisser sur, fuir.

afscheid 1 (*ontslag*) renvoi, congé *m*,
démission v; **2** (*vaarwel*) congé *m*, adieu(x) *m*
(*mv*); — *nemen van*, prendre congé de; *ik
neem nog geen —*, sans adieu!; *een glaasje
tot —*, le coup de l'étrier; — *nemen van de
wereld*, se retirer du monde. ▼**—en I** *ov.w*
séparer (2 quantités); dégager (un gaz);
extraire; sécréter (des matières). **II** *zich —* se
séparer, se retirer (du monde); se dégager; se
sécréter. ▼**—ing 1** séparation; cloison v;
2 sécrétion v; **3** (*chem.*) extraction; affinage
m (de métaux); — *van een klier*, sécrétion v
glandulaire. ▼**—ingslijn** ligne v de
démarcation. ▼**afscheids......** d'adieu(x).
▼**—dronk** coup *m* de l'étrier; dernier toast *m*.
▼**—groet** compliment *m* d'adieu, adieu *m*.

afschenken 1 (*gieten*) verser, déverser;
2 (*chem.*) décanter.

afschepen expédier par la voie d'eau; (*fig.*) se

défaire de, envoyer promener.
afscheppen 1 enlever -, ôter le dessus (d'un liquide); **2** (*'t vet*) dégraisser; **3** (*schuim*) écumer; **4** (*room*) écrémer.
afschermen I *ov.w* parer; blinder (la radio); voiler, éteindre (lumière); mettre en veilleuse (les phares). II *on.w* faire écran.
afscheuren arracher; détacher.
afschieten I *ov.w* **1** (*doen afgaan*) tirer, lâcher (coup de fusil), lancer (une torpille); **2** (*wegschieten*) emporter (un bras); **3** séparer par une cloison; **4** tuer. II **op iem.** — se précipiter sur qn, s'élancer sur qn.
afschilderen 1 peindre, dépeindre; (*fig.*) représenter; **2** mettre la dernière main à (un tableau), achever.
afschilferen I *on.w* s'écailler. II *ov.w* écailler.
afschminken démaquiller.
afschrapen racler.
afschrift 1 copie *v*; duplicata *m*; **2** (*v. akte*) double *m*, grosse *v*; **3** (*recht*) expédition *v*; *voor gelijkluidend* —, copie conforme, pour ampliation.
afschrijv/en 1 copier; transcrire; expédier (un document officiel); **2** finir; **3** décommander (les invités); **4** (*korten*) décompter, déduire; **5** (*schuld*) amortir; *van zijn rekening* —, décharger son compte (d'une somme); **6** (*iem.*) abandonner. ▼—**ing** copie, transcription *v*; expédition *v*; (*hand.*) dépréciation *v*; — *op de gebouwen der fabriek*, amortissement *v*; *af- en overschrijving*, virement *m* de fonds; *automatische* —, prélèvement *m* automatique.
afschrik horreur, aversion *v*; *een* — *hebben van*, avoir horreur de. ▼—**ken 1** effrayer, inspirer de l'horreur à; **2** rebuter. ▼—**king**: *defensieve* —, dissuasion *v*. ▼—**wekkend 1** effroyable, épouvantable; **2** repoussant, rebutant.
afschroeven dévisser.
afschudden secouer; s'affranchir de.
afschuifsysteem système *m* de rejeter la responsabilité sur un autre.
afschuimen enlever; dégraisser; écumer.
afschuiven *ov.w* éloigner, reculer; *iets van zich* —, se défaire de qc, rejeter la responsabilité de qc sur un autre; *de schuld van zich* —, se disculper. II *on.w* **1** glisser; **2** (*fig.*) fournir de l'argent; *hij houdt niet van* —, il est dur à la détente.
afschutten 1 séparer par une cloison; mettre à l'abri de; **2** retenir (l'eau) par une écluse.
afschuw *zie* **afschrik.** ▼—**elijk** I *bn* abominable; horrible, atroce. II *bw* affreusement, horriblement. ▼—**elijkheid** abomination, atrocité; hideur *v*.
afslaan I *ov.w* **1** abattre, faire tomber, chasser; **2** trancher, couper (la tête); **3** faire descendre (le thermomètre); **4** repousser (une attaque); **5** rabattre de, réduire (le prix); **6** rejeter (une prière); **7** décliner (une invitation); refuser; *dat kan ik niet* —, cela n'est pas de refus; *hij is niet van zijn boeken af te slaan*, il est toujours collé sur ses livres; *het stof* — *van*, épousseter, secouer la poussière de. II *on.w* **1** (*gaan*) prendre-, tourner (à droite of à gauche); **2** (*v. prijzen*) baisser (les prix); *het brood slaat af*, le prix du pain diminue; **3** (*v. motor*) caler. ▼**afslachten** abattre; massacrer.
afslag 1 rabais *m*, baisse *v*; **2** diminution *v*; **3** refus *m*; **4** (*v. motor bijv.*) arrêt *m*; **5** (*afrit*) sortie; bifurcation; descente *v*; *bij* — *verkopen*, vendre à la criée. ▼—**er** vendeur public, crieur *m*.
afslanken amincir; dégraisser (*ook fig.*).
afslijpen 1 ébarber; **2** émoudre, aiguiser; **3** polir.
afslijt/en s'user, s'élimer. ▼—**ing 1** usure *v*; **2** (*v. lichaam, kracht*) consomption *v*.
afsloven (*zich*) se donner bien de la peine, se tuer, s'éreinter, s'évertuer (à).
afsluit/boom barrière *v*. ▼—**dam** barrage *m* de retenue. ▼—**dijk** digue *v* de protection. ▼—**en** I *ov.w* **1** fermer (à clef); **2** barrer (une route); couper (l'adduction); intercepter (la

lumière); **3** clôturer; clore (un champ); **4** conclure (un marché); régler (les livres); passer (une police d'assurance); **5** terminer (une période); *het gas* —, fermer le robinet du gaz; couper le gaz. II **zich** — s'enfermer; (*fig.*) se tenir à l'écart. ▼—**er** obturateur *m*; soupape *v*. ▼—**ing 1** (*daad*) fermeture *v*; **2** (*middel*) barrage *m*; clôture, cloison, enceinte *v*; **3** (*v. rekening*) arrêté *m* (de compte); **4** (*v. koop*) passation *v*. ▼—**premie** courtage *m*. ▼—**provisie** provision *v*.
afsmek/en implorer. ▼—**ing** imploration *v*.
afsnauwen rabrouer, rudoyer.
afsnijden I *ov.w* couper; empêcher, intercepter (la communication); trancher (la tête); séparer; couper court à (des questions); rompre (une liaison); rogner (les ongles); *de hals* —, égorger; *iem. de weg (of de pas)* —, couper le chemin à qn. II *on.w* raccourcir.
afsnoepen chiper; escamoter; *een kus* —, voler un baiser.
afspeel/apparaat appareil *m* de lecture; (*v. platen*) table *v* de lecture; électrophone *m*; (*v. banden*) lecteur de cassettes; magnétophone *m*. ▼—**kop** tête *v* de lecture. ▼**afspelen** I *ov.w* **1** jouer (une pièce); **2** finir sa partie. II **zich** — se passer; se dérouler (un drame); *er heeft zich daar heel wat afgespeeld*, il s'est passé là pas mal de choses.
afspiegel/en refléter, réfléchir; miroiter. II **zich** — se peindre, se réfléchir, se mirer. ▼—**ing** réflexion *v*, reflet *m*. ▼—**ingscollege** bourgmestre et adjoints dont le nombre est proportionnel à celui des groupes politiques au conseil municipal.
afspoelen 1 rincer, laver; **2** emporter.
afsplitsen I *ov.w* détacher; bifurquer; (*nat.*) fissionner. II **zich** —, subir une fission. III *zn* fission *v*.
afspraak 1 accord *m*, convention *v*; **2** rendez-vous; *een* — *maken, zie* **afspreken**; *een* — *hebben met*, avoir rendez-vous chez; *een nieuwe* — *maken*, reprendre rendez-vous; *ik heb 'n* — *om 3 uur*, j'ai un rendez-vous pour 3 heures; *volgens* —, conformément à ce qui était convenu; sur rendez-vous. ▼**afspreken** I *ov.w* concerter (qc avec qn), convenir (avec qn de qc), arranger qc; s'entendre sur; *met elkaar* — *om*, s'entendre (pour); — *om ergens samen te komen*, se donner (of prendre) rendez-vous; *afgesproken!*, entendu!; *afgesproken?*, est-ce dit? II *van zich* — se faire valoir.
afspringen 1 sauter à bas de, descendre; **2** (*losgaan*) se détacher; **3** (*niet doorgaan*) manquer, échouer; *er is een knoop afgesprongen*, un bouton a sauté.
afstaan I *ov.w* céder, abandonner. II *on.w*: — *van*, être éloigné de. ▼**afstaand**: (*v. kleding*) —*e hals*, encolure dégagée.
afstamm/eling(e) descendant(e). ▼—**en 1** (*v. personen*) descendre, être issu de, sortir de; **2** (*v. woord*) dériver (de), venir (de). ▼—**ing 1** descendance, origine *v*; **2** (*gram.*) dérivation *v*. ▼—**ingsleer** génétique *v*; théorie *v* de l'évolution.
afstand 1 (*tussenruimte*) distance *v*; éloignement, intervalle, parcours, trajet *m*; mesure *v*; **2** (*'t afstaan*) cession *v*, abandon *m*, renonciation *v*; abdication *v*; — *doen van, zie* **afstaan**; — *doen v.d. troon*, abdiquer (le trône); — *houden (in verkeer)*, garder ses distances; *op een* — *houden*, tenir à distance; *zich op een* — *houden*, être distant, réservé, over *een* — *van*, sur une distance de; *van* — *tot* —, de loin en loin. ▼—**elijk** avec recul; distant; non concerné. ▼—**meter** télémètre *m*. ▼—**sbediening** commande à distance, télécommande *v*; *met* —, télécommandé. ▼—**sbesturing**: *met* —, téléguidé. ▼—**srit** —**stocht** course *v* de fond, épreuve *v* sur route. ▼—**swijzer** table *v* itinéraire.
afstappen descendre (à l'hôtel); s'arrêter (à Paris); renoncer à (un projet); *laten we daarvan* —, n'en parlons plus.
afsteken I *ov.w* couper, enlever (avec un

instrument pointu); tirer (feu d'artifice); faire (une visite); *de loef —*, l'emporter sur; II *on.w* contraster; partir; *— tegen*, se détacher sur.

afstel *zie uitstel.* ▼**—len** 1 *af- en aanstellen,* nommer et destituer; 2 mettre hors de circuit, débrancher (la radio) 3 mettre au point (un instrument); 4 régler (une machine); *te voren afgesteld,* préréglé. ▼**—ling** destitution *v;* abolition *v;* débranchement *m;* mise *v* au point; réglage *m.* ▼**—schroef** vis *v* de mise au point.

afstem/knop bouton *m* de réglage. ▼**—men** 1 rejeter, repousser; 2 régler; syntoniser (la radio); 3 aligner (la valeur sur qc). ▼**—ming** 1 rejet *m;* 2 réglage *m;* syntonisation *v.*

afstempelen 1 timbrer (une lettre); 2 estampiller (des marchandises); 3 oblitérer (les timbres-poste).

afsterven mourir, décéder; s'éteindre; *het —,* la mort, le décès, le trépas.

afstevenen: *— op,* mettre le cap sur; se diriger vers; *(fig.)* foncer sur.

afstijgen mettre pied à terre.

afstoffen épousseter, nettoyer.

afstompen I *ov.w* émousser; abêtir, abrutir. II *on.w* s'émousser; s'abrutir.

afstoppen ralentir un groupe en tenant la tête.

afstot/en I *ov.w* 1 pousser -, jeter en bas; *(fig.)* repousser; se désintéresser de, laisser tomber; 2 *(muz.)* piquer, détacher; 3 *(med.)* rejeter; *de stier heeft zijn horens afgestoten,* le taureau s'est écorné. II *on.w* inspirer de la répulsion; rebondir. ▼**—end** repoussant; distant (par froideur). ▼**—ing** rejet *m.*

afstraffen corriger; réprimander sévèrement.

afstral/en I *on.w: — op,* rayonner, jeter ses rayons (sur); *(fig.)* rejaillir sur. II *ov.w* répandre (sa chaleur). ▼**—ing** réflexion *v,* rayonnement *m; (fig.)* rejaillissement *v.*

afstropen 1 enlever (la peau); écorcher (une anguille); 2 dépouiller (un lièvre); 3 piller, saccager (le pays).

afstuderen finir *(of* achever) ses études.

afstuiten rebondir, ricocher; *— op,* échouer (contre), se heurter (à).

afsturen: *— op,* diriger vers; *— van,* renvoyer, chasser (de).

aftakdoos boîte *v* de dérivation.

aftakel/en I *ov.w* dégréer, dégarnir. II *on.w* s'affaiblir; *(v. schoonheid)* décliner; *(in zaken)* baisser; *aan het — zijn,* être sur son déclin. ▼**—ing** dégréement *m; (fig.)* déchéance *v; seniele —,* sénilité *v.*

aftakk/en brancher, dériver; relayer, bifurquer. ▼**—ing** branchage *m;* dérivation *v; (v. weg)* antenne, bretelle *v* de raccordement.

aftands démarqué, hors d'âge (d'un cheval); *(fig.)* sur le retour.

aftap/kraan robinet *m* de purge, purgeur *m.* ▼**—pen** tirer (du vin, du sang); mettre (la boisson) en bouteilles; saigner. ▼**—ping** embouteillage *m,* mise *v* en bouteille; *— van bloed,* saignée *v.*

aftasten visiter; fouiller; explorer; *(met straal)* balayer; *het terrein —,* tâter le terrain.

aftekenen I *ov.w* 1 copier; tracer (une ligne); *(fig.)* tracer (le chemin); 2 *(ondertekenen)* signer; décharger; viser (un passeport); 3 finir le dessin. II zich *— se* dessiner -; se détacher (sur); *zich scherp (er) —,* s'accentuer.

aftelefoneren 1 contremander par téléphone; 2 s'excuser par téléphone.

aftellen I *ov.w* compter, compter à qui commencera; *— van,* diminuer de. II *on.w: dat telt af,* c'est autant de moins. III *het —,* le compte à rebours.

after-shave après-rasage *m.*

aftikken arrêter d'un coup de baguette.

aftobben *zie* **afsloven.**

aftocht 1 retraite *v;* 2 *(ordeloze —)* déroute *v; de — blazen,* battre la retraite; *(fig.)* battre en retraite.

aftoppen écrêter.

aftrap coup *m* d'envoi, envoi *m.* ▼**—pen** I *ov.w* jeter en bas, chasser à coups de pied; *afgetrapte broek,* pantalon avachi. II *on.w*

faire l'envoi (au football); *van zich —,* se défendre à coups de pied.

aftreden I *on.w* 1 descendre; 2 *(ontslag nemen)* se démettre, donner sa démission, abandonner le pouvoir; *aan de beurt zijn om af te treden,* être au terme de ses fonctions. II *het —,* sortie, démission, retraite *v.* ▼**aftredend** sortant.

aftrek 1 déduction *v;* rabais *m;* débit *m; — vinden,* trouver preneur; *goede — vinden,* être de bon débit; *na — van,* déduction faite de. ▼**—baar** déductible. ▼**—ken** I *ov.w* 1 *(wegtrekken)* enlever, arracher; 2 *(korten)* déduire, rabattre; 3 *(rek.)* ôter, soustraire; 4 *(afleiden)* distraire, détourner (qn de sa besogne); 5 *(laten trekken)* infuser (le thé); 6 *(afschieten)* décharger; 7 *(bij drukkers)* tirer (une épreuve). II *on.w* 1 *(v. personen)* s'éloigner, se retirer; *op de vijand —,* marcher sur l'ennemi; 2 *(v. troep, of fig.)* battre en retraite; 3 *(v.d. wacht)* descendre; 4 *(v. onweer)* (se) passer. III *het —,* la retraite *v.* ▼**—ker** le (plus) petit nombre. ▼**—king** 1 déduction *v.* rabais *m;* 2 *(rek.)* soustraction *v;* 3 décharge *v.* ▼**—sel** infusion, décoction *v,* extrait *m.* ▼**—som** problème *m* de soustraction. ▼**—tal** le (plus) grand nombre, le nombre à soustraire.

aftroeven couper avec un atout; *iem. —,* dire son fait à qn.

aftroggelen escroquer; filouter.

aftuigen 1 *(v. paard)* déharnacher; 2 *(mar.)* dégréer; 3 *(fig.)* éreinter, débiner (qn).

afvaardig/en députer, déléguer. ▼**—ing** députation *v,* délégation *v.*

afvaart partance *v,* départ *m.*

afval 1 *(ontrouw)* défection, désertion *v; (v. godsd.)* apostasie *v;* 2 fruits *m mv* tombés, - de rebut; déchets *m mv; radioactief —,* déchets radioactifs; ordures *v mv; (v. slachtvee)* issues *v mv.* ▼**—emmer** boîte *v* à déchets. ▼**—len** 1 tomber (de); 2 *(vermageren)* diminuer, maigrir; 3 *(tegenvallen)* causer une déception; 4 *(ontrouw worden)* faire défection, abandonner; apostasier; 5 *(sp.)* être éliminé. ▼**afvallig** I *bn* infidèle. II zn 1 *(v. partij)* révolté, rebelle, déserteur *m;* 2 *(v. godsd.)* apostat, renégat *m.* ▼**—heid** 1 défection, infidélité, désertion *v;* 2 apostasie *v.* ▼**afval/produkt** produit *m* résiduaire. ▼**—water** eaux *v mv* résiduaires. ▼**—wedstrijd** éliminatoire *v.*

afvaren I *on.w* partir, prendre la mer. II *ov.w: de kust —,* faire la côte; *de rivier —,* descendre la rivière.

afvegen épousseter, essuyer; *zich 't voorhoofd —,* s'éponger le front.

afvloei/en s'écouler; (dé)couler, ruisseler. ▼**—ing** 1 écoulement *m* (de liquides); 2 congédiement *m* graduel (du personnel); dégraissage *m.* ▼**—ingsregeling** règlement *m* de congédiement.

afvoer transport *m;* évacuation *v* (de produits); écoulement *m* (d'eau). ▼**—buis** tuyau *m* de décharge; conduit *m* de dégagement. ▼**—en** transporter, faire descendre (des marchandises); décharger, faire écouler (un liquide); *(fig.)* rayer (qn d'une liste). ▼**—kanaal** effluent *m;* émissaire *m* d'évacuation. ▼**—kraan** robinet *m* de sortie.

afvragen I *ov.w* demander, interroger, sonder (qn sur qc). II zich *— se* demander; *dan vraag je je wel eens af, of…,* on se prend à se demander si…

afvuren I *ov.w* décharger (son fusil); tirer (un coup de fusil). II *on.w* faire feu.

afwacht/en I *ov.w* attendre; souffrir (des insultes); *ik wacht van hem geen bevelen af,* je n'ai pas d'ordres à recevoir de lui; *dat moeten we —,* il faut voir venir. II *on.w* attendre les événements. ▼**—end** I *bn* attentiste. II *bw* en attendant votre réponse; *een —e houding aannemen,* rester dans l'expectative. ▼**—ing** attente *v; in —,* en attendant; *in — van uw orders,* dans l'attente de vos ordres.

afwas nettoyage *m* (de la vaisselle), (*fam.*) la vaisselle. ▼—**baar** lavable. ▼—**bak,** —**teil,** bassine *v.* ▼—**kwast** lavette *v.* ▼—**machine** lave-vaisselle *m.* ▼—**sen** 1 laver; nettoyer; — (*vaatwerk*) laver la vaisselle. ▼—**water** eau *v* de vaisselle.

afwater/en I *on.w* s'écouler. **II** *ov.w* drainer. ▼—**ing** écoulement, drainage *m.*

afweer défense, protection *v.* ▼—**geschut** D.C.A. *v,* défense *v* antiaérienne. ▼—**kanon** canon *m* antiaérien. ▼—**maatregel** mesure *v* de défense contre avions, - D.C.A.

afwegen peser; — *naar,* proportionner; *opnieuw* —, remettre en cause.

afwenden détourner (la tête); écarter, empêcher (un malheur); parer (un coup); dévier; *de ogen niet* — *van,* ne pas quitter des yeux.

afwennen déshabituer (qn de qc).

afwentelen se décharger (de qc sur qn).

afweren repousser (l'ennemi); se défendre de (qc de désagréable); parer (un coup).

afwerk/en I *ov.w* achever, finir, terminer; mettre au point; remplir (un programme). ▼—**ing** achèvement; mise *v* au point; (*tech.*) finissage *m;* finition *v; de verzorgde* —, le fini.

afwerp/en 1 (*neerwerpen*) jeter (à) bas, jeter; lancer (des bombes); parachuter; 2 (*zich ontdoen van*) se dépouiller de, se défaire de; 3 (*van zich werpen*) désarçonner (son cavalier); (*fig.*) secouer (le joug); décliner (la responsabilité); 4 (*opleveren*) rapporter (des profits), produire (une rente). ▼—**tank** réservoir *m* largable.

afweten: *het laten* —, se décommander, manquer (à).

afwezig absent. ▼—**heid** absence *v;* manque *v* (à l'appel); *blj* — *van,* en l'absence de.

afwijk/en 1 (*v. regels*) s'écarter de, dévier de (la règle); déroger à (une loi, un contrat); se départir de (son devoir); 2 (*v.d. norm*) différer; 3 (*magneet*) décliner; 4 (*v. zijn onderwerp*) s'écarter. ▼—**end** qui s'écarte, qui dévie; —*e mening,* opinion *v* divergente. ▼—**ing** détournement, écartement *m;* déviation; déclinaison; aberration; différence *v; in* — *van,* contrairement à; par dérogation à.

afwijz/en 1 (*weigeren*) refuser; repousser; éconduire; décliner (la responsabilité). 2 (*verwerpen*) rejeter, refuser (une demande en mariage); *hij is afgewezen,* il a été refusé; il n'a pas réussi; *een* —*end gebaar,* un geste de refus; *een* —*end antwoord,* une réponse négative. ▼—**ing** rejet, refus *m.*

afwikkel/en 1 dévider; dérouler; 2 (*hand.*) liquider; tirer au clair (une affaire). ▼—**ing** 1 dévidage, déroulement *m;* exécution *v;* 2 (*hand.*) liquidation *v.*

afwimpelen 1 décommander (au moyen d'un drapeau); 2 décliner -, se soustraire à (une invitation).

afwinden dévider.

afwissel/en I *ov.w* 1 changer, varier; 2 alterner. **II** *on.w* alterner (avec); se succéder alternativement; *elkaar*—, se relayer. ▼—**end I** *bw* varié; variable, changeant, alternatif. **II** *bw* alternativement, tour à tour. ▼—**ing** changement *m,* variation, variété *v;* alternative *v* (de chaud et de froid); roulement *m* (de fonctions); *bij* —, à tour de rôle; *voor de* —, pour varier.

afwissen essuyer, éponger.

afzagen scier.

afzakken I *ov.w* 1 glisser, descendre; 2 (*v. kousen*) tomber, être en tire-bouchon; 3 (*v. buf*) se passer; diminuer. **II** *ov.w* descendre (la rivière).

afzeggen annuler; décommander; *kunt u het niet* —?, ne pouvez-vous pas vous excuser?

afzend/en envoyer, dépêcher (qn); expédier (qc). ▼—**er,** —**ster** expéditeur *m,* -trice *v;* envoyeur *m,* envoyeuse *v.* ▼—**ing** expédition *v,* envoi *m.*

afzet 1 vente *v,* débit *m;* — *vinden,* trouver un débouché; 2 (*sp.*) départ *m.* ▼—**baar**

amovible, destituable. ▼—**gebied** débouché, marché *m.* ▼—**ten I** *ov.w* 1 (*neerzetten*) mettre bas, mettre à terre; 2 (*afnemen*) ôter (son chapeau); tirer (sa casquette); enlever, retirer (la casserole du feu); 3 (*brengen*) descendre (qn chez lui); 4 (*doen bezinken*) déposer; 5 amputer (une jambe); 6 (*stopzetten*) débrayer (la machine); arrêter, fermer (la radio); couper (le moteur); 7 repousser (sa barque); 8 (*afpalen*) tracer, marquer; 9 (*afsluiten*) barrer, garder; 10 (*ontslaan*) destituer, détrôner; 11 (*verkopen*) débiter, placer; 12 (*bedriegen*) tromper, 13 *iem. v.d. bal* —, déposséder qn du ballon. **II** *zich* — (*tegen*) s'opposer (à); prendre position (contre). **III** *zn: het* —, l'amputation *v;* la destitution. ▼—*er* escroc *m.* ▼—**erij** escroquerie *v.* ▼—**ing** 1 *zie* afzetten *zn;* 2 barrage *m.*

afzichtelijk I *bn* hideux. **II** *bw* hideusement. ▼—**heid** hideur, horreur *v.*

afzien I *ov.w* voir jusqu'au bout; calculer; attendre. **II** *on.w;* — *van,* renoncer à (un marché); abandonner (un projet); se désister de (droits); (*belgicisme*) souffrir. ▼—**baar:** *binnen afzienbare tijd,* dans un avenir assez proche.

afzijdig neutre; *zich* — *houden,* se tenir à l'écart.

afzoeken fouiller, sonder, scruter.

afzoenen effacer par un baiser; *het* —, se réconcilier par un baiser.

afzonder/en I *ov.w* 1 séparer, dégager; 2 mettre de côté. **II** *zich* — s'isoler; *hij mag zich graag* —, il aime à être seul. ▼—**ing** séparation *v,* solitude, retraite *v.* ▼—**lijk I** *bn* détaché, séparé; à part; particulier; indépendant. **II** *bw* séparément, isolément; — *plaatsen,* mettre à part, isoler.

afzuig/en aspirer. ▼—**ing** aspiration *v;* — *van bodorven lucht,* extraction *v* de l'air vicié. ▼—**kap** hotte *v* aspirante.

afzwaaien être démobilisé.

afzwakken atténuer.

afzweren abjurer, renier (sa foi); renoncer à.

agenda 1 agenda *m;* 2 ordre *m* du jour. ▼**agenderen** inscrire à l'ordre du jour.

agent 1 agent, représentant, placier *m;* 2 — *van politie,* agent *m* de police, gardien *m* de la paix (*Parijs*); — *van politie,* femme *v* policier. ▼—**schap** agence *v;* succursale *v* (de la Banque de France).

ageren agir; travailler les esprits; opérer.

aggregaat groupe *m* (électrogène).

agio agio *m,* prime *v.*

agglomeratie agglomération *v.*

agita/tie agitation, nervosité *v.* ▼—**tor** agitateur *m.*

agologie science *v* dont l'objet est de favoriser le bien-être personnel, social et culturel; agogie *v.* ▼**agoog** celui qui pratique la science du bien-être;

agra/riër 1 agriculteur; 2 (*in pol.*) agrarien *m.* ▼—**risch** cultural: agricole.

agres/sie agression *v.* ▼—**sief I** *bn* agressif. **II** *bw* agressivement. ▼—**nomie** agronomie *v.*

agro/logie agrologie *v.*

ahob passage *m* à niveau muni de demi-barrières.

ahorn érable *m.*

air air *m; een* — *aannemen,* se donner des airs; *het* — *aannemen van,* prendre l'air de. ▼**airbus** airbus *m.* ▼**air-conditioned** climatisé. ▼**air-conditioning** conditionnement *m* d'air.

ajakkes pouah; (*onwillig*) zut.

ajuin oignon *m.*

akelig I *bn* horrible, dégoûtant, affreux; lugubre; triste; *een* — *mens,* un homme désagréable; *ik word er* — *van,* cela me soulève le cœur. **II** *bw* horriblement; — *geleerd,* monstrueusement savant.

Aken Aix-la-Chapelle *v.*

aki signal *m* de position lumineux automatique.

akkefietje affaire, corvée, histoire v.
akker champ m, terre v. ▼—**bouw** agriculture v. ▼—**land** terre v labourable. ▼—**maalshout** taillis m de chênes. ▼—**wet** loi v agraire.
akkoord zn **1** accord m; **2** (verbintenis) contrat m; **3** (schikking) arrangement m; **4** (bij faillissement) concordat m; een — aangaan, faire un contrat; het op een —je gooien, transiger, composer (avec). II bw d'accord; — bevonden, lu et approuvé. ▼—**gaan**, être d'accord, se rallier (à).
akoest/iek acoustique v. ▼—**isch** bn acoustique.
akte 1 acte, titre, document m, pièce v; **2** permis m (de chasse); **3** (voor onderwijs) diplôme, brevet m (de capacité); een — van berouw verwekken, faire l'acte m de contrition; — van oprichting, acte m de fondation; — van overlijden, acte m de décès; — nemen van, prendre acte m de; een — opmaken, dresser un acte; een — passeren, passer un acte; waarvan —, dont acte. ▼—**examen** examen m pour l'obtention du brevet de … ▼—**ntas** serviette v.
al I bn tout; te allen tijde, de tout temps; ons aller vriend, notre ami à tous; aan alle kanten, de tous côtés; alle reden hebben om, avoir tout lieu de; alle mensen, tous les hommes; — het mogelijke doen, faire tout son possible. II zn: het —, le tout m, l'univers m; en met dat —, — met —, avec tout ça, tout compte fait; — wat goed is, tout ce qui est bon; eens voor —, une fois pour toutes; met zijn allen, tous. III bw **1** (reeds) déjà; vanavond —, dès ce soir; **2** continuellement; — donkerder, de plus en plus obscur; **3** (bij tegenw. dw.) tout en (riant); **4** (versterkend) tout (aussi dur); hij is — lang dood, il est mort depuis longtemps; is hij — dan niet schuldig?, est-il, oui ou non, coupable; — breder en breder worden, aller s'élargissant; — maar, toujours; maar — te veel, ne … que trop. IV vw quoique, quand même; — is hij jonger dan jij, il a beau être plus jeune que vous; — was hij arm, quand (même) il serait pauvre; — is hij rijk (hij is niet gelukkig), tout riche qu'il soit, pour être riche, (il n'est pas heureux).
alarm 1 alarme; alerte v; **2** tapage, vacarme m; — maken, donner l'alarme; loos —, fausse alarme; — blazen, sonner l'alarme, alerter (les troupes.) ▼—**centrale** (in Fr.) Police v Secours. ▼—**een** alarmer. ▼—**klok** tocsin m. ▼—**knipperlicht** signal m de détresse; feu m d'encombrement. ▼—**knipperlicht-installatie** centrale v clignotante. ▼—**schel** sonnette v d'alarme; avertisseur m d'incendie. ▼—**sein** signal m d'alarme. ▼—**toestel** avertisseur m, dispositif m d'alerte.
Albanees Albanais m. ▼**Albanië** l'Albanie v.
albast albâtre m. ▼**albasten** d'albâtre.
albatros.albatros m.
albino albinos m.
album album m.
alcohol alcool m. ▼—**gehalte** teneur v en alcool; (in bloed) alcoolémie v. ▼—**houdend** alcoolique, alcoolisé. ▼—**isme** alcoolisme m. ▼—**vrij** sans alcool.
aldaar là, y, en cet endroit. ▼**aldoor** tout le temps, continuellement; sans cesse. ▼**aldra** bientôt; sous peu. ▼**aldus** ainsi, c'est ainsi que; de brief luidt —, la lettre est ici conçue en ces termes. ▼**aleer** avant que; avant de; — ik schrijf, avant que j'écrive, avant d'écrire.
alfabet alphabet m. ▼**alfabetisch** bn (& bn) alphabétique(ment).
algebra algèbre v. ▼—**isch** bn (& bw) algébrique(ment).
algeheel complet, entier, intégral, total.
algemeen I bn général, universel, commun; —e vergadering, réunion v plénière, assemblée v générale; — erfgenaam, héritier m universel; —e geschiedenis, histoire universelle; met — e stemmen, à l'unanimité; het — welzijn, le bien public; steeds algemener worden, se généraliser de plus en plus. II bw

généralement; unanimement; — ontwikkeld man, un homme universel, - cultivé. III zn: in 't —, généralement, en général; in het — gesproken, généralement parlant. ▼—**heid** généralité; universalité v.
algen algues v mv.
Algerije of **Algerije** Algérie v. ▼**Algerijn** Algérien m. ▼**Algerijns** algérien. ▼**Algiers** Alger m.
alhier ici, en cette ville; (adres) en ville.
alhoewel quoique, bien que, encore que (met subj.)
alias I bw dit; autrement dit, c'est-à-dire. II zn **1** sobriquet, surnom m; **2** fripon, gamin m.
alibi alibi m; zijn — bewijzen, établir son alibi.
alikruik bigorneau m.
alimentatie contribution v alimentaire.
alinea alinéa; paragraphe m (d'un article).
alkali alcali m.
alkoof alcôve v.
alle tout, toute; tous, toutes; zie al. ▼**allebei** tous (les) deux, l'un et l'autre. ▼**alledaags** **1** journalier, quotidien; **2** ordinaire, commun, banal, vulgaire; —e gezegden, lieux communs m mv. ▼—**heid** vulgarité, banalité v.
allee avenue, allée v.
alleen I bn seul, isolé; dat —, cela seul; en dat is het niet —, et il n'y a pas que cela. II bw seulement, uniquement; — maar om, à seule fin de …;; — voor zijn toilet, pour sa seule toilette; hij leeft — voor zich, il ne vit que pour soi; — slapen, faire lit à part; niet —, maar ook, non seulement, mais encore; ik laat u —, je vous laisse. ▼—**heerschappij** pouvoir m absolu, monarchie v (absolue). ▼—**heerser** souverain absolu, autocrate m; monarque m (absolu). ▼—**spraak** monologue m. ▼—**staand** isolé, solitaire; —e, personne v solitaire. ▼—**verkoop** vente v exclusive. ▼—**vertegenwoordiger** représentant m exclusif. ▼—**vertegenwoordiging** représentation v exclusive. ▼—**zaligmakend:** de —e Kerk, l'Eglise hors de laquelle il n'y a point de salut.
allegaartje 1 jeu m de société; **2** salmigondis m (de restes de viande); (v. goederen, mensen) marchandise v mêlée; (fam.) salade, ratatouille v.
allego/rie allégorie v. ▼—**risch** allégorique.
allehens tout le monde.
allemaal 1 tous ensemble; **2** tout; — praatjes, ce ne sont que des racontars; wij zijn er nu —, nous sommes au (grand) complet; zij zijn — vertrokken, tous sont partis.
allemachtig I bw puissamment, prodigieusement (riche). II (uitroep) bonté divinel, juste ciell, fichtrel, sapristil
alleman tout le monde. ▼—**sgeheim** secret m de Polichinelle.
allengs peu à peu, insensiblement.
aller de tous; — ogen, tous les yeux. ▼—**aardigst** I bn on ne peut plus joli. II bw très gentiment. ▼—**best** I bn excellent. II bw excellemment, le mieux du monde. ▼—**eerst** I bn tout premier. II bw tout d'abord, avant tout.
allerg/ie allergie v. ▼—**isch** allergique.
allerhande I bn toutes sortes de; de toute nature. II bw tout v mv secs.
▼**A—heiligen** la Toussaint. ▼—**heiligst** très saint; het A—ste, **1** le saint des saints m; **2** (H. Hostie) le Saint-Sacrement m. ▼—**hoogst** de A—e, le Très-Haut; op zijn —, tout au plus. ▼—**ijl**: in —, en toute hâte. ▼—**laatst** tout dernier, ultime. ▼—**lei** I bn toutes sortes de, de toute condition. II zn toutes sortes de choses v mv; faits-divers m mv. ▼—**liefst** I bn ravissant, exquis. II bw on ne peut plus gentiment; hij is — voor mij geweest, il a été tout à fait gentil pour moi. ▼—**meest** bn & bw le plus, le plus souvent; op zijn —, tout au plus. ▼—**minst** bn (& bw) le moindre, le moins; op zijn —, au bas mot; in 't —, niet, pas le moins du monde. ▼—**uiterst** extrême. ▼—**wegen** partout, de toutes parts. ▼**A—zielen** le Jour des Morts.
alles tout; — bijeengenomen, à tout prendre;

dat is —, voilà tout; *is dat* —?, est-ce tout?, n'est-ce que cela?; *dat is toch niet* —, ce n'est pas gai; — *op het spel zetten*, jouer le tout pour le tout; *voor* —, avant tout; *daarmee is* — *gezegd*, (un point) c'est tout. ▼—**behalve** nullement; *hij is* — *vriendelijk*, il n'est rien moins qu'aimable. ▼—**beheersend** souverain. ▼—**eter** omnivore *m*. ▼—**zins** sous tous les rapports, à tous égards.
alliantie alliance *v*.
allicht 1 peut-être, probablement; plutôt; **2** facilement, aisément; — *niet*, plutôt pas, c'est entendu.
alligator alligator *m*.
alliter/atie allitération *v*. ▼—**eren** former allitération.
allooi aloi; *(fig.)* aloi, acabit *m*, espèce *v*.
all-riskverzekering assurance *v* tous risques.
all-round complet.
allure allure *v*; *van grote* —, de grand style.
alluviaal alluvial, alluvionné. ▼**alluvium** alluvion *v*.
allweather landingssysteem système *m* d'atterrissage tous temps.
almacht toute-puissance, omnipotence *v*. ▼—**ig I** *bn* tout-puissant, omnipotent; *de A—e*, Le Tout-Puissant. II *bw* puissamment; *zie* **allemachtig**.
almanak almanach, annuaire *m*.
almede aussi, également, de même.
alom en tous lieux, partout, de toute(s) part(s). ▼—**tegenwoordig** omniprésent. ▼—**tegenwoordigheid** omniprésence *v*, ubiquité *v*. ▼—**vattend** embrassant tout, universel.
aloud de la plus haute antiquité, ancien, immémorial.
alpaca alpaca, alpaga *m*.
Alpen Alpes *v mv*; *van de* —, alpestre *(tot 1800 m)*, alpin *(boven 1800 m)*. ▼—**beklimmer** alpiniste *m*. ▼—**hoorn** cor *m* (des Alpes). ▼—**hut** chalet *m* alpin. ▼—**jager** chasseur *m* alpin. ▼—**weide** alpage *m*. ▼**alpinist** alpiniste *m*. ▼**alpino(muts)** béret *m* (de chasseur alpin).
alras bientôt.
als 1 *(vergelijkend)* (blanc) comme (la neige); **2** *(opsommend)* tels que; **3** comme, en (qualité de), en tant que (professeur); à titre de (ami); **4** *(tijd)* quand; **5** *(voorwaarde)* si; — *het ware*, pour ainsi dire; —…*maar*, pour peu que *(met subj.)*, pourvu que *(met subj.)*; *besloten* — *wij zijn om*, résolus que nous sommes à. ▼**alsdan** alors.
alsem absinthe *v*; *(fig.)* fiel *m*.
alsjeblieft 1 *(bij aangeven)* voici, voilà, tenez; **2** *(vragend)* s'il vous plaît, plaît-il?, je vous prie; **3** *(als toestemming)* je veux bien; volontiers.
alsmaar sans cesse, toujours. ▼**alsmede** ainsi que. ▼**alsnog** encore.
alsof comme si; — *ik zijn vriend was*, comme si j'étais son ami; *doen* —, faire semblant (de); *er uitzien* —, avoir l'air (de).
alstublieft *zie* alsjeblieft.
alt 1 *(stem)* contralto *m*; **2** *(viool)* alto *m*.
altaar autel *m*. ▼—**dienaar** acolyte, desservant *m*. ▼—**stuk** tableau *m* d'autel.
altegader, altemaal *zie* allemaal.
altemet 1 quelquefois; parfois; **2** peut-être, par hasard.
alteratie altération *v*; émotion, agitation *v*.
alternatief I *bn* tout à fait différent; non adapté. II *zn* alternative *v*.
althans du moins, tout au moins.
alt/hoorn cor *m* de basset. ▼—**ist** altiste *m*.
altijd toujours; *evenals* —, comme de coutume; *nog* —, toujours; *nog* — *niet*, ne… toujours pas; — *door*, sans cesse, continuellement. ▼—**durend** continuel, perpétuel.
alt/viool alto *m*. ▼—**zanger** contraltiste *m*.
aluin alun *m*. ▼—**steen** alunite *v*.
aluminium aluminium *m*. ▼—**folie** papier d'a.
alvast déjà, en attendant, toujours.
alvleesklier pancréas *m*.

alvorens I *vw* avant que *(met subj.)*. II *vz* avant de *(met inf.)*. III *bw* d'abord, préalablement.
alwaar où.
alweer de nouveau, encore.
alwetend qui sait tout, omniscient. ▼—**heid** omniscience *v*.
alzijdig *bn* (& *bw*) universel(lement). ▼—**heid** universalité *v*.
alzo 1 ainsi, de cette façon; **2** donc, par conséquent.
amalgameren amalgamer.
amandel 1 *(vrucht)* amande *v*; **2** *(in de keel)* amygdale *v*. ▼—**pers**, —**taart** frangipane *v*.
amanuensis préparateur *m*.
amaril émeri *m*.
amateur amateur, dilettante *m*.
amazone amazone *v*, écuyère; *de A*—, l'Amazone *v*. ▼—**zit**: *paardrijden in* —, monter en amazone.
ambacht 1 métier *m*; profession *v*; **2** seigneurie *v*; *twaalf* —*en, dertien ongelukken*, il a tâté de tous les métiers. ▼—**sjongen** apprenti *m*. ▼—**sheer** seigneur *m*. ▼—**sman** artisan, ouvrier *m*. ▼—**sonderwijs**, enseignement *m* technique. ▼—**sschool** école *v* professionnelle, - technique.
ambassa/de ambassade *v*. ▼—**deur** ambassadeur *m*. ▼—**drice** ambassadrice *v*.
ambiëren ambitionner. ▼**ambitie 1** *(ijver)* zèle, ardeur *v*, application *v*; **2** *(eerzucht)* ambition *v*. ▼**ambitieus I** *bn* 1 *(ijverig)* appliqué, zélé; **2** *(eerzuchtig)* ambitieux. II *bw* avec zèle.
Ambon Amboine *v*. ▼—**ees I** *zn* Ambonais *m*. II *bn* ambonais, d'Amboine.
ambt office (de notaire *bijv*); poste *m*, charge, fonction, profession *v*; *(v. geestelijke)* ministère *m*; — *zonder wijding*, ministère non-ordonné. ▼—**elijk** *bn* (& *bw*) officiel(lement); administratif (-vement); *de* —*e weg volgen*, passer par la filière administrative. ▼—**eloos** sans emploi, privé; — *burger*, particulier. ▼—**enaar** fonctionnaire *m*; employé *m*; — *v.d. burgerlijke stand*, officier de l'état civil; — *v.h. openbaar ministerie*, ministère *m* public. ▼—**enarengerecht** tribunal *m* administratif. ▼—**enarij** bureaucratie *v*; esprit *m* bureaucratique. ▼—**genoot** collègue *m*; confrère *m*. ▼—**saanvaardng** entrée *v* en fonctions. ▼—**sbekleding** exercice *m* des fonctions. ▼—**sbegadigde** fonctions *v mv*. ▼—**seed** serment *m* professionnel. ▼—**sgebied** ressort *m*. ▼—**sgeheim** secret *m* professionnel. ▼—**sgewaad** costume *m* de cérémonie. ▼—**shalve** d'office. ▼—**smisbruik** prévarication *v*. ▼—**smisdrijf** forfaiture *v*. ▼—**speriode** cours *m* de mandat; *tijdens zijn* —, en cours de mandat. ▼—**sverlating** abandon *m* de son état; 'départ' *m*. ▼—**svervulling** gestion *v*. ▼—**swoning** maison *v* -, appartement *m* de fonction.
ambulance ambulance *v*.
amechtig hors d'haleine, essoufflé.
amen amen.
amend/ement amendement *m* ▼—**eren** amender.
Amerik/a l'Amérique *v*. ▼—**aan** Américain *m*. ▼—**aans** américain.
ameublement mobilier *m*.
amfetamine amphétamine *v*.
amfib/ie amphibie *v*. ▼—**isch** amphibie.
amfitheater amphithéâtre *m*.
amicaal *bn* amical; *bw* amicalement. ▼**amice** cher ami.
aminozuur acide *m* aminé.
ammonia ammoniaque *v*. ▼—**k** ammoniac *m*.
ammunitie munitions *v mv*. ▼—**wagen** caisson, fourgon *m*.
amnestie amnistie *v*; — *verlenen*, amnistier.
amoebe amibe *v*.
amok 1 accès *m* de rage; **2** *(fig.)* tapage *m*; — *maken*, faire l'amok.
Amor l'Amour, Cupidon *m*.
amoreel amoral.

amorf amorphe.
amortisatie amortissement *m*. ▼—**fonds** caisse *v* d'amortissement. ▼**amortiseren** amortir, éteindre.
amourette amourette *v*.
ampel *bn* (& *bw*) ample(ment).
amper à peine; presque.
ampère ampère *m*.
ampexband bande *v* ampex.
ampul (*rk*) burette *v*; ampoule *v*.
amput/atie amputation *v*. ▼—**eren** amputer.
amulet amulette *v*, fétiche *m*.
amus/ant amusant, marrant. ▼—**ement** amusement *m*. ▼—**eren** I amuser, divertir. II zich — s'amuser, se divertir, (*pop*) se marrer.
analfabeet analphabète *m* (*v*), illettré(e) *m* (*v*).
analist(e) laborantin(e) *m* (*v*).
analogie analogie *v*. ▼**analoog** I *bn* analogique. II *bw* par analogie.
analy/se analyse *v*. ▼—**seren** analyser. ▼—**tisch** *bn* (& *bw*) analytique(ment).
ananas ananas *m*.
anarch/ie anarchie *v*. ▼—**isme** anarchisme *m*. ▼—**ist** anarchiste *m*. ▼—**istisch** anarchique.
anatom/ie 1 anatomie *v*; 2 amphithéâtre *m* de dissection. ▼—**isch** *bn* anatomique. ▼**anatoom** anatomiste *m*.
anciënniteit ancienneté *v*.
ander I *bn* 1 (*verschillend*) autre, nouveau; 2 autre, second; *de —e tien*, les dix autres; *om de —e*, alternativement. II *zn: een —*, un autre; *van een —, aan een —*, d'autrui, à autrui; *het —e*, l'autre chose, le reste; *met —e woorden*, en d'autres termes; *de een of —*, quelqu'un(e). ▼—**deels** d'un autre côté, d'autre part. ▼—**half** un... et demi. ▼—**maal** encore une fois, de nouveau. ▼—**man** autrui, un autre.
anders I *bn* autre, différent; *dat is iets —*, c'est autre chose, c'est différent; *dat is eens wat — dan ...*, voilà qui nous change de ...; *— dan anderen*, pas comme les autres; *het — zijn*, l'altérité *v*; *hij is anders, dan hij lijkt*, il est autre qu'il ne paraît; *— niemand*, personne d'autre; *— niet*, pas autre chose; *iem. —*, un autre; *het is nu eenmaal niet —*, tant pis; c'est comme ça; que voulez-vous. II *bw* 1 (*v. wijze*) autrement, différent; 2 (*zo niet*) sinon, sans quoi; 3 (*overigens*) du reste, au reste. ▼—**denkend** qui pense autrement; (*godsd.*) hétérodoxe; *eerbied voor —en*, respect *m* de la croyance d'autrui. ▼—**om** en sens inverse, à rebours; *ga — staan*, tournez-vous; *je had juist — moeten doen*, vous auriez dû faire (exactement) le contraire. ▼**anderssoortig** d'espèce différente. ▼**anderszins** autrement, d'une autre manière, dans un autre sens. ▼**anderzijds** d'autre part.
andijvie chicorée frisée *v*.
andragogie education *v* d'adultes.
anekdote anecdote *v*.
anemoon anémone *v*.
anesthe/sie anesthésie *v*. ▼—**sist** anesthésiste.
angel 1 (*vishaak*) hameçon *m*; 2 (*v. insekt*) dard, aiguillon *m*.
Angelsaks/er Anglo-Saxon *m*. ▼—**isch** anglo-saxon.
angina angine *v*. ▼—**pectoris** angine *v* de poitrine.
Anglican Anglican *m*. ▼—**s** anglican.
angst peur, anxiété, angoisse *v*, (*fam.*) frousse *v*; *—en uitstaan*, être dans l'angoisse. ▼—**aanjagend** terrifiant, épouvantable. ▼—**complex** complexe *m* d'angoisse. ▼—**droom** rêve *m* angoissant, cauchemar *m*. ▼—**ig** (*act.*) angoissant; (*pass.*) anxieux, effarouché. ▼—**kreet** cri *m* de détresse. ▼—**neurose** névrose *v* d'angoisse, (*ook wel*) ▼—**psychose** peur *v* irraisonnée. ▼—**vallig** I *bn* 1 timide, craintif, timoré; 2 scrupuleux, méticuleux. II *bw* 1 scrupuleusement, méticuleusement; 2 jalousement.

▼—**valligheid** timidité, crainte *v*; scrupule *m*.
▼—**wekkend** angoissant, inquiétant, épouvantable. ▼—**zweet** sueur *v* froide.
anijs anis *m*.
aniline aniline *v*.
anim/eren exciter à, encourager à; *geanimeerd*, animé. ▼—**o** animation, énergie *v*, entrain *m*.
animositeit animosité *v*.
anjelier, anjer œillet *m*.
anker ancre *v*; (*elektr.*) armature *v*, induit *m*; (*arch.*) ancre, moufle *v*; *een — wijn*, 44 bouteilles de vin; *het — lichten*, lever l'ancre; *het — werpen*, jeter l'ancre; *voor — liggen*, être à l'ancre; *voor — gaan*, mouiller, ancrer. ▼—**boei** bouée *v* d'ancre. ▼—**en** jeter l'ancre, mouiller, ancrer. ▼—**horloge** montre *v* (à échappement) à ancre. ▼—**plaats** mouillage, ancrage *m*.
annalen annales *v mv*.
annex contigu, attenant. ▼—**atie** annexion *v*. ▼—**eren** annexer.
anno en l'an; *— Domini*, en l'an de grâce.
▼**annuïteit** annuité *v*.
annuleren annuler.
Annunciatie Annonciation *v*.
anode anode *v*. ▼—**batterij** batterie *v* de tension anodique.
ano/maal anomal. ▼—**malie** anomalie *v*.
anoniem *bn* anonyme. II *bw* anonymement. ▼**anonimiteit** anonymat *m*.
anorganisch inorganique.
ansichtkaart carte *v* postale illustrée.
ansjovis anchois *m*.
antarctisch antarctique.
antecedent 1 antécédent *m*; 2 (*geval*) précédent *m*.
antenne antenne *v*; *centrale —*, antenne *v* collective; *ingebouwde —*, antenne *v* incorporée. ▼—**mast** pylône-support *m* (d'antennes).
anti/apartheid antiapartheid *m*. ▼—**autoritair** antiautoritaire. ▼—**bioticum** antibiotique *m*. ▼**A—christ** Antéchrist *m*. ▼—**conceptie-** anticonceptionnel. ▼—**conceptivum** produit anticonceptionnel; contraceptif *m*. ▼—**condens** antibuée. ▼—**dateren** antidater.
antiek I *bn* antique, ancien. II *bw* dans le goût antique.
anti/gangsterbrigade brigade *v* anti-gang. ▼—**inflatie-** anti-inflationniste.▼—**kras** anti-rayures. ▼—**licham** anticorps.
Antillen les Antilles *v mv*.
antilope antilope *v*.
antimilitarist, —**isch** antimilitariste.
antipath/ie antipathie *v*. ▼—**iek** *bn* (& *bw*) antipathique(ment).
antiqu/air 1 (*in boeken*) marchand *m* de livres d'occasion; bouquiniste *m*; 2 (*in oudheden*) antiquaire *m*, marchand *m* d'antiquités. ▼—**ariaat** librairie *v* d'occasion, librairie *v* ancienne; commerce *m* d'antiquités. ▼—**arisch** d'occasion. ▼—**iteit** antiquité *v*.
anti/raket-raket missile *m* antimissile. ▼—**rookcampagne** campagne *v* antitabac. ▼—**semiet** antisémite *m*. ▼—**semitisch** antisémite. ▼—**septisch** antiseptique. ▼—**slip** antidérapant. ▼—**stof** anticorps *m*; *—vormend*, antigène. ▼—**tankgeschut** canon *m* (pièce *v*) antichar. ▼—**tankraket** missile *m* antichar. ▼—**verblindingsspiegel** rétroviseur *m* anti-éblouissant. ▼—**vriesmiddel** antigel *m*.
antraciet anthracite *m*.
antropo/logie anthropologie *v*. ▼—**logisch** anthropologique. ▼—**loog** anthropologiste, anthropologue.
Antwerpen Anvers *m*.
antwoord réponse *v*; *— op een —*, réplique *v*; *vlug —*, repartie, riposte *v*; *weigerend —*, refus *m*; *— geven*, répondre; *— krijgen*, recevoir une réponse; *het — schuldig blijven*, ne savoir que répondre; *in —, op*, en réponse à. ▼—**apparaat** répondeur *m* de téléphone; *registrerend —*, répondeur enregistreur.

▼—**coupon** coupon-réponse *m* postal.
▼—**en** répondre, répliquer, riposter.
▼—**formulier** formule-réponse *v.*
anus anus *m.*
aorta aorte *v.*
AOW-ers troisième âge *m.*
apart I *bn* à part, particulier. II séparément, en particulier. ▼**apartheid** apartheid *m.*
▼—**spolitiek** politique *v* de l'apartheid.
▼**apartje** aparté *m.*
apath/ie apathie *v.* ▼—**isch** *bn* (& *bw*) apathique(ment).
apegapen: *op — liggen,* être à toute extrémité.
ape/kooi singerie *v,* cage *v* aux singes.
▼—**kool** des sornettes *v mv; wat een — quelle blague.* ▼—**kop** tête *v* de singe; (*fig.*) espèce *v* de singe, gamin *m.* ▼—**kuur** singerie *v.* ▼—**liefde** amour *m* aveugle, fol amour *m.*
▼—**nootje** cacahuète *v.* ▼—**tronie** tête *v* de macaque.
aperitief apéritif *m.*
apert évident, notoire, avéré.
apin guenon *v,* singe *m* femelle.
aplomb aplomb *m,* assurance *v;* (*fam.*) toupet *m.*
apocalyp/s apocalypse *v.* ▼—**tisch** apocalyptique.
apocrief apocryphe.
apodictisch apodictique.
apolo/geet apologiste *v.* ▼—**gie** apologie *v.*
apostel apôtre *m.* ▼—**ambt, apostolaat** apostolat *m.* ▼**apostolisch** *bn* (& *bw*) apostolique(ment).
apostrof apostrophe *v.*
apotheek pharmacie *v.* ▼**apotheker** pharmacien *m.* ▼—**sassistente** aide-préparatrice *v* à la pharmacie.
apotheose apothéose *v.*
apparaat appareil *m,* dispositif *m.*
▼**apparatuur:** *elektrische —,* appareillage *m* électrique.
appartement appartement *m.*
appel appel *m;* — *aantekenen,* interjeter appel; *— houden,* faire l'appel; *in — gaan,* appeler d'un jugement à la cour.
appel pomme *v; door de zure — heen bijten,* s'exécuter; *voor een — en een ei,* pour un morceau de pain; *de — valt niet ver van de boom,* tel père tel fils. ▼—**beignet** beignet *m* aux pommes. ▼—**flap** chausson *v* aux pommes. ▼—**flauwte** malaise *v.* ▼—**moes** compote *v* de pommes. ▼—**sap** jus *m* de pommes. ▼—**tje:** *een — voor de dorst,* une poire pour la soif; *een — met iem. te schillen hebben,* avoir un compte à régler avec qn.
▼—**wijn** cidre *m.*
appelleren appeler de, interjeter appel.
appendicitis appendicite *v.* ▼**appendix** appendice *m.*
apperceptie aperception *v.*
appetijtelijk appétissant.
applaudisseren applaudir. ▼**applaus** applaudissements *m mv.*
applicatiecursus stage *m* dans une école d'application.
appreci/atie appréciation *v.* ▼—**eren** apprécier.
april avril *m; de eerste —,* le premier avril.
▼—**grap** poisson *m* d'avril.
a priori a priori.
apropos I *tw* & *bw* à propos! II *zn* l'affaire *v* en question; *hij is niet van zijn — te brengen,* il ne se laisse pas démonter; *om weer op mijn — te komen,* pour revenir à nos moutons.
aqua/duct aqueduc *m.* ▼—**naut** aquanaute *m.* ▼—**planing** aquaplaning, aquaplanage *m.*
aquarel aquarelle *v.* ▼—**schilder** aquarelliste *m.*
aquarium aquarium *m.*
ar traîneau *m.*
Arab/ië l'Arabie *v.* ▼—**ier** Arabe *m.* ▼—**isch** arabe; *een A—e,* une Arabe *v.*
arbeid 1 travail, ouvrage *m; recht op —,* droit *m* au travail; *zware —,* labeur *m;* **2** (*econ.*) main d'œuvre *v.* ▼—**en** travailler; *de —de*

klasse, la classe ouvrière. ▼—**er,** —**ster** travailleur *m,* -euse *v;* ouvrier *m,* - ière. *v.*
▼—**erpriester** prêtre *m* au travail.
▼—**ersbeweging** mouvement *m* ouvrier.
▼—**ersklasse** classe *v* ouvrière; artisanat *m.*
▼—**erszelfbestuur** autogestion *v.*
▼**arbeids/bemiddeling** placement *m.*
▼—**bureau** bureau *m* de placement; agence *v* de l'emploi. ▼—**conflict** conflit *m* du travail.
▼—**contract** contrat *m* de travail; *collectief* —, convention *v* collective de travail.
▼—**dienst** service *m* du travail obligatoire.
▼—**intensief** qui demande beaucoup de travail; coûteux en main d'œuvre.
▼—**intensiteit** puissance *v.* ▼—**kosten** frais *m mv* de main d'œuvre. ▼—**krachten** main-d'œuvre *v.* ▼—**loon** 1 salaire *m,* paye of paie *v;* **2** (*maakloon*) main-d'œuvre *v.* ▼—**markt** marché *m* du travail. ▼—**ongeschikt** incapable de travailler. ▼—**ongeschiktheid** incapacité *v* de travail; *algehele (gedeeltelijke) —,* incapacité *v* totale (partielle). ▼—**overeenkomst** convention *v* de travail; contrat *m* de louage (de service).
▼—**plaats** emploi *m.* ▼—**proces** organisation *v* (du travail). ▼—**reserve** réserve *v* en main d'œuvre. ▼—**schuwheid** répugnance *v* au travail. ▼—**therapeut** ergothérapeute *m.*
▼—**therapie** ergothérapie *v'.* ▼—**veld** champ *m* d'activité. ▼—**vermogen** énergie *v;* — *van beweging,* énergie cinétique; — *van plaats,* énergie potentielle. ▼—**verdeling** répartition *v* du travail. ▼—**voorwaarden** conditions *v mv* de travail. ▼—**wetgeving** législation *v* ouvrière. ▼**arbeidzaam** laborieux, actif, industrieux. ▼—**heid** activité, application *v;* ardeur *v* au travail.
arbiter arbitre, prud'homme *m.* ▼**arbitrage** arbitrage *m.* ▼**arbitreren** arbitrer.
archa/isch archaïque. ▼—**isme** archaïsme *m.*
archeo/logie archéologie *v.* ▼—**logisch** archéologique. ▼—**loog** archéologue *m.*
archief archives *v mv.*
archipel archipel *m.*
architect architecte *m.* ▼—**uur** architecture *v.*
archivaris archiviste *m.*
arctisch arctique.
Ardennen Ardennes *v mv.*
arduin pierre *v* bleue.
are are *m.* ▼**areaal** superficie *v.*
arena arène *v.*
arend aigle *m.* ▼—**sjong** aiglon *m.* ▼—**snest** aire *v.* ▼—**sneus** nez *m* aquilin.
arenlezen I *zn* glanage *m.* II *w* glaner. ·
areometer aréomètre *m.*
argeloos I *bn* ingénu, naïf, candide, sans malice. II *bw* sans malice, sans arrière-pensée, ingénument. ▼—**heid** simplicité, naïveté, innocence, candeur *v.*
Argentijn Argentin *m.* ▼—**s** argentin; *een A—e,* une Argentine. ▼**Argentinië** l'Argentine *v.*
arglist astuce, malice *v.* ▼—**ig** I *bn* malicieux, astucieux. II *bw* malicieusement, astucieusement. ▼—**igheid** malice, perfidie *v.*
argument argument *m.* ▼—**eren** argumenter.
argusogen: *met — volgen,* suivre avec une attention soupçonneuse (*of* jalouse).
argwaan soupçon *m;* méfiance, défiance *v.*
▼—**end** I *bn* méfiant, soupçonneux. II *bw* avec méfiance, soupçonneusement.
aria air *m.*
Ariër & Arisch Arien, Aryen.
aristocr/aat aristocrate *m.* ▼—**atie** aristocratie *v.* ▼—**atisch** *bn* (& *bw*) aristocratique(ment).
ark(e) arche *v;* — *des verbonds,* arche d'alliance; — *Noachs,* arche de Noé.
arm I *zn* bras *m; iem. een — geven,* donner le bras à qn; *iem. in de — nemen,* invoquer le secours de qn; — *in —,* bras dessus bras dessous; *met de — en over elkaar,* les bras croisés. II *bn* pauvre; dépourvu; — *maken,* appauvrir; — *worden,* s'appauvrir; — *als Job,* pauvre comme Job; — *aan,* pauvre de, - en.

III zn: de —*en van geest*, les pauvres d'esprit.
armada armada v.
armatuur armature v.
armband 1 (*om pols*) bracelet *m*; **2** (*om arm*) brassard *m*. ▼—**horloge** montre-bracelet v.
armelijk I *bn* pauvre, chétif, miséreux. **II** *bw* pauvrement, chétivement.
▼**armen/belasting** droit *m* des pauvres. ▼—**bus** tronc *m* (des pauvres). ▼—**school** école v gratuite. ▼—**zorg** aide v sociale.
▼**armezondaarsgezicht** air *m* penaud; - contrit. ▼**arm/huis** hospice *m*. ▼—**lastig** indigent.
armleuning bras *m*; accoudoir *m*.
armoed/e pauvreté, indigence, misère v; — *van geest*, faiblesse v d'esprit; *vergulde* —, misère dorée; — *is geen schande*, pauvreté n'est pas vice; *tot* — *vervallen*, tomber dans l'indigence. ▼—**ig I** *bn* pauvre, indigent, misérable. **II** *bw* pauvrement, misérablement.
▼—**zaaier** crève-la-faim, miséreux.
arm/slag: — *hebben*, avoir les coudées franches. ▼—**stoel** fauteuil *m*.
armzalig I *bn* misérable, pauvre, pitoyable. **II** *bw* misérablement.
aroma arôme *m*.
aronskelk arum *m*.
arrangeren I *w* arranger; — *voor orkest*, orchestrer. **II** zn: het —, l'arrangement *m*; het — *voor orkest*, l'orchestration v.
arrest 1 (*mil.*) arrêts *m mv*; **2** arrêt *m*; saisie v; **3** (*vonnis*) arrêt *m*; *in* — *zijn*, être aux arrêts.
▼—**ant** prisonnier, détenu *m*. ▼—**antenhok** local *m* disciplinaire, (*pop.*) violon *m*. ▼—**atie** arrestation v. ▼—**eren 1** arrêter; **2** *de notulen* —, approuver le procès-verbal.
arriveren arriver.
arrogant présomptueux. ▼—**ie** présomption v.
arrondissement arrondissement *m*.
▼—**srechtbank** tribunal *m* de première instance.
arsenaal arsenal *m*.
arsenicum arsenic *m*.
arteriosclerose artériosclérose v.
articul/atie articulation v. ▼—**eren** articuler.
arti/est artiste; acteur *m*; —e, artiste, actrice v. ▼—**stiek** *bn* (& *bw*) artistique(ment).
artikel article *m*; clause v (d'un testament); (*koopwaar*) article, produit *m*, marchandise v.
artiller/ie artillerie v. ▼—**ist** artilleur *m*.
artisjok artichaut *m*.
artotheek centre *m* où l'on peut emprunter des oeuvres d'art, ou les acheter à tempérament.
arts médecin, docteur; (*fam.*) toubib *m*; *vrouwelijke* —, femme v médecin. ▼**artsenij** médicament, remède *m*. ▼—**bereidkunde** pharmaceutique v.
as 1 (*lijn*) axe *m*; *om zijn* — *draaien*, pivoter; **2** (*v. wagen*) essieu *m*; *per* —, par route ou par chemin de fer; **3** (*v. machine*) arbre *m* (de couche); **4** (*muz.*) la bémol *m*; **5** cendre(s) v (*mv*); *in de* — *leggen*, réduire en cendres; — *is verbrande turf*, avec des si on mettrait Paris dans une bouteille; *uit de* — *herrijzen*, renaître de ses cendres. ▼**asbak** cendrier *m*. ▼**asbelt** décharge v publique, dépotoir *m*. ▼**asbest** asbeste, amiante *m*. ▼**asblond** blond cendré.
asceet ascète *m*. ▼**ascese** ascétisme *m*.
▼**ascetisch** *bn* (& *bw*) ascétique(ment).
asem zie **adem**; *geen* — *geven*, ne souffler mot.
asemmer seau *m* à ordures.
aseptisch aseptique; — *maken*, aseptiser.
asfalt asphalte, bitume *m*. ▼—**beton** béton *m* bitumineux. ▼—**eren** asphalter.
asgrauw couleur de cendre.
ashram ashram *m*.
asiel asile *m*. ▼—**recht** droit *m* d'asile.
asjeblieft zie **alsjeblieft**.
askar tombereau *m* (aux cendres). ▼**asman** éboueur, (*fam.*) boueux *m*.
asociaal *bn* (& *bw*) asocial(ement).
asperge asperge v.
aspirant aspirant, candidat, postulant *m*. ▼**aspiratie** aspiration v.

aspirine aspirine v. ▼—**tablet** comprimé *m* d'aspirine.
asregen pluie v de cendres.
assembleren assembler.
Assepoester Cendrillon v.
assist/ent(e) aide *m* & v, assistant *m*, -e v; (*apoth.*) préparatrice v; (*arts*) interne *m* & v. ▼—**entie** assistance, aide v, secours *m*. ▼—**eren I** *ov.w* assister. **II** *on.w* prêter son aide.
associ/atie association v. ▼—**ëren (zich)** (s')associer (à).
assorteren assortir. ▼**assortiment** assortiment *m*.
assum/eren I *ov.w* assumer. **II** zich — s'assumer, s'adjoindre. ▼—**ptie** cooptation v.
assur/adeur assureur *m*. ▼—**antie** assurance v.
astma asthme *m*. ▼—**lijder, —es** asthmatique *m*&v.
astrakan astrakan *m*.
astro/logie astrologie v. ▼—**loog** astrologue *m*. ▼—**naut** astronaute *m*. ▼—**nomie** astronomie v. ▼—**noom** astronome *m*.
aswenteling rotation v.
Aswoensdag (*rk*) mercredi *m* des cendres.
asymme/trie asymétrie v. ▼—**trisch** asymétrique.
atelier atelier, studio *m*.
athe/ïsme athéisme *m*. ▼—**ïst** athée *m*. ▼—**istisch** athée.
Atheens Athénien. ▼**Athene** Athènes v. ▼**Athener** Athénien.
Atlantisch atlantique; —*e Oceaan*, Océan *m* Atlantique.
atlas 1 atlas *m*; **2** (*stof*) satin *m*.
atleet athlète *m*. ▼**atletiek** athlétisme *m*.
atmosfeer atmosphère v; ambiance v.
atonaal atonal (*m mv* atonals).
atoom atome *m*. ▼—**bom** bombe v atomique. ▼—**centrale** centrale v atomique, - nucléaire. ▼—**dreiging** menace v nucléaire. ▼—**energie** énergie v atomique, - nucléaire. ▼—**explosie** explosion v nucléaire. ▼—**fusie** fusion v nucléaire. ▼—**geleerde** savant *m* atomiste. ▼—**gewicht** poids *m* atomique. ▼—**kop** tête v de charge nucléaire, ogive v nucléaire, - atomique. ▼—**macht** force v nucléaire stratégique. ▼—**proef** expérience v nucléaire. ▼—**reactor** réacteur *m* nucléaire. ▼—**splitsing** fission v nucléaire. ▼—**straling** radiation v atomique. ▼—**theorie** théorie v atomique. ▼—**wapen** (*mil.*) nucléaire *m*; arme v atomique; engin *m* atomique. ▼—**zuil** pile v atomique.
attaché attaché *m*. ▼—**case** attaché-case *m*.
attenderen: — *op*, faire remarquer; appeler l'attention sur. ▼**attent 1** attentif; **2** plein d'égards; *iem. op iets* — *maken*, attirer l'attention de qn sur qc; faire observer qc à qn ▼—**ie** attention v; — *alstublieft*, votre attention s'il vous plaît; *ter* — *van*, à l'attention de.
attest certificat, témoignage *m*, attestation v.
attractie attraction v, attrait *m*. ▼**attractief** attractif.
attribuut attribut; emblème *m*.
aul aïe!
aubade aubade v.
auctie vente v aux enchères, - publique. ▼**auctionaris** commissaire-priseur *m*.
audiëntie audience v; — *aanvragen*, demander (une) audience; — *verlenen*, recevoir qn en audience.
auditeur-militair commissaire *m* du gouvernement au tribunal *m* des forces armées.
auditie audition v; — *maken*, — *doen*, auditionner; *iem.* — *laten doen*, auditionner qn. ▼**audio/meubel** meuble *m* Hi-fi. ▼—**theek** salle v où d'édifice *m* où l'on garde des disques, des bandes magnétiques etc. ▼—**visueel** audiovisuel. ▼**auditief** auditif *bn* & zn. ▼**auditor** auditeur *m* libre. ▼**auditorium 1** auditoire *m*; **2** salle v des conférences.

augurk cornichon *m*.
augustus août *m*; A—, Auguste *m*.
aula cour *v* intérieure, grand amphithéâtre *m*; (*buiten Frankr.*) aula *v*.
au pair au pair.
aureool auréole, gloire *v*.
auspiciën auspices *m mv*.
Austral/ië l'Australie *v*. ▼—**iër** Australien *m*. ▼—**isch** australien.
autark/ie autarcie *v*. ▼—**isch** d'autarcie, autarcique.
auteur auteur *m*. ▼—**schap** paternité *v* littéraire; qualité *v* d'auteur. ▼—**srechten** droits *m mv* d'auteur; - de propriété littéraire.
authen/ticiteit authenticité *v*. ▼—**tiek** authentique.
autisme autisme *m*. ▼**autistisch** autistique.
auto auto; (*fam.*) bagnole *v*. ▼—**baan** autoroute *v*. ▼—**band** pneu (axial, radial *of* tubeless).
autobiogra/fie autobiographie *v*. ▼—**fisch** autobiographique.
autobus autobus; autocar *m*. ▼—**station** gare *v* routière.
autochtoon autochtone.
auto/couchettetrein train *m* autos-couchettes. ▼—**coureur** pilote *m*. ▼—**cric** cric *m*. ▼—**dagtrein** train *m* autos-jour.
auto/craat autocrate. ▼—**cratisch** autocratique.
autodidact autodidacte *m*.
autogeen autogène; — *lassen* souder à l'autogène; faire une soudure autogène.
autogram autographe *m*.
auto/handschoen gant *m* de conduite. ▼—**hoes** housse *v* pour voiture ▼—**industrie** industrie *v* automobile. ▼—**kaart** carte *v* routière. ▼—**lantaarn** phare *m*.
automaat automate *m*; distributeur *m* automatique; bar *m* automatique. ▼**automa/tie** automation *v*.▼—**tisch** *bn* (& *bw*) automatique(ment); —*e versnellingsbak,* boîte *v* automatique; — *telefoneren,* téléphoner en automatique. ▼—**tiseren** automatiser. ▼—**tisering** automatisation *v*.
automobilist conducteur *m*.
autonomie autonomie *v*. ▼**autonoom** autonome.
auto/-onderdelen pièces *v mv* détachées automobile ▼—**-ongeluk** accident *m* de voiture, - de la route. ▼—**ped** trottinette *v*. ▼—**radio** autoradio *m*. ▼—**rijschool** auto-école *v*.
autoriseren autoriser. ▼**autoritair** autoritaire. ▼**autoriteit** autorité *v*.
auto/sloperij entreprise *v* de démolition de voitures. ▼—**snelweg** autoroute *v*; *knooppunt van* —*en,* échangeur *m*. ▼—(**slaap**)**trein** train *m* autos-couchettes, T.A.C. ▼—**verhuur** louage *m* de voiture. ▼—**verzekering** assurance *v* automobile. ▼—**wasborstel** brosse *v* jet d'eau. ▼—**weg** autoroute *v*. ▼—**wrak** épave *v* de voiture.
averechts I *bn* de travers, à l'envers; —*e breisteek,* maille *v* à l'envers. II *bw* de travers, à rebours, à contresens; (*fig.*) gauchement.
averij avarie *v*; — *krijgen,* subir des avaries. s'endommager.
aviobrug passerelle *v* télescopique.
avocado avocat *m*.
avond soir *m*; soirée *v*; nuit *v*; *des* —*s,* le soir; '*s* —*s geopend zijn,* ouvrir en nocturne; *de* — *tevoren,* la veille au soir; *goeden* —, bonsoir; *op een* —, un soir; *van* —, ce soir; *de volgende* —, le lendemain soir; *het wordt* —, la nuit tombe. ▼—**blad** journal *m* du soir, édition *v* du soir. ▼—**eten** dîner *m*. ▼—**japon** robe *v* du soir. ▼—**je** soirée *v*. ▼—**kleding** tenue *v* de soirée. ▼—**klok** couvre-feu *m*; (*rk*) angélus *m*; vêpres *v mv*. ▼—**maal** souper, repas *m* du soir; *het laatste A*—, La Sainte Cène. ▼—**school** école *v* du soir. ▼—**tasje** pochette *v* du soir. ▼—**verkoop** vente *v* en nocturne. ▼—**wedstrijd** nocturne; match *m* en nocturne; *een* — *spelen,* jouer en

nocturne.
avontur/en risquer, hasarder. ▼—**ier(ster)** aventurier *m* (-ière *v*). ▼**avontuur** aventure *v*. ▼—**lijk** I *bn* aventureux, hasardeux. II *bw* aventureusement, à l'aventure.
axioma axiome *m*.
azalea azalée *v*.
azen: — *op,* se nourrir de; (*fig.*) être avide de, aspirer à, rechercher.
Aziaat Asiatique. ▼**Aziatisch** asiatique. ▼**Azië** l'Asie *v*.
azijn vinaigre *m*.
Azoren: *de* —, les Açores *v mv*.
azuren d'azur, azuré. ▼**azuur** bleu céleste, azur *m*.

B

B 1 (*letter*) b *m*; **2** (*muz.*) si *m*.
ba pouah!; — *doen*, faire caca; *geen boe of* — *zeggen*, ne souffler mot; *van geen boe of* — *weten*, ne savoir ni a ni b.
baadje veste *v*; *iem. op zijn —geven*, flanquer une volée à qn.
baadster baigneuse *v*.
baai 1 (*golf*) baie *v*; **2** (*stof*) bure *v*; **3** (*tabak*) tabac *m* à fumer; scaferlati *m*. ▼**—en** en bure, de bure.
baaierd chaos *m*.
baak balise, marque *v*; fanal, phare *m* (*licht*).
baal balle *v*, ballot *m*.
baan 1 (*weg*) voie, route *v*, chemin; couloir *m* (*zie ook rijstrook*); **2** (*v. planeet*) orbite *v*; **3** (*v.e. stof*) lé *m*, largeur *v*; **4** (*glij—*) glissoire *v*; **5** (*ijs—*) patinoire *v*. **6** (*wedstrijd—*) piste *v*; **7** (*kogel—, raket—*) trajectoire *m*; **8** (*start—*) aire *v* de départ, rampe *v* de lancement, piste *v* d'envol; **9** emploi, poste *m*; — *voor halve dagen*, poste à mi-temps; —*breken voor*, préparer la voie de; *zich —breken*, se frayer (un) passage; *ruim — maken*, écarter la foule, jouer des coudes; *op de — lopen*, faire le trottoir; *op de lange — schuiven*, ajourner indéfiniment; *dat is van de —*, voilà qui est fait; *il n'en est plus question; dat plan is voor goed van de —*, ce projet est définitivement écarté. ▼**—brekend** novateur, initiateur. ▼**—breker** pionnier, initiateur *m*. ▼**—schuiver** chasse-pierres *m*. ▼**—sport** piste *v*. ▼**—tje** petite route *v*; (*fig.*) emploi *m*, place *v*; *een goed —*, un poste lucratif; *een makkelijk —*, une sinécure; *wat een —!*, quel sale métier! ▼**—vak** section *v* de voie. ▼**—veger** balayeur *m* (de piste). ▼**—wachter** garde-voie; (*bij overweg*) garde-barrière *m*. ▼**—wedstrijd** épreuve *v* sur piste.
baar 1 *zn* **1** (*nieuweling*) nouveau, novice, bleu *m*; **2** (*golf*) vague, lame *v*; **3** (*draag—*) litière *v*, brancard *m*; **4** (*lijk—*) civière *v*; **5** (*staaf*) lingot *m*, barre *v*; **6** (*voor haven*) barre *v*. **II** *bn* comptant; *in — geld betalen*, payer en espèces.
baard 1 barbe *v*; **2** (*v. sleutel*) panneton *m*; *zijn — laten staan*, laisser pousser sa barbe; *hij heeft de — in de keel*, sa voix mue; *om 's keizers — spelen*, jouer pour l'honneur. ▼**—eloos** imberbe. ▼**—ig** barbu, poilu. ▼**—schurft** sycosis *m*.
baarlijk vrai, en personne; *de —e duivel*, le diable incarné.
baarmoeder matrice *v*, utérus *m*.
baars perche *v*.
baas 1 maître, patron *m*; **2** (*meesterknecht*) contremaître *m*; *de —*, le patron; le boss; *aardige —*, un vrai gaillard, un garçon amusant; *iem. de — worden*, avoir raison de qn; *hij is zijn eigen —*, il est son (propre) maître, il ne dépend de personne; *zijn zenuwen waren hem de —*, il s'est énervé; il a été à bout de nerfs; *ze konden de toestand niet meer —*, ils étaient débordés par la situation; *de — spelen*, faire la loi, commander en maître; *er is altijd — boven —*, on trouve toujours son maître; *wel, —je*, eh bien, mon (petit) bonhomme; *dat is een —je*, il n'a pas froid aux yeux.
baat avantage, profit, bénéfice *m*; *te — nemen*, se servir de, essayer; *zonder —*, sans y trouver de soulagement; *ten bate van*, au profit de, au bénéfice de. ▼**—zucht** intérêt *m* personnel, égoïsme *m*. ▼**—zuchtig I** *bn* intéressé, égoïste. **II** *bw* d'une manière intéressée, égoïstement.
babbel/aar (ster) bavard(e), babillard(e), jaseur (jaseuse) *m* (*v*); (*snoep*) caramel *m*. ▼**—achtig** bavard, babillard. ▼**—en** bavarder; babiller; jaser; *hij heeft gebabbeld*, il a jasé. ▼**—tje**: *een — maken*, bavarder.
baboe bonne *v* indigène.
baby bébé, baby *m*. ▼**—box** parc *m* de bébé. ▼**—foon** babyphone *m*. ▼**—sit(ter)** baby-sitter *m*. ▼**—uitzet** layette *v*.
baccalaureaat baccalauréat *m*.
bacchanaal bacchanale *v*.
bacil bacille *m*. ▼**—lendrager** porteur *m* (semeur) de bacilles.
back (*sp.*) arrière *m*.
bacter/ie bactérie *v*; *behandeling tegen —n*, traitement *m* anti-bactérie. ▼**—iologisch** bactériologique. ▼**—ievrij** stérile, stérilisé.
bad 1 bain *m*; **2** (*in badplaats*) bains *m mv*, eaux *v mv*; *een — nemen*, prendre un bain; *een — geven*, baigner (un bébé). ▼**—cel** cabine *v* (à douches). ▼**—en** I *on.w.* baigner, se baigner, prendre un bain. II *ov.w.* baigner. III *zich —* (se) baigner; *in tranen —*, fondre en larmes. ▼**—er** baigneur *m*. ▼**—gast 1** estivant, vacancier *m*; **2** visiteur, étranger *m*. ▼**—goed** linge *m* pour le bain. ▼**—handdoek** serviette-éponge *v*. ▼**—handschoen** gant *m* de toilette, main *v*. ▼**—hokje** cabine *v*. ▼**—huis** établissement *m* de bains. ▼**—jas** peignoir *m* -, sortie *v* de bains. ▼**—kamer** salle *v* de bains, - d'eau. ▼**—knecht** garçon *m* de bains. ▼**—koets** cabine *v* roulante. ▼**—kostuum** maillot *m* de bain. ▼**—kuip** baignoire *v*. ▼**—kuur** traitement *m* par les eaux. ▼**—laken** drap *m* de bain, - de plage. ▼**—mantel** peignoir *m* de bain. ▼**—mat** tapis *m* (devant) de baignoire. ▼**—meester** maître-nageur, baigneur *m*.
badminton badminton *m*.
bad/muts bonnet *m* de bain. ▼**—pak** maillot *m* (de bain). ▼**—plaats 1** (*land-*) ville *v* d'eaux. - de bains; **2** (*zee—*) bains *m mv* de mer, station *v* balnéaire; **3** (*met warme baden*) station *v* thermale. ▼**—schoenen** chaussures *v mv* de bain. ▼**—stoel** chaise *v* abri. ▼**—stof** tissu-éponge *m*; —*japon*, robe *v* éponge. ▼**—water** eau *v* de bain.
bagage bagages *m mv*; — *opvragen*, réclamer les bagages; — *overgeven*, remettre (*of* déposer) les bagages. ▼**—bureau** bureau *m* des bagages. ▼**—depot** consigne *v*. ▼**—drager** porte-bagages *m*; (*op auto*) galerie *v*. ▼**—kluis** consigne *v* automatique. ▼**—net** filet *m* (aux bagages). ▼**—plank** tableau *m* arrière. ▼**—ruim** soute *v* à bagages. ▼**—ruimte** (*in auto*) coffre *m*. ▼**—wagen** fourgon *m*.; remorque *v*. ▼**—wagentje** chariot *m* à bagages.
bagatel bagatelle *v*; *dat is geen —*, ce n'est pas peu de chose. ▼**—liseren** minimiser.
bagger boue, matière *v* de dragage. ▼**—en** I *ov.w* draguer, curer (un canal). II *on.w* door de modder —, patauger dans la boue. III *zn*: *het —*, le dragage, le curage (d'un canal). ▼**—laarzen** bottes *v mv* d'égoutier. ▼**—machine**, —*molen* drague *v*. ▼**—man** dragueur, cureur *m*. ▼**—schuit** bateau dragueur *m*.
bagno bagne *m*.
bah *zie* ba.
bajes taule *v*; (*in politiebureau*) violon *m*.
bajonet baïonnette *v*; *met de — op*, baïonnette au canon. ▼**—tje** (*v. lamp*) culot *m* baïonnette. ▼**—schermen** escrime *v* à la baïonnette. ▼**—sluiting** fermeture *v* à baïonnette.
bak 1 (*alg.*) cuve *v*, baquet *m*, boîte, case, caisse *v*; **2** (*kom*) bassin *m*; **3** (*nap*) écuelle,

jatte v; 4 (v. schip) gaillard m; 5 (mil.) gamelle v; (marine) plat m; 6 (etensbak) mangeoire v; 7 (v. etensdrager) récipient m; 8 (trog) auge v; 9 (in de schouwburg) parterre m; 10 (v. baggermach.) godet m; 11 (centen—) sébile v; 12 (mop) blague v; 13 (nap) violon m; m — je koffie, une tasse de jus; met het —je rondgaan, faire la quête. ▼—**beest** monstre m, bête v énorme. ▼—**boord** bâbord m; aan —, à bâbord; iem. van — naar stuurboord zenden, renvoyer qn. de Caïphe à Pilate.
bakeliet bakélite v.
baken balise v; de —s verzetten, changer les balises; changer de tactique. ▼—**licht** phare m. ▼—**stok** jalon m. ▼—**ton** bouée v.
baker garde v d'accouchée. ▼—**en I** ov.w emmailloter. **II** ww: zich in de zon —, se chauffer au soleil. ▼—**kind** enfant m au maillot. ▼—**mat** berceau m, patrie v. ▼—**praat** balivernes v mv.
bak/fiets triporteur m. ▼—**je** 1 baquet m, cuvette v, godet m, sébile v; 2 sapin, fiacre m; — koffie, tasse v de café.
bakkebaard favoris m mv, pattes v mv.
bakkeleien I on.w. se prendre aux cheveux, se chamailler sur; (v. oploop) se bagarrer. **II** zn: het —, le chamaillis.
bakk/en 1 (faire) cuire (du pain); 2 (in de pan met boter) poêler, (faire) frire, friturer (du poisson); 3 hij is gebakken, il a été recalé. ▼—**er** boulanger m. ▼—**erij** boulangerie v.
bakkes trogne, gueule v; hou je —, ta gueule!
bak/meel farine v panifiable. ▼—**olie** huile v à frire. ▼—**oven** four m. ▼—**pan** poêle v à frire. ▼—**sel** 1 (v. brood) fournée v; 2 (v. stenen) cuite v. ▼—**steen** brique v. ▼—**vet** graisse v à frire; friture v. ▼—**vis** poisson m à frire; friture v. ▼—**zeil** halen brasser à culer; (fig.) déchanter, filer doux; baisser le ton.
bal 1 balle v; 2 (voet—) ballon m; 3 (sneeuw—) boule v; 4 (biljart—) bille v; 5 (v. voet) plante v du pied; 6 (v. hand) paume v; (teel—) testicule m; een — maken, faire un carambolage; de — aan het rollen brengen, donner le branle; 8 bal v; — in de open lucht, bal champêtre; gemaskerd —, bal masqué.
balanceren I ov.w balancer, tenir en équilibre; équilibrer. **II** on.w se tenir en équilibre; (se) balancer. **III** zn: het —, le balancement m. ▼**balans** 1 balance v; (v. wielen) équilibre m; 2 (hand.) bilan m; zijn — opmaken, dresser son bilan. ▼—**opruiming** liquidation v pour cause d'inventaire. ▼—**waarde** valeur v de bilan.
balboekje (vero.) carnet m de bal.
baldadig I bn méchant, fou. **II** bw méchamment, follement. ▼—**heid** méchanceté, folie v, acte m de vandalisme; (op personen) voies v mv de fait, molestations v mv.
balein baleine v; (in korset) busc m; (in paraplu) branche v.
balen: — van, en avoir marre(de).
balhoofd douille v de direction; douille v à billes.
balie 1 (trapleuning) rampe v; 2 (brugleuning) parapet, garde-fou m; 3 (bij rechtbank) barre v; 4 (de advocaten) barreau m; 5 (tobbe) cuvette v. ▼—**kluiver** badaud, cagnard m.
baljapon robe v de bal.
baljuw bailli m.
balk 1 (arch.) poutre v; solive v, soliveau m; 2 (mar.) bau, barrot m; 3 (noten—) portée v; 4 (her.) barre v; fasce v; het aan de — schrijven, le marquer d'un caillou blanc; het over de — gooien, être dépensier.
Balkan Balkan m; op de —, dans les Balkans. ▼—**staten** États m mv balkaniques.
balken braire; crier.
balkon 1 (v. huis) balcon m; 2 (v. tram) plate-forme v; 3 (in schouwb.) fauteuils m mv de balcon. ▼—**deur** porte-fenêtre v.
balkostuum costume m (toilette v) de bal.
ballade ballade v.
ballast 1 (mar.) lest m; 2 (arch.) ballast m;

3 (fig.) bagage inutile, fatras m.
ballen I ov.w fermer, serrer (le poing). **II** on.w 1 s'arrondir en boule; 2 jouer à la balle.
ballet ballet m. ▼—**danseres, ballerina** danseuse de ballet, ballerine v. ▼—**groep** corps m de ballet.
balletje boulette v; een — over iets opwerpen, mettre qc sur le tapis, lancer un ballon d'essai.
balling exilé(e), banni(e) m (v). ▼—**schap** exil, bannissement m.
ballistiek balistique v.
ballon 1 ballon m; 2 (lucht—) aérostat m; 3 (v. lamp) globe, abat-jour m. ▼—**versperring** barrage m de ballons.
ballot/age ballottage, vote m. ▼—**eren** voter.
ballpoint stylo m à bille; bic m, pointe v bic.
balorig bn qui ne veut rien entendre, de mauvaise humeur. ▼—**heid** mauvaise humeur v, maussaderie v.
balpen stylobille m.
balsahout balsa m.
balschoen soulier m de bal (pour femme), escarpin m (pour homme).
balsem baume m. ▼—**en** embaumer. ▼—**ing** embaumement m.
balspel jeu m de paume, -balle, -ballon; jeu de boules; pelote v (basque).
balsturig opiniâtre, obstiné, récalcitrant, revêche. ▼—**heid** entêtement m, obstination v; esprit m de rébellion.
Baltisch: de — e Zee, la mer Baltique.
balustrade balustrade v, barre v d'appui.
balzaal salle v de bal.
bamboe I zn bambou m. **II** bn de (en) bambou.
ban 1 excommunication v; in de — doen, excommunier; (niet kerkelijk) mettre au ban, proscrire; 2 (betovering) charme m, fascination v.
banaal I bn banal, quelconque. **II** bw banalement.
banaan 1 banane v; 2 bananier m.
banaliteit banalité v, lieu m commun; platitude v.
bananeschil peau v de banane.
band 1 (alg.) lien, cordon m; attache v; 2 (lint) ruban m; 3 (verband) bandage m; 4 (v. film of radio) bande v; 5 (anat.) ligament m; 6 (v. boek) reliure v; 7 (boekdeel) volume m; 8 (ringvormig) cercle m; garniture v; 9 (v. fiets) boyau; pneu m; 10 (om arm) brassard m; 11 (huwelijks—) nœud m; 12 (vriendschaps—) lien m; 13 (fig.) lien, joug m; fers m mv, frein m; 14 orchestre m; musique v; lopende —, chaîne v mécanique; aan de lopende —, à la chaîne, en série; aan —en leggen, enchaîner, tenir (qn) de court; uit de — springen, se porter à des excès; opnemen op de —, enregistrer sur bande; over de —, par la bande. ▼—**afnemer** démonte-pneus m. ▼—**eloos** débauché, sans frein, effréné. ▼—**eloosheid** débauche v, désordre m, licence v. ▼—**(en)spanning** pression v des pneus. ▼—**epech** crevaison v; — hebben, avoir un pneu crevé. ▼—**erol** banderole v; (v. drukwerk) bande v; (v. sigaar) bague v.
bandiet gangster, bandit, brigand m.
band/opname enregistrement m magnétique. ▼—**opnemer, —recorder** magnétophone m. ▼—**rem** frein m sur pneu.
banen frayer, aplanir, pratiquer; zich een weg —, se frayer un chemin, se faire jour; de gebaande weg, le chemin battu.
bang I bn 1 (pass.) craintif, peureux, anxieux, timide; 2 (act.) angoissant, effrayant; —e uren, heures d'angoisse; — maken, faire peur, intimider, effrayer; — worden, prendre peur, s'inquiéter; — zijn, avoir peur craindre; zo — als een wezel, peureux comme un lièvre. **II** bw craintivement, peureusement. ▼—**erd** peureux, poltron m. ▼—**heid** crainte, peur, anxiété v. ▼—**makerij** intimidation v.
banier bannière v; étendard; drapeau m.
bank 1 banc m; oplopende —en (v. stadion bijv.), gradins m mv; 2 (rijtuig—) siège m; banquette v; 3 (handel) banque v;

4 (*slagers*—) étal m; **5** (*zand*—) banc m de sable; — *van lening*, mont-de-piété m, (*thans*) Crédit m municipal; *door de* —, en général, en moyenne; *de* — *houden*, tenir -, faire la banque; *de* — *doen springen*, faire sauter la banque. ▼—**bedrijf** banque v, opérations v mv de banque. ▼—**biljet** billet m de banque; *klein* —, coupure v. ▼—**breuk** banqueroute, faillite v. ▼—**cheque** chèque m bancaire. ▼—**directeur** directeur m de banque. ▼—**disconto** escompte m de la banque.

banket 1 (*feestmaal*) banquet, festin m; **2** (*gebak*) pâtisseries v mv, gâteaux m mv; frangipane v. ▼—**bakker** pâtissier m. ▼—**bakkerij** pâtisserie v.

bank/garantie caution v de banque. ▼—**geheim** secret m bancaire. ▼—**houder 1** banquier m; **2** prêteur m sur gages. ▼—**ier** banquier m. ▼—**instelling** (maison de) banque v. ▼—**krediet** crédit m de (*of* en) banque. ▼—**loper** encaisseur m (de banque). ▼—**papier** billets m mv de banque. ▼—**rekening** compte m de banque. ▼—**roet** faillite, banqueroute v; — *gaan*, faire faillite. ▼—**saldo** solde m en banque. ▼—**schroef** étau m. ▼—**stel** ensemble m de salon. ▼—**vereniging** société v bancaire. ▼—**werker** ajusteur m. ▼—**wezen** banque; organisation v bancaire.

ban/neling banni, exilé; proscrit m. ▼—**nen 1** (*verbannen*) bannir, exiler; chasser, reléguer; **2** (*vogelvrij verklaren*) proscrire; **3** (*de duivel*) exorciser. ▼—**vloek** anathème m, excommunication v; *de* — *uitspreken over*, anathémiser, excommunier.

baptist baptiste m; *de B*—, Saint Jean-Baptiste.

bar I bn **1** (*v. koude*) âpre, rude, rigoureux **2** (*dor*) aride, stérile; **3** (*nors*) bourru; **4** (*erg*) raide, fort. **II** bw rudement, âprement. **III** zn bar m.

barak (*mil.*) baraquement m; baraque v.

barbaar barbare m. ▼**barbaars** barbare, cruel.

barbe/cue/¹ barbecue m (*toestel*); **2** repas m en plein air. ▼—**cuen 1** rôtir en barbecue; **2** avoir une barbecue-partie.

barbier barbier m. ▼—**swinkel** boutique v de barbier, salon m de coiffure.

barbituraat barbiturique m.

bard barde m. ▼—**enzang** chant m des bardes.

barderen barder.

baren I ov.w mettre au monde, enfanter, accoucher de, (*fig.*) causer, produire, susciter; *opschudding* —, faire sensation. **II** zn: het —, l'enfantement, l'accouchement m. ▼—**snood**, —**swee** douleurs v mv de l'enfantement.

baret 1 béret m; **2** (*v. geestelijken*) barrette v; **3** (*v. professor*) toque v.

bargoens argot; jargon m.

bariton baryton m.

bark barque v.

barkas double chaloupe, baleinière v; vedette v à vapeur.

barkeeper, barhouder 1 (*eigenaar*) buvetier m; **2** serveur m. ▼**barmeisje** barmaid v, serveuse v.

barmhartig I bn miséricordieux, clément, charitable; *de* —*e Samaritaan*, le bon Samaritain. **II** bw charitablement, avec miséricorde. ▼—**heid** charité, miséricorde, clémence, pitié v.

barnsteen ambre jaune m. ▼**barnstenen** d'ambre.

barok I bn baroque. **II** zn: het —*ke*, le baroque. **III** bw d'une manière baroque. ▼—**stijl** style m rococo.

barometer baromètre m. ▼—**stand** hauteur v barométrique; *de* — *is laag*, il y a une dépression.

baron, -es baron m, baronne v. ▼—**ie** baronnie v.

barrevoets I bn déchaussé, les pieds nus. **II** bw nu-pieds.

barricad/e barricade v. ▼—**eren** barricader.

barrière barrière v.

barrijtuig voiture-bar v.

bars bn (& bw) brusque(ment), rude(ment). ▼—**heid** brusquerie, rudesse v.

barst 1 fissure, gerçure v (*v. lip, hand*); **2** fêlure (*d'un verre*); **3** (*spleet*) crevasse v. ▼—**en 1** se fissurer, se gercer; **2** se fêler; **3** crever (=*splijten*), se crevasser, se fendre; **4** faire explosion, éclater; *een* — *de hoofdpijn*, un mal de tête qui vous fend le crâne; *tot* —*s toe vol*, plein à craquer; bondé; *iem. laten* —, laisser tomber qn.

bas basse, voix v de basse; —*mv*, avoir une voix de basse.

basalt basalte m. ▼—**rots** roche v basaltique.

bascule (balance à) bascule v.

base-ball base-ball m.

baseren baser, fonder; *gebaseerd zijn op*, se baser -, tabler -, se fonder sur.

basilicum basilic m.

basiliek basilique v.

basis base v. ▼—-**Frans** français fondamental m. ▼—**loon** salaire m de base. ▼—**onderwijs** enseignement m primaire. ▼—**school** école v primaire.

Basken, de les Basques.

basket/-ball basket m. ▼—**speler** basketteur m.

bas-reliëf bas-relief m.

bassen *zie* blaffen.

bassin bassin m.

bassist (*muz.*) basse v. ▼**basstem** (voix de) basse v.

bast 1 (*v. boom*) écorce v; **2** (*v. peulvr.*) cosse, gousse v; **3** (*v. noten*) écale v, brou m; **4** liber m; *iem. op zijn* — *geven*, rosser qn.

basta assez!, suffit!, fini!; *en daarmee* —, un point, c'est tout; tout est dit.

bastaard bâtard m, -e v, enfant m naturel. ▼—**hond** corniaud m. ▼—**suiker** cassonade v blanche. ▼—**woord** mot m francisé; mot néerlandisé.

bat raquette; balle v.

Bataaf, Batavier Batave m & v. ▼**Bataafs** batave.

bataljon bataillon m.

bate: *ten* — *van*, au profit de, au bénéfice de. ▼**baten** servir (à), être utile à, valoir; *wat baat het...*, à quoi bon...; *baat het niet, het schaadt ook niet*, on n'y perd rien; cela ne fait ni chaud ni froid; *daarmee ben ik niet gebaat*, cela ne me tirera pas d'embarras, cela ne m'avancera en rien. ▼**batig:** — *saldo*, solde m créditeur.

bathyscaaf bathyscaphe m.

batist batiste v. ▼—**en** bn de batiste.

batterij 1 batterie v; **2** (*nat.*) batterie v électrique, pile v; *droge* —, pile v sèche.

bauxiet bauxite v.

baviaan babouin m.

bazaar bazar m; grand magasin m; **2** vente v de charité.

bazelen radoter.

bazig autoritaire, dominateur; —*e vrouw*, gendarme m. ▼**bazin** maîtresse, patronne v.

bazooka bazooka v.

bazuin 1 trompette v; *de* — *steken*, emboucher la trompette; **2** (*muz.*) trombone m. ▼—**geschal** son m de la trompette.

beademing: *mond op mond* —, bouche à bouche m.

beambte 1 (*alg.*) employé m; **2** (*aan loket*) préposé m.

beamen approuver, être d'accord avec, partager (une opinion).

beangst inquiet, plein d'anxiété, saisi de frayeur, angoissé. ▼—**igen** effrayer, inquiéter, alarmer, angoisser.

beantwoord/en I ov.w répondre à; (*fig. v. gevoelens*) payer de retour. **II** on.w répondre à, remplir; être conforme à; *aan 't doel, de verwachtingen* —, remplir son but, répondre à l'attente; *niet* — *aan*, être au-dessous de. ▼—**ing** réponse, réplique v.

beat beat m.

beauty-case mallette v de toilette.

bebaken/en baliser. ▼—**ing** balisage m.

bebloed ensanglanté, en sang.

beboeten mettre à l'amende, infliger une amende à.

beboss/en boiser, reboiser. ▼—**ing** (re)boisement v.

bebouw/en 1 (akker) cultiver; 2 (terrein) bâtir sur; élever un bâtiment sur. ▼—d 1 cultivé; 2 —e oppervlakte, zone v bâtie; —e kom, agglomération v. ▼—**ing** mise v en culture; exploitation; construction v.

becijfer/en 1 calculer; 2 chiffrer. ▼—**ing** calcul m arithmétique.

becommentariëren commenter.

beconcurreren concurrencer.

bed 1 lit m; (fam.) plumard m; 2 (tuin—) carré m, plate-bande, planche v; 2 —den naast elkaar, des lits jumeaux; —den boven elkaar, des lits superposés; het — houden, garder le lit; het — moeten houden, être retenu du lit; 't — opmaken, faire le lit; in — leggen, mettre au lit, coucher; naar — brengen, mettre au lit, mener coucher; naar — gaan, se coucher; uit — springen, sauter du lit, sauter à bas du lit.

bedaagd avancé en âge. ▼—**heid** âge m avancé.

bedaard I bn calme, posé, flegmatique; raisonnable. II bw avec calme, tranquillement; —l, doucement. ▼—**heid** calme, flegme m, tranquillité v.

bedacht: op iets — zijn, s'attendre à qc; se préparer à qc. ▼—**zaam** I bn circonspect, prudent. II bw avec prudence, sagement. ▼—**zaamheid** circonspection, prudence v.

bedank/en I ov.w 1 (dank zeggen) remercier (qn pour qc); 2 (afdanken) remercier, congédier (un employé). II on.w 1 (afslaan) refuser, décliner; 2 (ontslag nemen) donner sa démission; voor de krant —, se désabonner; ik bedank voor suiker, merci, pas de sucre; bedankt, merci. ▼—**ing** 1 remerciement(s) m (mv); 2 congé m; 3 démission v.

bedar/en I ov.w apaiser, calmer; tranquilliser. II on.w se calmer, se tranquilliser, s'apaiser, se remettre; de wind bedaart, le vent se calme. III zn 1 apaisement m, accalmie v; 2 (med.) sédation v.

bedauwen mouiller-, couvrir de rosée v; (fig.) arroser (de pleurs).

bed/bank canapé-lit m. ▼—**degoed** literie v.

bedding 1 (v.rivier) lit m; 2 (v.affuit) plateforme v; 3 (arch.) lit m (de béton); couche v (de minéraux); bassin m (de houille).

bede prière, demande, (dringend) instance v.

bedeelde: de minder —n, les économiquement faibles; de minst —n, les moins favorisés.

bedeesd bn (& bw) timide(ment). ▼—**heid** timidité v.

bedehuis maison v de prière; chapelle v, (prot.) temple m.

bedekk/en I ov.w 1 (dekken) couvrir; cacher; 2 (beschermen) abriter, mettre à couvert de; 3 (bewimpelen) voiler, masquer; (fig.) dissimuler, cacher; 3 (bestrooien) joncher (de fleurs). II zich — se couvrir. ▼—**ing** 1 couverture v, couvert m; 2 (bekleding) revêtement m; 3 escorte v. ▼**bedekt** couvert, caché; secret. ▼—**elijk** 1 en cachette, secrètement; 2 à mots couverts; — te kennen geven, insinuer.

bedel/aar mendiant m. ▼—**arij** mendicité v. ▼—**en** I on.w mendier, demander l'aumône, - la charité; faire la manche; moeten gaan —, être réduit à la mendicité. II ov.w mendier, quémander.

bedel/en I secourir, assister. ▼—**ing** assistance v publique; aide v sociale; van de — krijgen (trekken), être assisté.

bedel/jongen petit mendiant, mendigot m. ▼—**monnik** frère m quêteur. ▼—**orde** ordre m mendiant. ▼—**staf** mendicité v; tot de — brengen, réduire à la besace, ruiner.

bedelv/en enfouir, ensevelir, couvrir de terre. ▼—**ing** enfouissement m.

bedenkelijk I bn 1 (te bedenken) imaginable; 2 digne de considération; 3 (zorgelijk)

périlleux, critique, épineux, délicat; suspect, scabreux; 4 grave, sérieux; dat ziet er — uit, cela donne à réfléchir. II bw — het hoofd schudden, hocher la tête; — ziek, gravement malade. ▼—**heid** caractère m critique.

▼**bedenk/en** I ov.w 1 (niet vergeten) réfléchir à, penser à; 2 (overwegen) considérer; 3 (uitdenken) imaginer, inventer, concevoir; 4 (geven) penser à, se souvenir de, doter; bedenk wel, notez bien; iem. met iets —, faire cadeau de qc à qn; en als je dan bedenkt, dat..., et dire que... II zich — 1 (nadenken) réfléchir; hésiter; 2 (tot andere gedachten komen) se raviser, changer d'avis; zonder —, sans hésitation, sans scrupule. ▼—**ing** réflexion, considération, objection v; buiten —, hors de doute. ▼—**sel** invention, trouvaille v. ▼—**tijd** temps m de réflexion, délai m; ik geef je..., —, je vous donne... pour réfléchir.

bederf 1 (v.goederen) corruption, putréfaction v; 2 (fig.) corruption, dépravation (de mœurs), perte, ruine v; aan — onderhevig, périssable; dat spoedig tot — overgaat, d'une garde difficile. ▼—**elijk** périssable, corruptible. ▼—**elijkheid** corruptibilité v. ▼—**werend** antiseptique, conservant. ▼**bederven** I ov.w gâter, corrompre; détériorer (des marchandises), abîmer (une robe); vicier (l'air); (fig.) troubler (la joie); dépraver, pervertir (les mœurs). II on.w 1 (v.waren) se corrompre, se gâter.

bedestond heure v de prières. ▼**bedevaart** pèlerinage m. ▼—**ganger** pèlerin m. ▼—**plaats** lieu m de pèlerinage.

bedienaar 1 ministre m; 2 employé m des pompes funèbres. ▼**bediend** 1 servi; 2 (rk) muni des Sacrements de l'Eglise. ▼—**e** 1 (huis—) domestique m & v, serviteur m, servante v, valet m; 2 (koffiehuis—) garçon; 3 (hotel—) chasseur, groom; 4 (winkel—) commis, employé m, vendeuse v. ▼—**enkamer** office m, chambre v de domestiques. ▼**bedienen** I ov.w 1 servir; fournir; 2 desservir (une paroisse); 3 administrer (les derniers sacrements à) un moribond; 4 servir (un canon). II zich — se servir (de); zich het eerst —, se servir le premier. ▼**bediening** 1 service m; slechte —, service mal fait; prompte —, service soigné; is de — inbegrepen? le service est-il compris? c'est le prix net? aan de — gaan (prot.), s'approcher de la table sainte; 2 (rk) administration v. ▼—**smanschappen** servants m mv; ▼—**sorganen** commandes v mv.

bedijk/en endiguer. ▼—**ing** l'endiguement m, digues v mv.

bedil/len censurer, chicaner; régenter. ▼—**ler** censeur, chicaneur m. ▼—**ziek** chicanier. ▼—**zucht** esprit m de chicane.

beding condition, stipulation v; onder — van, sous condition de, - que; onder geen —, à aucune condition, en aucun cas. ▼—**en** conditionner, stipuler; voor zich —, se réserver.

bediscussiëren discuter.

bedissel/en préparer, arranger. ▼—**ing** arrangement(s) m (mv); dispositions v mv.

bed/jasje liseuse v. ▼—**kruik** bouillotte v. ▼—**lampje** lampe v de chevet. ▼—**legerig** alité, retenu au lit, forcé de garder le lit; — worden, s'aliter, prendre le lit. ▼—**legerigheid** alitement m.

Bedoeïen Bédouin m.

bedoel/en 1 vouloir dire, entendre; wie bedoelt u (met die woorden) à quoi en avez-vous? wat bedoel je?, que voulez-vous dire?; de bedoelde zaak, l'affaire que vous savez; de bedoelde persoon, la personne en question; hij ean geen kwaad mee bedoeld, je n'y ai pas entendu malice; 2 viser (à qc); wat bedoelt hij toch?, où en veut-il venir; bedoeld (gewild), intentionnel. ▼—**ing** intention, visée, vue v; projet m; geheime —, arrière-pensée v; het ligt in de — om, il entre dans les intentions de; met een goede —, à

bonne intention; *zonder kwade* —, sans (y entendre) malice.
bedoen (*zich*) se salir.
bedoening: *het is een hele* —, c'est toute une affaire; *quelles histoires; het was een kale* —, c'était décevant.
bedompt mal aéré, étouffant; — *zijn*, sentir le renfermé; — *weer*, temps *m* sombre et humide. ▼—**heid** humidité *v*; odeur *v* de renfermé; (*fig.*) étroitesse *v* (d'esprit).
bedonderen couillonner.
bedorven gâté, (*v. voorwerp*) abîmé; (*v. lucht*) vicié.
bedott/en duper, tromper, mettre dedans; *bedot worden*, se faire avoir; *je wilt me* —, tu veux m'en faire accroire. ▼—**er** dupeur, mystificateur *m*. ▼—**erij** duperie, mystification *v*.
bedrading câblage, circuit *m*; *gedrukte* —, circuit imprimé.
bedrag montant, total *m*, somme *v*; *ten* —*e van*, se montant à; *tot een* — *van*, jusqu'à concurrence de; *het* — *overmaken*, verser le montant (à). ▼—**en** se monter à, s'élever à, se chiffrer à, être de.
bedreig/en menacer (qn de qc); *met iets bedreigd worden*, être sous le coup de qc. ▼—**ing** menace (de=*met*); (*daad*) intimidation *v*.
bedremmeld confus, embarrassé, penaud.
bedreven habile, expert (à), versé (dans l'histoire), fort (en); rompu (aux affaires). ▼—**heid** habileté, expérience *v*, savoir-faire *m*.
bedrieg/en I *ov.w* **1** tromper, duper, abuser, décevoir; (*fam.*) avoir; **2** (*in spel*) tricher. **II** *zich* — se tromper, se faire illusion; *schijn bedriegt*, les apparences sont trompeuses; *bedrogen uitkomen*, être frustré de ses espérances. ▼—**er 1** trompeur, dupeur *m*; **2** (*oplichter*) escroc *m*; **3** (*in spel*) tricheur *m*. ▼—**erij 1** tromperie, duperie, fraude *v*; **2** escroquerie *v*; **3** tricherie *v*. ▼—**lijk I** *bn* trompeur, décevant, faux, frauduleux. **II** *bw* trompeusement; *iets* — *nabootsen*, imiter qc à s'y méprendre. ▼—**lijkheid** caractère *m* trompeur, - illusoire.
bedrijf 1 acte, fait *m*, action *v*; **2** (*beroep*) profession *v*, métier *m*; **3** (*v. toneel*) acte *m*; **4** (*industrie*) exploitation *v*, service *m*; entreprise, fabrique, usine *v*; *de kleine en middelgrote bedrijven*, les petites et moyennes entreprises; *in* — *zijn*, fonctionner. ▼—**blind** aveugle aux défauts de l'exploitation. ▼—**schap** groupement *m* (industriel, - agricole *enz.*). ▼—**seconoom** économiste *m* d'entreprise.
▼—**shuishoudkunde** économie *v* industrielle. ▼—**sinkomsten** revenus *m mv* professionnels. ▼—**skantine** restaurant *m* d'entreprise. ▼—**skapitaal** fonds *m* de roulement, mise *v* de fonds. ▼—**sklaar** prêt à fonctionner. ▼—**skosten** frais *m mv* d'exploitation. ▼—**skunde** management *m*. ▼—**sleider** chef *m* de service, gérant *m*. ▼—**sleven** industrie *v*, vie *v* industrielle. ▼—**songeval** accident *m* du travail. ▼—**sorganisatie** organisation *v* professionnelle. ▼—**sraad** conseil *m* d'entreprise. ▼—**sschade** dommages *m mv* d'exploitation. ▼—**sspionage** espionnage *m* industriel. ▼—**sstoring** chômage *m* professionnel, interruption *v* de travail. ▼—**stak** industrie *v*. ▼—**svermogen** capital *m* engagé. ▼—**sverzekering** assurance-exploitation *v*. ▼—**svoering** gestion *v* d'une entreprise. ▼—**svoorwaarde** condition *v* de fonctionnement. ▼—**szeker** fiable. ▼—**szekerheid** fiabilité *v*.
bedrijv/en I *ov.w* exécuter, faire. **II** *zn: het* —, la mise en exécution; —*e vorm*, voix *v* active. ▼—**er** auteur *m*. ▼—**ig** actif, occupé, animé (rue animée). ▼—**igheid** activité, animation *v*.
bedrinken: *zich* — s'enivrer, (*fam.*) se cuiter.
bedroefd I *bn* **1** (*vol droefheid*) triste; désolé;

2 (*erbarmelijk*) triste; pauvre, pitoyable; *een* — *beetje*, bien peu, pas grand'chose. **II** *bw* tristement, pitoyablement. ▼—**heid** tristesse, affliction, peine *v*. ▼**bedroev/en** *ov.w* attrister, affliger, désoler. **II** *zich* — (**over**) s'attrister (de), s'affliger (de), se désoler (de). ▼—**end 1** triste, affligeant, désolant; **2** triste, pitoyable.
bedrog 1 fraude, tromperie *v*; **2** (*in spel*) tricherie *v*; **3** (*zins*—) illusion *v*. ▼—**ene** dupe *v*.
bedruipen I *ov.w* arroser; mouiller. **II** *zich* (**kunnen**) — se suffire à soi-même.
bedrukken imprimer; *papier met bedrukt hoofd*, papier *m* à en-tête; *bedrukte stof*, tissu *m* à dessins.
bedrukt affligé, abattu; *er* — *uitzien*, avoir l'air triste. ▼—**heid** tristesse *v*, abattement *m*.
bed/rust le lit *m*. ▼—**sermoen** semonce *v* conjugale. ▼—**stede** lit *m* clos. ▼—**tijd** temps *m* de se coucher.
beducht alarmé, inquiet, en peine; *ik ben* — *voor zijn leven*, je crains pour sa vie. ▼—**heid** inquiétude, peur *v*.
beduiden 1 (*aanwijzen*) indiquer;
2 (*uitleggen*) expliquer, faire connaître; faire entendre; **3** (*betekenen*) signifier, vouloir dire; **4** (*voorspellen*) annoncer, présager; *dat heeft niets te* —, cela n'a pas d'importance; *dat beduidt niet veel goeds voor de toekomst*, cela ne présage rien de bon.
beduvelen avoir; mettre dedans.
bedwang contrainte, sujétion *v*.
bedwateren I énurésie *v*. **II** (*fam.*) (faire) pipi au lit.
bedwelm/en 1 étourdir; **2** griser, enivrer. ▼—**ing** étourdissement *m*, torpeur, griserie *v*.
bedwing/en I *ov.w* vaincre, réduire; dompter (ses passions), refouler (ses larmes). **II** *zich* — se contenir, se maîtriser. ▼—**er** dompteur, vainqueur *m*. ▼—**ing** sujétion, répression, soumission *v*.
beëdig/en 1 affirmer, attester qc par serment; **2** (*iem.*) assermenter, faire jurer. ▼—**d** juré, assermenté. ▼—**ing 1** confirmation *v* par serment; **2** prestation *v* de serment.
beëindig/en finir, achever, terminer. ▼—**ing** achèvement *m*; expiration *v* (de bail).
beek ruisseau *m*.
beeld 1 image *v*; portrait *m*; figure *v*; **2** statue *v*; **3** buste *m*; **4** (*taalk.*) métaphore *v*; **5** (*fot.*) épreuve *v*; *een* — *van een meisje!*, belle comme le jour! *een* — *van een vrouw!*, une femme superbe! ▼—**band** ampex *m*. ▼—**buis** écran; tube-image *m*. ▼—**enaar** effigie *v*. ▼—**end:** *de* — *e kunsten*, arts *m mv* plastiques. ▼—**engalerij** galerie *v*. ▼—**enstorm** fureur *v* iconoclaste; —*er*, briseur *m* d'image, iconoclaste *m*. ▼—(**er**)**ig I** *bn* mignon, charmant. **II** *bw* à ravir, à merveille. ▼—**houwen I** *ov.w* sculpter. **II** *zn: het* —, la sculpture. ▼—**houwer** sculpteur *m*. ▼—**houwwerk** sculpture *v*. ▼—**je** statuette, figurine *v*. ▼—**plaat** vidéodisque *m*. ▼—**rijk** riche en images, — en métaphores, imagé, fleuri. ▼—**rijkheid** style *m* imagé. ▼—**scherm** écran; (*tv*) petit écran *m*. ▼—**schoon** de toute beauté, beau comme le jour. ▼—**schrift** hiéroglyphes *m mv*. ▼—**snijden** sculpture *v* en (*of* sur) bois, — en (*of* sur) ivoire. ▼—**snijder** sculpteur *m*. ▼—**spraak** langage *m* figuré, métaphore *v*. ▼—**telefoon** vidéophone *m*. ▼**beeltenis** portrait *m*, image *v*; (*op munten*) effigie *v*.
beemd prairie *v*; pré *m*; pâture *v*.
been 1 (*bot*) os *m*; **2** jambe *v*; **3** (*poot*) patte *v*; **4** (*v. passer*) branche *v*; **5** (*v. hoek*) côté *m*; *een* — *breken*, se casser une jambe; *benen maken*, prendre ses jambes à son cou; *zijn benen niet meer voelen*, ne plus tenir sur ses jambes; *op de* — *zijn*, être en mouvement; *weer op de* — *helpen*, remettre sur pied; *vlug ter* — *zijn*, être ingambe; *op zijn achterste benen gaan staan*, monter sur ses grands chevaux; *geen* — *hebben om op te staan*, être incapable de faire qc; - *de* prouver ce qu'on a

affirmé; *de benen strekken*, se dégourdir les jambes. ▼—**breuk** fracture *v* d'un os (*of d'une jambe*). ▼—**kappen** jambières *v mv*.
▼—**ruimte** place *v* pour les jambes.
▼—**windsels** molletières *v mv*.

beer 1 ours *m*; 2 (*mannetjesvarken*) verrat *m*; 3 (*schoor*) contrefort *m*; 4 (*waterkering*) bâtardeau *m*; 5 (*faecaliën*) purin *m*; vidanges *v mv*; 6 (*schuld*) loup *m*; dette *v*; *de grote B*—, la grande Ourse; *zo sterk als een —*, fort comme un Turc; *de — is los*, voilà le bal qui commence. ▼—**kar** tombereau *m* de vidangeur. ▼—**put** fosse *v* d'aisances.

beërv/en hériter (de). ▼—**ing** héritage *m*.

beest bête, brute *v*; animal *m*; *de —uithangen*, faire des siennes; *het — in de mens*, la bête humaine. ▼—**achtig I** *bn* bestial, brutal; *— lawaai*, bruit *m* infernal; *een — leven leiden*, vivre comme une brute. **II** *bw* 1 bestialement, brutalement; 2 extrêmement.
▼—**achtigheid** brutalité, bestialité *v*.
▼**beesten/dokter** vétérinaire *m*. ▼—**markt** marché *m* au bétail. ▼—**spel** ménagerie *v*.
▼—**stal** étable *v*. ▼—**wagen** fourgon *m* à bestiaux; bestiallère *v*. ▼**beestig I** *bn* vil, bas, abject; corrompu; bestial, brutal. **II** *bw* d'une façon vile, - bestiale.

beet 1 (*handeling*) coup *m* de dents; morsure *v*; 2 (*hapje*) bouchée *v*; *een lekkere —*, un bon morceau.

beethebben I *ov.w* tenir; (*fig.*) avoir; duper, mystifier; *het —*, être enrhumé, être indisposé. **II** *on.w*: *ik heb beet*, ça mord; *stevig —*, ne pas lâcher.

beetje un peu; un soupçon; un grain; un doigt (de vin); une bouchée, *een heel klein —*, un (tout) petit peu; *bij — s*, petit à petit; *van stukje tot — vertellen*, raconter en détail; *alle —s helpen*, tout peut servir.

beet/krijgen I *ov.w* saisir, attraper (qn). **II** *on.w*: *ik krijg beet*, ça mord; *de smaak — van*, prendre le goût de, prendre goût à.
▼—**nemen** saisir, attraper; (*fig.*) duper, rouler, attraper; *ik laat me niet —*, on ne me la fait pas; *zich laten — door*, se laisser prendre à.
▼—**pakken** saisir, empoigner; *bij de kraag —*, saisir au collet.

beetwortel betterave *v*. ▼—**fabriek** fabrique *v* de sucre de betterave. ▼—**suiker** sucre *m* de betterave. ▼—**verbouwer** betteravier *m*.

bef plat, petit collet *m*.

befaamd fameux, célèbre, renommé. ▼—**heid** renommée, célébrité *v*.

befje bavoir *m* (d'enfant); bavette; barbette (de nonne) *v*.

begaafd doué; à talent; *buitengewoon —*, surdoué; *— met*, doué de. ▼—**heid** talent *m*, dons naturels, moyens *m mv*.

begaan I *ov.w* 1 fouler, battre; fréquenter (un chemin); *de begane grond*, le sol; *gelijk met de begane grond*, de plain pied; *verdieping*, *gelijk met de begane grond*, rez-de-chaussée *m*; 2 faire, commettre (une faute); **II** *on.w*: *laten —*, laisser faire. **III** *bn* touché, ému; *met iem. — zijn*, avoir pitié de qn.

begaanbaar praticable, viable; *— maken*, viabiliser (un terrain). ▼—**heid** viabilité; praticabilité *v*.

begeerlijk désirable; avide. ▼—**heid** convoitise, avidité *v*. ▼**begeerte** 1 (*verlangen*) désir, appétit *m*, envie, passion *v*; convoitise *v*; 2 (*wil*) volonté *v*.

begeleid/en I *ov.w* 1 accompagner; escorter; *hem op de piano —*, l'accompagner au piano. **II zich —** s'accompagner. ▼—**end** qui accompagne; *—e muziek*, accompagnement *m*; musique *v* de scène; *— schrijven*, missive *v* d'envoi; note *v*. ▼—**er 1** (*vergezellen*) meneur (d'ours); compagnon *m* (de route); conducteur *m*; 2 (*v. dame*) cavalier, chaperon *m*; 3 accompagnateur *m*. ▼—**ing** 1 accompagnement *m*; 2 escorte *v*.

begenadig/en 1 gracier, faire grâce à; 2 (*voor staatsmisdrijf*) amnistier. ▼—**ing 1** pardon *m*, grâce *v*; 2 amnistie *v*.

beger/en 1 convoiter (les biens d'autrui);

---

2 désirer; aspirer à, souhaiter; vouloir; *meer begeer ik niet*, je n'en demande pas davantage; 3 réclamer, exiger. ▼—**ig** désireux (de), avide (de), jaloux (de). ▼—**igheid** avidité, cupidité *v*.

begev/en I *ov.w* 1 (*verlaten*) abandonner, délaisser, quitter; 2 donner, accorder, conférer; *ik voel mijn krachten mij —*, je sens mes forces défaillir; *de krachten beginnen hem te —*, les forces commencent à le trahir. **II zich —** se rendre (à, chez qn), partir (pour); *zich aan het werk —*, se mettre au travail; *zich in gevaar —*, s'exposer au péril; *zich naar huis —*, rentrer; *zich op weg —*, se mettre en voyage (en route); *zich ter plaatse —*, se transporter sur les lieux. ▼—**er** collateur *m* (d'une prébende), dispensateur *m*. ▼—**ing** collation *v*.

begieten arroser; *— met* arroser de.
▼**begieting** arrosement, arrosage *m*.

begiftig/de donataire *m*. ▼—**en**: *— met*, douer de, gratifier de; doter de. ▼—**er** donateur *m*. ▼—**ing** donation *v*. ▼—**ster** donatrice *v*.

begijn béguine *v*. ▼—**enhof** béguinage *m*.

begin commencement, début *m*; origine, naissance, ouverture *v*; *dat is tenminste een —*, c'est toujours le premier pas de fait; *dat is een goed —*, c'est bien débuté; *van het — af*, dès le début; d'emblée; *van het — tot het eind*, d'un bout à l'autre; *alle — is moeilijk*, il n'y a que le premier pas qui coûte.▼—**beurs** ouverture *v*. ▼—**kapitaal** capital *m* de départ. ▼—**koers** cours *m* d'ouverture. ▼—**letter** (lettre) initiale *v*. ▼—**neling** débutant *m*, apprenti, -e *v*. ▼—**nen I** *ov.w* 1 commencer (un travail); engager (une conversation); entamer (un sujet); (*hand.*) monter (une affaire); *de les is begonnen*, la classe a commencé; *wat nu te —?*, que faire maintenant?; *daar begint het*, nous y voilà; *er is geen — aan*, c'est la mer à boire; *— te*, commencer à, se mettre à; se prendre à; *niets te — hierl*, rien à faire; *we kunnen niets tegen hem —*, nous ne pouvons rien contre lui. **II** *on.w* 1 commencer, s'engager; 2 débuter; *als de scholen weer —*, à la rentrée des classes; *het begint er slecht uit te zien*, cela prend une mauvaise tournure; *als je zo begint*, si vous le prenez sur ce ton. ▼—**ner** commençant, débutant *m*. ▼—**punt** 1 point *m* de départ; 2 origine *v*. ▼—**salaris** traitement *m* initial.

beginsel principe, élément *m*; *de eerste —en*, les rudiments; *de eerste —en v.h. rekenen*, les premières notions *v mv* de calcul; *het leidend —*, le principe *m* directeur; *in —*, en principe; *uit —*, par principe; *van een — uitgaan*, partir d'un principe. ▼—**vast** ferme sur les principes. ▼—**verklaring** discours-programme *m* (d'un ministre).

beginsnelheid vitesse *v* initiale.

begluren lorgner, épier, guetter.

begoochel/en fasciner, éblouir, ensorceler.
▼—**ing** fascination, illusion *v*.

begraafplaats cimetière *m*. ▼**begrafenis 1** enterrement *m*, inhumation *v*; 2 (*plechtig*) funérailles, obsèques *v mv*; 3 (*lijkstoet*) convoi *m* funèbre. ▼—**fonds** caisse *v* d'enterrement. ▼—**gezicht** mine *v* d'enterrement. ▼—**kosten** frais *m mv* funéraires. ▼—**ondernemer** entrepreneur *m* de pompes funèbres. ▼—**onderneming** entreprise *v* de pompes funèbres.
▼—**plechtigheid** cérémonie *v* funèbre.
▼—**stoet** cortège *m* funèbre. ▼**begraven I** *ov.w* enterrer, enfouir; ensevelir, inhumer; *hier ligt —*, ci-gît, ici repose. **II zich —** s'enterrer, s'ensevelir.

begrensdheid caractère *m* borné; étroitesse *v* d'esprit; limitation *v*. ▼**begrenz/en** borner, (dé)limiter (par). ▼—**ing** (dé)limitation *v*; limites; bornes *v mv*.

begrijpelijk I *bn* 1 (*te begrijpen*) compréhensible, intelligible, clair; 2 (*vlug v. begrip*) intelligent; 3 légitime, plausible; —

maken, faire comprendre; — *voor iedereen,* à la portée de toutes les intelligences. **II** *bw* d'une façon compréhensible. ▼—**erwijs** comme bien on pense. ▼—**heid** 1 compréhensibilité, intelligibilité, clarté *v*; 2 (*verstand*) intelligence *v*. ▼**begrijpen** I *ov.w* 1 contenir, renfermer, comprendre; (*fam.*) piger; *niets —,* avoir la tête dure; *daaronder begrepen,* y compris, inclusivement; 2 comprendre, concevoir, entendre; *dat is te —,* cela se comprend, c'est tout simple; *hij begrijpt er niets van,* il n'y entend rien; *nu begrijp ik het,* maintenant j'y suis; *ja, dat kun je begrijpen,* Ah! bien oui!, plus souvent!, allons donc. **II** *on.w: het begrepen hebben op iem.,* en vouloir à qn; *het niet op iem. begrepen hebben,* se méfier de qn; *ik heb het niet op hem begrepen,* je ne puis le souffrir.
begrinden, begrinten couvrir de gravier; empierrer.
begrip 1 *kort —,* abrégé, précis, aperçu *m;* 2 (*verstand*) entendement, intellect *m,* intelligence *v;* 3 (*voorstelling*) conception, notion, idée *v; tot beter — van,* pour l'intelligence de; *dat gaat zijn — te boven,* cela le dépasse; — *van iets hebben,* avoir l'intelligence de, s'y entendre en; *geen (flauw) — van iets hebben,* n'avoir pas la moindre notion de qc; *langzaam (helder) van — zijn,* avoir l'intelligence lente (claire). ▼—**sontleding** analyse *v* (des idées). ▼—**sverwarring** confusion *v* d'idées.
begroei/d couvert (de verdure); boisé, verdoyant. ▼—**en** I *ov.w.* couvrir. **II** *on.w* se couvrir. ▼—**ing** végétation *v.*
begroet/en saluer, dire bonjour; complimenter; — *met,* accueillir par (un feu meurtrier); accueillir à (coups de bâton) *of* avec (des démonstrations de joie). ▼—**ing** salut *m;* réception *v.*
begrot/en (*op*) évaluer (à), taxer (à). ▼**begroting** 1 évaluation *v;* 2 budget *m;* loi *v* de finances; *aanvullende —,* loi *v* rectificative de finances; *in de — opnemen,* budgétiser. ▼—**sdebat** discussion *v* du budget. ▼—**sjaar** année *v* budgétaire. ▼—**stekort** déficit *m* budgétaire. ▼—**swet** loi *v* de finances.
begunstig/de bénéficiaire *m.* ▼—**en** favoriser, avantager, gratifier (qn de qc). ▼—**er** protecteur, bienfaiteur *m.* ▼—**ing** faveur, protection *v; onder — van de nacht,* à la faveur de la nuit.
beha soutien-gorge *m.*
behaag/lijk I *bn* agréable; confortable; charmant. **II** *bw* agréablement; confortablement; d'une façon charmante; *'t is hier —,* on est bien ici. ▼—**lijkheid** agrément, charme *m,* (sentiment *m* de) bien-être, (-)confort *m.* ▼—**ziek** bn (& *bw*) coquet(tement). ▼—**zucht** coquetterie *v,* désir *m* de plaire.
behaard 1 (*v. hoofd*) chevelu; 2 (*v. lichaam*) poilu, velu.
behagen 1 *on.w* plaire (à), être agréable (à), aller. **II** *zn* agrément, plaisir *m; het behaagt hem hier,* se plaît ici; — *scheppen in,* se plaire à, prendre plaisir à.
behalen obtenir (son diplôme); remporter (la victoire); gagner (le prix).
behalve 1 (*met, plus*) outre, en dehors de, en plus de; 2 (*uitgezonderd*) excepté, sauf, à l'exception de.
behandel/en traiter (qn, un sujet), manier (une affaire); manipuler (des colis); soigner (un malade); *als vriend —,* traiter en ami; *als gelijke —,* traiter d'égal à égal avec. ▼—**ing** traitement *m,* façon *v* de traiter, procédé *m;* manipulation *v; in — komen,* être à l'ordre du jour; *in — nemen,* mettre en délibération; *zich onder — stellen,* se faire traiter.
behang tapisserie *v,* tenture *v,* papier *m* peint. ▼—**en** tapisser, couvrir de papier de tenture. ▼—**er** tapissier, colleur *m* (de papier). ▼—**erstafel** table *v* de colleur.

behartig/en prendre à cœur, veiller à, gérer. ▼—**enswaardig** digne d'être pris à cœur, - de réflexion. ▼—**ing** soin *m,* gestion *v.*
beheer administration, gestion, direction *v; raad van —,* conseil *m* d'administration; *eigen —,* régie *v; in — geven,* mettre en régie; *gemengd —,* régie intéressée. ▼—**der** 1 administrateur, directeur *m;* 2 (*v. zaak*) gérant *m.* ▼**beheers-** gestionnaire.
▼**beheer/sen** I *ov.w* dominer, gouverner, commander; *zijn ontroering —,* maîtriser son émotion; *zijn onderwerp ten volle —,* dominer pleinement son sujet; *een taal —,* posséder une langue; *een volk —,* régner sur un peuple; *zichzelf weten te —,* être maître de soi. **II** *zich — se* dominer. ▼—**ser, —seres** dominateur *m, -*trice *v;* souverain(e) *m(v);* maître(sse) *m(v).* ▼—**sing** domination *v;* empire *m* (sur soi-même). ▼—**maatschappij** société *v* de gestion. ▼**beheerst** 1 maître de soi, sûr de soi; 2 sobre; contenu.
beheksen ensorceler, jeter un sort sur.
behelpen (**zich**) 1 s'accommoder (de), se contenter (de); 2 se débrouiller avec; 3 (*zich bekrimpen*) se resserrer.
behelzen contenir, renfermer; impliquer.
behendig bn (*en bw*) adroit(ement), habile (-ment), prompt(ement). ▼—**heid** habileté, dextérité, adresse, promptitude *v.*
behept: — *met,* sujet à, atteint de; affligé de (maladie).
beheren administrer, diriger, gérer, régir.
behoed/en I *ov.w* garder, préserver, garantir (de); *God behoede u ervoor,* Dieu vous en préserve. **II** *zich — (voor)* se garder (de). **III** *zn het —,* la préservation. ▼—**er** protecteur, gardien. *m.* ▼—**ster** protectrice, gardienne *v.* ▼—**zaam** I bn prudent, circonspect. **II** *bw* prudemment, avec circonspection, - précaution. ▼—**zaamheid** prudence, circonspection *v.*
behoeft/e besoin *m; de — aan (om),* le besoin de; *zijn — doen,* faire ses besoins; — *hebben aan,* avoir besoin de; *in eigen —n voorzien,* se suffire à soi-même; *in iem. — voorzien,* pourvoir aux besoins de qn. ▼—**ig** indigent, nécessiteux. ▼—**igheid** indigence, nécessité *v;* besoin *m.* ▼**behoev/e: ten — van** 1 au bénéfice de, en faveur de; 2 pour les besoins de, à l'usage de, destiné à. ▼—**en** avoir besoin de; *hij behoeft slechts te vragen,* il n'a qu'à demander; *dat behoeft ons niet te verwonderen,* cela n'est pas pour nous étonner.
behoorlijk I bn convenable, comme il faut; décent. **II** *bw* convenablement, comme il faut; décemment. ▼—**heid** convenance *v.*
▼**behoren** 1 (*passen*) convenir; 2 (*moeten*) falloir, devoir, être nécessaire; 3 (*toebehoren*) appartenir (à), être (à); 4 — *tot,* être (du nombre de); compter parmi; — *onder,* relever de; — *bij,* faire partie de; *bij elkaar —,* aller ensemble.
behoud 1 (*bewaring*) conservation *v;* salut *m;* préservation *v;* 2 (*redding*) salut *m;* 3 (*pol.*) conservatisme *m;* — *van arbeidsvermogen,* conservation *v* de l'énergie; *met — van salaris,* avec traitement entier. ▼—**en** I *ov.w* conserver, garder; retenir; *de overhand —,* avoir le dessus. **II** bn sain et sauf; — *blijven,* être sauf; *in — haven,* à bon port. ▼—**end** conservateur. ▼—**ens** sauf, hormis.
behuisd logé, installé; *klein —,* logé à l'étroit; *ruim —, zijn,* avoir une grande maison.
behulp: *met — van,* à l'aide de. ▼—**zaam** serviable, obligeant; *iem. de helpende hand bieden,* prêter la main à, donner un coup de main à; *iem. — zijn,* aider qn. ▼—**zaamheid** obligeance *v.*
behuwd allié, par alliance. ▼—**broeder** beau-frère *m.* ▼—**dochter** belle-fille *v.* ▼—**moeder** belle-mère *v.* ▼—**oom, —tante** oncle - *m,* tante *v* par alliance. ▼—**vader** beau-père *m.* ▼—**zoon** gendre *m.* ▼—**zuster** belle-sœur *v.* ▼**behuwen** acquérir par alliance.

beiaard carillon m. ▼—**ier** carillonneur m.

beide(n) tous of toutes (les) deux, l'un(e) et l'autre; aan, van — zijden, des deux côtés, de part et d'autre; ons —r vriend, notre ami commun; een van —, de deux choses l'une; geen van —, ni l'un ni l'autre.

Beier Bavarois m.

beieren carillonner.

Beier/en la Bavière. ▼—**s** bavarois; een —e, une Bavaroise.

beige beige.

beijveren (zich) s'empresser (de); s'appliquer (à).

beijzeld verglacé.

beinvloeden influencer (qn); influer sur.

beitel ciseau m. ▼—**en** travailler au ciseau, ciseler.

beits brou m de noix. ▼—**en** passer au brou de noix.

bejaard âgé; —e, personne v âgée. ▼—**ensocieteit** club m pour personnes âgées. ▼—**enwoning** logement m pour personnes âgées. ▼—**entehuis** maison v de retraite. ▼—**heid** vieillesse v.

bejammer/en déplorer, regretter, se lamenter sur. ▼—**swaardig** bn (en bw) déplorable (-ment), regrettable, lamentable.

bejegen/en traiter; accueillir; ruw —, rudoyer. ▼—**ing** traitement, accueil m.

bek 1 (v. beest) bouche, gueule v; museau m; 2 (v.vogel) bec m: iem. een — geven, engueuler qn; hou je —!, ta gueule!, ferme çal

bekaaid confus; er — afkomen, en être pour sa peine; en être pour sa courte honte.

bekaf: — zijn, être sans dents, être fourbu.

bekeerde, bekeerling converti m. -e v.

bekend 1 connu; 2 notoire, public; 3 fameux, renommé, een — gezicht, une figure de connaissance; — maken, 1 annoncer, publier; 2 crier; 3 afficher; 4 (een geheim) révéler; — staan als, être connu pour; — worden, arriver à la notoriété, se faire connaître; (v. geheim) se divulguer; voor zover mij —, autant que je sache; enigszins — met boekhouden, ayant des notions de comptabilité; — zijn met, être au courant de, -au fait de; goed — staan (bij), avoir la cote (auprès de); slecht — staan, être mal noté. ▼—**e** l connaissance v. ll het —, le connu. ▼—**heid** notoriété; connaissance v. ▼—**making** publication, annonce v, faire-part m.

beken/nen 1 connaître (une femme); 2 avouer; (arg.) se mettre à table; 3 confesser; 4 (spel) fournir de la couleur; in de harten —, fournir à cœur; niet —, renoncer. ▼—**tenis** confession v, aveu m; een — doen, faire un aveu.

beker gobelet m; (met voet) coupe v.

beker/en l v.w convertir. ll zich — se convertir (au christianisme). ▼—**ing** conversion v.

bekeur/de contrevenant m. ▼—**der** agent m verbalisateur. ▼—**en** verbaliser contre (qn), dresser une contravention à. ▼—**ing** verbalisation v; procès-verbal m; contra-vention v; (op voorruit) papillon m.

bekijk: veel —s hebben, attirer tous les regards. ▼—**en** l ov.w. regarder, examiner, considérer. ll zn: het —, la vue, l'examen m.

bekijven gronder, réprimander.

bekist/en pourvoir d'un coffrage. ▼—**ing** coffrage m; in — gegoten beton, béton m banché. ▼—**ingspaneel** banche v.

bekje (gezicht) minois m.

bekken bassin m, vasque v; —s, (muz.) cymbales v mv. ▼—**fractuur** fracture v pelvienne. ▼—**gordel** ceinture v pelvienne. ▼—**ist** cymbalier m. ▼—**slag** coup m de bassin.

bekkesnijder chercheur m de querelle.

beklaagde accusé(e), prévenu(e) m(v).

bekladd/en tacher, souiller; (fig.) dénigrer, calomnier. ▼—**er** barbouilleur, (fig.) calomniateur m.

beklag plainte v; zijn — doen (bij), porter plainte, se plaindre (auprès de). ▼**beklagen**

---

l ov.w plaindre, déplorer. ll zich — se plaindre (de). ▼—**swaardig** 1 (v. personen) à plaindre; 2 (v. zaken) déplorable.

beklant achalandé.

bekled/en l ov.w revêtir; habiller; tapisser (les murs); (fig.) occuper, remplir (un poste); iem. met zekere macht —, investir qn d'un pouvoir; iem. met een ambt —, charger qn de fonctions; iem. plaats —, remplacer qn, remplir les fonctions de qn. ll zn: het —, 1 habillage v; exercice m (d'une charge). ▼—**er** titulaire m. ▼—**ing** revêtement m; l'exercice m d'une charge.

beklem/d serré, oppressé, anxieux; — tussen, engagé (of pris) entre; —e breuk hernie v étranglée. ▼—**dheid** serrement m de cœur, oppression, anxiété v. ▼—**men** 1 oppresser, accabler, serrer (le cœur); 2 (jur.) affermer à perpétuité. ▼—**ming** 1 oppression v; serrement m de cœur, angoisse v; 2 recht van —, bail m à perpétuité.

beklemtonen souligner; insister sur.

beklijven rester, durer, subsister.

beklimm/en 1 grimper sur (un arbre); monter (l'escalier); gravir (une côte); escalader; 2 (sp.) faire l'ascension de. ▼—**er** ascensionniste m. ▼—**ing** ascension, escalade v.

beklinken riveter; (fig.) arrêter, arranger; de zaak is beklonken, c'est réglé.

beknellen serrer, gêner; pincer; hij raakte met zijn arm tussen de balken bekneld, il eut le bras pris entre deux poutres.

beknibbelen marchander (les gages), rogner sur.

beknopt l bn bref, concis, succinct; — overzicht, précis, sommaire m. ll bw brièvement, succinctement. ▼—**heid** brièveté, concision v.

beknorren tancer, réprimander, gronder.

beknotten diminuer; réduire.

bekocht: — zijn, être trompé, - dupé, - refait.

bekoel/en (se) rafraîchir, (s.) refroidir; (fig.) s'apaiser. ▼—**ing** refroidissement m.

bekokstoven ourdir; (fam.) manigancer.

bekogelen iem. met iets —, jeter qc à qn.

bekomen 1 ov.w obtenir, avoir. ll on.w se remettre de, se rétablir de; dat is mij goed —, cela m'a fait beaucoup de bien; dat zal hem slecht —, il s'en repentira; dat bekomt hem slecht, cela ne lui vaut rien. lll bn 1 obtenu; 2 remis (de sa frayeur).

bekommer/d inquiet, soucieux. ▼—**en** l ov.w inquiéter, préoccuper. ll zich — om se soucier de; zich — over, se moquer de. ▼—**ing**, —**nis** inquiétude v; souci m, préoccupation v.

bekomst suffisance v; zijn — eten, manger à sa faim; zijn — hebben van, en avoir assez de; niet zijn — krijgen, rester sur sa faim.

bekonkelen machiner, tripoter.

bekoorlijk l bn charmant, ravissant; séduisant. ll bw d'une manière charmante. ▼—**heid** charme m; grâces v mv; (v. lichaam) appas m mv. ▼**bekor/en** charmer, enchanter; séduire; (rk) tenter; zich laten —, se laisser prendre au charme. ▼—**ing** enchantement, charme m; séduction v; (rk) tentation v.

bekort/en abréger, raccourcir. ▼—**ing** abrègement, raccourcissement m.

bekostig/en payer. ▼—**ing** financement m.

bekrachtig/en 1 confirmer (une nouvelle); 2 ratifier (un traité); 3 valider (une élection); 4 sanctionner (une nomination); 5 (officieel) légaliser; 6 (auto) assister; bekrachtigde rem, frein m assisté. ▼—**ing** confirmation; ratification; validation v.

bekrassen rayer, égratigner, entailler.

bekreunen (zich) se soucier (de), s'inquiéter (de); zich niet — om, se moquer de.

bekrimpen (zich) se resserrer, se restreindre.

bekritiseren critiquer.

bekrompen l bn 1 étroit, exigu; 2 (fig.) étroit, borné, étriqué (esprit, idée); 'n — woning, un logement où l'on est à l'étroit; in — omstandigheden, dans la gêne. ll bw à l'étroit, petitement, sans largeur (d'esprit); *hij denkt te — om*, il a les idées trop étroites pour. ▼—**heid** petitesse *v*; gêne; modicité (de moyens); étroitesse *v* d'esprit, intelligence bornée *v*.

bekron/en 1 couronner; **2** (*met prijs*) primer. ▼**bekroning** couronnement *m*. ▼**bekroonde** lauréat *m*.

bekruipen se glisser vers (dans); (*fig.*) surprendre; *de lust bekruipt me*, l'envie me prend; *de vrees bekroop hem*, la crainte le saisit; *de slaap bekroop hem*, le sommeil le gagna.

bekruisen (zich) se signer.

bekwaam 1 propre, convenable; *met —e spoed*, avec toute la promptitude requise; **2** habile (à), capable (de); — *zijn om*, être à même de; *niet — zijn voor zijn taak*, ne pas être propre à son emploi; **3** sobre. ▼—**heid** capacité, habileté *v*; savoir-faire *m*; talents *m mv*; *akte van —*, certificat, brevet, diplôme *m*. ▼**bekwamen I** *ov.w* rendre habile (à), -capable (de). **II zich** — se préparer; *zich — in de Franse taal*, se perfectionner dans la langue française; *zich — voor een akte*, préparer son examen.

bel 1 sonnette *v*; **2** (*hals-*) clarine, sonnaille *v*; **3** (*toren-*) cloche (tte) *v*; **4** (*drukknop-*) timbre *m*; **5** sonnerie (de téléphone); **6** (*rinkel-*) grelot; **7** (*oor-*) pendant *m* (*of* boucle *v*) d'oreille; **8** (*water-*) bulle *v*; **9** (*groot glas*) grand verre *m*; *de kat de — aanbinden*, attacher le grelot.

belabberd misérable, pitoyable; *dat ziet er — uit*, cela s'annonce mal; *wat een — weer*, quel chien de temps.

belachelijk I *bn* ridicule, sot, dérisoire; — *maken*, ridiculiser, tourner en ridicule. **II** *bw* ridiculement, sottement. ▼—**heid** ridicule *m*.

beladen charger; (*fig.*) accabler; *met schulden —*, criblé de dettes. ▼**beladen** *bn* chargé (de).

belag/en dresser des embûches à, tendre des pièges à. ▼—**er** ennemi, agresseur *m*.

belanden aborder, prendre terre; *waar is hij beland?*, qu'est-il devenu?

belang 1 (*voordeel*) intérêt *m*; **2** (*belangrijkheid*) importance, conséquence, portée *v*, poids *m*; — *hebben bij*, avoir intérêt à; — *inboezemen*, intéresser; *het is in mijn —*, il est de mon intérêt (de); *'t algemeen —*, l'intérêt public, le bien public; *dat is niet van —*, cela n'a aucune importance; *het is van — dat*, il importe que (*met subj.*); *voor zijn —en opkomen*, défendre ses intérêts. ▼—**eloos I** *bn* désintéressé; (*zonder betaling*) bénévole; gracieux. **II** *bw* gracieusement; avec désintéressement. ▼—**eloosheid** désintéressement *m*. ▼—**engemeenschap** communauté *v* d'intérêts; participation *v*. ▼—**hebbende** intéressé *m*; partie *v* engagée. ▼—**rijk I** *bn* **1** (*v. belang*) important, considérable, d'importance; — *vinden te*, tenir à; — *e gast*, invité *m* de marque; **2** (*belangwekkend*) intéressant. **II** *bw* considérablement. ▼—**rijkheid** importance, conséquence *v*. ▼—**stellend I** *bn* plein d'intérêt, empressé; *zich — tonen in*, prendre part à. **II** *bw* avec (le plus vif) intérêt. ▼—**stelling** intérêt *m*, curiosité *v*; *met — vragen naar*, s'intéresser vivement à. ▼—**wekkend I** *bn* intéressant; curieux. **II** *bw* d'une manière intéressante.

belastbaar imposable, passible d'impôt. ▼—**heid** capacité *v* contributive. ▼**belasten I 1** charger (de); **2** imposer, taxer; *erfelijk belast zijn*, être chargé, avoir des antécédents héréditaires; *hij is belast met de zorg voor*, il est préposé à. **II zich** — *met* se charger de; *zich met een taak* — assumer une tâche.

belaster/en calomnier, diffamer, médire de. ▼—**ing** calomnie, diffamation *v*.

belasting 1 impôt *m* contribution, taxe *v*; *personele* —, contribution *v* personnelle mobilière; —*en naar inkomen*, impôts sur le revenu; — *heffen van het zout*, imposer le sel;

v. — *aftrekken*, déduire; — *ontduiken*, frauder le fisc; **2** charge *v*; *erfelijke —*, tare *v* héréditaire; *met volle —*, à pleine charge. ▼—**aangifte** déclaration *v* d'impôts; *zijn —biljet invullen*, remplir sa feuille d'impôts. ▼—**aanslag** cote, taxe *v*. ▼—**adviseur** conseiller *m* fiscal. ▼—**aftrek** déduction *v*. ▼—**ambtenaar** agent *m* du fisc. ▼—**betaler** contribuable *m*. ▼—**biljet** cote, feuille *v* d'impôt.▼—**consulent** conseiller *m* fiscal. ▼—**druk** pression *v* fiscale. ▼—**fraude**, —**ontduiking** fraude *v* fiscale. ▼—**gids** almanach *m* du contribuable. ▼—**grondslag** assiette *v*. ▼—**jaar** exercice *m* fiscal. ▼—**kantoor** recette *v*; bureau *m* des contributions. ▼—**kohier** rôle *m* des contributions. ▼—**plichtige** contribuable *m*. ▼—**stelsel** régime *m* fiscal. ▼—**verhoging** majoration *v* d'impôt. ▼—**vermindering** dégrèvement *m*; (*v. individu*) réduction *v*. ▼—**vrij** hors taxe. ▼—**wet** loi *v* fiscale. ▼—**zegel** timbre *m* fiscal.

belazer/d 1 fou; **2** ennuyeux; **3** triste. ▼—**en** mettre dedans.

belboei bouée *v* à cloche.

beledig/en offenser, insulter; choquer, blesser (les oreilles); *beledigd zijn over*, se formaliser de. ▼—**end** offensant, injurieux, outrageant. ▼—**er** offenseur *m*. ▼—**ing** offense, injure *v*, outrage *m*; *hem een — aandoen*, lui faire injure.

beleefd I *bn* poli, civil, galant. **II** *bw* poliment, honnêtement. ▼—**heid** politesse, galanterie *v*; — *uit*, — par politesse; *een — beantwoorden*, rendre la politesse. ▼—**heidsbezoek** visite *v* de politesse. ▼—**heidshalve** par politesse. ▼—**heidsvorm** formule *v* mondaine; *de —en*, l'étiquette *v*.

beleen/baar engageable. ▼—**bank** banque *v* hypothécaire. ▼—**briefje** récépissé *m*.

beleg siège *m*; *het — opbreken*, lever le siège; *het — slaan (voor)*, mettre le siège (devant).

belegen — *brood*, du pain rassis; — *wijn*, du vin vieux; — *kaas*, du fromage fait, - de garde, - affiné, - fermenté.

beleger/aar assiégeant *m*. ▼—**de** assiégé *m*. ▼—**en** assiéger; investir. ▼—**ing** siège *m*. ▼—**ingsgeschut** artillerie *v* de siège. ▼—**ingstactiek** tactique *v* d'investissement.

beleggen 1 couvrir (de), garnir (de); **2** (*geld*) placer; investir; **3** (*vergadering*) convoquer (le conseil); faire, organiser (une réunion). ▼**belegger** investisseur *m*; porteur *m* (de part d'actions). ▼**belegging 1** (*vergadering*) convocation *v*; **2** (*geld*) placement, investissement *m*. ▼—**smaatschappij** société *v* d'investissement; — *met wisselend kapitaal*, société *v* d'investissement à capital variable, S.I.C.A.V. ▼—**svraag** portefeuille *m*. ▼—**swaarde** valeur *v* de placement.

beleid conduite, politique, sagesse, prudence *v*, tact *m*. ▼—**vol** *bn* (*en bw*) prudent (prudemment), plein de tact; avisé.

belemmer/en entraver (l'activité); gêner (la circulation); embarrasser (les mouvements); encombrer (le passage); *belemmerde spraak*, langue *v* embarrassée. ▼—**ing** empêchement *m*, entrave *v*, embarras *m*, gêne *v*; encombrement *m*; obstruction *v*.

belend/en toucher à, être contigu(ë) à. ▼—**end** contigu(ë), adjacent, voisin, à côté. ▼—**ing** contiguïté *v*.

belen/en mettre en gage, engager; hypothéquer; (*gesch.*) investir, inféoder. ▼—**ing 1** emprunt *m* sur gage; engagement *m*; hypothèque *v*; **2** (*gesch.*) inféodation *v*. ▼—**ingsrente** taux *m* d'emprunt.

belet empêchement *m*; —*!*, on n'entre pas!, il y a du monde!; il y a quelqu'un; — *hebben*, -*geven*, ne pas être visible, faire dire qu'on n'y est pas. ▼—**sel** obstacle, empêchement *m*; *een — uit de weg ruimen*, lever un obstacle; *er is een — opgekomen*, il s'est présenté un obstacle. ▼—**ten** empêcher (qn de qc); mettre obstacle à, s'opposer à.

beleven éprouver, vivre; voir; arriver à, être

témoin de; *hij beleeft wat aan haar,* elle lui en fait voir; *ik heb wel wat anders beleefd,* j'en ai vu bien d'autres; *'t is, of ik die tijd weer beleef,* je crois revivre ce temps. ▼—**is** événement *m*; expérience *v.*

belezen I *ov. w* 1 (*bannen*) exorciser; 2 (*overhalen*) persuader (qn de). **II** *bn* lettré, qui a beaucoup de lectures. ▼—**heid** connaissances *v mv* littéraires, culture *v.*

Belg Belge *m.*

belgen: *gebelgd zijn over,* s'indigner.

Belg/ië la Belgique. ▼—**isch** belge; *een Belgische,* une Belge.

Belgrado Belgrade *v.*

belhamel sonnailler *m*; (*fig.*) meneur *m*; *de — zijn,* mener la bande.

belicham/en matérialiser, incarner, personnifier. ▼—**ing** matérialisation, incarnation, personnification *v.*

belichten éclairer, (*fot.*) exposer. ▼**belichting** éclairage *m*; (*kunst*) jour *m*; (*fot.*) exposition *v.* ▼—**smeter** posemètre *m.* ▼—**stijd** temps *m* de pose.

believen I *on. w* plaire (à); *wat belief(t)?,* plaît-il?, vous disiez?; *als 't u belieft,* 1 (*bij geven*) voici, voilà; 2 (*uitnodigend*) je vous (en) prie; 3 (*vragend*) s'il vous plaît; 4 (*toestemming*) je veux bien!, volontiers, bien sûr, parfaitement; 5 (*als het u past*) si vous le voulez bien. **II** *ov. w* faire plaisir à, contenter; *ik blief niet meer,* je n'en veux plus. **III** *zn* gré, bon plaisir *m*, volonté *v*; *naar —,* comme vous voudrez; (*pain*) à discrétion, à volonté, à gogo.

belijd/en I confesser, avouer (un péché); 2 professer (une religion); 3 adorer, reconnaître (Dieu). ▼—**end** pratiquant. ▼—**enis** 1 confession *v*, aveu *m*; 2 *zijn — doen,* faire sa profession; 3 secte, église *v.* ▼—**er** fidèle, adhérent *m*; (*rk*) confesseur *m.*

bel/knop bouton *m* de sonnette. ▼—**len** sonner; *èr wordt gebeld,* on sonne; *om een glas water —,* sonner pour avoir un verre d'eau; *tweemaal —,* sonner deux fois. ▼—**lenbaan** sillage *m* (de bulles) (d'une torpille).

belladonna belladone *v.*

bellettrie belles-lettres *v mv.*

beloeren épier, guetter.

belofte 1 promesse *v*; 2 (*in plaats v. eed*) affirmation solennelle; *zijn — houden,* tenir (*of* remplir) sa promesse; *zijn — niet houden,* manquer à sa promesse; *— maakt schuld,* chose promise, chose due.

beloken: *— Pasen,* Pâques *v mv* closes, Quasimodo *v.*

belon/en récompenser; rémunérer, salarier. ▼—**ing** 1 récompense *v*; 2 (*in geld*) rémunération *v*, salaire *m*; *als — voor,* en récompense de; *het tegen — terugbezorgen,* le rapporter contre récompense.

beloop (*verloop*) cours, train *m*; marche *v* (*des affaires*); 2 (*bedrag*) montant *m*; 3 (*vorm*) forme *v*, contour *m*; *iets op zijn — laten,* laisser aller les choses; *de zaak op zijn — laten,* laisser tomber. ▼**belopen I** *on. w* (se) monter à, s'élever à. **II** *ov. w* passer par; marcher sur; *niet te —,* impraticable. **III** *bn:* *met bloed — ogen,* des yeux injectés de sang.

beloven promettre; *iets vast —,* en faire la promesse formelle; *dat belooft wat!,* ça promet; *de winter belooft streng te worden,* l'hiver s'annonce dur.

belt décharge *v* publique; tas *m*, butte *v.*

beluisteren écouter.

belust avide (de), désireux (de); *— zijn op,* avoir envie de, convoiter; *— maken,* allécher, exciter. ▼—**heid** envie, convoitise *v.*

belvédère belvédère *m.*

bemachtigen s'emparer de, se saisir de.

bemalen épuiser les eaux de. ▼**bemaling** épuisement *m.*

bemann/en équiper; *bemande* (*ruimte*) *— vlucht,* vol *m* habité. ▼—**ing** (*het bemannen*) équipement *m*; (*de bemanning*) équipage *m.*

bemantel/en revêtir d'un manteau; (*fig.*)

excuser; dissimuler; déguiser. ▼—**ing** excuse *v*, déguisement *m*, dissimulation *v.*

bemerk/baar *bn* (*bw*) perceptible(ment), sensible(ment). ▼—**baarheid** perceptibilité *v.* ▼—**en** apercevoir, observer, (*fig.*) s'apercevoir (de, que), comprendre. ▼—**ing** perception, observation *v.*

bemest/en fumer, engraisser. ▼—**ing** fumage *m*, fumure *v.* ▼—**ingsmiddelen** engrais *m mv.*

bemiddel/aar—ares 1 médiateur *m*; médiatrice *v*; 2 négociateur *m*; négociatrice *v.* ▼—**d** aisé. ▼—**dheid** aisance *v.* ▼—**en** accommoder, servir de médiateur dans. ▼—**ing** 1 médiation *v*; 2 conciliation *v*; *door — van,* par l'intermédiaire (l'entremise) de, grâce aux bons offices de. ▼—**ingsbureau** bureau *m* de placement. ▼—**ingsvoorstel** proposition *v* de conciliation.

bemin/d chéri, aimé, cher; recherché. ▼—**de** amoureux *m*, -euse *v*; bien-aimé(e) *m(v).* ▼—**nelijk I** *bn* aimable, charmant. **II** *bw* aimablement, avec charme. ▼—**nelijkheid** amabilité *v*, charmes *m mv* ▼**beminnen** aimer (d'amour), chérir, affectionner, être amoureux de. ▼—**swaardig** digne d'être aimé, aimable.

bemoedigen encourager. ▼—**ing** encouragement *m.*

bemoei/al: *hij (zij) is een —,* il (elle) se mêle de tout. ▼—**en** (*zich*) se mêler (de), s'occuper (de). ▼—**enis**, **—ing** démarche, intervention *v*, effort *m.*

bemoeilijk/en rendre difficile; importuner. ▼—**ing** obstruction *v.*

bemoei/ziek indiscret, tracassier. ▼—**zucht** ingérence *v.*

bemost moussu, couvert de mousse.

bemuren murer, entourer de murailles.

ben banne *v*, panier *m.*

benadel/en I *ov. w* faire tort à, nuire à. **II zich — se faire tort, se nuire.** ▼—**ing** tort, préjudice; désavantage *m.*

benader/en I exproprier, saisir (au nom du fisc), 2 (*rek.*) calculer par approximation; 3 aborder; approcher, pressentir, sonder (qn sur ses intentions). ▼—**ing** saisie; approximation; approche *v.* ▼—**ingsrecht** droit *m* de préemption.

benadrukken accentuer; insister (sur).

benaming dénomination *v*, nom, titre *m.*

benard 1 (*v. personen*) embarrassé, gêné, en peine; 2 (*v. zaken*) critique, difficile, fâcheux. ▼—**heid** embarras *m*, peine, perplexité *v.*

benauw/d *bn* 1 (*eng*) étroit, serré; 2 (*door warmte*) étouffant, suffocant; 3 (*v. lucht*) lourd; 4 (*borst*) oppressé; 5 inquiet, alarmé; *het — krijgen,* se sentir oppressé; *vreselijk — worden,* suffoquer; *nergens — voor zijn,* ne reculer devant rien; *—e tijden,* des temps difficiles; *—e droom,* cauchemar *m*; *maak je daar maar niet — over,* ne t'inquiète pas de ça; *'t is hier —,* on étouffe ici. **II** *bw: het is — warm,* il fait une chaleur étouffante. ▼—**dheid** 1 étouffement, manque d'air *m*, oppression, suffocation *v*; 2 peur, angoisse *v*; 3 chaleur *v* étouffante; *in de — zitten,* être dans l'embarras. ▼—**en** 1 oppresser, étouffer; 2 inquiéter. ▼—**end** oppressant, étouffant; embarrassant; inquiétant. ▼—**ing** 1 oppression; 2 angoisse, gêne *v.*

bende 1 bande, troupe *v*; (*fig.*) clique *v*; 2 (*rommel*) gâchis *m.* ▼—**leider** caïd *m.*

beneden I *bw* dessous, en bas, au rez-de-chaussée; *hier —,* ici-bas; *van boven naar —,* de haut en bas; *naar — brengen,* descendre; *naar — gaan,* descendre; *per vliegtuig naar — halen,* descendre un avion; *de juffrouw van —,* la dame du dessous. **II** *vz* sous, au-dessous de; *dat acht ik — mij,* c'est au-dessous de moi; *— de begane grond,* en sous-sol; *— alle kritiek,* au-dessous de toute critique, indigne, infâme. ▼—**arm** avant-bras *m.* ▼—**buur** voisin *m* d'en bas. ▼—**dek** pont *m* inférieur. ▼—**kamer** chambre *v* basse. ▼—**kant** côté *m* du bas. ▼—**loop** cours *m* inférieur. ▼—**stad** ville *v* basse.

▼—**verdieping** étage *m* inférieur; rez-de-chaussée *m*. ▼—**woning** appartement *m* au rez-de-chaussée.

benedictijner/monnik, —non bénédictin *m*, -e *v*.

benefi/ciant(e) bénéficiaire *m & v*. ▼—**cie** bénéfice *m*; *onder — van inventaris,* sous bénéfice d'inventaire. ▼**benefiet** (*voorstelling*) (représentation) à bénéfice.

Benelux Benelux *m*.

benemen ôter, priver de; *de eetlust —,* couper l'appétit; *iem. de moed —,* décourager qn.

benen *bn* osseux.

benepen I *bn* embarrassé; *met — hart,* le cœur serré; *— stem,* voix *v* mal assurée; (*fig.*) petit, mesquin. II *bw* petitement, mesquinement. ▼—**heid** étroitesse, petitesse *v*.

benevelen 1 embrumer; 2 (*fig.*) obscurcir; 3 (*dronken maken*) griser.

benevens avec; ainsi que.

Bengaals bengalais; *— vuur,* feux *m mv* de Bengale. ▼**Bengalees** I *zn* Bengalais *m*. II *bn* bengalais. ▼**Bengalen** le Bengale.

bengel 1 cloche *v*; 2 (*jongen*) polisson, gamin *m*. ▼—**en** 1 sonner la cloche; 2 (*hangen*) pendiller.

benieuwd: *— zijn (naar),* être curieux (de) ▼**benieuwen:** *het zal mij — of,* je suis curieux de savoir si.

benig osseux.

benijd/en envier, porter envie à. ▼—**er** envieux *m*.

benodigd nécessaire. ▼—**heden** fournitures *v mv*; ce qu'il faut.

benoem/en 1 (*aanstellen*) nommer; *tot leraar —,* nommer professeur; 2 (*naam geven*) dénommer, appeler; *hem tot erfgenaam —,* l'instituer héritier. ▼—**ing** 1 nomination *v*; *definitieve —,* titularisation *v*; 2 dénomination *v*, nom *m*.

benoorden au nord (de).

benul: *hij heeft er geen — van,* il n'y entend rien, il n'en a pas la moindre notion.

benutten employer, utiliser, mettre à profit.

benzeen benzène *m*.

benzine essence *v*; carburant *m*; *gewone —,* ordinaire *v*; *op gewone — lopen,* rouler à l'essence ordinaire; *was—,* benzine *v* à nettoyer. ▼—**bon** coupon *m* d'essence. ▼—**dop** bouchon *m* (essence). ▼—**filter** filtre *m* à essence. ▼—**leiding** canalisations *v mv* d'essence. ▼—**meter** indicateur *m* du niveau de carburant. ▼—**motor** moteur *m* à essence. ▼—**pomp** pompe *v* à essence. ▼—**pomphuisje** pompiste *m*. ▼—**station** station *v* d'essence, poste *m* d'essence. ▼—**tank** réservoir *m* (à essence); *zijn — vullen,* faire son plein.

benzol benzol *m*.

beoefen/aar ami, amateur *m*. ▼—**en** étudier; s'appliquer à; pratiquer, cultiver. ▼—**ing** étude, pratique *v*; exercice *m*, culture *v*.

beogen viser à, prétendre à, vouloir.

beoordel/aar juge, critique *m*. ▼—**en** juger; apprécier; critiquer. ▼—**ing** jugement *m*, critique *v*.

beoorlogen faire la guerre à, combattre.

beoosten à l'est (de).

bepaal/baar définissable, déterminable. ▼**bepaald** I *bn* 1 (*omschreven*) défini, déterminé; 2 (*vastgesteld*) fixé, arrêté; *een — antwoord,* une réponse catégorique; *— geval,* cas *m* spécial. II *bw* certainement, définitivement; *het is — onwaar,* c'est absolument faux. ▼—**heid** netteté, précision, détermination *v*.

bepakking charge *v*; (*mil.*) paquetage *m*.

bepal/en I *ov.w* 1 (*beperken*) limiter, borner; 2 (*vaststellen*) fixer; 3 (*nader—*) déterminer, qualifier; 4 (*voorschrijven*) prescrire; 5 (*contract*) stipuler; 6 (*omschrijven*) définir. II *zich — tot* se borner à. ▼—**end** déterminant; déterminatif; *—lidwoord,* article *m* défini. ▼—**ing** 1 (*v. prijs*) fixation *v*; 2 (*omschrijving*) définition, détermination *v*;

3 (*v. besluit*) disposition *v*; 4 (*v. contract*) stipulation, clause *v*; 5 (*gram.*) complément *m*; *bijvoeglijke —,* attribut *m*; *bijwoordelijke —,* circonstanciel *m*.

bepantser/en cuirasser, blinder. ▼—**ing** cuirassement, blindage *m*.

beperk/en I *ov.w* limiter (la puissance); restreindre (les dépenses); borner (son ambition); circonscrire (le feu). II *zich — tot* se restreindre à. ▼—**end** limitatif, restrictif. ▼—**ing** limitation, restriction *v*. ▼**beperkt** 1 réduit, limité; 2 modique; *in — e kring,* en petit comité. ▼—**heid** 1 (le) peu d'étendue; 2 modicité *v* (de revenus); 3 manque *m* (de temps); 4 étroitesse *v* (d'esprit).

beplanten — (*met*), planter (de). ▼**beplanting** plantation *v*.

bepleister/en crépir; plâtrer, masquer, voiler; *bepleisterde graven,* sépulcres *m mv* blanchis. ▼—**ing** crépissage; plâtrage *m*.

bepleiten plaider, défendre; soutenir.

beploegen labourer.

bepraten 1 discuter, causer (de); 2 (*overhalen*) persuader (qn de), porter (qn à).

beproefd 1 éprouvé; 2 efficace. ▼**beproev/en** 1 essayer, tenter; 2 (*op de proef stellen*) mettre à l'épreuve, éprouver. ▼—**ing** 1 tentation *v*; 2 épreuve *v*.

beraad délibération *v*; *in — houden,* tenir en délibéré. ▼—**slagen** délibérer (sur qc), débattre (qc). ▼—**slaging** délibération *v*. ▼**beraden (zich)** I *ww* 1 délibérer, réfléchir; 2 (*v. gedachten veranderen*) se raviser. II *bn* avisé.

beramen 1 méditer; tramer; 2 (*kosten*) évaluer; supputer.

Berber Berbère *m*.

berd: *te — e brengen,* mettre sur le tapis.

berechten juger. ▼**berechting** jugement *m*.

beredder/en 1 arranger; 2 (*boedel*) liquider. ▼—**ing** 1 arrangement *m*; 2 liquidation *v*.

bereden 1 monté; 2 (*v. paard*) bien dressé; 3 (*v. weg*) battu.

beredeneerd raisonné, motivé; avisé. ▼**beredeneren** raisonner.

bere/goed vachement bon. ▼—**huid** peau *v* d'ours.

bereid prêt, préparé; *— om,* disposé à; *zich — verklaren,* consentir (à). ▼—**en** préparer; confectionner (un plat); apprêter (un repas); accommoder (de la viande). ▼—**er** préparateur, apprêteur *m*. ▼—**ing** préparation *v*. ▼—**ingswijze** procédé *m* de préparation. ▼—**s** (d'ores et) déjà. ▼—**vaardig** I *bn* serviable, empressé, de bonne volonté. II *bw* de bon cœur, de bonne grâce. ▼—**vaardigheid** bonne volonté *v*, empressement *m*. ▼—**verklaring** consentement *m*. ▼—**willig(heid)** *zie* —**vaardig(heid)**.

bereik portée *v*; *binnen mijn —,* à ma portée; *binnen het — van ieders beurs,* d'un prix abordable; *dat is boven mijn —,* c'est au-dessus de mes moyens; *buiten 't —,* hors d'atteinte. ▼—**baar** réalisable, abordable. ▼—**en** atteindre, parvenir à; gagner; *uw brief heeft mij niet bereikt,* votre lettre ne m'est pas parvenue.

bereisd qui a beaucoup voyagé. ▼**bereizen** visiter, traverser; fréquenter.

berejacht chasse *v* à l'ours.

bereken/baar calculable. ▼—**baarheid** calculabilité *v*. ▼—**d** capable (de); destiné (à); *voor zijn taak —,* à la hauteur de sa tâche; *niet voor zijn taak —,* inférieur à sa tâche. ▼—**en** 1 calculer, chiffrer (à); 2 (*ramen*) évaluer; (*afleiden*) déduire; 3 (*in rekening brengen*) percevoir; porter en compte. ▼—**ing** 1 calcul, compte *m*; 2 (*v. tijd*) computation *v*.

bere/kuil fosse *v* aux ours. ▼—**muts** bonnet *m* à poil.

berg mont *m*, montagne *v*; *het geloof waarmee men —en kan verzetten,* la foi qui soulève les montagnes; *de haren rezen hem te —e,* ses cheveux se dressèrent sur sa tête. ▼—**achtig**

montagneux. ▼—**af** en descendant (la montagne), à la descente; *het gaat — met hem,* il baisse.

bergamot bergamote v.

berg/artillerie artillerie v de montagne. ▼—**beklimmer** ascensionniste, alpiniste m. ▼—**bestijging** ascension v. ▼—**bewoner** montagnard m.

berg/en I ov.w **1** ranger, serrer, enfermer (qc); **2** loger (qn); **3** (*inhouden*) contenir; (*redden*) sauver; (*mar.*) renflouer; *hij is geborgen,* il a son pain assuré, il a de quoi vivre. **II** *niet weten waar men zich moet —,* ne savoir où se cacher. ▼—**geld** droit m de sauvetage.

bergengte col, défilé m, gorge v.

Bergen op Zoom Berg-op-Zoom m.

berg/flora flore v alpestre. ▼—**geel** ocre v jaune. ▼—**geest** gnome m, esprit m de la montagne. ▼—**groep** massif m. ▼—**helling** côte, pente, rampe v. ▼—**hok** débarras m. ▼—**hut** chalet m; — *voor Alpenklimmers,* refuge m.

berging 1 sauvetage m (de marchandises); **2** renflouage m (d'un navire): rémisage m (de mobilier); **3** (*in huis*) rangement m. ▼—**smaatschappij** société v de renflouement. ▼**bergloon** prime v de sauvetage. ▼**bergsvaartuig** navire m de sauvetage.

berg/kaart carte v orographique. ▼—**kam** crête v. ▼—**keten** chaîne v de montagnes. ▼—**kloof** crevasse, gorge v. ▼—**kristal** cristal de roche, quartz m. ▼—**landschap** paysage m de montagne. ▼—**locomotief** locomotive v de montagne. ▼—**lucht** air m des montagnes.

bergmeubel meuble m de rangement.

berg/op en montant, à la montée. ▼—**pad** sentier m de montagne. ▼—**pas 1** col; **2** défilé m.

bergplaats magasin, dépôt m; reserve v; (*op schip*) soute v.

Bergrede sermon m sur la montagne.

▼**bergrug** dos m (de la montagne), crête v.

bergruimte espace m (surface v) de rangement; (*capaciteit*) volume m de rangement.

berg/schoen chaussure v de montagne (et d'escalade). ▼—**slede** luge v. ▼—**spits** cime v, pic m. ▼—**spoorweg** chemin m de fer de montagne. ▼—**sport** alpinisme m. ▼—**stok** alpenstock m, bâton m ferré. ▼—**storting** éboulement m (d'une montagne). ▼—**streek** région v montagneuse. ▼—**stroom** torrent m; *in Z.-Frankrijk:* gave m. ▼—**tocht** excursion v dans la montagne. ▼—**top** cime v, sommet m. ▼—**weide** alpage m. ▼—**ziekte** mal m de montagne.

beriberi béribéri m. ▼—**lijder** béribérique m.

bericht nouvelle v, information, communication v, avis m; — *van ontvangst,* accusé m de réception; *reçu m;* — *van ontvangst,* avis m d'expédition; *gemengde —en,* faits divers m *mv; laatste —en,* dernière heure; — *krijgen van iets,* être informé de qc; — *van overlijden,* - *huwelijk, enz,* faire-part m. ▼—**en** informer (de), avertir (de), mander; *de goede ontvangst — van,* accuser réception de. ▼—**endienst** service m d'information. ▼—**gever,** —**geefster** correspondant(e), reporter m (v).

berijd/baar praticable, viable; (*cheval*) qui peut être monté. ▼—**baarheid** viabilité v. ▼—**en** parcourir (un chemin) en voiture, - à cheval; monter (un cheval). ▼—**er** cavalier m. ▼—**ster** cavalière, écuyère v.

berijmen rimer, mettre en vers.

berijpt givré; (*fruit*) velouté.

beril(steen) béryl m.

berin ourse v.

berisp/elijk répréhensible, blâmable. ▼—**en** blâmer, réprimander. ▼—**ing** blâme m, réprimande v.

berk(eboom) bouleau m. ▼—**enbos** boulaie v.

Berlijn Berlin m. ▼—**er** Berlinois m. ▼—**s** berlinois.

berm bas-côté; accotement m; *zachte —,*

accotement non stabilisé. ▼—**lamp** phare m de côte.

Bern Berne v. ▼—**er** bernois, de Berne. ▼—**er Oberland** Oberland m bernois.

beroemd fameux, célèbre, illustre; *zich — maken,* s'illustrer. ▼—**heid** illustration, célébrité v; (*persoon*) célébrité v.

▼**beroemen** (**zich — op**) se vanter de, se piquer de.

beroep 1 (*ambt*) profession v, état m; *vrij —,* profession v libérale; **2** (*ambacht*) métier m; **3** ('*t roepen*) appel m; vocation v (d'un pasteur); **4** (*recht*) appel m; — *doen op,* faire appel à; *behoudens — op,* sauf recours à; *in — komen,* se pourvoir en cassation; *raad van —,* **1** conseil m de prud'hommes, **2** (*in ambtenarenzaken*) tribunal m administratif. ▼—**baar** qui peut recevoir une vocation. ▼—**baarheid** disponibilité v. ▼—**en I** ov.w **1** (*aanroepen*) appeler; **2** (*aanstellen*) nommer; **3** (*bijeenroepen*) convoquer; *ik kan hem niet —,* il n'est pas à la portée de ma voix. **II** *zich — op* se réclamer de (qn), en appeler à; se référer à (un jugement); s'autoriser d'un exemple); invoquer (le cas de force majeure). ▼—**ing** nomination v. ▼**beroeps/** profession, professionnel v. ▼—**bevolking** population v active. ▼—**bezigheden** fonctions v *mv* (de sa charge); occupations v *mv* professionnelles. ▼—**deformatie** déformation v professionnelle. ▼—**geheim** secret m professionnel. ▼—**inbreker** cambrioleur (de métier); (*arg.*) casseur m. ▼—**kader** cadres m *mv.* ▼—**keuze** choix v d'une carrière, - d'un état. ▼—**keuzeadviseur** conseiller m d'orientation professionnelle. ▼—**leger** armée v de métier. ▼—**militair** engagé m. ▼—**officier** officier m de carrière. ▼—**opleiding** formation v professionnelle. ▼—**plicht** devoir m professionnel. ▼—**rijder** professionnel m. ▼—**soldaat** soldat m de métier. ▼—**voorlichting** orientation v professionnelle.

beroerd 1 agité, ému; **2** malade, indisposé; **3** misérable; pauvre; embêtant; *die — bakker,* ce boulanger de malheur; — *boek,* livre m de rien; *dat is —,* c'est bien mauvaise; *ik ben er — van,* j'en suis tout chose; *zich — voelen,* ressentir un léger malaise. ▼—**heid** malaise m; *in de —,* dans la purée.

beroer/en 1 toucher (à); **2** troubler, bouleverser (les esprits). ▼—**ing** agitation; (*verwarring*) confusion; (*gisting*) effervescence v; trouble m. ▼—**ling** misérable m.

beroerte attaque; (attaque d')apoplexie v; coup m de sang; —*n* (*onlusten*), des troubles m *mv*; *een — krijgen,* être frappé d'apoplexie.

berokkenen I ov.w causer, attirer (qc à qn). **II** *zich —* s'attirer (qc), encourir (qc).

berooid indigent; —*e beurs,* bourse v vide; —*e adel,* noblesse v besogneuse. ▼—**heid** indigence v, état m de détresse.

berouw **1** repentir, regret m; **2** (*volmaakt —*) contrition v; (*onvolmaakt —*) contrition v imparfaite; — *hebben,* se repentir, regretter. ▼—**hebbend,** —**vol** repentant, repenti, contrit.

berov/en I dépouiller, dévaliser; priver (qn de qc); *iem. van het leven —,* ôter la vie à qn. **II** *zich — van* se priver de; *zich van het leven —,* se suicider. ▼—**ing** dépouillement, vol m.

berrie civière v, brancard m.

berucht mal famé, trop fameux. ▼—**heid** mauvaise renommée v.

berust/en 1 reposer (sur), être fondé (sur); *die plicht berust op u,* ce devoir vous incombe; **2** (*bewaring*) garder, se faire une raison; **3** être en dépôt, être sous la garde de. ▼—**ing 1** (*bewaring*) garde v; **2** (*gelatenheid*) résignation v.

bes **1** baie v, **2** (*aalbes*) groseille v; **3** vieille femme; **4** (*muz.*) si bémol.

beschaafd I bn poli, bien élevé; **2** civilisé; **3** cultivé, instruit; *in —e termen,* en termes courtois. **II** *bw* avec distinction. ▼—**heid**

1 civilisation v (d'un peuple); **2** politesse v; **3** bonne éducation v.

beschaamd confus (de), honteux (de); embarrassé (de); — **maken, 1** confondre (qn); **2** faire rougir; **3** faire honte à (ses parents); ▼—**heid** confusion, honte v, embarras m.

beschadig/en endommager, gâter; perdre; abîmer; (mar.) avarier. ▼—**ing** endommagement m; avarie v.

bescham/en 1 faire rougir; rendre honteux; faire honte à (ses parents); **2** décevoir (l'attente), trahir (la confiance). ▼—**end** qui fait rougir; humiliant. ▼—**ing** confusion, honte, humiliation v.

beschav/en 1 raboter; **2** (fig.) polir, civiliser, cultiver. ▼—**ing** civilisation, culture v.

bescheid 1 réponse; nouvelle v; **2** acte, titre m, pièce v; — **geven**, repartir; — **doen**, répondre à un toast.

bescheiden I w faire venir, mander. **II** bn **1** discret, modeste; **2** (matig) (salaire) modique; (usage) discret; naar mijn — mening, sauf meilleur avis. **III** bw discrètement, modestement; zeer — leven, vivre petitement. ▼—**heid** discrétion, modestie, modicité v (des prix).

bescherm/eling protégé(e) m (v). ▼—**en** (tegen) protéger -, abriter (de, contre); zich —, s'abriter. ▼—**end** protecteur; isolant. ▼—**engel** ange m gardien. ▼—**er** protecteur, défenseur m. ▼—**geest** génie m tutélaire. ▼—**heer** protecteur, patron m. ▼—**heerschap** (haut) patronage m. ▼—**heilige** patron(ne) m (v). ▼—**ing 1** protection v; **2** défense v; vereniging tot — van dieren, société v protectrice des animaux; onder zijn — nemen, prendre la défense de; onder — van, sous la protection de, sous l'égide de. ▼—**vrouw** protectrice, patronne v.

beschiet/en 1 tirer sur; **2** (met glas) vitrer; **3** lambrisser. ▼—**ing 1** bombardement m; **2** (glazen) vitrage m; **3** lambrissage m.

beschijnen éclairer, illuminer, luire sur.

beschikbaar disponible; — stellen, mettre à la disposition. ▼—**heid** disponibilité v. ▼**beschikk/en** régler, arranger; — over, disposer (de); afwijzend —, décliner; gunstig — op, admettre, faire droit à; de mens wikt, God beschikt, l'homme propose, Dieu dispose. ▼—**ing** disposition v; ministeriële —, arrêté m ministériel; gunstige —, avis m conforme; ter — stellen, mettre en disponibilité. ▼—**ingsrecht** droit m de disposition, - d'usage.

beschilder/en peindre, couvrir de peinture; tatouer. ▼—**ing** peinture v, tatouage m.

beschimmel/d moisi. ▼—**en** (se) moisir. ▼—**ing** moisissure v.

beschimp/en injurier, insulter. ▼—**ing** affront m, injure v.

beschoeien clayonner; boiser.

beschonken ivre. ▼—**heid** ivresse, ébriété v.

beschoren réservé à, destiné à.

beschot lambris m, boiserie v; cloison v; waterdicht —, cloison v étanche.

beschouw/en contempler, regarder, considérer; — als een vriend, considérer comme un ami; op de keper beschouwd, au fond; à y regarder de près; al naar men het beschouwt, selon le point de vue où l'on se place; alles wel beschouwd, après tout. ▼—**end** contemplatif. ▼—**er** spectateur m. ▼—**ing** contemplation v; considération v; (daad) examen m; de algemene —, la discussion générale; bij nadere —, en y regardant de plus près; buiten — blijven, ne pas être pris en considération; buiten — laten, négliger, passer sous silence.

beschreeuwen se faire entendre (de qn) à force de crier; niet te —, hors de portée.

beschrijv/en 1 écrire (sur); **2** remplir (d'écriture); **3** mettre par écrit (un contrat) **4** tracer, décrire (une figure); **5** décrire, dépeindre; **6** convoquer; (cirkel) — in, inscrire dans; — om, circonscrire à; beschreven

rechten, droits m mv consignés. ▼—**end** descriptif. ▼—**er** descripteur m. ▼—**ing** description v; convocation v. ▼—**ingsbiljet** feuille v de déclaration. ▼—**ingsbrief** convocation v.

beschroomd timide, craintif. ▼—**heid** timidité v, naturel m craintif.

beschuit biscotte v; biscuit m. ▼—**bakkerij** biscuiterie v. ▼—**bus** boîte v aux biscottes. ▼—**pap** bouillie v au biscuit.

beschuldig/de accusé, inculpé, prévenu m. ▼—**en** accuser, inculper (qn de qc); aangehouden, beschuldigd van, arrêté sous l'inculpation de. ▼—**end** accusateur m. ▼—**er** accusateur m. ▼—**ing** accusation, inculpation; prévention v; in staat van — stellen, mettre en accusation; een — inbrengen, porter une accusation (contre).

beschut: — tegen, à l'abri de. ▼—**ten 1** ov. w mettre à l'abri (de); abriter -; défendre (de, contre). **II** zich — (tegen) s'abriter (de, contre). ▼—**ting** abri m; défense, protection v.

besef notion, idée, conscience, intelligence v; geen — hebben van, ne pas avoir idée de; een juist — hebben van, avoir une notion claire de. ▼—**fen** comprendre, se rendre compte, réaliser.

besje (bonne) vieille; vieille femme v.

beslaan I ov. w **1** garnir (d'argent); **2** ferrer (un cheval); **3** (v. meel en dgl.) délayer; **4** occuper, prendre (beaucoup de place); met spijkers beslagen schoenen, souliers ferrés ou cloutés. **II** on. w se ternir, s'embuer; een beslagen tong, une langue chargée. **III** zn: het —, le ferrage. ▼**beslag 1** ferrure, garniture v (de porte); **2** bandages m mv (d'une roue); **3** fermoir m (d'un livre); **4** fers m mv (d'un cheval); **5** monture v (d'un fusil); **6** (deeg) pâte v; **7** (—legging) arrêt m, saisie v; — leggen op, saisir, confisquer; — leggen op iem., disposer de qn; in — nemen, saisir (des biens); absorber (l'attention); occuper (une chaise); dat neemt veel tijd in —, cela prend beaucoup de temps; zijn — krijgen, se terminer; die zaak heeft haar —, c'est une affaire terminée. ▼—**legging** saisie v; (zie beslag 7).

beslapen I ov. w **1** coucher sur (un lit); **2** - avec qne. **II** zich — op iets réfléchir sur. **III** bn: een — bed, un lit défait.

beslecht/en arranger, accommoder; terminer (une querelle). ▼—**ing** arrangement m.

beslijken souiller de boue.

besliss/en I ov. w décider; mijn lot wordt beslist, mon sort se décide. **II** on. w décider: — over, décider de, trancher sur, statuer sur. ▼—**end** décisif, péremptoire; définitif; (le moment) critique, psychologique; de —e partij spelen, jouer la belle; —e stem, voix v prépondérante. ▼—**ing** décision v; jugement, arbitrage m; een — nemen, prendre une décision, décider. ▼—**ingsbevoegdheid** pouvoir m décisionnaire. ▼—**ingswedstrijd** finale m. ▼**beslist** bn (& bw) décidé(ment), formel(lement); — antwoord, réponse v catégorique. ▼—**heid** ton-, caractère m décisif; met —, résolument, carrément.

beslommering(en) tracas m; allerlei — aan het hoofd hebben, se tracasser.

besloten fermé; in — kring, en petit comité; — gezelschap, cercle m privé; bij — jacht, à une réunion prohibée; zijn — zijn, être décidé à.

besluipen s'approcher à pas de loup de; attaquer.

besluit 1 (einde) conclusion, fin v; **2** (gevolgtrekking) conclusion v; **3** (beslissing) décision; résolution v; **4** (v. overheid) arrêté m; décision v; koninklijk —, décret m royal; mijn — staat vast, ma résolution est ferme; tot —, pour conclure. ▼—**eloos** irrésolu, indécis; — zijn, hésiter, balancer. ▼—**eloosheid** irrésolution, indécision v. ▼—**en I** ov. w **1** (eindigen) finir, terminer; **2** (besluit nemen) résoudre de, (na beraad) se résoudre à; **3** (gevolgtrekking *maken*) conclure; 4 (*vaststellen*) arrêter; *bij zichzelf — om,* se promettre de; *iem. doen — om,* résoudre qn à, décider qn à. II *on. w* se décider; *hij kan niet gauw —,* il est long à se décider. ▼—**vaardigheid** esprit *m* d'à-propos. ▼—**vorming** prise *v* de décision; processus *m* de décision.

besmeren 1 enduire, frotter (de); 2 (*met boter*) (em)beurrer; 3 (*met vet*) graisser.

besmet infecté, contaminé (de). ▼—**telijk 1** (*v. kleur*) salissant (facilement); 2 contagieux. ▼—**telijkheid** contagiosité *v.* ▼—**ten 1** souiller, tacher, salir; 2 infecter, contaminer. ▼—**ting 1** salissure *v,* 2 infection, contagion *v;* — *werend,* antiseptique.

besmeuren salir, tacher.

besnaren munir de cordes, monter; *een fijn besnaärd gemoed,* une âme délicate.

besneden 1 bien coupé; 2 (*godsd.*) circoncis; *fraai —,* aux lignes élégantes; *fijn —,* aux traits délicats.

besneeuwd neigeux, enneigé.

besnijden 1 tailler, couper; 2 (*godsd.*) circoncire. ▼—**is** circoncision *v.*

besnoei/en élaguer. ▼—**ing** élagage *m.*

bespannen 1 atteler (une voiture); 2 (*muz.*) munir de cordes, monter.

bespar/en épargner, mettre de côté; faire l'économie (de); *iem. moeite —,* épargner de la peine à qn, éviter de l'ennui à qn. ▼—**ing** économie; restriction *v* (de la consommation du gaz).

bespatten éclabousser.

bespelen 1 jouer (d'un instrument); 2 donner des représentations dans (un théâtre).

bespeuren s'apercevoir de, découvrir.

bespied/en guetter, épier, espionner. ▼—**er** guetteur, espion *m.* ▼—**ster** espionne *v.* ▼—**ing** espionnage *m.*

bespiegel/end spéculatif. ▼—**ing** spéculation *v.*

bespijkeren garnir de clous, clouter.

bespikkelen moucheter, tacheter.

bespioneren épier, moucharder. ▼—**ing** accélération *v;* *ter — van,* afin de hâter.

bespoedig/en activer, accélérer. ▼—**ing** accélération *v; ter — van,* afin de hâter.

bespott/elijk 1 *bn* 1 ridicule, plaisant; 2 pauvre, pitoyable; — *maken,* tourner en ridicule; ridiculiser. II *bw* ridiculement. ▼—**elijkheid** ridicule *m.* ▼—**en** se moquer de, railler, tourner en ridicule. ▼—**er** railleur, moqueur *m. v.* ▼—**ing** moquerie, raillerie *v,* persiflage *m.*

besprek/en 1 (*spreken over*) causer de, parler de, discuter; 2 (*bestellen*) retenir, réserver (une chambre); louer (une place). ▼—**ing 1** (*daad*) discussion *v;* compte *m* rendu (d'un livre); 2 débat *m,* négociation *v;* — *der plaatsen,* location *v.*

besprenkel/en asperger. ▼—**ing** aspersion *v.*

bespringen 1 atteindre d'un bond; 2 assaillir, attaquer; 3 couvrir.

besproei/en mouiller, arroser; irriguer. ▼—**ing** arrosage *m;* irrigation *v.*

bespuit/en inonder, arroser; peindre au pistolet. ▼—**ing** inondation *v;* arrosage *m;* peinture *v* au pistolet.

best 1 *bn* 1 (le) meilleur, (la) meilleure; 2 excellent, très bon, parfait; *hij is niet al te —,* il ne va pas trop bien; *mij —, hoor!,* parfait; *de eerste de — e,* le premier venu; *—e vriend,* cher ami; *mijn —e wensen,* mes meilleurs vœux. II *bw* 1 le mieux; 2 très bien; *ik kan er — buiten,* je peux fort bien m'en passer; *zij —* doen, faire un effort; *zij doen al hun —,* ils font de leur mieux. III *zn* mieux, avantage, profit *m; het —e,* ce qu'il y a de mieux; *het —e hoor!,* bonne chance!; *het —e zal zijn,* le mieux sera de ...; *op zijn —,* tout au plus; *ten —e geven,* faire entendre; *we zullen het — maar hopen,* nous espérons que tout ira pour le mieux.

bestaan 1 *on. w* 1 (*zijn*) exister, être; 2 (*blijven*) subsister; *hij kan goed —,* il a de quoi vivre; — *in,* 1 consister dans qc; 2 consister à faire qc; — *uit,* se composer de, consister en; — *van,* vivre de; *hij kan van zijn*

zaak niet —, son négoce ne le nourrit pas; *hij bestaat niet meer voor mij,* il ne m'est plus rien. II *ov. w* entreprendre, risquer; *het — om,* tenir la gageure de. III *zn* 1 existence, vie *v;* 2 subsistance *v; middelen van —,* moyens *m mv* de subsistance, - de vivre; *een goed —,* une bonne position. ▼—**baar** possible; — *met,* compatible avec. ▼—**baarheid** possibilité, compatibilité *v.* ▼—**sdrang** vouloir-être *m.* ▼—**sgrond** raison *v* d'être. ▼—**sminimum** minimum *m* vital. ▼—**srecht** droit *m* à l'existence. ▼—**reden** raison *v* d'être. ▼—**svorm** mode *m* d'être. ▼—**svoorwaarden** qualité *v* de vie; conditions *v mv* d'existence. ▼—**szekerheid** sécurité *v* du lendemain.

bestand 1 *zn* armistice *m.* II *bn:* — *zijn tegen,* tenir devant, - contre, résister à; *tegen vermoeienis —,* infatigable; *niet — zijn tegen,* céder à; *tegen vorst —,* résistant à la gelée; *tegen het vuur —,* réfractaire au feu. ▼—**deel** élément; ingrédient *m;* partie *v* constituante.

bestedeling hospitalisé(e) *m* (*v*).

bested/en 1 (*uitgeven*) dépenser; 2 (*gebruiken*) employer; *een uur — om,* mettre une heure à; *het is aan hem besteed,* il le mérite. ▼—**er** placeur *m* (de domestiques). ▼—**ing** dépense *v;* placement *m.*

bestek 1 espace *m,* étendue *v;* 2 (*bij aanbesteding*) cahier *m* des charges, devis *m;* 3 (*op zee*) point *m;* — *opmaken,* faire le point; *gegist —,* point *m* estimé; 4 couvert *m.*

bestel/auto fourgonnette *v.* ▼—**biljet** bulletin *m* de commande. ▼—**dienst** service *m* de factage. ▼—**fiets** triporteur *m.* ▼—**goed** colis *m* en messagerie. ▼—**huis 1** (*v.d. boekhandel*) expédition *v* centrale; 2 (*voor verzending*) maison *v* de commission. ▼—**kaart** bulletin *m* de commande. ▼—**kantoor** bureau *m* d'expédition.

bestelen voler; *zich laten —,* (*fam.*) se faire avoir.

bestell/en 1 commander (qc); 2 faire venir, mander (qn); 3 retenir (des places); 4 (*bezorgen*) remettre, porter à domicile; distribuer; 5 (*regelen*) arranger, régler; *ter aarde —,* enterrer; *koffie —,* se faire servir du café. ▼—**er** facteur; porteur; livreur *m.* ▼—**ing** 1 commande *v,* ordre *m;* 2 (*post*) distribution *v; op —,* sur commande; *(—en) doen,* passer (des) commande(s). ▼**bestel/loon** port à domicile; factage *m.* ▼**bestel/wagen** livreuse *v,* camionnette, fourgonnette *v.*

bestemm/en 1 destiner; affecter; *op de bestemde tijd,* à l'heure indiquée; *te bestemder plaatse,* à destination; *voor Indië —,* affecter aux Indes. ▼—**ing 1** (*doel*) destination *v;* affectation *v;* 2 (*lot*) sort *m,* destinée *v,* destin *m; met — Parijs,* à destination de Paris; *op de plaats van — aankomen,* arriver à destination; *station van —,* gare *v* de destination; *aan zijn — onttrekken,* désaffecter. ▼—**ingsplan** plan *m* d'occupation des sols, P.O.S.; plan d'affectation; (*v. gemeente*) plan *m* d'aménagement urbain; (*v. streek*) plan *m* d'aménagement régional.

bestempelen timbrer; — *met de naam van,* qualifier de, traiter de.

bestendig 1 *bn* constant, stable, durable, permanent; (*v. weer*) beau fixe. II *bw* constamment, continuellement, sans cesse. ▼—**en** rendre stable, faire durer. ▼—**heid** stabilité, constance *v;* — *van het weer,* le caractère constant du temps. ▼—**ing** continuation, stabilisation *v.*

besterven mourir; *vlees laten —,* mortifier la viande.

bestiaal bestial.

bestij/en monter (sur), grimper (à, sur); enfourcher (un cheval). ▼—**ing** ascension *v;* avènement *m* (au trône).

bestoken attaquer; harceler, serrer de près.

bestorm/en assaillir, monter à l'assaut de; (*fig.*) tourmenter, importuner; *iem. met vragen —,* presser qn de questions. ▼—**er** assaillant,

▼—**ing** assaut; (*fig.*) tourment *m*.
bestorven 1 (viande v) mortifié(e); 2 pâle, blême; *dat woord ligt hem in de mond* —, il n'a que ce mot à la bouche.
bestraff/en punir; 2 réprimander. ▼—**er** censeur *m*. ▼—**ing** 1 punition v; 2 réprimande v; *de* — *der misdaden*, le châtiment des crimes.
bestral/en éclairer de ses rayons; (*med.*) traiter par des rayons. ▼—**ing** exposition v à des rayons; séance v de traitement par les rayons.
bestrat/en paver. ▼—**ing** 1 (*daad*) pavage *m*; 2 (*plaveisel*) pavé *m*.
bestrijd/baar contestable. ▼—**en** 1 combattre, lutter contre; 2 contester (la vérité de); s'attaquer à qn; *de kosten* —, faire face aux frais. ▼—**er** adversaire, ennemi *m*. ▼—**ing** 1 combat *m*, lutte v (contre); 2 contestation v. ▼—**ingsmaatregel** mesure v prophylactique.
bestrijk/en 1 frotter, enduire (de); passer la main sur; 2 commander, flanquer. ▼—**end**: — *vuur*, tir *m* rasant. ▼—**ing** 1 frottement *m*; 2 flanquement *m*.
bestrooien couvrir (de), joncher (de).
bestseller succès *m* de librairie; livre *m* à gros tirage, bestseller *m*.
bestuder/en étudier. ▼—**ing** étude v.
bestuiv/en 1 couvrir de poussière; 2 féconder avec du pollen. ▼—**ing** pollinisation v.
bestur/en 1 gouverner, diriger, administrer; 2 (*wagen*) conduire, (v. *vliegt.*) piloter; (*draadloos*) télécommander. ▼—**end** dirigeant. ▼—**ing** conduite, direction, administration v; pilotage *m*. ▼**bestuur** direction v; gouvernement *m*; comité *m* directeur; conduite v; administration v; bureau *m* (d'une association); *de* —, les autorités v *mv* locales. ▼—**baar** dirigeable. ▼—**der** 1 directeur, administrateur, dirigeant *m*; 2 (v. *auto*) chauffeur, conducteur *m*; 3 pilote *m*. ▼—**dersplaats** poste *m* de pilotage. ▼—**sambtenaar** administrateur *m*. ▼—**sapparaat** administration v. ▼—**scollege** comité (*of conseil*) *m* de direction. ▼—**scommissie** comité *m* directeur. ▼—**skamer** salle v de direction. ▼—**slid** membre *m* du bureau, - du comité. ▼—**smaatregel** mesure v administrative. ▼—**sniveau** échelon -, niveau *m* d'administration. ▼—**sraad** conseil *m* d'administration. ▼—**sstelsel** système *m* administratif. ▼—**stafel** bureau *m*. ▼—**ster** directrice, administratrice v. ▼—**svergadering** réunion v du comité de direction.
bestwil: '*t is om uw eigen* —, c'est pour votre bien; *een leugentje om* —, un mensonge officieux.
besuikeren sucrer.
betaalbaar payable (à six mois). ▼—**stellen** mettre en paiement. ▼—**stelling** mise v en paiement. ▼**betaal/briefje** mandat *m*. ▼—**dag** jour *m* de paie. ▼—**kaart** chèque *m*; carte v de paiement. ▼—**kas** caisse v de paiements. ▼—**krachtig** solvable. ▼—**meester** trésorier-payeur, officier payeur *m*. ▼—**middel** moyen *m* de règlement; *wettig* —, monnaie v légale. ▼—**staat** feuille v de paiement, état *m* de paiement. ▼—**tijd** terme *m* de paiement. ▼**betal/en** 1 ov. w payer; salarier; *met goud* —, payer en or; *er 10 gulden voor* —, le payer dix florins; *dat is met geen geld te* —, c'est hors de prix. II *on. w* 1 payer; 2 régler (le garçon). ▼—**er**, —**ster** payeur *m*, -euse v. ▼**betaling** paiement, règlement v; *wijze van* —, mode *m* de paiement; *de films worden uitgeleend tegen* —, le prêt des films est payant; *in* — *geven*, payer avec; *in plaats van* —, en paiement; *tegen* — *van*, moyennant; *tegen contante* —, argent comptant; *zonder* —, gratuitement. ▼—**sbalans** balance v des paiements. ▼—**sstaat** état *m* de paiement. ▼—**stermijn** terme *m*; *verlengde* —, sursis *m*. ▼—**sunie**:

Europese —sunie, union v européenne de paiements. ▼—**svoorwaarde** condition v de paiement; *gemakkelijke* —*n*, facilités v *mv* de paiement, vente v à tempérament.
betamelijk convenable, décent. ▼—**heid** convenance, décence v. ▼**betamen** convenir, être décent.
betast/en toucher, tâter, manier. ▼—**ing** attouchement; maniement *m*.
betegelen carreler, daller; revêtir de carrelage.
beteken/en 1 signifier, vouloir dire; 2 signifier, notifier (un arrêt); *dat lijkt niets te* —, cela n'a l'air de rien. ▼—**end**: *veel* —, significatif. ▼—**ing** signification v. ▼—**is** 1 signification v, sens *m*; acception v; 2 importance, portée v. ▼—**isvol** riche de sens.
betengelen latter.
beter I *bw* mieux. II *bn* meilleur; *des te* —, tant mieux; *dat is* —, cela vaut mieux; *hij is* — 1 il va mieux; 2 il est guéri; — *maken*, 1 améliorer; 2 guérir; — *worden* 1 s'améliorer; 2 (v. *wijn*) se bonifier; 3 (v.h. *weer*) se remettre (au beau); 4 (v. *persoon*) s'amender, se corriger; 5 (v. *ziekte*) aller mieux, se rétablir. ▼—**hand**: *aan de* — *zijn*, être en convalescence. ▼—**schap** rétablissement *m*, convalescence v; — *beloven*, promettre de se corriger. ▼—**weten**: *tegen* — *in*, contre sa conviction; *tegen* — *in spreken*, savoir mieux qu'on ne dit.
beteugel/en brider; réprimer (une révolte). ▼**beteugeling** répression v.
beteuterd déconcerté, interdit, confus.
Bethlehem Bethléem *m*.
betichten accuser, imputer (qc à qn).
betijen: *laten* —, laisser faire.
betimmer/en boiser, lambrisser; faire les travaux de charpenterie dans. ▼—**ing** boiserie v, boisage *m*; construction v.
betingel/en latter. ▼—**ing** lattage *m*.
betitelen 1 intituler; 2 qualifier (de).
betog/en 1 ov. w démontrer, prouver. II *on. w* manifester. ▼—**end** démonstratif; — *proza*, prose v didactique. ▼—**er** 1 démonstrateur *m*; 2 manifestant *m*. ▼—**ing** 1 démonstration v; 2 manifestation v.
beton béton *m*; *gewapend* —, béton armé; *voorgespannen* —, béton précontraint.
betonen 1 accentuer, appuyer sur; 2 témoigner, marquer, montrer.
beton/ijzer fer *m* à béton. ▼—**laag** couche v de béton. ▼—**molen** bétonnière v.
betonnen baliser.
beton/neren bétonner. ▼—**werk** bétonnage *m*. ▼—**werker** cimentier *m*.
betoog argumentation, démonstration v; *het behoeft geen* —, *dat*, il est évident que. ▼—**grond** argument *m*. ▼—**kracht** force v persuasive. ▼—**trant** argumentation v.
betover/en ensorceler, (*fig.*) charmer, fasciner. ▼—**end** charmant; fascinant.
betovergroot/moeder trisaïeule v. ▼—**vader** trisaïeul *m*.
betovering ensorcellement *m*; charme *m*, séduction, fascination v.
betracht/en remplir (son devoir); observer (les règles); pratiquer (la vertu).
betrappen attraper, surprendre; *op heterdaad* —, prendre en flagrant délit; *ik betrap je er op*, je vous y prends.
betreden mettre le pied sur (dans); entrer dans.
betreffen concerner, intéresser, toucher; *het betreft*, il s'agit de; *wat mij betreft*, en ce qui me concerne of pour ma part; *wat haar betreft*, pour elle, quant à elle; *wat zijn gezondheid betreft*, pour ce qui est de sa santé. ▼—**de** concernant, au sujet de, relativement à; *uw brief* —, votre lettre relative à …
betrekkelijk I *bn* relatif; *dit is* —, cela dépend. II *bw* relativement. ▼—**heid** relativité v.
▼**betrekken** I ov. w 1 s'installer (dans une maison); monter (la garde); 2 faire venir de; 3 tirer (une traite) sur (qn); *hij is er niet bij betrokken*, il n'y est pour rien; — *in*, impliquer dans, compromettre dans. II *on. w* s'obscurcir,

se couvrir, *(gelaat)* se rembrunir. **III** *zn:* het —
1 l'emménagement *m*; **2** l'achat *m*;
3 l'obscurcissement, le rembrunissement *m*.
▼betrekking 1 rapport *m*, relation *v*; **2** place
v, emploi, poste *m*, situation *v*; office *m*; —
hebben op, se rapporter à; porter sur; *in —
staan met iem.*, avoir des relations avec qn;
met — tot, par rapport à, relatif à.
betreuren déplorer, regretter. **▼—swaard(ig)**
déplorable, regrettable.
betrokken 1 couvert, sombre, triste; **2** en
question, intéressé; *hij voelt zich niet* —, il ne
se sent pas concerné; — *worden bij*, venir en
cause; — *zijn bij*, être en cause. **▼—e
1** (personne *v*) intéressée; **2** *(hand.)* tiré,
accepteur *m*.
betrouwbaar digne de foi, sûr, fidèle, *(tech.)*
fiable. **▼—heid** véracité, sûreté *v*; *(tech.)*
fiabilité *v*; *bewijs van* —, certificat *m* de bonne
conduite. **▼—heidsrit, —heidsvlucht**
épreuve *v* d'endurance.
betten tamponner.
betuig/en témoigner, attester; *dank* —,
remercier (qn). **▼—ing** témoignage *m*,
marque, protestation *v*.
betuttelen ergoter (sur).
betwetter, betweetster pédant(e) *m (v)*.
▼—ij pédantisme *m*.
betwijfelen douter de.
betwist/baar contestable, disoutable.
▼—baarheid contestabilité *v*. **▼—en**
disputer, contester. **▼—ing** contestation *v*.
beu dégoûté de, las de; *ik ben er — van*, j'en ai
assez.
beugel 1 anneau, cercle *m*; armature *v*; **2** *(v.
tas)* fermoir *m*; **3** *(v. elektr. tram)* trolley *m*;
4 *(stijg-)* étrier *m*; **5** *(v. geweer)* sous-garde *v*;
6 *(been-)* gouttière *v*; **7** *(tandheelk.)*
activateur *m*; **8** *(v. zaag)* porte-scie *m*;
monture *v* de scie; *dat kan niet door de —*,
cela passe la mesure. **▼—sluiting**
serre-bouchon *m*. **▼—tas** sac *m* à fermoir.
beuk 1 *(plk.)* hêtre *m*; **2** *(arch.)* nef *v*.
beuken battre; broyer (du chanvre).
beuken/bos bois *m* de hêtres, hêtraie *v*.
▼—laan allée *v* de hêtres. **▼beukenoot** faîne
v.
beul bourreau *m*. **▼—en** trimer, s'éreinter.
beuling boudin *m*, andouille *v*.
beun/haas gâte-métier, bousilleur *m*.
▼—hazen gâter le métier, bousiller.
beuren 1 lever, soulever; **2** recevoir, toucher.
beurs 1 *zn* bourse *v*; *goed gevulde —*, bourse
bien garnie; *elkaar met gesloten — betalen*,
régler sans bourse délier. **II** *bn* blet, ramolli; —
worden, blettir. **▼—agent** agent *m* de
change. **▼—bediende** commis *m* boursier.
▼—bericht bulletin *m* de la bourse.
▼—bezoeker boursier *m*. **▼—gebouw**
bourse *v*. **▼—koers** cours *m* boursier.
▼—man boursier *m*. **▼—manoeuvres**
tripotages *m mv* à la bourse. **▼—notering**
cote (officielle) *v*; *in de — opnemen*,
admettre à la cote; — *van effecten*, cotation *v*
des titres en bourse. **▼—overzicht** bulletin *m*
financier. **▼—polis** polis d'assurance *v* de
bourse. **▼—portefeuille** portefeuille *m*
boursier. **▼—speculant** spéculateur, agioteur
m. **▼—speculatie** spéculation *v*. **▼—spel** jeu
m de bourse, agiotage *m*. **▼—student**
boursier *m*. **▼—tijd** séance *v*. **▼—trein** train *m*
affecté au service de la bourse. **▼—usantie**
usages *m mv* de la bourse. **▼—vakantie**
chômage *m* de la bourse. **▼—waarde** valeur *v*
en bourse; *—n*, valeurs *v mv* mobiliaires.
▼—zaken opérations *v mv* de bourse.
beurt tour *m*; *te — vallen*, tomber en partage
(à); *jij bent aan de —*, c'est votre tour, c'est à
vous (de); *voor zijn — gaan*, dévancer son
tour; *wie is aan de —?*, à qui le tour? *je krijgt je
— wel*, vous ne perdrez rien pour attendre;
ieder krijgt zijn —, à chacun son tour; *bij —*, en,
om —en, tour à tour, alternativement; *om de
—*, ieder op zijn —, tour à tour; *een goede —
geven*, nettoyer à fond; **10000**
km —, grande révision, révision *v* périodique;

een goede — maken, marquer un bon point.
▼—elings I *bn* alternatif. **II** *bw*
alternativement, à tour de rôle, tour à tour.
▼—man patron *m* de coche, batelier *m*.
▼—schip coche *m* d'eau. **▼—schipper** zie
—man. **▼—vaart** service *v* fluvial régulier
(entre A et B). **▼—vaartadres** récépissé *m* de
la Compagnie de navigation fluviale.
▼—wisseling alternat *m*; rotation *v*. **▼—zang**
ronde *v*; *(rk)* antienne *v*; chants alternées *v
mv.*
beuzel/aar baguenaudier, vétilleur *m*.
▼—achtig futile, frivole. **▼—achtigheid**
frivolité, futulité. **▼—arij** bagatelle, niaiserie *v*.
▼—en baguenauder, s'amuser à des
bagatelles. **▼—ing** bagatelle, vétille *v*.
▼—praat sornettes, balivernes *v mv*.
▼—werk frivolité *v*, enfantillages *m mv*.
bevaarbaar navigable. **▼—heid** navigabilité
v. **▼—making** aménagement *m*;
régularisation, canalisation *v*.
bevallen 1 *(baren)* accoucher; **2** *(behagen)*
agréer (à), plaire (à); *het bevalt mij hier*, je me
plais ici; *dat bevalt me*, cela me va; *dat zal u
wel bevallen*, vous m'en direz des nouvelles;
zij is voorspoedig — van een zoon, elle a
heureusement accouché d'un garçon.
bevallig I gracieux, charmant. **II** *bw*
gracieusement, d'une façon charmante.
▼—heid grâce *v*, charme, agrément *m*.
bevalling accouchement *m*, couches *v mv*;
pijnloze —, accouchement sans douleur; *op
haar — wachten*, attendre son terme.
bevangen I *ov.w* prendre, saisir. **II** *bn* réservé,
timide; *door koude —*, transi, engourdi.
▼—heid 1 saisissement, engourdissement *m*;
2 *(fig.)* timidité, réserve *v*.
bevaren I *ov.w* naviguer sur; *de kust —*,
côtoyer le rivage, faire du cabotage. **II** *bn*
amariné, expérimenté.
bevattelijk I *bn* **1** *(vlug v. begrip)* intelligent;
2 *(begrijpelijk)* clair, compréhensible,
intelligible. **II** *bw* de façon intelligible.
▼—heid 1 intelligence; pénétration *v*; **2** clarté
v. **▼bevatten 1** *(inhoud)* contenir, renfermer;
2 *(begrip)* concevoir, saisir. **▼bevatting**
compréhension, conception *v*; *dat gaat boven
mijn —*, cela me dépasse. **▼—svermogen**
intelligence *v*, entendement *m*.
bevechten combattre, lutter contre; remporter
(la victoire).
bevederd emplumé; empenné.
beveilig/en I *ov.w* mettre en sûreté; protéger
(contre); *tegen besmetting —*, immuniser.
II *zich — (tegen)* se protéger contre (*ook
de*). **▼—ing** mise *v* en sûreté; protection *v*; —
tegen besmetting, immunisation *v*.
bevel commandement; ordre *m*; — *tot
voorgeleiding*, mandat *m* d'amener; — *tot
inhechtenisneming*, mandat *m* d'arrêt; — *tot
vertrek*, ordre *m* de partir; — *voeren*,
commander; *onder — van*, sous les ordres de;
op — van, par ordre; *op — des konings*, de par le
roi; *op hoog —*, par ordre supérieur. **▼—en
1** *(aan-)* recommander, remettre (son âme);
2 commander, ordonner. **▼—hebber** chef,
commandant *m*. **▼—hebberschap**
commandement *m*. **▼—schrift** ordre, mandat
m. **▼—voerend** commandant en chef.
beven trembler; frémir, frissonner; — *v. kou*,
grelotter; *—de stem*, voix *v* chevrotante.
bever castor *m*; peau *v* de castor; *(stof)*
castorine *v*. **▼—bont** peau *v* (*of* poil *m*) de
castor. **▼—rat** rat *m* musqué.
beverig tremblotant, tremblant, chevrotant.
bevestig/en 1 attacher, affermir, *(vastbinden)*
assujettir; fixer; poser; **2** confirmer (une
nouvelle); ratifier (un traité); **3** installer, *(rk)*
confirmer; *uitzonderingen — de regel*,
l'exception confirme la règle; *de ontvangst —
van*, accuser réception de. **▼—end I** *bn*
affirmatif; *in geval van — antwoord*, au cas de
l'affirmative. **II** *bw* affirmativement, par
l'affirmative. **▼—ing 1** fixation *v*; pose *v*;
2 *(tegenover ontkenning)* affirmation *v*;
3 confirmation, ratification *v*; *ter — waarvan*,

en foi de quoi; *onder — van ons vorig schrijven*, en vous confirmant notre précédente. ▼—**ingspunten** points *m mv* d'ancrage. ▼—**ingsrede** sermon *m* d'installation.

bevind: *naar — van zaken*, selon les circonstances. ▼—**en I** *o.w* trouver, constater; *goed —*, approuver. **II zich —** se trouver; *zich wel — bij*, se trouver bien de; *zich wel —*, se porter bien. ▼—**ing** 1 expérience *v*; 2 résultat *m* (de recherches).

beving tremblement, frémissement, chevrotement *m* (de la voix). ▼—**shaard** épicentre *m*.

bevitten chicaner, trouver à redire à.

bevlekk/en I *o.w* tacher, souiller, salir; *met bloed —*, ensanglanter. **II zich —** se souiller, se polluer. ▼—**ing** tache, souillure *v*.

bevlieging engouement *m*, caprice *m*.

bevloei/en irriguer, arroser. ▼—**ing** irrigation *v*, arrosement *m*. ▼—**ingswerken** travaux *m mv* d'irrigation.

bevochtig/en humecter, mouiller. ▼—**ing** humectation *v*, mouillage *m*.

bevoegd expert, compétent, autorisé; *(ambtelijke term)* habilité; *— verklaren*, déclarer compétent, autoriser; habiliter; *zich — verklaren*, retenir la cause; *— zijn om (of tot)*, avoir qualité pour. ▼—**heid** compétence (à), faculté (de), qualité *v* (pour), pouvoir *m* (de). ▼—**heidsoverschrijding** excès *m* de pouvoir. ▼—**heidsverklaring, —making** habilitation *v*.

bevoelen *zie* betasten.

bevolken peupler. ▼**bevolking** 1 *(daad)* peuplement *m*; 2 population *v*. ▼—**sbureau** bureau *m* de l'état civil. ▼—**scijfer** chiffre *m* de la population. ▼—**sgroep** classe *v* sociale. ▼—**sopbouw** répartition *v* démographique. ▼—**soverschot** excédent *m* des naissances sur les décès. ▼—**sregister** registre *m* de l'état civil. ▼—**statistiek** statistique *v* démographique. ▼—**svraagstuk** problème *m* démographique. ▼**bevolkt** peuplé; *(école)* fréquentée; *dicht —*, populeux; *dun —*, peu peuplé.

bevoordel/en avantager, favoriser. ▼—**ing** avantage *m*, faveur *v*.

bevooroordeeld prévenu, plein de préjugés.

bevoorrad/en approvisionner, ravitailler. ▼—**ing** ravitaillement *m* (en), *(mar.)* avitaillement *m*, approvisionnement *m* (en).

bevoorrechten privilégier.

bevorder/aar protecteur *m*. ▼—**en** 1 avancer, activer; 2 favoriser, protéger, encourager; 3 avancer, promouvoir; 4 aider à; stimuler; *hij is tot kapitein bevorderd*, il est passé capitaine; *hij is tot doctor bevorderd*, il a été reçu docteur. ▼—**ing** 1 avancement *m*; 2 encouragement *m*; 3 promotion *v*; passage dans une classe supérieure. ▼—**lijk** favorable (à), profitable (à).

bevracht/en charger; *(mar.)* affréter. ▼—**er** affréteur *m*. ▼—**ing** chargement *m*; affrètement *m* (d'un navire).

bevragen: *te —*, *bij*, (pour tous renseignements) s'adresser à.

bevredig/en 1 contenter, satisfaire; 2 apaiser, pacifier. ▼—**end** satisfaisant. ▼—**ing** contentement *m*, satisfaction, pacification *v*.

bevreemd/en étonner, surprendre. ▼—**end** étrange, surprenant. ▼—**ing** surprise *v*, étonnement *m*.

bevreesd craintif, apeuré, timoré *(zie* bang).▼—**heid** crainte, peur *v*.

bevriend ami; *van — zijde*, de la part d'une personne amie; *— zijn met*, être lié d'amitié avec; *een met mij bevriend arts*, un médecin de ses amis.

bevriez/en I *o.w* geler, congeler. **II** *on.w* se couvrir de glace, se geler; (se) glacer; *de Seine is bevroren*, la Seine est prise. ▼—**ing** gel *m*; congélation *v*; *— v.d. lonen*, gel des salaires; *kunstmatige —*, glaciation *v* artificielle.

bevrijd libre (de), exempt (de). ▼—**en I** *o.w* 1 délivrer; 2 libérer, exempter (d'une

obligation); 3 débarrasser (d'une charge). **II zich —** se délivrer, se débarrasser (de). ▼—**er, —ster** libérateur *m*, -trice *v*. ▼—**ing** délivrance, libération *v*.

bevroeden concevoir, se douter de.

bevroren gelé; *— vlees*, viande *v* congelée, - frigorifiée.

bevrucht/en féconder. ▼—**ing** fécondation *v*.

bevuil/en salir, souiller. ▼—**ing** salissure, souillure *v*.

bewaar/der conservateur, garde, dépositaire *m*. ▼—**geld** frais *m mv* de dépôt. —**heiden** justifier; *bewaarheid worden*, se réaliser, se confirmer. —**loon** frais *m mv* de garde. ▼—**plaats** dépôt *m*; garage *m*; *(bagage)* consigne *v*; *(voor kinderen)* garderie *v*; *(voor zuigelingen)* crèche *v*. ▼—**school** (école) maternelle *v*. ▼—**ster** gardienne *v*.

bewak/en surveiller, garder. ▼—**er, bewaakster** surveillant *m*, -e *v*, gardien *m*, -ne *v*. ▼—**ing** garde, surveillance *v*. ▼—**ingsdienst** service *m* de surveillance; société *v* de gardiennage.

bewandelen se promener dans; suivre (les sentiers de la vertu); *de ambtelijke weg —*, suivre la filière.

bewapen/en armer, équiper. ▼—**ing** armement, équipement *m*. ▼—**ingsbeperking** limitation *v* des armements. ▼—**ingswedloop** course *v* aux armements.

bewar/en I *o.w* 1 *(opbergen)* conserver; garder, mettre de côté; réserver; 2 avoir, contenir; 3 *(behoeden)* préserver (qn. de qc.); *God bewaar me!*, juste ciel!; *God beware mij daarvoor!*, à Dieu ne plaise!; *orde —*, maintenir l'ordre; *stilte —*, garder le silence. **II zich — voor** se préserver de, se garder de. ▼—**ing** garde, conservation; préservation *v*; *in — geven*, mettre en dépôt; déposer (au vestiaire); *bagage in — geven*, consigner ses bagages; *huis van —*, maison *v* d'arrêt; *in verzekerde — nemen*, s'assurer de, arrêter.

bewasemen couvrir de buée, ternir.

beweeg/baar mobile. ▼—**baarheid** mobilité *v*. ▼—**grond** motif, mobile *m*. ▼—**kracht** force *v* motrice, énergie *v*. ▼—**lijk** 1 mobile; mouvant; 2 (enfant) remuant, vif. ▼—**lijkheid** 1 mobilité; 2 vivacité *v*. ▼—**reden** motif, mobile *m*. ▼**bewegen I** *o.w* 1 *(in beweging brengen)* mouvoir; remuer; agiter, secouer; 2 *(doen besluiten)* porter (à), décider (à); 3 *(ontroeren)* émouvoir; *veel bewogen leven*, vie *v* mouvementée; *tot medelijden —*, exciter à la compassion. **II** *on.w* remuer. **III zich —** se remuer, bouger; *zich in beschaafde kringen —*, fréquenter la bonne société; *zich gemakkelijk —*, avoir (l'habitude) du monde, avoir de l'entregent. ▼**beweging** 1 mouvement, geste *m*; 2 *(opschudding)* bruit, tumulte *m*; agitation *v*; 3 émotion *v*; *— nemen*, prendre de l'exercice; *— overbrengen*, entraîner le mouvement; *in — brengen*, mettre en mouvement, ébranler; *zich in — zetten*, se mettre en mouvement, - en marche, s'ébranler; *in — zijn*, 1 *(v. pers.)* être en mouvement; 2 *(v. trein)* être en marche; *uit eigen —*, spontanément, de son propre mouvement. ▼—**loos** immobile. ▼—**loosheid** immobilité, *v*. ▼—**snergie** énergie *v* cinétique. ▼—**sleer** cinématique *v*; dynamique *v*. ▼—**soorlog** guerre *v* de mouvement. ▼—**sruimte** marge *v* de manoeuvre. ▼—**stherapeut** kinésithérapeute *m* of *v*. ▼—**stherapie** kinésithérapie *v*. ▼—**svrijheid** 1 liberté *v* de mouvement; - de circulation; 2 *(mil.)* congé *m* de 24 heures. ▼—**szenuw** nerf *m* moteur.

bewegwijzering signalisation *v*.

bewenen pleurer (sur), déplorer, regretter.

bewer/en avancer, vouloir prétendre, soutenir; *hij heeft niet veel te —*, il ne dit pas grand-chose. ▼—**ing** les dires *m mv*, assertion, affirmation *v*.

bewerk/elijk qui demande beaucoup de travail. ▼—**en** 1 travailler (le bois); façonner;

2·cultiver, labourer (la terre); 3 opérer, causer, produire; 4 (gedaan krijgen) obtenir; 5 adapter (un livre); 6 travailler (qn). ▼—er 1 auteur, artisan m; 2 adaptateur, arrangeur m. ▼—ing 1 travail; façonnage m; culture v, labourage m (des champs); 2 opération v (de calcul); 3 adaptation v; (muz.) transcription v; découpage m pour le cinéma. ▼—stellingen effectuer, réaliser. ▼—ster 1 auteur m; 2 arrangeuse; adaptatrice v. ▼bewerkt ouvré, façonné.

bewesten à l'ouest de.

bewierok/en encenser. ▼—er encenseur, thuriféraire m. ▼—ing encensement m.

bewijs 1 preuve v; 2 démonstration v; 3 (blijk) marque v, témoignage m; 4 (getuigschrift) certificat m; 5 (-stuk) pièce v justificative, titre m; schriftelijk —, preuve v littérale; — uit het ongerijmde, démonstration v par l'absurde; — van herkomst, certificat m d'origine; — van lidmaatschap, carte v de membre; — van luchtwaardigheid, certificat m de navigabilité; — van onvermogen, certificat m d'indigence; — van overlijden, acte m de décès; — van toegang, billet m d'entrée; — van uitvoer, récipissé m de sortie; — van goed zedelijk gedrag, certificat m de bonne vie et mœurs; — van storting, bulletin m de dépôt; — van ontvangst, bulletin m de réception; — van verzekering, attestation v d'assurance. ▼—baar démontrable. ▼—baarheid démontrabilité v. ▼—grond argument m. ▼—kracht foi, force v démonstrative. ▼—last devoir m de prouver. ▼—materiaal pièces v mv à conviction. ▼—middel preuve v, fait m probatoire. ▼—nummer numéro m justificatif. ▼—plaats citation v (à l'appui). ▼—stuk document, titre m, pièce v justificative; zie ook —materiaal. ▼—voering argumentation, démonstration v. ▼—waarde valeur v démonstrative. ▼bewijzen 1 prouver, démontrer; 2 (doen blijken) témoigner, montrer (de l'amitié); faire (grâce); rendre (service); — dat men 2 jaar in een beroep gewerkt heeft, justifier de 2 ans de vie professionnelle.

bewillig/en I ov.w accorder, concéder. II on.w.: — in, consentir à. ▼—ing consentement m, concession v.

bewimpelen voiler, colorer, couvrir; excuser.

bewind direction, administration v, gouvernement m; aan het — komen (zijn), arriver (être) au pouvoir. ▼—hebber directeur, administrateur, gouverneur m. ▼—sman gouvernant, magistrat; ministre m. ▼—voerder administrateur, directeur m.

bewogen ému, touché. ▼—heid émotion v.

bewolk/en couvrir de nuages; (fig.) assombrir, obscurcir. ▼—ing (état m de) nébulosité v; nuages m mv. ▼bewolkt nuageux; (fig.) sombre.

bewonder/aar, -ster admirateur m, -trice v. ▼—en admirer. ▼—end admiratif. ▼—enswaardig bn (en bw) admirable(ment). ▼—ing admiration v; de — gaande maken, susciter l'admiration.

bewon/en habiter, loger à, demeurer à, een heel huis —, occuper une maison entière. ▼—er 1 habitant m; 2 (huurder) locataire m; de eerste —, le premier occupant. ▼—ing occupation, habitation v. ▼bewoon/baar habitable, logeable. ▼—baarheid habitabilité v. ▼—d habité. ▼—ster habitante v.

bewoording terme m, expression v; de —en van een brief, la teneur d'une lettre.

bewust conscient (de); instruit; informé; het —e boek, le livre en question; zich iets — worden, prendre conscience de qc; ik ben het me niet —, je n'en sais rien. ▼—eloos sans connaissance; — worden, s'évanouir, perdre connaissance. ▼—eloosheid défaillance v, évanouissement m. ▼—heid 1 conscience; connaissance v; 2 conviction v intime. ▼—wording prise v de conscience. ▼—zijn 1 zie —heid; 2 conscience, conviction v; 3 (fil.) conscient m; in 't — van, fort de; in het

volle — van, pleinement convaincu de; weer tot — komen, reprendre connaissance. ▼—zijnsvernauwing rétrécissement m du champ de la conscience. ▼—zijnsverruiming élargissement m du champ de la conscience.

bezaai/en 1 semer, ensemencer; 2 (fig.) joncher (de fleurs). ▼—ing ensemencement m.

bezadigd I bn 1 (v. pers.) pondéré, posé; 2 (v. geest) rassis, modéré; —er worden, s'assagir. ▼—heid pondération; modération; retenue v.

bezegel/en apposer son sceau à, sceller; (fig.) confirmer. ▼—ing apposition v du sceau; (fig.) confirmation, consécration v.

bezem balai m; nieuwe —s vegen schoon, un balai neuf nettoie toujours bien. ▼—en balayer. ▼—steel manche m à balai.

bezending envoi m; een hele —, tout un paquet de; de hele —, toute la boutique.

bezer/en I ov.w faire mal à, blesser. II zich — se blesser. ▼—ing lésion; contusion v.

bezet (pays) occupé; (temps) pris; (homme) affairé; ik ben erg —, je suis très pris; —te week, semaine v bien chargée; goed —te zaal, salle v bien garnie; goed —te dag, journée v bien remplie; —!, occupé!, il y a qn!

bezeten bn possédé. ▼—e possédé(e) m(v); te keer gaan als een —, se démener comme un possédé. ▼—heid possession v.

bezetheid 1 manque m de temps; 2 (med.) sentiment m d'oppression.

bezetsel garniture v; galon m.

bezett/en 1 occuper; 2 planter, peupler (un étang); 3 garnir; de pianopartij —, assurer la partie de piano; de rollen —, distribuer les rôles; goed bezet stuk, pièce v bien montée. ▼—er occupant. ▼bezetting 1 occupation v; 2 (garnizoen) garnison v; 3 distribution v (des rôles); 4 (muz.) effectif m orchestral; 5 oppression v; — op de borst, fluxion v de poitrine; met volle —, au grand complet. ▼—sautoriteiten autorités v mv d'occupation. ▼—sgraad (v. hotels bijv.) taux m d'occupation. ▼—sleger armée v d'occupation. ▼bezettoon: ça sonne occupé.

bezichtig/en visiter, examiner. ▼—er, —ster visiteur m, -euse v. ▼—ing visite v, examen m, inspection v.

beziel/d animé, (fig.) enflammé, inspiré. ▼—en 1 animer, vivifier; 2 inspirer, animer, électriser; enflammer; wat bezielt je toch? quelle mouche te pique?, qu'est-ce qui te prend? ▼—end inspirateur, entraînant. ▼—ing animation v, enthousiasme, feu m.

bezien inspecter, regarder, voir; het staat te — of, c'est à voir si. ▼—swaardig digne d'être vu, curieux. ▼—swaardigheid curiosité v.

bezig occupé; actif; — zijn met, être occupé à, être en train de; hij is druk —, il est fort occupé; nu ik toch daarmee — ben, pendant que j'y suis. ▼—en employer, utiliser. ▼—heid occupation v; veel —heden hebben, être fort occupé; —heden hebben, avoir à faire. ▼—heidstherapie thérapie v occupationnelle. ▼—houden I ov.w occuper, préoccuper. II zich — (met) s'occuper (de qc) (à faire qc).

bezijden à côté; — de waarheid, contraire à la vérité, inexact.

bezingen chanter, célébrer.

bezink/en 1 se déposer; 2 se clarifier, se dépouiller; 3 (fig.) se fixer, se calmer, être assimilé. ▼—ing sédimentation, clarification v. ▼—sel sédiment, résidu, dépôt m.

bezinn/en of zich — 1 réfléchir; 2 (v. gedachte veranderen) se raviser. ▼—ing connaissance, conscience, réflexion v; zijn — verliezen, perdre la tête; tot — komen, revenir à soi, se ressaisir.

bezit possession v; in 't — komen van, entrer en possession de; in het — stellen van, mettre en possession de; in het — van, jouissant, de. ▼—loos démuni de tout. ▼—nemer occupant m. ▼—neming occupation, prise v de possession. ▼—recht (droit m de)

possession v. ▼—**sinstinct** possessivité v.
▼—**telijk** possessif. ▼—**ten** posséder, avoir,
jouir de. ▼—**tend** aisé, possédant. ▼—**ter**
possesseur, propriétaire m. ▼—**terig**
possessif. ▼—**ting** possession, propriété v;
bien(s) m mv.

bezoedel/en salir, souiller, tacher. ▼—**ing**
souillure, salissure, tache v.

bezoek 1 fréquentation v (de l'école); **2** visite
v; **3** du monde; veel — hebben, voir beaucoup
de monde; — brengen (of afleggen), rendre
visite (à qn), aller voir (qn); hij heeft —, il a du
monde; op — gaan (komen), aller (venir) en
visite. ▼—**dag** jour m de parloir, - de visite.
▼—**en 1** fréquenter (l'école); **2** visiter; **3** rendre
visite à, aller (of venir) voir; **4** (bijbel) visiter,
punir, éprouver. ▼—**er** visiteur m,
consommateur m (dans un café); vaste —,
habitué m. ▼—**ing** épreuve v, châtiment m;
ennui, souci m. ▼—**ster** visiteuse,
consommatrice v.

bezoldig/en 1 payer; **2** (beambten) rétribuer,
appointer; **3** (bedienden) gager;
4 (werklieden) salarier. ▼—**ing**
1 appointements m mv, traitement m; **2** solde
v; **3** gages m mv; **4** salaire m.

bezonken (vin) reposé; (jugement) réfléchi.
▼—**heid** repos m; — van oordeel, maturité v
d'esprit, esprit m de réflexion.

bezonnen sensé, réfléchi, posé. ▼—**heid**
prudence v, sang-froid m; het rustige —, de
sens rassis.

bezorgd inquiet (de), soucieux (de),
préoccupé (de); — zijn voor, se soucier de; —
zijn over, être en peine de, craindre pour; zich
— maken, s'en faire; — zijn voor zijn
gezondheid, se ménager; wees daarover maar
niet —, ne vous mettez pas en peine pour cela.
▼—**heid** inquiétude, sollicitude,
préoccupation v.

bezorg/en 1 faire parvenir, remettre (qc à qn);
porter (une lettre à); **2** procurer, fournir;
3 causer (de la peine); valoir (une
réprimande); **4** effectuer (l'assurance); de
bestellingen worden aan huis bezorgd, on
porte à domicile. ▼—**er** porteur m, livreur m.
▼—**ing** remise v, envoi m, (post) distribution
v. ▼—**ster** porteuse v.

bezuiden au sud de.

bezuinig/en économiser (sur la nourriture), se
restreindre; — ing économie, réduction v de
dépenses, restriction v. ▼—**ingscommissie**
commission v des économies.
▼—**ingsmaatregel** mesure v d'économie.

bezuren porter la peine de, se repentir de; je
zult het —, il vous en cuira.

bezwaar 1 inconvénient m, difficulté v; **2** grief
m; **3** objection v; dat is geen —, cela ne fait
aucune difficulté; ik zie er geen — in dat, je ne
vois pas d'inconvénient à ce que; zich
bezwaren maken over, s'inquiéter de; —
hebben tegen, s'opposer à; verklaring van
geen.—, déclaration v de non-objection;
buiten — van de schatkist, sans préjudice du
trésor. ▼—**d** inquiet, en peine. ▼—**lijk I** bn
difficile, pénible. **II** bw difficilement, à peine;
dat zal — gaan, cela n'ira pas sans peine; ik
kan het — geloven, j'ai peine à le croire.
▼—**schrift** réclamation, plainte v.

bezwangeren imprégner; saturer (de).

bezwaren 1 charger; **2** grever d'hypothèques;
3 peser sur; **4** gêner, oppresser. **II zich — over**
se plaindre de (qc à qn). ▼**bezwarend**
onéreux; aggravant; onder —e voorwaarden,
à titre onéreux; —e omstandigheden,
circonstances v mv aggravantes.

bezweerder exorciste; charmeur m.

bezweet trempé de sueur; tout en nage.

bezwer/en 1 affirmer sous serment, jurer;
2 conjurer (la tempête), exorciser; **3** supplier
(de), prier instamment (de). ▼—**ing**
1 affirmation v sous serment; **2** conjuration v,
exorcisme m; enchantement m.
▼—**ingsformule** v d'exorcisme.

bezwijken 1 (v. pers.) succomber; **2** (v. huis)
s'écrouler; **3** (v. deur) céder; onder de

verleiding —, succomber à la tentation.

bezwijmen s'évanouir. ▼**bezwijming**
évanouissement m.

bibber/atie: ik heb de —, j'ai une trouille
bleue. ▼—**en** frissonner, grelotter.

biblio/graaf bibliographe m. ▼—**grafie**
bibliographie v. ▼—**grafisch**
bibliographique. ▼—**thecaris** bibliothécaire;
conservateur m. ▼—**thecaresse**
bibliothécaire, conservatrice v. ▼—**theek**
bibliothèque v.

bibs fesses v mv.

bicarbonaat bicarbonate m.

biceps biceps m.

bid/bank prie-Dieu m. ▼—**cel** cellule v.
▼—**dag** jour m de prières publiques. ▼—**den**
1 prier (Dieu); **2** supplier, conjurer; voor het
eten —, (rk) dire le bénédicité; (prot.) faire la
prière avant le repas; na het eten —, (rk) dire
les grâces; (prot.) faire la prière après le repas;
rozenkrans —, dire-, réciter son chapelet, -
son rosaire. ▼—**kapel** oratoire m, chapelle v.
▼—**mat** tapis m de prière. ▼—**prentje** (rk)
1 image v pieuse; **2** image v mortuaire.
▼—**snoer** chapelet, rosaire m. ▼—**stoel**
prie-Dieu m. ▼—**stond** réunion v dans la
prière; (aller à la) prière; culte m.

biecht confession v; te — gaan, aller à
confesse; — horen, confesser (qn); in de —, à
la confesse. ▼—**eling** pénitent(e) m(v).
▼—**en I** ov.w confesser. **II** on.w se confesser;
gaan —, aller à confesse. ▼—**geheim** secret
m (of sceau m) de la confession, - du
confessional. ▼—**kind** pénitent(e) m(v).
▼—**puntje** article m. ▼—**stoel** confessionnal
m. ▼—**vader** confesseur, directeur m de
conscience.

bied/en I ov.w offrir, présenter, tendre (la
main); 't hoofd —, tenir tête à. **II** on.w: ik bied
er 50 gulden voor, j'en offre 50 florins; wie
biedt er!, y a-t-il marchand?; 60 gulden
geboden, il y a marchand à 60 florins; wie
biedt meer!, qui met au-dessus?, qui dit
mieux?; hoger —, surenchérir, pousser (qc);
de meest —de, le plus offrant. ▼—**er** offrant,
enchérisseur m.

biefstuk bifteck m; — met gebakken
aardappelen, bifteck aux pommes; bijna
rauwe —, bifteck bleu; niet doorbakken —,
bifteck saignant; niet te rauwe —, bifteck à
point.

bier bière v; een —!, un demi; donker —, bière
v brune; licht —, bière v blonde; zwaar —,
bière v double; — van het vat, bière v (à la)
pression. ▼—**bottelarij 1** débit m de bière,
2 mise v en bouteilles. ▼—**brouwer** brasseur
m. ▼—**brouwerij** brasserie v. ▼—**glas** verre
m à bière. ▼—**hal, —huis** brasserie v.
▼—**kaai:** vechten tegen de —, laver la tête
d'un Maure. ▼—**kan** broc m, canette v.
▼—**kar** haquet m. ▼—**kelder** cave v à bière.
▼—**kruik** cruche v à bière. ▼—**pap, —soep**
soupe v à la bière. ▼—**pul** chope v.

bies 1 scirpe, jonc m (des chaisiers); **2** (galon)
liséré; galon, passepoil m; (v. broek) bande v;
zijn biezen pakken, décamper, plier bagage.
▼—**bos** jonchaie v.

biest colostrum; premier lait m.

biet betterave v; rode —, betterave v; witte —,
poirée v.

bietebauw croque-mitaine m.

biezen I bn de jonc. **II** ov.w lisérer; galonner.
III on.w siffler. ▼—**mat** natte v de jonc.

big cochon de lait, porcelet; (mil.) bleu m.

bigam/ie bigamie v. ▼—**isch, —ist** bigame.

biggelen ruisseler, couler.

bij I zn abeille v. **II** vz **1** (in de buurt v.) près de
(nous; - deux heures); auprès de; **2** (ten huize
v.) chez (nous); **3** (in gezelschap v.) avec;
4 (— zich) sur (soi); zijn paspoort bij zich
houden, garder sur soi son passeport;
5 (tussen) parmi; chez; **6** chez, dans (Racine);
7 dans (l'armée); **8** (gelijktijdigh.) à (cette
occasion), par (un beau temps), dans (un
accident; de (jour et de nuit), lors de (son
départ); **9** (middel) (appeler) par (son nom);

par (expérience); **10** (*vergelijkend*) à côté de, auprès de; **11** (*hoeveelheid*) par (centaines); *een druk van — de 2 atmosfeer*, une pression voisine de 2 atmosphères; **12** (*tegenstelling*) — *al zijn geld is hij ongelukkig*, avec tout son argent il est malheureux; *de slag —- Duinkerken*, la bataille de Dunkerque; *4 — 5 meter*, quatre sur cinq mètres; *er is iem. —- mijnheer*, monsieur à qn. **III** *bw: hier dicht—*, près d'ici, à deux pas d'ici; *hij is niet —*, il n'est pas au courant; *de boeken zijn — (gehouden)*, les livres sont tenus à jour; *dit woordenboek is —*, ce dictionnaire est mis à jour; *hij zit er goed —*, il est fortuné; *daar kan ik niet —*, cela me dépasse; *ik ben er — (ingelopen)*, je suis fait; *zij is nog niet —*, 1 elle n'y est pas encore; **2** elle n'a pas encore repris connaissance; *er zit niet veel —*, ce n'est pas un aigle.
bij/artikel article *m* additionnel. ▼—**as** axe *m* secondaire.
bij/baantje emploi *m* accessoire; à côté *m*. ▼—**bank** succursale, agence *v*. ▼—**bedoeling 1** intention *v* cachée, idée *v* de derrière la tête; sous-entendu *m*; **2** intention *v* intéressée: *zonder —*, sans intention. ▼—**behorend** annexe; *stuk met de —e coupons*, titre assorti de ses coupons.
bijbel Bible *v*, l'Écriture *v* sainte. ▼—**genootschap** société *v* biblique. ▼—**leer** doctrine *v* biblique. ▼—**lezing** lecture *v* de la Bible. ▼—**plaats** passage *m* de la Bible. ▼—**s** biblique, de la Bible; *—e geschiedenis*, Histoire *v* Sainte. ▼—**spreuk** sentence *v* biblique. ▼—**taal** langage *m* biblique. ▼—**tekst** texte *m* (biblique), verset *m* de la Bible. ▼—**uitlegger —verklaarder** exégète *m*. ▼—**uitlegging, —verklaring** exégèse *v*. ▼—**vast** versé dans la Bible. ▼—**verhaal**: *volgens het —*, d'après la tradition biblique. ▼—**vertaling** traduction *v* de la Bible.
bijbenen: *hij kan het niet meer —*, il ne peut plus y suffire.
bijbetal/en payer un supplément (de). ▼—**ing** supplément *m*; *tegen —*, à payer en supplément.
bijbetekenis signification *v* accessoire.
bijblad supplément *m*; encart *m*.
bijblijven I *ov.w* demeurer auprès de, suivre. **II** *on.w* **1** rester (dans la mémoire); obséder; **2** suivre; **3** se tenir au courant, rester à la page; *dat is hem bijgebleven*, il en a gardé le souvenir.
bijboek (*hand.*) livre *m* auxiliaire. ▼—**en** inscrire, porter en compte.
bijbrengen 1 citer, alléguer (des arguments); **2** apprendre (qc à qn); **3** faire revenir à soi; *ik kan het niet —*, je ne peux pas pourvoir à la dépense.
bijdehand malin, vif, éveillé, avisé; déluré; *hij is nog niet —*, il n'est pas encore visible. ▼—je qui n'a pas froid aux yeux.
bijdetijds moderne.
bijdoen ajouter, joindre.
bijdraaien (*mar.*) mettre en panne; (*fig.*); ne pas persister dans son opinion, filer doux, céder.
bijdrage 1 cotisation; contribution *v*; **2** article *m*. ▼**bijdragen** contribuer à, pour.
bijeen ensemble, réuni(e)s. ▼—**behoren 1** aller ensemble; **2** faire la paire; faire partie de la même collection; se convenir. ▼—**binden** lier ensemble; relier en un volume. ▼—**blijven** rester ensemble. ▼—**brengen** réunir, rassembler. ▼—**doen** mettre ensemble. ▼—**drijven** rassembler; rabattre (le gibier). ▼—**dringen I** *ov.w* parquer. **II** *on.w* se presser. ▼—**flansen** compiler, bâcler. ▼—**garen** rassembler; mettre de côté. ▼—**houden** tenir ensemble, - assemblé, retenir.
bijeen/komen 1 se réunir, se rassembler, se rejoindre; **2** s'assortir (de couleurs). ▼—**komst** réunion, assemblée *v*; rendez-vous *m*; *geheime —*, conciliabule *v*.
bijeen/krijgen réunir. ▼—**leggen** mettre ensemble; *geld —*, se cotiser. ▼—**nemen**

réunir; *alles bijeengenomen*, à tout prendre, somme toute. ▼—**pakken** faire un paquet de, mettre ensemble. ▼—**passen** aller ensemble, s'accorder. ▼—**rapen** ramassi *m*. ▼—**rapen** ramasser; *al zijn moed —*, rassembler tout son courage. ▼—**roepen** convoquer; rassembler. ▼—**roeping** convocation *v*. ▼—**scharrelen** rassembler, recruter au petit bonheur. ▼—**schrapen** amasser. ▼—**schreeuwen** réunir à force de crier. ▼—**tellen** additionner, faire le compte de. ▼—**voegen** joindre, réunir; combiner. ▼—**zoeken** recueillir; assortir.
bijen/houder apiculteur *m*. ▼—**kap** masque *m*. ▼—**koningin** reine *v*. ▼—**korf** ruche *v*. ▼—**teelt** apiculture *v*. ▼—**volk** colonie, ruchée *v*. ▼—**was** cire *v*. ▼—**zwerm** essaim *m*.
bijgaand ci-joint, ci-inclus, sous ce pli.
bijgebouw dépendance, annexe *v*; *—en*, communs *m mv*.
bijgedachte arrière-pensée *v*.
bijgeloof superstition *v* ▼**bijgelovig** *bn* (*en bw*) superstitieux (-eusement). ▼—**heid** superstition *v*.
bijgenaamd surnommé, dit.
bijgeval I *vw* si. **II** *bw* par hasard.
bijgevolg par conséquent, donc.
bijgroeien regagner; se régénérer.
bijhouden 1 marcher du même pas que (qn); **2** (*fig.*) suivre, se tenir au courant de; **3** (*boeken —*) tenir à jour; *houd je bord bij*, approchez votre assiette; *ik kan het niet —*, je ne peux y suffire.
bijkaart 1 papillon *m*; **2** (*spel*) garde *v*.
bijkans presque, à peu près.
bijkantoor bureau *m* auxiliaire, succursale; agence *v*.
bijkerk église *v* succursale.
bijkeuken arrière-cuisine *v*.
bijknippen rogner; rafraîchir (les cheveux).
bijkom/en 1 approcher; atteindre; **2** (*inhalen*) rattraper, rejoindre; **3** (*passen bij*) aller ensemble, s'assortir à; **4** se remettre; (*v. inspannende bezigheid*) récupérer; (*uit bewusteloosheid*) revenir à soi; **5** prendre du poids; *iets dat er bijkomt*, qc d'agréssant; *dat moest er nog —*, il ne manqu(er)ait plus que cela. ▼—**end** additionnel; *—e onkosten*, débours, faux frais *m mv*. ▼—**stig** accessoire, secondaire. ▼—**stigheid** circonstance *v*, accident *m*; *—heden*, dès à-côtés *m mv*.
bijl hache, cognée *v*; *er met de grove — op inhakken*, ne pas y aller de main morte.
bijlage supplément (de journal); encart *m*.
bijlappen rafistoler; *iem. er —*, pincer qn.
bijl/bundel faisceaux *m mv*. ▼—**drager** licteur.
bijlegg/en 1 ajouter; **2** terminer, accommoder, vider (une querelle) à l'amiable; *ik moet erop —*, j'y perds. ▼—**ing** accommodement *m*; (ré)conciliation, pacification *v*.
bijles leçon *v* particulière.
bijlichten éclairer.
bijliggen: *er ligt mij bij dat*, je me rappelle (vaguement) que... ▼—**d** ci-joint, ci-inclus.
bijlmes couperet *m*.
bijloper aide, surnuméraire *m*; *het is maar een —*, il ne compte pas encore.
bijltje hachette *v*; *hij heeft meer met dat — gehakt*, il a de la pratique; *er het — bij -neerleggen*, rendre son tablier, jeter le manche après la cognée.
bijmeng/en ajouter (qc à qc), mêler (qc avec qc). ▼—**ing** mélange *m*; (*daad*) addition *v*. ▼—**sel** substance *v* ajoutée; addition *v*.
bijna presque, à peu près; *— sterven*, faillir mourir, manquer de mourir; *hij is — verdronken*, peu s'en faut qu'il ne se soit noyé; *pas op, je was — overreden*, attention, un peu plus, vous étiez écrasé.
bijnaam surnom *m*; (*scheldn.*) sobriquet *m*.
bijnier (capsule) surrénale *v*.
bijoorzaak cause *v* secondaire.
bijouterie/kistje écrin *m*. ▼—**ën** bijouterie *v*, bijoux *m mv*. ▼—**winkel** bijouterie *v*.

bijpass/en I *ov.w* compléter (une somme). II *on.w* y mettre de sa poche, faire l'appoint. ▼—**end** assorti. ▼—**ing** appoint *m.*

bijprodukt sous-produit, dérivé *m.*

bijpunten appointer (un crayon).

bijrekenen ajouter (à), compter en sus.

bijrol rôle *m* secondaire.

bijschaven donner un coup de rabot à.

bijschenken verser encore; ajouter.

bijschilderen donner un coup de pinceau, retoucher.

bijschol/en recycler. ▼—**ing** recyclage *m.* ▼—**ingscursus** cours *m* de formation supplémentaire.

bijschrift inscription, légende *v.*
▼**bijschrijven** 1 ajouter; 2 mettre à jour.

bijschuiven I *ov.w* approcher, rapprocher (sa chaise). II *on.w* s'approcher, se rapprocher.

bijslaap 1 compagnon *m* (*of* compagne *v*) de lit; 2 coït *m*, copulation *v.*

bijslag prime *v*; supplément *m*; indemnité *v.*

bijslijpen ajuster; aléser; *de scherpe kantjes* —, arrondir les angles.

bijsluiter mode *m* d'emploi.

bijsmaak (faux) goût *m*; petit goût *m.*

bijspelen fournir.

bijspringen aider de sa bourse; secourir.

bijstaan assister, secourir; *elkaar* —, s'entraider; *God sta mij bij*, (que) Dieu me soit en aide. ▼**bijstand** assistance *v*; aide *v* sociale; *rechtskundige* —, assistance *v* juridique; — *verlenen*, prêter secours.

bijstell/en ajuster; régler (les freins *bijv.*); *bijgesteld moeten worden*, avoir besoin d'un réglage. ▼—**ing** 1 rajustement *m*; 2 (*gram.*) apposition *v.*

bijster I *bn*: *het spoor — zijn*, être égaré; *'t spoor — worden*, s'égarer. II *bw* extrêmement, fort; *hij bekommert er zich niet — veel om*, il ne s'en soucie guère.

bijstort/en verser un supplément. ▼—**ing** versement *m* supplémentaire; — *vragen*, faire un appel de fonds.

bijsturen corriger (la déviation)

bijt trou *m* dans la glace.

bijtekenen I *ov.w* ajouter (qqs traits à un dessin). II *on.w* se rengager; rempiler.

bijtellen ajouter, mettre au nombre de.

bijten I *on.w* 1 mordre; 2 (*v. insekten*) piquer; 3 (*fig.*) cuire, brûler; *op zijn nagels* —, se ronger les ongles. II *ov.w: in stukken* —, mettre en pièces -, déchiqueter (à belles dents); *iem. in de arm* —, mordre le bras à qn. III *zn: het* —, la morsure. ▼—**d** caustique; mordant.

bijtijds 1 à temps; 2 de bonne heure.

bij/titel sous-titre *m.*

bijtoon harmonique; son *m* accessoire.

bijvak matière *v* accessoire; branche *v* secondaire; — *naar keuze*, matière *v* à option; enseignement *m* optionnel.

bijval 1 approbation *v*; 2 applaudissements *m mv*; *algemene* — *vinden*, enlever tous les suffrages; — *vinden*, avoir du succès, réussir. ▼—**len** *iem.* —, se ranger du côté de.

bijverdienste casuel, (salaire d')appoint; à côté *m.*

bijverwarming chauffage *m* d'appoint; *radiator voor* —, radiateur *m* d'appoint.

bijvoed/en suralimenter. ▼—**ing** nourriture *v* d'appoint.

bijvoeg/en ajouter (à). ▼—**ing** addition *v*; *onder* — *van*, en ajoutant. ▼—**lijk** I *bn* adjectif, attributif; — *naamwoord*, adjectif *m.* II *bw* adjectivement. ▼—**sel** supplément, appendice; codicille *m* (d'un testament).

bijvoorbeeld par exemple.

bijvullen remplir de nouveau; faire l'appoint (d'huile).

bijwagen voiture de supplément; remorque *v.*

bijwerk travail *m* supplémentaire. ▼—**en** mettre à jour; retoucher (un tableau); surveiller les études (d'un élève); reviser (son français); mettre la dernière main à. ▼—**ing** effet *m* secondaire.

bijwijzen suivre au doigt.

bijwonen I *ov.w* assister à; suivre (les cours de); entendre (la messe). II *zn: het* —, l'assistance (à la messe); la fréquentation *v* (des cours).

bijwoord adverbe *m.* ▼—**elijk** *bn* (& *bw*) adverbial(ement).

bijzaak accessoire, détail *m*, chose *v* de moindre importance.

bijzet/stoel chaise *v* d'appoint. ▼—**tafel** servante *v.* ▼—**ten** 1 poser auprès de, avancer, ajouter; 2 enterrer, déposer dans un caveau. ▼—**ting** dépôt *m.*

bijziend myope; —*e zijn*, avoir la vue courte (*of* basse). ▼—**heid** myopie *v.*

bijzijn présence *v*; *in 't* — *van*, devant; en présence de.

bijzin (*gram.*) (proposition) subordonnée *v.*

bijzit concubine *v.* ▼—**ter** assesseur, adjoint *m.*

bijzonder I *bn* 1 particulier, spécial; 2 (*vreemd*) singulier, extraordinaire; *'t — onderwijs*, l'enseignement *m* libre; *de —e school*, l'école *v* privée, l'école libre; *iets —s*, qc de singulier; *'t is niet veel —s*, ce n'est pas grand-chose; *in 't* —, en particulier, notamment. II *bw* spécialement, particulièrement. ▼—**heid** particularité *v*, détail *m*, curiosité *v*; *in bijzonderheden*, en détail; *in bijzonderheden afdalen*, entrer dans le(s) détail(s).

bikini deux-pièces, bikini *m.*

bikkel osselet *m.* ▼—**en** jouer aux osselets. ▼—**spel** jeu *m* aux osselets.

bikken 1 détartrer (une chaudière); 2 manger, bouffer; *hij heeft niets te* —, il n'a pas de quoi mettre sous la dent.

bil fesse *v*; (*v. os*) culotte *v*; *voor de —len geven*, donner une fessée à, fesser.

bilateraal bilatéral.

biljart billard *m*; *een partij* —, une partie de billard. ▼—**bal** bille *v.* ▼—**en** jouer au billard. ▼—**keu** queue *v* de billard. ▼—**laken** tapis *m.* ▼—**spel** jeu *m* de billard. ▼—**wedstrijd** tournoi *m* de billard. ▼—**zaal** salle *v* de billard.

biljet billet *m*; *de —ten laten zien*, présenter les billets.

biljoen billion *m.*

billijk I *bn* 1 juste, raisonnable, légitime; 2 (*v. prijs*) modique, modéré; *dat is niet meer dan* —, rien de plus juste. II *bw* avec justice, avec raison, raisonnablement. ▼—**en** approuver; autoriser. ▼—**heid** équité *v*; modicité *v.* ▼—**heidshalve** pour être juste.

bil/naad périnée *m.* ▼—**spier** fessier *m.*

binair binaire.

bind/en lier, attacher; *een boek* —, relier un livre; *op het hart* —, recommander vivement. ▼—**end** obligatoire, formel; contraignant; — *zijn*, lier, obliger. ▼—**end-verklaring** homologation *v.* ▼—**er** relieur *m.* (de livres); lieur *m* (de gerbes). ▼—**garen** ficelle *v.* ▼—**ing** liaison *v*, attachement *m.* ▼—**middel** liant; (*med.*) excipient *m.* ▼—**vlies** conjonctive *v.* ▼—**vliesontsteking** conjonctivite *v.* ▼—**weefsel** tissu conjonctif, ligament *m.*

binnen I *vz* dans, à l'intérieur de; — *3 dagen*, en moins de -, d'ici à 3 jours; — *die tijd*, avant ce temps-là; — *de 24 uur*, du jour au lendemain, dans les 24 heures. II *bw* dedans, à l'intérieur, dans la chambre; —/, entrez!; *zonder kloppen*, entrez sans frapper; *dat is alvast* —, c'est toujours ça, c'est autant de gagné; — *zijn*, être nanti; *daar schiet me iets te* —, j'y pense, j'ai une idée; *de deur van* — *sluiten*, fermer la porte en dedans; *een rol van* — *uit gezien*, un rôle vu du dedans. ▼**binnen/band** chambre *v* à air. ▼—**brand** feu *m* d'appartement. ▼—**brengen** 1 porter (qc) dans, apporter (qc); 2 faire entrer, introduire (qn); 3 piloter (un vaisseau). ▼—**deur** porte *v* intérieure. ▼—**dijk** digue *v* de réserve; —*s*, en deçà d'une digue. ▼—**dragen** porter dans (la chambre). ▼—**dringen** I *ov.w* pénétrer (dans), envahir. II *zn: het* —, la pénétration, l'invasion *v.* ▼—**gaan** entrer

(dans). ▼—**gaats** dans les passes.
▼—**gedeelte** intérieur m. ▼—**halen** I ov.w faire entrer, rentrer (la moisson). II zn: het —, la rentrée. ▼—**haven** bassin m. ▼—**hoek** angle m interne. ▼—**hof** cour m intérieure.
binnenhuis/architect architecte m d'intérieur. ▼—**inrichting** intérieur; agencement m. ▼—**je** (tableau d') intérieur m.
binnen/in dedans, à l'intérieur. ▼—**kant** dedans m. ▼—**kast** boîtier m (d'une montre). ▼—**komen** entrer (dans), pénétrer (dans). ▼—**kort** sous peu. ▼—**krijgen 1** toucher, encaisser (de l'argent); **2** avaler, boire (de l'eau). ▼—**kruipen** se glisser dans.
binnenland intérieur (du pays); in het —, à l'intérieur du pays. ▼—**s** (de l') intérieur; —e oorlog, guerre v civile; —e handel, commerce m intérieur; minister van —e zaken, ministre m de l'Intérieur; —e veiligheidsdienst, surveillance v du territoire.
binnen/laten faire entrer. ▼—**leiden** I ov.w introduire. II zn: het —, l'introduction v. ▼—**lokken** engager à entrer, attirer. ▼—**loods** (pilote) lamaneur m. ▼—**loodsen** piloter, faire entrer au port; (fig.) amener à bon port, introduire clandestinement. ▼—**lopen** entrer au port; passer chez. ▼—**maat** dimension v intérieure. ▼—**plaats,** —**plein** cour v (intérieure); (v. gevangenis bijv.) préau m. ▼—**rand** bord m intérieur. ▼—**rijden** entrer dans; (v. trein) entrer en gare. ▼—**ruimte** espace intérieur m; (in auto) habitabilité v. ▼—**rukken** pénétrer dans, envahir. ▼—**schipper** marinier. ▼—**shuis** en famille, chez soi; dans la maison. ▼—**skamers** dans l'intimité; en secret. ▼—**sluipen** s'introduire furtivement dans. ▼—**smokkelen** passer en contrebande. ▼—**smonds** entre les dents. ▼—**spiegel** inter m (droit, gauche). ▼—**stad** centre m, cité v.
binnenste I bn intérieur. II zn dedans, fond; cœur m; 't — buiten keren, retourner; in mijn —, dans mon for intérieur.
binnen/stijds avant terme, - le temps. ▼—**stormen** entrer en coup de vent dans. ▼—**stromen** entrer à flots, s'engouffrer (dans); affluer. ▼—**vaart** navigation fluviale, batellerie v. ▼—**vallen** faire escale à, entrer au port de; (fig.) entrer tout à coup. ▼—**vering:** kussen met —, coussin m à ressorts. ▼—**vetter:** hij is een —, il est trop modeste; il est plus doué qu'il n'en à l'air. ▼—**waarts** I bn tourné en dedans. II bn en dedans. ▼—**water** eaux v mv intérieures; cours m d'eau. ▼—**weg** chemin m de traverse, raccourci m. ▼—**werk** travaux m mv intérieurs; tripe v (d'un cigare); revêtement m. ▼—**werks** dans l'œuvre; leiding van 3 mm —, canalisation v de 3 m.m. intérieur. ▼—**zak** poche v intérieure. ▼—**zee** mer v intérieure, golfe m. ▼—**zetten** rentrer.
binocle jumelle, lorgnette v (de théâtre).
binomium binôme m.
bint traverse m.
biochemie biochimie v.
biograaf biographe m. ▼**biograf/ie** biographie v. ▼—**isch** biographique.
biolog/eren hypnotiser, suggestionner, (fig.) fasciner. —**ie** biologie v. ▼—**isch** biologique; — afbreekbaar, biodégradable. ▼**bioloog** naturaliste, biologiste m.
bioscoop cinéma(tographe) m. ▼—**voorstelling** séance v de cinéma.
Birma la Birmanie. ▼**Birmaan** Birman m. ▼**Birmaans** birman.
bis I (muz.) si dièse m. II bw bis; encore.
biscuit biscuit m.
bisdom évêché m.
biseksueel bisexué, bisexuel.
bisschop (rk) évêque m; de —pen, l'épiscopat m. ▼—**pelijk** épiscopal. ▼—**sambt** épiscopat m, dignité v épiscopale. ▼—**smijter** mitre v. ▼—**sstaf** crosse v. ▼—**szetel** siège m épiscopal.
bissectrice bissectrice v.
bisseren bisser.
bistro petit restaurant m.

bit 1 mors; **2** (v. computer) bit m.
bits I bn mordant, blessant, aigre. II bw aigrement, brusquement. ▼—**heid** aigreur v.
bitter I bn amer; —e haat, haine v mortelle; —e kou, froid m pénétrant; de —ste nood, la plus noire misère. II bw amèrement; het is — koud, il fait un froid pénétrant. III (drank) bitter, amer m. ▼—**aarde** magnésie v. ▼—**en** prendre l'apéritif. ▼—**heid** amertume; âcreté; cruauté (du sort) v. ▼—**koekje** macaron m. ▼—**tafel** table v commune. ▼—**uur** heure v de l'apéritif. ▼—**zoet** I bn doux-amer. II zn doucé-amère v.
bitumen bitume m.
bivak bivouac m. ▼—**keren** I on.w bivouaquer. II zn: het —, le bivouac. ▼—**muts** passe-montagne v.
bizar bizarre.
bizon bison m.
blaag gamin(e) m (v), polisson(ne) m (v).
blaam blâme m; zich van alle — zuiveren, se disculper; zonder —, sans reproche.
blaar ampoule; cloque v. ▼—**trekkend** vésicant; (med.) vésicatoire. ▼—**tje** vésicule v.
blaas vessie v. ▼—**balg** soufflet m; —en, (muz.) la soufflerie (d'un orgue). ▼—**catarre** catarrhe m vésical. ▼—**instrument** instrument m à vent. ▼—**kaak** vantard, fanfaron m. ▼—**kramp** spasme m vésical. ▼—**kwintet** quintette v à vent. ▼—**ontsteking** cystite, inflammation v de la vessie. ▼—**orkest** fanfare v. ▼—**pijp** chalumeau m. ▼—**pijpje** (tube v d') alcootest; in het — blazen, souffler dans l'a. ▼—**proef** épreuve v d'alcotest. ▼—**roer** sarbacane v. ▼—**steen** calcul m vésical.
blad 1 (v. boom, papier, metaal) feuille v; **2** (= 2 blz.) feuillet m; **3** journal m; **4** (v. metalen voorw.) lame, pale v; **5** (tafel—) tablette v, dessus m (de table); **6** (schenk—) plateau m, (voor thee, koffie; likeur) cabaret m; van het — spelen, jouer à livre ouvert; het — omslaan, tourner la page; in een goed blaadje staan bij, être dans les bonnes grâces de; in een slecht blaadje staan, être mal noté; geen — voor de mond nemen, ne pas mâcher ses mots.
bladder soufflure v.
blader/deeg pâté v feuilletée. ▼—**en** ww feuilleter, tourner les pages. ▼—**kroon** couronne v. ▼—**loos** dénudé de feuilles. ▼—**rijk** touffu, feuillu. ▼**blad/goud** or m en feuilles; met — verguld, doré à la feuille. ▼—**groen** chlorophylle v. ▼—**groente** légume m vert. ▼—**knop** bourgeon m à feuilles. ▼—**luis** puceron m. ▼—**skelet** nervation v. ▼—**steel** pétiole m. ▼—**stil** sans — un souffle; het is —, rien ne bouge. ▼—**wijzer 1** (leeswijzer) signet m; **2** (inhoud) index m, table v des matières. ▼—**zijde** page v; op — één (v. krant), à la une.
blaffen aboyer; —de honden bijten niet, chien qui aboie ne mord pas. ▼**blafhoest** toux v creuse.
blaken on.w brûler, être enflammé; in —de welstand, resplendissant de santé, se portant comme un charme; van toorn —, bouillir de colère; —de ijver, zèle m ardent.
blaker bougeoir m. ▼—**en** I ov.w flamber, griller, roussir; met geblakerde gezichten, les visages hâlés par le soleil. II on.w: in de zon staan te —, rougeoyer au soleil.
blam/age honte v; hij voelde dat als een —, il se sentait diminué. ▼—**eren** I ov.w jeter un blâme sur, compromettre; je moet je vader niet — hoor!, ne fais pas honte à ton papa! II zich — se discréditer (moralement), se compromettre; hij heeft zich voor goed geblameerd, il a déchu aux yeux de son public.
blancheren blanchir.
blanco blanc, à signer; — krediet, crédit m à découvert; in — trekken, tirer à découvert; in — tekenen, signer en blanc; stuk in —, blanc seing m; — stemmen, voter blanc, déposer

des bulletins blancs. ▼—**verkoop** vente *v* en blanc. ▼—**volmacht** blanc-seing *m*.

blank I *bn* blanc; luisant; pur; —, *schuren,* poncer, décaper; —, *staan,* être inondé; - sous les eaux; —*e verzen,* vers blancs; met de —*e sabel,* sabre au clair; *handel in* —*e slavinnen,* traite *v* des blanches. **II** *zn* blanc (he) *m* (*v*).

blanket/sel fard, maquillage *m*; rouge *m*. ▼—**ten I** *ov.w* farder, maquiller. **II zich** — se farder, mettre du rouge.

blankheid blancheur *v*. (*fig.*) pureté *v*.

blaren bêler, meugler.

blasfemie blasphème *m*.

blaten I *on.w* bêler. **II** *zn: het* —, le bêlement.

blauw I *bn* bleu; (*hemels-*) azuré; — *maken,* bleuir; *iets* — — *laten,* passer qc sous silence; *een* —*tje lopen,* essuyer un refus, être éconduit; *een* —*tje laten lopen,* donner son congé à; — *verven,* teindre en bleu; *iem. een* — *oog slaan,* pocher l'œil à qn; —*e plek,* ecchymose *v*, bleu *m*; —*e kringen onder de ogen hebben,* avoir les yeux cernés; —*e zone,* zone v bleue. **II** *zn* bleu, azur *m*. ▼—achtig bleuâtre, bleuté. ▼**B**—**baard** Barbe-bleue *v*. ▼—**bekken:** *staan* —, attendre dans le froid. ▼—**druk** bleu *m*. ▼—**en I** *ov.w* bleuir, passer au bleu, azurer. **II** *on.w* bleuir, devenir bleu, devenir livide. ▼—**grijs** gris-bleu *v*. ▼—**groen** glauque. ▼—**helm** casque *m* bleu. ▼—**kous** bas-bleu *m*. ▼—**ogig** aux yeux bleus. ▼—**spaat** lazulite *m*. ▼—**zuur** acide *m* cyanhydrique, - prussique. ▼—**zuurzout** cyanate *m*. ▼—**zwart** bleu-noir.

blazen I *on.w* souffler; *op de fluit* —, jouer de la flûte. **II** *ov.w* souffler; *in 't oor* —, chuchoter, souffler à l'oreille; (*mil.*) sonner; *de aftocht* —, sonner la retraite. **III** *zn: het* —, le souffle; le soufflage (du verre). ▼**blazer** 1 souffleur *m*; 2 (*muz.*) joueur *m* d'instrument à vent.

blazer (*kleding*) blazer *m*.

blazoen blason *m*.

bleek I *bn* pâle, blême, décoloré; — *worden,* pâlir; *mat*— blafard; — *en mager,* hâve; **II** *zn* 1 pré *m*; 2 blanchissage *m*; *op de* — *leggen,* mettre blanchir. ▼—**achtig** pâlot. ▼—**gezicht** face-pâle *v*. ▼—**heid** pâleur *v*. ▼—**neus** pâlot *m*. ▼—**middel** agent de blanchiment *m*. ▼—**poeder** chlorure *m* de chaux. ▼—**water** eau *v* de Javel. ▼—**zucht** chlorose *v*, pâles couleurs *v mv*. ▼—**zuchtig** chlorotique. ▼**blek/en I** *ov.w* blanchir. **II** *zn: het* —, blanchissage *m*. ▼—**er** blanchisseur *m*. ▼—**erij** blanchisserie *v*.

blende blende *v*.

bièren brailler; bêler.

bles 1 touffe *v* de cheveux blancs; 2 cheval étoilé au front.

blessure blessure *v*.

bleu *bn* (*en bw*) timide(ment). ▼—**heid** timidité *v*.

bliep bip.

blieven *zie* **believen**.

blij I *bn* 1 content, heureux, (bien) aise; 2 gai, joyeux; — *van geest,* serein; — *zijn om,* se féliciter de; *ik ben* — *voor hem,* ça me fait plaisir pour lui. **II** *bw* avec joie *v*. ▼—**dschap** joie, satisfaction *v*, plaisir *m*. ▼—**geestig** enjoué, jovial. ▼—**heid** belle humeur, gaîté de cœur, joie *v*.

blijk marque, preuve *v*, témoignage *m*; *als* — *van,* en témoignage de; — *geven van,* faire preuve de. ▼—**baar I** *bn* clair, évident, manifeste. **II** *bw* clairement, évidemment, manifestement; — *en* être clair, paraître, se trouver; *'t blijkt mij dat,* je constate que; *doen* —, faire paraître, montrer. ▼—**ens** comme il résulte de, à en juger d'après, selon.

blijmoedig I *bn* serein, de bonne humeur. **II** *bw* avec sérénité. ▼—**heid** sérénité, bonne humeur *n*.

blijspel comédie *v*. ▼—**dichter,** —**schrijver** auteur *m* comique. ▼—**speler,** —**speelster** comédien *m*, comédienne *v*.

blijv/en 1 demeurer, rester; 2 durer, être permanent; *ernstig* —, garder son sérieux;

goed — (*v. eten*), se conserver; — *liggen,* rester couché; — *staan,* s'arrêter; rester debout; — *steken,* 1 (*bij spreken*) demeurer court; 2 (*v. auto*) rester en panne; — *zitten,* 1 (*school*) redoubler; *zn* redoublement *m*; 2 (*niet trouwen*) rester fille; 3 (*bij een bal*) faire tapisserie; 4 rester assis; *het zal daar niet bij* —, cette affaire n'en restera pas là; *waar zijn wij gebleven!,* où en sommes-nous restés?; *Blijf van mijn lijf, ne me touchez pas, bas les pattes;* (*Stichting*) *Blijf van mijn lijf,* (*in Fr.*) Centre S.O.S. Femmes Battues. ▼—**end** permanent, durable, (impression) ineffaçable, à demeure. ▼—**er** 1 homme qui reste; 2 résident fixe; 3 enfant né viable *m*.

blik 1 regard, coup *m* d'œil; *de* — *wenden naar,* tourner la vue sur; *een ruime* — *hebben,* voir grand; *een* — *slaan op,* jeter un regard sur; *de* — *verruimen,* agrandir l'horizon; 2 (*metaal*) fer-blanc *m*; (*vuilnis*—) pelle *v* aux balayures; boîte; (*benzine*—) bidon *m*; *vlees in* —, viande *v* de conserve; *melk in* —, lait *m* conservé. ▼—*je* boîte *v* de conserves. ▼—**ken I** *ov.w* regarder. **II** *on.w* cligner des yeux; *zonder* — *of blozen,* sans broncher. **III** *bn* de fer-blanc. ▼—**keren** reluire, briller, étinceler. ▼—**opener** ouvre-boîtes *m*. ▼—**schade** dégâts *m mv* matériels.

bliksem 1 (*lichtflits*) éclair *m*; 2 foudre *v*; *de* — *is in de toren geslagen,* la foudre est tombée sur la tour; *als door de* — *getroffen,* comme frappé du tonnerre; *als de* —*!,* plus vite que ça!; *een gemene* —, un sale type; *een luie* —, un fainéant; *hij is naar de* —, il est fichu. ▼—**afleider** paratonnerre; parafoudre *m* (*voor elektr. geleiding*). ▼—**en 1** het bliksemt, il fait des éclairs; 2 lancer des éclairs, briller; 3 (*opspelen*) fulminer. ▼—**end** (*v. ogen*) étincelant, fulgurant. ▼—**flits** éclair *m*. ▼—**inslag** foudre *v*. ▼—**licht** éclair *m*; lumière *v* à éclairs. ▼—**oorlog** guerre *v* éclair. ▼—**poeder** poudre-éclair *v*. ▼—**s I** tw tonnerre!, bigre!. **II** *bw* diablement. **III** *bn* sacré, fichu. ▼—**snel** rapide comme l'éclair. ▼—**straal** éclair *m*. ▼—**vuur** feu *m* du ciel.

blik/slager ferblantier *m*. ▼—**slagers** tw diantre. ▼—**vanger:** *dat is een* —, c'est du tape-à-l'œil. ▼—**veld** champ *v* visuel. ▼—**verpakking** emballage *m* en boîtes de fer-blanc. ▼—**waren** ferblanterie *v*.

blind I *bn* aveugle; — *aan een oog,* borgne; — *worden,* perdre la vue; — *landen,* atterrir sans visibilité; —*e passagier,* voyageur *m* clandestin; — *voor eigen gebreken,* aveugle sur ses propres défauts. **II** *zn* volet; contrevent *m*. ▼—**doek** bandeau *m*. ▼—**doeken** bander les yeux à (qn). ▼**blinde** aveugle *m* & *v*; (*bij kaartspel*) mort *m*; *in den* —, au hasard, à tort et à travers; —*darm* caecum *m*. ▼—**darmontsteking** appendicite *v*. ▼—**lings** aveuglément, les yeux fermés. ▼—**man** aveugle *m*. ▼—**mannetje** colin-maillard; — *spelen,* jouer à colin-maillard. ▼—**ngeleidehond** chien-guide *m* d'aveugles. ▼—**ninstituut** institution *v* des (jeunes) aveugles, institut *m* ophtalmologique. ▼—**nschrift** l'alphabet *m* des aveugles, écriture Braille *v*.

blinder/en blinder. ▼—**ing** blindage *m*.

blind/ganger bombe *v* qui n'a pas explosé. ▼—**geboren** aveugle-né *m*. ▼—**heid** cécité *v*; (*fig.*) aveuglement *m*; *met* — *geslagen,* frappé de cécité. ▼—**landing** atterrissage *m* sans visibilité. ▼—**staren:** *zich* — *op,* être ébloui par, ne voir que. ▼—**sturen** pilotage *m* sans visibilité. ▼—**vliegen** voler sans guidage.

blinken reluire, briller, resplendir. ▼**blinkend** brillant, luisant.

blisterverpakking plaquette *v*.

blocnote bloc-notes *m*.

blode *zie* **bleu**.

bloed 1 pauvre diable, niais *m*; *die arme* — *van kinderen,* les pauvres petits; 2 sang *m*; *er heeft* — *gevloeid,* le sang a coulé; *goed en* — *opofferen,* tout sacrifier; *in koelen* — *e,* de sang froid; *dat zal kwaad* — *zetten,* cela

aigrira les esprits; *het — kruipt waar het niet
gaan kan,* c'est la voix du sang, c'est plus fort
que moi; *een kleur als melk en —,* un teint de
lis et de rose; *tot —ens toe,* au sang; *dat zit in
het —,* cela tient de famille; *prins van de —e,*
prince du sang. ▼—**aandrang,** congestion v.
▼—**ader** veine v. ▼—**arm** anémique, anémié.
▼—**armoede** anémie v. ▼—**baan** trajet m
circulatoire. ▼—**bad** carnage, massacre m,
boucherie v. ▼—**bank** banque v du sang.
▼—**braking** vomissement m de sang,
hématémèse v. ▼—**bruiloft** la
Saint-Barthélemy. ▼—**dorst** férocité, cruauté
v. ▼—**dorstig** sanguinaire, féroce.
▼—**dorstigheid** soif v de sang, férocité v.
▼—**druk** tension v artérielle; *de —* opnemen,
prendre la tension; *verhoogde —,*
hypertension v; *verlaagde —,* hypotension v;
verhoogde — hebben, faire de la tension.
▼—**drukmeter** sphygmomanomètre,
sphygmotensiomètre m. ▼—**druppel** goutte v
de sang. ▼—**eigen** (de son) sang. ▼—**eloos**
privé de sang, pâle, anémié, exsangue.
bloed/en saigner; *uit de neus —,* saigner du
nez; *dood—,* perdre tout son sang; *het zal wel
dood—,* cela finira par s'oublier. ▼—**end**
saignant; *met — hart,* la mort dans l'âme.
▼—**erig** sanglant, couvert de sang.
bloed/fluim crachat m sanguinolent. ▼—**geld**
1 (*loon*) salaire m de famine; 2 prix m du sang.
▼—**getuige** martyre m. ▼—**gever** donneur m
de sang. ▼—**groep** groupe m sanguin.
▼—**groepbepaling** groupage m. ▼—**hond**
dogue m, (*fig.*) bourreau, tigre m. ▼—**ig**
sanglant; ensanglanté. ▼—**ing** hémorragie v.
▼—**kleurstof** hémoglobine v. ▼—**klomp**
caillot m de sang. ▼—**koraal** corail m rouge.
▼—**lichaampje** globule m; *rood —,* globule
rouge, hématie v; *wit —,* globule blanc,
leucocyte m. ▼—**neus** saignement m de nez;
iem. een — slaan, mettre le nez en sang à qn.
▼—**onderzoek** analyse v du sang. ▼—**plas**
mare v de sang. ▼—**proef** prise v de sang.
▼—**rijk** sanguin. ▼—**rood** rouge sang,
sanguin. ▼—**schande** inceste m.
▼—**schender** incestueux m. ▼—**schendig**
incestueux. ▼—**schuld** homicide, crime m
capital. ▼—**somloop** circulation v du sang.
▼—**spuwing** crachement m de sang.
▼—**stelpend** hémostatique. ▼—**stelping**
hémostas(i)e v. ▼—**stollingsmiddel**
anti-hémorragique m. ▼—**transfusie**
transfusion v sanguine. ▼—**uitstorting**
épanchement m sanguin, hémorragie v; *— in
de hersenen,* hémorragie v cérébrale. ▼—**vat**
vaisseau m sanguin. ▼—**vergieten**,
vergieting effusion v de sang; massacre,
carnage m. ▼—**vergiftiging**
empoisonnement m du sang; septicémie v.
▼—**verlies** perte v de sang. ▼—**verwant**
parent(e) m (v); *van -, tussen — en,*
consanguin. ▼—**verwantschap** parenté v.
▼—**vink** bouvreuil m. ▼—**vlek** tache v de
sang. ▼—**vloeiing** 1 hémorragie v, flux m de
sang; 2 menstrues v mv, menstruation v.
▼—**vocht** sérum, plasma m. ▼—**vormend**
hémopoïétique, hématopoïétique.
▼—**vorming** hémopoïèse, hématopoïèse v.
▼—**wei** sérum m. ▼—**worst** boudin m (noir).
▼—**wraak** vendetta v, talion m. ▼—**zuiger**
sangsue v; (*fig.*) vampire m. ▼—**zuiverend**
dépuratif. ▼—**zuivering** dépuration v du
sang. ▼—**zweer** furoncle; anthrax m.
bloei 1 (*plk.*) floraison v; 2 (*fig.*) fleur v,
fleurissement m; 3 prospérité v; *in de — der
jaren,* à la fleur de l'âge; *in —,* en fleurs, fleuri;
in — staan, fleurir; *zij is in volle —,* elle est en
pleine floraison; *tot — brengen,* faire fleurir,
faire prospérer; *tot — komen,* s'épanouir.
▼—**en** fleurir, être en fleurs; (*fig.*) prospérer,
être en pleine vie. ▼—**end** fleurissant, en
fleurs; (*fig.*) florissant, prospère; (*v. gezondh.*)
resplendissant, (*v. gelaat*) épanoui.
▼—**maand** mai; (*gesch.*) Floréal. ▼—**tijd**
fleuraison v; (*fig.*) âge d'or, grand siècle m.
▼—**wijze** inflorescence v.

bloem 1 fleur; 2 (*fig.*) (fine) fleur, élite v; *—en
op de ruiten,* cristaux m mv (of fleurs v mv) de
glace; *de —etjes buiten zetten,* se donner du
bon temps, s'en donner; *een — in zijn
knoopsgat doen,* se fleurir. ▼—**bed**
plate-bande v. ▼—**blad** pétale m. ▼—**bol**
bulbe, oignon m à fleur. ▼—**bollenkweker**
bulbiculteur m. ▼—**bollenteelt** culture v de
plantes bulbeuses. ▼—**bollenveld** champ m
de fleurs, — de bulbes. ▼—**enbak** jardinière
v. ▼—**encorso** cortège fleuri, concours m de
voitures fleuries. ▼—**engeur** odeur m de
fleurs; *— van zich geven,* embaumer.
▼—**enhandel** commerce m de fleurs.
▼—**enhandelaar** fleuriste m. ▼—**enhulde**
hommage m fleuri. ▼—**enmand** corbeille v à
fleurs. ▼—**enmarkt** marché m aux fleurs.
▼—**enmeisje** fleuriste, bouquetière v.
▼—**entaal** langage m des fleurs. ▼—**enteelt**
floriculture v. ▼—**ententoonstelling**
exposition v florale. ▼—**entuin** jardin m
d'agrément. ▼—**envaas** vase m à fleurs.
▼—**enweelde** profusion v de fleurs.
▼—**godin** Flore v déesse v des fleurs. ▼—**ig**
1 (*v. weide*) fleuri; 2 (*v. aardappels*) farineux.
▼—**ist** jardinier, jardinier-fleuriste m.
▼—**isterij** jardin m fleuriste; floriculture v.
▼—**knop** bouton m de fleur. ▼—**kool**
chou-fleur m. ▼—**lezing** morceaux m mv
choisis, anthologie v. ▼—**perk** parterre m de
fleurs. ▼—**pot** terrine v; pot à fleurs. ▼—**rijk**
fleuri; (*fig.*) riche en images. ▼—**ruiker**
bouquet m. ▼—**stuk** 1 pièce v de fleurs;
2 tableau m de fleurs. ▼—**tafeltje** jardinière v.
bloesem fleur v. ▼—**en** fleurir. ▼—**knop**
bouton m.
blok 1 bloc m; 2 (*offer-*) tronc m; 3 (*katrol*)
poulie v; 4 (*v. beul of slager*) billot m;
5 (*speelgoed*) cube m; 6 (*huizen*) pâté; bloc
m; *één —je doen,* faire un petit tour;
(*luchtbesch.*) îlot; 7 (*v. spoor*) block m (de
section); 8 (*brandhout*) bûche v; 9 (*v. wiel*)
cale v; 10 (*metaal in —ken*) saumon m; *een —
aan het been hebben,* traîner le boulet.
▼—**fluit** flûte v à bec. ▼—**hoofd** chef m d'îlot.
▼—**huis** 1 blockhaus; 2 poste m d'aiguillage.
blokkade blocus m. ▼—**breker** forceur m de
blocus.
blokken piocher, bûcher. ▼—**doos** boîte v de
construction, - de cubes.
blokk/eren bloquer. ▼—**ering** blocus;
(*beurs*) blocage m.
blok/letter capitale v. ▼—**schaaf** rabot m.
▼—**schrift** écriture v droite, - script.
▼—**stelsel** block-système m. ▼—**toestel**
appareil m de bloc (d'un chemin de fer).
▼—**wachter** bloqueur, sémaphoriste m.
blond blond. ▼—**e** blond(e) m (v), blondine v.
▼—**eren**: *zij heeft zich geblondeerd,* elle s'est
blondi les cheveux. ▼—**harig** à cheveux
blonds, blond. ▼—**heid** teintes v mv blondes,
blondeur v.
bloot I *bn* 1 nu, découvert; 2 dénudé, simple,
pur; *onder de blote hemel,* à la belle étoile; *op
het blote lijf,* à même la peau; *met het blote
oog,* à l'œil nu; *blote eigendom,* nue-propriété
v. II *bw* simplement, uniquement; *open en —,*
ouvertement, au vu et au su de tout le monde;
met blote borst, la poitrine nue. ▼—**geven**
I *ov.w* montrer, découvrir. II *zich —,*
s'exposer, se découvrir. ▼—**heid** nudité v.
▼—**leggen** 1 découvrir; 2 (*fig.*) exposer,
mettre à nu. ▼—**legging** dénudation v; (*fig.*)
exposition, mise v à nu. ▼—**liggen** être à nu;
être découvert. ▼—**shoofds** 1 nu-tête, tête
nue; 2 (*v. vrouwen*) en cheveux. ▼—**staan**
être en butte (à), être exposé (à). ▼—**stellen**
I *ov.w* exposer. II *zich —* s'exposer (à).
▼—**svoets** nu-pieds, pieds nus. ▼—**woelen**
(zich) se découvrir.
blos teint m vermeil; rougeur v; *een — kwam
op haar wangen,* elle rougissait; (*fam.*) elle
piquait un fard.
blouse blouse v; *dames—,* chemisier, corsage
m.
blozen rougir; *hij bloosde,* le rouge lui monta

au visage. ▼—d 1 (v. schaamte) rougissant; 2 (v. gezondh.) vermeil, fleuri.

bluf blague, hâblerie v, bluff m. ▼—fen hâbler, blaguer; — op, se vanter de. ▼—fer blagueur, vantard m. ▼—ferij hâblerie v.

blunder gaffe, bévue v. ▼—en gaffer.

blus/apparaat, —toestel extincteur m. ▼—baar extinguible. ▼—granaat grenade v extinctrice. ▼—middel moyen m d'extinction. ▼—sen éteindre. ▼—sing extinction v. ▼—singswerk travaux m mv d'extinction.

blut, bluts fauché, à sec, décavé.

bluts bosse, contusion, meurtrissure v. ▼—en contusionner (la chair); bosseler; meurtrir (des fruits).

boa boa m.

board isorel m.

bobbel 1 bouillon m, bulle v d'air; 2 ampoule, enflure v. ▼—en bouillonner. ▼—ig raboteux.

bobine bobine v.

bobslee bob(sleigh) m.

bochel 1 bosse v; 2 (pers.) bossu m; zich een — lachen, se tordre de rire.

bocht 1 courbure, sinuosité (de la côte); 2 (golf) baie, golfe v; — in de weg, tournant m du chemin, coude m, (opschrift) virage m; in de — liggen, se coucher en virage; een — nemen, faire-, prendre un virage; in een — van de weg, au détour-, au tournant du chemin; 3 rebut m; canaille v; die tabak is —, ce tabac ne vaut rien. ▼—ig tortueux, sinueux, qui va en serpentant. ▼—igheid sinuosité v.

bod offre, mise v; vast —, offre ferme; vrijblijvend —, offre sans engagement; hoger —, enchère, surenchère v; een — doen, offrir; een — doen op, miser sur; zijn — verhogen, enchérir, surenchérir.

bode 1 messager; 2 facteur, porteur; 3 (bij rechtb. enz.) huissier m.

bodega bar, débit m de vin et de liqueur.

bodem 1 fond; met dubbele —, à double fond; cul (d'une bouteille); 2 (grond) sol m, terre v, pays m. ▼—gesteldheid nature v du sol. ▼—loos sans fond, percé; (fig.) insatiable. ▼—oppervlakte superficie v. ▼—prijs prix m plancher.

bodenkamer 1 bureau m, salle v d'huissier; 2 chambre v des gens de maison; office v.

body corps m; in zijn naakte —, nu comme un ver. ▼**body art** m corporel. ▼**body-building** musculation v; culturisme m; aan — doen, faire du culturisme.

boeddha Bouddha m. ▼—beeld image v de Bouddha. ▼**boeddh/isme** bouddhisme m. ▼—ist bouddhiste m. ▼—istisch bouddhique.

boedel 1 biens m mv; 2 héritage m, succession, masse v; een — niet aanvaarden, répudier une succession; een — beschrijven, faire l'inventaire; een — scheiden, faire le partage d'une succession. ▼—afstand cession v de la masse. ▼—beschrijving, —lijst inventaire m; de — opmaken, dresser l'inventaire. ▼—redder, —scheider exécuteur m testamentaire, liquidateur m. ▼—scheiding 1 liquidation v; partage m d'une succession; 2 (tussen echtgenoten) séparation v de biens. ▼—verdeling partage m de la masse.

boef voyou; fripon; truand; délinquant; malfrat m. ▼—achtig méchant, fripon. ▼—je jeune délinquant, petit fripon m.

boeg 1 proue m, cap m; 2 (roeien) brigadier m; de — wenden, virer de bord; met dit werk heb ik nog jaren voor de —, j'en ai encore pour des années. ▼—anker ancre v de bossoir. ▼—en gouverner. ▼—seren remorquer. ▼—spriet 1 beaupré m; 2 poutre v d'équilibre.

boei 1 (mar.) bouée v; chaîne v; een kleur als een —, des joues vermeilles; 2 (fig.) entrave v, fers m mv; in de —en slaan, mettre aux fers. ▼—en 1 enchaîner; passer (à qn) les menottes; 2 (fig.) captiver, intéresser; fixer. ▼—end captivant, entraînant, passionnant.

boek livre m; het — der —en, la Bible; tweedehands —, livre d'ocasion; te — stellen,

coucher-, mettre par écrit; altijd in de —en zitten, pâlir-, sécher sur les livres; te — staan als, avoir la réputation de, passer pour; een —je van iem. opendoen, en dire de belles sur qn; een —je bij iem. opendoen over, édifier qn sur. ▼—aankondiging compte rendu; prospectus m; de gezamenlijke —en, le bulletin bibliographique. ▼—achtig livresque. ▼—band reliure v. ▼—beoordelaar critique m. ▼—beoordeling critique v, compte rendu m. ▼—beschrijving description v bibliographique. ▼—beslag garniture v.

boekbinden zn (van) reliure v; reliure v. ▼boekbinder relieur m. ▼—ij atelier m de reliure.

boekdeel volume, tome m; dat spreekt boekdelen, cela en dit long.

boekdruk/ken zn imprimerie v, art m d'imprimer. ▼—ker 1 imprimeur m; 2 typographe m. ▼—kerij imprimerie v. ▼—kersgilde corporation v du livre. ▼—kunst imprimerie, typographie v, art m typographique.

boekelegger signet m.

boeken ov. w noter, enregistrer, inscrire; (handel) porter en compte; overeenkomstig —, conformer ses écritures, passer écriture conforme; tweemaal —, faire double emploi.

boeken/beurs marché m -, foire v du livre. ▼—bon chèque-livre m. ▼—geleerdheid savoir m livresque. ▼—hanger étagère-bibliothèque. ▼—kast corps m de bibliothèque. ▼—kraam boîte v de bouquiniste. ▼—lijst catalogue m. ▼—minnaar bibliophile m. ▼—molen bibliothèque v tournante. ▼—plank rayon m. ▼—rek zie —hanger. ▼—stalletje zie —kraam. ▼—stander casier-bibliothèque m. ▼—steun serre-livres m, appui-livre m. ▼—taal langage m livresque. ▼—tas cartable m, serviette v. ▼—wijsheid savoir m livresque. ▼—wurm bibliomane m. ▼boekerij bibliothèque v.

boeket bouquet m.

boek/geschenk livre m d'étrennes. ▼—handel librairie v. ▼—handelaar libraire m.

boekhoud/en l on. w tenir les livres. II zn tenue v des livres; comptabilité v; enkel —, tenue v des livres en partie simple; dubbel (Italiaans) —, tenue des livres en partie double. ▼—er, —ster comptable m en v. ▼—ing comptabilité v, les livres. ▼—kundige expert m comptable. ▼—machine machine v comptable. ▼boeking inscription, passation sur les livres, - aux écritures v. ▼—spost article m. ▼boekjaar exercice m (comptable).

boek/keurder censeur m. ▼—keuring censure v. ▼—omslag jaquette v. ▼—schuld dette v inscrite. ▼—staven enregistrer, documenter, appuyer. ▼—verkoper marchand m libraire. ▼—waarde valeur v comptable.

boekweit sarrasin, blé m noir.

boek/werk ouvrage, volume m. ▼—winkel librairie v.

boel quantité, masse v; dat is een — beter, ça vaut beaucoup mieux; een hele — dingen, un tas de choses; de hele —, toute la boutique; de — laten waaien, laisser aller les choses.

boeman épouvantail, croque-mitaine m.

boemel: aan de — zijn, faire la noce. ▼—aar noceur, viveur; faineant m. ▼—en 1 (fuiven) faire la noce; 2 (niets uitvoeren) fainéanter; 3 (v. trein) aller en train omnibus. ▼—trein train m omnibus.

boemerang boomerang m; als een — werken, faire boomerang. ▼—effect effet m boomerang.

boen/der cireuse v. ▼—en frotter, nettoyer, cirer, astiquer. ▼—er, —ster frotteur m, -euse v. ▼—lap linge m à frotter. ▼—machine cireuse v. ▼—was encaustique v, cire v à parquet.

boer 1 (buitenman) paysan, campagnard m;

2 laboureur, cultivateur *m*; **3** (*pachter*) fermier; métayer *m*; **4** (*v. kaartspel*) valet *m*; **5** (*lomperd*) rustre *m*; **6** (*oprisping*) renvoi *m*; éructation *v*; *een — laten*, éructer; *de Boeren*, les Boers. ▼**—achtig** rustique, champêtre, (*fig.*) grossier. ▼**—achtigheid** rusticité *v*. ▼**—derij** métairie, ferme *v*. ▼**boeren 1** cultiver la terre; **2** éructer; *hij heeft goed geboerd*, il a bien mené sa barque. ▼**—arbeid** travaux *m mv* des champs. ▼**—arbeider** ouvrier *m* de ferme. ▼**—bedrijf** exploitation *v* agricole. ▼**—bedrog** charlatanerie *v*. ▼**—bond** coopérative *v* agricole. ▼**—boter** beurre *m* de ferme. ▼**—brood** pain *m* de ménage. ▼**—bruiloft** noces *v mv* de village. ▼**—dans** danse *v* folklorique, - villageoise. ▼**—dochter** fille *v* de paysan, jeune paysanne. ▼**—hoeve, —hofstede** ferme *v*. ▼**—jongen** paysan, fils de paysan *m*; (*drank*) —s, raisins *m mv* à l'eau-de-vie. ▼**—kaas** fromage *m* des fermiers. ▼**—kiel** sarrau *m*, blouse *v* de paysan. ▼**—knecht** valet *m* de ferme. ▼**—kool** chou *m* frisé. ▼**—leenbank** banque *v* (de crédit) agricole, caisse *v* rurale. ▼**—meisje** fille *v* de paysan; (*drank*) —s abricots *m mv* à l'eau-de-vie. ▼**B—oorlog** guerre *v* des Boers. ▼**—opstand** révolte *v* de paysans; (*in Frankr.* 1358) Jacquerie *v*. ▼**—stand** paysannat *m*; paysannerie *v*. ▼**—woning** habitat *m* rural. ▼**—zoon** fils *m* de paysan, jeune paysan. ▼**boerin** paysanne *v*, fermière; patronne, maîtresse *v*. ▼**—nenkap, —muts** coiffe *v*.

boernoes burnous *m*.

boers I *bn* **1** rustique, rural; champêtre, **2** grossier, rustaud. **II** *bw* à la paysanne, rustiquement; **2** grossièrement, en rustre. ▼**—heid** rusticité *v*.

boert plaisanterie, raillerie *v*. ▼**—en** plaisanter, railler. ▼**—ig** facétieux, railleur, plaisant. ▼**—igheid** raillerie *v*.

boertje: *een — hebben*, avoir un renvoi.

boete 1 (*voor zonde*) pénitence *v*; **2** (*geld—*) amende *v*; — *doen*, faire pénitence; (*fig.*) faire amende honorable (de); *een — opleggen*, mettre à l'amende; *op — van*, sous peine d'une amende de. ▼**—dag** jour *m* d'expiation. ▼**—doening** pénitence, expiation *v*. ▼**—stelsel** système *m* d'amendes.

boet/en 1 (*herstellen*) raccommoder, réparer; **2** (*bevredigen*) assouvir, satisfaire; **3** (*uit—*) expier, payer. ▼**—epreek** sermon *m* sur la pénitence; remontrance *v*. ▼**—prediker** prédicateur *m* de pénitence. ▼**—psalmen** psaumes *m mv* de la pénitence, - pénitentiaux.

boetiek boutique *v*.

boetseer/der modeleur *m*. ▼**—houtje** ébauchoir *m*. ▼**—klei** argile *v* (plastique). ▼**—kunst** plastique *v*, art du modelage *m*. ▼**—was** cire *v* à modeler. ▼**boetseren I** *ov. w* modeler, ébaucher; (*fig.*) créer. **II** *zn: het —*, le modelage, (*fig.*) la création.

boetvaardig repenti, pénitent. ▼**—heid** pénitence, contrition *v*.

boeven/pak 1 habits *m mv* disciplinaires; **2** canaille *v*, tas *m* de filous. ▼**—streek, —stuk** tour *m* de fripon. ▼**—taal** argot *m*, langue *v* verte. ▼**—tronie** mine *v* patibulaire.

boezelaar tablier *m*.

boezem 1 (*v. e. vrouw*) gorge *v*; **2** sein *m*; **3** (*aardr.*) golfe *m*; (*polder—*) réservoir *v*; bassin *m* de décharge; **4** (*v. h. hart*) oreillette *v*; *zijn hand in eigen — steken*, rentrer en soi-même; *aan de — drukken*, serrer sur son cœur. ▼**—peil** niveau *m* de bassin. ▼**—vriend(in)** ami(e) intime *m* (*v*); *het zijn —ins*, ils sont inséparables. ▼**—water** eaux *v mv* d'un bassin de polder.

boezeroen vareuse *v*, bourgeron *m*.

bof 1 (*ziekte*) oreillons *m mv*; **2** (*geluk*) chance, veine *v*; *wat een —!*, quelle veine!; *op de —*, à l'œil, à crédit. ▼**—fen** avoir de la chance, - de la veine, du pot. ▼**—fer** chançard, veinard *m*.

bogaard, bogerd verger, fruitier *m*.

bogen (op) se vanter de; revendiquer

l'honneur de.

bogengang arcades *v mv*.

Boheems bohémien. ▼**Bohemen** la Bohême. ▼**Bohemer** Bohémien *m*.

boiler chauffe-eau *m* (*elektr.*).

bok 1 (*domheid*) bévue *v*; *een — schieten*, commettre une bévue; **2** (*op schip*) bigue *v*; **3** (*dier*) bouc; (*ree—*) chevreuil; chamois (*gems*); **4** (*schraag*) chevalet *v*; **5** (*gym.*) cheval *m* d'arçons; **6** (*hijswerktuig*) chèvre *v*; **7** (*v. rijtuig*) siège *m*; **8** (*lomperd*) lourdaud, rustre *m*; *een oude — lust nog wel een groen blaadje*, on n'est pas de bois.

bokaal gobelet, bocal *m*.

bok/ken 1 faire un saut de mouton; **2** (*fig.*) faire une tête. ▼**—kewagen** voiture *v* à bouc. ▼**—kepoot** pied *m* de bouc. ▼**—kepruik: de — om hebben**, être d'une humeur massacrante, avoir son bonnet de travers. ▼**—kesprong** cabriole; galipette *v*; *—en maken*, faire des extravagances. ▼**—kig** brusque, impoli. ▼**—kigheid** brusquerie, humeur rébarbative *v*.

bokking hareng saur *m*; *— roken*, saurer des harengs. ▼**—rokerij** saurisserie *v*.

boks/beugel coup-de-poing *m* (américain). ▼**—en** boxer, lutter à coups de poing; *met elkaar —*, se boxer. ▼**—er** boxeur *m*. ▼**—handschoen** gant *m* de boxe. ▼**—ijzer** coup *m* de poing. ▼**—partij** partie *v* de boxe. ▼**—sport** boxe *m*.

boktor capricorne *m*.

bol 1 *zn* **1** (*aard—*) globe *m*; **2** (*wisk.*) sphère *m*; **3** (*v. hoed*) forme *v*; **4** (*bloem—*) bulbe *v*; oignon *m* à fleur; **5** (*broodje*) petit pain *m* rond; **6** homme de tête, forte tête *v*; *halve —*, hémisphère *m*. **II** *bn* convexe, bombé; rond; *met — le wangen*, joufflu; *—le wind*, vent *m* fort et agréable. ▼**—achtig** sphéroïdal. ▼**—begonia** bégonia *m* tuberculeux. ▼**—driehoek** triangle *m* sphérique. ▼**—driehoeksmeting** trigonométrie *v* sphérique.

bolder/en 1 bouffer; **2** faire un bruit sourd; cahoter. ▼**—wagen** chariot *m* à bâche.

bolero boléro *m*.

bol/heid convexité; sphéricité, rondeur *v*. ▼**—hoed** chapeau *m* melon. ▼**—hol** convexe-concave.

bolide bolide *m* (de course).

Bolivia la Bolivie. ▼**Boliviaan** Bolivien. ▼**Boliviaans** bolivien.

bolleboos forte tête *v*, aigle *m*.

bollen I *ov. w* assommer. **II** *on. w* bouffer, se ballonner. ▼**—kweker** bulbiculteur *m*. ▼**—veld** champ *m* de fleurs.

bol/(punt)pen stylo *m* à bille, bic *m*, pointe *v* bic. ▼**—rond** sphérique. ▼**—rondheid** sphéricité *v*. ▼**—segment** calotte *v* sphérique.

bolsjew/iek, -istisch bolcheviste. ▼**—isme** bolchevisme *m*.

bolster 1 (*v. noot*) brou *m*, écale *v*; (*fig.*) écorce *v*. ▼**—en** écaler.

bol/vlak plan *m* convexe. ▼**—vorm** forme *v* sphérique. ▼**—vormig** sphérique. ▼**—werk** bastion, rempart *m*. ▼**—werken** venir à bout de.

bom 1 bombe *v*, obus *m*; **2** (*schuit*) bateau *m* (de pêche); **3** (*v. e. vat*) bondon *m*. ▼**—aanslag** attentat *m* à la bombe. ▼**—alarm** alerte *v* à la bombe.

bombard/ement bombardement *m*. ▼**—ementsvliegtuig** bombardier *m*. ▼**—eren** bombarder; *iem. tot voorzitter —*, bombarder qn président.

bombarie fracas, tapage *m*, (*fig.*) vantardise *v*. ▼**—maker** tapageur, (*fig.*) vantard *m*.

bombast style *m* emphatique, - boursouflé; *tot — vervallen*, donner dans le pathos. ▼**—isch** emphatique, boursouflé.

bombazijn basin *m*, futaine *v*. ▼**—en** de basin.

bombrief lettre *v* piégée.

bomen I *ov. w* pousser au moyen d'une perche. **II** *on. w* faire un bout de causette, bavarder.

bom/melding alerte *v* à la bombe.

▼—**menwerper** bombardier m. ▼—**pakket** colis m piégé. ▼—**scherf** éclat m de bombe. ▼—**schuit** bateau m rond. ▼—**trechter** cratère m de bombe. ▼—**vrij** à l'épreuve des bombes; — maken, blinder.

bon bon, reçu, ticket (de pain etc.) m; zonder —, (en vente) libre, sans tickets; op de — zetten, dresser une contravention à.

bonafide I bw de bonne foi. II bn sérieux, réel.

bonboekje carnet m de tickets, - à souches.

bonbon bonbon m au chocolat. ▼—**doosje** bonbonnière v.

bond alliance, confédération, fédération, ligue, union v, club, syndicat m; de — voor de rechten van de mens, la ligue des droits de l'homme. ▼**bondgenoot** allié, confédéré. ▼—**schap** alliance, coalition, (con)fédération v. ▼—**schappelijk** fédéral.

bondig I bn concis, succinct; précis. II bw d'une façon concise, succinctement; kort en — weigeren, refuser net. ▼—**heid** concision, précision v.

bonds/akte acte fédératif, pacte fédéral m. ▼—**bestuur** autorités v mv fédérales; comité m fédéral. ▼—**consul** délégué v m de l'Association Cycliste. ▼—**dag** diète v. ▼—**feest** fête v fédérale. ▼—**hotel** hôtel m affilié au Touring Club. ▼—**kanselier** chancelier fédéral. ▼—**kas** caisse v fédérale. ▼—**leger** armée v fédérale. ▼—**president** (Duitsl.) président m de la République fédérale; (Zwitserl.) président de la Confédération. ▼—**raad** conseil m fédéral. ▼—**regering** gouvernement m fédéral. ▼—**republiek** république v fédérale. ▼—**staat** confédération v. ▼—**vergadering** assemblée v fédérale.

bonensoep soupe v aux fèves. ▼**bonestaak** rame, perche v.

bongerd verger m.

bonkaart carte v d'alimentation, - de rationnement.

bonken frapper dur, heurter rudement (contre), taper (sur le piano).

bonnefooi: op de —, au hasard, au petit bonheur.

bons I tw boum!. II zn choc, coup, heurt m; de — geven, congédier, refuser; de — krijgen, être refusé, congédié.

bont I zn 1 étoffe v à carreaux; 2 fourrure v; 3 étole v, boa m; met — gevoerd, fourré. II bn bariolé, multicolore; tacheté, de couleur; een — hemd, une chemise de couleur; —e kleuren, couleurs v mv voyantes; hij maakt het te —, il va trop loin. ▼—**jas** pardessus m fourré. ▼—**je** tour m de cou (en fourrure), boa m. ▼—**kraag** col m (de) fourrure. ▼—**mantel** manteau m de fourrure. ▼—**muts** bonnet m (toque v) de fourrure. ▼—**werk** pelleterie v, fourrures v mv. ▼—**werker** pelletier, fourreur m. ▼—**werkerij, —winkel** pelleterie v.

bonus boni m; bonification v. ▼—**aandeel** action v gratuite.

bonvrij (en vente) libre.

bonze bonze m.

bonzen heurter, frapper rudement.

boodschap commission v; message m; grote —, kleine —, grosse-, petite commission; —pen doen, faire des courses, aller aux provisions; oppassen je de —, il s'agit de faire attention. ▼—**loper, —loopster** commissionnaire, livreur m. ▼—**pen** ww annoncer, mander. ▼—**penjongen** garçon m de courses. ▼—**penmand** cabas m. ▼—**pennet** filet m à provisions. ▼—**pentas** sac m à provisions, cabas m; — op wieltjes, sac m à (marché sur) roulettes. ▼—**penwagentje** poussette v, chariot m. ▼—**per, —ster** messager m, -ere v.

boog 1 arc m; 2 (arch.) arc, arceau, cintre m (d'une voûte); 3 (v. brug) arche v; arcade (v. bril, wenkbrauwen); verhoogde —, verlaagde —, arc surhaussé; - surbaissé; volle —, (arc de) plein cintre; een — beschrijven, tracer une courbe. ▼—**brug** pont m à arches. ▼—**gaanderij** arcades m mv. ▼—**gewelf**

voûte v en plein-cintre. ▼—**lamp** lampe v à arc. ▼—**lijn** courbure v. ▼—**passer** compas m à quart de cercle. ▼—**pees** corde v (d'arc). ▼—**raam** fenêtre v cintrée. ▼—**schieten** zn tir m à l'arc. ▼—**schutter** archer, arbalétrier; (sterrenbeeld) sagittaire m. ▼—**vormig** en arc, cintré.

bookmaker bookmaker m.

boom 1 arbre m; 2 (schippers—) gaffe, perche v; 3 (slag—) barrière v; 4 (deur—) barre v; 5 (dissel) timon m; 6 (lamoen) brancard m; een — opzetten, entamer une conversation à perte de vue; een kerel als een —, un gaillard solide; vruchten op de — verkopen, vendre des fruits sur tige; aan de vruchten kent men de —, c'est au fruit qu'on connaît l'arbre; je ziet door de bomen het bos niet meer, les arbres te cachent la forêt. ▼—**aanplanting** boisement m. ▼—**bast** écorce v. ▼—**blad** feuille v d'arbre. ▼—**gaard** verger, (jardin) fruitier m. ▼—**grens** limite v des arbres. ▼—**groei** végétation v arborescente. ▼—**groep** bosquet, bouquet m d'arbres. ▼—**hars** poix v, résine m. ▼—**kanker** chancre m des arbres. ▼—**kikvors** rainette v. ▼—**kweker** arboriculteur m. ▼—**kwekerij** arboriculture v; (tuin) pépinière v. ▼—**ladder** échelle v double. ▼—**marter** martre v commune. ▼—**meester** chef m du port. ▼—**paal** tuteur m (d'arbre). ▼—**rijk** boisé, riche en arbres. ▼—**rooien** coupe v et essouchement m d'arbres. ▼—**rups** chenille v commune. ▼—**schaar** cisaille v; sécateur m. ▼—**schors** écorce v (d'arbre); onder de — liggend, subcortical. ▼—**schurft** gale v d'écorce. ▼—**sluiter** garde-barrière m. ▼—**soort** essence v. ▼—**stam** tronc m (d'arbre). ▼—**stronk** souche v, chicot m. ▼—**top** cime v d'arbre. ▼—**wagen** haquet m. ▼—**was** cire v à greffer.

boon 1 haricot m, fève v; 2 (koffie—) grain m de café; blauwe —, pruneau m; bruine bonen, haricots m mv rouges; grote bonen, fèves v mv des marais; prinsessebonen, haricots m mv verts; witte bonen, haricots blancs, soissons m mv; zijn eigen bonen doppen, se tirer d'affaire soi-même; heilig —tje, petit saint m, sainte nitouche v; —tje komt om zijn loontje, comme on fait son lit on se couche.

boor (borst—) vilebrequin, (hand—) perceuse v à main, (dril—) foret m, (—tje) vrille v, (—ijzer) mèche v; (poleer—) alésoir m.

boord 1 (hals—) col m; (losse) faux col m; 2 bord m; bordure v; (v. kous) entrée v; 3 (oever) bord, rivage m, rive v; vaste —, col m tenant; omgeslagen (dubbele) liggende —, col rabattu; (met omgeslagen punten) col cassé; staande —, col droit; slappe —, col mou, -souple; half slappe —, col demi-dur; 4 (mar.) bord m; aan —, à bord; het leven aan —, la vie du bord; aan — gaan, monter à bord, s'embarquer; aan — komen, aborder; een man over — , un homme à la mer; over — gooien, jeter à la mer, (fig.) sacrifier; over — zetten, immerger (un cadavre). ▼—**baleintje** support-col m. ▼—**band** liséré, galon m. ▼—**computer** ordinateur m de bord. ▼—**en** galonner; border; garnir. ▼—**eknoop** bouton m de col. ▼—**evol** rempli jusqu'au bord, comble. ▼—**licht** fanal m de bord. ▼—**lint** ruban m à border. ▼—**maat** encolure v; overhemd met — 40, chemise v d'encolure 40. ▼—**personeel** personnel m de bord. ▼—**sel** galon; bord m. ▼—**wapens** armes v mv de bord. ▼—**werktuigkundige** mécanicien, (fam.) mécano m.

boor/eiland plate-forme v. ▼—**gat** forure v, trou m de sonde. ▼—**houder** porte-mèche m. ▼—**ijzer** mèche v. ▼—**machine** perforatrice, perceuse v. ▼—**meester** maître-foreur m. ▼—**mes** couteau m de perforatrice. ▼—**put** puits m de forage.

boort bort m, poussière v de diamant.

boor/tafel chevalet m. ▼—**terrein** chantier m de forage. ▼—**toren** tour v (de forage), derrick m.

boor/water eau v boriquée. ▼—**watten**
coton m lavé v boriqué. ▼—**zalf** vaseline v boriquée.
▼—**zuur** acide m borique. ▼—**zuurzout**
borate m.
boos 1 (*slecht*) mauvais; **2** méchant,
dangereux; **3** fâché, en colère, irrité; —
worden, se fâcher (de), se mettre en colère; se
faire du mauvais sang; — *zijn op*, être fâché
contre, en vouloir à; *het boze oog*, le mauvais
œil; *de boze geest*, l'esprit malin; — *blijven
op*, tenir rigueur à. ▼—**aardig I** bn malicieux,
méchant. **II** bw malicieusement.
▼—**aardigheid** malice, malignité,
méchanceté v. ▼—**doener** malfaiteur.
▼—**heid 1** (*slechtheid*) méchanceté;
dépravation v; **2** (*toorn*) colère, irritation v.
▼—**wicht** scélérat, fripon m.
boot bateau m; canot; (*stoom*—) (bateau à)
vapeur, navire, paquebot m; *de — missen*,
(*fig. en fam.*) rater la coche. ▼—**hals** décolleté
bateau m. ▼—**tochtje** promenade v en
bateau. ▼—**trein** train m transatlantique.
▼—**werker** débardeur, ouvrier des ports,
docker m.
borax borax m.
bord 1 assiette v (plate); (*diep —*) assiette v
creuse; **2** panneau m; **3** (*school*—) tableau m
noir; **4** (*uithang*—) enseigne v; *een schoon
—*, une assiette blanche; *voor het — moeten
komen*, être envoyé au tableau noir.
bordeel maison v close, bordel m. ▼—**houder**
tenancier m de maison de prostitution; (*pop.*)
maquereau m.
borden/hanger accroche-plat m. ▼—**lift**
monte-plats m. ▼—**rek** porte-assiettes m.
▼—**warmer** chauffe-assiettes m.
▼—**wassen** zn (*lavage*m de la) vaisselle,
plonge v. ▼—**wasser** plongeur m.
border bordure v de fleurs.
borderel bordereau m.
bordes 1 (*voor huis*) perron m; **2** (*v. trap*)
palier, carré m.
bord/je 1 petite assiette v; **2** (*voor
aankondiging*) écriteau m; plaque, pancarte v;
de —s zijn verhangen, les choses ont changé
de face. ▼—**papier** carton m. ▼—**papieren**
en carton; — *doos*, carton m.
borduren broder; faire de la tapisserie.
▼**borduur/der,**—**ster** brodeur m, -euse v.
▼—**gaas** canevas m. ▼—**garen** fil m à broder.
▼—**kloesje** brodoir m. ▼—**naald** aiguille v à
broder. ▼—**patroon** dessin m de broderie;
canevas m. ▼—**priem** broche v à broder.
▼—**raam** métier m à broder, tambour m.
▼—**sel** broderie v. ▼—**steek** point m de
broderie. ▼—**werk** broderie, tapisserie v.
▼—**zijde** soie v à broder.
bordvol assiettée v.
boren forer, percer (un tunnel), trouer; *in de
grond —*, couler à fond; (*fig.*) ruiner; *iem. iets
door de neus —*, frustrer qn de qc.; - dans son
attente; souffler qc à qn; *—de pijn*, douleur v
cuisante, - lancinante.
borg caution v; garant, répondant m; —
blijven voor iem. (*iets*), se porter garant pour
qn (de qc); *voor iets —staan*, garantir qc,
répondre de qc; *een — stellen*, fournir -,
produire caution. ▼—**en 1** garantir; **2** vendre à
crédit, faire crédit de; **3** acheter à crédit.
▼—**som** caution v. ▼—**steller** donneur m de
caution. ▼—**stelling** cautionnement m,
(*borg*) caution v; *tegen —*, sous
caution (nement); *onder — ontslaan*, élargir (qn) sous caution.
boring forage, sondage m.
borium bore m.
Borneo Bornéo m.
borrel 1 petit verre, apéritif m, goutte v;
2 (*bobbel*) bulle v; bouillon v; *een —
drinken*, prendre l'apéritif, boire la goutte; *aan
de — zijn*, être adonné à la boisson. ▼—**en**
1 bouillonner, former des bulles d'air, surgir;
2 prendre l'apéritif. ▼—**fles** bouteille v au
genièvre. ▼—**hapjes** zakouskis m mv;
amuse-gueule m. ▼—**tijd** heure v de l'apéritif.

borst 1 (*v. mens*) poitrine v; sein m; (*alleen v.
vrouw*) mamelle; gorge v; **2** (*v. paard*) poitrail
m; **3** devant de chemise, plastron m; *een kind
de — geven*, donner le sein à un enfant; *van
de — afwennen*, sevrer; *aan de — drukken*,
embrasser, presser sur son cœur; *het op de —
hebben*, souffrir de la poitrine.
▼—**aandoening** affection v de la poitrine.
▼—**ademhaling** respiration v thoracique.
▼—**beeld** buste m.
borstel 1 brosse; décrottoire v; **2** (*v.e. varken*)
soie v; **3** (*elektr.*) balai m. ▼—**achtig** en
brosse. ▼—**en** brosser; décrotter. ▼—**fabriek,**
—**handel** brosserie v. ▼—**ig 1** hérissé, en
brosse; **2** (*v. wenkbrauwen*) broussailleux, en
broussailles. ▼—**werk** articles m de
brosserie. ▼—**winkel** (magasin m de)
brosserie v.
borst/harnas cuirasse v, plastron m.
▼—**holte** cavité v thoracique. ▼—**hoogte**
hauteur v d'appui. ▼—**kas** thorax m.
▼—**kindje** enfant m nourri au sein. ▼—**klier**
glande v mammaire. ▼—**kwaal** maladie v de
poitrine. ▼—**lijder** poitrinaire m (& v).
▼—**omvang** tour m de poitrine. ▼—**plaat**
1 devant m de cuirasse; **2** tablette v de sucre. .
▼—**rok** camisole v, tricot m; gilet m de laine.
▼—**speld** broche v. ▼—**stuk 1** corps m de
cuirasse; **2** (*vlees*) poitrine v. ▼—**vlies** plèvre
v. ▼—**vliesontsteking** pleurésie v; *droge —*,
pleurite v. ▼—**voeding** allaitement m au sein;
— *geven*, nourrir au sein. ▼—**wering** parapet
m. ▼—**wervel** vertèbre v dorsale. ▼—**wijdte**
tour m de poitrine. ▼—**zak** poche v poitrine.
bos 1 botte v; bouquet m; gerbe v; (*takken*—)
fagot m; **3** (*veren*) panache m; **4** (*haar*—)
touffe v; **5** (*sleutel*—) trousseau m; **6** (*woud*)
bois m, forêt v. ▼—**aanplant** (re)boisement
m. ▼—**achtig** boisé, sylvestre. ▼—**beheer**
(Administration v des) Eaux et forêts v mv.
▼—**bes** myrtille v. ▼—**bouw** sylviculture v.
▼—**bouwkundig** de sylviculture; —**e,**
sylviculteur m. ▼—**bouwschool** école v
forestière. ▼—**brand** incendie m de forêt.
▼—**exploitatie** exploitation v forestière.
▼—**flora** flore v forestière. ▼—**geest** sylvain
m. ▼—**gezicht** sous-bois m. ▼—**god** sylvain,
faune m. ▼—**godin** dryade v. ▼—**je** bouquet m.
▼**B—jesman** Bochiman m. ▼—**kant** lisière -,
orée du bois. ▼—**landschap** paysage m
boisé; sous-bois m. ▼—**lucht** odeur v de
forêt. ▼—**mens 1** homme m des bois;
2 orang-outan (g) m. ▼—**mier** fourmi v
rousse. ▼—**neger** nègre m des bois. ▼—**nimf**
zie —**godin.**
Bosporus Bosphore m.
bos/produkt produit m forestier. ▼—**rand**
lisière v. ▼—**rijk** boisé, couvert de bois.
▼—**varen** fougère v mâle. ▼—**viooltje**
violette v des bois. ▼—**wachter** garde m
forestier. ▼—**wachterswoning** pavillon m
de garde forestier. ▼—**weg** chemin m
forestier. ▼—**wezen** bois et forêts m v; régime
m forestier.
bot I zn **1** (*vis*) flet m; plie v; **2** (*plk.*) bourgeon,
bouton m; **3** (*been*) os m; — *vangen,*
1 essuyer un refus; **2** trouver visage de bois.
II bn émoussé; (*fig.*) obtus, bête, stupide;
grossier. **III** bw **1** stupidement; **2** rudement;
tout net; — *weigeren*, refuser net.
botan/ica,—**ie** botanique v. ▼—**icus**
botaniste m. ▼—**isch** botanique.
▼—**iseertrommel** boîte v d'herborisateur.
▼—**iseren** herboriser.
boter beurre m; *met — besmeren*, beurrer; —
bij de vis, donnant donnant; *dat is — aan de
galg gesmeerd*, c'est peine perdue; —, *kaas en
eieren*, beurre, œufs, fromages; *handelaar in
—, kaas en eieren*, crémier, marchand de
B.O.F. ▼—**achtig** butyreux. ▼—**banket**
pâtisserie v d'amandes. ▼—**biesje** galette v.
▼—**bloem** bouton m d'or. ▼—**bloemigen**
renonculacées v mv. ▼—**boer(in)** crémier m,
-ière v. ▼—**boor** sonde v à beurre. ▼—**deeg**
pâte v feuilletée. ▼—**en I** ov.w (em)beurrer
(une tartine); mettre du beurre dans. **II** on.w

baratter; se changer en beurre; *het wil niet —,* il y a un cheveu. **▼—fabriek** laiterie *v.* **▼—gebak** pâtisserie *v* au beurre. **▼—geel** (jaune) beurre-frais. **▼—ham** tartine *v* de beurre; *aangeklede (gemeubileerde) —,* tartine *v* garnie; *— in een papiertje,* casse-croûte *m.* **▼—hammentrommel** boîte *v* à sandwiches, - à casse-croûte. **▼—handel** commerce *m* de beurre. **▼—handelaar** crémier *m.* **▼—karn** baratte *v.* **▼—koek** gâteau *m* au beurre. **▼—letter** gâteau *m* feuilleté à la pâte d'amande en forme de lettre. **▼—markt** marché *m* au beurre. **▼—melk** petit-lait, babeurre *m.* **▼—saus** sauce *v* au beurre. **▼—ton** baril *m* à beurre. **▼—vloot** beurrier *m.* **▼—waag** halle *v* au beurre.

botheid 1 (*v.e. mes*) émoussement *m*; **2** (*v. geest*) bêtise, stupidité, grossièreté *v.*

bots/autootje auto *v* tamponneuse. **▼—en** heurter, donner (contre); (*v. treinen enz.*) tamponner; *tegen elkaar —,* se heurter, s'accrocher, se tamponner. **▼—ing** heurt, choc *m,* collision *v,* tamponnement *m;* (*fig.*) conflit, choc, impact *m; in — komen,* entrer en collision (avec), tamponner; *in — komen met,* entrer en conflit avec.

bottelen mettre en bouteilles.
botten bourgeonner.
botterik imbécile, rustre *m.*
botulisme botulisme *m.*
botvier/en lâcher la bride à (un cheval); (*fig.*) donner libre cours à. **▼—ing** assouvissement *m.* **▼botweg** tout net, carrément, sans égards.

boud I *bn* hardi, téméraire. **II** *bw en —weg* hardiment.

bouffante gros cache-nez, châle *m.*
bougie bougie *v; een stel —s,* un jeu de bougies. **▼—draad** filament *m.* **▼—kabel** câble *m* d'allumage. **▼—sleutel** clé *v* à bougie.

bouillon bouillon; consommé *m; — in blokjes,* bouillon en cubes. **▼—blokje** cube *m* de bouillon.

boulevard boulevard *m.*
Bourbons *bn* bourbonien.
Bourgon/dië Bourgogne *v.* **▼—iër** Bourguignon *m.* **▼—isch** bourguignon. **▼bourgognewijn** (vin de) Bourgogne *m.*

bout 1 (*tech.*) boulon *m*; **2** (*strijk—*) fer *m* à repasser; **3** (*vlees*) gigot *m* (de mouton), cuisse *v* (de volaille); quartier *m* (de bœuf); cuissot *m* (de gibier). **▼—en** boulonner, barrer.

bouw 1 (*arch.*) construction *v;* (*vak*) bâtiment *m;* **2** (*—wijze*) style *m;* **3** culture; **4** (*v. mens*) taille *v; de —v.h. menselijk lichaam,* la structure du corps humain; *schoon van —,* bien bâti; (*v. vrouw*) la taille bien prise; *slank van —,* élancé. **▼—bedrijven** industrie *v* du bâtiment. **▼—blok** îlot *m.* **▼—commissie** conseil *m* des bâtiments. **▼—contract** contrat *m* d'entreprise. **▼—doos** boîte *v* de construction. **▼—en I** *ov.w* construire; **2** cultiver. **II** *on.w: — op,* bâtir sur, (*fig.*) faire fond sur; *zijn hoop — op,* mettre son espoir en. **III** *zn: het —,* la construction. **▼—er 1** constructeur; architecte *m;* **2** (*land—*) cultivateur *m.* **▼—grond** terrain *m* à bâtir; terre *v* cultivable. **▼—heer** maître *m* de l'ouvrage; promoteur *m.* **▼—kunde** architecture *v.* **▼—kundig** *bn* (& *bw*) architectonique(ment); *— ingenieur,* ingénieur *m* constructeur. **▼—kundige** architecte *m.* **▼—kunst** architecture *v.* **▼—land** terre *v* cultivable; champ *m.* **▼—maatschappij** société *v* immobilière. **▼—materialen** matériaux *m mv* de construction. **▼—pakket** kit *m.* **▼—plaat** modèle *m* de construction (en papier). **▼—rijp** viabilisé; *— maken,* viabiliser. **▼—stijl** style *m.* **▼—stof(fen)** matériaux *m mv.* **▼—terrein** terrain *m* à bâtir, terrain *m* vague. **▼—vak** *zie* **—bedrijven.** **▼—vakarbeider** ouvrier *m* du bâtiment. **▼—val** ruine *v.* **▼—vallig** caduc, délabré.

▼—vereniging société *v* de constructions. **▼—vergunning** permis *m* de construire; *een — afgegeven,* délivrer un permis de construire **▼—verordening** règlement *m* sur la construction. **▼—werk** édifice, monument *m.*

boven I *vz* au-dessus de; sur; en plus de; *— elkaar plaatsen,* superposer; *hij is — de 70,* il a dépassé les 70 ans; *10 gulden het gewone tarief,* 10 florins en plus du tarif ordinaire; *— verwachting,* au-delà de toute attente; *de natuur gaat — de leer,* chassez le naturel, il revient au galop; *— alles,* avant tout; *het hoofd — water houden,* tenir bon. **II** *bw* en haut, au-dessus; *zie —,* voir ci-dessus; *naar — brengen,* monter; *van — naar beneden,* de haut en bas. **▼—aan** en tête de; *— de bladzijde,* en haut de la page. **▼—aards** surnaturel, céleste. **▼—al** surtout, avant tout. **▼—arm** arrière-bras *m.*

boven/bedoeld susvisé. **▼—been** cuisse *v.* **▼—bewoner** locataire *m* d'en haut, - du dessus. **▼—bouw** superstructure *v;* (*v. school*) second cycle *m,* classes *v mv* terminales. **▼—broek** pantalon *m.* **▼—buur** voisin(e) *m(v)* du premier, - second, - d'en haut.

bovendien en outre, de plus.
bovendrijven surnager, émerger; (*fig.*) dominer, triompher.
boveneinde partie *v* supérieure; haut bout *m* (de la table).

boven/gemeld, —genoemd susdit, ledit, mentionné ci-dessus. **▼—goed** vêtements *m mv* de dessus. **▼—grond** sol *m,* surface *v.* **▼—gronds** aérien, de surface.
bovenhuis étage(s) *m(mv)* supérieur(s).
bovenin *I vz* dans le dessus de. **II** *bw* dans le dessus.

boven/kaak mâchoire *v* supérieure. **▼—kamer** chambre *v* d'en haut. **▼—kant** côté *m* supérieur, dessus, haut *m.* **▼—kleren** *zie* **—goed.** **▼—komen 1** monter; (*uit water*) faire surface; **2** avoir le dessus.

boven/leiding (*v. elektr. trein*) caténaire *v.* **▼—licht** jour *m* du haut; (*raam*) imposte *v.* **▼—lijf** haut *m* du corps, buste *m,* taille *v.* **▼—loop** cours *m* supérieur. **▼—lucht** hautes régions *v mv* de l'atmosphère.

boven/mate excessivement, outre mesure. **▼—matig** excessif, démesuré. **▼—menselijk** surhumain.

bovennatuurlijk surnaturel.
boven/om par en dessus. **▼—op** dessus; *hij is er weer —,* il se remet (à flot); *er weer — komen,* se rétablir, guérir, se remettre. **▼—over** par en haut.

bovenrand bord *m* supérieur.
Boven-Rijn Haut-Rhin *m.*
bovenrok jupe *v.*
boven/staand susdit, ci-dessus. **▼—stad** ville haute *v.* **▼—ste I** *bn* supérieur, le plus haut; *van de — plank,* le dessus du panier; *la fine fleur.* **II** *zn: het —,* le sommet, le dessus, le haut. **▼—stroom** courant *m* de surface. **▼—stuk** partie *v* supérieure, pièce *v* de dessus.

boventoon son *m* dominant; harmonique *m/v; de — voeren,* dominer, donner le ton, tenir le haut du pavé.
bovenuit au-dessus; *— steken, — klinken,* dominer.
boven/vak case *v* supérieure. **▼—verdieping** étage *m* supérieur. **▼—vlak** surface *v* supérieure, dessus *m.*
bovenwoning appartement *m* à un étage supérieur.
boven/zinnelijk transcendant; métaphysique. **▼—zinnelijkheid** transcendance *v.* **▼—zijde** *zie* **—vlak.**

bowl bol *m.*
box stalle *v,* box *m;* parc *m* de bébé.
boycot boycottage *m.* **▼—ten** boycotter.
boze (esprit) malin, diable, Satan *m; het —,* le mal; *uit den —,* néfaste, funeste.
braad/ijzer hâtier *m.* **▼—oven** four *m* rôtissoire. **▼—pan** poêle *v* à frire. **▼—rooster**

grille m. ▼—**slede** lèchefrite v; plat m (à four) à bec verseur. ▼—**spit** broche v. ▼—**stuk** rôti m. ▼—**vet** graisse v à frire, friture v. ▼—**worst** saucisse v à rôtir, - rôtie.

braaf I bn brave, honnête, vertueux, intègre; *een brave Hendrik*, un petit saint; *dat is — van je*, c'est très bien à vous. **II** bw bravement, bien, comme il faut. ▼—**heid** honnêteté, probité, vertu v.

braak I zn 1 (*breken*) effraction v; **2** (*werktuig*) broie v, ma(c)que v. **II** bn en jachère; — *liggen*, reposer; — *laten liggen*, laisser en friche. ▼—**middel** vomitif m. ▼—**sel** vomissure v.

braam 1 (*aan mes*) morfil m; **2** (—*bes*) mûre v sauvage, mûron m. ▼—*bos* ronceraie v; *brandend* —, buisson m ardent. ▼—**struik** ronce v.

Brabander Brabançon. ▼**Brabant** le Brabant. ▼—s brabançon; *een B—e*, une Brabançonne.

brabbel/aar bredouilleur m. ▼—**en** bredouiller; bafouiller. ▼—**taal** baragouin, jargon m.

braden I ov.w rôtir; (*op rooster*) griller. **II** on.w rôtir, cuire; *hij ligt in de zon te —*, il se rôtit au soleil.

braderie braderie v.

brahmaan Brahmane m. ▼—s brahmanique. ▼**brahmanisme** Brahmanisme m.

brailleschrift écriture Braille v; *in —*, écrit en braille; *in — gedrukt*, tiré en braille.

brain/drain drainage m de cerveaux. ▼—**storm** idée v géniale. ▼—**storming** brainstorming m; (*fam.*) remue-méninges m.

brak I bn saumâtre. **II** zn braque m.

braken I ov.w broyer. **II** on.w rendre, vomir, cracher. **III** zn: *het —*, **1** le broyage; **2** le vomissement.

brallen se vanter; brailler, crier.

brancard brancard m, civière v.

brand 1 feu, incendie m; **2** (*med.*) inflammation; —/, au feu!; *er is —*, il y a le feu, c'est le feu; —*stichten*, mettre le feu à, incendier; *in — raken*, prendre feu; *in — staan*, être en feu, brûler; *uit de — helpen*, tirer d'embarras. ▼—**alarm** tocsin m; alerte v au feu. ▼—**alarmoefening** exercice m d'alerte au feu. ▼—**alarmschel** avertisseur m d'incendie. ▼—**aris** fanal, phare m. ▼—**baar** combustible, inflammable. ▼—**baarheid** combustibilité, inflammabilité v. ▼—**blaar** cloque v. ▼—**blusapparaat**, —**blusmiddel** extincteur m; —*en*, matériel m d'extinction. ▼—**bom** bombe v incendiaire. ▼—**brief** lettre v comminatoire, - alarmante. ▼—**deur** porte v de secours; - coupe-feu. ▼—**emmer** seau m à incendie. ▼—**en I** on.w brûler; — *van verlangen*, brûler de désir. **II** ov. w **1** brûler; **2** se brûler (la main); **3** (*v. koffie*) brûler; **4** distiller. ▼—**end** brûlant, ardent, en feu; torride; allumé (pipe); —*e pijn*, douleur v cuisante; —*e lucifer*, allumette v allumée; — *heet*, brûlant, ardent. **brander 1** distillateur m; **2** (*gas*—) bec, brûleur m. ▼—**ig 1** roussi, qui sent le brûlé; **2** (*v. gevoel*) cuisant; *het ruikt hier —*, cela sent le brûlé ici. ▼—**ij** distillerie, brûlerie v.

brandewijn eau-de-vie v. ▼—**stoker** bouilleur m (de cru). ▼—**stokerij** bouillerie v.

brand/gang ruelle v; coupe-feu, pare-feu m. ▼—**gevaar** danger m d'incendie. ▼—**glas** lentille v, verre m ardent. ▼—**granaat** obus m incendiaire. ▼—**haak** croc m. ▼—**hout** bois m de chauffage; tison m.

branding brisants m mv.

brand/kast coffre-fort m. ▼—**kastkraker** débrideur m de coffforts. ▼—**kluis** chambre v forte. ▼—**kraan** bouche v d'incendie; borne v d'incendie. ▼—**ladder** échelle v de secours. ▼—**lucht** odeur v de brûlé. ▼—**meester** lieutenant m des pompiers. ▼—**melder** avertisseur m d'incendie. ▼—**merk** marque v. ▼—**merken** marquer d'un fer chaud; (*fig.*) stigmatiser, flétrir. ▼—**middel** remède m contre les brûlures; cautère m. ▼—**muur** mur m mitoyen, mur coupe-feu. ▼—**netel** ortie v.

▼—**offer** holocauste m. ▼—**piket** piquet m d'incendie. ▼—**pijl** fusée v incendiaire. ▼—**punt** foyer m. ▼—**puntsafstand** distance v focale. ▼—**put** prise v d'eau. ▼—**schade** dégâts m mv causés par l'incendie. ▼—**schatten** mettre à contribution, rançonner. ▼—**schel** sonnette v d'alarme. ▼—**scherm** rideau m de fer. **brandschilder** émailleur m. ▼—**en** émailler. ▼—**ing** peinture v en émail. **brand/schoon** d'une propreté minutieuse. ▼—**signaal** signal m d'incendie. ▼—**slang** tuyau m d'incendie. ▼—**spiegel** miroir m ardent. ▼—**spiritus** alcool m à brûler. ▼—**spuit** lance v à incendie. ▼—**spuitauto** autopompe v. ▼—**stapel** bûcher m. ▼—**stichter** incendiaire m. ▼—**stichting** incendie m criminel. **brandstof** combustible m; — *voor auto's*, carburant m.▼**brandstoffen/bergplaats** soute v à combustibles. ▼—**handel** commerce m de combustibles, magasin des c. ▼**brandstof/tank** réservoir m de carburant. ▼—**voorziening** ravitaillement v en combustibles. **brand/toren** mirador m. ▼—**trap** escalier m de secours. ▼—**verf** émail m. ▼—**verzekering** assurance v contre l'incendie. ▼—**verzekeringsmaatschappij** compagnie v d'assurances contre l'incendie. ▼—**vrij** à l'épreuve du feu; ignifuge; — *maken*, ignifuger. ▼—**waarborg** zie —*verzekering*. ▼—**wacht** garde v de nuit, piquet m d'incendie. ▼—**weer** service m d'incendie, (corps m des) sapeurs-pompiers m mv. ▼—**weerkazerne** centre m de secours; caserne v des sapeurs-pompiers. ▼—**weerman** sapeur-pompier m. ▼—**weerpost** centre m de secours. ▼—**wond** brûlure v.

brandy eau-de-vie v; — *soda*, eau-de-vie à l'eau de Seltz.

brand/zalf onguent m contre les brûlures. ▼—**zeil** toile v de saut.

branieschopper crâneur, fanfaron m.

brasem brème v.

brass/en I on.w faire la noce. **II** ov.w brasser. ▼—**er** noceur, débauché m ▼—**erij** orgie, débauche v.

bravo bravo.

bravoure bravoure v.

Brazili/aan Brésilien m. ▼—**aans** brésilien(ne). ▼**Brazilië** le Brésil.

breed I bn large, vaste, ample; **2** m —, large de deux mètres; *breder worden*, s'élargir; *breder maken*, élargir; *het is zo lang als het — is*, cela revient au même; *lang en — vertellen*, raconter en détail; *het niet — hebben*, vivre petitement; — *zien*, voir (les choses en) large. **II** bw largement, amplement. ▼—**gebouwd** -bien découplé. ▼—**gerand** à larges bords. ▼—**geschouderd** large d'épaules. ▼—**heid** largeur; carrure v. ▼—**sprakig I** bn prolixe, verbeux. **II** bw tout au long. ▼—**sprakigheid** prolixité v. ▼**breedte 1** largeur v; **2** (*aardr.*) latitude v; **3** (*v. e. stof*) laize v; **4** (*schouder*—) carrure v; *in de —*, dans le sens de la largeur. ▼—**cirkel** parallèle m. ▼—**graad** degré , m de latitude. ▼**breedvoerig I** bn ample, détaillé. **II** bw amplement, tout au long, en détail. ▼—**heid** ampleur, prolixité, profusion v de détails.

breekbaar fragile, (*nat.*) réfrangible. ▼—**heid** fragilité v. ▼**breekijzer** pince v monseigneur.

brei I on. & ov. w tricoter. **II** zn: *het —*, le tricotage. ▼—**garen** fil m à tricoter. ▼—**koker** porte-aiguilles m. ▼—**machine** tricoteuse v.

brein cerveau m, cervelle v; (*fig.*) esprit m.

brei/naald aiguille v à tricoter. ▼—**patroon** modèle m de tricot. ▼—**pen** zie —*naald*. ▼—**steek** maille v. ▼—**ster** tricoteuse v. ▼—**werk** tricotage, ouvrage m.

breken I ov. w **1** (*met inspanning*) rompre; (*m. slag*) casser; (*in veel stukken*) briser; (*met gekraak*) fracasser; **2** (*nat.*) réfracter; **3** (*fig.*) rompre; violer; *een been —*, se casser une jambe; *nood breekt wet,* nécessité n'a pas de loi; *iem. het hart —,* briser le cœur à qn. **II** *on.* **w 1** se rompre, casser, se briser; **2** se réfracter; *de ogen —,* les yeux s'éteignent. **III** *zn: het —,* la fracture (d'un os), la fraction (du pain), la réfraction (des rayons); *(fig.)* rupture, coupure (avec le passé) *v.* ▼**breker** briseur *m*; *(mar.) een — over krijgen,* embarquer. ▼**breking 1** rupture, fracture *v*; **2** *(nat.)* réfraction *v.* ▼**—shoek** angle *m* de réfraction. **brem 1** genêt *m*; **2** *(pekel)* saumure *v.* **Bremen** Brême *v.* ▼**Bremer** Brémois *m.* **breng/en 1** *(dragen)* porter; *(naar spreker)* apporter (qc), amener (qn); **2** *(leiden)* conduire, mener; *het ver —,* aller loin: *aan de man —,* **1** marier (une femme); **2** placer (des marchandises); *aan het licht —,* mettre au jour; *een glas aan de lippen —,* approcher un verre de ses lèvres; *in rekening —,* porter en compte; *naar bed —,* mettre au lit, coucher; *naar boven —,* monter; *te weeg —,* causer; *ter dood —,* exécuter; *ter wereld —,* mettre au monde; *tot stand —,* effectuer, réaliser; *iem. ertoe — te,* amener qn à; *hij is er niet toe te —,* on ne peut le persuader. ▼**—er,** **—ster** porteur *m,* -euse *v.* **bres** brèche *v.* **bretel** bretelle *v.* **Breton** Breton *m.* ▼**—s** breton; *een B—s,* une Bretonne. **breuk 1** rupture, fracture *v*; **2** *(wisk.)* fraction *v*; **3** *(med.)* hernie *v*; *repeterende —,* fraction *v* périodique. ▼**—band** bandage *m* (herniaire). ▼**—operatie** herniotomie *v.* ▼**—spalk** éclisse *v.* ▼**—vlak** plan *m* de rupture. **breve** bref *m.* **brevet** brevet *m* (p.e. - de pilote). **brevier** bréviaire *m.* **bridge** bridge *m.* ▼**—n** jouer au bridge. ▼**—speler,** **—speelster** bridgeur *m,* -euse *v.* ▼**—tafel** table *v* de bridge. **brief** lettre *v*; *aangetekende —,* **1** *(met geld)* lettre chargée; **2** *(zonder geld)* lettre recommandée; *(v.)* lettre. ▼**—geheim** secret *m* des correspondances. ▼**—ing** instructions *v mv*; briefing *m.* ▼**—kaart** carte *v* postale; *— met betaald antwoord,* carte postale avec réponse payée. ▼**—omslag** enveloppe *v.* ▼**—opener** coupe-papier *m.* ▼**—papier** papier *m* à lettres. ▼**—port** port, affranchissement *m.* ▼**—schrijver** auteur *m* d'une lettre, correspondant *m.* ▼**—vorm** forme *v* épistolaire; *roman in —,* roman *m* sous forme de lettres. ▼**—wisseling** correspondance *v.* **bries** frais *m.* ▼**—en 1** *(v. paard)* s'ébrouer; **2** *(v. mens)* rugir, tempêter. **brieven/besteller** facteur *m.* ▼**—boek 1** copie-lettres *m*; **2** recueil *m* de modèles de lettres. ▼**—bus** boîte *v* aux lettres; *uit de — halen,* retirer (les lettres) de la boîte. ▼**—gaarder** facteur-receveur *m.* ▼**—hoofd** en-tête *m.* ▼**—ordener** classeur *m.* ▼**—post** poste *v* (aux lettres). ▼**brieweweger** pèse-lettres *m.* **brigade** brigade, équipe *v.* ▼**—commandant** général *m* de brigade = —generaal *(fam.)* brigadier *m.* ▼**brigadier** brigadier *m.* **brij** bouillie, purée *v.* ▼**—achtig** collant, gluant; en bouillie. **brik 1** *(mar.)* brick *m*; **2** *(rijtuig)* break *m.* **briket** briquette *v.* **bril 1** lunettes *v mv*; *twee —len,* deux paires de lunettes; *blauwe —, groene —,* conserves *v mv*; **2** *(v. closet)* siège *m.* **briljant I** *zn* brillant *m.* **II** *bn* brillant. **III** *bw* brillamment. ▼**brillantine** brillantine *v.* **brille/doos** étui *m* à lunettes. ▼**—glas** verre *m* de lunettes. ▼**brillen** se servir de lunettes, porter des l. ▼**—maker,** **—slijper** opticien *m.* ▼**brilslang** serpent *m* à lunettes. **brisant/bom** bombe *v* explosive. ▼**—granaat** obus *m* brisant. **Brit** Britannique; Anglais *m.* ▼**Brits** de la Grande-Bretagne, britannique. **brits 1** châlit *m*; **2** *voor de — krijgen,* recevoir une fessée.

brittanniametaal métal *m* blanc, - anglais. **broch/eermachine** brocheuse *v.* ▼**—eren** brocher. ▼**—ure** brochure *v.* **broddel/aar** bousilleur, gâcheur. ▼**—werk** travail fait sans soin, bousillage *m.* **brodeloos** sans pain; *hij is —,* il est sur le pavé. **broed** couvée *v.* ▼**—ei** œuf *m* couvé. ▼**—en** cultiver. **broeder** frère; *half—,* **1** demi-frère (de même père); **2** demi-frère (de même mère). ▼**—band** lien *m* de la fraternité. ▼**—dienst** bons offices *m mv* entre frères; remplacement *m* d'un frère. ▼**—kus** baiser *m* de fraternité, accolade *v.* ▼**—liefde** amour *m* fraternel. ▼**—lijk** *bn* (& *bw)* fraternel(lement), en frère(s). ▼**—lijkheid** fraternité *v.* ▼**—moord,** **—moordenaar** fratricide *m.* ▼**—plicht** devoir *m* fraternel. ▼**—schap 1** fraternité *v*; **2** *(genootschap)* confrérie, communauté, congrégation *v.* ▼**—school** école *v* des Frères. ▼**—twist** dissension *v* entre frères. ▼**—volk** peuple-frère *m.* **broed/hen** (poule) couveuse *v.* ▼**—machine** couveuse *v.* ▼**—tijd** couvaison *v.* **broei/bak** couche *v* chaude. ▼**—en 1** *zie* **broeden; 2** *on. w (v. hooi)* fermenter, s'échauffer; **3** *on. w* cultiver en serre chaude; *er broeit een onweer,* il se prépare un orage; *er broeit wat,* il se mijote qc; *er broeit wat bij hem,* il mijote un coup. ▼**—erig** orageux, lourd. ▼**—kas** serre *v* chaude. ▼**—nest** couvoir *m*; *(fig.)* foyer *m.* **broek 1** marais, marécage *m*; **2** *(korte —)* culotte *v*; **3** *(lange —)* pantalon *m*; **4** *(onder —, zwem—)* caleçon, slip *m*; *het in zijn — doen,* faire dans sa culotte; *voor zijn — krijgen,* recevoir la fessée; *voor de — geven,* fesser. ▼**—band** ceinture *v*; *zijn — aanhalen,* serrer sa ceinture d'un cran. ▼**—klem** pince-pantalon *m.* ▼**—pak** tailleur-pantalon *m.* ▼**—pers** presse-pantalon *m.* ▼**—rok** jupe-culotte *v.* ▼**—sgulp** braguette *v.* ▼**—spijp** jambe *v.* **broer** frère *m.* *(pop.)* frangin; *een —tje dood hebben aan iets,* détester qc. **brok** morceau; fragment; débris, bout *m*; *een — in de keel hebben,* avoir la gorge serrée. ▼**—kelen I** *ov. w* morceler, émietter, rompre en petits morceaux. **II** *on. w* s'émietter, s'effriter. ▼**—kelig** friable, cassant. ▼**—ken** morceler *(zie —kelen); iets in de melk te — hebben,* avoir de quoi; avoir de l'influence. ▼**—sgewijs** par fragments, *(v.)* ▼**—stuk** fragment *m,* bribe *v,* morceau *m.* **brokaat** brocart *m.* **brom/beer** grognon, bougon, ours *m.* ▼**—fiets** cyclomoteur; vélomoteur *m.* ▼**—fietser** cyclomotoriste *m.* **bromide** bromure *v.* ▼**bromium** brome *m.* **brom/men I** *on. w* **1** *(gonzen)* bourdonner; **2** gronder, grogner, ronfler; *hij moet een jaar —,* il en a pour un an. **II** *ov. w* grommeler; *wat ik je brom,* je t'en donne mon billet. **III** *zn: het —,* le bourdonnement, le grondement. ▼**—tol** toupie *v* d'Allemagne. ▼**—vlieg** grosse mouche; mouche *v* bleue. **bron 1** source, fontaine *v*; **2** *(fig.)* source, origine *v*; *uit goede — vernemen,* tenir de source autorisée; *hete —,* eau *v* thermale, therme *m.* ▼**—ader** veine *v* d'eau; *(fig.)* source *v.* **bronch/iën** bronches *v mv.* ▼**—itis** bronchite *v.* **bron/gas** gaz *m* naturel. ▼**—god** divinité des sources. ▼**—godin** naïade *v.* ▼**—kuur** cure *v* thermale. ▼**—nenstudie** étude *v* des sources. ▼**—nenvermelding** renvoi *m* aux sources. ▼**—olie** pétrole *m.* **brons** bronze, airain *m.* ▼**—gieter** bronzier *m.* ▼**—gieterij** fonderie *v* de bronze. ▼**—groen** vert bronze. ▼**—kleurig** bronzé, couleur de bronze. **bronst, -igheid** chaleur *v,* rut *m.* ▼**—en** être en chaleur, - en rut. ▼**—ig** en chaleur, en rut. **bronstijdperk** âge *m* du bronze. **bronsttijd** rut, temps du rut *m.*

brons/verf bronze *m* pulvérulent. ▼**—werker** ouvrier bronzier, bronzeur *m*.
bronwater 1 eau *v* de source, eau *v* vive; **2** eau *v* minérale; eaux *v mv* thermales.
bronzen bronzer.
brood brood; *m*; *bruin* —, pain *m* bis; *op water en* —, au régime du pain et de l'eau; *zijn — verdienen met,* gagner sa vie à. ▼**—bak** corbeille *v* à pain. ▼**—bakken** boulanger. ▼**—bakker** boulanger. ▼**—bakkerij** boulangerie *v*. ▼**—bezorger** porteur *m* de pain. ▼**—bon** ticket *m* de pain. ▼**—boom** arbre *m* à pain. ▼**—deeg** pâte *v*. ▼**—dief** voleur *m* de pain; concurrent *m* déloyal. ▼**—dronken** sans frein, pétulant. ▼**—graan** céréales *v mv* panifiables. ▼**—je** petit pain *m*; *zoete* —*s bakken,* filer doux; — *met vlees,* sandwich *m*. ▼**—kaart** carte *v* de pain. ▼**—korf** panier *m* à pain. ▼**—korst** croûte *v* de pain. ▼**—kruim** mie *v* de pain. ▼**—kruimel** miette *v* de pain. ▼**—mager** maigre comme un clou. ▼**—mand** panier *m*; *(op tafel)* corbeille *v* à pain. ▼**—mes** couteau *m* à pain. ▼**—nijd** jalousie *v* de métier. ▼**—nodig** indispensable. ▼**—pap** panade *v*. ▼**—plank** planche *v* à pain. ▼**—rooster** grille-pain *m*. ▼**—schrijver** écrivain *m* à gages. ▼**—soep** soupe *v* au pain. ▼**—trommel** boîte *v* à pain. ▼**—winner** soutien *m* de famille. ▼**—winning** gagne-pain, métier *m*. ▼**—zak** sac *m* à pain; musette *v*.
broom/kali bromure *m* de potassium. ▼**—zilver** bromure *m* d'argent. ▼**—zuur** acide *m* bromique. ▼**—zuurzout** bromate *m*.
broos fragile, frêle. ▼**—heid** fragilité *v*.
bros cassant; friable. ▼**—heid** fragilité, friabilité *v*.
brouw/en l *ov. w* **1** brasser (de la bière); **2** machiner, comploter. **ll** *on. w* **1** brasser; **2** *(bij spreken)* grasseyer. ▼**—er 1** *zie* **bierbrouwer** *enz.*; **2** grasseyeur *m*. ▼**—ketel** brassin *m*. ▼**—kuip** brassin *m*. ▼**—sel** brassin, breuvage *m*.
brug 1 pont *m*; **2** (*v. schip*) passerelle *v*; **3** (*gymn.*) barres *v mv* parallèles; *hangende* —, pont *m* suspendu; *vaste* —, pont fixe; *een* — *slaan (over),* jeter un pont (sur); *over de* — *komen,* s'exécuter. ▼**—balans** balance *v* à bascule. ▼**—boog** arche *v*. ▼**—dag** jour *m* de pont. ▼**—dek** tablier *m*. ▼**—klasse** classe *v* du cycle d'observation. ▼**—leuning** garde-fou; (*stenen*) parapet *m*. ▼**—periode** (*school*) tronc *m* commun. ▼**—wachter** pontier *m*. ▼**—wijdte** ouverture, portée *v*.
Brugge Bruges *v*.
brui: *er de* — *aan geven,* en avoir assez.
bruid 1 (*voor trouwdag*) fiancée, future *v*; (*op trouwdag*) (nouvelle) mariée; *zij is de* —, les bans de son mariage ont été publiés; — *en bruidegom,* les jeunes mariés, les jeunes époux *m mv*. ▼**—egom 1** (*voor trouwdag*) fiancé, futur *m*; **2** (*op trouwdag*) (nouveau) marié. ▼**—je 1** petite mariée; **2** jeune fille *v* en blanc. ▼**bruids/bed** lit *m* nuptial. ▼**—boeket** bouquet *m* de mariée. ▼**—dagen** délai *m* où court la publication des bans. ▼**—geschenk** cadeau *m* de mariage. ▼**—goed 1** trousseau *m*; **2** toilette *v* de mariée; **3** biens *m mv* paraphernaux. ▼**—japon** robe *v* de mariée. ▼**—jonker** garçon *m* d'honneur; —*s en bruidsmeisjes,* service *m* d'honneur. ▼**—koets** coupé *m* de mariage. ▼**—krans** couronne *v* de fleurs d'oranger. ▼**—meisje** demoiselle *v* d'honneur. ▼**—nacht** nuit *v* de noces. ▼**—paar 1** les futurs époux; **2** les jeunes mariés *m mv*. ▼**—schat** dot *v*. ▼**—sluier** voile *m* de mariée. ▼**—suiker** praline, dragée *v*. ▼**—tooi** parure *v* nuptiale. ▼**—tranen** hypocras *m*.
bruikbaar utile, utilisable, propre à; praticable; — *mens,* homme capable. ▼**—heid** utilité, praticabilité *v*.
bruikleen prêt à usage, commodat *m*; *in* — *van,* prêté par.
bruiloft mariage *m*, noces *v mv*; — *vieren,* célébrer ses noces; *naar de* — *gaan,* aller à la

noce; *zijn gouden* — *vieren,* célébrer les noces *d'or; van een* — *komt een* —, les noces s'enchaînent. ▼**—sdag** jour *m* des noces. ▼**—sfeest** noces *v mv*. ▼**—sgast** invité *m* à la noce; *de* —*en* les gens de la noce. ▼**—smaal** repas *m* de noces. ▼**—splechtigheid,** cérémonie *v* nuptiale.
bruin l *bn* brun, basané; — *maken,* — *worden,* brunir; se dorer (au soleil); — *braden,* rissoler, roussir; *door de zon gebruind,* doré, hâlé par le soleil, basané, bronzé. **ll** *zn* **1** brun *m* bai; **2** Brun (l'ours). ▼**—achtig** brunâtre. ▼**—brood** pain *m* bis. ▼**—en l** *ov. w* **1** brunir; **2** (*v. d. zon*) hâler, basaner. **ll** *on. w* brunir; se hâler. ▼**—harig** aux cheveux *m mv* bruns. ▼**—kool(briket)** (briquette *v* de) lignite *m*. ▼**—ogig** aux yeux bruns, - marron, - noisette. ▼**—vis** marsouin *m*.
bruis écume *v*. ▼**—en l** *on. w* mousser, bruire; (*v. bloed*) bouillonner. **ll** *zn: het* —, le bruissement; l'écume, la poussée (*v. bloed*). ▼**—tablet** comprimé *m* effervescent.
brul/aap singe *m* hurleur. ▼**—boei** (bouée *v* sonore à) sirène *v*. ▼**—len l** *on. w* **1** (*v. leeuw*) rugir; **2** (*v. stier*) mugir; **3** (*v. mens*) hurler. **ll** *zn: het* —, le rugissement; le mugissement, le hurlement.
brunette brunette, brune *v*.
Brussel Bruxelles. ▼**—aar** Bruxellois *m*. ▼**—s** bruxellois; — *lof,* endives *v mv* (flamandes).
brutaal l *bn* impertinent, insolent, effronté; — *tegen,* insolent avec; *de brutalen hebben de halve wereld,* il n'y a que les honteux qui perdent; *dat is bij het brutale af,* cela frise l'insolence. **ll** *bw* insolemment, effrontément. ▼**brutal/iseren** traiter avec insolence. ▼**—teit** impertinence, insolence; assurance *v*; *hij had de* — *om...,* il avait le toupet de...
bruto brut; — *loon,* salaire *m* brut; — *inkomsten,* revenu *m* brut; — *ontvangst,* recette *v* brute.
brusk *bn* (*& bw*) brusque(ment), d'un ton brusque. ▼**—eren:** *een zaak* —, brusquer les choses. ▼**—heid** brusquerie *v*.
bruut l *bn* brutal; *brute kracht,* force *v* brutale. **ll** *zn* brute *v*.
BTW taxe *v* à la valeur ajoutée, T.V.A. ▼**—tarief** taux *m* de T.V.A.; *lager* —, taux *m* de T.V.A. minoré.
budget budget *m*; *van het* —, budgétaire. ▼**—tair** (*taalk.*) budgétaire.
buffel buffle *m*. ▼**—achtig l** *bn* grossier. **ll** *bw* grossièrement. ▼**—leer** (peau *v* de) buffle *m*.
buffer tampon *m*. ▼**—staat** état-tampon *m*. ▼**—zone** zone *v* tampon.
buffet 1 buffet *m*; *antiek* —, bahut *m*; **2** buvette *v*, comptoir; (*fam.*) zinc *m*; **3** *koud* —, lunch *m*. ▼**—houder** tenancier *m* de buffet. ▼**—juffrouw** dame *v* de comptoir.
bui 1 (*regen*) giboulée, ondée *v*; **2** (*gril*) accès, caprice *m*; **3** (*hoest-*) quinte *v*; *maartse* —*en,* giboulées *v mv* de mars; *hij is in een* — *om,* il est en humeur de; *een goede (slechte)* — *hebben,* être de bonne (mauvaise) humeur; *bij* —*en,* par accès.
buig/baar flexible, pliable; (*taalk.*) variable. ▼**—baarheid** flexibilité; (*taalk.*) variabilité *v*. ▼**—en l** *ov.w* plier, courber, fléchir (les genoux), baisser (la tête). **ll** *on.w* **1** (se) plier, (se) courber; **2** s'incliner, faire une révérence; **3** fléchir (devant qn); céder (à qn.); s'incliner. **lll** *zich* — se baisser, se courber, s'incliner. ▼**—ing 1** flexion (de bras), inflexion (de voix), inclination *v* (de la tête); détour, coude, tournant *m* (du chemin); **2** flexion *v*; **3** (*taalk.*) flexion *v*. ▼**—ingsuitgang** désinence *v*. ▼**—tang** pince *v* (plate; -ronde). ▼**—zaam** flexible, pliant, souple, (*fig.*) docile, facile; — *maken,* assouplir. ▼**—zaamheid** flexibilité, souplesse; (*fig.*) docilité *v*.
buiig inconstant, pluvieux; **2** (*fig.*) changeant, capricieux; *het is* — *weer,* le temps est à la pluie. ▼**—heid** inconstance *v*.
buik 1 ventre *m*; **2** (*v. zeil*) creux, sein *m*; **3** (*v. ton*) bouge *m*; *hij krijgt een* —, il prend du ventre; *een dikke* — *hebben,* avoir le ventre

gros, être grosse; (plat) op de — liggen, être à plat ventre; een hongerige — heeft geen oren, ventre affamé n'a point d'oreilles; dat zijn 2 handen op een —, ce sont deux têtes sous un bonnet; er de — vol van hebben, en avoir ras le bol. ▼—ademhaling respiration v abdominale. ▼—breuk hernie v abdominale. ▼—dans danse v du ventre. ▼—danseres danseuse v du ventre. ▼—ig bombé, renflé, à ventre; ventru. ▼—loop diarrhée v. ▼—ontlasting évacuation, selle v; hij heeft driemaal — gehad, il a poussé trois selles. ▼—opening 1 ponction v au ventre; 2 évacuation v; 3 harakiri m. ▼—operatie laparotomie v. ▼—pijn mal m de ventre; — hebben, avoir mal au ventre. ▼—riem sangle, ventrière v; de — aanhalen, serrer la ceinture d'un cran. ▼—spier muscle m abdominal. ▼—spreken parler du ventre. ▼—spreker ventriloque m. ▼—streek région v ventrale. ▼—typhus typhus m abdominal. ▼—verstopping constipation v. ▼—vin nageoire v ventrale. ▼—vlies péritoine m. ▼—vliesontsteking péritonite m. ▼—ziekte maladie v des intestins. ▼—zuiverend purgatif. ▼—zuivering purgation v.
buil bosse, enflure, (fam.) cabosse v. ▼—en bluter. ▼—enpest peste v bubonique. ▼—tje petite bosse v; sac, sachet, cornet m.
buis 1 tuyau, tube m; (leidings-) canal, conduit m; — van Eustachius, trompe v d'Eustache; 2 (tv) le petit écran; 3 jaquette; veste v, veston m. ▼—frame châssis m tubulaire. ▼—haring hareng m salé. ▼—kool chou m blanc. ▼—lamp lampe v tube. ▼—leiding canalisation v. ▼—meubel meuble m tubulaire. ▼—vormig tubulaire. ▼—water embruns m mv.
buit butin m; proie v; — maken, prendre, s'emparer de.
buitel/aar culbuteur m. ▼—en culbuter. ▼—ing culbute v.
buiten I vz 1 hors de, en dehors de; 2 excepté; sauf; 3 outre; sans; — adem, hors d'haleine; — gebruik stellen, désaffecter; — kennis, sans connaissance; — vervolging stellen, rendre un non-lieu; — iets kunnen, se passer de qc; — mij om, à mon insu; — verwachting, contre toute attente; — zichzelf zijn, être hors de soi. II bw dehors; au dehors; zich er — houden, se tenir à l'écart; naar — gaan, 1 sortir (de la maison), 2 aller à la campagne; zich te — gaan, faire des excès (de); van — kennen, savoir par cœur; van — sluiten, fermer en dehors; van — gezien, vu du dehors; dat huis is van — mooi, cette maison est belle par dehors, - à l'extérieur. III zn maison v de campagne.
buiten/aards extra-terrestre. ▼—af (van —) du dehors.
buiten/band pneu m. ▼—bekleding revêtement m extérieur. ▼—boordmotor moteur m hors bord; boot met —, hors-bord m. ▼—brengen sortir (qc.); reconduire (qn.) à la porte.
buiten/deur porte v extérieure, - d'entrée. ▼—dien de plus, en outre, outre cela. ▼—dienst service m extérieur. ▼—dijk digue v extérieure. ▼—dijks au-delà de la digue.
buitenechtelijk (né) hors mariage, extra-conjugal, naturel.
buiten/gaan sortir. ▼—gaats hors des passes. ▼—gemeente commune v de banlieue.
buitengewoon I bn extraordinaire; extrême; exceptionnel; éminent; — hoogleraar, chargé m de cours. II bw extrêmement, extraordinairement. ▼—heid qualités v mv extraordinaires.
buitengoed zie buiten zn.
buiten/halen sortir. ▼—haven avant-port m. ▼—hoek angle m externe. ▼—hof avant-cour v.
buitenissig saugrenu, excentrique. ▼—heid excentricité v.
buiten/kansje (bonne) aubaine v, chance v.

▼—kant (côté) extérieur, dehors m; boulevard m maritime. ▼—kerkelijk non-rattaché.
buiten/land étranger, extérieur m. ▼—lander étranger m. ▼—lands extérieur; étranger, de provenance étrangère; —e handel, commerce m extérieur, - international; —e politiek, politique v à l'étranger; minister van —e zaken, ministre des Affaires étrangères; —e reis, voyage m à l'étranger. ▼—laten (laisser) sortir. ▼—leerling externe m & v. ▼—leven vie à la campagne, vie au grand air v. ▼—lid associé m. ▼—lokken attirer dehors. ▼—loods pilote m hauturier. ▼—lucht grand air, air m de la campagne. ▼—lui ruraux; campagnards m mv.
buiten/man campagnard, provincial m. ▼—mate excessivement. ▼—muur mur m extérieur.
buiten/om par le dehors. ▼—opname prise v de vue en extérieur.
buiten/partij partie v de campagne. ▼—post 1 avant-poste m; 2 station v éloignée.
buitenrand bord m extérieur.
buiten/schools —e vorming, éducation v extrascolaire. ▼—shuis (au) dehors, hors de la maison; — eten, diner en ville; — slapen, découcher. ▼—singel boulevard m extérieur. ▼—slands à l'étranger. ▼—sluiten fermer la porte (à qn.); (fig.) exclure, éliminer; excepter. ▼—sluiting exclusion v; met — van, à l'exclusion de. ▼—sociëteit casino m. ▼—spel hors jeu. ▼—speler extrême (gauche, droit) m. ▼—spiegel rétroviseur m extérieur. ▼—sporig I bn extravagant, exorbitant. II bw excessivement. ▼—sporigheid extravagance v; zich aan buitensporigheden schuldig maken, commettre des excès, - des folies. ▼—staander non-initié, profane m. ▼—stad faubourg m, banlieue v. ▼—ste I bn extérieur. II zn le dehors, l'extérieur m. ▼—stoten expulser.
buiten/tekstplaat planche v hors texte. ▼—tijds à une heure indue; hors de saison. ▼—trap escalier m en hors d'œuvre.
buitenvenster contre-fenêtre v, contre-châssis m. ▼—verblijf zie buiten zn.
buiten/waarts en -, au dehors; de voeten — zetten, mettre les pieds en dehors. ▼—wacht avant-poste m; ik heb dat van de — gehoord, je le sais par ouï-dire. ▼—wereld monde m extérieur, le dehors. ▼—werpen expulser, jeter dehors. ▼—wonen zn villégiature v. ▼—wijk quartier m excentrique, (quartier m de) la périphérie, faubourg m.
buiten/zijde extérieur, dehors m. ▼—zintuiglijk extra-sensoriel.
buitmaken capturer.
buizen/ketel chaudière v tubulaire. ▼—net réseau v de canalisation v. ▼—post réseau m pneumatique; door — verzonden brief of kaart, pneu m. ▼—stelsel tuyauterie v.
buizerd buse v.
bukken I on.w se baisser, se courber; succomber à, céder à, (se) plier devant; onder zorgen gebukt gaan, être accablé de soucis; onder een last gebukt gaan, plier sous un fardeau. II zich — se baisser.
buks carabine v 2 —boom, —hout buis m.
bukskin cuir m de laine.
buksschieten tir m à la carabine.
bul 1 taureau m; (fig.) butor, bourru m; 2 bulle v; 3 diplôme m (de docteur); al zijn —len, tout son bagage; zijn —len kennen, savoir ses affaires.
bulder/aar criard, tapageur m. ▼—en I on.w 1 (v. zee, wind) mugir, hurler; 2 (v. geschut) gronder, 3 (fig.) faire la grosse voix, tempêter, faire du tapage. II zn: het —, le mugissement, le hurlement, le grondement, le tapage.
buldog=bulhond bouledogue m.
Bulgaar Bulgare m. ▼—s bulgare; een B—e, une Bulgare. ▼Bulgarije la Bulgarie.
bulkboek livre m en forme de journal.
bulken I on.w beugler, mugir; hij bulkt van het

geld, il remue l'or à la pelle, il est tout cousu d'or. II zn: het —, le beuglement, le mugissement.
bulldozer bulldozer, bouteur m.
bulle/bak épouvantail, loup-garou, tyran m. ▼—**pees** nerf m de bœuf.
bult 1 hauteur, élévation v; **2** bosse, (med.) gibbosité v; zich een — lachen, se tordre de rire. ▼—**enaar** bossu m. ▼—**ig 1** (v. ding) bosselé; cabossé; raboteux; **2** (v. mens) bossu, gibbeux. ▼—**os** bison, zébu m. ▼—**zak** paillasse v.
bumper pare-chocs m; — aan —, p. contre p.
bun boutique v, banneton; vivier m.
bundel 1 paquet m; **2** (bos) botte v; **3** (gedichten) recueil m; **4** (stukken) dossier m; **5** (papieren) liasse v; **6** (pijlen) faisceau m. ▼—**en** réunir en (un) volume; botteler; faire un paquet.
bunder hectare m.
bungalow bungalow m. ▼—**park** groupe m de bungalows. ▼—**tent** tente v à plusieurs pièces.
bunker soute v; casemate v. ▼—**en** faire son plein de charbon. ▼—**haven** port m à charbon. ▼—**kolen** charbon m de soute.
bunzing putois m; stinken als een —, puer comme un bouc.
burcht château (fort) m. ▼—**heer** châtelain m. ▼—**vrouw** châtelaine v.
bureau bureau; office; poste m; naar het — brengen, conduire au poste. ▼—**cratie** bureaucratie v. ▼—**cratisch** bn (& bw) bureaucratique(ment). ▼—**cratius (sint)** Monsieur Lebureau. ▼—**list** buraliste m. ▼—**ministre** bureau-ministre m. ▼—**stoel** chaise v de bureau. ▼**bureel** bureau m. ▼—**schrijver** copiste; expéditionnaire m.
burengerucht tapage m nocturne.
burg château fort m.
burgemeester maire; bourgmestre; syndic (in Zwitserl.) m. ▼—**sambt** fonctions v mv de maire. ▼—**schap** charge v de maire. ▼—**skamer** cabinet m du maire.
burger 1 bourgeois m; **2** (staats—) citoyen m; **3** (niet mil.) civil m; in —, en civil. ▼—**bestaan** honnête morceau de pain m. ▼—**bevolking** population v civile. ▼—**deugd** vertu v civique. ▼—**dienst** service m civil. ▼—**dochter** jeune fille v bourgeoise. ▼—**es** bourgeoise, citoyenne v. ▼—**ij** bourgeoisie v. ▼—**jongen** fils m de bourgeois. ▼—**juffrouw** petite bourgeoise v. ▼—**keuken** cuisine v bourgeoise. ▼—**klasse** classe v moyenne, - bourgeoise. ▼—**kleren** effets m mv civils. ▼—**kost** cuisine v bourgeoise.
burgerlijk I bn **1** bourgeois; **2** (staats—) civil; **3** (niet-adellijk) roturier; de —e beleefdheid, la politesse la plus élémentaire; — recht, droit m civil; —e stand, état m civil; hij is erg —, il est fort roturier, il manque de formes; — worden, s'embourgeoiser. II bw bourgeoisement. ▼—**heid** manières v mv bourgeoises.
burger/luchtvaart aviation v civile. ▼—**lui(tjes)** petits bourgeois m mv. ▼—**maatschappij** société v civile. ▼—**man** (petit) bourgeois, roturier m. ▼—**oorlog** guerre v civile. ▼—**pakje** tenue v civile. ▼—**plicht** devoirs m mv civiques. ▼—**pot** cuisine v bourgeoise; ordinaire m. ▼—**recht 1** droit m de cité; nationalité v; **2** droit m civil; — verkrijgen, obtenir la naturalisation. ▼—**rechtelijk** de droit civil. ▼—**schap** droit m de bourgeoisie, - de cité; indigénat m. ▼—**schapsrechten** droits m mv civiques. ▼—**school** école v primaire; hogere —, école v d'enseignement secondaire; section v moderne (d'un lycée). ▼—**staat** société v civile. ▼—**stand 1** classe v bourgeoise, bourgeoisie v; **2** classe v moyenne; **3** (gesch.) tiers état m; de deftige —, la haute bourgeoisie. ▼—**twist** dissension v civile, - intestine. ▼—**vader** maire, bourgmestre m. ▼—**volk** gens m mv du commun, petits gens v mv, roturiers m mv. ▼—**vrouw** bourgeoise,

femme v du peuple. ▼—**wacht** garde v territoriale. ▼—**zin** civisme m; gebrek aan —, incivisme m.
burg/graaf châtelain, vicomte. ▼—**graafschap** vicomté v. ▼—**gravin** châtelaine, vicomtesse v. ▼—**voogd** châtelain; intendant m. ▼—**voogdes** châtelaine, intendante v. ▼—**wal** remparts m mv; douves v mv; fossé m; canal m (in Nederl.)
burlen bramer.
burlesk burlesque.
burrie civière v.
bursa corporalier m; bourse v. ▼**bursaal** boursier m.
bus 1 boîte v; **2** tronc m (des pauvres); **3** boîte v aux lettres; **4** (ziekenfonds) caisse v de secours mutuel; **5** (om een stok) virole v; **6** autobus m; (v. verkeer buiten de stad) car m; in de — doen, jeter of mettre à la boîte. ▼—**groente** légumes m mv de conserve. ▼—**halte** arrêt m d'autobus.
buskruit poudre v (à canon); hij heeft het — niet uitgevonden, il n'a pas inventé la poudre. ▼—**fabriek** poudrerie v. ▼—**fabrikant** poudrier m. ▼—**verraad** conspiration v des poudres.
buslichting levée v.
bus/praktijk médecine v de caisse. ▼—**reis** circuit m organisé en autocar. ▼—**spoor** (vrije baan) couloir m d'autobus.
buste buste m, gorge v. ▼—**houder** soutien-gorge m.
butagas (gaz) butane m. ▼—**fles** bouteille v de butane.
buur voisin m; goede buren hebben, être bien avec ses voisins. ▼—**jongen** garçon m du voisinage. ▼—**man** voisin m; al te goed is — s gek, qui se fait brebis, le loup le mange. ▼—**meisje** jeune fille v du voisinage, petite voisine v. ▼—**praatje** propos m de voisins; (ongunstig) commérage m. ▼—**schap** voisinage m; goede — houden, être au mieux avec les voisins. ▼—**staat** état m voisin, - limitrophe.
buurt 1 voisinage m; **2** quartier m; in de — van, aux environs de; vlak in de —, à deux pas d'ici; blijf uit de —, n'approchez pas. ▼—**en** fréquenter ses voisins. ▼—**schap** hameau m. ▼—**spoorweg** chemin m de fer vicinal. ▼—**verkeer** service m local, service m de banlieue. ▼—**weg** chemin m vicinal.
buurvrouw voisine v.
buutpaal repos, but m.
buxus buis m.
Byzantijns byzantin. ▼**Byzantium** Byzance v.

C 1 (*letter*) c *m*; **2** (*muz.*) do, ut *m*.
cabaret cabaret *m*.
cabine cabine *v*.
cacao cacao *m*. ▼—**boom** cacaoyer *m*.
  ▼—**boter** beurre *m* de cacao. ▼—**fabriek**
  cacaoterie *v*.
cachot cachot *m*.
cactus cactier, cactus *m*. ▼—**planten** cactées
  v mv.
cadans cadence *v*.
cadeau cadeau *m*; — *geven*, faire cadeau (de
  qc) ; — *krijgen*, recevoir en cadeau ; *is het*
  voor een —*tje ?*, est-ce pour offrir ? ▼—**bon**
  chèque-cadeau *m*.
cadet élève *m* d'une école militaire.
Caesar César *m*. ▼**c**—**isme** césarisme *m*.
café-chantant café-concert *m*.
  ▼**caféhouder** cafetier, bistro *m*. ▼**cafeïne**
  caféine *v*; —*vrij*, décaféiné. ▼**cafetaria**
  cafétéria *v*; self-service *m*.
caisson caisson *m*. ▼—**arbeid** travail *m* d'air
  comprimé. ▼—**arbeider** tubiste *m*.
cake biscuit; cake *m*. ▼—**vorm** moule *m* à
  cake.
calcium calcium *m*. ▼—**carbonaat** calcite *v*.
calcul/atie calcul *m*. ▼—**eren** calculer.
caleidosc/oop kaléidoscope *m*. ▼—**opisch**
  bn (en *bw*) kaléidoscopique(ment).
call-money emprunt *m* remboursable sur
  demande.
calorie calorie *v*. ▼**calorisch** calorique,
  thermique ; *dieet met lage* —*e waarde*, régime
  m restrictif dit 'basses calories'.
calqueerpapier papier *m* à calquer.
Calvarieberg Calvaire *m*.
Calvijn Calvin. ▼**calvin/isme** Calvinisme *m*.
  ▼—**ist** Calviniste *m*. ▼—**istisch** calviniste.
cambio lettre *v* de change.
camera appareil *m* photographique ; (*v. film,*
  tv) caméra *v*. ▼—**man** opérateur, caméraman
  m.
camouflage/net filet *m* de camouflage.
  ▼—**uniform** uniforme *m* moucheté.
  ▼**camoufleren** camoufler.
campagne campagne *v*; *een* — *voeren*,
  mener une campagne.
camping 1 camping *m*; **2** terrain *m* de
  camping.
Canada le Canada. ▼**Canadees I** *bn*
  canadien(ne). **II** *zn* Canadien *m*.
canon canon *m*. ▼—**iek** canonique; — *recht*,
  droit *m* canon. ▼—**isatie** canonisation *v*.
cantharel chanterelle *v*.
canvas canevas *m*.
caoutchouc caoutchouc *m*.
capabel capable. ▼**capaciteit** capacité *v*.
cape caban *m*.
capitul/atie capitulation *v*. ▼—**eren**
  capituler.
capsule 1 capsule ; **2** (*met medicijn*) gélule *v*.
captain chef *m* d'équipe.
cara affections *v mv* chroniques et
  non-spécifiques des voies respiratoires.
caravan caravane *v*; remorque *v* de camping.
carbid carbure *v*. ▼—**lamp** lampe *v* à
  acétylène.
carbochemisch : —*e industrie*, industrie *v*
  carbochimique.

carbol phénol, acide *m* phénique.
carbonpapier (papier) carbone *m*.
carbura/teur, —tor carburateur *m*.
cardio/gram cardiogramme *m*. ▼—logie cardiologie *v*. ▼—loog cardiologue *m*.
cargadoor courtier *m* maritime, commissionnaire *m* chargeur. ▼—slijst manifeste *m*. ▼cargo cargaison *v*.
cariës carie *v*. **carieus** carié.
carnaval carnaval *m*.
carport auvent *m* pour voitures.
carrier appareil *m* transporteur.
carrière carrière *v*; *het — maken* (*uit persoonlijke ambitie*), le carriérisme. ▼carrosserie carrosserie *v*; (*fam.*) caisse *v*.
carrousel carroussel *m*; chevaux *m mv* de bois.
carter carter *m*; (*v. auto*) carter moteur; *het —aftappen*, vidanger le moteur.
carto/graaf cartographe *m*. ▼—grafie cartographie *v*. ▼—grafisch cartographique.
casco caisse; coque *v*. ▼—verzekering assurance *v* sur corps.
cash en espèces.
cassatie cassation *v*; *in — gaan*, se pourvoir en cassation.
cassette 1 cassette *v*; 2 (*v. tafelzilver*) ménagère *v*. ▼—recorder lecteur-enregistreur *m* de cassette. ▼—speler lecteur *m* de cassettes.
castr/eren châtrer. ▼—atie castration *v*.
catacomben catacombes *v mv*.
catalog/iseren cataloguer. ▼—us catalogue *m*.
catastrofaal catastrophique.
catch catch *m*.
catech/isatie, —ismus catéchisme *m*.
categor/ie catégorie *v*. ▼—isch *bn* (& *bw*) catégorique(ment).
cathedra: *ex —*, du haut de la chaire.
causaal causal, *— verband*, rapport *m* de cause à effet. ▼causaliteit causalité *v*.
cavaler/ie cavalerie *v*. ▼—ist cavalier *m*.
cedel 1 liste *v*.; 2 contrat, (*huur—*) bail *m*; 3 (*hand.*) récépissé; warrant *m*.
ceder cèdre *m*.
ceintuur ceinture *v*. ▼—baan chemin *m* de fer de ceinture; boulevard *m* de ceinture.
cel 1 cellule *v*; 2 (*elektr.*) élément *m*; 3 (*pol.*) noyau *m*; *—len vormen in,* noyauter.
celebreren célébrer (la Messe).
celib/aat célibat *m*. ▼—atair célibataire *m*.
cel/lenbouw, —vorming noyautage *m*.
cellist violoncelliste *m*. ▼cello violoncelle *v*.
cellofaan cellophane *v*.
Celsius: *16 graden —,* seize degrés celcius.
cel/stof cellulose *v*. ▼—straf régime *m* cellulaire. ▼—wagen voiture *v* cellulaire.
cement cément *m*; 2 (*v. tanden*) cément *m*. ▼—eren 1 cimenter (un mur); 2 cémenter (un métal).
censor censeur *m*. ▼censuur censure *v*.
cent cent *m*; *hij heeft geen —*, il n'a pas le sou; *voor geen — minder,* pas un sou de moins; *zonder een — beginnen,* partir de rien. ▼—enbakje sébile *v*.
centi/gram centigramme *m*. ▼—liter centilitre *m*. ▼—meter centimètre *m*.
centraal *bn* (& *bw*) central (ement). ▼—bureau bureau *m* de direction. ▼centrale central *m* téléphonique; centrale *v* électrique. ▼centralis/atie centralisation *v*. ▼—eren centraliser. ▼—tisch centraliste.
centri/fugaal centrifuge. ▼—fuge appareil *m* centrifuge; (*v. het drogen van was*) essoreuse *v*. ▼—petaal centripète.
centrum centre *m*.
ceremon/ie cérémonie *v*. ▼—ieel I *zn* cérémonial *m*. II *bn* cérémoniel; froid, solennel.
certific/aat certificat *m*; *— van aandeel,* récépissé *m*; *— van goed gedrag,* certificat de bonne vie et mœurs. ▼—eren certifier.
ces (*muz.*) ut (*of* do) bémol *m*.
cessi/e cession *v*. ▼—onaris cessionnaire *m*.
cesuur césure *v*.

chagrijnleer chagrin *m*.
chalet chalet *m*.
chambre séparée cabinet *m* particulier.
champagne champagne *m*. ▼—koeler seau *m* à champagne.
chant/age chantage *m*. ▼—eren faire du chantage; *hij heeft me gechanteerd,* il m'a fait un chantage.
cha/os chaos *m*. ▼—otisch chaotique.
chaperonne chaperon *m*. ▼—ren chaperonner.
chapiter chapitre *m*; *iem. op een ander — brengen,* amener qn sur un autre sujet; *van het — brengen,* faire perdre le fil à qn.
charisma charisme *m*. ▼—tisch charismatique.
charm/ant I *bn* charmant. II *bw* d'une manière charmante. ▼—eren charmer.
chartaal: *— geld,* 1 monnaie *v* légale; 2 argent *m* en espèces.
charter/en affréter, noliser; louer (un taxi). ▼—maatschappij compagnie *v* charter. ▼—vliegtuig avion *m* nolisé. ▼—vloot flotte *v* charter.
chassis châssis *m*.
chaufferen conduire. ▼chauffeur chauffeur *m*. ▼—srestaurant restaurant *m* de routiers.
chauvinist(isch) chauvin *m* (& *bn*).
checken contrôler. ▼checklist liste *v* de contrôle. ▼check-up examen *m* médical, check-up *m*.
chef chef *m*.
chem/icaliën produits *m mv* chimiques. ▼—icus chimiste *m*. ▼—ie chimie *v*. ▼—isch *bn* (& *bw*) chimique(ment). ▼—otherapie chimiothérapie *v*.
cheque chèque *m*; *blanco —,* chèque en blanc; *— aan toonder,* chèque au porteur; *een — schrijven,* libeller un chèque. ▼—boekje chéquier *m*.
chic gratin *m*.
Chileen Chilien *m*. ▼—s chilien; *een C—se,* une Chilienne. ▼Chili le Chili.
chilisalpeter nitrate *m* de soude du Chili.
chimpansee chimpanzé *m*.
China la Chine. ▼Chinees I *bn* chinois; *een Chinese,* une Chinoise. II Chinois *m*.
chip microprocesseur *m*; microplaquette *v*.
chips chips *m mv*.
chique I *bn* chic *m* & *v*. II *bw* chiquement.
chirurg chirurgien *m*. ▼—isch *bn* (& *bw*) chirurgical (ement).
chloor chlore *m*. ▼chloroform chloroforme *m*. ▼—(is)eren chloroformer. ▼chlorofyl chlorophylle *v*.
chocola(de) chocolat *m*. ▼—fabriek chocolaterie *v*. ▼—kan chocolatière *v*. ▼—vlokken copeaux *m mv* de chocolat (râpé).
choke starter *m*. ▼—n faire l'appel du gaz.
cholera choléra *m*. ▼—lijder cholérique *m*.
cholerisch colérique.
cholesterol cholestérol *m*; *—gehalte,* taux *m* de cholestérol.
choqueren choquer.
choreografie chorégraphie *v*.
chrisma saint chrême *m*.
christ/elijk *bn* chrétien. II *bw* chrétiennement. ▼—en chrétien *m*; *—-democraat,* démocrate-chrétien (ne) *m* (*v*). ▼—endom christianisme *m*. ▼—enheid chrétienté *v*. ▼—in chrétienne *v*.
Christus le Christ; (*prot.*) Christ. ▼—beeld image *v* du Christ, crucifix *m*. ▼—kind enfant *m* Jésus.
chromosoom chromosome *m*.
chron/isch chronique. ▼—ometer chronomètre *m*.
chroom chrome *m*. ▼—staal acier *m* chromé.
chrysant(hemum) chrysanthème *m*.
ciborie ciboire *m*.
cichoreikoffie café *m* de chichorée.
cif caf.
cijfer 1 chiffre *m*; 2 note *v*; *hoge —s halen,* obtenir de bonnes notes. ▼—en chiffrer, calculer. ▼—schrift chiffre *m*. ▼—sleutel clé

v.
cilinder cylindre m. ▼—**blok** bloc cylindres m.
▼—**inhoud** cylindrée v. ▼—**kop** culasse v.
▼—**vormig** cylindrique.
cineac cinéactualités v mv. ▼**cineast** cinéaste
m. ▼**cinema** cinéma m.
cipres cyprès m.
circa à peu près, environ.
circulatie circulation v. ▼—**bank** banque v
d'émission. ▼—**kachel** poêle v à circulation
d'air. ▼**circuleren** circuler. ▼**circus** cirque
m. ▼—**tent** chapiteau v.
cirkel cercle m; in een —, circulairement, en
cercle. ▼—**boog** arc m de cercle. ▼—en
tourner circulairement, -en cercle.
▼—**redenering** cercle m vicieux. ▼—**rond**
circulaire. ▼—**zaag** scie v circulaire.
cis (muz.) ut (of do) dièse m.
cisterciënzer Cistercien m.
citaat citation v, passage m. ▼**citeren** citer.
citroen citron m. (drank) citronnelle v.
▼—**limonade** citronnade v. ▼—**pers**
presse-citron m. ▼—**sap** jus m de citron.
▼—**zuur** acide m citrique. ▼**citrus/pers**
presse-agrumes m. ▼—**vruchten** agrumes v
mv.
civiel 1 civil; 2 (v. prijs) modique, raisonnable;
—-ingenieur, ingénieur m civil.
claim 1 terrain m parqué, claim m; 2 (titre de)
droit de préférence m. ▼—en réclamer.
clandestien I bn clandestin; noir; de la
résistance. II bw clandestinement.
classicus (philologue) classique m.
classific/atie classement m; classification v.
▼—**eren** classer, classifier.
claustrofobie claustrophobie v.
clausule clause, stipulation v.
clausuur clôture v.
claxon claxon m. ▼—**neren** claxonner.
clearing(house) (chambre de)
compensation v.
clementie clémence v.
clericaal clérical. ▼**clerus** clergé m.
cliënt client m.
climax gradation v ascendante.
clinch: in de —, raken met, s'accrocher à.
clitoris clitoris m.
closet cabinet m. ▼—**papier** papier m
hygiénique.
close-up le(s) gros plan(s); in —, en g. p.
clown clown, buffon m. ▼—**sstreek**
clownerie v.
club 1 club m; 2 cercle m; 3 (fig.) clique v.
coach entraîneur. ▼—en 1 entraîner;
2 conseiller; conduire.
coalitie coalition v.
coaster caboteur m.
co-auteur coauteur.
cocaïne cocaïne, (fam.) coco v.
cockpit habitacle m, poste m de pilotage.
cocktail cocktail m.
code code m. ▼—**ren** coder. ▼—**taal** langage
m codé. ▼—**woord** mot m codique. ▼**codex**
code m.
codi/cil codicille m. ▼—**ficeren** codifier.
coëducatie coéducation v.
coëfficiënt coefficient m.
cognac cognac m.
cognossement connaissement m.
cohesie cohésion v.
coïtus coït m.
cokes coke m.
colbert veston m. ▼—**kostuum** complet m.
collect/ant quêteur m. ▼—e quête v.
▼—**eren** quêter, faire la quête. ▼—e
collection v. ▼—**ief** collectif. ▼—**iviseren**
collectiviser.
collega confrère, collègue m.
college 1 collège m; 2 cours m; 3 cours m; —
geven, faire un cours; — lopen, suivre un
cours. ▼—**geld** droit m d'inscription; zijn —
betalen, prendre ses inscriptions.
collegialiteit confraternité, solidarité v.
colli colis m.
colloquium colloque m.
coloradokever doryphore m.

coloratuursopraan soprano m colorature.
colporteur colporteur m.
coltrui pull m à col roulé.
coma coma m.
combinatie combinaison v; (v. kleding)
coordonnés m mv. ▼—**tang** pince v
universelle. ▼—**vermogen** esprit m de
combinaison. ▼**combineren** combiner;
gecombineerde operaties op de grond en in
de lucht, des opérations v mv conjuguées
air-sol. ▼**combo** groupe (orchestre) m à
percussion.
comeback rentrée v.
comestibles articles m mv alimentaires.
▼—**winkel** épicerie v fine.
comfort confort m. ▼—**abel** confortable.
command/ant commandant m. ▼—**eren**
commander. ▼—**eur** commandeur m.
commanditair commanditaire; —e
vennootschap, société v en commandite; —e
vennoot, associé m.
commando 1 commandement; ordre;
2 détachement, commando m. ▼—**brug**
passerelle v. ▼—**toren** tourelle v de
commandant. ▼—**post** poste m de
commandement.
comment/aar commentaire m. ▼—**ariëren**
commenter. ▼—**ator** commentateur m.
commercieel bn (& bw) commercial(ement).
commies commis, employé m.
commissaris commissaire m; membre m du
Conseil de surveillance; gedelegeerd —,
commissaire m aux comptes; censeur m; —
der Koningin, préfet m.
commissie commission v, comité m.
▼—**goed** marchandises v mv en dépôt.
▼—**handel** commerce m (of maison v) de
commission. ▼—**loon** commission v;
courtage m. ▼**commissionair**
commissionnaire, facteur m; — in effecten,
agent m de change.
communicant communiant m.
communic/atie communication v.
▼—**atiesatelliet** satellite m de c. ▼—**eren**
1 communiquer qc à qn; 2 (rk) communier.
communie communion v; te — gaan,
communier; zijn eerste — doen, faire sa
première communion. ▼—**bank** table v de
communion. ▼—**kind** premier communiant
m, première communiante v.
commun/isme communisme m. ▼—**ist**
communiste m. ▼—**istisch** communiste.
compagn/ie compagnie v. ▼—**on** associé m.
compens/atie compensation v. ▼—**eren**
compenser.
competent compétent. ▼—**ie** compétence v.
competitie compétition v.
compleet I bn complet. II bw complètement.
completen (rk) complies v mv.
complex I zn 1 ensemble v; 2 pâté m de
maisons, îlot m; 3 (psych.) complexe m. II bn
complexe.
compliment compliment m, respects m mv;
de —en thuis, mes respects chez vous; u
moet de —en hebben van moeder, maman
m'a chargé de vous présenter ses amitiés;
zonder —en, sans façons. ▼—**eren**
complimenter (qn de).
compon/ent composante v. ▼—**eren** I ww
composer. II zn: het —, la composition.
▼—**ist** compositeur m. ▼**compositie**
1 composition v; 2 alliage m. ▼—**foto**
photo-robot v, portrait-robot m.
compost compost m.
compote compote v.
compressie compression v. ▼—**verhouding**
taux m de compression. ▼**compressor**
compresseur m.
compromitteren (zich) (se) compromettre.
comptabiliteit comptabilité v.
computer ordinateur m. ▼—**deskundige**
informaticien m.
concaaf concave.
concelebr/atie concélébration v. ▼—**eren**
concélébrer.
concentr/atiekamp camp m de

concentration. ▼—**eren** concentrer. ▼—**isch**
bn (& *bw*) concentrique(ment).
concept 1 esquisse v; **2** (*fil.*) concept m.
concern groupe m financier.
concert 1 concert m; **2** concerto m (pour
piano etc.). ▼—**eren** donner un concert.
concessie concession v. ▼—**voorwaarden**
cahier m des charges.
conciërge concierge m/v.
concilie concile m.
concipiëren 1 concevoir; **2** rédiger.
concluderen conclure (de). ▼**conclusie**
conclusion v.
concreet concret. ▼**concretiseren**
concrétiser; matérialiser.
concur/rent concurrent m. ▼—**rentie**
concurrence v; — *aandoen*, faire
concurrence à, concurrencer.
▼—**rentiebeding** clause v de réserve.
▼—**reren** faire concurrence (à). ▼—**rerend**
compétitif; —*e prijzen*, prix m mv défiant
toute concurrence.
condens/ator condensateur m. ▼—**streep**
trait m de condensation. ▼—**vrij;** — *maken*,
I *ww* désembuer. II *zn* désembuage m.
conditi/e condition v; *in* —, en forme.
▼—**oneren 1** stipuler, poser la condition que;
2 conditionner.
condoleren présenter ses condoléances à.
condoom préservatif, condom m.
conducteur contrôleur; receveur m (de
tramway); *hoofd*—, chef m de train.
confectie 1 confection v; **2** vêtements m mv
prêts à porter. ▼—**pak** complet m tout fait.
conferentie conférence v.
confessie confession v.
conflict conflit m; *in* — *komen*, entrer en
conflit.
conform conforme (à); *voor copie* —, pour
copie conforme.
confront/eren confronter. ▼—**atie.**
confrontation v.
congregatie congrégation v.
congres congrès m. ▼—**lid** congressiste m.
congruent égal. ▼—**ie** égalité v.
conjug/eren I *ov.w* conjuguer. II *zn : het* —,
la conjugaison. ▼—**atie** conjugaison v.
conjunct/ie conjonction v. ▼—**ief** subjonctif
m. ▼—**ureel** conjoncturel. ▼—**uur**
conjoncture v.
connectie relation v.
conrector proviseur-adjoint m.
consciëntieus I *bn* consciencieux. II *bw*
consciencieusement.
consecr/atie consécration v. ▼—**eren**
consacrer.
consent 1 consentement; **2** permis;
3 laissez-passer m.
consequent I *bn* conséquent. II *bw*
conséquemment. ▼—**ie 1** conséquence v;
2 esprit m de suite.
conserv/atief conservateur. ▼—**ator**
conservateur m. ▼—**atorium** conservatoire
m. ▼—**enfabriek** conserverie v. ▼—**eren**
conserver; *groente* —, faire des conserves de
légumes.
consideratie considération v; *geen* —
gebruiken jegens, ne pas ménager.
consignatie consignation v; *in* — *geven*,
consigner.
consistentvet graisse v consistante.
consistorie, —kamer consistoire m.
consolideren consolider.
consonant consonne v.
constatering constation v.
constellatie constellation v.
constipatie constipation v.
constituti/e constitution v. ▼—**oneel**
constitutionnel.
constru/ctie construction v. ▼—**ctief**
constructif. ▼—**eren** construire.
consul 1 consul; **2** (*sp.*) délégué m. ▼—**aat**
consulat m.
consult consultation v. ▼—**atie** consultation
v. ▼—**atiebureau** dispensaire m. ▼—**eren**
consulter.

consum/ent consommateur m.
▼—**entenbond** union v de consommateurs.
▼—**entenprijs** prix m à la consommation.
▼—**eren** consommer. ▼—**ptie**
consommation v. ▼—**ptiegoederen** biens m
mv de consommation.
▼—**ptiemaatschappij** société v de c.
contact contact m; — *krijgen met*, prendre
contact avec. ▼—**doos** prise v. ▼—**lens** verre
m de contact; *zachte* —, lentille v cornéenne.
▼—**persoon** contact m. ▼—**punten** points m
mv de contact. ▼—**puntjes** jeu m de
contacts. ▼—**sleutel** clé v de contact.
container conteneur m; caisse v mobile.
▼—**schip** porte-conteneurs; transcontainer
m. ▼—**trein** transcontainer-express m.
▼—**vervoer** transport m en conteneur.
contant I *bn* comptant. II *bw* au comptant; —
betalen, payer comptant. III —*en*, de l'argent
comptant.
contesteren contester.
continent continent m. ▼—**aal** continental;
— *plat*, plateau m continental.
contingent contingent m. ▼—**eren**
contingenter. ▼—**ering** contingentement m.
continubedrijf entreprise v à travail continue.
conto compte m; *a* —, à compte.
contrabas contrebasse v.
contracept/ie contraception v. ▼—**ief**
contraceptif.
contract contrat m, convention v. ▼—**polis**
police v flottante. ▼—**ueel** *bn* (& *bw*) par
contrat, contractuel(lement).
contra-expertise contre-expertise v.
contramoer contre-écrou m.
contrasigneren contresigner.
contraspionage contre-espionnage m.
contrast contraste m; *een* — *vormen met*,
faire contraste avec. ▼—**eren** contraster.
contrastekker prise v femelle.
contributie contribution v; (*als lid*) cotisation
v.
controle contrôle m; *recht van* —, droit m de
regard (sur). ▼—**centrum** centrale v de
direction. ▼—**groep** groupe m témoin.
▼—**proefdier** animal témoin. ▼—**ren**
contrôler, vérifier. ▼—**station** centrale v
d'orientation. ▼—**toren** tour v de contrôle.
▼**controleur** contrôleur, vérificateur m.
convectorverwarming chauffage m par
calorifère.
conveniëren convenir à.
convent 1 convent m; réunion, convention v;
2 couvent, monastère m. ▼—**ioneel**
conventionnel.
convers/atie conversation v. ▼—**eren**
causer, converser.
conver/sie conversion v. ▼—**teren** convertir.
convex convexe.
convoc/atie convocation v. ▼—**eren**
convoquer.
coöperatie coopération v.
coördin/aat coordonnée v. ▼—**eren**
coordonner.
coproduktie coproduction v.
coronair coronaire.
corporat/ie corporation v. ▼—**ief** I *bn*
corporatif. II *bw* corporativement.
corps 1 corps m; **2** association v (d'étudiants).
correspond/ent correspondant m; *speciale*
—, envoyé m spécial, (*handel*)
correspondancier m. ▼—**entie**
correspondance v. ▼—**kaart** carte v de
correspondance. ▼—**map** pochette v de
correspondance. ▼—**entschap**
correspondance v. ▼—**eren** correspondre.
corrig/enda errata m mv. ▼—**eren** corriger.
Corsica la Corse.
corrupt corrompu, vénal. ▼—**ie** corruption v.
corvee corvée v; — *hebben*, être de corvée.
cosecans cosécante v. ▼**cosinus** cosinus m.
cosmetica produits m mv de toilette.
cotangens cotangente v.
couchette couchette v; *per* — *reizen*,
voyager en couchette. ▼—**coupé**
compartiment m couchette. ▼—**rijtuig**

voiture v couchette.
coulant facile, rond (en affaires), serviable; *een zaak — behandelen,* mener rondement une affaire. ▼**coulisse** coulisse v.
coupé (*rijtuig*) coupé m; (v. *trein*) compartiment m.
couplet couplet m; strophe v.
coupon coupon; talon (de souche) m. ▼**—boekje** carnet m (de tickets).
courant (*hand.*) courant, de cours; de débit facile; *—e effecten,* valeurs v cotées.
couvert 1 (*tafel*) couvert m; 2 enveloppe v.
couveuse couveuse v.
coveren rechaper; *het —,* le rechapage.
crack as, champion m.
crawl crawl m. ▼**—en** crawler.
credit avoir, crédit m; *debet en —,* doit et avoir. ▼**—eren** créditer; *— voor,* créditer (qn) de ... ▼**—post** avoir, article m à l'avoir. ▼**—rekening** compte m créditeur. ▼**—zijde** (côté) avoir m; *op de — inschrijven,* porter au crédit.
creëren créer.
crem/atie incinération v. ▼**—atorium** crématorium m. ▼**—eren** incinérer.
crème crème v.
crepeergeval: *dat is een —,* ils sont très, très mal logés. ▼**creperen** crever.
crisis crise v; *een — doormaken,* traverser une crise.
criterium critère m.
criticus critique, censeur m.
croissant croissant m.
croquant croquant.
croquet croquette v.
cruciaal crucial, fondamental, capital.
cruise croisière v. ▼**—passagier** croisiériste m & v.
cuisinier traiteur m.
culinair culinaire.
cultureel culturel.
cultus culte m.
cultuur 1 culture; 2 civilisation v; *ministerie van C—, Recreatie en Maatschappelijk Werk,* ministère m de la Culture, des Loisirs et du Travail Social. ▼**—geschiedenis** histoire v de la civilisation. ▼**—gewassen** plantes v mv cultivées. ▼**—volk** peuple m cultivé, nation v policée.
cum laude avec éloge, - distinction
cup coupe v; (v. *beha*) bonnet m.
Curaçao Curaçao m.
curat/ele interdiction v; curatelle v; *hij staat onder —,* 1 il a été interdit; 2 il est sous la curatelle (de son frère bv); *onder — stellen,* faire interdire (qn). ▼**—or** curateur; (*bij faillissement*) syndic; membre m du conseil de perfectionnement (d'un lycée), conseiller m.
cureren guérir.
curi/eus curieux. ▼**—ositeit** curiosité v.
curs/ief (*schrift*) cursif; *— gedrukt,* en italiques; *— schrift,* écriture v en cursive. ▼**—iveren** imprimer en italique(s); (*fig.*) souligner.
cursus 1 cours m; 2 année v scolaire; *schriftelijke —,* cours par correspondance.
curve courbe v.
cybernetica cybernétique v.
cycloon cyclone m.
cyclotron cyclotron m.
cyn/icus cynique m. ▼**—isch** bn (& bw) cynique(ment). ▼**—isme** cynisme m.

D

D 1 (*letter*) d m; 2 (*muz.*) ré m.
daad action v, acte, fait m; *op heter —,* en flagrant délit; *de goede —,* la bonne action; *geen woorden maar daden,* point de belles paroles, mais des actes.
daags l *bn* de tous les jours. II *bw* (pendant) le jour; *— daarna,* le lendemain; *— te voren,* la veille.
daar l *bw* là, y, en cet endroit; *— is hij,* le voilà; *hier en —,* par-ci par-là; *de loin en loin; — hebben we het,* nous y voilà; *als de tijd — is,* quand le moment sera venu. II *vw* comme, puisque; *— het nu zo gesteld is,* puisqu'il en est ainsi. ▼**—aan** à cela, y; *wat heb ik —,* à quoi cela me sert-il?; *— heb ik genoeg,* cela me suffit. ▼**—achter** (là-)derrière; *wat steekt —?,* qu'y a-t-il là-dessous? ▼**—beneden** en bas, là-bas; en-dessous, là-dessous; *14 jaar en —,* quatorze ans et au-dessous. ▼**—bij** 1 (*plaats*) tout près; 2 (*vergelijking*) auprès, à côté; 3 (*bovendien*) avec cela, puis, en outre. ▼**—binnen** là-dedans. ▼**—boven** 1 au-dessus; 2 là-haut. ▼**—buiten** (là-)dehors. ▼**—door** 1 par là; 2 ainsi. ▼**—enboven** en outre, d'ailleurs. ▼**—entegen** en revanche, par contre. ▼**—ginds** là-bas. ▼**—heen** y, là, de ce côté-là. ▼**—in** y, en cela, là-dedans; *alles — begrepen,* tout compris. ▼**—langs** par là.
daarlaten laisser là, ne pas parler de; *dit daargelaten,* à part cela.
daar/me(d)e 1 avec (cela); 2 par là, ainsi; *— is alles gezegd,* c'est tout dire; tout est là. ▼**—na** ensuite, puis, après cela; *kort —,* peu après; *het jaar —,* l'année d'après. ▼**—naast** à côté. ▼**—om** c'est pourquoi, pour cette raison; pour cela; *waarom? —,* pourquoi? parce que. ▼**—omheen** tout autour. ▼**—onder** 1 là-dessous; 2 au-dessous. ▼**—op** (là-)dessus, sur cela; *zie ook* **daarna**. ▼**—over** 1 par-dessus; 2 sur cela; 3 en, y. ▼**—tegenover** en face. ▼**—toe** y, à cela; pour cela, à cet effet; *tot —,* jusque là. ▼**—tussen** entre les deux, parmi cela, - ces choses; au milieu (de). ▼**—uit** 1 en, de là; 2 par là. ▼**—van** en, de cela. ▼**—voor** 1 devant; 2 pour cela; à la place; en échange; 3 avant, auparavant; *de week —,* la semaine d'avant.
dadel datte v.
dadelijk l *bn* 1 effectif; réel; 2 (*oorzaak*) immédiat. II *bw* aussitôt, tout de suite; *ik kom — bij je,* je suis à vous dans un instant; *al —,* du premier coup.
dader auteur, coupable m.
dag jour m; journée v; *—!,* bonjour!; *de — daarna,* le lendemain; *de — tevoren,* la veille; *bij — en nacht,* de jour et de nuit; *het is —,* il fait jour; *voor —, en dauw,* de grand matin, avant l'aube, *dezer —en,* un de ces jours; *ik verwacht hem iedere —,* je l'attends d'un jour à l'autre; *goeden— zeggen,* 1 dire bonjour, saluer; 2 prendre congé; *bij de — leven,* vivre au jour le jour; *in onze —en,* de nos jours; *om de andere —,* tous les deux jours; *op de — (af),* jour pour jour; *vandaag over acht —en,* d'aujourd'hui en huit; *voor de — halen,* tirer, sortir; *voor de — komen,* se révéler; *goed*

voor de — komen, se produire bien; *voor halve —en*, à la demi-journée.
dagautotrein train *m* autos jour.
dagblad journal, quotidien *m*. ▼**—pers** presse *v* quotidienne. ▼**—schrijver** journaliste *m*.
dagblind nyctalope. ▼**—heid** nyctalopie *v*.
dag/boek journal, livre-journal *m*. ▼**—dief** fainéant *m*. ▼**—dienst** service *m* de jour.
dagelijks I *bw* tous les jours, journellement. II *bn* journalier, quotidien, de tous les jours; *—e zonde*, péché *m* véniel; *voor — gebruik*, d'usage courant.
dagen poindre, commencer à faire jour.
dageraad aurore, aube *v*, point *m* du jour.
dag/indeling emploi *m* du temps.
  ▼**—jesmensen** excursionnistes *m mv*.
  ▼**—kaart** carte *v* d'entrée valable pour un jour. ▼**—licht** jour *m*, lumière *v* du grand jour. ▼**—lichtlamp** lampe *v* lumière du jour.
  ▼**—loner** journalier *m*. ▼**—loon** journée *v*.
  ▼**—meisje** petite bonne, aide *v*. ▼**—orde**, **—order** ordre *m* du jour. ▼**—ploeg** équipe *v* du jour. ▼**—reis** journée, étape *v*. ▼**—school** école *v* de jour. ▼**—schotel** plat *m* du jour.
  ▼**—taak** tâche *v* journalière.
dagteken/en I *ov.w* dater. II *on.w* dater (de).
  ▼**—ing** date *v*.
dagteller totalisateur *m* journalier.
dagvaard/en citer en justice, intimer. ▼**—ing** intimation, citation *v*.
dagwerk 1 travail *m* de jour; **2** journée, tâche *v* journalière; *dan zou ik wel — hebben*, alors je n'en finirais pas.
dahlia dahlia *m*.
dak toit *m*; toiture *v*; *plat —*, toit-terrasse *m*; (*fig.*) abri *m*; *onder — komen*, trouver un abri, - à se loger; *iem. onder — brengen*, abriter -, loger qn; *iem. op zijn — komen*, tomber sur le dos à qn; *open —*, toit *m* ouvrant; *auto met open (afneembaar) —*, auto *v* décapotable. ▼**—balk** solive *v*.
  ▼**—geraamte** combles *m mv*, charpente *v*.
  ▼**—goot** gouttière *v*. ▼**—kamertje** mansarde *v*. ▼**—loos** sans abri. ▼**—loze** sans-abri *m*.
  ▼**—pan** tuile *v*. ▼**—pansgewijs** imbriqué.
  ▼**—raam** lucarne *v*.
dal vallée *v*, val *m*. ▼**—bewoner** habitant *m* d'une vallée.
dalen 1 descendre, baisser; **2** (*v. vliegt.*) atterrir, (*op zee*) amerrir; **3** (*fig.*) baisser (dans l'estime de qn), être en baisse. ▼**daling 1** descente *v*; **2** (*v. vliegt.*) atterrissage; amerrissage *m*; **3** baisse, (*v. waarde*) diminution *v*.
dalmatiek dalmatique *v*.
dam 1 digue *v*; barrage *m*; **2** (*vang—*) bâtardeau *m*; **3** (*haven—*) jetée *v*; **4** (*spel*) dame *v*; *— halen*, aller à dame.
damast damas, (linge) damassé *m*.
dambord damier *m*.
dame dame *v*; *enkele jonge —s*, qqs jeunes personnes. ▼**dames/bladen** presse *v* féminine. ▼**—dubbelspel** double *m* dames. ▼**—enkelspel** simple *m* dames. ▼**—fiets** bicyclette *v* pour dame. ▼**—handwerken** ouvrages *m mv* de dames. ▼**—kapper** coiffeur *m* pour dames. ▼**—kleermaker** couturier *m*. ▼**—tasje** sac *m* à main. ▼**—toilet** toilettes *v mv* pour dames. ▼**—verband** serviettes *v mv* hygiéniques.
dammen jouer aux dames.
damp 1 (*stoom*) vapeur, buée *v*; **2** (*rook*) fumée *v*; **3** (*uitwaseming*) exhalaison *v*. ▼**—en** dégager des vapeurs, fumer. ▼**—ig** vaporeux, nébuleux. ▼**—kring** atmosphère *v*.
dam/schijf pion *m*. ▼**—spel** jeu *m* de dames.
  ▼**—speler** joueur *m* de dames.
dan I *bw* alors; puis; *nu en —*, de temps à autre; *en wat — nog?*, et puis après?; *en — nog!*, et encore!; *antwoord — toch*, répondez donc; *hij is — ook niet vertrokken*, aussi n'est-il pas parti. II *vgw* que; *meer — ik*, plus que moi; *meer — 100*, plus de cent.
dancing dancing *m*.
danig: *zich — vergissen*, se tromper cruellement.

dank 1 (*—betuiging*) remerciement *m*; **2** (*—baarheid*) reconnaissance, gratitude *v*; *dank u*, merci; *— voor de inlichting*, merci du renseignement; *zijn — betuigen*, témoigner sa reconnaissance; *— weten voor*, savoir gré (à qn) de; *tegen wil en —*, bon gré mal gré; *geen —!*, je vous en prie!; *— zij uw moed*, grâce à votre courage. ▼**—baar** I *bn* reconnaissant. II *bw* avec reconnaissance.
  ▼**—baarheid** reconnaissance *v*. ▼**—en** I *ov.w* remercier (*je te dis* qc), rendre grâce (à qn de qc); *— voor uw hulp*, remercier pour votre aide; *niet te —*, je vous en prie, (*fam.*) de rien; *neen, dank u*, merci, non; *iem. iets te — hebben*, devoir qc à qn; *daaraan heeft hij die betrekking te —*, cela lui a valu cette place. II *on.w* dire les grâces (après le repas); (*prot.*) faire la prière (après le r.). ▼**—gebed** actions *v mv* de grâces. ▼**—lied** hymne, cantique *v* d'action de grâces. ▼**—zegging** remerciement *m*.
dans danse *v*; *de — ontspringen*, l'échapper belle; *huiselijk —je*, petite sauterie *v*.
  ▼**—avond 1** récital *m* de danses; **2** soirée *v* dansante. ▼**—en** danser; (*v. licht*) vaciller; *naar iemands pijpen —*, faire les quatre volontés de qn; *— van blijdschap*, sauter de joie. ▼**—er, —eres** danseur *m*, danseuse *v*.
  ▼**—huis** bal public, dancing *m*. ▼**—les** leçon *v* de danse. ▼**—meester** maître à danser; professeur *m* de danse. ▼**—muziek** musique *v* à danser. ▼**—pas** pas *m* de danse. ▼**—vloer** piste *v* de danse, (*los*) pont *m* de danse.
dapper I *bn* brave, vaillant, courageux. II *bw* vaillamment, bravement. ▼**—heid** vaillance *v*, bravour *m*.
darm intestin, boyau *m*. ▼**—bloeding** hémorragie *v* intestinale. ▼**—catarre** catarrhe *m* des intestins. ▼**—inhoud** contenu *m* intestinal. ▼**—kanaal** tube *m* digestif.
  ▼**—ontsteking** entérite *v*.
dartel I *bn* foufou (*v* fofolle); plaisant, pétulant. II *bw* d'une façon folâtre; *- pétulante*. ▼**—en** bâtifoler. ▼**—heid** pétulance, folâtrerie *v*.
dartsspel jeu *m* de fléchettes.
darwinisme darwinisme *m*.
das 1 cravate; écharpe *v*; cache-nez *m*; **2** (*dierk.*) blaireau *m*.
dashboard tableau *m* de bord.
dashond basset *m*.
dassenhouder fixe-cravate *m*.
dat I *vnw* **1** (*aanwijzend*) ce(t), cette (+*zn*); celui-là, celle-là, cela, ce; *— alleen*, rien que cela; *dit huis of —*, cette maison-ci ou celle-là; *is — uw zus?*, est-ce là votre sœur?; *is me — een weer!*, quel temps!; *— is nog eens zingen*, voilà ce qui s'appelle chanter!; *— zijn mijn ouders*, ce sont mes parents; **2** (*betrekkelijk*) (*als onderwerp*) qui; (*als lijdend voorwerp*) que; dont; (*na vz*) lequel, laquelle; **3** (*bep. aank.*) celui, celle (qui; que). II *vgw* que; *het vriest — het kraakt*, il gèle à pierre fendre.
data 1 dates *v mv*; **2** (*gegevens*) données *v mv*. ▼**—bank** banque *v* de données.
  ▼**dat/eren** dater. ▼**—ering** date *v*.
datgene wat ce qui, ce que.
dato aujourd'hui; *na —*, à partir d'aujourd'hui; *de —*, en date de; *2 maanden na —*, à deux mois de date.
datum date *v*; *— postmerk*, date (du timbre) de la poste; *de — bepalen om*, prendre date pour; *welke — hebben we vandaag?*, quel quantième du mois sommes-nous?
  ▼**—stempel** timbre à date, dateur *m*.
dauw rosée *v*. ▼**—en**: *het dauwt*, il tombe de la rosée. ▼**—punt** point *m* de condensation.
daveren I *on.w* trembler; retentir. II *zn*: *het —*, le tremblement, le retentissement.
davits portemanteaux, bossoirs *m mv*.
de le, la, l', les; *willen — heren roken?*, ces messieurs veulent-ils fumer?
dealer concessionnaire *m*; agence *v* stockiste.
debat débat *m*, discussion *v*; *er is gelegenheid tot —*, la conférence sera contradictoire.

▼—er orateur *m*; *een handig* —, un bon manœuvrier. ▼—ing-club cercle *m* de discussions, - d'études. ▼—teren (over) débattre (qc), discuter (de qc).
debet I *zn* débit, doit *m*; *op uw — brengen*, porter à votre débit, vous débiter de. **II** *bn*: *hij is er — aan*, c'est de sa faute. ▼—post débit, article *m* débiteur. ▼—rekening compte *m* débiteur. ▼—zijde doit, débit *m*.
debiel débile *m* mental.
debiet vente *v*, débit *m*. ▼**debit/eren 1** vendre; 2 porter au débit; 3 débiter, dire; *ik heb u voor f 1000 gedebiteerd*, j'ai porté fls 1000 à votre débit. ▼—eur débiteur *m*.
deblokker/en débloquer. ▼—ing déblocage *m*.
debrayeren débrayer, désembrayer.
debut/ant débutant *m*. ▼—eren débuter. ▼**debuut** début *m* (*vaak mv*).
decadent décadent. ▼—ie décadence *v*.
deca/gram décagramme *m*. ▼—liter décalitre *m*. ▼—meter décamètre *m*.
decanteren décanter.
december décembre *m*.
decent décent.
decentralis/atie décentralisation *v*. ▼—eren décentraliser.
decibel décibel *m*.
deci/gram décigramme *m*. ▼—liter décilitre *m*. ▼—maal décimal. ▼—meter décimètre *m*.
declameren déclamer, réciter.
declar/atie déclaration *v*; note *v*, mémoire *m* des frais. ▼—eren déclarer.
declin/atie déclinaison *v*. ▼—eren décliner.
decoderen décoder.
deconfessionalis/eren déconfessionnaliser. ▼—ering déconfessionnalisation *v*.
decor décor(s) *m* (*mv*). ▼—atie décoration *v*. ▼—schilder peintre *m* en décors. ▼—eren décorer.
decreet décret *m*.
deduc/eren déduire. ▼—tie déduction *v*. ▼—tief déductif.
deeg pâte *v*. ▼—rol, —roller rouleau *m* à pâtisserie.
deel 1 partie *v*; 2 (*ontvangen*) portion *v*; 3 (*toekomend*) part *v*, lot *m*; 4 (*boek—*) volume, tome *m*; — *uitmaken van*, faire partie de; *ten dele*, en partie; *voor het grootste* —, pour la plus grande part; *ten — vallen*, tomber en partage, échoir (à); *ik heb er part noch — aan*, je n'y suis pour rien; 5 (*dorsvloer*) aire *v*. ▼—achtig participant; — *worden*, participer à. ▼—achtigheid participation *v*. ▼—arbeid activité *v* à temps partiel. ▼—baar divisible. ▼—baarheid divisibilité *v*. ▼—genoot participant, associé *m*; *iem. — maken (van)*, associer qn (à); confier (qc) à qn. ▼—genootschap association, participation *v*. ▼—nemen prendre part à. ▼—nemend 1 participant; 2 compatissant. ▼—nemer participant, intéressé, (*in wedstrijd*) concurrent *m*. ▼—neming 1 participation *v*; 2 (*meevoelen*) compassion, (douloureuse) sympathie *v*; condoléances *v mv*. ▼—deels (en) partie, partiellement; moitié. ▼deel/tal dividende *m*. ▼—teken 1 (*gram.*) tréma *v*; 2 (*rek.*) points *m mv* de division. ▼—tijdarbeid travail *m* à temps partiel, - à mi-temps. ▼—tje 1 parcelle, particule *v*; 2 volume *m*. ▼—tjesversneller cyclotron *m*. ▼—woord participe *m*.
deemoed humilité, soumission *v*. ▼—ig humble, soumis.
Deen Danois *m*. ▼**Deens** danois; *een —e*, une Danoise; *het —*, le danois.
deerlijk pitoyable, triste.
defect I *zn* défaut *m*, panne *v*. **II** *bn* défectueux, détraqué; — *raken*, se détraquer, tomber en panne.
defens/ie défense *v*. ▼—ief I *bn* défensif. **II** *bw* défensivement.
deficit déficit *m*.
defilé défilé *m*. ▼**defileren** défiler.
defini/ëren définir. ▼—tie définition *v*. ▼—tief I *bn* définitif. **II** *bw* définitivement.

deftig I grave, sérieux, digne, cérémonieux. **II** *bw* gravement; cérémonieusement. ▼—heid gravité, dignité, noblesse *v*.
degelijk I *bn* solide, honnête; substantiel (*maal bijv.*); sérieux. **II** *bw* solidement, effectivement. ▼—heid solidité, honnêteté *v*; qualités *v mv* solides.
degen épée *v*.
degene celui, celle; —*n*, ceux, celles (qui; que).
degener/atie dégénération *v*. ▼—eren dégénérer.
degrad/atie dégradation *v*. ▼—eren dégrader.
dein/en être agité par la houle. ▼—ing houle *v*; (*fig.*) mouvement *m*.
dek 1 couverture *v*; abri *m*; 2 (*brug—*) tablier *m*; 3 (*mar.*) pont *m*. ▼**dekbed** édredon *m* (américain). ▼—overtrek housse *v* d'édredon. ▼**dekblad** (*v. sigaar*) cape, robe *v*.
deken 1 couverture *v*; *gestikte —*, courtepointe *v*; 2 doyen *m*. ▼—kist bahut *m*.
dek/hengst étalon *m* reproducteur. ▼—ken I *ov.w* couvrir. II *zich —* se couvrir. III *on.w* mettre le couvert; — *voor 3 personen*, mettre trois couverts. IV *zn*: *het —*, 1 la couverture; 2 la mise du couvert; 3 la saillie (d'une jument). ▼—king appontage *m*. ▼—mantel manteau, voile *m*, couverture *v*. ▼—passagier passager *m* de pont. ▼—schaal légumier *m*. ▼—sel couvercle *m*. ▼—servet napperon *m*. ▼—stoel transat *m*. ▼—zeil bâche *v*.
deleg/atie délégation *v*. ▼—eren déléguer; *gedelegeerd commissaris*, censeur *m*.
delen I *ov.w* 1 diviser (*in stukken*); 2 (*ieder het zijne*) partager; — *door 3*, diviser par trois; *in drieën —*, en faire trois parts; *iets met iem. —*, partager qc avec qn; **II** *on.w* partager, prendre part à. ▼**deler** diviseur *m*; *sous-multiple m*.
delfstof minéral *m*. ▼—fenkunde minéralogie *v*. ▼—fenkundige minéralogiste *m*.
Delfts I *bn* de Delft. **II** *zn* du Delft; *oud —*, du vieux Delft.
delg/en amortir, éteindre. ▼—ing amortissement, extinction *v*.
delicaat 1 délicat; 2 (*lekker*) délicieux. ▼**delicatesse** friandise *v*, mets *m* exquis. ▼—winkel magasin *m* de comestibles, épicerie *v* fine.
delict délit *m*.
deling 1 (*rek.*) division *v*; 2 (*verdeling*) partage *m*.
delinquent délinquant *m*.
delta delta *m*. ▼—plan plan *m* delta. ▼—vleugel aile *v* delta. ▼**D—werken** travaux *m mv* du plan Delta.
delv/en creuser; *kolen —*, extraire de la houille. ▼—er mineur, fouilleur *m*.
demagogisch *bn* (& *bw*) démagogique(ment). ▼**demagoog** démagogue *m*.
dement dément.
demi-finale demi-finale *v*.
demilitariseren démilitariser.
demi-saison pardessus *m* de demi-saison.
demobilis/atie démobilisation *v*. ▼—eren démobiliser.
democr/aat démocrate *m*. ▼—atie démocratie *v*. ▼—atisch *bn* (& *bw*) démocratique(ment). ▼—atiseren démocratiser.
demon démon *m*. ▼—isch démoniaque.
demonstr/ant manifestant *m*. ▼—atie 1 démonstration *v*; 2 manifestation *v*. ▼—eren 1 démontrer; 2 manifester.
demonteren démonter.
demoraliseren démoraliser.
dempen 1 combler (un fossé); 2 étouffer (des sanglots, une révolte); *gedempt spelen*, jouer en sourdine; *gedempt licht*, lumière *v* tamisée.
Denemarken le Danemark.
denigrerend: —*e woorden*, paroles *v mv* de dénigrement.

denk/baar concevable, imaginable.
▼**—baarheid** possibilité v de concevoir.
▼**—beeld** idée; notion; pensée v; zich een.—
vormen van, se faire une idée de; op het —
komen de, s'aviser de. ▼**—en** penser, songer;
réfléchir; kwaad —, penser à mal; daar valt
niet aan te —, il ne faut pas y penser; over iets
—, réfléchir sur qc; te — geven, donner à
réfléchir; dat kun je —, ah! bien oui;
pensez-vous; zou je dat —?, croyez-vous?;
dat dacht ik wel, je m'y attendais; laten we het
beste ervan —, mettons les choses au mieux;
daar heb ik niet om gedacht, cela m'a
échappé. ▼**—er** penseur m. ▼**—leer** logique
v.

denn/eboom pin m. ▼**—enbos** pinière v.
deodorant déodorant m.
departement département m. ▼**—aal**
départemental.
dependance dépendance v.
deponens verbe m déponent. ▼**deponeren**
déposer, donner en dépôt.
deport/atie déportation v. ▼**—eren** déporter.
deposito dépôt m; in —, en dépôt. ▼**—bank**
banque v de dépôt. ▼**depot** dépôt m;
succursale v. ▼**—houder** gérant, dépositaire,
chef m d'une succursale.
derde troisième; tiers; een — deel, un tiers; de
— wereld, le tiers monde; ten —, en troisième
lieu; tot de — macht verheffen, cuber.
▼**—macht** cube m. ▼**—machtswortel**
racine v cubique.
deren 1 nuire (à); 2 faire pitié (à); 3 gêner.
dergelijk semblable, tel, pareil.
derhalve c'est pourquoi, par conséquent.
dermate tellement, à ce point.
dermatoloog dermatologiste m.
dertien treize; wij waren met ons —en, nous
étions treize. ▼**—de** treizième.
dertig trente. ▼**—ste** trentième. ▼**—tal**
trentaine v.
derven manquer de; se passer de.
des 1 du, de l', de la; 2 tant, d'autant; 3 (muz.)
ré bémol; — te beter, tant mieux; — te meer,
d'autant plus (que).
desert/eren déserter. ▼**—eur** déserteur m.
desgevraagd interrogé à ce sujet; le cas
échéant.
desinfect/eermiddel désinfectant m.
▼**—eren** désinfecter.
deskundig bn (& zn) expert, professionnel
(m). ▼**—heid** compétences v mv.
desniettemin néanmoins, malgré cela.
desnoods au besoin; à la rigueur.
desondanks malgré cela, néanmoins.
dessert dessert m; (in ss) à dessert.
destijds en ce temps-là, alors.
detail détail m. ▼**—handel** commerce m de
détail. ▼**—list** détaillant m. ▼**—verkoop**
vente v au détail.
detective détective m. ▼**—roman** roman m
policier, (arg) polar m. ▼**—verhaal** histoire v
policière. ▼**detector** détecteur m.
detineren détenir.
deugd vertu, bonne qualité v. ▼**—elijk** I bn
solide; valable. II bw I solidement; 2 bien et
dûment. ▼**—elijkheid** bonne qualité; validité
v. ▼**—zaam** I bn vertueux. II bw
vertueusement. ▼**deugen** être bon (à), être
utile (à); niet —, ne valoir rien. ▼**deugniet**
1 vaurien; 2 (die grappen uithaalt) gamin m,
gamine v.
deuk bosse v, creux m. ▼**—en** bossuer,
cabosser. ▼**—hoed** feutre, chapeau mou m.
deuntje petit air m, chanson v.
deur 1 porte v; 2 entrée v; 3 portière v; glazen
—, porte vitrée; de — achter iem. dichtdoen,
fermer la porte sur qn; doe de — achter je toe,
ramène la porte sur toi; dat doet de — toe,
c'est le bouquet; met gesloten —en, à huis
clos; derde (of vijfde) — van auto, hayon m
arrière; langs de —en gaan, faire du
porte-à-porte. ▼**—ketting** chaîne v de porte.
▼**—knop** bouton m, poignée v. ▼**—mat**
tapis-brosse m. ▼**—waarder** huissier m.
▼**—waardersexploit** exploit m de huissier.

devalu/atie dévaluation v. ▼**—eren** dévaluer.
devies devise v; vreemde deviezen, devises
étrangères. ▼**deviezen/handel** traffic m des
devises. ▼**—vergunning** permis m de
devises.
devoot bn (& bw) dévot(ement). ▼**devotie**
dévotion v.
deze ce, cette, ces (+zn); celui-ci, celle-ci;
ceux-ci, celles-ci; —r dagen, 1 (verleden)
l'autre jour; 2 (toekomst) un de ces jours; de
5de —r, le cinq courant; bij —n, par la
présente; in — tijd, à l'heure actuelle.
dezelfde le (of la) même.
dia diapositive, diapo, dia v.
diabetes diabète m. ▼**—lijder(es)** diabétique
m (v).
diacon/es diaconesse v. ▼**—ie** diaconie v.
diafragma diaphragme m; groter — nemen,
ouvrir le diaphragme.
diagnos/e 1 (alg.) diagnose v; 2 (v. patiënt)
diagnostic m; de — stellen, faire un
diagnostic. ▼**—tiseren** diagnostiquer.
diagonaal I bn diagonal. II zn diagonale v.
▼**—band** pneu m axial.
diaken diacre m.
dialect dialecte, patois m. ▼**dialectiek**
dialectique v. ▼**dialoog** dialogue m.
diamant diamant m. ▼**—en** bn de diamant.
▼**—zetten** sertissage m.
diamet/er diamètre m. ▼**—raal** bn (& bw)
diamétral(ement).
diaprojector projecteur m.
diarree diarrhée v.
dicht I bn 1 (gesloten) fermé, (v. vloeistof)
étanche; 2 (— oppen) dense, compact; 3 (—
lneen) épais, serré; 4 (v. haar) touffu. II bw
1 près, proche, de près; 2 dru; — bij huis, près
de chez nous; — zaaien, semer dru. ▼**—bij**
tout près (de); van —, de près. ▼**—binden**
nouer. ▼**—doen** fermer. ▼**—draaien** fermer,
tourner (un robinet). ▼**dichten** I bn.w
1 remplir, boucher (un trou); 2 versifler,
mettre en vers. II zn.het —, 1 le bouchage
(d'un trou); 2 l'acte m poétique; la
composition de vers.
dichter poète m. ▼**—es** femme poète v; zij is
een dichter —, elle est un grand poète. ▼**—lijk**
bn (& bw) poétique(ment). ▼**—lijkheid**
poésie v.
dicht/gaan se fermer, fermer. ▼**—gooien**
1 fermer brusquement, faire claquer (la
porte); 2 combler. ▼**—halen** fermer, tirer (la
porte sur soi), serrer (un nœud).
dichtheid 1 densité v (de la pluie);
2 imperméabilité v; 3 épaisseur v. ▼**—smeter**
densimètre m.
dichtknopen boutonner; fermer d'un nœud.
dichtkunst poésie v, art m poétique.
dicht/lakken cacheter. ▼**—maken** fermer;
boucher (un trou); combler (une fosse);
boutonner. ▼**—metselen** maçonner, murer;
een venster —, condamner une fenêtre.
▼**—plakken** coller; fermer. ▼**—rijgen** lacer.
▼**—schroeven** visser. ▼**—schuiven**
pousser. ▼**—slaan** fermer violemment;
clouer. ▼**—slibben** se colmater. ▼**—smelten**
souder, sceller. ▼**—snoeren** lacer.
▼**—spijkeren** clouer. ▼**—stoppen** boucher;
(v. barsten) colmater. ▼**—trekken** fermer,
tirer (la porte sur soi). ▼**—vallen** se fermer,
retomber. ▼**—vouwen** plier; weer —, replier.
▼**—vriezen** se geler, se prendre; de rivieren
zijn dichtgevroren, les rivières ont pris.
dichtwerken œuvres v mv poétiques.
dicht/werpen zie **—gooien**. ▼**—zitten**
1 être fermé, - bouché; 2 avoir pris, être gelé.
dick(e)y-seat spider, siège-arrière m.
dictaat cours m (dicté); notes v mv de cours;
dictée v; als een — opnemen, prendre sous la
dictée. ▼**—cahier** cahier m de cours.
▼**dictafoon** dictaphone m. ▼**dictator**
dictateur m. ▼**—iaal** bn (& bw)
dictatorial(ement). ▼**dictatuur** dictature v.
▼**dictee** dictée v. ▼**dicteren** dicter. ▼**dictie**
diction v.
didact/iek (science) didactique v. ▼**—isch**

bn (& *bw*) didactique(ment).

die *vnw* **1** *(aanwijzend)* ce(t), cette, ces + *zn*; celui, celle; ceux, celles; — *is goed*, elle est bonne; *niet deze maar* —, pas celui-ci mais celui-là; *Piet, — vergeet alles*, Pierre, il oublie tout; *Mijnheer — of* —, Monsieur Untel; **2** *(betrekkelijk)* *(als onderwerp)* qui, *(als lijdend voorwerp)* que; *(na vz)* lequel, laquelle, lesquels, lesquelles.

dieet régime *m*, diète *v*; — *houden*, suivre un régime; *op* — *leven*, être au régime.

dief voleur, filou *m*. ▼—**stal** vol *m*; — *met inbraak*, vol avec effraction; *letterkundige* —, plagiat *m*.

diegene celui-là, celle-là; —*n*, ceux-là, celles-là.

dienaangaande à ce sujet, quant à cela.

dien/aar serviteur *m*. ▼—**ares** servante *v*.
▼—**bak** desserte *v* volante.
▼**dienen** I *ov.w* **1** servir, être au service de; **2** être utile; *waarmee kan ik u —?*, en quoi puis-je vous être utile?, puis-je vous offrir qc?; *kan ik u daarmee —?*, est-ce que cela pourra vous servir?; *om u te —*, à votre service; *(ja zeker)* parfaitement; *daarvan is hij niet gediend*, il n'en veut pas. II *on.w* **1** servir; **2** *(mil.)* servir, faire son service militaire; **3** être utile, servir (de); **4** falloir, devoir; *gaan* —, entrer en service; *iem. als voorbeeld* —, servir d'exemple à qn; — *bij*, **1** servir dans (l'infanterie); **2** être en service chez; *deze dient om u te berichten*, l'objet de la présente est de vous mander, par la présente nous avons l'honneur de vous faire savoir; *waartoe dient die machine*, à quoi sert cette machine?; *dat dient nergens toe*, cela ne sert à rien; *dit vertrek dient als keuken*, cette pièce sert de cuisine.

dienovereenkomstig conformément à . . .; en conséquence.

dienst 1 *(alg.)* service *m*; **2** *(betrekking)* condition, place *v*, emploi *m*; **3** *(godsd.)* office (divin), culte *m*; *iem. een — bewijzen*, rendre service à qn; *hij heeft u daarmee geen — bewezen*, il vous a mal servi; *iem. een slechte — bewijzen*, desservir qn; — *doen als*, servir de; — *doen op (v. vervoerond.)*, desservir; faire la desserte de; — *hebben*, être de service; être de garde; *een — hebben*, être en place; — *nemen*, s'engager; *in (militaire)* —, à l'armée; *de* — *opzeggen*, **1** congédier (son domestique); **2** *(v. dienstbode)* rendre son tablier; *de — overnemen*, prendre le service; *iem. een — verschaffen*, procurer une place à qn; *in — gaan*, prendre service; entrer au service (de); *in — nemen*, engager (un domestique), embaucher (des ouvriers); *onder — gaan*, prendre service; *dat is* —, c'est du service commandé; *uit — ontslaan*, libérer; *wat is er van uw —?*, qu'y a-t-il pour votre service?; *als ik u in iets van — kan zijn*, si je puis vous être utile; *zijn goede —en aanbieden*, offrir ses bons offices.
▼**dienst/aanwijzing** instruction *v*. ▼—**baar** à gages; — *maken*, faire servir. ▼—**baarheid 1** domesticité *v*; **2** servitude, sujétion *v*.
▼—**bode** domestique *m* & *v*. ▼—**brief** *m* pli *m* de service. ▼—**doend** de service; de garde; en fonctions; — *priester*, officiant *m*.
▼—**ensector** secteur *m* des services; services *m mv*. ▼—**er** serveuse *v*. ▼—**geheim** secret *m* professionnel. ▼—**ig** utile, bon, convenable. ▼—**jaar 1** année *v* de service; *aantal dienstjaren*, ancienneté *v* de service; **2** *(boekjaar)* exercice *v*. ▼—**kleding** tenue *v* de service, livrée *v*; costume *m* officiel.
▼—**klopper** faiseur *m* de zèle. ▼—**knecht** valet, domestique *m*. ▼—**loon** gages *m mv*.
▼—**maagd** servante *v*. ▼—**meisje** (petite) bonne *v*. ▼—**neming** engagement *m*.
▼—**personeel** domestiques, gens *m mv*.
▼—**pet** casquette *v* de service.
dienstplicht service *m*; *algemene* —, service *m* obligatoire. ▼—**ig** soumis aux obligations militaires; *een* —*e*, un appelé. ▼—**igheid** obligation *v* de servir (sous les drapeaux).

dienst/regeling 1 *(v. kantoor)* tableau *m* de service; **2** *(v. spoorw.)* horaire; *(gids)* indicateur *m* des chemins de fer. ▼—**reis** voyage *m* *(of* tournée *v)* de service.
▼—**revolver** revolver *m* d'ordonnance.
▼—**staat** état *m* de service. ▼—**tijd** service *m*; *bevordering naar* —, avancement à l'ancienneté. ▼—**vaardig** I *bn* obligeant, empressé, serviable. II *bw* obligeamment, avec empressement. ▼—**vaardigheid** obligeance *v*, empressement *m* (à rendre service). ▼—**verbintenis** engagement *m*.
▼—**verlening** prestation *v* de service; *belasting op* —, taxe *v* sur les prestations de s.
▼—**voorschrift** consigne *v*. ▼—**vrij** exempté.
dienstweiger/aar objecteur *m*, insoumis *m*.
▼—**ing** refus *m* de service; objection *v* de conscience.
dientafel(tje) (table) servante, desserte *v*.
dientengevolge en conséquence, dès lors.
diep I *bn* profond; *een — bord*, une assiette creuse; *—e rouw*, grand deuil *m*; *—e toon*, son grave *m*; *hoe* — *is*, quelle est la profondeur de. II *bw* profondément; — *graven*, creuser profond; *dat schip gaat 3 meter* —, ce navire tire trois mètres d'eau; — *doordringen in*, pénétrer bien avant dans; — *in de nacht*, bien avant dans la nuit; *de hoed — in de ogen drukken*, enfoncer son chapeau sur les yeux; — *in de schulden*, criblé de dettes; — *in de vijftig*, fort avancé dans la cinquantaine; — *medelijden hebben met*, ressentir une vive pitié pour; — *ademen*, respirer à fond. III *zn* canal, chenal *m*; *in het —st van het woud*, au fond du bois; *uit het —st van mijn hart*, du plus profond de mon cœur. ▼—**doorend** profond, pénétrant.
▼—**doordacht** mûri, profond, bien pesé.
▼—**druk** rotogravure *v*. ▼—*en* creuser, rendre plus profond. ▼—**gaand** profond, *(v. onderzoek)* approfondi; — *schip*, vaisseau à grand tirant d'eau. ▼—**gang** tirant *m* d'eau, calaison *v*. ▼—**liggend** de grand tirant d'eau; — *e ogen*, des yeux enfoncés *m mv*. ▼—**lood** sonde *v*.
diepte 1 profondeur *v*; **2** abîme; **3** *(v. e. dal)* fond, enfoncement *m*. ▼—**meter** bathomètre *m*. ▼—**meting** bathométrie *v*. ▼—**peiling** sondage *m* de fond. ▼—**psychologie** psychologie des profondeurs, psychanalyse *v*. ▼—**psycholoog** psychanaliste *m*. ▼—**roer** gouvernail *m* de plongée.
diepvries-: frigorifié, surgelé. ▼—**kast**, —**kist** congélateur *m*. ▼**diepvriezen** geler à cœur, surgeler.
diepzee abysse *m*. ▼—**duiken** *m* plongée sous-marine. ▼—**onderzoek** exploration *v* abyssale.
diepzinnig I *bn* profond; *(afgetrokken)* abstrait; mystérieux. II *bw* profondément; en termes mystérieux. ▼—**zinnigheid** profondeur *v* d'esprit.
dier animal *m*, bête *v*.
dierbaar 1 cher, chéri; **2** *(v. ding)* précieux.
dieren/arts vétérinaire *m*. ▼—**bescherming** protection *v* des animaux; *de D—*, la société protectrice des animaux. ▼—**cultus** culte *m* des animaux. ▼—**epos** épopée *v* animale.
▼—**fotografie** photographie *v* animalière.
▼—**kwelling**, —**mishandeling** mauvais traitements *m mv* exercés envers les animaux.
▼—**riem** zodiaque *m*. ▼—**rijk** règne *m* animal. ▼—**schilder** animalier *m*.
▼—**temmer** dompteur *m*. ▼—**temster** dompteuse *v*. ▼—**tuin** jardin *m* zoologique.
▼**dierkunde/e** zoologie *v*. ▼—**ig** zoologique.
▼—**ige** zoologiste, zoologue *m*. ▼**dierlijk** animal; *(fig.)* brutal, bestial; *het —e in de mens*, la bête humaine. ▼—**heid** animalité *v*; bestialité, brutalité *v*. ▼**diersoort** espèce *v* (d'animaux).
diesel/elektrisch diesel-électrique.
▼—**motor** moteur *m* Diesel.
▼—**motorwagen** autorail *m*. ▼—**olie** gazole, gasoil *m*. ▼—**trein**, —**treinstel**

autorail *m.*
diët/etiek diététique *v.* ▼—**isch** diététique.
▼—**ist** diététicien *m.*
diets:— *maken,* en faire accroire (à qn).
▼**Diets** moyen néerlandais, thiois.
diev/egge voleuse *v.* ▼—**en** voler, escamoter.
▼—**enklauw** renfort *m* de paumelles
anti-pince. ▼—**enlantaarn** lanterne *v*
sourde. ▼—**enwagen** panier *m* à salade.
differentiaal différentielle *v.* ▼—**as** arbre *m*
du différentiel. ▼—**rekening** calcul *m*
différentiel. ▼**differenti/eel** différentiel
(calcul différentiel et intégral). ▼—**ëren**
différencier.
diffuus diffus.
difter/ie, ▼—**itis** diphtérie *v.*
digereren digérer. ▼**digestie** digestion *v.*
digitaal digital, numérique.
dignitaris dignitaire *m.*
dij cuisse *v.* ▼**dijbeen** fémur *m.*
dijk digue *v.*; levée *v*; *aan de* — *zetten,* mettre
sur le pavé, débarquer. ▼—**bestuur**
administration *v* des digues. ▼—**bouw**
construction *v* des digues. ▼—**breuk** rupture
v d'une digue. ▼—**lichaam** remblai *m.*
▼—**schouw** inspection *v* des digues.
▼—**werker** terrassier *m.* ▼—**wezen** service-,
régime *m* des digues.
dik I *bn* **1** (*naast: lang en breed*) épais; (— *en
rond*) gros; **2** (*zwaarlijvig*) corpulent, replet;
3 (*omvangrijk*) volumineux; **4** (*gezwollen*)
enflé; *een vinger* —, de l'épaisseur d'un doigt,
d'un doigt d'épaisseur; —*ke darm,* gros
intestin *m*; —*ke melk,* lait *m* caillé; —*ke olie,*
huile *v* grasse; —*ke vrienden,* amis intimes *m
mv*; — *maken,* grossir, épaissir; *zich* —
maken (*over*), se fâcher (de), se faire du
mauvais sang; (*fam.*) se biler; — *worden,*
1 (*alg.*) grossir, s'épaissir; **2** (*v. melk*) se
cailler. **II** *bw*: — *zaaien,* semer dru; —
kleden, vêtir chaudement; *het ligt er* — *op,*
c'est évident. **III** *zn* **1** *het* — *van het been,* le
gras de la jambe; **2** *het* — *van de koffie,* le
marc du café; *door* — *en dun,* à tort et à
travers. ▼—**buik** pansu, bedon *m.* ▼—**buikig**
pansu, ventru. ▼—**huidig** pachyderme.
▼—**huidigen** pachydermes *m mv.* ▼—**kerd**
boulot *m.* ▼—**te 1** épaisseur (d'une planche);
grosseur (d'un fruit); corpulence *v,*
embonpoint *m*; **2** (*med.*) grosseur, enflure *v.*
▼—**wangig** joufflu, mafflu.
dikwijls souvent, fréquemment.
dikzak boulot, patapouf *m.*
dilemma dilemme *m*; cas *m* de conscience;
iem. voor een — *plaatsen,* poser un dilemme
à qn; *iem. voor het* — *plaatsen* (*om*), placer
qn devant l'alternative (de).
dilettant amateur, dilettante *m.*
dilig/ent diligence *v.* ▼—**ent I** *bn* diligent.
II *bw* diligemment.
diluvi/aal diluvien. ▼—**um** diluvium *m.*
dim/licht phares code *m mv.* ▼—**men** se
mettre en code, baisser ses phares.
diner dîner *m.* ▼—**en** dîner.
ding chose *v,* objet *m,* (*fam.*) machin, truc *m*;
ik zal u zeggen wat een vulpen voor een — *is,*
je vais vous dire ce que c'est qu'un stylo; *het
is een heel* — *om,* il en coûte de; *een jong* —
van 16 jaar, une jeunesse de seize ans; *dat
kleine, ondeugende* —, la petite espiègle.
dingen: — *naar,* aspirer à (la main d'une jeune
fille); briguer, postuler (les honneurs).
dinges Chose, Machin; *de beroemde* —, le
fameux Machin; *Mevrouw* —, Madame
Unetelle.
dinsdag mardi; *op een* —, un mardi. ▼—**s I** *bn*
du mardi. **II** *bw* le mardi.
diocees diocèse *m.* ▼**diocesaan I** *bn*
diocésain. **II** *zn* diocésain *m.*
diplom/a 1 brevet, diplôme *m*; (*fam.*) peau *v*
d'âne; **2** carte *v* de sociétaire. ▼—**aat**
diplomate *m.* ▼—**atie** diplomatie *v.* ▼—**atiek
I** *bn* (*& bw*) diplomatique(ment). **II** *zn*
diplomatique *v.* ▼—**eren** diplômer.
direct *bn* (*& bw*) direct(ement); *hij vertrekt*
—, il part tout de suite.

direct/eur 1 (*alg.*) directeur; **2** (*v. lycée*)
proviseur *m*; *bij de* — *komen,* venir auprès du
proviseur. ▼—**eur generaal** directeur
général. ▼—**eurschap,** —**oraat** directorat *m.*
▼—**ie** direction *v*; management *m.*
▼—**iesecretaris,** —**iesecretaresse**
secrétaire *m* (of *v*) de direction. ▼—**rice**
directrice *v.*
dirig/eerstok baguette *v.* ▼—**ent** chef *m*
d'orchestre. ▼—**eren** diriger; conduire
(l'orchestre), conduire l'exécution de.
dis (*muz.*) ré dièse *m.*
disagio 1 dépréciation *v*; **2** perte *v* au change.
discipel disciple *m.*
discipl/inair disciplinaire. ▼—**ine** discipline
v.
discjockey animateur *m.*
discont/abel escomptable. ▼—**ant**
escompteur *m.* ▼—**eren** escompter, faire
l'escompte de. ▼—**ering** escompte *m.*
▼**disconto** escompte; taux *m* de l'escompte;
in — *nemen,* escompter; *in* — *geven,* faire
escompter. ▼—**bank** banque *v* d'escompte.
▼—**verhoging** rehaussement *m* du taux
d'escompte. ▼—**voet** taux *m* de l'escompte.
discotheek discothèque *v.*
discreet discret. ▼**discretie** discrétion *v.*
discrimin/atie discrimination *v.* ▼—**eren**
discriminer.
discus disque *m*; — *werpen,* lancement *m* de
disque.
discussie discussion *v,* débat *m*; *in* — *treden
met,* s'engager dans une discussion avec.
▼**discutabel** discutable. ▼**disouteren**
discuter; — *over,* discuter sur.
disgenoot convive *m* & *v.*
diskrediet discrédit *m*; *in* — *brengen,*
discréditer (qn auprès de).
diskwalific/atie disqualification *v.* ▼—**eren**
disqualifier.
dispensatie dispense *v*; — *verlenen,*
accorder la dispense (du jeûne).
disponeren I *on.w* disposer (dé); *bij iem.* —
over drie maanden na dato, disposer sur qn à
trois mois de date; *bij iem.* — *over het bedrag
van,* se prévaloir sur qn du montant de; *slecht
gedisponeerd zijn,* être peu dispos. **II** *zn*: *het*
—, la disposition.
disput/atie, dispuut discussion *v.* ▼—**eren**
discuter (sur), disputer (de).
▼**dispuutgezelschap** cercle *m* de débats et
de discussions.
dissenter dissident *m.*
dissertatie 1 (*verhandeling*) dissertation *v*;
2 (*proefschr.*) thèse *v*; *op zijn* — *doctoreren,*
passer sa thèse.
dissident dissident *m.*
disson/ant (*muz.*) dissonance *v.* ▼—**eren**
dissoner.
distel chardon *m.*
distillaat produit *m* de distillation.
▼**distilleer/buis** serpentin *m.* ▼—**der**
distillateur *m.* ▼—**derij** distillerie *v.* ▼—**kolf**
cornue *v.* ▼—**toestel** appareil *m* distillatoire,
alambic *m.* ▼**distilleren** distiller.
distinctief insigne *m* particulier; plaque *v.*
distribu/eren distribuer. ▼—**tie**
1 distribution *v*; **2** (*v. boeken bijv.*) diffusion *v.*
▼—**tiebon** *zie* bon *enz.*
district 1 district *m*; **2** (*kies*—) circonscription
v électorale.
dit ce, cet, cette (+ *zn*); ceci.
ditmaal cette fois-ci, pour le coup.
dito dito, également; — —, de même.
divan divan *m.* ▼—**bed** lit-divan *m.*
diverse 1 plusieurs; **2** différents. ▼**diversen**
objets *m mv* divers.
dividend dividende *m*; *extra* —,
superdividende *m*; *een* — *uitkeren,* distribuer
un dividende. ▼—**bewijs** coupon *m* de
dividende. ▼—**uitkering** distribution *v* de
dividende.
divisie division *v.* ▼—**commandant** chef *m*
de division.
D.N.A. A.D.N. (acide *m*
désoxyribonucléique).

do (*muz.*) ut, do *m.*
dobbel/aar joueur *m.* ▼—**beker** cornet *m* à dés. ▼—**en** jouer au dés. ▼—**spel** jeu *m* de dés; jeu *m* de hasard. ▼—**steen 1** dé *m;* **2** cube *m.*
dobber flotte *v,* flotteur, bouchon *m; hij zal een harde* — *hebben om,* il aura bien de la peine à. ▼—**en** flotter (au gré des vagues).
docent professeur *m,* (*in België: lector*) chargé *m* de cours. ▼—**enkamer** salle *v* de réunion des professeurs. ▼**doceren I** *ov.w* professer, enseigner. **II** *on.w* être professeur, donner des leçons.
doch cependant, mais, pourtant, seulement.
dochter fille *v;* — *des huizes,* fille *v* de la maison. ▼—**maatschappij** filiale *v.*
doctor docteur *m; tot* — *promoveren,* être reçu docteur; *vrouwelijke* —, femme docteur *v.* ▼—**aal** doctoral; *zijn* — *doen,* passer son agrégation *v.* ▼—**aat** doctorat *m.* ▼—**andus** agrégé *m.* ▼—**eren** être reçu docteur. ▼—**srang,** —**titel** doctorat *m.* ▼**doctrine** doctrine *v.*
document document *m.* ▼—**aire** documentaire *m.* ▼—**eren** documenter.
dode mort(e), défunt(e) *m(v).* ▼—**lijk I** *bn* mortel; fatal (à = *voor*). **II** *bw* mortellement; à mort; *zich* — *vervelen,* s'ennuyer à mourir. ▼**doden I** *ov.w* **1** mettre à mort, tuer; **2** (*fig.*) mortifier (la chair); dompter (la passion). **II** *zich* — se tuer, se suicider. **III** *zn: het* —, la mise à mort. ▼—**dans** danse *v* macabre. ▼—**lied** chant *m* funèbre. ▼—**mars** marche *v* funèbre. ▼—**masker** masque *m* mortuaire. ▼—**stad** nécropole *v.* ▼—**monument** monument *m* aux morts.
doedelzak musette, cornemuse *v;* (*in Bretagne*) biniou *m.*
doe-het-zelver bricoleur *m.*
doek 1 toile *v,* tissu *m;* **2** toile *v* (*schilderij*); rideau *m* (de théâtre); **3** écran *m* (du cinéma); *een open* —*je geven,* acclamer à rideau levé; *op het* (*witte*) — *brengen,* projeter, produire; **3** linge, mouchoir, châle *m;* serviette; lange *v; zijn arm in een* — *dragen,* porter le bras en écharpe; —*je voor het bloeden,* palliatif *m; er geen* —*jes om winden,* parler franchement; *uit de* — *doen,* révéler. ▼—**speld** broche; épingle *v* de fichu.
doel 1 but *m,* cible *v* (—*schijf*); **2** (*bestemming*) destination *v;* **3** (*bedoeling*) dessein, objet, objectif *m,* fin, vue *v; militair* —, objectif militaire; *zijn* — *bereiken,* parvenir à ses fins; *met het* —, dans le but (de); *met dat* —, à cette fin; *ten* — *hebben,* avoir pour but (de); *het* — *heiligt niet de middelen,* la fin ne justifie pas les moyens; *zich ten* — *stellen,* se proposer. ▼—**aanwijzend** (*gram.*) final. ▼—**bewust** conscient. ▼—**einde** but, dessein *m.* ▼—**en** (*op*) **1** viser à; **2** vouloir dire, avoir en vue. ▼—**gemiddelde** moyenne *v* des buts. ▼—**gerichtheid** finalité *v.* ▼—**lijn** ligne *v* de but. ▼—**loos** inutile(ment); sans but, au hasard. ▼—**loosheid** inutilité *v.* ▼—**man** gardien *m* de but. ▼—**matig I** *bn* utile, efficace, confortable. **II** *bw* d'une manière efficace, utilement, confortablement. ▼—**punt** but *m.* ▼—**punten** marquer un but, faire un but. ▼—**schop** envoi *m.* ▼—**stelling** objectif, propos, dessein *m.* ▼—**treffend** (& *bw*) efficace(ment). ▼—**treffendheid** efficacité *v;* arrangement *m* pratique. ▼—**verdediger** *zie* —**man.** ▼—**wit** but, blanc *m.*
doen I *ww* **1** (*afleggen*) prêter (serment); passer, subir (un examen); **2** (*iets ergens in*—) mettre (de l'eau dans son vin); ajouter (du sel au potage); faire (dans sa culotte); **3** (*kosten*) valoir; **4** (*schoonmaken*) faire, ranger, nettoyer (la chambre); **5** (*uitvoeren*) faire (le bien); commettre (un crime); pratiquer (une opération); rendre (service); — *alsof,* faire semblant; *doe dat niet weer!,* n'y revenez pas; *dat doet iemand goed,* cela (vous) fait du bien; *zich te goede* —, faire

bonne chère; *mijn machine doet het niet,* ma machine ne marche (*of* fonctionne) pas; *die bloemen zouden het daar beter* —, ces fleurs feraient mieux là; *je doet maar, allez-y; ik doe het niet,* je n'en ferai rien; *je moet 't maar eens* — (*het is moeilijk*), il faut le faire; *hij doet het* (*ondanks tegenzin*), il s'exécute; *hij heeft het meer gedaan,* il n'en est pas à son coup d'essai; *ik kan het met die broek tot de zomer* —, ce pantalon peut aller jusqu'à l'été; *met 50 gulden zal ik het wel kunnen* —, avec cinquante florins je saurai me tirer d'affaire; *zo iets kan men niet* —, cela ne se fait pas; *iets gedaan krijgen van iem.,* obtenir qc de qn; *als je iets voor hem kunt* —, si vous pouvez qc pour lui; *hij wil me iets* —!, il veut me faire du mal!; *dat is niets gedaan,* cela ne sert à rien; *is hier niets te* —?, il n'y a rien à voir ici?; *ik kan daar niets aan* —, je n'e puis rien; je ne saurais qu'y faire; *niets aan te* —, rien à faire; *veel te* — *hebben,* avoir fort à faire, être très occupé; *wat te* —?, que faire?; *wat is hier te* —?, qu'y a-t-il?; *wat doet het buiten?,* quel temps fait-il?; *doe maar wat je niet laten kunt,* faites ce que vous voudrez; *daar moeten we toch iets aan* —, il faudra y aviser; *je moet er wat aan* — (*je laten behandelen*), il faut soigner ça; *ik heb vier maanden met die schoenen gedaan,* ces souliers m'ont fait quatre mois; *aan Frans* —, faire du français; *aan sport* —, pratiquer les sports; *niets aan zijn godsdienst* —, ne pas pratiquer (sa religion); — *in,* faire le commerce de, vendre; *met iem. te* — *hebben,* **1** avoir affaire à qn; **2** avoir pitié de qn; *het is met hem gedaan,* c'en est fait de lui; *met iem. samen* —, faire de moitié avec qn; *er een uur over* —, mettre une heure à; *dat doet er niet toe,* cela ne fait rien; *doe wel en zie niet om,* fais ce que dois, advienne que pourra; *ik doe het zonder,* je m'en passe; *niet* —!, finis donc!, ah tu fini!. **II** *zn* action; activité *v;* manières *v mv; zeggen en* — *is twee,* promettre et tenir sont deux; *voor zijn* —, pour lui; *dat is niet mijn manier van* —, ce n'est pas mon genre; *iem.* — *en laten,* les faits et gestes de qn; *ik ben niet in mijn gewone* —, je ne suis pas dans mon assiette; *het is geen* —, on ne saurait le faire; *langzaam in zijn* — *zijn,* être lent; *in goeden* — *zijn,* être bien dans ses affaires, - à son aise. ▼**doende:** *ik ben er mee* —, je m'en occupe. ▼**doenlijk** faisable, praticable, possible; *niet* —, irréalisable; inopportun; *het is niet* — *om,* on ne peut…; *on ne saurait…; het is misschien* — *om,* il y a peut-être moyen de.
doetje nigaud *m,* petite oie *v.*
doezel(aar) estompe *v.* ▼—**en** estomper. ▼—**ig 1** vague, estompé; **2** somnolent. ▼—**igheid** somnolence *v.* ▼—**krijt** sauce *v.*
dof I *bn* **1** (*v. geest*) abruti, pesant; **2** (*v. geluid*) sourd; **3** (*v. kleur*) terne, mat; sans éclat; —*fe stem,* voix *v* voilée; — *worden,* se ternir, se voiler. **II** *bw* **1** sans éclat; **2** sourdement; **3** sans vivacité, comme abruti.
doffer pigeon *m* mâle.
dofheid 1 manque *m* d'éclat, couleur *v* terne; **2** manque *m* de vivacité; **3** abrutissement *m,* pesanteur *v* d'esprit.
dog dogue, (*mops*) carlin *m.* ▼—**car** dog-cart *m.*
dogma dogme *m.* ▼—**tiek** dogmatique *v.* ▼—**tisch** *bn* (& *bw*) dogmatique(ment).
dok bassin, dock *m; droog*—, bassin *m* de radoub, (*als v* sèche; *drijvend* —, dock *m* flottant. ▼—**ken I** *ov.w* faire entrer en cale sèche, caréner. **II** *on.w* **1** passer au bassin, se faire caréner; **2** (*betalen*) payer.
dokter médecin; (*fam.*) docteur *m.* ▼—**en** pratiquer la médecine; suivre le traitement de; se droguer. ▼—**sassistent(e)** secrétaire *m/v* médical(e). ▼—**shanden:** *onder* — *zijn,* se faire soigner. ▼—**shulp** assistance *v* médicale. ▼—**sjas** blouse *v.* ▼—**srekening** mémoire *m* de médecin.
dokwerker docker, débardeur *m.*

dol I *bn* 1 (*v. hond*) enragé; 2 (*woest*) effréné, furieux; 3 (*gek*) fou, frénétique; extravagant, absurde; —*le autorijder*, chauffard; — *worden*, prendre la rage; *iem.* — *maken*, faire enrager qn; *het kompas is* —, la boussole est affolée; — *worden* (*v. schroef*), tourner fou, patiner; — *zijn op*, être fou de, raffoler de. II *bw* 1 furieusement; 2 follement; — *veel houden van*, raffoler de, aimer à la folie; — *verliefd op*, amoureux fou de. III *zn* (*mar.*) tolet *m.* **▼dolblij** fou de joie, ravi.
dolboord plat-bord *m.*
doldriest pétulant, fougueux; téméraire.
dolen errer, s'égarer; flaner.
dolerenden dissidents, séparatistes *m mv.*
dolfijn dauphin *m.*
dol/graag bien volontiers; — *zal ik*, je ne demande pas mieux que de ... **▼—heid** rage; folie, frénésie *v.*
dolk poignard *m.* **▼—en** — *doorsteken*, poignarder. **▼—mes** couteau-poignard *m.* **▼—steek** coup *m* de poignard.
dollar dollar *m.* **▼—cent** cent *m* d'Amérique. **▼—lening** emprunt *m* coté en dollars. **▼—waarden** valeurs *v mv* libellées en dollars.
dolle fou (folle); dément(e); fanatique *m(v)*; *als een* —, à corps perdu; *door het* — *heen*, déchainé. **▼—man** enragé, cerveau brûlé *m.* **▼—manspraat** propos *m mv* insensés. **▼dollen** 1 faire le fou; badiner -, (*stoeien*) batifoler avec; 2 assommer. **▼dolzinnig** extravagant, insensé. **▼dolzinnigheid** extravagance, folie *v.*
dom I *zn* 1 cathédrale *v;* 2 dôme *m.* II *bn* bête, sot; inintelligent, borné, imbécile; *hij is niet zo — als hij wel lijkt*, il n'est pas si bête qu'il en a l'air; —*me streek*, bêtise, gaffe *v.* III *bw* bêtement; sottement; stupidement.
domein domaine *m.*
domheid stupidité, bêtise *v.*
domicilie domicile *m;* — *kiezen*, élire domicile; *zijn* — *vestigen*, se domicilier.
dominee pasteur *m;* *er gaat een* — *voorbij*, il passe un ange.
domineren 1 dominer; 2 jouer aux dominos.
dominic/aan Dominicain *m.* **▼—aans** dominicain. **▼—anes** Dominicaine *v.*
domino domino *m;* — *spelen*, jouer aux dominos; — *zijn*, faire domino. **▼—spel** jeu *m* de dominos. **▼—steen** domino *m.*
domme imbécile *m;* *zich van de* — *houden*, faire celui qui ne comprend pas, faire la bête. **▼—kracht** cric, vérin *m;* (*fig.*) gros butor *m.*
dommel/en/1 (*dutten*) somnoler; 2 (*gonzen*) bourdonner. **▼—ig** somnolent, à moitié endormi. **▼—igheid** somnolence *v.* **▼—ing** assoupissement *m.*
domoor imbécile *m & v.*
dompel/aar 1 (*vogelt.*) plongeon *m;* 2 thermoplongeur *m.* **▼—en** plonger (dans).
domper éteignoir *m;* *een* — *zetten op*, étouffer. **▼dompig** 1 sombre, obscur; 2 renfermé, étouffant.
dom/proost prévôt *m.* **▼—toren** tour *v* d'une cathédrale.
domweg comme ça!; bêtement.
dona/teur donateur *m.* **▼—tie** donation *v.* **▼—trice** donatrice *v.*
Donau Danube *m;* *van de* —, danubien.
donder 1 tonnerre *m;* 2 foudre *v;* *daar kun je* — *op zeggen*, je vous en fiche mon billet; *iem. op zijn* — *geven*, rosser qn, flanquer une tripotée à qn; (*fig.*) passer un savon à qn; *op zijn* — *krijgen*, recevoir un bon savon. **▼—bui** 1 orage *m;* 2 pluie *v* d'orage. **▼—dag** jeudi *m; Witte D—*, jeudi saint. **▼—dags** I *on.w* tonner; (*fig.*) II *bw* le jeudi. **▼—en** I *on.w* tonner; (*fig.*) fulminer; *hij stond of hij het in Keulen hoorde* —, il était là comme frappé de la foudre; *het wordt* —, nous sommes à l'orage; *dat dondert niet*, je m'en fiche. II *ov.w* ficher, flanquer; *iem. de deur uit* —, ficher qn à la porte. **▼—end** tonnant, (*fig.*) tonitruant. **▼—jagen** fulminer, faire le diable à quatre. **▼—koppen** nuées *v mv* d'orage, cirrus *m mv* à panache.

▼—s I *tw* tonnerre. II *bn* satané, sacré. III *bw* diablement, rudement. **▼—slag** coup *m* de tonnerre; *als een* —, comme un coup de foudre. **▼—wolk** nuée *v* d'orage.
donker I *bn* obscur, sombre, ténébreux, noir; (*v. tint*) foncé; *hij is bang in het* —, il a peur dans le noir; *het is* —, il fait nuit; *het is hier* —, il fait noir (*of obscur*) ici; — *maken*, obscurcir; *het wordt* —, le jour baisse; le ciel s'assombrit (*bij onweer*); *alles* — *inzien*, voir tout en noir. II *zn* obscurité *v; bij* —, quand il fait noir; *voor* —, avant la nuit; *in het* —, dans l'ombre, - l'obscurité. **▼—blauw** bleu foncé, gros bleu. **▼—blond** d'un blond foncé.
donna doña *v.*
donor donneur *m* de sang, donneuse *v* de sang.
donquichotterie Don-quichottisme *m.*
dons duvet *m.* **▼—achtig** duveteux. **▼—je** houppette *v.* **▼donzen** duveteux; — *bed*, duvet *m;* — *dekbed*, édredon *m* en duvet. **▼donzig** duveteux.
dood I *zn* mort *v;* *een natuurlijke* — *sterven*, mourir de mort naturelle; *als de* — *zijn voor*, craindre comme la peste; *de* — *voor ogen hebben*, voir la mort en face; *op straffe des* —*s*, sous peine de mort; *ter* — *veroordelen*, condamner à mort; *de een zijn* — *de ander zijn brood*, ce qui fait le bonheur des uns fait le malheur des autres. II *bn* mort; — *liggen*, faire le mort; *iem.* — *verklaren*, boycotter qn; — *of levend*, mort ou vif; *ik verveel me* —, je m'ennuie à mourir; *zich* — *schamen*, mourir de honte. **▼—af** exténué; à bout de forces. **▼—arm** dénué de tout. **▼—bedaard** placide, flegmatique. **▼—bidder** employé *m* des pompes funèbres, croque-mort *m.* **▼—bijten** 1 tuer à coups de dents; 2 (*med.*) cautériser. **▼—blijven** mourir -, être tué sur place. **▼—bloeden** 1 mourir par suite d'une hémorragie; 2 s'oublier. **▼—doener** formule banale, phrase *v.* **▼—drukken** étouffer, écraser. **▼—eenvoudig** I *bn* très simple. II *bw* tout simplement. **▼—ergeren (zich)** crever de rage. **▼—gaan** mourir. **▼—geboren** mort-né(e), *mv* mort-né(e)s. **▼—gewoon** I *bn* quelconque. II *bw* tout simplement. **▼—graver** fossoyeur. **▼—hongeren** mourir de faim. **▼—kist** cercueil *m,* bière *v.* **▼—lachen (zich)** mourir de rire. **▼—lopen** I *ov.w* éreinter; rattraper. II *on.w* n'avoir pas d'issue; aboutir à une impasse; — *in*, se perdre dans. III *zich* — se tuer à force de courir. **▼—maken** tuer, abattre, (*v. zenuw*) insensibiliser. **▼—moe** mort de fatigue, rompu. **▼—ranselen** assommer à coups de bâton. **▼—rijden** crever (un cheval), écraser.
doods morne, désert; sombre, inanimé, lugubre; — *stilte*, silence *m* de mort. **▼—angst** 1 agonie *v,* affres *v mv* de la mort; 2 (*fig.*) affolement *m;* — *en uitstaan*, être dans des transes mortelles; *in* — *zitten*, souffrir l'agonie. **▼—benauwd** 1 (*med.*) atteint de dyspnée; 2 pris d'une peur bleue. **▼—bleek** pâle comme un mort, blême.
doodschamen, zich mourir de honte.
doodschieten fusiller, passer par les armes; *zich* —, se brûler la cervelle.
doods/gevaar danger *m* de mort. **▼—heid** aspect *m* morne, désolation *v.* **▼—hemd** linceul, suaire *m.* **▼—hoofd** tête *v* de mort. **▼—kleed** *zie* —*hemd*. **▼—kleur** teint *m* cadavéreux, lividité *v.* **▼—klok** glas *m.*
dood/slaan assommer, tuer; *gij zult niet* —, tu ne tueras point. **▼—slag** homicide, meurtre *m.*
doods/nood 1 agonie *v;* 2 détresse *v.* **▼—schrik** frayeur *v* mortelle. **▼—snik** dernier soupir *m.* **▼—strijd** agonie *v.* **▼dood/steek** coup *m* mortel. **▼—stil** sans bruit, d'un silence de mort; *allen zaten* —, personne ne bougeait. **▼—straf** peine *v* capitale. **▼doods/vijand** ennemi *m* mortel. **▼—zweet** sueur *v* de la mort; *het* — *brak me uit*, j'étais dans les transes mortelles. **▼dood/tij** morte-eau *v.* **▼—trappen** I *ov.w* tuer à coups

de pied. **II zich** — s'échiner à force de pédaler. ▼—**vallen** tomber mort; se tuer en tombant; *hij valt dood op een cent,* il tondrait sur un œuf. ▼—**vonnis** arrêt *m* de mort. ▼—**werken (zich)** se tuer à force de travailler, s'éreinter, se tuer de travail. ▼—**ziek** gravement malade. ▼—**zonde** péché *m* mortel; — *doen,* pécher mortellement. ▼—**zwak** faible à mourir. ▼—**zwijgen I** *ov.w* faire le silence sur. ▼—**zn** conspiration *v* du silence.

doof I *bn* 1 sourd; 2 éteint, mort; — *aan één oor,* sourd d'une oreille; *zich* — *houden,* faire la sourde oreille (à). ▼—**heid** surdité *v.* ▼—**pot** étouffoir *m; in de* — *stoppen,* étouffer, enterrer. ▼—**stom** sourd-muet. ▼—**stomheid** surdi-mutité *v.* ▼—**stommeninstituut** institution *v* des sourds-muets.

dooi dégel *m.* ▼—**en** dégeler; *het dooit,* le temps est au dégel.

dooier jaune *m* d'œuf.

dooiweer (temps de) dégel *m.*

doolhof labyrinthe, dédale *m.*

doop baptême *m; ten* — *houden,* tenir sur les fonts (baptismaux). ▼—**akte,** —**bewijs** certificat *m* de baptême. ▼—**ceel** extrait baptistaire *m.* ▼—**kapel** baptistère *m.* ▼—**naam** nom *m* de baptême. ▼—**sel** baptême *m; — des bloeds,* baptême *m* du sang. ▼—**gezind** mennonite. ▼—**vont** fonts baptismaux *m mv.* ▼—**water** eau *v* baptismale.

door I *vz* 1 (*v. plaats*) par, au travers de, à travers; — *de deur binnenkomen,* entrer par la porte; — *het bos gaan,* aller à travers bois; 2 (*v. tijd*) durant, pendant; 3 (*middel*) par (ce moyen), à force de (travailler); 4 (*oorzaak*) par (sa faute), (*toestand*) de (aimé de tous). **II** *bw:* — *en* — *koud,* transi de froid; — *en* — *eerlijk,* foncièrement honnête; — *en* — *kennen,* connaître à fond; *zijn hele leven* —, durant toute sa vie; *dat kan er mee* —, c'est ce que cela peut être, cela peut aller; *mijn mouw is* —, ma manche est trouée; (*met ww*) continuellement.

door- (*in ss met ww*) continuer de, continuer à. ▼—**berekenen** répercuter; *produktieprijsverhoging* — *in verkoopprijs,* répercuter dans le prix de vente l'augmentation de prix à la production. ▼—**berekening** répercussion *v.*

door/bijten I *ov.w* 1 couper avec les dents; 2 mordre. **II** *on.w* 1 continuer à mordre; 2 (*fig.*) pousser jusqu'au bout. ▼—**bladeren** feuilleter, parcourir. ▼—**blazen** percer en soufflant; purger. ▼—**boren** percer, perforer, traverser. ▼—**boring** percement *m,* perforation *v.* ▼—**braak** (*v. dijk*) rupture *v;* (*v. straat*) percement *m;* (*mil.*) percée, trouée *v.* ▼—**braden** cuire à point. ▼—**branden I** *on.w* continuer de brûler; prendre bien; (*v. zekering*) sauter. **II** *ov.w* consumer, brûler; (*elektr.*) fondre (le fusible).

doorbrek/en I *ov.w* rompre, casser; traverser, percer. **II** *on.w* (*v. dijk*) rompre; (*v. zweer*) percer; (*fig.*) se faire jour. ▼**doorbrék/en** rompre, percer. ▼—**ing** percement *m,* rupture, percée *v.*

door/brengen 1 passer (le temps); 2 dissiper (de l'argent). ▼—**buigen I** *on.w* céder, fléchir. **II** *ov.w* rompre en courbant. ▼—**dacht** médité, mûri, bien pesé. ▼—**dat** comme; parce que. ▼—**denken** réfléchir mûrement. ▼—**doen** 1 (*doorhalen*) rayer, biffer, effacer; 2 diviser, couper. ▼—**draven** 1 continuer de trotter; 2 parler à tort et à travers; exagérer effrontément; *wat draaf je weer door,* comme vous y allez.

doordrijv/en faire triompher, imposer (sa volonté); venir à bout de; pousser à bout. ▼—**er** homme *m* obstiné, fanatique. ▼—**erij** obstination *v,* acharnement *m.*

doordring/baar pénétrable, perméable. ▼—**baarheid** pénétrabilité, perméabilité *v.* ▼—**en I** *on.w* pénétrer, percer; *in een geheim*

—, pénétrer un secret. **II** *ov.w* pénétrer. **III zich van iets** — se pénétrer de qc. ▼—**end** pénétrant, perçant. ▼—**ingsvermogen** force *v* de pénétration. ▼**doordrongen (van)** pénétré (de); (*fig.*) persuadé (de).

doordrukken I *ov.w* percer, enfoncer; (*fig.*) imposer. **II** *on.w* 1 continuer de presser; 2 continuer d'imprimer; 3 s'imposer.

dooreen 1 pêle-mêle, en désordre; 2 (*fig.*) en moyenne; — *genomen,* l'un dans l'autre. ▼—**gooien** brouiller; jeter pêle-mêle. ▼—**halen** brouiller, confondre. ▼—**lopen** (*fig.*) se confondre. ▼—**mengen** mêler ensemble. ▼—**vlechten** entrelacer. ▼—**vlechting** entrelacement *m.*

dooreten 1 continuer de manger; 2 achever de manger.

door/gaan I *on.w* 1 continuer son chemin; 2 continuer, ne pas s'arrêter; 3 durer; 3 avoir lieu, se faire; 4 (*gelden*) s'appliquer; 5 (— *voor*) passer pour, être réputé; *moet dat zo* — ?, est-ce qu'on n'en finira jamais? ; *de trein gaat door* (*zonder stoppen*), le train brûle la station; *laten we daarover niet* —, brisons là-dessus; *dat gaat in één moeite door,* c'est tout un; *er van* —, détaler, filer; s'enfuir; *gaat het nog door?,* cela tient toujours? **II** *ov.w* repasser (une leçon); parcourir. ▼—**gaand** général; ordinaire; continuel; — *e trein,* train *m* direct; — *biljet,* billet *m* valable jusqu'à destination; — *verkeer',* 'toutes directions'. ▼—**gaans** ordinairement, le plus souvent. ▼**doorgang** passage *m.* ▼—**shuis** maison *v* de passage.

doorgeefluik passe-plats *m.*

doorgestoken percé; — *kaart,* coup *m* monté.

door/geven passer, faire circuler; *iets aan elkaar* —, se passer qc. ▼—**glippen** se glisser par, passer furtivement par. ▼—**graven** percer; creuser. ▼—**gronden** approfondir, pénétrer. ▼—**hakken** fendre, couper en deux; *de knoop* —, trancher le nœud.

doorhal/en I *ov.w.* 1 faire passer (à travers); 2 (*doorstrepen*) biffer; rayer; 3 (*na was*) *door het stijfsel halen,* passer à l'empois; 4 réprimander; — *wat niet verlangd wordt,* rayer les mentions inutiles. **II** *zn: het* —, *zie:* ▼—**ing** 1 radiation *v,* biffage *m;* 2 réprimande *v.*

doorhebben percer à jour, avoir vu (qn).

doorheen de part en part, à travers; *zich er* — *slaan,* se débrouiller.

doorjagen I *on.w* passer sans s'arrêter. **II** *ov.w: zijn geld er* —, dissiper son bien.

doorkijk échappée *v.* ▼—**blouse** blouse *v* transparante. ▼—**en** 1 repasser (une leçon); 2 parcourir, feuilleter (un livre).

doorklieven fendre, déchirer.

doorklinken I *ov.w* 1 retentir de; 2 résonner par. **II dóórklinken** *on.w* continuer à résonner.

door/klutsen 1 mêler en battant; 2 battre, fouetter. ▼—**kneed** bien pétri; *ergens in* — *zijn,* être rompu à qc. - entendu à qc. -versé dans qc. ▼—**knippen** couper en deux. ▼—**koken** *on.w* 1 bien bouillir. ▼—**komen I** *on.w* 1 traverser, passer par; 2 (*bij examen*) être reçu; 3 (*v. tanden*) percer; 4 (*v.d. zon*) percer (à travers les nuages); *er is geen* — *aan,* il n'y a pas moyen de passer; (*fig.*) c'est la mer à boire. **II** *ov.w* traverser, passer; venir à bout de (qc). **III** *zn: het* —, le percement; l'éruption *v* (des dents). ▼—**krijgen** faire passer par; avaler; couper en deux. ▼—**kruisen** 1 biffer d'une croix; 2 entraver, en tous sens; 3 entraver. ▼—**kunnen** pouvoir passer; *dat kan er mee door,* cela peut aller.

door/laatpost poste *m* de contrôle. ▼—**laten** laisser passer; *geen water* —, être imperméable. ▼—**laten** laisser passer, laisser filtrer; laisser passer l'eau; *het dak lekt door,* le toit perd l'eau. ▼—**leven** passer, vivre, traverser; *het doorleefde,* le vécu; l'expérience *v* de vécu.

▼—**lezen** lire d'un bout à l'autre, achever de lire; *vluchtig* —, parcourir, feuilleter; *zijn post* —, dépouiller son courrier.

doorlicht/en radiographier, examiner aux rayons. ▼—**ing** radiographie *v.*

door/lopen I *ov.w* 1 parcourir; 2 user-, écorcher à force de marcher; 3 percer (les chaussettes). II *on.w* 1 continuer (*of passer*) son chemin; *de koffie loopt door*, le café est en train de passer; 2 (*v. kleuren*) se mêler, se brouiller; —!, circulez! ▼—**lópen** parcourir; suivre (les cours); *de school* —, faire ses classes. ▼—**lopend** I *bn* ininterrompu, continuel, suivi; —*e kamers*, chambres en enfilade; —*e trein*, train *m* direct; —*e wagen*, voiture *v* à couloir; — *krediet*, crédit *m* permanent; —*e rekening*, compte *m* courant; —*e voorstelling*, séance *v* permanente. II *bw* continuellement, d'une façon suivie.

doorluchtig illustre, éminent, auguste. ▼—**heid** altesse, éminence *v.*

doormaken passer bar, traverser; participer à; *een ziekte* —, faire une maladie.

doormidden en deux, par le milieu.

doorn épine *v*; piquant *m*; *dat is hem een — in het oog*, cela l'offusque. ▼—**achtig** épineux.

doornat mouillé jusqu'aux os; trempé (de sueur).

doornemen 1 voir; étudier; 2 traiter, parler de.

doorn/enkroon couronne *v d'épines*. ▼—**ig**, —**vormig** épineux.

door/ploegen labourer, fendre; (*fig.*) sillonner (de rides). ▼—**praten** parler sans discontinuer; *iem. laten* —, laisser aller qn. ▼—**prikken** percer. ▼—**redeneren** 1 continuer son raisonnement; 2 raisonner à n'en pas finir.

doorregen entrelardé; — *spek*, lard *m* maigre.

doorregenen 1 continuer de pleuvoir; 2 laisser percer la pluie.

door/reis passage *m*; *op — in X*, de passage à X. ▼—**reizen** I *on.w* continuer son voyage. II *ov.w* parcourir.

doorrij/den I *ov.w* 1 traverser; user *of* écorcher en allant à cheval. II *on.w* continuer sa route, ne pas s'arrêter. ▼—**hoogte** hauteur *v de passage maximum*. ▼**doorrit** passage *m*, garage *m* à double issue.

door/roeren remuer, mêler en remuant. ▼—**roken** pénétrer de fumée (un objet); culotter (une pipe). ▼—**schemeren** percer; *iem. iets laten* —, laisser entendre qc à qn. ▼—**scheuren** déchirer.

door/schieten I *on.w* 1 continuer à tirer, ne pas cesser le tir; 2 (*plk.*) monter en graine. II *ov.w* 1 percer (*of* trouer) d'un coup de feu; 2 lancer, faire passer (la navette). ▼—**schiéten** 1 percer, trouer (de balles); 2 interfolier (un livre).

doorschijn/en percer; continuer à luire. ▼—**end** transparent, translucide. ▼—**endheid** transparence, translucidité *v.*

door/schouwen pénétrer, démêler. ▼—**schrappen** rayer, biffer. ▼—**schudden** I *on.w* continuer à secouer. II *ov.w* 1 secouer; 2 battre (les cartes). ▼—**schuiven** I *ov.w* passer. II *on.w* se serrer. ▼—**seinen** transmettre; relayer. ▼—**sijpelen** suinter, s'infiltrer.

door/slaan I *on.w* 1 continuer de frapper; 2 (*v. machine*) s'emballer; 3 (*v. weegschaal*) pencher; 4 (*fig.*) divaguer; 5 (*bij ondervraging*) (*arg.*) se mettre à table; 6 sauter; *de zekeringen zijn doorgeslagen*, les fusibles ont sauté. II *ov.w* 1 percer; rompre; 2 (*v. linnen*) passer à la lessive; 3 copier au carbone; *je moet je er maar* —, il faut se tirer d'affaire, - se débrouiller. ▼—**slaand** convaincant, concluant; décisif. ▼—**slag** 1 (*vergiettest*) égouttoir *m*; 2 (*tech.*) chasse *v*; perçoir *m*; 3 double *m*, copie *v*; 4 *de* — *geven*, faire pencher la balance. ▼—**slagpapier** papier *m* pelure.

door/slijten I *ov.w* user. II *on.w* s'user, se trouer. ▼—**slikken** I *ov.w* avaler. II *zn: het* —, la déglutition. ▼—**smelten** 1 continuer à

fondre; 2 (*v. zekering*) sauter. ▼—**smeren** graisser; (*v. auto*) faire un graissage complet.

doorsne(d)e coupe, section *v*; profil *m*; moyenne *v*; *dwarse* —, coupe en travers; *in* —, 1 en coupe, de profil; 2 (*handel*) en moyenne; *de — Amerikaan*, l'Américain moyen. ▼**doorsnijden** couper en deux; trancher; entrecouper, traverser.

doorsnuffelen fureter dans; perquisitionner (*v. politie*).

doorspoel/en rincer, laver, nettoyer à grande eau. ▼—**ing** lavage, rinçage *m*; chasse *v* d'eau (d'un W.C.).

door/staan souffrir, endurer, supporter; (*ondergaan*) subir; essuyer (une tempête). ▼—**stappen** 1 continuer sa marche; 2 doubler le pas. ▼—**steken** percer; transpercer (le cœur); curer, dégorger (un tuyau); *doorgestoken kaart*, coup monté *m*. ▼—**strepen** rayer, biffer. ▼—**stromen** 1 continuer à couler; 2 traverser; *vlot —d verkeer*, circulation *v* fluide. ▼—**studeren** I *on.w* continuer à étudier. II *ov.w* étudier. ▼—**sturen** laisser suivre; faire circuler.

doortast/en être, expéditif, prendre des mesures énergiques; *flink* —, pousser l'affaire avec énergie. ▼—**end** expéditif, énergique, efficace. ▼—**endheid** énergie, résolution *v.*

door/tintelen (*fig.*) toucher, affecter.

doortocht passage *m*; traversée, marche *v.*

door/trappen I *ov.w* casser, enfoncer. II *on.w* 1 continuer de pédaler; 2 pédaler avec plus d'énergie.

doortrapt rusé, madré; malin, méchant. ▼—**heid** ruse, finesse, astuce; méchanceté *v.*

door/trekk/en I *ov.w* 1 passer (*of* rompre) à force de tirer; 2 passer par, traverser; 3 prolonger (un chemin); 4 (*v. vloeistof*) imprégner, imbiber (de); *met vooroordelen doortrokken*, imprégné de préjugés; 5 *in de tweede versnelling — tot 90 km*, pousser la seconde à 90. ▼—**end** de passage. ▼—**ing** prolongement *m*; imprégnation, imbibition *v.*

doorvaart passage *m*; passe *v*, détroit *m*. ▼—**hoogte** hauteur *v* de passage maximum; gabarit *m.* ▼—**wijdte** ouverture *v* de pont, largeur *v* d'arche.

door/verbinden donner la communication. ▼—**vlechten (met)** entrelacer (de). ▼—**vliegen** I *on.w* continuer à voler, - son vol. II *ov.w* traverser rapidement; traverser en avion; parcourir à la hâte (un livre).

doorvoed bien nourri, repu.

doorvoelen (*fig.*) connaître par intuition, sentir profondément.

doorvoer 1 (commerce de) transit *m*; marchandise *v* transitée. ▼—**en** transporter; transiter (des marchandises); appliquer rigoureusement (une mesure). ▼—**handel** transit *m.* ▼—**handelaar** négociant transitoire *m.* ▼—**recht** droit *m* de transit.

door/waadbaar guéable; —*e plek*, gué *m.* ▼—**waaien** continuer à souffler; *laten* —, aérer; *zich laten* —, prendre l'air. ▼—**waden** passer à gué. ▼—**weekt** trempé; (*champ*) détrempé. ▼—**weken** tremper, se détremper. ▼—**werken** I *on.w* 1 ne pas chômer; 2 se faire sentir, exercer de l'influence. II *ov.w* 1 étudier à fond; 2 travailler, remanier. ▼—**weven** tisser, entrelacer, mêler. ▼—**wrocht** achevé, profondément poussé; *een zeer —d studie*, une étude creusée très avant. ▼—**zakken** 1 s'affaisser, s'écrouler; 2 continuer à boire (trop). ▼—**zenden** faire suivre, réexpédier; *in geval van afwezigheid* —, faire suivre en cas d'absence.

doorzet/ten I *on.w* persévérer, aller jusqu'au bout (de). II *ov.w* pousser plus avant; imposer (sa volonté). ▼—**tingsvermogen** persévérance *v*, esprit *m* de suite.

doorzeven cribler (de balles).

doorzicht 1 perspective *v*; 2 (*fig.*) pénétration d'esprit, perspicacité *v*; *geen — in een zaak hebben*, ne pas voir clair dans une affaire. ▼—**ig** transparent; (*fig.*) clair. ▼—**igheid** transparence; clarté *v.* ▼**doorzien** parcourir (rapidement) (un livre); ▼**doorzíen** percer, pénétrer; *ik heb hem —*, je l'ai deviné; *zijn plannen —*, le voir venir.

doorzoek/en fouiller, sonder; perquisitionner dans. ▼—**ing** 1 visite, recherche *v*; 2 (*jur.*) perquisition *v*.

doos 1 boîte *v*; étui *m*; 2 (*gevangenis*) taule *v*; *uit de oude —*, périmé, vieux style; *in de —stoppen*, coffrer.

dop 1 (*schaal*) coque, coquille, écale *v*; 2 (*peul*) cosse, gousse *v*; 3 bouchon *m* (*v. benzinetank*); capsule *v* (de stylo); (*v. stok*) embout *m*; 4 chapeau melon *m*; *dokter in de —*, médecin en herbe.

dope 1 stimulant; 2 (*in olie*) dope *m*.

dopeling catéchumène; enfant qu'on baptise *m & v*. ▼**dopen** 1 baptiser; 2 (*in—*) tremper; *iem. Hugo —*, baptiser qn sous le nom de Hugues; 3 doper.

dop/erwt petit pois *m*. ▼—**heide** bruyère *v* cendrée.

doping dopage *m*. ▼—**controle** contrôle *m* antidoping.

dop/pen *I ov.w* 1 écaler (un œuf); écosser (des pois). II *on.w* ôter son chapeau, saluer. ▼—**sleutel** clé *v* à douille. ▼—**vrucht** akène *m*.

dor *I bn* sec, aride; desséché. II *bw* sèchement.
▼—**heid** sécheresse, aridité *v*.

dorp village *m*. ▼—**achtig** villageois, rustique.

dorpel pas de la porte, seuil *m*.

dorpeling villageois *m*. ▼**dorps** *zie* **dorpachtig**. ▼**dorps/gemeente** commune *v* rurale. ▼—**genoot** pays *m*, payse *v*.
▼—**pastoor** curé *m* de campagne.
▼—**predikant** pasteur *m* de village. ▼—**weg** chemin *m* vicinal.

dors/en battre (le blé). ▼—**er** batteur (en grange). ▼—**machine** batteuse *v*.

dorst soif *v*; *— hebben*, avoir soif; *zijn — lessen*, se désaltérer. ▼**en** 1 avoir soif; 2 (*fig.*) être altéré de. ▼—**ig** altéré.
▼—**verwekkend** altérant.

dors/vlegel fléau *m*. ▼—**vloer** aire *v*.

doseren doser. ▼**dosering** dosage *m*. ▼**dosis** dose *v*; *een flinke — nemen*, prendre une forte dose.

dot 1 touffe *v*; 2 tampon *m*; 3 (*zuig—*) suçon *m*; 4 amour, ange, mignon *m*.

dotaal — *stelsel* (*Belg. jur.*), régime *m* dotal.

douane douane *v*. ▼—**beambte** douanier *m*.
▼—**controle** contrôle *m* de la douane.
▼—**formaliteiten** formalités *v mv* en douane. ▼—**kantoor** bureau *m* de la douane.
▼—**papieren** papiers *m mv* douaniers.
▼—**rechten** droits *m mv* de douane.
▼—**tarief** tarif *m* douanier. ▼—**unie** union *v* douanière. ▼—**verklaring** déclaration *v* en douane.

doubleren redoubler; (*kaartsp.*) contrer.
▼**doubleur** (*school*) redoublant *m*.

douceur cadeau; pourboire; extra *m*.

douche douche *v*. ▼—**bad** bain-douche *m*.

douw choc, heurt *m*; *iem. een — geven*, 1 bousculer qn. 2 passer un saron (à qn).
▼—**en** bousculer, pousser.

doven éteindre, étouffer; (*fig.*) amortir.

dovenetel lamier *m*; *gele —*, ortie *v* jaune; *purperen —*, ortie rouge.

down abattu.

dozijn douzaine *v*; *bij het —*, à la douzaine; *bij —en*, par douzaines.

draad 1 (*v. garen*) fil *m*; 2 (*vezel*) fibre *v*, filament *v*; 3 (*v. schroef*) filet *m*; *een — insteken*, enfiler une aiguille; *tot op de — versleten*, usé jusqu'à la corde; *tegen de —*, à contre-fil; à contre-poil (*scheren*); *voor de — komen*, s'expliquer; *alle dagen een — je, is een hemdsmouw in het jaar*, petit à petit l'oiseau fait son nid. ▼—**baan** (chemin de fer) funiculaire *m*. ▼—**bekleding** guipage *m*.
▼—**fabriek** tréfilerie *v*. ▼—**gaas** grillage *m*.
▼—**glas** verre *m* filigrané. ▼—**je** (bout de) fil *m*. ▼—**kabel** câble *m* en fil de fer. ▼—**loos** sans fil; *— bericht*, sans-fil *m*; *draadloze besturing* télécommande *v*. ▼—**nagel** pointe

---

v, clou *m*. ▼—**schakelaar** interrupteur *m* de fil souple. ▼—**snaar** corde *v* métallique.
▼—**tang** pince(s) *v* (*mv*) coupante(s).
▼—**versperring** barbelé *m*; *— onder stroom*, grillage *m* électrifié. ▼—**werk** 1 filigrane *m*; 2 (*rasterwerk*) treillis *m*.

draag/baar *I zn* brancard *m*; civière *v*. II *bn* 1 portatif; 2 portable, mettable (*v. kleren*).
▼—**band** 1 portant *m*; 2 (*v. gewonde arm*) écharpe *v*; 3 ceinturon *m*, bretelle *v*. ▼—**juk** palanche *v*. ▼—**kracht** 1 limite de charge; 2 force portative; résistance; 3 portée *v*; possibilités *v mv*; moyens *m mv*. ▼—**lijk** *I bn* supportable; passable. II *bw* supportablement. ▼—**penning** plaque *v*.
▼—**raket** lanceur, véhicule *m* porteur.
▼—**riem** (*v. ransel*) brassière *v*; (*v. geweer*) bretelle *v*; (*v. koets*) soupente *v*. ▼—**ster** porteuse *v*. ▼—**stoel** chaise *v* à porteurs.
▼—**vermogen** 1 limite de charge *v*; 2 force *v* portative. ▼—**vlak** plan *m* de sustentation.
▼—**wijdte** portée *v*.

draai 1 (*v. wiel*) tour *m*; 2 (*v. weg*) virage, tournant *m*; 3 (*wending*) tournure *v*; 4 *— om de oren*, soufflet *m*; *een te grote — nemen*, prendre un tournant trop large; *een — te kort nemen*, tourner (trop) court. ▼—**as** axe *m* de rotation. ▼—**baar** mobile, tournant. ▼—**bank** tour *m*. ▼—**beweging** mouvement *m* rotatoire. ▼—**boek** scénario *m*.
▼—**boekschrijver** scénariste *m*. ▼—**boom** tourniquet *m*. ▼—**bout** boulon *m* de support.
▼—**brug** pont *m* tournant. ▼—**deur** tambour *m*. ▼—**cirkel** rayon *m* de braquage. ▼—**en** *I on.w* 1 (*rond—*) tourner; se tourner; (*om een spil*) pivoter; 2 *links* (*rechts*) *—*, tourner à gauche (à droite); 3 (*scheep- en luchtv.*) virer; 4 chercher des détours, se dérober; *daar draait alles om*, c'est là le nœud de l'affaire; *er omheen —*, tourner autour du pot; *die film draait in Saskia*, ce film passe au Saskia. II *ov.w* 1 (*opnemen; vertonen*) tourner (un film); passer (un disque); faire tourner (une roue); braquer (*v. auto*); 2 (*draaiend bewerken*) tourner (du bois); façonner au tour; rouler (une cigarette); 3 faire (un numéro de téléphone). III *zich —* (*v. mens*) se tourner; (*v. ding*) tourner; *zich er in —*, s'enferrer; *zich ergens in —*, s'insinuer dans qc; *zich ergens uit —*, se tirer d'un mauvais pas. ▼—**end** tournant; (*tech.*) rotatoire.

draaier 1 tourneur *m*; 2 (*halswervel*) axis *m*; 3 (*fig.*) trompeur *m*. ▼—**ig**: *ik ben wat —*, j'ai mal au cœur, je me trouve mal. ▼—**igheid** vertige, mal *m* au cœur. ▼—**ij** 1 atelier *m* de tourneur; 2 subterfuge *m*; *met — en omgaan*, user de subterfuges.

draai/hek tourniquet *m*. ▼—**ing** (*om as*) rotation *v*; changement (du vent); tournoiement *m*; tourbillon *m* (dans l'eau); (*fig.*) vertige *m*. ▼—**kolk** tournant, gouffre *m*.
▼—**kruk** manivelle *v*. ▼—**licht** feu *m* tournant. ▼—**molen** (manège de) chevaux *m mv* de bois; *in de — gaan*, monter sur les chevaux de bois. ▼—**orgel** orgue *m* de Barbarie. ▼—**pen** pivot *m*. ▼—**punt** pivot, centre de rotation, axe; roulement *m* (d'une bicyclette). ▼—**schakelaar** interrupteur *m*.
▼—**schijf** 1 tour *m*, tournette *v*; 2 plaque tournante *v* (d'un chemin de fer). ▼—**slot** espagnolette *v*. ▼—**spiegel** psyché *v*.
▼—**stoel** chaise *v* tournante. ▼—**stroom** (*elektr.*) courant *m* tournant, - triphasé.
▼—**tafel** platine *v* tournante, - tourne-disques. ▼—**tol** toupie *v*.
▼—**zuigermotor** moteur *m* rotatif.

draak 1 dragon *m*; 2 (*toneelstuk*) mélo(-drame) *m*; 3 (*lelijk ding*) navet *m*; *de — steken met*, se moquer de.

drab marc, fond *m*, lie *v*. ▼—**big** épais, trouble, féculent; (*v. koffie*) boueux; (*v. wijn*) gras.

dracht 1 costume *m*, mise *v*; habits *m mv*; 2 (*wat men kan dragen*) charge; voie *v* (d'eau); 3 (*jonge dieren*) portée *v*; *een — slagen*, une volée de coups. ▼—**ig** (*v. dieren*) plein. ▼—**igheid** gestation *v*.

draconisch draconien.
draf trot *m*; *in* —, au trot; *gestrekte* —, trot allongé; *korte* —, petit trot; *verkorte* —, trot raccourci; *op een* —*je*, vite, en courant.
drag/en I *on.w* **1** porter; **2** soutenir; supporter; *zorg* — *voor,* avoir soin de; *dat wordt veel gedragen,* cela se porte beaucoup; *gedragen kleren,* habits *m mv* usagés; *bij zich* —, avoir sur soi. **II** *on.w* **1** porter; **2** (*v. boom*) produire; **3** (*v. wonden*) suppurer. **III** *zn* port *m*. ▼—**er 1** (*persoon*) porteur *m*; **2** (*voorwerp*) support, portant *m*; **3** (*fig.*) représentant *m*.
dragonder 1 dragon *m*; **2** maîtresse-femme *v*.
drain/eerbuis drain *m*. ▼—**eren** drainer. ▼—**ering** drainage *m*.
dral/en tarder, temporiser, traîner; *niet lang — om,* ne pas tarder à. ▼—**er** temporisateur; (*esprit*) irrésolu *m*.
drama drame *m*. ▼—**tiek** dramatique *m*. ▼—**tisch** *bn* (& *bw*) dramatique(ment); ▼—**tiseren** dramatiser. ▼—**turg** auteur dramatique, dramaturge *m*.
drang envie *v*, penchant, désir *m*; — *des harten,* impulsion *v* du cœur; *door de* — *der omstandigheden,* par la force des choses. ▼—**hek** barrière *v* mobile. ▼—**reden** motif *m* pressant.
drank 1 boisson *v*, breuvage *m*; **2** (*med.*) potion *v*; **3** (*sterke*) — boisson *v* forte; *aan de* — *raken,* s'adonner à la boisson. ▼—**bestrijder** antialcoolique *m*. ▼—**bestrijding** lutte *v* contre l'alcoolisme. ▼—**gelegenheid** débit *m* de boissons. ▼—**je 1** petit verre *m*; **2** (*med.*) potion *v*. ▼—**misbruik** alcoolisme *m*. ▼—**verbod** prohibition *v*. ▼—**verbruik** consommation *v* d'alcool. ▼—**wet** loi *v* sur le régime des boissons. ▼—**winkel** débit *m*. ▼—**zucht** alcoolisme *m*; (*med.*) dipsomanie *v*. ▼—**zuchtig(e)** alcoolique; dipsomane *m* & *v*.
draper/en draper. ▼—**ing** draperie *v*.
dras marécage, marais *m*. ▼—**sig** marécageux. ▼—**sigheid** état *m* marécageux.
drastisch 1 (*med.*) drastique; **2** (*fig.*) violent; radical, (exemple) frappant.
drav/en I *on.w* trotter, aller au trot. **II** *zn het laten* —, la montre (au marché). ▼—**er** trotteur *m*. ▼—**erij** course *v* au trot.
dreef allée, avenue *v*; *op* — *brengen,* mettre en train; *weer op* — *helpen,* remettre sur pied; *niet op* — *zijn,* ne pas être dans son assiette.
dreg grappin *m*, drague *v*. ▼—**gen** draguer. ▼—**haak** crochet *m*.
dreig/brief lettre *v* comminatoire, - de menaces. ▼—**ement** menace *v*. ▼—**en 1** menacer (de); **2** risquer (de); *ik dreigde te vallen,* je pensai tomber; — *in te storten,* menacer ruine; *het dreigt te regenen,* la pluie menace. ▼—**end** menaçant, comminatoire; — *gevaar,* péril *m* imminent. ▼—**ing** menace *v*.
drein/en pleurnicher, geindre. ▼—**er,** pleurnicheur *m*. ▼—**erig** pleurnicheur.
drek 1 matières *v mv* fécales, excréments *m mv*; **2** (*v. dieren*) bouse (de vache), fiente *v*, crottin *m* (de cheval); **3** (*vuil*) ordures, immondices *v mv*; **4** (*straatvuil*) boue, crotte *v*. ▼—**kig** boueux, crotté. ▼—**kigheid** saleté *v*, état *m* fangeux.
drempel seuil *m*; (*fig.*) entrée *v*; *bij iem. de* — *platlopen,* fréquenter beaucoup chez qn.
drenkeling noyé(e) *m* (*v*). ▼**drenk/en** abreuver (le bétail); donner à boire, faire boire. ▼—**plaats** abreuvoir *m*. ▼—**trog,** —**wed** abreuvoir *m*.
drentel/aar flâneur *m*. ▼—**en** flâner, marcher à petits pas.
drenzen *enz. zie* **dreinen.**
dresseerzweep chambrière *v*. ▼**dresseren** dresser (un cheval); styler (une bonne); *iem. voor een examen* —, poser des colles d'examen à qn, chauffer qn à un examen; *gedresseerde hond,* chien *m* savant.

▼**dressuur** dressage *m*.
dreumes moutard, mioche, petiot *m*; nabot *m*.
dreun 1 grondement; **2** (*stomp*) gnon *m*; **3** rengaine, scie *v*. ▼—**en I** *on.w* trembler; gronder, (s'é)branler. **II** *zn: het* —, grondement, ébranlement *m*.
drevel mandrin, chasse-clou *m*.
dribbelen aller à petits pas pressés, trottiner; (*sp.*) dribbler.
drie trois *v*; *zij heeft een* — *voor haar Duits,* elle a un trois d'allemand; *het is bij* —*en,* il est près de trois heures; *we zijn met ons* —*en,* nous sommes trois. ▼—**baansweg** route *v* à trois voies. ▼—**dekker** vaisseau *m* à trois ponts; triplan *m*. ▼—**delig** divisé en trois, triparti(te); (*muz.*) ternaire; — *kostuum,* costume *m* de trois pièces. ▼—**dik** triple. ▼—**dimensionaal** à trois dimensions. ▼—**draads** à trois brins. ▼—**dubbel** *bn* (& *bw*) triple(ment). ▼—**eenheid** trinité *v*; *de D*—, la Trinité. ▼—**endertig-toeren-plaat** trente- trois tours *m*. ▼—**enig** trois en un, un seul en trois. ▼—**erlei** de trois sortes, - façons.
driehoek 1 triangle *m*; **2** (*teken*—) équerre *v* à dessin; — *waarvan de hoeken gegeven zijn,* triangle donné d'espèce. ▼—**ig** triangulaire. ▼—**smeting** trigonométrie *v*; *vlakke* —, trigonométrie rectiligne; (*opmeting*) triangulation *v*; *bol*—, trigonométrie sphérique.
drie/jaarlijks trisannuel. ▼—**jarig** de trois ans; triennal. ▼—**kant(ig)** triangulaire; à trois cornes; —*e steek,* tricorne *m*. ▼—**klank** triphtongue *v*; (*muz.*) accord *m* de trois sons.
driekleur drapeau *m* tricolore, le tricolore, les trois couleurs. ▼—**endruk** trichromie *v*. ▼—**ig** tricolore, trichrome.
Driekoningen Jour *m* des Rois, Epiphanie *v*.
driekwart (aux) trois quarts. ▼—**smaat** mesure *v* à 3 temps.
drie/ledig triple, ternaire, tripartite. ▼—**lettergrepig** trisyllabique. ▼—**ling** triplé(e)s *m* (*v*) *mv*. ▼—**luik** triptyque *m*. ▼—**maal** trois fois.
driemaand/elijks trimestriel. ▼—**swissel** traite *v* à trois mois de date.
drieman triumvir *m*. ▼—**schap** triumvirat *m*.
drie/master trois-mâts *m*. ▼—**motorig** trimoteur *m*. ▼—**partijen-** tripartite. ▼—**ploegenstelsel** système *m* des trois équipes. ▼—**poot** trépied *m*. ▼—**puntig** à trois cornes. ▼—**slagstelsel** assolement *m* triennal. ▼—**sprong** carrefour *m* de trois chemins.
driest I *bn* hardi; téméraire; impertinent. **II** *bw* témérairement, impertinemment.
driestemmig à trois voix (*of* parties).
driestheid hardiesse, témérité; impertinence *v*.
drie/tal nombre *m* ternaire, trio *m*. ▼—**talig** trilingue. ▼—**tallig** ternaire. ▼—**tand** trident *m*. ▼—**term** trinôme *m*. ▼—**tonner** trois tonnes *m*. ▼—**vlakshoek** angle *m* à trièdre. ▼—**voet** trépied *m*. ▼—**voud** triple *m*. ▼—**voudig** *bn* (& *bw*) triple(ment). ▼—**vuldigheid** trinité *v*. ▼**D**—**vuldigheidsdag** la Trinité. ▼—**wegkraan** robinet *m* à trois voies. ▼—**wegstekker** fiche *v* triple. ▼—**wieler** tricycle, triporteur *m*. ▼—**zijdig** trigone, trilatéral, trilatère.
drift 1 emportement *m*, colère *v*; **2** (*haast*) précipitation, ardeur *v*; **3** troupeau *m*, troupe *v*; **4** cours, mouvement *m*; dérive *v*; **5** passion *v*, instinct *m*; *door* —, dans un accès de colère; *op* —, à la dérive. ▼—**ig I** *bn* **1** (en) colère; **2** pressé, précipité; **3** vif, brusque; *van aard zijn,* avoir le sang chaud; — *maken,* mettre en colère. **II** *bw* avec emportement; brusquement. ▼—**kop** tête *v* chaude, homme irascible. ▼—**stroom** courant *m* de surface, dérive *v*.
drijf/as arbre *m* moteur. ▼—**beitel** ciseau *m*. ▼—**gas** gaz *m* propulseur. ▼—**hout 1** épave *v*; **2** (*werktuig*) chassoir *m*. ▼—**ijs** glaces *v*

mv flottantes. ▼—**jacht** battue *v*. ▼—**kracht** force motrice, énergie *v*. ▼—**kunst** art *m* du ciseleur. ▼—**nat** tout mouillé, trempé; en nage (*v. zweet*). ▼—**rad** roue *v* motrice. ▼—**riem** (courroie de) transmission *v*. ▼—**stang** bielle *v*. ▼—**tol** sabot *m*, toupie *v* au fouet. ▼—**veer** ressort *m*; (*fig.*) mobile *m*. ▼—**werk** 1 ciselure *v*; travaux *m mv* de ciseleur; 2 appareil *m* moteur; 3 mouvement *m*, mécanisme *v*, commande *v*. ▼—**wiel** roue *v* motrice. ▼—**zand** sable(s) mouvant(s) *m* (*mv*); *in — wegzinken*, s'enliser.
drijv/en I *ov.w* 1 (*voort*—) pousser, mener, conduire; propulser; 2 (*op*—) traquer, rabattre (le gibier); 3 faire (le commerce); exercer (un métier); 4 ciseler, bosseler (des métaux); *te ver* —, pousser trop loin, exagérer; *uit elkaar* —, disperser. II *on.w* 1 flotter; 2 être mouillé (*of* trempé); 3 (*boven*—) (sur)nager; (*op de rug*) —, faire la planche; 4 *door de lucht* —, planer à travers les airs; *op eigen wieken* —, voler de ses propres ailes; — (*van transpiratie*), être en nage. ▼—**end** flottant; *—e bok*, ponton-bigue *m*; *—e kraan*, ponton-grue *m*; *zich — houden*, se maintenir à flot.
drijver 1 gardien, (*v. koeien*) vacher *m*; 2 (*wild*—) rabatteur, traqueur *m*; 3 ciseleur *m*; 4 zélateur; fanatique; 5 flotteur *m*. ▼—**ij** fanatisme *m*, insistance *v* fatigante.
dril 1 (*boor*) foret *m*; 2 (*klap*) soufflet; 3 (*weefsel*) treillis, coutil *m* blanc; 4 glace -, gelée de viande *v*; bouillon *m* figé. ▼—**boor** drille *v*, vilebrequin *m*. ▼—**len** 1 dresser, exercer; 2 chauffer (un candidat); 3 (*boren*) forer; 4 brandir (un javelot). ▼—**systeem** dressage, chauffage *m* (d'une école).
dring/en I *ov.w* 1 (*v. personen*) pousser; 2 (*v. zaken*) presser; *de tijd dringt*, le temps presse. II *ov.w* pousser (qn contre le mur); *iem. van zijn plaats* —, déloger qn. ▼—**end** I *bn* pressant, urgent, imminent (danger); *op — verzoek van*, sur les instances de; *—e omstandigheden*, circonstances *v mv* impérieuses. II *bw* d'urgence; — *verzoeken*, prier instamment.
drink/baar buvable; (*med.*) potable. ▼—**bak** auge *v*. ▼—**beker** coupe *v*, gobelet *m*; (*Kerk en fig.*) calice *m*. ▼—**en** I *ww* boire; prendre (le thé); — *uit*, boire dans; *uit de fles* —, boire à même la bouteille; — *op*, boire à, porter un toast à; *op iem. gezondheid* —, boire à la santé de qn, porter la santé de qn; *wat* —, 1 boire un coup (pour se remettre); 2 prendre qc (dans un café). II *zn*: *het* —, 1 boisson *v*; 2 habitude *v* de buveur; alcoolisme *m*. ▼—**er** buveur, alcoolique *m*. ▼—**gelag**, —**partij** beuverie *v*, bacchanale *v*. ▼—**geld** pourboire *m*. ▼—**lied** chanson *v* à boire. ▼—**schaal** coupe *v*. ▼—**water** eau *v* potable. ▼—**waterleiding** conduite *v* d'eau (potable). ▼—**watervoorziening** alimentation *v* en eau.
droef I *bn* triste, affligé; — *te moede*, attristé. II *bw* tristement. ▼—**geestig** I *bn* mélancolique, morne; — *worden*, s'assombrir. II *bw* mélancoliquement. ▼—**geestigheid** mélancolie, humeur morose *v*. ▼—**heid** tristesse, affliction *v*; — *hebben over*, s'attrister de.
droesem lie *v*, marc *m*.
droevig I *bn* 1 triste, affligé; 2 affligeant, navrant; 3 déplorable, misérable. II *bw* tristement.
drogbeeld anamorphose *v*; (*fig.*) mirage *m*.
drog/e sec *m*; terre *v* ferme; *op het* — *raken*, s'engraver; *zijn schaapjes op het* — *hebben*, avoir son pain cuit. ▼—**en** I *on.w* sécher, se dessécher; *te* — *hangen*, 1 mettre à (*of* faire) sécher; 2 être au sec. II *ov.w* 1 sécher; 2 essuyer; *gedroogde pruimen*, des prunes *v mv* évaporées, - sèches. ▼—**erij** 1 drogue, droguerie *v*; 2 séchoir *m*, sécherie *v*.
▼**drogist** droguiste, herboriste *m*. ▼—**erij** droguerie, herboristerie *v*, magasin *m* de

produits pharmaceutiques.
drogreden sophisme *m*. ▼—**aar** sophiste *m*.
drol crotte *v*, étron *m*.
drom foule, multitude, masse *v*; *in dichte —men*, en une foule compacte.
dromedaris dromadaire *m*.
drom/en I *on.w* rêver (à = *over*), songer (à); *ik heb akelig gedroomd*, j'ai fait un rêve affreux. II *ov.w* rêver, songer; *wie had dat kunnen* —?, qui se serait avisé de cela; *dat had hij nooit kunnen* —, il ne s'en serait jamais douté. ▼—**end** rêveur, songeur. ▼**dromer** rêveur, songeur *m*. ▼—**ig** 1 lent, lourd; 2 rêveur, songeur. ▼—**igheid** rêverie *v*.
drommel diable *m*; *een arme* —, un pauvre diable, - bougre. ▼—**s** I *bw* diablement, mazette, diantre. II *bn* du diable; *die —e P.*, ce diable de P., ce sacré P.
dronk coup, trait *m*; *een vrolijke* — *een kwade* — *over zich hebben*, avoir le vin gai, - mauvais; *een* — *uitbrengen op iem. gezondheid*, porter un toast, - une santé à qn. ▼—**aard** ivrogne, alcoolique *m*. ▼—**en** ivre, gris, raide, plein; — *maken*, enivrer, griser. ▼—**enschap** 1 (*toestand*) ivresse; ébriété *v*; 2 (*gewoonte*) ivrognerie *v*.
droog 1 sec; 2 (*dor*) aride; *het is* —, 1 il ne pleut plus; 2 il fait sec; *ik heb geen droge draad aan het lijf*, je suis trempé; — *zitten*, être à (*of* au) sec, - à l'abri (de la pluie); *die koe staat* —, cette vache est sèche; — *element*, (*elektr.*) pile *v* sèche; — *onderwerp, sujet m aride*; *op een —je zitten*, n'avoir rien à boire; *men liet ons op een —je zitten*, on ne nous a rien offert. ▼—**bloeier** colchique *m*. ▼—**doek** linge, torchon *m*. ▼—**dok** *zie* **dok**. ▼—**houden** tenir sec; (*opschrift*) craint l'humidité. ▼—**jes** sèchement. ▼—**kamer** séchoir *m*. ▼—**kap** casque *m* sèche-cheveux. ▼—**kast** armoire *v* sèche-linge. ▼—**lat** tendoir *m*. ▼—**leggen** assécher; mettre à sec; drainer; (*fig.*) mettre au régime sec. ▼—**legging** assèchement; drainage *m*; (*fig.*) prohibition *v*. ▼—**lijn** corde *v* à sécher. ▼—**lopen** assécher; découvrir. ▼—**machine** séchoir *m*. ▼—**maken** assécher; mettre à sec. ▼—**makerij** polder *m*. ▼—**making** *zie* —**legging**. ▼—**malen** dessécher. ▼—**pruimen** manger sans boire. ▼—**pruim(er)** 1 qui mange sans boire; 2 type raseur *m*. ▼—**rekje** séchoir; sèche-serviettes *m*. ▼—**scheerapparaat** rasoir *m* électrique; tondeuse *v* à barbe. ▼—**scheren** 1 raser à sec; 2 tondre. ▼—**schuur** séchoir *m*. ▼—**shampoo** shampooing *m* sec. ▼—**te** sécheresse, aridité *v*; bas-fond *m*. ▼—**trommel** séchoir *m*. ▼—**vallen** se découvrir, émerger, s'assécher. ▼—**voets** à pied sec. ▼—**zolder** séchoir, étendoir *m*.
droom rêve; *m*; *een* — *hebben*, faire un songe; *in de* —, en rêve; *iem. uit de* — *helpen*, détromper qn; *uit de* — *ontwaken*, se réveiller à la réalité. ▼—**beeld** vision *v* de rêve; (*fig.*) rêve *m*, illusion *v*. ▼—**gezicht** vision, hallucination *v*. ▼—**ster** rêveuse *v*. ▼—**uitlegging** interprétation *v* des songes, oniromancie *v*.
drop 1 goutte *v*; *van de regen in de* — *komen*, tomber de fièvre en chaud mal; 2 réglisse *v*. ▼—**je** 1 gouttelette *v*; 2 pastille *v* de réglisse; *een* — *melk*, un soupçon de lait. ▼—**pel** goutte *v*; *het regent grote —s*, il pleut à grosses gouttes; *een* — *aan de neus*, une roupie. ▼—**pelen** *zie* **druppelen**. ▼—**teller** compte-gouttes *m*.
drops bonbons (acidulés) *m mv*.
drug drogue *v*; ▼—**s toedienen**, droguer; *hard* —, drogue *v* dure; *soft* —, drogue *v* douce. ▼—**gebruik(st)er** drogué(e) *m* (*v*). ▼—**handel** trafic *m* de la drogue.
druif 1 raisin *m*; 2 (*knop*) bouton *m*. ▼—**luis** phylloxéra *m*. ▼—**vlies** uvée *v*. ▼—**vormig** uvaire, uviforme.
druil/en 1 être apathique; 2 somnoler. ▼—**er**

lanterneur *m*. ▼**—erig** somnolent; — *weer*, temps gris, - triste. ▼**—oor** lambin *m*.

druip/en tomber goutte à goutte, dégoutter, ruisseler; *zijn kleren —*, ses habits ruissellent; *de kaars druipt*, la chandelle coule; *het zweet druipt van zijn gezicht*, la sueur lui dégoutte du front; *voor een examen —*, être refusé, - collé, - recalé. ▼**—nat** mouillé jusqu'aux os, dégouttant (de pluie, de sueur). ▼**—neus** nez *m* à roupie; roupieux. ▼**—oog** (œil) chassieux. ▼**—rek** égouttoir *m*. ▼**—steen** 1 (*hangend*) stalactite; 2 (*staand*) stalagmite *v*. ▼**—steengrot** grotte *v* à stalactites.

druisen bruire.

druive/jam raisiné *m*. ▼**—nat** jus *m* de raisin. ▼**—nkorf** hotte *v* de vendangeur. ▼**—nkweker** viticulteur *m*. ▼**—noogst** vendange *v*. ▼**—npers** pressoir *m*. ▼**—nplukker** vendangeur *m*. ▼**—nteelt** viticulture *v*. ▼**—ntros** grappe *v* de raisins. ▼**—sap** jus *m* de raisin. ▼**—schimmel** oïdium *m*. ▼**—suiker** glucose *v*.

druk I *bn* 1 occupé, affairé; 2 (*v. kinderen*) remuant, turbulent, vif, animé; 3 (*v. straat*) animé, fréquenté, bruyant; 4 (*versiering*) tapageur, surchargé; *een —ke straat*, une rue très passante; *—ke uren*, heures d'affluence, - de pointe; — *verkeer*, circulation *v* intense; *een —ke winkel*, une boutique bien achalandée; *het is er —*, il y vient beaucoup de monde; *het is mij hier te —*, on est trop bruyant ici; *zij is erg —*, elle est toujours en mouvement; *het — hebben*, être occupé, - affairé; *het te — hebben*, être débordé; *het — hebben over*, parler avec animation de; *zich — maken*, s'en faire; *zich — maken over*, se faire du mauvais sang (à cause de ...); *het zich — maken*, se dépenser (beaucoup); *zich niet — maken*, se la couler douce. **II** *bw*: — *bezig zijn*, être fort occupé; *werk! ik ben al — bezig*, travaillez! je ne fais que cela!; — *bezig zijn aan iets*, s'occuper activement de qc. **III** *zn* 1 pression *v*; 2 (*zwaarte*) pesanteur *v*, poids *m*; 3 (*het boekdrukken*) impression *v*; 4 (*uitgave*) édition *v*; (*oplaag*) tirage *m*; 5 (*fig.*) oppression, malaise *v*; — *uitoefenen op*, faire pression sur; *in — geven*, faire imprimer, publier; *in — verschijnen*, paraître. ▼**—cabine** cabine *v* sous pression. ▼**—fout** faute *v* d'impression, coquille *v*. ▼**—inkt** encre *v* d'imprimerie; (*v. steendruk*) encre *v* lithographique.

drukken I *ov.w* 1 presser, serrer; 2 (*knellen*) blesser, gêner; 3 (*kwellen*) opprimer, affliger, oppresser; 4 imprimer; *iem. de hand —*, serrer la main à qn; *aan het hart —*, presser sur son cœur; *iem. iets in de hand —*, glisser qc dans la main de qn; *het geheim drukt hem*, le secret lui pèse; *de koersen —*, peser sur la cote. **II** *on.w* peser (sur), appuyer (sur), presser (le bouton, le timbre); *zich dicht — tegen*, se serrer contre. ▼**drukkend I** *bn* accablant, (impôt) écrasant; *—e warmte*, chaleur *v* étouffante. **II** *bw* d'une façon accablante, lourdement. ▼**drukker** imprimeur; typographe *m*. ▼**—ij** imprimerie *v*. ▼**—sbedrijf** industrie *v* du livre. ▼**—sleerling** apprenti *m* typographe. ▼**drukking** pression *v* (haute, basse); (*arch.*) effort *m*; pesanteur *v* (d'estomac); *gebied van hoge —*, anticyclone *m*; *opwaartse —*, poussée *v* verticale. ▼**—smeter** piézomètre *m*; (*med.*) sphygmomètre *m*. ▼**druk/knoop** pression *v*. ▼**—knop** bouton (d'appel), poussoir *m*. ▼**—knopkeuken (-oorlog)** cuisine (guerre) presse-bouton *v*. ▼**—knopschakelaar** interrupteur *m* à poussoir. ▼**—kunst** imprimerie, typographie *v*. ▼**—letter** caractère *m* d'imprimerie; *in —s schrijven*, écrire en lettres moulées. ▼**—meter** indicateur *m* de pression. ▼**—pers** presse *v*; *vrijheid van —*, liberté *v* de la presse. ▼**—proef** 1 épreuve *v* (d'imprimerie); 2 essai *m* de pression. ▼**—raam** châssis-presse *m*.

drukte 1 occupations *v mv*; 2 (*beweging*) agitation *v*, mouvement *m*; 3 (*drukte*) foule, presse *v*;

4 bruit, tapage *m*; *grote —*, encombrement *m*; — *veroorzaken*, donner de l'embarras; *wat een —*, voilà bien des histoires; *veel — over iets maken*, en faire toute une affaire; *wat een — om niets*, que de bruit pour une omelette. ▼**—maker** tapageur, faiseur d'embarras *m*; *kouwe —*, esbroufeur *m*.

druk/toets touche *v* à impulsion. ▼**—veer** ressort *m* de pression. ▼**—werk** imprimé(s) *m* (*mv*). ▼**—werktarief** tarif *m* de l'imprimé.

drum/mer batteur *m*. ▼**—stel** ensemble *m* batterie.

drup *enz. zie* **drop.** ▼**druppel** goutte *v*; *een — doet de emmer overlopen*, une goutte fait déborder le vase. ▼**—en I** *on.w* 1 tomber - , couler goutte à goutte; 2 dégoutter. **II** *ov.w* verser goutte à goutte. ▼**—flesje** flacon *m* compte-gouttes. ▼**—sgewijs** goutte à goutte.

dry sec. ▼**—cleaning** nettoyage *m* à sec.

D-snaar ré *m* du violon. ▼**D-trein** train *m* à intercirculation, - international.

dualis duel *m*. ▼**—me** dualisme *m*.

dubbel I *bn* double; *—e adelaar*, aigle *m* à deux têtes; *—e deur*, porte *v* à deux battants, *—e ramen*, fenêtres *v mv* à double paroi; — *zijn*, faire double emploi; — *betalen*, payer double; *gedeelde vreugd is —e vreugd*, bonheur partagé, bonheur doublé. **II** *bw* doublement, deux fois; — *geïsoleerd*, surisolé, à double isolement; — *vergelden*, rendre au double; — *hebben*, avoir en double; — *parkeren*, stationner en double file; — *vouwen*, plier en deux; *zijn tong slaat —*, sa langue s'embarrasse. **III** *zn* double *m*; copie *v*; (*sp*) double *m*; *gemengd —*, double mixte. ▼**dubbel/bol** biconvexe. ▼**—en** doubler; (*spel*) contrer. ▼**—ganger** sosie, double *m*. ▼**—hartig** perfide, faux. ▼**—hol** biconcave. ▼**—kruis** (*muz.*) double dièse *m*. ▼**—luik** dyptique *m*. ▼**—mol** (*muz.*) double bémol *m*. ▼**—polig** bipolaire. ▼**—punt** deux points *m mv*. ▼**—slachtig** gynandre, hermaphrodite. ▼**—slachtigheid** hermaphrodisme *m*. ▼**—spel** double *m*; *gemengd —*, double mixte. ▼**—spoor** voie *v* double. ▼**—stekker** fiche *v* à double.

dubbeltje pièce *v* de dix cents.

dubbelzinnig ambigu *v* ambiguë), équivoque, à double sens. ▼**—heid** ambiguïté, équivoque *v*.

dubben hésiter, balancer. ▼**dubieus** douteux, incertain; *post van dubieuze debiteuren*, réserve *v* d'insolvabilité; *dubieuze vordering*, mauvaise créance *v*. ▼**dubio**: *in — zijn*, hésiter, balancer.

ducht/en redouter, appréhender. ▼**—ig I** *bn* grand, fort; *een — standje*, une verte réprimande. **II** *bw* fort bien; *de la belle manière*.

duel duel *m*, rencontre *v*; — *op de degen*, duel à l'épée. ▼**—leren** se battre en duel.

duet duo *m*; *een — uitvoeren*, exécuter un duo.

duf qui sent le moisi; (*fig.*) terne; *—e smaak*, goût *m* de moisi. ▼**—heid** odeur *v* de moisi (*of de renfermé*).

duidelijk I *bn* clair, évident; — *maken*, expliquer, élucider; — *er worden*, s'accentuer; — *te verstaan geven*, préciser. **II** *bw* clairement; distinctement; nettement. ▼**—heid** netteté, clarté *v*, évidence *v*. ▼**—heidshalve** pour plus de clarté.

duiden I *ov.w* expliquer; *ten kwade —*, imputer à mal; *iem. iets ten kwade —*, en vouloir à qn de qc. **II** *on.w*: — *op*, viser (à); *dat duidt op onweer*, cela annonce un orage.

duif pigeon *v*; colombe *v*; *onder iem. duiven schieten*, aller sur les brisées de qn.

duig douve *v*; *in —en vallen*, échouer.

duik/bommenwerper bombardier *m* en piqué. ▼**—boot** sous-marin *m*. ▼**—bootjager** chasseur *m* de sous-marins. ▼**—bootmoederschip** ravitailleur *m* de sous-marins. ▼**—bootoorlog** guerre *v* sous-marine. ▼**—bril** lunettes *v mv* de

piscine, - de plongeur sous-marin.
duikel/aar 1 acrobate; **2** poussah *m*. ▼**—en**
culbuter, faire la culbute. ▼**—ing** culbute *v*.
duiken I *on.w* **1** plonger; (*v. auto bij remmen*)
piquer du nez (au freinage) ; **2** (*bukken*) se
baisser, se courber; *in elkaar gedoken*, blotti,
accroupi. **II** *zn*: *het* —, le plongeon. ▼**duiker**
1 plongeur *v*; **2** (*in —pak*) scaphandrier *m*;
3 ponceau *m*. ▼**—horloge** montre *v* de
plongée. ▼**—klok** cloche *v* à plongeur.
▼**—opleiding** école *v* de plongée. ▼**—pak**
scaphandre *m*, combinaison *v* de plongée.
▼**duik/masker** masque *m* de plongeur
sous-marin. ▼**—vlucht** vol *m* piqué; *in* —, en
piqué.
duim 1 pouce *m*; **2** clou *m* à crochet; gond *m*;
onder de — *houden*, tenir la bride haute à qn;
— *opsteken*, lever le pouce ; *—en draaien*, se
tourner les pouces; *op zijn —pje kennen*,
savoir sur le bout du doigt; *uit zijn* — *zuigen*,
inventer; *Klein D—pje*, Petit Poucet *m*.
▼**—breed** large d'un pouce; *geen* — *wijken*,
ne pas reculer d'un pouce. ▼**—dik** de
l'épaisseur d'un pouce; *dat ligt er* — *op*, c'est
chargé à plaisir. ▼**—eling** poucier *m*.
▼**—greep** onglet *m*. ▼**—schroeven**
poucettes *v mv*; *iem. de* — *aanzetten*, serrer
les pouces à qn. ▼**—stok** mètre *m* pliant.
▼**—zuigen** téter son pouce. ▼**—zuigerij**
canard, récit de pure invention *m*.
duin dune *v*, les dunes *v mv*. ▼**—pan** glouze *v*
dans les dunes. ▼**—streek** les dunes *v mv*,
littoral *m* couvert de dunes.
▼**—waterleiding** canalisation *v* d'eau filtrée
par les dunes.
duister I *bn* obscur, noir, sombre, ténébreux;
— *maken*, obscurcir; — *worden*, s'obscurcir.
II *bw* obscurément. **III** *zn* obscurité *v*; *in het*
— *rondtasten*, errer dans les ténèbres (fig.)
ne savoir à quoi s'en tenir; *in het* —, dans
l'ombre. ▼**—nis** ténèbres *v mv*.
duit liard *m*; —*en*, de la galette; *ook een* — *in*
het zakje doen, placer son mot; *geen rooie* —,
pas un sou vaillant.
Duits allemand, d'Allemagne; *een D—e*, une
Allemande. ▼**—er** Allemand. ▼**—gezind**
germanophile. ▼**—land** l'Allemagne *v*.
duivel diable, démon, satan *m*; *een baarlijke*
—, un diable incarné; *de* — *in hebben*, être
enragé; *om de* — *niet*, jamais de la vie; *als*
men van de — *spreekt*, trapt men op zijn
staart, quand on parle du loup, on en voit la
queue. ▼**—achtig I** *bn* diabolique, satanique.
II *bw* diaboliquement. ▼**—achtigheid**
caractère *m* démoniaque, - satanique.
▼**—banner**, —**bezweerder** exorciste *m*.
▼**—bezwering** exorcisme *m*. ▼**—in**
diablesse *v*. ▼**duivels** diabolique, du diable,
infernal, satanique; *die* — *jongen*, ce diable
de garçon; *iem.* — *maken*, faire enrager qn.
▼**—kunsten** diableries *v mv*.
▼**—kunstenaar** sorcier, magicien *m*.
▼**—toejager** factotum, galopin *m*.
▼**duiveltje** diablotin *m*; — *in een doosje*,
boîte *v* à surprise.
duiven/melker éleveur *m* de pigeons.
▼**—mest** colombine *v*. ▼**—post** poste *v* aux
pigeons voyageurs. ▼**—slag 1** fuie *v*; **2** volet
m. ▼**—sport** sport *m* colombophile. ▼**—teelt**
colombiculture *v*. ▼**—til** pigeonnier *m*.
duizel/en avoir des vertiges; *ik duizelde*, la
tête me tourna; *doen* —, donner le vertige.
▼**—ig** pris de vertige; *ik word* —, la tête me
tourne; *gauw* — *worden*, être sujet aux
vertiges; (*fam.*) *je maakt me* —, tu me donnes
le tournis. ▼**—igheid**, —**ing** vertige,
étourdissement *m*. ▼**—ingwekkend**
vertigineux.
duizend mille; (*in jaartallen beneden 2000*)
mil; *drie* —, trois mille; *D—-en-een-nacht*,
les Mille et une Nuits; *enige* — *soldaten*,
quelques milliers de soldats; *bij —en*, par
milliers. ▼**—erlei** de mille sortes, - manières.
▼**—jarig** millénaire ; de mille ans; — *rijk*,
millénium *m*. ▼**—kunstenaar** homme
universel, magicien *m*. ▼**—maal** mille fois.

▼**—poot** scolopendre *v*, mille-pattes *m*.
▼**—schoon** œillet *m* de poète. ▼**—ste**
millième. ▼**—tal** millier *m*. ▼**—voud** multiple
m de mille. ▼**—voudig** mille fois autant; -
répété.
dukaat ducat *m*. ▼**dukaton** ducaton *m*.
dukdalf borne *v* d'amarrage.
duld/eloos insupportable, intolérable. ▼**—en**
1 (*lijden*) supporter, endurer; **2** (*toelaten*)
tolérer, souffrir; *men duldt hem daar*, il y est
accepté plus qu'il n'y est aimé. ▼**—zaam**
endurant. ▼**—zaamheid** longanimité *v*.
dumdumkogel (balle) dum-dum, balle
mâchée *v*.
dun I *bn* **1** mince, menu; **2** (*fijn*) délié, ténu;
3 (*v. vloeistoffen*) clair; **4** (*fig.*) mince,
insignifiant, maigre; — *vloeibaar*, fluide;
—ne benen, jambes *v mv* grêles; *—ne baard*,
barbe *v* mal fournie; *mijn haar is* —, j'ai les
cheveux legers; *dat is nogal* —, c'est plutôt
maigre; *dat is* — *van je*, ce n'est pas chic;
—ne darm, intestin *m* grêle. **II** *zn*: *het* —, la
partie mince. **III** *bw* légèrement (vêtu) ; clair
(semé) ; *het koren staat* —, les blés sont clairs.
▼**—doek 1** (*stof*) étamine *v*; **2** (*vlag*)
drapeau, pavillon *m*. ▼**—drukpapier** papier
m bible. ▼**—heid** minceur; ténuité, finesse *v*.
dunk opinion *v*; *een hoge* — *hebben van*,
avoir une haute opinion de. ▼**—en** penser,
sembler; *wat dunkt u daarvan?*, que vous en
semble?; *mij dunkt dat*, m'est avis que, il me
semble que ; *zoals het u goeddunkt*, comme
bon vous semble.
dunnen I *ov.w* **1** amenuiser, amincir; **2** (*uit—*)
éclaircir; (*het haar*) rafraîchir; décimer (les
rangs). **II** *on.w* diminuer, s'amincir;
s'éclaircir; (*v. nevel*) se dissiper.
duo duo *m*. ▼**—passagier** occupant(e) *m* (*v*) du
tan-sad. ▼**—zitting** tan-sad *m*, selle *v*
biplace.
dupe dupe *v*. ▼**—ren** duper.
duplex double. ▼**—woning** maison *v* à
double appartement. ▼**duplic/aat** double,
duplicata *m*. ▼**—ator** machine *v* à polycopier.
▼**—eren** fournir une contre-réplique.
▼**dupliek** contre-réplique *v*; *na repliek en* —,
après un échange de répliques. ▼**duplo** : *in*
—, en double; *in* — *opgemaakt*, fait double.
dur (*muz.*) majeur *m*.
duren 1 durer, rester, continuer;
2 (*goedblijven*) durer, se conserver; *het duurt*
lang voor hij komt, il tarde à venir; il est lent à
venir; *het duurde een week voor ik vertrok*, je
mis une semaine à partir; *hoe lang duurt het?*,
combien de temps cela prendra-t-il?
durf courage *m*, audace *v*. ▼**—al** risque-tout
m. ▼**durven** oser; *jij durft!*, tu en as un
aplomb!
dus I *bw* ainsi, de cette manière. **II** *vgw* donc,
par conséquent. ▼**—danig I** *bn* tel, pareil.
II *bw* tellement, de telle sorte. ▼**—ver** : *tot* —,
jusqu'ici, jusque-là.
duster peignoir *m*.
dut somme *m*; *—je doen na het eten*, faire la
sieste. ▼**—ten** sommeiller, faire la sieste.
duur I *bn* cher, coûteux; *hoe* — *is dat*,
combien cela (vaut-il) ?; *een dure eed*, un
serment solennel; *het is hier* —, il fait cher
vivre ici; *een dure japon*, une robe de prix; *een*
dure plicht, un devoir sacré; *goede raad is* —,
nous voilà dans une impasse; *—der worden*,
augmenter. **II** *bw* cher, (*fig.*) chèrement; —
te staan komen, coûter cher; *zijn leven* —
verkopen, vendre chèrement sa vie; *zijn*
waren — *verkopen*, vendre cher ses
marchandises. **III** *zn* durée *v*; *op de* (*lange*)
—, à la longue; *rust noch* — *hebben*, ne pas
tenir en place. ▼**—record** record *m* de durée.
duurte cherté *v*, la vie chère *v*. ▼**—toeslag**
indemnité *v* de cherté de vie.
duurzaam durable, stable, solide, permanent.
▼**—heid** durabilité; solidité *v*.
duvelstoejager *zie* duivelstoejager.
duw choc, heurt, coup *m*; poussée *v*; *iem. een*
— *geven*, bousculer qn; *iem. een —tje geven*

(= *helpen*), donner un coup de main (*of* d'épaule) à qn. ▼—**bak** barge *v.* ▼—**boot** pousseur *m.* ▼—**en** pousser; bousculer (qn); *niet — l*, ne poussez pas!; *in elkaar —*, écraser, presser; *opzij —*, écarter, pousser de côté; *iem. iets in de hand —*, glisser qc dans la main de qn; *hij heeft zich wat in de hand laten —*, on l'a mis dedans. ▼—**schroef** hélice *v* propulsive. ▼—**vaart** poussage *m.*

dwaal/leer fausse doctrine, hérésie *v.* ▼—**leraar** hérésiarque, professeur *m* de fausses doctrines. ▼—**licht** feu *m* follet. ▼—**spoor** faux chemin *m*; *op een — geraken*, s'égarer; *op een — zijn*, faire fausse route, être dans l'erreur; *se perdre*; *op een — brengen*, tromper (qn), induire (qn) en erreur, dérouter (qn). ▼—**weg** *zie* —**spoor**.

dwaas I *bn* sot, fou. **II** *bw* sottement, follement. **III** *zn* sot, fou *m.* ▼—**heid** sottise, folie *v*; non-sens *m.*

D-wagen wagon *m* à couloir.

dwal/en 1 errer, marcher au hasard; (*rond—*) roder; **2** (*ver—*) s'égarer; **3** (*zich vergissen*) se tromper, être dans l'erreur. ▼—**end** errant, vagabond; (*fig.*) erroné. ▼—**ing** erreur, méprise *v*; *rechterlijke —*, erreur judiciaire; *in — verkeren*, être dans l'erreur.

dwang contrainte, violence *v*; *— op iem. uitoefenen*, user de contrainte envers qn. ▼—**arbeid** travaux *m mv* forcés. ▼—**arbeider** disciplinaire *m.* ▼—**bevel** contrainte *v*, commandement *m*; *bij — betekenen*, notifier commandement de. ▼—**buis** camisole *v* de force. ▼—**maatregel** mesure *v* coercitive. ▼—**middel** moyen *m* de contrainte. ▼—**voorstelling** obsession, idée *v* fixe.

dwars I *bn* **1** transversal, de travers; **2** (*fig.*) rétif, récalcitrant; **3** bourru. **II** *bw* transversalement, de travers; *— door, à travers*, au travers de; *iem. de voet — zetten*, contrarier qn; *— zitten*, embêter, tracasser. ▼—**balk** traverse; (*her.*) barre *v.* ▼—**bomen** contrecarrer, contrarier, se mettre en travers de (qc). ▼—**doorsnede** coupe *v* transversale. ▼—**drijven** contrarier, contredire, faire de l'opposition. ▼—**drijver** esprit contrariant, obstructionniste *m.* ▼—**drijverij** obstruction, chicane *v.* ▼—**fluit** flûte *v* traversière. ▼—**geplaatst**: *—e motor*, moteur *m* transversal. ▼—**heid** humeur *v* contrariante. ▼—**kijker** contrôleur; assesseur *m.* ▼—**kop** mauvaise tête *v*, esprit *m* à rebours. ▼—**liggend**, —**lopend** transversal. ▼—**ligger** traverse *v.* ▼—**lijn** ligne *v* transversale. ▼—**straat** rue *v* transversale. ▼—**streepje** tiret *m.* ▼—**te** travers *m*; *in de —*, dans le travers, transversalement. ▼—**weg** chemin *m* de traverse.

dweep/ster fanatique, exaltée *v.* ▼—**ziek** exalté, fanatique. ▼—**zucht** fanatisme *m.*

dweil torchon *m*; (*fig.*) salope *v.* ▼—**en** essuyer, nettoyer (avec un torchon).

dwep/en être fanatique (de); se passionner (pour); être épris de. ▼—**end** fanatique, fervent (de). ▼—**er** fanatique, exalté, enthousiaste *m.* ▼—**erij** fanatisme *m*, exaltation *v*; *in — vervallen*, donner dans le fanatisme.

dwerg nain *m*, naine *v.* ▼—**achtig** nain, lilliputien. ▼—**achtigheid** nanisme *m.* ▼—**volk** peuple *m* nain.

dwingeland tyran, despote *m.* ▼—**ij** tyrannie *v.* ▼**dwing/en I** *ov.w* forcer, contraindre (qn à); nécessiter; *liefde kan men niet —*, l'amour ne se commande pas. **II** *zich — se* contraindre, se forcer (à faire qc). **III** *on.w* faire à sa tête; piailler. ▼—**end** coactif, coercitif; *—e aanbeveling*, recommandation *v* contraignante; *—e noodzakelijkheid*, nécessité impérieuse; urgence *v.* ▼—**erig** volontaire, piailleur.

dynamica dynamique *v.*

dynamiet dynamite *v.* ▼—**aanslag** attentat *m* à la dynamite. ▼—**fabriek** dynamiterie *v.*

dynamisch dynamique. ▼**dynamo** dynamo *v.*

▼—**meter** dynamomètre *m.*

dynast/ie dynastie *v.* ▼—**iek** dynastique.

dysenterie dysentérie *v.* ▼—**lijder** dysentérique *m.*

E 1 (*letter*) e *m*; 2 (*muz.*) mi *m*. **E.B.U.**, **E.E.G.**, **E.G.K.S.** *zie* **Europees**.
eb(be) reflux *m*, marée *v* basse; — *en vloed*, flux et reflux *m*; *bij* —, à marée basse.
▼—**-en-vloedenergie** énergie *v* marémotrice; houille *v* bleue.
ebbehout ébène *v*, bois *m* d'ébène.
ebben refluer, baisser.
eboniet ébonite *m*.
echec échec *m*; — *lijden*, essuyer un échec.
echelon échelon *m*.
echo écho *m*. ▼—**én** I *on.w* faire écho. II *ov.w* répéter (en écho).
echt I *bn* 1 (*wettig*) légitime; 2 véritable, vrai, authentique; — *goud*, or *m* fin; —*e kleur*, couleur *v* bon teint; *een* —*e pijp*, une pipe pour de bon; *smaak voor wat* — *is*, goût *m* de l'authentique. II *bw* pour de bon, tout à fait, bien; —*e katholiek*, catholique bon teint; —*?*, c'est vrai ? sans blague ? III *zn* mariage *m*, union *v* conjugale; *in de* — *treden*, se marier; *in de* — *verbinden*, unir, marier; *voor de tweede maal in de* — *treden met iem.*, épouser qn en secondes noces.
echtbrek/en commettre l'adultère. ▼—**end** adultère. ▼—**er, echtbreekster** adultère *m & v*. ▼**echtbreuk** adultère *m*.
echte/lieden époux, conjoints *m mv*. ▼—**lijk** conjugal; —*e samenwoning*, cohabitation *v*. ▼**echten** légitimer, reconnaître.
echter cependant, pourtant, toutefois.
echtge/noot époux, mari *m*. ▼—**note** épouse, femme *v*; —*n*, conjoints *m mv*.
echtheid 1 légitimité; 2 authenticité; 3 (*v. wijn, edelsteen*) pureté *v*; bon aloi *m*.
echt/paar couple *m*, conjoints *m mv*. ▼—**scheiding** divorce *m*. ▼—**vereniging** mariage *m*, union *v* conjugale. ▼—**verklaring** légitimation *v*.
eclips éclipse *v*. ▼—**eren** I *ov.w* éclipser. II *on.w* s'éclipser.
ecolog/ie écologie *v*. ▼—**isch** (*bn & bw*) écologique(ment). ▼**ecoloog** écologue *m*.
econom/ie économie *v*; *geleide* —, économie dirigée, dirigisme *m*; *gemengde* —, économie *v* mixte. ▼—**isch** *bn* (*& bw*) économique(ment). ▼**econoom** 1 économe; 2 (*landbouwkundige*) agronome *m*; 3 (*staathuishoudkundige*) économiste *m*.
ecosysteem écosystème *m*.
eczeem, eczema eczéma *m*.
edel I *bn* 1 noble, illustre; 2 (*v. gevoelens*) noble, généreux; 3 précieux; —*e wijn*, vin *m* généreux; —*e ziel*, belle âme *v*; —*e delen*, parties *v mv* nobles. II *bw* noblement. ▼—**en** nobles *m mv*; noblesse *v*. ▼—**gesteente** pierre *v* précieuse. ▼—**heid** noblesse *v* (d'âme). ▼—**knaap** page *m*. ▼—**man** gentilhomme *m* (*mv* gentilshommes).
▼—**moedig** I *bn* généreux, magnanime. II *bw* généreusement, magnanimement.
▼—**moedigheid** générosité, magnanimité *v*. ▼—**steen** *zie* —**gesteente**. ▼—**vrouw** dame noble.
editie édition *v*.
educatief éducatif.
eed serment *m*; — *van trouw*, serment d'allégeance; *een* — *afleggen*, prêter serment; *zie* **afnemen**; *zijn* — *breken*, violer son serment; *er een* — *op doen*, jurer qc; *zijn* — *houden*, observer son serment; *onder ede*, par serment; *onder ede staan*, être lié par la foi du serment. ▼—**aflegging** prestation *v* de serment. ▼—**afneming** cérémonie *v* du serment. ▼—**breker**, —**breekster** parjure *m & v*. ▼—**breuk** parjure *m*. ▼—**genoot** confédéré *m*. ▼—**genootschap** confédération *v*.
eega(de) conjoint(e), époux (épouse) *m* (*v*).
eekhoorn écureuil *m*.
eelt cal *m*. ▼—**achtig** calleux. ▼—**knobbel** durillon *m*. ▼—**pleister** emplâtre *m* contre durillons. ▼—**plek** callosité *v*.
een un, une; *bladzijde* —, la page un; *dat is* —, et d'un ! ; — *van tweeën*, de deux choses l'une; *zij vertrekken op* — *dag*, ils partent le même jour; *drie enen*, trois un; — *voor* —, un à un; — *of twee boeken*, un livre ou deux; — *en dezelfde persoon*, une seule et même personne; — *blijven*, rester uni; — *maken*, unifier; — *zijn met*, faire corps avec; *mijn ene broer*, un de mes frères. ▼**een/armig** manchot. ▼—**baansweg** route *v* à voie unique. ▼—**cellig** unicellulaire.
eend 1 canard *m*; 2 (*wijfje*) cane *v*; 3 (*jonge* —) caneton *m*; 4 (*fig.*) bête *v*. ▼—**ebout** cuisse *v* de canard. ▼—**ejacht** chasse *v* aux canards. ▼—**enkooi** canardière *v*.
eender I *bn* pareil, semblable; *dat is net* —, c'est tout à fait la même chose; *dat is mij net* —, ce m'est égal. II *bw* pareillement.
eendracht concorde, union, harmonie *v*; — *maakt macht*, l'union fait la force. ▼—**ig** I *bn* unanime, uni. II *bw* en bonne intelligence.
eengezinshuis maison *v* individuelle, pavillon *m* individuel.
eenhandig manchot, unimane.
eenheid 1 unité; 2 (*eenstemmigheid*) unanimité; 3 (*samenhang*) suite, continuité *v*; — *herstellen van*, réunir; *het herstel van* —, réunification *v*. ▼—**sfront** front *m* unique. ▼—**sprijs** prix *m* unique. ▼—**sschool** école *v* unique.
eenhoofdig 1 monocéphale; 2 monarchique; —*e regering*, monarchie *v*.
eenjarig 1 d'un an; 2 annuel.
eenkennig farouche, sauvage. ▼—**heid** humeur sauvage, sauvagerie *v*.
eenkleurig d'une seule couleur, uni(colore), monochrome. ▼—**heid** monochromie *v*.
eenlettergrepig monosyllabique; — *woord*, monosyllabe *m*.
eenling individu *m*.
eenmaal 1 une (seule) fois; 2 un jour; —, *andermaal*, *derdemaal* !, une fois, deux fois, adjugé ! ; — *is geen maal*, une fois ne compte pas; *als hij maar* — *geslaagd is*, une fois qu'il aura réussi; *omdat er nu* — *examens bestaan*, puisque examens il y a; *dat is nu* — *zo*, le fait est là.
eenmans/school école *v* à classe unique. ▼—**wagen** autobus *m* à un seul agent.
eenmotorig unimoteur.
een/ogig borgne; —*e* (*vrouw*), borgnesse *v*. ▼—**oog** borgne *m*; *in het land der blinden is* — *koning*, dans le royaume des aveugles les borgnes sont rois.
eenparig I *bn* unanime; d'un commun accord; —*e beweging*, mouvement *m* uniforme. II *bw* unanimement, d'un commun accord; — *versnelde beweging*, mouvement *m* uniformément accéléré. ▼—**heid** unanimité *v*.
eenpersoons pour une personne; — *hoeslaken*, drap *m* housse une place; — *kamer*, chambre *v* à un lit.
eenrichtingverkeer sens *m* unique.
eens 1 une (seule) fois; 2 un jour; 3 d'accord; *dat is* —, maar *nooit weer*, c'est la première et la dernière fois; *voor altijd*, une fois pour toutes; *niet* —, pas même, seulement pas; *kijk maar* —, regarde plutôt; *nu* — *dan weer*, tantôt... tantôt; *wel* —, 1 (*in vraag*) jamais; 2 (*in bevestiging*) des fois; *luister* —, écoutez un peu; *het* — *zijn*, être d'accord; *het* —

worden, tomber d'accord ; *zie het maar — te worden*, arrangez-vous ; *het met iem. — zijn*, être de l'avis de qn ; *het — worden omtrent de prijs*, convenir du prix ; *daar ben ik het (niet) mee —*, ça (ne) me va (pas).

eensdeels d'une part, d'un côté.

eensgezind I *bn* d'accord, unanime ; *— zijn*, s'accorder. II *bw* unanimement ; *— handelen*, agir de concert. ▼**—heid** accord *m*.

eensklaps tout à coup, soudain, subitement.

eenslachtig unisexué.

eensluidend conforme ; *voor — afschrift*, pour copie conforme.

eenstemmig I *bn* unanime ; (*muz.*) à une voix. II *bw* unanimement, d'une seule voix (*pour...*) ; *men was — (om)*, il n'y avait qu'une voix ; *zij verklaren — dat*, ils sont d'accord pour déclarer que. ▼**—heid** unanimité *v*.

eentje un, *er — pakken*, prendre un petit verre ; *in zijn —*, tout seul.

eentonig I *bn* monotone. II *bw* avec monotonie, d'une voix monotone. ▼**—heid** monotonie *v*.

eenvormig uniforme. ▼**—heid** uniformité *v*.

eenvoud simplicité, candeur, naiveté *v*. ▼**—ig** I *bn* simple ; sans prétention ; sans façon(s), sans cérémonie ; *— maal*, repas *m* sobre. II *bw* simplement, ▼**—igweg** tout bonnement, simplement.

eenwording 1 unification *v* (de l'Europe *bijv.*) ; 2 (*geslachtelijk*) union *v*.

eenzaam 1 seul, solitaire ; 2 (*v. plaats*) désert ; *— en verlaten*, désolé. ▼**—heid** solitude *v*, isolement *m*.

eenzelvig solitaire, rentré en soi-même. ▼**—heid** humeur *v* solitaire.

eenzijdig I *bn* unilatéral ; simpliste ; partial ; étroit. II *bw* partialement. ▼**—heid** simplisme *m* ; partialité ; étroitesse *v*.

eer I *bw* (*liever*) plutôt ; 2 (*vroeger*) plus tôt. II *vgw* : *— dat*, avant que (*met subj.*), avant de (*met inf.*) ; *hoe — hoe beter*, le plus tôt sera le mieux. III *zn* honneur *m* ; *met wie heb ik de — (te spreken)* ?, à qui ai-je l'honneur (de parler) ? ; *waaraan heb ik de — van uw bezoek te danken* ?, qu'est-ce qui me vaut l'avantage de votre visite ? ; *de — aan zich houden*, sauver l'honneur ; *een — stellen in*, tenir à honneur de ; *in ere houden*, faire honneur à, honorer (qn) ; *in ere herstellen*, réhabiliter, (*v. gewoonte*) remettre en honneur ; *ik heb de — van uw dienaar te zijn*, agréez, monsieur, l'expression de mes sentiments les plus distingués ; *voor de — bedanken*, décliner l'honneur ; *ter ere van*, en l'honneur de. ▼**—baar** I *bn* honnête, décent, vertueux, pudique. II *bw* honnêtement. ▼**—baarheid** vertu ; honnêteté ; décence, pudeur *v*. ▼**—betoon, —betuiging, —bewijs** honneur, hommage *m*, marque *v* d'honneur.

eerbied respect *m*, vénération ; déférence *v* ; *gebrek aan —*, irrévérence *v* ; *met verschuldigde —*, humblement ; *uit — voor*, par déférence devant. ▼**—ig** I *bn* respectueux. II *bw* respectueusement. ▼**—igen** respecter, vénérer, honorer. ▼**—waardig** respectable. ▼**—waardigheid** respectabilité *v*.

eerder *zie* eer.

eergevoel sentiment (*of* point) *m* d'honneur.

eergierig I *bn* ambitieux. II *bw* ambitieusement. ▼**—heid** ambition *v*.

eergisteren avant-hier.

eerherstel réhabilitation *v*.

eerlijk I *bn* honnête ; probe, loyal ; *— als goud*, franc comme l'or ; *— boek*, livre *m* de bonne foi ; *dat is niet —*, ce n'est pas juste. II *bw* honnêtement, franchement ; *— spelen*, jouer sans tricher. ▼**—heid** honnêteté, probité, loyauté *v*.

eerloos infâme, sans honneur. ▼**—heid** infâmie *v*.

eer/roof diffamation, infamation *v*. ▼**—rovend** (*v. straf*) infamant, (*v. geschrift*) diffamatoire.

eerst I *bn* *—e*, premier, primitif ; *de —e mei*, le premier mai ; *—e levensbehoeften*, articles *m mv* de première nécessité ; *de —e verdieping*, le premier (étage) ; *—e hulp verlenen*, donner les premiers secours ; *Willem de —e*, Guillaume Ier (premier) ; *zij is de —e geweest die gezongen heeft*, elle a été la première à chanter ; *de — de beste*, le premier venu ; *—e reizen*, voyager en première. II *bw* d'abord, premièrement ; *dat is — tekenen*, voilà qui s'appelle dessiner ; *zij zag hem het —*, elle le vit la première ; *in het —*, d'abord ; *ten —e*, en premier lieu ; *die het — komt, het — maalt*, les premiers venus sont les premiers servis ; *ben je — zover met je werk* ?, vous n'en êtes que là de votre travail ?

eerst/aanwezend en premier, premier en titre ; le plus ancien en grade. ▼**—beginnende** commençant(e). ▼**—daags** au premier jour ; prochainement. ▼**—eling** premier-né ; premier fruit *m* ; *—en*, prémices *v mv*. ▼**—erangs** de tout premier ordre. ▼**—geboorterecht** droit *m* d'aînesse. ▼**—geborene** aîné(e), premier-né *m*, première-née *v*. ▼**—komend, —volgend** prochain.

eertijds autrefois, jadis.

eervol *bn* (*& bw*) honorable(ment). ▼**eerwaard** révérend ; *uw —e*, votre révérence. ▼**—ig** respectable, vénérable. ▼**—igheid** vénérabilité, révérence *v*.

eerzaam honnête, honorable, modeste. ▼**—heid** honnêteté, modestie *v*.

eerzucht ambition *v*. ▼**—ig** I *bn* ambitieux. II *bw* ambitieusement.

eetbaar mangeable, bon à manger, comestible. ▼**—heid** qualités *v mv* comestibles. ▼**eet/bak** mangeoire *v*. ▼**—gelegenheid** restaurant *m*. ▼**—gerei** couvert *m*. ▼**—hoek** coin *m* repas. ▼**—huis, —huisje** bistro *of* bistrot *m*. ▼**—kamer** salle *v* à manger. ▼**—ketel** gamelle *v*. ▼**—lepel** cuiller *v* ; *een — vol*, une cuillerée. ▼**—lust** appétit *m*. ▼**—servies** service *m* de table. ▼**—stokjes** bâtonnets *m mv*. ▼**—tafel** table *v* à manger. ▼**—waar** denrée *v* ; provisions *v mv* de bouche. ▼**—zaal** salle *v* à manger ; (*in klooster*) réfectoire *m*.

eeuw siècle ; âge *m* ; *ik heb je in geen — en gezien*, il y a un siècle (une éternité) que je ne vous ai vu. ▼**—enoud** séculaire. ▼**—feest** fête *v* séculaire ; centenaire *m*. ▼**—ig** I *bn* éternel, perpétuel ; *voor —*, pour toujours ; à jamais. II *bw* éternellement, pour toujours ; *— lang geleden*, il y a terriblement longtemps ; *die bespreking duurt —*, la discussion s'éternise. ▼**—igdurend** éternel ; permanent. ▼**—igheid** éternité *v* ; *in alle —*, de toute éternité ; *dat gebeurt in der — niet*, cela n'arrivera jamais, au grand jamais. ▼**—jaar** année *v* séculaire.

effect 1 effet *m* ; 2 (*hand.*) valeur *v* (mobilière) ; titre *m* (de rente) ; 3 (*tech.*) rendement *m* ; *aardig — maken*, faire bien ; être d'un joli effet ; *een bal — geven*, faire un effet ; *— sorteren*, produire de l'effet ; *op — berekend*, à effet ; *—en kopen*, acheter des fonds publics ; *nuttig — hebben*, rendre bien ; *dat heeft geen — gehad*, cela n'a pas eu d'impact. ▼**—bejag** recherche *v* de l'effet. ▼**—enbeurs** bourse *v*, marché *m* des valeurs. ▼**—enbezit** portefeuille *m*. ▼**—enhandel** commerce *m* des valeurs, - des fonds publics. ▼**—enkoers** cours *m* des valeurs, cote *v*. ▼**—enmakelaar** agent *m* de change. ▼**—ief** I *bn* effectif. II *bw* effectivement. III *zn* : *het —*, les effectifs *m mv*.

effen I *bn* égal, uni ; *een — gezicht*, un air composé ; *met een — gezicht*, sans sourire ; sans sourciller. II *bw* 1 (*gelijk*) uniment ; 2 (*eventjes*) un instant ; légèrement ; 3 (*koel*) froidement. ▼**—en** 1 aplanir, rendre uni, lisser ; 2 (*v. rekening*) liquider, régler. ▼**—heid** égalité, surface *v* unie. ▼**—ing** 1 aplanissement, nivellement *m* ; 2 (*hand.*) liquidation *v*, règlement *m*.

efficiency, efficiëntie efficience, efficacité v.
eg herse v.
egaal égal ; *egale kleur,* couleur v unie.
▼**egaliseren** égaliser.
egel hérisson m. ▼**—stelling** hérisson m.
eglantier 1 (*struik*) églantier m ; **2** (*bloem*) églantine v.
eggen herser. ▼**egger** herseur m.
ego/isme égoïsme m. ▼**—ist** égoïste m.
▼**—istisch** bn (& bw) égoïste(ment).
Egypt/e l'Égypte. ▼**—enaar** Égyptien m.
▼**—isch** bn égyptien(ne). ▼**e—ologie** égyptologie v.
E.H.B.O. Prompts Secours m mv.
ei œuf m ; *gebakken* —*eren,* œufs sur le plat ; *vers* —, œuf du jour ; *rauw* —, œuf frais ; *zacht (gekookt)* —, œuf à la coque ; *half zacht* —, œuf mollet ; *hard* —, œuf dur ; *gepocheerde* —*eren,* œufs m mv pochés ; *vuil* —, œuf couvi ; —*eren voor zijn geld kiezen,* mettre de l'eau dans son vin ; —*eren leggen,* pondre (des œufs). ▼**eicel** ovule m, cellule v primitive.
eiderdons édredon m.
eier/boer, —boerin marchand(e) m (v) d'œufs. ▼**—dans** danse v des œufs.
▼**—dooier** jaune m d'œuf. ▼**—dop** coque v, (*lege*) coquille v. ▼**—dopje** coquetier m.
▼**—klopper, —klutser** batteuse v. ▼**—koek** gâteau m aux œufs. ▼**—kolen** boulets m mv ovoïdes. ▼**—lepeltje** cuiller v à œufs ; (*maat*) cuillère v à café (de...). ▼**—mand** panier m aux œufs. ▼**—mijn** halle v aux œufs.
▼**—netje, —rekje** œufrier m. ▼**—poeder** œufs en poudre. ▼**—saus** sauce v hollandaise. ▼**—schaal** coquille v d'œuf.
▼**—soep** potage m aux œufs. ▼**—stel** œufrier m. ▼**—stok** ovaire m. ▼**—struif** omelette v.
Eiffeltoren tour v Eiffel.
eigen I bn **1** propre ; à lui ; **2** familier ; *in* — *beheer,* en régie directe ; *op* — *gezag,* de son autorité ; — *lof stinkt,* qui se loue s'emboue ; *met* — *ogen,* de ses propres yeux ; *voor* — *rekening,* pour son compte ; — *gebruik,* autoconsommation v ; — *risico,* franchise v d'assurance ; — *haar,* des cheveux naturels ; *een* — *huis hebben,* posséder une maison en propre ; — *voordeur,* entrée v indépendante ; *zij heeft een* — *kamer,* elle a une chambre à elle ; — *haard is goud waard,* mieux vaut un petit chez-soi qu'un grand chez les autres ; *zijn* — *schuld,* sa faute à lui ; *zich* — *maken,* se familiariser avec ; s'assimiler (*kennis*) ; *zij zijn zeer* — *met elkaar,* ils sont très intimes ; *hij is daar* —, il y est comme chez lui. **II** zn : *ze dacht bij* (*of in*) *haar* —, elle se disait en elle-même ; *uit zijn* —, de soi-même, spontanément.
eigen/aar, —ares propriétaire m & v.
eigenaardig I bn particulier, caractéristique ; curieux. **II** bw particulièrement. ▼**—heid** particularité ; singularité v, trait m curieux.
eigenbelang intérêt (personnel), égoïsme m ; *uit* —, par intérêt.
eigendom propriété v ; *in* — *hebben,* posséder en propre ; *blijft* — *van de onderneming,* reste acquis à l'entreprise ; *publiek* — *worden,* tomber dans le domaine public. ▼**—melijk(heid)** caractéristique (m).
▼**—sbewijs** titre m (de propriété).
▼**—sovergang** mutation v. ▼**—srecht** droit m de propriété.
eigen/dunk suffisance, présomption v.
▼**—gebakken** de ménage. ▼**—gemaakt** (v. *jam*) de ménage ; fait à la maison. ▼**—handig** de sa propre main ; (— *geschreven*) autographe. ▼**—liefde** amour m propre ; fatuité v.
eigenlijk I bn propre, véritable ; proprement dit ; *in* —*e zin,* au propre. **II** bw au fond, à vrai dire.
eigenmachtig I bn arbitraire. **II** bw arbitrairement, de son autorité propre.
▼**—heid** arbitraire m.
eigen/naam nom m propre. ▼**—schap**

propriété, qualité v. ▼**—tijds** contemporain.
▼**—waan** zie —*dunk.* ▼**—waarde** : *gevoel van* —, dignité v.
eigenwijs I bn suffisant, présomptueux. **II** bw d'un air plein de suffisance. ▼**—wijsheid** zie —*dunk.*
eigenzinnig I bn entêté, obstiné ; volontaire. **II** bw obstinément. ▼**—zinnigheid** entêtement m, obstination v.
eik chêne m. ▼**—ehout** (bois m de) chêne m.
▼**—ehouten** de (*of* en) chêne. ▼**—el** gland m. ▼**—en** zie —*ehouten.* ▼**—enbos** chênaie v.
eiland île v ; —*je,* îlot m ; *op een* —, dans une île. ▼**—bewoner, —bewoonster** insulaire m & v. ▼**—engroep, —enzee** archipel m.
eileider oviducte m.
eind zie **einde.** ▼**—afrekening** solde v de compte. ▼**—beslissing** résolution v définitive ; (*sp.*) épreuve v finale. ▼**—cijfer** moyenne ; note v finale ; (v. *rekening*) total m.
▼**—diploma** certificat d'études secondaires ; (— v. *Gym., Lyc.*) diplôme de bachelier m.
▼**—doel** but m final, dernière fin v.
einde 1 fin ; issue v ; **2** (*uit*—) bout, terme m ; extrémité v ; **3** (*doel*) but, dessein m, vue v ; — *mei,* fin mai ; *een* — *maken aan,* mettre fin à, en finir avec ; *er moet maar een* — *aan komen,* il faut en finir ; *waar geen* — *aan komt,* à n'en plus finir ; *aan het korste* — *trekken,* avoir le dessous ; *bij het* — *van,* à la fin de ; *hij heeft het bij het rechte* —, il est dans le vrai ; *hij wist niet, dat hij het bij het rechte* — *had,* il ne croyait pas si bien dire ; *een zaak bij het verkeerde* — *aanpakken,* s'y prendre de travers ; *op een* — *lopen,* tirer à sa fin, prendre fin ; *het loopt met de zieke ten* —, le malade approche de sa fin ; *ten* —, afin que (*met subj.*), afin de (*met inf.*) ; *ten* — *brengen,* achever, terminer ; *ten* — *raad zijn,* ne savoir à quel saint se vouer ; *tot een goed* — *brengen,* mener à bonne fin ; — *goed, al goed,* tout est bien qui finit bien.
eindelijk I bn final. **II** bw finalement ; à la fin ; enfin.
eindeloos I bn infini ; sans fin, interminable.
II bw infiniment. ▼**—heid** infinité v ; espace m sans bornes.
eindexamen examen m de fin d'études (secondaires) ; baccalauréat m (de lycée) ; *slagen voor het* —, être reçu au bac ; *die geen* — *heeft,* non-bachelier. ▼**—commissie** jury m de sortie. ▼**—klas** terminale v. ▼**—werk** épreuves v mv écrites de l'examen de sortie.
eindig fini, borné, limité ; *het* —*e,* le fini. ▼**—en I** ov.w finir, achever, terminer. **II** on.w finir, se terminer, prendre fin ; — *met,* finir par ; — *op,* se terminer par.
eind/je bout m ; *iem. een* — *wegbrengen,* faire un bout de conduite à qn ; *een* — *oplopen met iem.,* faire un bout de chemin avec qn ; *de* —*s aan elkaar knopen,* boucler son budget ; joindre les deux bouts. ▼**—letter** (lettre) finale v. ▼**—oordeel** jugement m définitif.
▼**—oorzaak** cause v finale. ▼**—paal** limite, borne v ; (*sp.*) poteau m. ▼**—produkt** produit final, - fini, article m fabriqué. ▼**—punt** (point) terminus ; terme, but m. ▼**—resultaat** aboutissement, résultat m définitif ; *tot een* — *komen,* aboutir (à une conclusion).
▼**—station** gare v terminus. ▼**—stemming** dernier tour m de scrutin. ▼**—streep** ligne v d'arrivée. ▼**—strijd** finale v.
eirond bn ovale. **II** zn ovale m.
eis (*muz.*) mi dièse m.
eis 1 demande ; **2** exigence (d'un examen) ; **3** revendication v (des grévistes) ; **4** réquisitoire m du ministère public ; *tot schadevergoeding,* réclamation v d'indemnité ; *een* — *instellen tegen,* intenter un procès à *of* contre ; *de* — *inwilligen,* donner satisfaction à la demande ; —*en stellen,* stipuler des conditions ; *te hoge* —*en stellen,* être trop exigeant ; *een gebiedende* — *zijn,* s'imposer. ▼**—en 1** demander, exiger, revendiquer, requérir ; (*jur.*) appeler ; *de*

relletjes hebben doden geëist, les troubles ont fait des morts. ▼—**er**, —**eres** demandeur *m*, demandereuse *v* ; partie civile *v*.

eivormig ovoïde. ▼**eiwit** blanc *m* d'œuf ; albumen *m*. ▼—**gehalte** teneur *v* albuminoïde. ▼—**houdend** albumineux, albuminoïde.

ekster pie *v*. ▼—**oog** œil *m* de perdrix, cor *m* au pied.

el aune *v*.

eland élan *m* ; *Canadese* —, orignal *m*.

elast/iciteit élasticité *v*. ▼—**iek** *bn* (*& zn*) élastique (*m*). ▼—**isch** élastique.

Elba (l'île d') Elbe *v*.

elders ailleurs, autre part.

ELDO Commission *v* européenne pour la mise au point et la construction de lanceurs d'engins spatiaux.

electoraat électorat *m*.

elegant I *bn* élégant. II *bw* élégamment. ▼—**ie** élégance *v*.

eleg/ie élégie *v*. ▼—**isch** élégiaque.

elektr/icien électricien *m*. ▼—**iciteit** électricité *v*, (*fam.*) le courant ; *door waterkracht opgewekte* —, hydro-électricité *v* ; —*smeter*, compteur *m* bleu. ▼—**ificatie** électrification *v*. ▼—**ificeren** électrifier. ▼—**isch** I *bn* électrique ; *storing in het* — *net*, panne *v* de secteur ; —*band*, galon *m* électrique ; — *huishoudelijk apparaat*, appareil *m* électroménager ; —*e installatie*, équipement *m* électrique. II *bw* électriquement ; —*e centrale*, station *v* centrale d'électricité ; —*verlichten*, éclairer à l'électricité ; — *koken*, (faire) la cuisine à l'électricité. ▼—**iseermachine** machine *v* électrique. ▼—**iseren** électriser.

elektro/cardiogram électrocardiogramme *m*. ▼—**chemie** électrochimie *v*. ▼—**chemisch** *bn* (*& bw*) électrochimique(ment). ▼—**de** électrode *v*. ▼—**dynamica** électrodynamique *v*. ▼—**ingenieur** ingénieur-électricien. ▼—**kutie** électrocution *v*. ▼—**magneet** électro-aimant *m*. ▼—**magnetisch** électromagnétique. ▼—**magnetisme** électromagnétisme *m*. ▼—**monteur** monteur *m* électricien. ▼—**motor** moteur *m* électrique. ▼—**motorisch** électromoteur, -motrice.

elektron électron, *m*. ▼—**enflitser** flash *m* électronique. ▼—**enbuis** tube *v* électronique. ▼—**entherapie** électronothérapie *v*. ▼—**ica** électronique *v*. ▼—**isch** électronique. ▼**elektro/technicus** électricien *m*. ▼—**techniek**, —**technisch** électrotechnique (*v*) ; — *ingenieur*, ingénieur-électricien. ▼—**therapie** électrothérapie *v*.

element élément *m* ; (*elektr.*) élément *m*, pile *v* ; *droog* —, pile sèche ; *elektrisch* —, pile électrique ; (*v. pick-up*) tête *v* de lecture ; *ongewenste* —*en*, des indésirables ; *verkeerd* —, mauvais élément. ▼—**air** élémentaire.

elevator élévateur *m*.

elf I *telw.* onze. II *zn* elfe *m*. ▼—**de** onzième ; *de* — *der maand*, le onze du mois ; *Lodewijk de* —, Louis onze. ▼—**hoekig** hendécagone *m*. ▼—**tal** nombre *m* de onze ; (*sp.*) équipe *v*, onze *m*. ▼—**voud** multiple *m* de onze.

elimin/atie élimination *v*. ▼—**eren** éliminer.

elitair 1 (*behorend tot elite*) élitaire ; 2 (*die aan elite voorkeur geeft*) élitiste. ▼**elite** élite *v*.

elixer élixir *m*.

elk I *bn* chaque, tout ; *hij kan* — *ogenblik komen*, il peut venir d'un moment à l'autre ; —*e dag heeft genoeg aan zijn eigen zorg*, à chaque jour suffit sa peine. II *vnw* chacun ; tout le monde. *de* — *en*, se réunir, se joindre ; *door* —, **1** en désordre ; **2** (*gemiddeld*) l'un dans l'autre ; *zij trouwen onder* —, ils se marient entre eux ; *uit* — *gaan*, se séparer ; *dat is voor* —, voilà qui est arrangé, ça y est.

elleboog coude *m* ; *met de* — *stoten*, pousser du coude (pour avertir) ; coudoyer (en passant) ; *met de ellebogen werken*, jouer des coudes.

ellend/e misère *v*. ▼—**eling** misérable *m & v*. ▼—**ig** I *bn* misérable. II *bw* misérablement ; — *schouwspel*, spectacle *m* navrant.

ellip/s ellipse *v*. ▼—**spasser** ellipsographe *m*. ▼—**tisch** elliptique.

elpee disque *m* 33-tours.

els **1** aune *m* ; **2** (*priem*) alêne *v*.

Elzas l'Alsace *v*. ▼—**ser** Alsacien *m*. ▼—**sisch** alsacien ; *een E—e*, une Alsacienne.

elze/boom aune *m*. ▼—**hout** bois *m* d'aune.

elzevier elzévir *m*.

email émail *m*. ▼—**leren** émailler.

emancip/atie émancipation *v*. ▼—**eren** émanciper.

emball/age emballage *m*. ▼—**eren** emballer.

embargo embargo *m* ; — *leggen op*, mettre l'embargo sur ; — *opheffen*, lever l'embargo.

embleem emblème *m*.

embolie embolie *v*.

embryo embryon *m*. ▼—**naal** embryonnaire.

emerit/aat retraite *v*. ▼—**us** en retraite.

emigr/ant émigrant, émigré *m*. ▼—**atie** émigration *v*. ▼—**eren** émigrer.

eminent I *bn* éminent. II *bw* éminemment. ▼**eminentie** éminence *v*.

emissie émission *v*. ▼—**bank** banque *v* d'émission. ▼—**koers** cours *m* émissionnaire. ▼**emitt/ent** émetteur *m*. ▼—**eren** émettre.

emmer seau *m*.

emolumenten émoluments *m mv*, casuel *m*.

emotie émotion *v*. ▼**emotion/aliteit** émotivité *v*. ▼—**eel** émotif (*vatbaar voor emotie*) ; émotionnel.

empir/icus empirique *m*. ▼—**ie** expérience *v*. ▼—**isch** *bn* (*& bw*) empirique(ment).

en et.

encycliek encyclique *v*.

encyclo/pedie encyclopédie *v*. ▼—**isch** *bn* (*& bw*) encyclopédique(ment).

endeldarm rectum *m*.

endemie endémie *v*. ▼**endemisch** endémique.

endoss/ant endosseur *m*. ▼—**ement** endossement, (*handtekening*) endos *m*. ▼—**eren** endosser.

energie énergie *v* ; *vervangende* —, énergie *v* de remplacement. ▼—**absorberend** à absorption d'énergie. ▼—**behoefte** besoin *m* énergétique. ▼—**besparend** antigaspi(llage). ▼—**besparing** économie *v* d'énergie. ▼—**bron** source *v* d'énergie. ▼—**crisis** crise *v* énergétique.

energiek *bn* (*& bw*) énergique(ment).

energie/overbrenging transmission *v* d'énergie. ▼—**schaarste** pénurie *v* énergétique. ▼—**tekort** déficit *m* énergétique. ▼—**verbruik** consommation *v* énergétique ; *zuinigheid in* —, économie *v* énergétique. ▼—**verspilling** gaspillage *m* d'énergie. ▼—**voorziening** approvisionnement *m* énergétique.

enerveren énerver.

eng **1** étroit, serré ; **2** (*naar*) pénible, lugubre ; *het is mij hier te* —, je me sens à l'étroit ici ; —*er maken*, rétrécir ; *steeds* —*er worden*, aller en se rétrécissant ; *de* —*e zin van het woord*, le sens le plus stricte du mot.

engage/ment 1 engagement *m* ; **2** (*verloving*) fiançailles *v mv*. ▼—**ren** I *ov.w* engager. II *zich* — se fiancer.

engel ange *m* ; *gevallen* —, ange déchu. ▼—**achtig** *bn* (*& bw*) angélique(ment). ▼—**achtigheid** douceur angélique *v*. ▼**Engeland** l'Angleterre *v*. ▼**engel/bewaarder** ange *m* gardien. ▼—**enbak** paradis, poulailler *m*.

Engels I *bn* anglais ; —*e kerk*, église *v* anglicane ; —*e sleutel*, clé *v* anglaise ; —*e ziekte*, rachitisme *m* ; *lijder(es) aan* —*e ziekte*, rachitique *m & v*. II *zn* : *het* —, l'anglais ; *op zijn* —, à l'anglaise ; *een E—e*, une Anglaise ; *de E—en*, les Anglais *m mv*. ▼—**gezind**

anglophile. ▼—**man** Anglais.
eng/erd horreur v; type m qui marque mal.
▼—**hartig** l bn étroit, mesquin. ll bw
étroitement, mesquinement. ▼—**hartigheid**
étroitesse, mesquinerie v. ▼—**heid**
1 étroitesse; 2 impression v lugubre.
engrosprijzen prix -, cours m mv de gros.
engte 1 étroitesse v; 2 détroit, défilé m.
enig l bn unique, seul; hij is —, il est unique en
son genre. ll onbep. vnw quelque; aucun,
nul; — geld, quelque argent; te — er tijd, un
jour ou l'autre; zonder — e reden, sans aucune
raison. lll zn: dat is het —e niet, il n'y a pas
que cela. lV vnw: —en, quelques-uns m mv.
V bw uniquement; — mooi, unique,
ravissant, merveilleux. ▼—**erlei** quelque,
quelconque; op — wijze, d'une manière
quelconque. ▼—**ermate** quelque peu.
▼—**szins** un peu, tant soit peu.
enkel l zn cheville v; zijn — verstuiken, se
donner une entorse. ll bn simple, seul; —e
reis, (billet) simple m; (als men het zegt:)
aller seulement; een — eerste Parijs, un aller
première classe pour Paris; — boekhouden,
tenue v des livres en partie simple; geen —,
pas un (seul). lll vnw: —en, quelques-uns m
mv. lV bw seulement, simplement,
uniquement. ▼—**ing** individu m. ▼—**spel**
simple m; dames —, simple dames; heren—,
simple messieurs. ▼—**voud** singulier m.
▼—**voudig** 1 simple; 2 (gram.) singulier.
enorm l bn énorme. ll bw énormément.
enquête enquête v; een — houden, 1 (nu)
faire une enquête; 2 (in de toekomst)
procéder à une enquête. ▼—**commissie**
commission v d'enquête.
enscener/en mettre en scène. ▼—**ing** mise v
en scène.
ent ente, greffe v, greffon m. ▼—**en** greffer,
enter.
enteren aborder, monter à l'abordage.
enthousi/asme enthousiasme m.
▼—**asmeren** enthousiasmer. ▼—**ast** l bn
enthousiaste. ll bw avec enthousiasme.
entomo/logisch entomologique. ▼—**loog**
entomologiste m.
entree entrée v. ▼—**biljet** billet m d'entrée.
▼—**geld** 1 prix m d'entrée; 2 (in vereniging)
droit m d'inscription.
entrepot entrepôt m.
envelop(pe) enveloppe v.
enz. et cætera, etc.
enzym enzyme m.
epicentrum épicentre m.
epicur/isme épicurisme m. ▼—**ist(isch)**
épicurien (m.)
epidem/ie épidémie. ▼—**isch** bn (& bw)
épidémique(ment).
epigram épigramme v.
epiloog épilogue m.
episch épique.
episod/e épisode m. ▼—**isch** épisodique.
epistel 1 épître v; 2 missive, lettre v.
epos épopée v, poème m épique.
equator équateur m. ▼—**iaal** équatorial.
equipage équipage m.
er 1 (plaats) y, là; 2 er is, il y a; 3 (ervan) en; er
zijn — vijf, il y en a cinq; — wordt gebeld, on
sonne; we kunnen — met vijven in, nous y
tiendrons à cinq.
erbarm/elijk bn (& bw) pitoyable(ment),
lamentable(ment), misérable(ment).
▼—**elijkheid** état m pitoyable v. ▼—**en**
(zich) avoir pitié (de) v. ▼—**ing** miséricorde,
pitié v.
ere/ambt charge honorifique, dignité v.
▼—**boog** arc m de triomphe. ▼—**burger**
citoyen m d'honneur. ▼—**comité** comité m
de patronage. ▼—**dienst** culte m.
▼—**doctoraat** doctorat m honoris causa.
▼—**kruis** croix v d'honneur. ▼—**lid** membre
m honoraire, - d'honneur. ▼**eren** honorer,
respecter, vénérer; uw geëerde (letteren),
votre honorée v. ▼**ere/plaats** place v
d'honneur. ▼—**poort** zie —boog. ▼—**prijs**

prix m d'honneur. ▼—**raad** jury m d'honneur.
▼—**schuld** dette v d'honneur. ▼—**teken**
décoration v, insigne m. ▼—**titel** titre m
d'honneur. ▼—**voorzitter** président m
d'honneur. ▼—**wacht** garde -; compagnie v
d'honneur. ▼—**wijn** vin m d'honneur.
▼—**woord** parole v d'honneur.
erf 1 héritage, patrimoine m; 2 (grond) enclos,
clos m; terre, ferme v. ▼—**deel** portion v de
succession; héritage m; vaderlijk —,
patrimoine m. ▼—**dochter** (riche) héritière v.
▼**erfelijk** bn (& bw) héréditaire(ment).
▼—**heid** hérédité v. ▼—**heidsleer** théorie v
de l'hérédité. ▼**erf/enis** héritage m,
succession v. ▼—**genaam** héritier m, -ière v;
universeel —, légataire universel. ▼—**grond**
fonds m héréditaire. ▼—**grondrecht** droit m
foncier. ▼—**huis** (vente de) succession,
vente v publique. ▼—**laatster** testatrice v.
▼—**later** testateur, légateur m. ▼—**lating**
disposition v testamentaire. ▼—**opvolging**
succession v. ▼—**pacht** emphytéose; en —,
par bail emphytéotique. ▼—**pachtsperceel**
fonds m emphytéotique. ▼—**prins(es)**
prince(sse) m (v) héréditaire. ▼—**recht** droit
m de succession. ▼—**schuld** dette v
héréditaire. ▼—**stuk** souvenir m de famille.
▼—**vijand** ennemi m héréditaire. ▼—**zonde**
péché m originel.
erg l bn méchant, mauvais, malin; rude,
sévère, (ernstig) grave; het is te —, c'est par
trop fort; dat is niet —, il n'y a aucun mal; dat
is niet zo —, il n'y a que demi-mal; er — aan
toe zijn, être bien mal; zo — is het nog niet,
nous n'en sommes pas encore là; — vinden
te, se formaliser de. ll bw sévèrement; fort,
très; het spijt me —, je suis désolé; hij is —
lief, (fam.) il est charmant tout plein; ik hou
— van hem, (fam.) je l'aime tout plein. lll zn
malice, méchanceté v; hij doet het zonder —,
il n'y entend pas malice; — hebben in, se
douter de. ▼**ergdenkend** soupçonneux,
méfiant. ▼—**heid** méfiance v.
ergens quelque part; — anders, ailleurs.
erger l bn pire, plus mauvais, plus méchant; de
zieke is —, le malade est plus mal; hoe langer,
hoe —, de pis en pis; des te —, tant pis; —
worden, empirer, s'aggraver; weer —
worden, reprendre de plus belle. ll bw pis,
plus mal. ▼—**en** l ov.w vexer, scandaliser.
ll zich — s'indigner (de), s'irriter (de), se
faire du mauvais sang. ▼—**lijk** l bn agaçant;
scandaleux, révoltant; choquant. ll bw
scandaleusement. ▼—**nis** scandale m,
irritation v; — geven, faire scandale.
ergo donc, par conséquent.
ergst l bn le (la) pire; in het — e geval, au pis
aller, à la rigueur. ll zn: het —, le pis; het —e
er van denken, mettre les choses au pire; het
—e verwachten, s'attendre à ce qu'il y a de
pire.
erkenn/en reconnaître; homologuer (un
record); avouer; als koning —, reconnaître
pour son roi. ▼—**ing** reconnaissance v, aveu
m. ▼**erkentelijk** reconnaissant. ▼—**heid**
reconnaissance v.
erker saillie v, bow-window m.
ernst 1 sérieux m; 2 (deftigheid) gravité v;
3 (strengheid) sévérité v; in —, pour de bon;
het is hem —, il parle sérieusement. ▼—**ig** l bn
sérieux; grave; — e wil, volonté v ferme. ll bw
sérieusement; — gewond, grièvement
blessé; — opnemen, prendre au sérieux;
niets — nemen, prendre tout à la blague.
▼—**igheid** sérieux m, gravité v.
eronder là-dessous, en dessous. ▼**erop**
là-dessus; iets — doen, mettre qc.
erotiek érotisme m. ▼**erotisch** érotique.
ersatz ersatz m.
ertoe: wat doet het —, tant pis.
erts minerai m. ▼—**ader** filon m. ▼—**groeve**
minière v. ▼—**laag** couche v de minerai.
▼—**rijk** riche en minerai.
ertussen entre les deux.
eruit dehors. ▼—**zien** — als, avoir l'air de;
faire.

ervaren I *ov.w* éprouver, faire l'expérience de, voir. II *bn* expert (en), expérimenté, versé (dans). ▼—**heid** pratique, habileté *v*. ▼**ervaring** expérience *v*; *op — gegrond*, empirique. ▼—**swetenschap** science *v* expérimentale.

erven I *ov.w* hériter (de qn, de qc); *iets van iem. —*, hériter qc de qn. II *on.w* être héritier, hériter. III *zn: het —*, acquisition *v* par héritage.

erwt pois *m*. ▼—**ensoep** purée *v* aux pois.

es 1 (*muz.*) mi bémol; *iem. iets — duiden*, en vouloir à qn de qc.

escadrille escadrille *v*.

escal/atie escalade *v*. ▼—**eren** escalader.

esdoorn érable *m*.

eskad/er escadre *v*. ▼—**ron** escadron *m*.

Eskimo Esquimau, Eskimo *m*.

e-snaar (*muz.*) mi *m*, chanterelle *v*.

Esperanto espéranto *m*.

espresso café *m* espresso.

ESRO Organisation *v* européenne de recherche spatiale.

essence essence, huile *v* essentielle.

essentieel *bn* (& *bw*) essentiel (lement).

establishment 1 ordre *m* établi; **2** valeurs *v mv* reconnues; **3** milieux *m mv* dirigeants.

estafette estafette *v*. ▼—**loop,** —**wedstrijd** course *v* de relais. ▼—**rit** raid *m*.

estheet esthète *m*. ▼**esthet/ica,** —**iek** esthétique *v*. ▼—**isch** *bn* (& *bw*) esthétique(ment).

etage étage *m*.

etal/age étalage *m*, devanture *v*. ▼—**eren** étaler. ▼—**eur** étalagiste *m*.

etappe étape *v*.

eten I *ov.* & *on.w* manger; (*fam.*) casser la croûte; (*pop.*) bouffer; *om 12 uur —*, déjeuner; *'s middags —* (*om 7 uur*), dîner; *'s avonds* (*na elven*) —, souper; *driemaal daags —*, faire trois repas par jour; *— en drinken*, boire et manger; *uit — gaan*, dîner en ville; *zijn genoegen —*, manger à sa faim; *gauw wat —*, manger un morceau sur le pouce. II *zn* manger *m*; *het —*, la nourriture, les repas *m mv*; déjeuner, goûter, dîner, souper *m*; *het — is opgediend*, le dîner est servi; madame est servie; *warm —*, des mets chauds; *ten — vragen*, inviter à dîner. ▼—**sbus** porte-dîner *m*. ▼—**slucht** relente *m mv* de cuisine. ▼—**stijd** heure *v* du repas. ▼—**swaar** nourriture *v*. ▼—**tje** dinette *v*. ▼**eter** mangeur *m*; *hij is een flink —*, il a un joli coup de fourchette.

ethaan éthane *m*.

ether éther *m*; *door de —*, par la voie de l'air. ▼—**isch 1** aérien; **2** éthéré; *een — meisje*, jeune fille éthérée; *—e olie*, huile *v* volatile.

ethica, ethiek éthique *v*. ▼**ethisch** éthique.

etiket étiquette *v*. ▼—**teren** étiqueter.

etmaal (espace *m* de) vingt-quatre heures; *binnen een —*, dans les 24 heures.

etnisch ethnique.

etnograf/ie ethnographie *v*. ▼—**isch** ethnographique.

ets eau-forte *v*. ▼—**en graver** à l'eau-forte. ▼—**er** aquafortiste *m*. ▼—**kunst** gravure *v* à l'eau-forte. ▼—**naald** burin *m*.

ettelijke quelques, plusieurs.

etter —**dracht** pus *m*, matière *v* (purulente). ▼—**achtig** purulent. ▼—**buil,** —**gezwel** abcès *m*. ▼—**en** suppurer. ▼—**wond** plaie *v* suppurante.

etui étui *m*; (*v. school*) trousse *v*.

etymologisch *bn* (& *bw*) étymologique(ment).

eucharist/ie eucharistie *v*; *— vieren*, célébrer l'eucharistie. ▼—**viering** messe *v*. ▼—**isch** eucharistique.

eufemis/me euphémisme *m*. ▼—**tisch** *bn* (& *bw*) euphémistique(ment).

Euratom Euratom *m*; Communauté *v* européenne de l'énergie atomique. ▼**Euromarkt** marché *m* commun européen.

Europ/al'Europe *v*. ▼—**abus** Europabus *m*. ▼—**eaan** Européen *m*. ▼—**eaniseer** europeaniser. ▼—**ees** européen (-ne); *een*

—e, une Européenne; *Europese betalingsunie*, union *v* européenne de palements; *Europese economische gemeenschap*, communauté *v* économique européenne; *Europese gemeenschap voor kolen en staal*, communauté européenne du charbon et de l'acier.

euroroute autoroute *v* européenne. ▼**Eurovisie** Eurovision *v*; *in — uitzenden*, diffuser en eurovision.

euvel mal, défaut *m*; *iem. iets — duiden*, en vouloir à qn de qc.

Eva Eve *v*.

evacu/atie évacuation *v*. ▼—**eren** évacuer.

evalu/atie évaluation *v*. ▼—**eren** évaluer.

evangelie évangile *m*. ▼—**leer** doctrine *v* évangélique. ▼**evangel/isch** évangélique. ▼—**ist** évangéliste *m*.

even I *bn* pair; *de — plaatsen*, les places à nombre pair. II *bw* **1** (*gelijk*) aussi, également; **2** (*nauwelijks*) légèrement, à peine, un peu; **3** un instant, un moment; *— groot als*, aussi grand que; *— telefoneren*, donner un coup de téléphone; *je kunt — goed meteen opnieuw beginnen*, autant recommencer tout de suite; *het is mij om het —*, peu m'importe, cela m'est égal.

evenaar 1 fléau *m* de balance; **2** (*tong v. balans*) languette *v*; **3** ligne *v* équinoxiale, équateur *m*.

evenals comme, de même que.

evenaren égaler, aller de pair avec.

evenbeeld image *v*, portrait *m*; *naar Gods —*, à l'image de Dieu.

even/eens également, de même, aussi. ▼—**goed** aussi bien; *— bij ons als in Amerika*, autant chez nous qu'en Amérique.

even/knie égal, pareil, émule *m*. ▼—**mens** prochain, semblable *m*.

evenmin *—als*, ne... pas plus (que), non plus... que.

even/naaste prochain *m*. ▼—**nachtslijn** *zie* evenaar 3.

evenredig I *bn* proportionnel (à); *recht —*, directement proportionnel; *omgekeerd —*, inversement proport.; *de vierde —, e*, la quatrième proportionnelle; *— aandeel*, quote-part *v*. II *bw* proportionnellement. ▼—**heid** proportion *v*.

eventjes légèrement, à peine; un instant.

eventueel *bn* (& *bw*) éventuel (lement).

even/veel autant, tout autant.

evenwel cependant, pourtant, toutefois.

evenwicht 1 équilibre *m*; **2** (*kunst*) pondération *v*; *het — herstellen*, rétablir l'équilibre; *zijn — verliezen*, perdre l'équilibre; *in — houden*, tenir en équilibre; *uit zijn —*, déséquilibré, (*fig.*) désaxé. ▼—**ig** du même poids; équilibré. ▼—**sleer** statique *v*. ▼—**sstoornis** trouble *m* de l'équilibre. ▼—**stoestand** état *m* d'équilibre.

evenwijdig *bn* (& *bw*) parallèle(ment). ▼—**heid** parallélisme *m*.

evenzeer également; aussi, (tout) autant.

evenzo de la même manière, de même; *wij hebben — gedaan*, nous en avons fait autant (que).

ever, —**zwijn** sanglier *m*.

evolueren évoluer. ▼**evolutie** évolution *v*. ▼—**theorie** théorie *v* évolutionniste.

exact *bn* (& *bw*) exact(ement); *—e wetenschappen*, sciences *v mv* exactes.

examen examen *m*; *mondeling —*, (examen) oral *m*; *schriftelijk —*, écrit *m*, épreuves *v mv* écrites; *— afleggen*, passer un examen; *voor een — opgaan*, aller se présenter à un examen; *door een — komen*, réussir, être reçu; *voor een — zitten*, préparer un examen; *voor een — zakken*, échouer, être refusé. ▼—**commissie** jury *m* d'examen. ▼—**geld** droit *m* d'examen. ▼—**koorts** mal *m* d'examen, trac *m*. ▼—**opgave** épreuve *v*, sujet *m* d'examen. ▼—**studie** préparation *v* à un examen. ▼**examin/andus** candidat *m*. ▼—**ator** examinateur *m*. ▼—**eren** examiner.

excellent I *bn* excellent. II *bw* excellemment.

▼**excellentie** excellence v.
excentr/iciteit excentricité v. ▼—**iek** bn (& bw) excentrique(ment).
excerperen résumer, faire un extrait de.
▼**excerpt** résumé, extrait m.
exclusief bn (& bw) exclusif (exclusivement).
excommunic/atie excommunication v.
▼—**eren** excommunier.
excursie excursion v.
excuseren excuser. ▼**excuus** excuse v; —!, (pop.) faites excuse!; — vragen, présenter ses excuses.
execut/eren exécuter. ▼—**ie** exécution v.
exeg/eet exégète m. ▼—**ese** exégèse v.
exemplaar exemplaire; sujet, spécimen m.
exerceren faire l'exercice.
exhibition/isme exhibitionnisme m.
▼—**ist(isch)** exhibitionniste.
existent/ie existence v. ▼—**ialisme** existentialisme m. ▼—**ialist** existentialiste m.
expansie expansion, (v. gas) détente v.
exped/iëren expédier. ▼—**iteur** entrepreneur de messageries. ▼—**itie 1** expédition v; **2** messageries v mv. ▼—**itiecorps** corps m expéditionnaire.
experiment expérience v. ▼—**eel** bn (& bw) expérimental(ement). ▼—**eren** expérimenter.
expert expert m.
explicatie explication v.
exploderen exploser, faire explosion.
exploit/ant exploitant m. ▼—**atie** exploitation, mise v en valeur. ▼—**eren** exploiter; cultiver.
exploot exploit m; bij deurwaarders—, par exploit d'huissier.
explor/atiemaatschappij société v d'exploration. ▼—**eren** explorer.
explosiemotor moteur m à explosion.
expon/ent exposant; (fig.) représentant m.
▼—**entieel** exponentiel. ▼—**eren** exposer.
export exportation v. ▼—**eren** exporter.
▼—**eur** exportateur m. ▼—**handel** commerce m d'exportation.
expos/é exposé m. ▼—**eren** exposer. ▼—**itie** exposition v.
expres I bn exprès (v expresse); —se bestelling, distribution v par exprès. II bw: iets — doen, faire qc exprès of à dessein.
▼—**se exprès** m. ▼—**brief** lettre v exprès.
▼—**sief** I bn expressif. II bw expressivement.
▼—**trein** (train) express m.
extern(e) externe. ▼—**aat** externat m.
extra bn extraordinaire, spécial; — blad, édition v spéciale; — bus, autobus -, autocar m supplémentaire; — trein, train m supplémentaire; — onkosten, frais m mv supplémentaires; — korting, surremise v; — les, leçon v supplémentaire; als — leverbaar, sur option; —-bericht, flash m; —-schotel, supplément m. ▼—**atje** extra m; aubaine v; profit m casuel.
extract 1 extrait m (d'un registre, d'un livre); **2** essence (de café etc.).
extrapoleren extrapoler.
extra/versie extraversion v. ▼—**vert**, extrovert extraverti of extroverti.
extremist —**isch** extrémiste.
ezel 1 âne m; **2** (schilders—) chevalet m; een — stoot zich geen tweemaal aan dezelfde steen, chat échaudé craint l'eau froide; un homme averti en vaut deux. ▼—**achtig** bête, stupide. ▼—**achtigheid** bêtise v. ▼—**in** ânesse v. ▼—**sbruggetje** règle v mnémonique; expédient m. ▼—**skop** tête v d'âne; (fig.) bourrique, bête v. ▼—**soor 1** oreille v d'âne; **2** (in een boek) corne v; een — maken in, corner une page de.

F 1 (letter) f m; **2** (muz.) fa m.
fa (muz.) fa m.
faam renommée, réputation v; te goeder naam en — bekend staan, jouir d'une bonne réputation.
fabel fable v; (fig.) conte m. ▼—**achtig** I bn fabuleux. II bw fabuleusement. ▼—**dichter** fabuliste m.
fabri/cage, —**catie** fabrication v. ▼—**ceren** fabriquer, faire, produire.
fabriek fabrique; manufacture; usine v. ▼—**en** fabriquer. ▼—**sarbeider** ouvrier m d'usine.
▼—**sarbeidster** ouvrière v d'usine.
▼—**sbaas** contre-maître. ▼—**sbevolking** population v ouvrière. ▼—**scentrum** centre m usinier, - industriel. ▼—**sgoed** articles m mv fabriqués; slecht —, camelotte v.
▼—**sjongen** jeune ouvrier m. ▼—**smeid**, —**smeisje** ouvrière v d'industrie. ▼—**smerk** marque v de fabrique. ▼—**sprijs** prix m de facture. ▼—**sstad** ville v industrielle.
▼—**swerk** marchandises v mv manufacturées; (fig.) travail m machinal.
fabri/kaat produit manufacturé, article m de fabrique; eigen —, produit de la maison.
▼—**kant** fabricant, industriel, chef d'industrie, patron m,
facet facette v. ▼—**plan** plan m spécifique.
faciliteit facilité v.
facsimile fac-similé m.
factor facteur m; sous-multiple; (fig.) élément m; de enkelvoudige —en, les facteurs premiers.
factur/eren facturer, porter sur la facture.
▼—**ist** facturier m. ▼**factuur** facture v.
▼—**boek** facturier m. ▼—**machine** machine v à facturer.
facul/tatief facultatif. ▼—**teit** faculté v.
fading évanouissement; fading m.
fagot (muz.) basson m. ▼—**tist** basson(iste) m.
faience faience v.
faill/eren faire faillite. ▼**failliet** I zn faillite v. II bn en faillite; — verklaren, déclarer en faillite; — laten verklaren, mettre en faillite.
▼—**verklaring** déclaration v en faillite.
▼**faillissement** faillite v; — aanvragen, demander la déclaration en faillite. ▼—**swet** loi v sur le régime des faillites.
fair honnête, propre. ▼**fairplay** franc-jeu m.
fakkel flambeau m, torche v. ▼—**optocht** cortège m aux flambeaux.
falen I on.w **1** (missen) manquer, échouer; **2** se tromper. II zn: het —, l'échec m.
faliekant: — uitkomen, échouer, avorter.
fall-out retombées v vm radioactives.
fallus phallus m. ▼**fallisch** phallique.
falsaris faussaire m.
familiaar I bn familier. II bw familièrement.
familie famille v; parents m mv; zij is — van mij, elle est de mes parents; zij zijn — van, ils sont apparentés à; van je — moet je het hebben, on n'est jamais trompé que par les siens; een jongen van goede —, un fils de famille; — worden van, s'apparenter à.
▼—**band** lien m de parenté. ▼—**berichten** mariages, naissances, décès. ▼—**betrekking 1** parenté v; **2** zie —**lid**. ▼—**gelijkenis** air m

de famille. ▼—**kring** cercle *m* de famille; *in de —*, en famille. ▼—**kwaal** maladie *v* héréditaire. ▼—**leven** vie *v* de famille. ▼—**lid** parent *m*. ▼—**omstandigheden**: *wegens —, pour raisons v mv* de famille. ▼—**roman** roman *m* de famille. ▼—**stuk 1** meuble *m* de famille; **2** souvenir *m* de famille; **3** tableau *m* de famille. ▼—**trek** air -, trait *m* de famille. ▼—**vete** querelle *v* héréditaire. ▼—**wapen** armoiries *v mv* de famille. ▼—**ziek** entiché de sa famille.

famulus aide, assistant, préparateur *m*.

fanat/icus fanatique *m*. ▼—**iek** *bn* (& *bw*) fanatique(ment). ▼—**isme** fanatisme *m*.

fancy-fair bazar *m* -, vente *v* de charité.

fanfare, —korps fanfare *v*.

fantaseren imaginer, inventer; (*muz.*) improviser. ▼**fantasie** imagination *v*. ▼—**pak** costume *m* de fantaisie. ▼—**stof** étoffe *v* de fantaisie. ▼**fantast**: *het is een —*, il a trop d'imagination. ▼—**isch** *bn* (& *bw*) fantastique(ment); formidable(ment).

farao pharaon *m*.

fariz/eeër pharisien *m*. ▼—**ees** *bn* (& *bw*) pharisaïque(ment).

farmaceut 1 pharmacien; **2** étudiant *m* en pharmacie. ▼—**isch** pharmaceutique. ▼**farmacie** pharmacie *v*; *— studeren*, faire ses études de pharmacie.

fasc/isme fascisme *m*. ▼—**ist(isch)** fasciste (*m*), facho.

fase phase *v*; *in —n*, par paliers.

fat fat, élégant, dandy *m*.

fataal I *bn* fatal; fâcheux. **II** *bw* fatalement. ▼**fatal/ist(isch)** fataliste (*m*). ▼—**iteit** fatalité *v*.

fata-morgana mirage *m*.

fatsoen 1 façon, forme, coupe *v*; **2** (*manieren*) tenue *v*, savoir-vivre *m*, décence *v*; *zijn — houden*, se conduire comme il faut; *houd een beetje je —*, ayez de la tenue; *mensen van —*, des gens bien; *met goed —*, décemment. ▼—**eren** façonner. ▼—**lijk I** *bn* **1** convenable, honnête; **2** bien élevé; *hij ziet er heel — uit*, il a l'air très bien. **II** *bw* décemment, honnêtement. ▼—**lijkheid** bienséance, décence, honnêteté *v*. ▼—**shalve** pour sauver les apparences; par bienséance.

faun faune *m*.

fauna faune *v*.

favoriet favori *m*; favorite *v*.

fazant faisan *m*.

februari février *m*.

federalist/en fédéraux *m mv*. ▼—**isch** fédéraliste.

fee fée *v*. ▼—**ëriek** féerique.

feeks chipie *v*.

feest 1 fête *v*; **2** (*maal*) festin *m*; *— vieren*, célébrer une fête. ▼—**commissie** commission *v* des fêtes. ▼—**dag** jour *m* de fête; jour *m* férié. ▼—**elijk** solennel, pompeux; *alles zag er — uit*, tout avait un air de fête; *dank je —*, grand merci; *iem. — onthalen*, faire fête à qn. ▼—**elijkheid** fête, réjouissance *v*. ▼—**genoot** invité(e) *m* (*v*), convive *m* & *v* (*aan tafel*). ▼—**maal** festin, banquet *m*. ▼—**stemming** allégresse -, joie *v* publique. ▼—**varken** héros *m* de la fête. ▼—**vieren** avoir une fête. ▼—**viering** célébration *v* d'une fête.

feil 1 faute, erreur *v*; **2** défaut *m*. ▼—**baar** faillible. ▼—**baarheid** faillibilité *v*. ▼—**loos** infaillible, sans faute.

feit fait *m*; *het is een — dat*, il est de fait que. ▼—**elijk** de fait, en fait, réel(lement); à vrai dire. ▼—**elijkheid** voie *v* de fait. ▼—**enkennis** connaissance *v* détaillée des faits.

fel I *bn* violent, rude; féroce, intense, âpre; *—e kleur*, couleur *v* vive; *—e koude*, froid *m* cuisant; *—e winter*, rude hiver *m*. **II** *bw* violemment, âprement. ▼—**heid** violence; âpreté *v*.

felicit/atie félicitation *v*. ▼—**eren** féliciter (qn de qc), présenter ses félicitations.

femin/isme féminisme *m*. ▼—**ist(isch)** féministe.

feniks phénix *m*.

fenol phénol *m*.

ferm I *bn* ferme, vigoureux, décidé. **II** *bw* bien, comme il faut.

ferry(boot) ferry-boat *m*.

fes (*muz.*) fa bémol *m*.

festiviteit fête; solennité *v*.

festonneren festonner.

feuilleton feuilleton *m*.

fez fez, (*mil.*) chéchia *m*.

fiasco fiasco *m*; *— maken*, faire four (*v. toneel*); échouer.

fiat soit; accordé. ▼—**teren** approuver.

fiche fiche *v*; jeton *m*. ▼—**sdoos** fichier *m*. —**skast** meuble *m* classeur.

fideel I *bn* jovial, joyeux. **II** *bw* jovialement.

fidelity: *high —*, haute fidélité de reproduction.

fiducie confiance *v*; *geen — hebben in*, se méfier de

fier I *bn* fier. **II** *bw* fièrement. ▼—**heid** fierté *v*.

fiets vélo *m*; vélo *m*, bécane *v*; *op een — zitten, rijden*, monter à bicyclette. ▼—**band** pneu *m*. ▼—**bel** timbre *m*. ▼—**en** rouler -, aller en (*of* à) vélo, faire du vélo; *naar X —*, aller à X en bicyclette; *6 uur —*, six heures de bicyclette; *het —*, le cyclisme. ▼—**enhok** garage *m*. ▼—**enmaker** réparateur *m*. ▼—**enrek** support *m* pour bicyclettes. ▼—**er** cycliste *m*. ▼—**kaart** carte *v* routière. ▼—**ketting** chaîne *v* à vélo. ▼—**pad** piste *v* cyclable. ▼—**pomp** pompe *v* de bicyclette. ▼—**slot** cadenas *m* antivol. ▼—**tas** sacoche *v* de vélo. ▼—**tocht** excursion -, balade *v* à bicyclette.

figurant figurant(e) *m* (*v*), comparse *m* & *v*.

figuur 1 figure *v*; **2** (*gestalte*) taille *v*; *een slank — hebben*, avoir la taille svelte; *zij heeft een aardig —tje*, elle a la taille bien prise; *een goed (slecht) — maken*, faire bonne (mauvaise) figure. ▼—**dans** danse *v* figurée. ▼—**lijk I** *bn* figuré. **II** *bw* au figuré. ▼—**lijkheid** sens *m* figuré. ▼—**zaag** scie *v* à découper. ▼—**zaagbeugel** porte-scie *m* à main. ▼—**zagen** découpage *m*.

fijn I *bn* **1** fin; **2** (*dun*) délié, mince; **3** (*—gevormd*) délicat, élégant; **4** (*uitgezocht*) recherché, exquis; **5** (*v. smaak*) délicat; **6** (*vroom*) dévot; (*schijnvroom*) bigot; **7** (*v. verstand*) subtil, pénétrant; *—e manieren*, manières *v mv* distinguées; *— katholiek*, bon catholique, catholique pratiquant. **II** *bw* finement, délicatement; *—!, (uitroep)* chouette alors! (*pop.*) bath. *—e, dévot(e); bigot(e) m (v).* ▼**fijn/beschaafd** de haute culture, distingué. ▼—**gevoelig** délicat; *— voor, sensible à.* ▼—**gevoeligheid** délicatesse *v*; susceptibilité *v*. ▼—**hakken** hacher menu. ▼—**heid 1** finesse; **2** délicatesse, subtilité; **3** bigoterie *v*. ▼—**kauwen** mâcher, broyer. ▼—**knijpen** écraser. ▼—**maken I** *ov.w* réduire en poudre, écraser, broyer. **II** *zn: het —*, la pulvérisation, le broyage. ▼—**malen** moudre menu, pulvériser. ▼—**proever** connaisseur, gourmet *m*. ▼—**stampen** broyer, piler, concasser. ▼—**tjes** finement; *— lachen*, sourire malicieusement. ▼—**wasserij** blanchisserie *v* de fin. ▼—**wrijven** triturer, pulvériser.

fijt panaris *m*.

fiks I *bn* grand, fort, robuste. **II** *bw* bien; adroitement, fermement.

filantr/oop philanthrope *m*. ▼—**opisch** philanthropique.

file file, queue *v*; *in de — staan*, faire la queue; *zich bij de — aansluiten*, prendre la file; *in — parkeren*, faire un créneau.

filet filet *m*.

filharmonisch philharmonique.

filiaal succursale *v*.

filigraan filigrane *m*.

film pellicule *v*, film *m*; *de — wordt opgenomen*, on tourne le f.; *de — wordt hier* *vertoond,* le f. passe ici; *korte —,* film de court métrage; *smalle —,* film m de format réduit; *voor de — bewerken,* mettre à l'écran; *stomme —,* film m muet. ▼—**acteur** acteur m du cinéma. ▼—**club** ciné-club m. ▼—**doek** écran m. ▼—**editie** (*v. roman*) ciné-roman m. ▼—**en** filmer; tourner. ▼—**isch** cinématographique, de l'écran. ▼—**journaal** actualités *v mv.* ▼—**keuring** contrôle m cinématographique. ▼—**kunst** l'art m du film. ▼—**liefhebber** cinéphile m. ▼—**maker** réalisateur m de film. ▼—**operateur** opérateur m. ▼—**opname** prise v de vues. ▼—**rol** pellicule, bobine v. ▼—**roman** cinéroman m. ▼—**ster** vedette v du cinéma. ▼—**strip** film m fixe. ▼—**toestel 1** caméra v; **2** projecteur m. ▼—**verhaal** récit m filmique. ▼—**wereld** monde m du cinéma. ▼—**wetenschap** filmologie v.

filol/ogie philologie v. ▼—**ogisch** *bn* (*& bw*) philologique(ment). ▼—**oog** philologue m.
filos/oof 1 philosophe; **2** étudiant m en philosophie. ▼—**oferen** philosopher. ▼—**ofie** philosophie v. ▼—**ofisch** *bn* (*& bw*) philosophique(ment).
filter filtre m. ▼—**sigaret** cigarette-filtre v. ▼—**zakje** cornet-filtre v. ▼**filteren** filtrer.
Fin Finnois; Finlandais m.
finale 1 (*muz.*) finale m; **2** (*sp.*) finale v; *in de — komen,* parvenir en finale. ▼**finalist** finaliste m.
financ/ieel I *bn* financier; *het financiële,* la question financière. **II** *bw* financièrement. ▼—**iën** finances v mv; état m des finances. ▼—**ier** financier m; *een goed — zijn,* savoir administrer ses finances. ▼—**ieren** financer. ▼—**iering** financement m.
fineer(blad) bois m de placage. ▼—**der** affineur; plaqueur m. ▼**fineren** affiner, plaquer.
fingeren inventer, simuler; *gefingeerd,* fictif.
finish ligne v d'arrivée.
Finland la Finlande. ▼**Fin, —se** Finlandais(e), Finnois(e) m (v). ▼**Fins** *bn* finlandais, finnois.
firma maison v; raison v (*sociale = handelsnaam*). ▼—**naam** firme v.
firmament firmament m.
firmant associé m.
fis (*muz.*) fa dièse m.
fis/caal fiscal. ▼—**cus** fisc m.
fistel fistule v.
fit en (bonne) forme.
fitt/en souder, ajuster. ▼—**er** gazier, appareilleur m. ▼—**ing 1** (*aan lamp*) culot m; **2** (*lamphouder*) douille v; *lamp met smalle —,* ampoule v à petit culot.
fixatie fixatif m. ▼**fixeer/bad** bain m de fixage. ▼—**middel, —spuit** fixateur m. ▼**fixeren 1** fixer; **2** fixer, regarder fixement.
fjord fjord m.
fladderen voltiger, papillonner; *met —d haar,* les cheveux au vent.
flakkeren vaciller.
flamberen flamber.
flanel 1 flanelle v; **2** gilet m de flanelle. ▼—**len** de flanelle. ▼—**steek** point m de chausson.
flaneren flâner.
flank flanc m; *in de — aanvallen,* prendre de flanc; *links* (*rechts*) *uit de —,* par le flanc gauche (droit). ▼—**eren** flanquer.
flapuit bavard(e) m (v).
flard lambeau m, loque v; *aan —en scheuren,* mettre en lambeaux.
flash-back retour m en arrière dans le récit filmique.
flat étage, appartement m (de plain pied). ▼—**gebouw** immeuble m à appartements.
flater bévue, gaffe v; *een — begaan,* un commettre impair.
flatteren flatter; avantager.
flauw I *bn* **1** faible; (*v. beurs ook*) peu animé; **2** (*smakeloos*) fade, insipide; **3** léger; **4** (*bewusteloos*) en défaillance; **5** peureux; **6** (*onverschillig*) tiède, indifférent; *—e uitvluchten,* de mauvaises excuses; *— doen,*

faire l'enfant; *— vallen,* se trouver mal, s'évanouir; *hij heeft er geen — vermoeden van,* il n'en a pas le moindre soupçon. **II** *bw* *flauw*(*tjes*), faiblement; fadement; vaguement. ▼—**erd 1** mauvais plaisant; **2** poltron m. ▼—**heid** faiblesse; fadeur, insipidité v. ▼—**iteit** fadaise; plaisanterie v de mauvais goût. ▼—**te** évanouissement m, défaillance v.
flegma flegme m. ▼—**tiek** *bn* (*& bw*) flegmatique(ment).
flemen flatter, cajoler.
flens collet m; bride v. ▼—**je** crêpe v.
fles bouteille v, flacon m. ▼—**je** flacon m. ▼—**kind** bébé m au biberon. ▼—**opener** décapsuleur m. ▼—**sebakje** dessous m de bouteille. ▼—**semand** panier m à bouteilles. ▼—**semelk** lait m pasteurisé en bouteille. ▼—**senkelder** cantine v. ▼—**senrek** casier m à bouteilles. ▼—**sentrekker** carambouilleur, escroc m. ▼—**sentrekkerij** carambouillage m, escroquerie v.
flets terne, pâle; flétri. ▼—**heid** ternissure, pâleur v.
fleur 1 fleur, floraison v; vigueur, vivacité v; éclat m; *in de — van zijn leven,* à la fleur de l'âge; *de — is er af,* c'est défraîchi; **2** ligne v dormante. ▼—**ig 1** florissant, bien portant; **2** vif, animé.
flikje pastille, rondelle v de chocolat.
flikker/buis tube m étincelant. ▼—**en I** *on.w* **1** briller, étinceler; **2** vaciller, danser. **II** *ov.w* flanquer (à la porte). ▼—**ing** étincellement m, scintillation, vacillation v. ▼—**licht 1** lumière v vacillante; **2** feu m à éclipses.
flink I *bn* **1** vaillant, ferme, courageux; **2** fort, énergique; *—e werkman,* ouvrier courageux; *— boekdeel,* fort volume m; *—e vrouw,* maîtresse femme; femme courageuse. **II** *bw* vaillamment, énergiquement; *— optreden,* ne pas y aller de main morte; *— werken,* travailler ferme; *iem. — de waarheid zeggen,* dire à qn ses quatre vérités. ▼—**heid** courage m; attitude v décidée; air m de santé.
flintglas flint-glass m.
flipover tableau m de conférence.
flipper flipper m. ▼—**en** flipper.
flirt 1 flirt m; **2** (*degene met wie men flirt*) flirt m; **3** (*degene die flirt*) flirt m, flirteuse v. ▼—**en** flirter.
flits 1 flèche v; **2** éclair m. ▼—**blokje** flashcube m. ▼—**en** flasher. ▼—**foto** photo v flash. ▼—**lamp** lampe v flash. ▼—**licht** flash m. ▼—**richtgetal** nombre-guide m.
flodder 1 boue v; **2** saligaud, souillon m; *losse —,* cartouche v à blanc. ▼—**en** flotter, patauger. ▼—**kous** bas m mal tiré; (*fig.*) torchon m.
floep vlan !, plouf !
floers crêpe v; (*fig.*) voile, nuage m.
flonker/en étinceler, reluire. ▼—**ing** éclat, étincellement m.
flop flop, bide, four m. ▼—**pen** faire un flop.
flor/a flore v. ▼—**eren** fleurir, prospérer.
floret fleuret m. ▼—**garen** fil m de fleuret.
flottielje flottille v. ▼—**leider** convoyeur m.
fluctueren flotter, hésiter, balancer.
fluïdum fluide m.
fluim 1 jet de salive; crachat m; **2** salaud m.
fluister/aar —**aarster** chuchoteur m, -euse v. ▼—**en** chuchoter. ▼—**end** à voix basse, en chuchotant. ▼—**ing** chuchotement m.
fluit 1 (*muz.*) flûte v; **2** sifflet m. ▼—**broodje** baguette, flûte v. ▼—**en 1** siffler; **2** (*muz.*) jouer de la flûte; *hij kan naar zijn geld —,* il en est pour son argent. ▼—**glas** flûte v. ▼—**ist** flûtiste m, flûte v. ▼—**ketel** bouilloire v à sifflet. ▼—**spel** jeu m de la flûte. ▼—**speler** joueur m de flûte.
fluks I *bn* prompt, alerte, agile. **II** *bw* promptement, sur le champ.
fluor fluor m. ▼—**escentie** fluorescence v. ▼—**escerend** fluorescent. ▼—**ideren** fluoriser. ▼—**idering** fluoration v.
fluweel velours m. ▼—**achtig, —zacht,** **fluwelig** velouté, moelleux. ▼—**achtigheid**

velouté m. ▼**fluwelen** de velours ; (fig.)
moelleux, flatteur.
flux-de-bouche volubilité v.
FM-ontvanger poste-FM m. ▼**FM-zender**
émetteur m à modulation de fréquence.
fnuiken frustrer les ailes à, rabattre (l'orgueil),
frustrer (l'espérance). ▼**fnuikend** décevant.
fobie phobie v.
focus foyer m. ▼—**seren** focaliser.
foedraal étui ; fourreau m; gaine v.
foefje truc m; (fig.) prétexte m.
foei fi !, fi donc ! ▼—**lelijk** laid à faire peur,
hideux, affreux.
foerage fourrage m. ▼—**ren** fourrager.
▼**foerier** fourrier m.
foeteren rager, sacrer (contre).
foetus foetus m.
fok/hengst étalon m reproducteur. ▼—**ken**
I ww élever, nourrir. II zn : het —, l'élevage m.
▼—**ker** éleveur. ▼—**merrie** jument poulinière
v. ▼—**vereniging** société v d'éleveurs.
folder dépliant m.
foliant in-folio m. ▼**folio** folio m. ▼—**papier**
papier m in-folio.
folklor/e science v des traditions populaires,
folklore m. ▼—**ist(isch)** folkloriste (m).
folter/en torturer; (fig.) tourmenter. ▼—**ing**
torture v; tourment m.
fondament fondement m, fondation v.
▼—**eel** fondamental.
fondant fondant m.
fondering fondation(s) v (mv).
fonds 1 fonds, capital m; 2 société mutuelle,
mutualité v; 3 livres m mv de fonds; —en,
(hand.) valeurs v mv mobilières;
binnenlandse (buitenlandse) —en, valeurs
indigènes (étrangères); in een — zijn, être
participant à une mutuelle. ▼—**catalogus**
catalogue m général. ▼—**enbeurs** bourse v
des valeurs. ▼—**lijst** 1 catalogue m; cote v
officielle de la bourse.
fondue fondue v. ▼—**bord** assiette v
compartimentée. ▼**fonduen** manger une
fondue.
fonet/iek phonétique v. ▼—**isch** bn (& bw)
phonétique(ment).
fonkel/en étinceler. ▼—**ing** étincellement m.
▼—**nieuw** tout battant neuf.
fono/graaf phonographe, phono m.
▼—**gram** phonogramme m. ▼—**logie**
phonologie v.
fontanel fontanelle v.
fontein jet m d'eau; fontaine v. ▼—**tje** lavabo
(- fontaine v) m.
fooi pourboire m; (met Nieuwjaar) étrennes v
mv.
fop/pen attraper, mystifier. ▼—**per**
mystificateur m. ▼—**perij** mystification,
attrape; duperie v. ▼—**speen** sucette v.
forceren forcer, brusquer.
forel truite v.
forens banlieusard. ▼—**entrein** train m de
banlieue.
forma: pro —, pour la forme; in optima —,
dans les formes. ▼**formaat** format m; in
groot —, de grand format; van —, de
(grande) classe, de grand style.
▼**formal/isme** formalisme m. ▼—**ist(isch)**
formaliste. ▼—**iteit** formalité v; —en in acht
nemen, — verrichten, remplir les formalités.
▼**form/atie** formation v; (mil.) effectif m.
▼—**eel** bn (& bw) formel(lement) ; — oproer,
rébellion v manifeste. ▼—**eren** former.
▼—**ering** formation v.
formica formica m.
formul/e ou formule v. ▼—**emeubel** meuble m
par éléments juxtaposables. ▼—**eren**
formuler. ▼—**ering** expression, rédaction v.
▼—**ier** formule v, formulaire m.
fornuis fourneau m; cuisinière v. ▼—**plaat**
plaque v de fourneau.
fors I bn fort, robuste, vigoureux. II bw
fortement, vigoureusement. ▼—**heid** force,
vigueur v.
fort I fort m; 2 dat is zijn —, c'est son fort.
fortuin fortune v. ▼—**lijk** fortuné, prospère;

qui a de la chance. ▼—**tje** (bonne) aubaine v;
een aardig — hebben, avoir une fortune
rondelette. ▼—**zoeker** aventurier m.
fosfaat phosphate m.
fosfor phosphore m. ▼—**esceren** être
phosphorescent.
fossiel fossile (m) ; —e brandstoffen,
combustibles m mv fossiles.
foto photo v. ▼—**album** album m photos.
▼—**geniek** photogénique. ▼—**graaf**
photographe m. ▼—**graferen** photographier.
▼—**grafisch** bn (& bw)
photographique(ment). ▼—**handelaar**
photographe, négociant en photos.
▼—**materiaal** matériel m photo.
▼—**montage** montage m photo. ▼—**safari**
safari m photo. ▼—**tocht** randonnée v photo.
▼—**toestel** appareil m photo.
fourn/eren fournir. ▼—**ituren** fournitures v
mv.
fout I zn 1 faute ; erreur v ; 2 (gebrek) défaut,
vice m. II bn incorrect, fautif (= **foutief**) ;
dat is —, c'est une erreur, ce n'est pas bien.
fox-/terriër fox-terrier m. ▼—**trot** fox-trot m.
fraai I bn beau, joli ; dat is wat —s, en voilà du
propre, - du beau ; —e handwerken, ouvrages
m mv de dames. II bw joliment. ▼—**heid**
beauté v. ▼—**igheid** ornement m; parure v.
fractie 1 fraction v; 2 groupe m parlementaire.
▼**fractuur** fracture v.
fragment fragment m. ▼—**arisch** bn (& bw)
fragmentaire(ment).
framboos framboise v.
frame bâti, cadre m.
franchise franchise v.
franciscaan franciscain, frère m mineur.
franco affranchi, franc de port ; — zending,
envoi m port payé.
franc-tireur franc-tireur m.
franje frange v; met —, frangé.
Frank Franc m.
frank I zn franc m. II bw franc(he). III bw
franchement; — en vrij spreken, parler franc.
frankeerzegel timbre-poste m.
Frankenland la Franconie.
franker/en affranchir ; — met, mettre un
timbre de. ▼—**ing** affranchissement m.
frankisch franc, franque.
Frankrijk la France. ▼**Frans** I bn français. II zn
le français; de F—en, les Français; in het —,
en français; — spreken, parler français; —
kennen, savoir le français. ▼—**gezind**
francophile. ▼—**Nederlands**
franco-néerlandais. ▼—**man**, —e Français(e)
m (v).
frapperen frapper, glacer (le vin).
frase phrase v. ▼**fraseren** phraser.
frater frère m.
fratsen blagues, farces v mv. ▼—**maker**
blagueur, farceur m.
fraud/e fraude v. ▼—**eren** frauder. ▼—**uleus**
I bn frauduleux. II bw frauduleusement.
free-lance indépendant.
frees fraise v. ▼—**boormachine** fraiseuse v.
free/wheel roue v libre. ▼—**wheelen** être en
roue libre.
fregat frégate v.
frequentie fréquence v. ▼—**modulatie**
modulation v de fréquence.
fresco fresque v.
fret 1 foret m, vrille v; 2 (dier) furet m.
freule mademoiselle; demoiselle v.
frezen fraiser.
fricandeau fricandeau m.
friction friction v.
friemelen tripoter.
fries 1 (arch.) frise v; 2 (stof) frise v.
Fries I zn Frison (m). II bn frison; een F—e, une
Frisonne = **Friezin**. ▼—**land** la Frise.
friet frite v; zakje —, cornet m de frites.
frigide frigide.
frik pion, pédant m.
fris I bn frais, fraîche; het is —, il fait frais ; —se
kamer, chambre bien aérée. II bw
fraîchement.
fris/eertang fer m à friser. ▼—**eren** friser.

fris/heid fraîcheur v; un peu d'air. ▼**—jes** : *het is —*, il fait frisquet.
frituur friture v.
frivool I bn frivole. **II** bw frivolement.
fröbelschool jardin m d'enfants.
frommelen chiffonner, friper; *in elkaar —*, rouler en tortillon.
frons ride v; pli m. ▼**—en I** ww rider (le front), froncer (les sourcils). **II** zn : *het —*, le froncement.
front front, devant m; *in —*, de front. ▼**—aal** frontal; *frontale botsing*, collision v frontale. ▼**—aanval** attaque v de front. ▼**—ispice** frontispice m. ▼**—je** plastron, devant m de chemise; *los —*, plastron mobile. ▼**—loge** loge v de face.
fruit fruits m mv. ▼**—boom** arbre m fruitier.
fruiten rissoler; faire revenir.
fruithandel, —winkel fruiterie v. ▼**—kwekerij** cultures v mv fruitières. ▼**—markt** marché aux fruits. ▼**—schaal** compotier m. ▼**—teler** fruiticulteur m. ▼**—verkoper, —verkoopster** fruitier m, -ière v = —vrouw.
frustr/atie frustration v. ▼**—eren** frustrer.
f-sleutel clef v de fa.
fuchsia fuchsia m.
fuga (muz.) fugue v.
fuif fête v.
fuik nasse v; *in de — lopen*, donner dans le piège.
fuiven faire la fête, — la bombe, — la noce; *iem. — op*, payer à qn; régaler qn de.
full-time à plein temps.
fully fashioned (entièrement) diminué.
funct/ie fonction, charge v, office m; *zijn — neerleggen*, donner sa démission; *in —*, en exercice. ▼**—ionaris** fonctionnaire; agent. ▼**—ioneel** bn (& bw) fonctionnel(lement), dépendant des fonctions utilitaires. ▼**—ioneren** fonctionner. ▼**—ionering** fonctionnement m.
fund/ament(eel) zie fond-. ▼**—atie** fondation v. ▼**—eren** fonder. ▼**—ering** fondation v.
fungeren faire fonction de. ▼**—d** intérimaire, par intérim; en exercice (bij rouleren).
furore : *— maken*, faire fureur.
fuselier fusilier.
fuseren fusionner. ▼**fusie** fusion v.
fusilleren fusiller, passer par les armes.
fust futaille v, fût m; *op —*, en cercles; *een — wijn*, une pièce de vin.
fut force, énergie v, ressort, allant m.
futiliteit futilité v; vétille v.
futloos mou; mollasse; faible.
futselen lambiner; s'occuper à des riens.
fys/ica physique v. ▼**—icus** physicien m.
fys/iek, —isch bn (& bw) physique(ment); *— onmogelijk*, absolument (of matériellement) impossible.
fysio/logie physiologie v. ▼**—logisch** bn (& bw) physiologique(ment). ▼**—loog** physiologiste m. ▼**—nomie** physionomie v.

G 1 (letter) g m; **2** (muz.) sol m.
gaaf I zn **1** don, présent m; **2** don, talent m. **II** bn sain, intact, entier. **III** bw entièrement. ▼**gaafheid** intégrité v.
gaai (dierk.) geai m; *— schieten*, tir m à l'oiseau.
gaan I on.w **1** aller; passer (dans la rue, sur le pont); **2** (lopen) marcher; **3** (weg—) s'en aller; **4** (gangbaar zijn) avoir cours; *— halen*, aller chercher; *— schreien*, se mettre à pleurer; *— liggen*, **1** se coucher; **2** (v. wind) s'abattre; **3** (bij ziekte) s'aliter; *— staan*, **1** se mettre (quelque part); **2** se dresser; se lever; *de bel gaat*, on sonne; *de klok gaat niet*, l'horloge ne marche pas; *die studie gaat niet diep*, cette étude ne va pas très avant; *morgen gaat hij eraan*, demain il sera fait; *de boot gaat pas over een kwartier*, le bateau ne part que dans un quart d'heure; *er gaat een liter in dat glas*, ce verre peut contenir un litre; *er gaat een hoge zee*, la mer est haute; *zullen we erheen —?*, on y va?; *ga erheen*, vas-y; *het gaat*, ça marche, ça ne va pas trop mal; *dat gaat nog*, passe encore; *dàt gaat niet*, cela ne se peut pas; *dat gaat te ver*, c'en est trop; *dat gaat vanzelf*, cela va tout seul; *dat gaat zo niet*, cela ne va pas comme ça; *het gaat niet*, cela ne se peut pas; *het gaat sneeuwen*, nous aurons de la neige; *het is mij ook zo gegaan*, j'en ai vu autant; *het ga zo het wil*, advienne que pourra; *hoe gaat het?*, comment allez-vous?, comment cela va-t-il? ça va? ça marche?; *hoe gaat het met Marie?*, comment va Marie?; *zo gaat het*, ainsi va le monde; *zo goed en zo kwaad als het gaat*, tant bien que mal; *hoe hoog gaat u (met bieden)?*, de combien y allez-vous?; *boven alles gaan*, passer avant tout; *in het rood —*, être habillé de rouge, porter du rouge; *met de boot —*, aller par le bateau; *je moest eens naar een dokter —*, il faudrait aller voir un médecin; *het gaat over...*, il s'agit de...; *het gaat om je leven*, il y va de votre vie; *daar gaat het niet om*, ce n'est pas là la question; *te boven —*, surpasser; *uit elkaar —*, se disperser, se séparer; *van X naar Y — over Z*, aller de X à Y par Z; *naar huis —*, rentrer; *van huis —*, sortir, quitter la maison; *van hand tot hand —*, passer de main en main; *dit artikel gaat erin bij het publiek*, cet article prend; *zich laten —*, se laisser aller; *zo gaat het altijd*, il en va toujours ainsi. **II** ov.w: *zijns weegs —*, passer son chemin; *zich te buiten —*, faire des excès, s'oublier. ▼**gaande** en mouvement; *wat is er —?*, qu'y a-t-il?, que se passe-t-il?; *de — en komende man*, les allants et venants; *— houden*, tenir en haleine; (gesprek) alimenter; (zaak) continuer; *iem.'s nieuwsgierigheid — maken*, exciter la curiosité de qn. ▼**—rij** galerie v. ▼**—weg** peu à peu, successivement, insensiblement. ▼**gaans** : *een uur —*, une heure de marche, une lieue.
gaar 1 cuit, cuit à point; **2** (moe) éreinté, épuisé. ▼**—keuken** restaurant (à bon marché); *slechte —*, gargote v.
gaarne volontiers; de bon cœur; *— zwemmen*, aimer à nager; *ik zou —*

ophouden, je voudrais bien en finir; *ik heb —
dat...,* j'aime que...
gaas gaze v.
gabardine gabardine v.
gabber copain m.
gadeslaan observer, regarder, surveiller.
gading : *iets naar mijn —,* qc à ma
convenance; *dat is van mijn —,* cela fait mon
affaire; *dat is mijn — niet,* cela ne me
convient pas; *alles is van zijn —,* tout lui est
bon.
gaffel fourche v. ▼—**vormig** fourchu;
bifurqué
gag gag m.
gage gages m mv. ▼—**ment** solde m.
gajes populace, racaille v.
gal 1 bile v, fiel m; **2** (*fig.*) fiel m, amertume v;
de — loopt hem over, sa bile déborde; *zijn —
uitstorten,* décharger sa bile.
gala gala m; *in —,* en habits de gala, en grande
tenue. ▼—**bal** bal m de la cour, - d'apparat.
▼—**degen** épée v de cour, - de cérémonie.
▼—**feest** fête v de gala, gala m. ▼—**kleed,
—kostuum** habit m de gala. ▼—**koets**
voiture v de cour, carrosse m de gala.
galactisch : *—e nevel,* nuage m galactique.
galant I bn galant. **II** bw galamment. **III** zn
futur, fiancé m. ▼**galanterie** galanterie v;
—ën, articles m mv de luxe, - de Paris.
▼—**winkel** magasin m d'articles de luxe.
gala/partij gala m. ▼—**rijtuig** voiture v de
gala. ▼—**voorstelling** représentation v de
gala.
gal/beker calice m. ▼—**blaas** vésicule v
biliaire.
galei galère v; (*v. drukker*) galée v. ▼—**boef**
galérien, forçat m. ▼—**straf** galères v mv,
travaux m mv forcés.
galerie galerie v.
galerij galerie v; (*gang*) corridor m; *overdekte
—,* passage m.
galg 1 gibet m, potence v; **2** bretelle v; *iem.
aan de — helpen,* perdre qn. ▼—**emaal** repas
m du condamné; - d'adieu. ▼—**ehumor**
raillerie v amère, ironie v cynique.
galkoorts fièvre v bilieuse.
Gallicaan Gallican m. ▼—**s** gallican.
Gall/ië la Gaule, les Gaules. ▼—**iër** Gaulois m.
▼—**isch** gaulois; *de —e oorlog,* la guerre des
Gaules.
galm son plein, retentissement m. ▼—**bord**
abat-voix; abat-son m. ▼—**en I** on.w retentir,
résonner, se prolonger. **II** ov.w chanter, faire
retentir.
galnoot noix v de galle.
galon galon m. ▼—**neren** galonner.
galop galop m; *in —,* au galop. ▼**galopperen**
galoper.
galsteen calcul m biliaire; *galstenen,* lithiase v
biliaire.
galvan/isch galvanique. ▼—**iseren**
galvaniser. ▼—**isering** galvanisation v.
▼**galvano** galvano(type) m. ▼—**meter**
galvanomètre m.
gal/ziekte fièvre v bilieuse. ▼—**zucht**
jaunisse v.
gamel gamelle v.
gamelan gamelan m.
gamma gamme v.
gammel caduc, usé; indisposé.
gang 1 (*het gaan*) marche v; **2** (*wijze v. gaan*)
allure, démarche v; **3** (*vaart*) train m; allure v;
4 (*reis*) allée, course v, voyage m; *de — van
zaken,* la marche des affaires; *zijn — gaan,*
continuer; *ga je —,* allez-y; faites; *ga je —
maar,* 1 vous pouvez marcher; 2 ne vous
dérangez pas; je vous en prie; *alles gaat zijn
gewone —,* tout va son train; *de zaken gaan
hun gewone —,* les affaires suivent leur cours
normal; *iem.'s —en nagaan,* suivre les allées
et venues de qn; *zijn — verhaasten
(vertragen),* presser (ralentir) le pas; *weer op
— brengen,* relancer; *aan de — brengen,*
mettre en train (of en branle); *aan de — gaan,*
se mettre à la besogne; *aan de — zijn,* être en
train; *druk aan de — zijn,* battre son plein; *op
— helpen,* mettre en branle; *op — komen,* se
mettre en train.
gang 1 corridor m; **2** (*in mijn*) galerie v;
3 (*smalle —*) couloir m.
gang (*bende*) bande v.
gangbaar 1 ayant cours, valable; **2** (*v.
koopwaar*) courant; de bon débit; **3** (*fig.*)
généralement admis, de mise; *niet —,*
suspendu (*v. abonnement*). ▼—**heid 1** cours
m; **2** validité v; **3** débit m.
gang/boord coursive v. ▼—**deur** porte v de
corridor. ▼—**lamp** applique -, suspension v
pour vestibule. ▼—**loper** chemin v.
▼—**maker** animateur, boute-en-train, (*sp.*)
entraîneur m. ▼—**making** entraînement m.
▼—**mat** paillasson, tapis-brosse m.
▼—**meter** loch m. ▼—**pad** sentier, passage
m.
gangreen (*med.*) gangrène v.
gangster gangster m/v.
gannef filou, voleur, fripon m.
gans I zn oie v; *moeder de —,* ma mère l'oie.
II bn tout, entier; *van —er harte,* de tout cœur.
III bw entièrement. ▼**ganze/bout** cuisse v
d'oie. ▼—**leverpastei** pâté m de foie gras.
▼—**nbord** jeu m de l'oie; *— spelen,* jouer à
l'oie.
gap/en 1 (*v. verveling, slaap*) bâiller;
2 (*openstaan*) s'ouvrir. ▼—**end** béant. ▼—**er
1** bâilleur; **2** badaud m; **3** enseigne de
droguiste. ▼—**ing** bâillement m; (*fig.*) lacune
v, hiatus m; *een — aanvullen,* combler une
lacune.
gapp/en chiper, escamoter. ▼—**er** chipeur m.
garage garage m. ▼—**houder** garagiste m.
garanderen garantir (qc à qn), se porter
garant (de qc); *gegarandeerd voor
onderdelen en werkloon,* garanti pièces et
main d'oeuvre. ▼**garant:** *zich — stellen voor,*
se porter garant de. ▼—**ie** garantie v; *met een
jaar —,* avec garantie pour un an.
▼—**iebewijs** titre m de garantie. ▼—**iezegel**
vignette v.
garde garde v.
garderobe 1 garderobe v; **2** (*bij spoor*)
consigne v; **3** (*v. schouwburg*) vestiaire m.
gardiaan gardien, supérieur m.
gareel 1 (*hals*) collier m; **2** (*strengen*) traits
m mv; **3** (*fig.*) joug m
garen I zn 1 fil m; **2** (*net*) filet m; *vierdraads—,*
fil en quatre. **II** bn de fil. **III** ov.w amasser,
recueillir. ▼—**en-bandwinkel** mercerie v.
▼—**en-bandwinkelier** mercier m.
▼—**fabriek** filerie v. ▼—**haspel** dévidoir m.
▼—**klos** bobine v.
garf gerbe v.
garnaal crevette v.
garn/eren garnir. ▼—**eersel, —ering**
garniture v. ▼—**ituur** garniture v.
garnizoen garnison v; *in — liggen,* être en
garnison. ▼—**sbakkerij** manutention v.
▼—**scommandant** commandant m d'armes.
▼—**splaats** garnison v.
gas gaz m; *vloeibaar —,* gaz m liquifié; gaz m
(d'éclairage); *met — verlicht,* éclairé au gaz;
in — omzetten, met — doortrekken,
gazéifier; *vol — geven,* donner plein gaz,
appuyer sur l'accélérateur; *met vol —,* pleins
gaz. ▼—**aanleg** installation v du gaz.
▼—**aansteker** allume-gaz m; (*v. sigaren
enz.*) briquet m à gaz. ▼—**aanval** attaque v au
gaz; *door — getroffen(e),* gazé.
▼—**aanvoerleiding** gazoduc m.
▼—**afsluiting** obturation v. ▼—**automaat**
compteur m à sous. ▼—**bedrijf** compagnie v
gazière. ▼—**bom** bombe v à gaz. ▼—**brander**
bec à gaz, brûleur m. ▼—**buis** tuyau m à gaz.
Gascogne la Gascogne. ▼**Gasconjer** Gascon
m.
gas/cokes coke m de gaz. ▼—**dicht** étanche
au gaz. ▼—**fabriek** usine v à gaz. ▼—**fitter**
ouvrier gazier m. ▼—**fles** bouteille v à gaz;
(gevuld) - de gaz. ▼—**fornuis** cuisinière v -,
fourneau m à gaz. ▼—**geiser** chauffe-bain -,
chauffe-eau m à gaz. ▼—**generator**
gazogène m. ▼—**granaat** obus m à gaz.

▼—**haard** cheminée *v* à gaz. ▼—**houdend** gazeux. ▼—**houder** gazomètre *m*. ▼—**industrie** industrie *v* gazière. ▼—**kachel** poêle *m* à gaz. ▼—**kamer** chambre *v* à gaz. ▼—**komfoor** réchaud *m* à gaz. ▼—**kraan** robinet *m* du gaz. ▼—**lamp** bec *m* de gaz. ▼—**lantaarn** réverbère *m*. ▼—**leiding** conduite *v* de gaz; gazoduc *m*. ▼—**licht** lumière *v* du gaz. ▼—**man** employé *m* du gaz. ▼—**masker** masque *m* à gaz. ▼—**mengsel** mélange *m* gazeux. ▼—**meter** compteur *m* (à gaz). ▼—**motor** moteur *m* à gaz. ▼—**ohol** gasohol *m*. ▼—**oline** gazoline *v*. ▼—**ontwikkeling** dégagement *m* de gaz. ▼—**oorlog** guerre *v* des gaz. ▼—**pedaal** accélérateur *m*. ▼—**pistool** pistolet *m* à lance-gaz. ▼—**pit** bec *m* de gaz. ▼—**radiator** radiateur *m* à gaz. ▼—**sen** gazer, asphyxier par les gaz. ▼—**slang** tuyau -, tube *m* à gaz. ▼—**stel** réchaud *m* à gaz.

gast 1 hôte *m* & *v*; 2 (*aan maaltijd*) convive *m* & *v*; 3 (*uitgenodigd*) invité, convié *m*; 4 acteur *m* en représentation(s); 5 individu *m*; *wij hebben* —**en**, nous avons du monde; *wilt u mijn* — *zijn?*, voulez-vous dîner avec moi?; *mag ik voor enkele dagen uw* — *zijn?*, pourriez-vous me donner l'hospitalité pour quelques jours?

gas/tanker méthanier *m*. ▼—**turbine** turbine *v* à gaz.

gast/arbeider travailleur *m* étranger. ▼—**dirigent** chef *d*'orchestre intérimaire. ▼—**eren** jouer un des principaux rôles. ▼—**heer** hôte, amphitryon, maître *m* de maison; *zijn plicht als* — *vervullen*, faire les honneurs (de). ▼—**hoogleraar** professeur *m* invité. ▼—**huis** 1 (*v. ouden v. dagen*) hospice; 2 hôpital *m*. ▼—**maal** festin, banquet *m*. ▼—**rol** rôle *m* joué par un acteur invité. ▼—**voorstelling** représentation *v* extraordinaire. ▼—**vrij** I *bn* hospitalier. II *bw* hospitalièrement. ▼—**vrijheid** hospitalité *v*. ▼—**vrouw** hôtesse; maîtresse *v* de maison; *als* — *optreden*, faire les honneurs de la maison.

gas/veld champ -, gisement *m* de gaz. ▼—**verbruik** consommation *v* de gaz. ▼—**verstikking** asphyxie *v*. ▼—**verwarming** chauffage *m* au gaz. ▼—**vlam** flamme *v* du gaz; bec *m* de gaz. ▼—**vormig** gazéiforme; gazeux. ▼—**vorming** gazéification *v*. ▼—**vulling** (*v. aansteker*) recharge *v* de briquet.

gat 1 trou *m*; ouverture *v*; 2 (*holte*) creux *m*; cavité *v*; 3 (*achterste*) cul, derrière; postérieur; anus *m*; 4 (*stil stadje of dorp*) trou, bled *m*; *hij heeft* —*en in zijn kousen*, il a les bas percés; *een* — (*of* —*en*) *maken in*, trouer; *een* — *in de dag slapen*, faire la grasse matinée; *ik zie er geen* — *in*, je m'y perds; je n'y vois point de solution; *iem.* (*iets*) *in de* —*en hebben*, éventer la mèche. ▼—**entang** poinçonneuse *v*. ▼—**likken** flatter bassement. ▼—**likker** flagorneur *m*.

gauw I *bn* rapide, adroit, prompt. II *bw* vite, promptement; bientôt; — *wat!*, plus vite que ça! ▼—**dief** fripon; filou; pickpocket *m*. ▼—**igheid** précipitation; agilité *v*; *in de* —, à la hâte, en passant.

gave don, présent; talent *m*.
gazel(le) gazelle *v*.
gazen de gaze; vaporeux.
gazeus gazeux.
gazon gazon *m*, pelouse *v*.
geaardheid naturel, caractère *m*.
geacht respecté, estimé.
geaderd veiné, nervé, marbré.
geadresseerde destinataire *m* & *v*.
geaffecteerd affecté, avec affectation.
geallieerde allié.
geanimeerd animé, vif, mouvementé.
gearmd bras dessus, bras dessous.
gebaar geste *m*; *gebaren maken*, gesticuler.
gebaard barbu.
gebabbel bavardage *m*; (*ong.*) commérages *m mv*.

gebak pâtisserie *v*; —*je*, pâtisserie *v*, petit four, gâteau *m*. ▼—**ken** cuit.
gebaren/kunst mimique *v*. ▼—**spel** 1 mimique *v*, jeu *m* muet; 2 (*toneel*) pantomime *v*. ▼—**speler** mime *m*. ▼—**taal** langage *m* par signes; *in* — *uitdrukken*, mimer.
gebed prière *v*; — *des Heren*, oraison dominicale *v*. ▼—**skleed** tapis *m* de prière. ▼—**sverhoring** exaucement *m*.
gebedel sollicitations *v mv* importunes, mendicité *v*.
gebeente 1 os *m mv*; squelette *v*; 2 (*stoffel. overschot*) ossements *m mv*.
gebelgd fâché, vexé, outré. ▼—**heid** colère *v*.
gebergte montagne *v*; monts *m mv*.
gebeten: — *zijn op*, avoir une dent contre.
gebeuren I *on.w* arriver, avoir lieu, se faire, se passer; *dat is meer gebeurd*, cela s'est vu; *er is een ongeluk gebeurd*, il est arrivé un accident; *wat is er met jou gebeurd?*, qu'avez-vous?; *alsof er niets gebeurd was*, comme si de rien n'était; *wat gebeurd is, is gebeurd*, ce qui est fait est fait; *in die tijd kan er nog zoveel* —, d'ici là il se passera bien de l'eau sous le pont; *als niet gebeurd beschouwen*, regarder comme non avenu. II *zn: het* —, l'événement *v*, l'action *v*. ▼**gebeurlijk** possible, éventuel. ▼—**heid** possibilité, éventualité *v*.
▼**gebeurtenis** événement; fait; incident *m*.
gebied 1 empire, pouvoir *m*; 2 (*grond*—) territoire, empire; terrain *m*, région *v*; 3 domaine, ressort *m*; — *van lage druk*, aire *v* de basse pression; *op het* — *van*, en matière de. ▼—**en** I *ov.w* commander, ordonner (qc à qn). II *on.w* commander. ▼—**end** I *bn* impérieux; *e wijs*, impératif *m*. II *bw* impérieusement. ▼—**er** souverain, seigneur; maître, chef *m*.
gebint charpente, ferme *v* de comble.
gebit denture *v*; (*v. paard*) mors *m*; *kunst*—, râtelier, dentier *m*.
gebladerte feuillage *m*.
geblaf aboiements *m mv*.
geblaseerd blasé.
gebloemd à ramages, à fleurs, fleuri.
geblokt à carreaux.
geblust: —*e kalk*, chaux *v* éteinte.
gebod ordre, commandement *m*; *de tien* —*en*, les dix commandements. ▼—**en** d'obligation.
geboefte canaille, racaille *v*.
gebogen courbé; voûté; — *lijn*, (ligne) courbe *v*.
gebonden 1 lié, attaché; 2 **reli**é; 3 (*fig.*) lié, engagé; 4 latent; *niet aan een uur* — *zijn*, ne pas être sujet à l'heure. ▼—**heid** sujétion, manque *v* de liberté.
gebons chocs *m mv* continuels; (— *der slapen*) battement *m*.
geboomte arbres *m mv*.
geboorte naissance *v*; *Christus'* —, la naissance de Jésus-Christ, la nativité; *hij is Fransman van* —, il est Français de naissance; *van goede* —, bien né; *van lage* —, de basse extraction. ▼—**aangifte** déclaration *v* de naissance. ▼—**akte** acte (*of* extrait) *m* de naissance. ▼—**bewijs** attestation *v* de naissance. ▼—**dag** jour *m* de naissance; anniversaire *m*. ▼—**dorp** village *m* natal. ▼—**jaar** année *v* de la naissance. ▼—**nbeperking** limitation *v* des naissances, contrôle *m* des n. ▼—**ncijfer** taux *m* de natalité. ▼—**overschot** excédent *m* des naissances. ▼—**politiek** politique *v* nataliste. ▼—**premie** primes *v mv* à la naissance. ▼—**regeling** régulation *v* des naissances. ▼—**register** registre *m* des naissances. ▼—**stad** ville *v* natale. ▼**geboortig:** — *uit*, natif de, originaire de; — *geboren in*; — *worden*, naître, voir le jour; — *Fransman*, né Français.
geborneerd borné; — *zijn*, avoir l'esprit borné.
gebouw bâtiment; (*groot*) édifice *m*.
gebraad rôti *m*.
gebrabbel baragouinage, charabia *m*.

gebrand brûlé, rôti, grillé ; (v. *koffie*) torréfié.
gebrek 1 (*tekort*) manque, défaut *m* ; pénurie
v ; — *aan arbeidskrachten*, pénurie *v* de main
d'oeuvre ; **2** (*armoede*) besoin *m*, indigence,
misère *v* ; **3** (*geestelijk*) vice *m*, (*lichamelijk*)
défectuosité ; imperfection ; (*kwaal*) infirmité
v ; — *hebben aan geld*, manquer d'argent ; *bij*
—*e van*, faute de, à défaut de ; *in* —*e blijven*
om, manquer à, omettre de. ▼—**kig I** *bn*
1 défectueux, imparfait ; dérangé ; **2** (*met*
lichaamsgebrek) infirme ; impotent ;
3 négligent. **II** *zn* ; —*e*, infirme *m*. **III** *bw*
défectueusement, d'une façon vicieuse.
▼—**kigheid 1** défectuosité, imperfection ;
2 infirmité, impotence *v*.
gebries (*v. paard*) ébrouement ; (*v. leeuw*)
rugissements *m* (*mv*).
gebrild lunette.
gebroed couvée, nichée *v*.
gebroeders frères *m mv* ; *firma* — *H.*, maison
H. frères.
gebroken cassé, brisé, rompu ; *die* — *heeft*
met, en rupture de ; — *getal*, nombre
fractionnaire *m* ; — *lijn*, ligne brisée ; — *man*,
homme fini ; — *Frans*, mauvais français *m* ; —
wit, blanc cassé.
gebrom bourdonnement, grondement *m*.
gebronsd bronzé, hâlé.
gebrouilleerd brouillé.
gebrouw grasseyement *m*.
gebruik 1 emploi, usage *m* ; **2** usage *m*,
coutume *v* ; *de* —*en*, les usages, les us et
coutumes ; *het is hier* — *dat*, il est d'usage
que ; — *maken van*, user de ; profiter de ;
buiten — *stellen*, désaffecter ; *algemeen in*
—, d'un usage courant ; en vogue ; *voor eigen*
—, pour mon usage personnel ; (*v. liggende*
produkten) pour l'autoconsommation ; *in* —
nemen, mettre en usage, étrenner ; (*met vrij*
van, avec la jouissance de ; *voor uitwendig*
(*inwendig*) —, (pour l')usage externe
(interne) ; *voor het* — *schudden*, agiter avant
de s'en servir ; — *maken van een uitnodiging*,
se rendre à une invitation ; — *maken van een*
taal, se servir d'une langue. ▼—*elijk* usuel,
d'usage ; *op de* —*e wijze*, conformément à
l'usage ; *langs deze meer en meer* —*e weg*,
par cette voie passée en usage. ▼—**en** utiliser ;
employer, faire usage de, se servir de ; user de ;
(*eten*) prendre ; *wilt u iets* —*?*, puis-je vous
offrir qc ? ▼—**er** usager (de la route),
utilisateur *m* ; (*consument*) consommateur *m*.
▼**gebruiks/aanwijzing** instructions *v mv*
d'emploi. ▼—**voorwerp** objet *m* d'usage
courant. ▼—**waarde** valeur *v* d'usage.
▼**gebruikt** employé, (habit) usagé.
gebruind doré, hâlé, basané, bruni, bronzé.
gebrul rugissement, hurlement, mugissement
m.
gebuikt ventru ; bombé.
gebukt : — *gaan onder*, (*last*) plier sous ;
(*zorgen*) être accablé.
gebulder 1 grondement ; **2** roulement (du
tonnerre) ; **3** hurlement (du vent) *m*.
gebuur voisin *m*. ▼—**schap** voisinage *m*.
gecentreerd — *op*, centré sur.
gecijfer calcul *m*.
gecommitteerde délégué *m*.
gecompliceerd compliqué.
geconcentreerd — *op*, centré sur.
geconsigneerde consignataire *m*.
gedaagde défendeur (-eresse), assigné(e) *m*
(*v*).
gedaan fait, fini, achevé ; *het is* — *met hem*,
c'en est fini de lui ; *gedane zaken nemen geen*
keer, à chose faite, point de remède ; —
geven, renvoyer, congédier (qn) ; *iets van*
iem. — *krijgen*, obtenir qc de qn.
gedaante figure, forme *v*, aspect *m* ; *de* —
aannemen van, prendre la forme de ;
communiceren onder de beide —*n*,
communier sous les deux espèces ; *van* —
veranderen, changer de face.
▼—**verandering** transfiguration,
métamorphose *v*.
gedachte pensée, idée ; opinion *v* ; *de* — *is bij*

mij opgekomen dat . . ., je me suis avisé
que . . . ; *hij heeft er zijn* —*n niet bij*, il n'y est
pas ; *zijn* —*n bij elkaar houden*, rassembler ses
idées ; *zijn* —*n over iets laten gaan*, réfléchir
sur qc ; *op de* — *komen om*, s'aviser de, avoir
l'idée de ; *tot andere* —*n brengen*, dissuader ;
van — *veranderen*, se raviser. ▼—**loos**
irréfléchi ; sans réflexion. ▼—**loosheid**
inadvertance ; irréflexion *v*. ▼—**ngang** cours
m des idées ; raisonnement *m*. ▼—**nis**
mémoire *v*, souvenir *m* ; *ter* — *van*, en
mémoire de. ▼—**nkring** horizon *m*.
▼—**nsprong** saillie *v* hardie. ▼—**nstreep**
tiret *m*. ▼—**nwending** écart *m* de la pensée.
▼—**nwisseling** échange *m* d'idées, - de
vues. ▼**gedachtig** : — *zijn aan*, se souvenir
de ; *iem. in het gebed* — *zijn*, recommander
qn dans la prière.
gedartel folâtrerie *v*, ébats *m mv*.
gedateerd daté ; — *de* . . ., en date du . . .
gedaver tremblement, roulement, fracas *m*.
gedecideerd I *bn* décidé. **II** *bw* décidément.
gedecolleteerd décolleté.
gedecoreerd décoré.
gedeelte 1 partie ; **2** (*aandeel*) part ; **3** portion
v ; *voor een* —, en partie. ▼—**lijk I** *bn* partiel.
II *bw* partiellement, en partie.
gedegen 1 natif, vierge ; **2** solide.
gedekt couvert ; (v. *kleur*) discret ; *blijft u* —,
restez couvert ; *zich* — *houden*, se garder à
carreau.
gedelegeerde délégué *m*.
gedempt : — *licht*, lumière *v* tamisée, - douce,
- voilée.
gedenk/boek 1 livre *m* d'or ; **2** annales *v mv*,
mémorial *m*. ▼—**dag** (jour) anniversaire, jour
m commémoratif. ▼—**en 1** se souvenir de,
avoir présent à l'esprit, **2** (*feestelijk*)
commémorer ; **3** faire mention de. ▼—**jaar**
année *v* commémorative. ▼—**naald**
obélisque *m*. ▼—**penning** médaille *v*
commémorative. ▼—**raam** vitrail *m*
commémoratif. ▼—**schrift** mémoire *m*.
▼—**spreuk** sentence, devise *v*. ▼—**steen**
monument *m*, pierre *v* commémorative.
▼—**teken** monument *m*. ▼—**waardig**
mémorable.
gedeponeerd déposé ; — *handelsmerk*,
marque *v* déposée.
gedeputeerde député *m*.
gedetineerde détenu. ▼—**e** détenu(e) *m* (*v*).
gedeukt bosselé.
gedicht 1 poésie, pièce *v* de vers ; **2** (*groot* —)
poème *m*.
gediensig I *bn* serviable, obligeant,
empressé. **II** *bw* obligeamment, avec
empressement. ▼—**e** domestique *m & v* ;
bonne *v*. ▼—**heid** obligeance, complaisance
v, empressement *m*.
gedierte bêtes *v mv*, animaux *m mv* ; *vuil* —,
vermine *v*.
gedijen venir bien, réussir, prospérer ;
onrechtvaardig verkregen goed gedijt niet,
bien mal acquis ne profite pas.
gedimd : — *groot licht*, feux *m mv* de
croisement.
geding procès *m* ; *in het* — *brengen*, mettre en
cause ; *in kort* — *uitspraak doen*, juger en
référé ; *beschikking in kort* —, ordonnance *v*
en référé.
gedistilleerd spiritueux *m mv*.
gedistingeerd distingué, bien.
gedoe agissements *m mv*, manigances *v mv* ;
wat een — *!*, quelles histoires !
gedoemd : — *tot*, condamné à, réduit à.
gedogen tolérer, souffrir.
gedomicilieerd domicilié (à) ; —*e*,
domiciliaire *m*.
gedonder tonnerre *m*, grondement *m mv* ;
houd op met dat —, as-tu fini de m'embêter.
gedraai 1 tournoiement *m* ; **2** (*fig.*)
tergiversations *v mv*.
gedrag conduite *v* ; comportement *m* ; *slecht*
—, inconduite *v*. ▼—*en* (*zich*) se conduire, se
comporter. ▼—**en** *bn* (style) soutenu ;
(vêtement) usagé. ▼—**ing** conduite *v*,

procédé(s) *m* (*mv*) ; *zonderlinge —en*, allures *v mv* singulières. ▼—**slijn**, —**regel** ligne *v* de conduite ; *aangegeven —*, mandat *m* impératif.

gedrang presse, foule *v* ; *in het — komen*, être entraîné par la foule ; (*fig.*) se trouver dans l'embarras.

gedreun grondement (de moteur), ébranlement ; bruit sourd *m* ; trépidation *v*.

gedribbel trottinement *m*.

gedrieën à trois.

gedrocht monstre *m*. ▼—**elijk** *l bn* monstrueux ; affreux. **ll** *bw* monstrueusement.

gedrongen 1 serré, à l'étroit, blotti ; **2** (*v. gestalte*) trapu, ramassé ; **3** (*v. stijl*) concis, serré. ▼—**heid 1** (*v. stijl*) concision *v* ; **2** (*v. gestalte*) taille *v* trapue.

gedroom rêveries, rêvasseries *v mv*.

gedruis bruit, vacarme *m*.

gedrukt 1 imprimé ; **2** (*arch.*) surbaissé ; **3** (*v. stemming*) morne, accablé, déprimé ; **4** (*v. prijs*) bas ; *de markt was —*, le marché était lourd. ▼—**heid** dépression *v*, abattement, accablement *m*.

geducht 1 redoutable ; formidable. **ll** *bw* formidablement.

geduld patience, résignation, modération *v* ; *— hebben*, prendre patience, patienter ; *Jobs — hebben*, avoir une patience de bénédictin ; *— overwint alles*, tout vient à point à qui sait attendre ; *met — dragen*, prendre en patience. ▼—**ig** *l bn* patient. **ll** *bw* patiemment. ▼—**werk** ouvrage *m* de patience.

gedupeerd : — *zijn*, être (la) dupe.

gedurende pendant, durant.

gedurfd osé, audacieux.

gedurig l *bn* continuel, permanent ; *—e evenredigheid*, proportion *v* continue. **ll** *bw* continuellement, sans relâche, sans cesse. ▼—**heid** continuité, constance, permanence *v*.

gedwarrel tournoiement, tourbillonnement *m*.

gedwee l *bn* docile, obéissant, soumis. **ll** *bw* docilement. ▼—**heid** docilité, soumission, humeur *v* accommodante.

gedweep exaltation *v*, fanatisme *m*.

gedwongen l *bn* forcé, contraint ; *—ertoe — worden te*, être réduit à. **ll** *bw* forcément ; *— lachen*, rire jaune. ▼—**heid** contrainte, affectation, raideur *v*.

geef : *te —*, gratis, pour rien ; *het is te —*, c'est donné.

geel jaune ; *— maken*, — *worden*, jaunir. ▼—**achtig** jaunâtre. ▼—**bruin** mordoré, feuille morte. ▼—**filter** écran *m* jaune. ▼—**heid** couleur *v* jaune. ▼—**koper** cuivre jaune, laiton *m*. ▼—**rood** rouge doré. ▼—**zucht** jaunisse *v*. ▼—**zuchtig** ictérique.

geen nul, aucun, pas un ; *— ander*, nul autre ; *— enkel(e) ...*, nul (le) ...(ne) ; *ik heb — brood*, je n'ai pas de pain ; *zij heeft — bloemen meer*, elle n'a plus de fleurs ; *— mens zal zo iets doen*, personne ne le fera ; *er is — mens*, il n'y a personne ; *— van beiden*, ni l'un ni l'autre, aucun des deux.

geëmancipeerd émancipé.

geëndosseerde endossataire *m*.

geëngageerd engagé.

geenszins nullement, aucunement.

geest 1 esprit *m* ; **2** (*ziel*) âme *v* ; génie *m* ; **3** (*spook*) revenant *v* ; **4** (*chem.*) esprit *m* ; **5** intellect *m* ; *boze —*, esprit malin, démon ; *goede —*, bon génie ; *de Heilige G—*, le Saint-Esprit ; *hernieuwing in de Geest*, renouveau *m* dans l'Esprit ; *de — geven*, rendre l'âme ; *in de —*, en esprit ; *in die — , dans ce sens* ; *in iem.'s —*, selon les intentions de qn ; *voor de — roepen*, évoquer. ▼—**dodend** abrutissant. ▼—**drift** enthousiasme *m*, ardeur, exaltation *v*, élan *m*. ▼—**driftig l** *bn* enthousiaste. **ll** *bw* avec enthousiasme. ▼—**drijver** fanatique *m*. ▼—**drijverij** fanatisme *m*.

geestelijk l *bn* **1** spirituel, moral, intellectuel ; **2** (*kerkelijk*) ecclésiastique, religieux ; *in de —e stand treden*, entrer dans les ordres ; *—e gezangen*, des cantiques *m mv* spirituels. **ll** *bw* spirituellement ; intellectuellement. ▼—**e 1** (*rk*) ecclésiastique, prêtre *m* ; **2** (*prot.*) ministre *m*. ▼—**heid 1** spiritualité *v* ; **2** clergé *m*, gens d'Église *m mv*.

geesteloos l *bn* insipide ; sans esprit. **ll** *bw* bêtement, sans esprit. ▼—**heid** insipidité *v*.

geesten/bezweerder exorciste ; nécromancien *m*. ▼—**bezwering** exorcisme *m* ; nécromancie *v*.

geestes/arbeid travail *m* intellectuel. ▼—**armoede** pauvreté *v* d'esprit. ▼—**beschaving** culture *v* (de l'esprit). ▼—**gave** don de l'esprit, talent *m*. ▼—**gesteldheid** état *m* d'esprit ; mentalité *v*. ▼—**houding** tenue *v* mentale. ▼—**inspanning** contention *v* d'esprit. ▼—**kind** fils (fille) spirituel(le) *m* (*v*). ▼—**ontwikkeling** développement *m* intellectuel. ▼—**stroming** mouvement *m* d'idées. ▼—**toestand** mentalité *v*. ▼—**wetenschappen** sciences *v mv* sociales et morales, - humaines. ▼—**zieke** malade mental. ▼—**ziekte** maladie *v* mentale.

geestig l *bn* spirituel ; ingénieux, plein d'esprit ; *— man*, homme d'esprit ; *—e inval*, saillie *v*, trait *m* d'esprit ; *— zijn*, avoir de l'esprit. **ll** *bw* spirituellement. ▼—**heid 1** esprit *m* ; **2** (*gezegde*) bon mot, trait *m* d'esprit ; pointe *v*.

geest/kracht énergie, force -, fermeté *v* d'esprit. ▼—**verheffend** édifiant. ▼—**vermogen** faculté *v* intellectuelle, - mentale ; *hij is gekrenkt in zijn —s*, il ne jouit pas de toutes ses facultés. ▼—**verrukking** extase *v*. ▼—**verschijning** vision, apparition *v*. ▼—**vervoering** extase *v*, enthousiasme *m*. ▼—**verwant 1** esprit *m* congénère ; **2** partisan ; coreligionnaire *m*. ▼—**verwantschap** affinité *v* d'esprit, - intellectuelle. ▼—**verzwakking** affaiblissement *m* intellectuel.

geeuw bâillement *m*. ▼—**en** bâiller. ▼—**honger** faim canine, fringale ; (*med.*) boulimie *v*.

gefarceerd farci.

gefeliciteerd ! mes meilleurs voeux !

gefingeerd inventé ; fictif.

geflirt flirt *m*, badinages *m mv* amoureux.

geflodder barbotage, patougeage *m*.

geflonker étincellement *m*, lueurs *v mv*.

gefluister chuchotement *m*.

gefluit 1 sifflement ; sifflet (de locomotive) *m* ; **2** gazouillement *m*.

gefortuneerd riche, qui a de la fortune.

gefundeerd (bien) fondé.

gegadigde intéressé, acheteur *m*.

gegeven l *zn* donnée *v* ; thème *m* (*v. roman e.d.*). **ll** *bn* donné.

gegiechel rires *m mv* étouffés.

gegier rires *m mv*, fou rire *m*.

gegil cris *m mv* perçants.

geglansd glacé, satiné.

gegluur regards *m mv* furtifs.

gegoed aisé, vivant dans l'aisance.

gegons bourdonnement *m*.

gegoochel : — (*met cijfers*), jonglerie *v* (avec des chiffres).

gegradueerde gradué de l'université ; galonné *m*.

gegrinnik ricanements *m mv*.

gegroet ! (*bij weggaan*) salut ! ciao !

gegrom grondement, grognement *m*.

gegrond fondé ; solide, juste, légitime ; *om —e redenen*, pour cause, non sans raison. ▼—**heid** bien-fondé *m* ; justesse *v*.

gehaaid roublard.

gehaast l *bn* pressé. **ll** *bw* avec précipitation.

gehaat haï, détesté, odieux, haïssable.

gehakkel balbutiement, bredouillement *m*.

gehakt hachis *m*. ▼—**bal** boulette *v* de hachis.

gehalte 1 teneur (en sucre etc.), richesse *v* ; **2** (*fig.*) valeur *v*, mérite *m* ; **3** (*v. metalen*) aloi,

titre *m*; *alcohol—*, richesse *v* alcoolique.
gehamer martelage; martèlement *m*.
gehandicapt handicapé; *lichamelijk —e*, handicapé *m* physique; *zwaar —e*, handicapé profond.
geharrewar chamailleries *v mv*.
gehavend délabré, endommagé, avarié; *deerlijk —*, en piteux état.
gehecht attaché (à), dévoué (à). **▼—heid** attachement *m* (à, pour), affection *v* (pour).
geheel I *bn* entier, tout, complet; *het gehele land*, tout le pays; *de gehele wereld*, le monde entier. **II** *bw* entièrement, tout à fait, complètement; *zij was — in het zwart gekleed*, elle était toute vêtue de noir; *zij was — oog*, elle était tout yeux. **III** *zn* tout, entier, ensemble *m*; *een — vormen*, former un tout; *in het —*, au total; *over het — genomen*, en général, somme toute; *in het — niet*, pas du tout, nullement.
geheelonthoud/er abstinent *m*. **▼—ers-** (*in ss*) antialcoolique. **▼—ing** abstinence *v*, mouvement *m* antialcoolique.
geheiligd sacré.
geheim I *bn* **1** secret, caché; **2** (*—zinnig*) mystérieux; *in —e zitting gaan*, entrer en comité secret; *—e trap*, escalier *m* dérobé; *—huwelijk*, mariage *m* clandestin; *— agent*, agent *m* secret; (*pop.*) barbouze *v*. **II** *bw* en secret. **III** *zn* **1** secret *m*; **2** (*rk*) mystère *m*; *publiek —*, secret *m* de Polichinelle; *in het —*, en secret; secrètement. **▼—houden** tenir secret; cacher, garder le silence sur.
▼—houding secret *m*; *onder —*, sous le sceau du secret; *onder de striktste —*, sous la plus absolue discrétion. **▼—schrift** écriture *v* chiffrée, chiffre *m*. **▼—zinnig I** *bn* mystérieux. **II** *bw* mystérieusement. **▼—zinnigheid** mystère *m*.
gehemelte palais *m*; *het zachte —*, le voile du palais, le palais mou.
gehengel 1 pêche *v* à la ligne; **2** aguicheries *v mv* pour pêcher un mari.
geheugen mémoire *v*; *zich iets in het — prenten*, se fixer qc dans la mémoire. **▼—verlies** amnésie *v*. **▼—werk** travail *m* de pure mémoire.
gehijg halètement *m*.
gehik hoquets *m mv*.
gehinnik hennissement *m*.
gehobbel cahotement, balancement *m*.
gehoor 1 (*zintuig*) ouïe *v*; **2** (*het horen*) audience, attention *v*; **3** (*toehoorders*) auditoire *m*; *muzikaal —*, oreille *v* musicienne; *op het — spelen*, jouer d'oreille; *— geven aan*, écouter, prêter l'oreille à, accepter à (une invitation); *ik was onder zijn —*, j'étais parmi ses auditeurs. **▼—apparaat** appareil *m* auditif. **▼—meter** audiomètre *m*.
gehoornd, **gehorend** cornu, à cornes.
gehoor/orgaan organe *m* auditif.
▼—safstand distance *v* auditive.
▼—scherpte acuité *v* auditive. **▼—zaal** salle *v* d'audiences; amphithéâtre *m*.
gehoorzaam obéissant, docile. **▼—heid** obéissance *v*; obédience *v* (d'un religieux). **▼gehoorzamen** obéir (à); *niet —*, désobéir (à).
gehorig: *het is hier erg. —*, on entend tout ce qui se passe à côté, la maison est sonore.
▼—heid sonorité *v*.
gehouden tenu (de), obligé (de, à).
gehucht hameau *m*.
gehuicheld feint, affecté.
gehuil 1 larmes *v mv*; pleurnicherie *v*; **2** hurlement, gémissement *m*.
gehumeurd disposé; *goed* (*slecht*) *—*, de bonne (mauvaise) humeur.
gehuurd loué, de louage; *—e moordenaar*, assassin *m* à gages.
gehuwd marié.
geijkt étalonné; *—e term*, terme *m* consacré.
geil I *bn* **1** lascif, voluptueux; **2** exubérant, plantureux. **II** *bw* lascivement. **▼—heid** lasciveté; exubérance; graisse *v*.
gein blague *v*, plaisir *m*; *— hebben*, s'amuser.

geiser 1 geyser *m*; **2** (*v. bad*) chauffe-bain; chauffe-eau *m*.
geisoleerd isolé; *dubbel —*, surisolé.
geit chèvre *v*; *vooruit met de —*, allons-y gaiment. **▼—eleer** chevreau *m*. **▼—estal** étable *v* à chèvres. **▼—je** chevreau *m*.
gejaag agitation, précipitation *v*. **▼gejaagd I** *bn* agité; précipité; inquiet; fiévreux. **II** *bw* avec agitation. **▼—heid** agitation, nervosité, précipitation *v*.
gejammer lamentations *v mv*, gémissements *m mv*. **gejank** glapissement *m*.
gejoel cris *m mv* d'allégresse, vacarme *m*.
gejouw huées *v mv*.
gejubel, **gejuich** cris *m mv* d'allégresse, acclamations *v mv*.
gek I *bn* **1** (*krankzinnig*) fou, fol; folle; dément; **2** (*bespottelijk*) ridicule, drôle, singulier; *een —ke gedachte*, une drôle d'idée; *hij is wel —, als hij dat doet*, il serait bien fou de le faire; *— zijn op*, adorer; *— worden* (*v. angst bijv.*), s'affoler. **II** *bw* follement, avec folie, comme un fou; *zich — aanstellen*, faire le fou. **III** *zn* **1** aliéné, dément; **2** fou, sot *m*; *voor de — houden*, se moquer de, railler; *een halve —*, un déséquilibré.
gekabbel clapotement *m*.
gekakel caquet; (*fig.*) caquetage *m*.
gekanker rouspétance *v*.
gekant: *— zijn tegen iets*, s'opposer à qc.
gekeperd sergé.
gekerm plaintes *v mv* étouffées, gémissements *m mv*.
gekheid 1 folie, sottise *v*; **2** raillerie, blague *v*; **3** démence, aliénation *v* mentale; *uit —*, pour rire; *— maken*, plaisanter; *geen — kunnen verdragen*, ne pas entendre raillerie; *zonder —*, sans blague, sérieusement.
gekibbel disputes, querelles, bisbilles *v mv*.
gekietel, **gekittel** chatouillement *m*.
gekken/huis asile *m* d'aliénés. **▼—praat**, **—taal** sottises *v mv*, contes *m mv* en l'air; *— uitslaan*, divaguer. **▼—werk** folie *v*. **▼gekkin** sotte, folle, extravagante *v*.
geklaag lamentations, doléances *v mv*.
geklapper claquement *m*.
gekleed: *geklede japon*, robe *v* habillée; *netjes —*, bien mis; *dat staat —*, c'est bien porté.
geklets 1 claquements *m mv*; **2** (*fig.*) cancans, ragots *m mv*, bavardage *m*.
gekletter 1 (*v. wapens*) cliquetis; **2** fouettement (de la pluie); **3** grésillement *m* (de la grêle).
gekleurd coloré, colorié, de couleur.
geklik 1 cliquetis *m*; **2** rapports *m mv* sournois.
geklok 1 (*v. kip*) gloussement *m*; **2** (*v. fles*) glou-glou *m*.
geklots clapotage, clapotement *m*.
geknetter crépitement, pétillement *m*; (*v. radio*) friture *v*.
gekneveld 1 moustachu; **2** pressuré.
geknipt découpé; *hij is er voor —*, c'est l'homme qu'il vous faut.
geknoei bousillage; (*fig.*) tripotage *m*, intrigues *v mv*.
geknuffel embrassades, caresses *v mv*.
geknutsel 1 (*in huis*) bricolage *m*; **2** (*nauwkeurig, geduldig*) fignolage *m*, travaux *m mv* minutieux.
gekoeld réfrigéré.
gekonkel intrigues, machinations, menées *v mv* sourdes.
gekookt cuit; bouilli.
gekraak craquement, fracas *m*.
gekraakt: *—e woning*, maison *v* squatterisée; *wonen in een —e woning*, squatter -, squatteriser une maison.
gekrab(bel) 1 grattement *m*; **2** (*schrift*) gribouillis, griffonnage *m*.
gekras 1 grincement; **2** (*v. raaf*) croassement *m*; **3** (*viool—*) raclements *m mv*.
gekreun gémissements *m mv* étouffés.
gekriebel 1 chatouillement *m*; démangeaison *v*; **2** (*v. schrift*) griffonnage *m*.

gekriel fourmillement *m*.

gekriewel fourmillement, picotement *m*.

gekruid assaisonné.

gekscheren I *on.w* plaisanter, badiner. **II** *zn* plaisanterie *v*, badinage *m*.

gekuch toussotement *m*, petite toux *v*.

gekuifd crêté, huppé.

gekuist châtié, pur; académique. ▼—**heid** pureté, élégance *v* (du style).

gekunsteld I *bn* maniéré, affecté, artificiel. **II** *bw* d'une façon maniérée ; — *mooi*, — *elegant*, sophistiqué. ▼—**heid** affectation *v*, maniérisme *m*.

gekwijl salivation *v* abondante.

gel gel *m*.

gelaagd stratifié ; *voorruit van — glas*, pare-brise *m* feuilleté. ▼—**heid** stratification *v*.

gelaarsd botté ; *de — e kat*, Le Chat botté ; — *en gespoord*, prêt à partir.

gelaat physionomie, figure *v*, visage *m*. ▼—**shoek** angle *m* facial. ▼—**skleur** teint *m*. ▼—**strek** trait *m* de visage. ▼—**suitdrukking** physionomie *v*. ▼—**sverzorging** soins *m mv* de beauté.

gelach rires, éclats *m mv* de rire.

gelag 1 écot *m*; 2 orgie *v*; *het — betalen*, payer les pots cassés ; *dat is een hard —*, c'est dur, c'est une dure nécessité.

gelagerd: 5 — *e krukas*, vilebrequin *m* cinq paliers.

gelagkamer salle *v* commune, - d'auberge.

gelang: *naar —*, selon, à proportion de ; *naar — dat*, à mesure que ; *naar — van omstandigheden*, selon les circonstances.

gelasten ordonner qc à qn.

gelaten I *bn* résigné, patient. **II** *bw* avec résignation. ▼—**heid** résignation, patience *v*.

gelatine gélatine *v*.

geld argent *m*; monnaie ; fortune *v*, (*pop.*) fric *m*; *gemunt —*, numéraire *m*; *afgepast —*, la monnaie juste ; *met afgepast — betalen*, faire l'appoint ; *half —*, la moitié du prix ; demi tarif ; *voor half —*, à moitié prix ; *heb je voor een gulden klein —?*, avez-vous la monnaie d'un florin ? ; — *teruggeven van 100 gulden*, rendre la monnaie sur 100 florins ; *zijn — erbij inschieten*, en être pour son argent ; *zijn — zich hebben*, avoir de l'argent sur soi ; *geen — hebben*, manquer d'argent ; *iem. — uit de zak kloppen*, soutirer de l'argent à qn ; — *kosten*, coûter de l'argent ; *handen vol — kosten*, coûter fort cher ; — *zien te krijgen*, trouver de l'argent ; — *slaan*, battre monnaie ; — *slaan uit alles*, faire de l'argent de tout ; — *steken in*, placer de l'argent dans ; *50 gld aan —*, 50 florins en espèces ; *te — maken*, convertir en argent ; réaliser ; *voor —*, contre argent ; *dat heeft me — genoeg gekost*, j'y ai mis le prix ; — *afpersen*, (*door geweld en intimidatie*) racketter. ▼**geld/aanvraag** appel *m* de fonds. ▼—**afperser** exacteur ; racketteur *m*. ▼—**afpersing** exaction *v*. ▼—**belegging** placement *m*. ▼—**besparing** économie *v* d'argent. ▼—**boete** amende, peine *v* pécuniaire. ▼—**crisis** crise *v* monétaire. ▼—**elijk I** *bn* pécuniaire, financier ; — *e hulp*, secours *m* en argent ; — *e omstandigheden*, situation *v* financière. **II** *bw* financièrement.

geld/en 1 valoir ; coûter ; 2 (*betreffen*) regarder, concerner ; 3 décider ; *de meeste stemmen —*, la majorité des voix décide ; *dat geldt niet*, cela ne compte pas ; *zijn rechten doen —*, faire valoir ses droits ; *het geldt*, il s'agit de, il y a de ; *zich doen —*, s'affirmer. ▼—**end** ayant force de loi, valable.

Gelder/land la Gueldre. ▼—**s** de Gueldre, gueldrois. ▼—**sman** Gueldrois *m*.

geld/gebrek manque *m* d'argent ; gêne *v*. ▼—**handel** commerce *m* de l'argent. ▼—**hervorming** réforme *v* monétaire.

geldig valable, légitime ; — *verklaren*, valider ; entériner ; — *zijn*, être valable ; jouer. ▼—**heid** validité *v*. ▼—**heidsduur** durée *v* de validité *v*.

geldingsdrang besoin *m* de s'affirmer.

geld/kast — **kist** coffre-fort *m*. ▼—**kistje**

cassette *v*. ▼—**kwestie** question *v* pécuniaire. ▼—**lade** tiroir-caisse *m*. ▼—**lening** emprunt *m*. ▼—**markt** marché *m* financier. ▼—**middelen** moyens *m mv* (pécuniaires) ; finances *v mv*. ▼—**nood** pénurie *v* d'argent. ▼—**ontwaarding** inflation *v*. ▼—**prijs** prime *v*. ▼—**schieter** bailleur *m* de fonds. ▼—**somloop** circulation *v* (de l'argent). ▼—**specie** espèces *v mv*. ▼—**stuk** pièce *v* d'argent. ▼—**swaarde** valeur *v* vénale ; - en espèces. ▼—**swaardig**: — *papier*, valeurs *v mv* mobilières. ▼—**tas** sacoche *v* à monnaie. ▼—**verlegenheid** embarras *m* (pécuniaire), gêne *v*; *in — verkeren*, être gêné. ▼—**verlies** perte *v* d'argent, - pécuniaire. ▼—**wezen** finances *v mv*. ▼—**zaak** affaire *v* financière. ▼—**zorg** souci *m* d'argent, - financier.

geleden : *enige weken —*, il y a quelques semaines ; *het is lang —*, il y a longtemps.

geleding articulation, jointure *v*; (*plk.*) nœud *m*. ▼**geleed** (*dierk.*) articulé ; (*plk.*) noueux.

gelee gelée *v*.

geleerd I *bn* savant, érudit ; lettré ; *dat is mij te —*, cela me passe ; *het —e*, ce qu'on a appris ; *een —e*, un savant, érudit. **II** *bw* savamment. ▼—**heid** savoir *m*, érudition *v*.

gelegen situé ; *hoog—*, élevé, haut ; *laag—*, bas ; *met die zaak is het zo —*, voici où en est cette affaire ; *daar is mij veel aan —*, cela m'intéresse beaucoup ; *zich aan iets — laten liggen*, s'intéresser à, s'occuper de ; *dat komt hem —*, cela lui convient ; *je komt juist —*, vous venez à point ; *niet — komen*, déranger. ▼—**heid 1** établissement *m*; 2 occasion *v*, moyen *m*; *bij — à*, l'occasion, le cas échéant, si l'occasion se présente ; (*toevallig*) incidemment ; *bij elke —*, en toute occasion, à tout propos ; *hem in de — stellen om*, lui fournir l'occasion de ; *de — maakt de dief*, l'occasion fait le larron ; *er is geen — om*, il n'y a pas moyen de ; *in de — zijn om*, être en mesure de ; avoir l'occasion de ; *de goede — voorbij laten gaan*, manquer le coche. ▼**gelegenheids/gedicht** poème *m* de circonstance. ▼—**gezicht** mine *v* de circonstance. ▼—**japon** robe *v* de cérémonie. ▼—**zegel** timbre *m* commémoratif.

gelei 1 gelée ; 2 confiture *v*. ▼—**achtig** gélatineux.

gelei/biljet titre de mouvement, passavant, laissez-passer *m*. ▼—**brief** lettre *v* de créance, passe-debout *m*, lettre *v* de voiture. ▼—**buis** tuyau de conduite, conduit *m*. ▼**geleid** : — *projectiel*, engin *m* téléguidé, - télécommandé. ▼**geleide 1** conduite *v*, accompagnement *m*; escorte *v*, convoi *m*; *ten —*, en guise -, un mot d'introduction. ▼—**hond** chien *m* d'aveugle. ▼—**lijk I** *bn* procédant par degrés, graduel, insensible. **II** *bw* par degrés, graduellement, sans heurts. ▼—**lijkheid** régularité, progression *v* méthodique. ▼—**n/en 1** conduire, accompagner, mener ; 2 (*econ.*) diriger ; 3 escorter, convoyer. ▼—**end** conducteur ; *niet —*, isolant ; — *vermogen*, conductivité *v*. ▼—**er** conducteur ; guide *m*. ▼—**ing** conduite ; (*v. elektr. enz.*) conduction *v*. ▼—**ingsvermogen** conductibilité *v*. ▼**geleidraad** fil *m* conducteur. ▼**geleidster** conductrice, chaperonne *v*.

geletterd(e) lettré (*m*).

geleuter bavardage, rabâchage, verbiage *m*.

gelid 1 articulation, jointure *v*; 2 rang *m*; *de gelederen sluiten*, serrer les rangs ; *opsluitend —*, rang *m* des serre-file ; *voorste —*, front *m* de bataille ; *in het — gaan staan*, se ranger.

geliefd I *bn* chéri, cher, affectionné ; *favori(te)*, préféré. **II** *zn* : — *e*, **1** bien-aimé(e), chéri(e) *m*(*v*) ; 2 amant *m*, maîtresse *v*. ▼**geliefkoosd** favori(te), préféré. ▼**gelieven I** *ov.w* vouloir, daigner ; *gelieve* ..., veuillez, daignez. **II** *on.w* zie **believen**. **III** *zn* couple *m* amoureux, fiancés *m mv*.

gelig jaunâtre.

gelijk I *bn* **1** égal ; pareil, semblable, même ;

2 (v. *—e aard*) identique; **3** uniforme; **4** (*effen*) uni, égal; **5** (*jur.*) droit; **6** (*sp.*) match nul; *— en —vormig*, égal, superposable; *ben je —*, avez-vous l'heure (juste); *de klok is niet —*, l'horloge n'est pas à l'heure; *— zijn aan*, être égal à, égaler; *3 + 4 = 7*, trois plus quatre font (égalent) sept; *met 3 doelpunten —*, trois buts à trois buts. **II** *bw* **1** pareillement, également; **2** ensemble, en même temps. **III** *zn* raison *v*; *— hebben*, avoir raison; *— geven*, donner raison. **IV** *vgw* comme, de même que, ainsi que. ▼**—benig** isocèle. ▼**—e** égal(e), pareil(le) *m*(*v*); *met iem. omgaan als zijns —*, traiter qn d'égal à égal; *van 's —n*, pareillement. ▼**—elijk** également, pareillement, par portions égales. ▼**—en** ressembler (à). ▼**—end** ressemblant; *sprekend —*, parlant. ▼**—enis 1** ressemblance, similitude; **2** comparaison; **3** image *v*; *naar zijn —*, à son image.

gelijkertijd: *te —*, en même temps.
gelijk/gaan 1 être à l'heure; **2** marcher de pair. ▼**—gerechtigd** jouissant des mêmes droits. ▼**—heid** égalité; conformité; identité *v*. ▼**—hoekig** équiangle, isogone. ▼**—kleurig** isochrome. ▼**—lopen 1** être parallèle; **2** être à l'heure.
gelijkluidend 1 homonyme; **2** (*v. geschrift*) conforme. ▼**—heid 1** homonymie; **2** conformité *v*; accord *m*.
gelijkmak/en 1 *ov.w* égaliser, aplanir, niveler; *met de grond —*, raser; *— aan*, assimiler. **II** *on.w* (*sp.*) faire match nul. ▼**—er** but *m* égalisateur. ▼**—ing** égalisation *v*; nivellement *m*; assimilation *v*.
gelijkmatig I *bn* égal; *—e beweging*, mouvement uniforme *m*. **II** *bw* uniformément.
gelijkmoedig d'humeur égale, serein; placide. ▼**—heid** égalité d'humeur, sérénité, placidité *v*.
gelijknamig de même nom; homonyme; (*wisk.*) équinome; (*breuk*) du même dénominateur; *— maken*, réduire au même dénominateur. ▼**—heid** identité *v* de nom, dénomination *v* commune.
gelijkschakel/en 1 niveler; mettre au pas; **2** (*radio*) synchroniser. ▼**—ing 1** nivellement *m*; **2** synchronisation *v*.
gelijkslachtig homogène. ▼**—heid** homogénéité *v*.
gelijksoortig similaire, identique. ▼**—heid** similitude, identité *v*.
gelijk/spelen (*sp.*) faire jeu égal. ▼**—staan** être l'égal (de), égaler.
gelijkstell/en assimiler (à); égaler (à); comparer (à); *zich — met*, se mettre au niveau de. ▼**—ing** assimilation (à); égalisation (avec) *v*.
gelijk/stemmen accorder; (*fig.*) mettre à l'unisson. ▼**—stroom** courant *m* continu. ▼**—teken** signe *m* d'égalité.
gelijktijdig I *bn* simultané; contemporain. **II** *bw* simultanément. ▼**—heid** simultanéité *v*.
gelijkvloers de plain pied; au rez-de-chaussée; (*fig.*) terre à terre.
gelijkvormig conforme, uniforme; semblable. ▼**—heid** conformité, uniformité *v*.
gelijkwaardig équivalent, de même valeur; (*wisk.*) équipollent. ▼**—heid** équivalence, équipollence *v*.
gelijkzetten régler (sur); accorder (sa montre à l'horloge).
gelijkzijdig équilatéral. ▼**—heid** égalité *v* des côtés.
gelijnd, gelinieerd réglé.
gelispel 1 zézaiement; **2** (*gefluister*) chuchotement *m*.
gelobd lobé.
geloei mugissement, beuglement *m*.
gelofte 1 (*rk*) vœu *m*; **2** (*prot.*) engagement *m*; *de — doen om*, faire vœu de.
geloof 1 foi, croyance; **2** religion *v*; *—, hoop en liefde*, foi, espérance et charité; *— hechten aan*, ajouter foi à; *zijn — verliezen*, perdre la foi. ▼**geloofs/afval** apostasie *v*.

▼**—belijdenis** confession, profession *v* de foi. ▼**—brief** lettre *v* de créance; *onderzoek der —brieven*, vérification *v* des pouvoirs. ▼**—genoot** coreligionnaire *m & v*. ▼**—leer** doctrine, dogmatique *v*. ▼**—overtuiging** conviction *v* religieuse. ▼**—punt** article *m* de foi. ▼**—vervolging** persécution *v* religieuse. ▼**—verzaker** apostat *m*. ▼**—verzaking** apostasie *v*. ▼**—vrijheid** liberté *v* de conscience. ▼**geloofwaardig** crédible, digne de foi. ▼**—heid** crédibilité, véracité *v*.
geloop courses *v mv* continuelles, des pas *m mv*.
gelov/en croire (qn of qc); ajouter foi à (qc); **2** (*denken*) penser, croire; *als men hem — mag*, à l'en croire; *zijn ogen niet —*, ne pas en croire ses yeux; *hij zal er aan moeten —*, il (en) passera par là, il y passera à son tour; *in God —*, croire en Dieu. ▼**—ig** croyant, fidèle *m*. ▼**—igheid** fidélité, foi *v*.
geluid son, bruit *m*; *— geven*, **1** (*v. toestel*) rendre (of émettre) un son, sonner; **2** proférer une parole; *sneller dan het —*, supersonique. ▼**—box** baffle, écran *m*. ▼**—breker, —demper** sourdine *v*; (*v. motor*) silencieux *m*. ▼**—dempend** insonore, insonorisant. ▼**—dicht** isolé au bruit; *— maken*, insonoriser. ▼**—gevend** sonore. ▼**—loos** silencieux, muet. ▼**—nabootser** bruiteur *m*. ▼**—sband** bande *v* magnétique, bande-son *v*. ▼**—sbarrière** barrière *v* sonique. ▼**—sbron** corps *m* sonore. ▼**—scamera** caméra-son *v*. ▼**—sfilm** film *m* sonore, - parlant. ▼**—sgolf** onde *v* sonore. ▼**—sinstallatie** sonorisation, (*fam.*) sono *v*. ▼**—sisolatie** insonorisation *v*. ▼**—sleer** acoustique *v*. ▼**—sopname** enregistrement *m* sonore. ▼**—sopnemer** preneur *m* de son. ▼**—srégisseur** bruiteur *m*. ▼**—ssignaal** signal *m* sonore. ▼**—ssnelheid** vitesse *v* du son; *met twee maal de —*, à mach 2. ▼**—ssterkte** intensité *v* du son. ▼**—sversterker 1** microphone; **2** amplificateur *m*. ▼**—vrij** insonore; *— maken*, **1** *ww* insonoriser; **2** *zn* insonorisation *v* **—wering** *v*. ▼**—swagen** camion *m* son.
geluimd disposé; *goed* (*slecht*) *—*, de bonne (mauvaise) humeur.
geluk 1 bonheur *m*, félicité *v*; **2** (*kans*) (bonne) chance, veine *v*; **3** fortune, chance *v*; hasard *m*; *— er mee*, bonne chance; *— aanbrengen*, porter bonheur; *— hebben*, avoir de la chance, (*fam.*) avoir de la veine; *op goed —*, au petit bonheur; *hij mag van — spreken*, il peut se féliciter. ▼**—je** (bonne) aubaine *v*. ▼**—ken I** *ww* réussir (à, dans), parvenir (à); *het gelukt hem*, il réussit à. **II** *zn*: *het —*, la réussite. ▼**—kig I** *bn* heureux, prospère. **II** *bw* heureusement. ▼**geluks/dag** jour *m* de chance. ▼**—kind** enfant favorisé de la fortune, (*fam.*) veinard *m*. ▼**—pop** mascotte *v*. ▼**—telegram** télégramme *m* illustré. ▼**—toestand** euphorie *v*. ▼**—vogel** veinard *m*. ▼**geluk/wens** félicitation *v*, vœu, souhait *m*; *mijn —en*, (toutes) mes félicitations. ▼**—wensen** féliciter, congratuler; *iem. — met*, féliciter qn de; *iem. — met zijn naamdag*, souhaiter sa fête à qn. ▼**—zalig** bienheureux. ▼**—zaligheid** béatitude, félicité *v*.
gemaakt I *bn* **1** artificiel; **2** (*fig.*) affecté, maniéré; **3** (*v. kleren*) tout fait; *een — pak*, une confection. **II** *bw* d'une manière affectée, avec affectation. ▼**—heid** affectation *v*; artifice *m*.
gemaal 1 (*v. graan*) mouture *v*; **2** (*in polder*) machine *v* d'épuisement, épuise volante *v*; **3** importunités, histoires *v mv*; **4** époux *m*; *prins—*, prince *m* consort.
gemachtigde fondé de pouvoirs *m*.
gemak 1 aise *v*, confort *m*; **2** commodité *v*; *houd je —*, **1** ne vous dérangez pas; **2** doucement; *met —*, facilement, sans peine; *op zijn —*, à son aise; *voor het —*, pour plus de facilité; *van alle —ken voorzien*, muni de tout confort. ▼**—kelijk I** *bn* **1** facile, aisé; **2** commode, confortable; *— in de omgang*,

commode. **II** *bw* facilement, aisément; — *spreken*, avoir la parole facile; *dat is niet* —, ce n'est pas facile; (*fam.*) il faut le faire; *dat gaat niet gemakkelijk*, cela ne va pas tout seul; *jij hebt — praten*, tu en parles à ton aise. ▼—**kelijkheid** facilité, aisance, commodité *v*. ▼—**zucht** indolence *v*. ▼—**zuchtig** indolent, avec indolence.

gemalen moulu; — *koffie*, café *m* en poudre.
gemalin épouse *v*.
gemanierd 1 poli, bien élevé; 2 maniéré. ▼—**heid** 1 politesse, civilité, urbanité *v*; 2 maniérisme *m*.
gemarmerd marbré.
gemaskerd 1 masqué; 2 (*bloem*) personé.
gematigd I *bn* modéré, tempéré. **II** *bw* avec modération. ▼—**heid** modération, retenue *v*; (*v. klimaat*) douceur *v*.
gember gingembre *m*.
gemeen I *bn* 1 commun, général; 2 ordinaire, médiocre; 3 vulgaire, vil, ignoble; *gemene zaak maken met*, faire cause commune avec; *grootste gemene deler*, plus grand commun diviseur *m*; *gemene jongen*, vilain garçon; — *soldaat*, simple soldat; *alles — hebben*, posséder tout en commun; *gemene taal*, propos *m mv* vulgaires. **II** *bw* 1 communément; 2 ordinairement; 3 vulgairement, ignoblement. **III** *zn* populace *v*. ▼—**goed** bien commun; domaine public *m*; — *worden*, tomber dans le domaine public; *tot — maken*, vulgariser; *dat is* —, cela court les rues. ▼—**heid** bassesse, vilenie, vulgarité *v*. ▼—**lijk** communément, ordinairement. ▼—**plaats** lieu commun *m*.
gemeenschap 1 communauté; 2 (*betrekking*) relation *v*, rapport *m*; 3 (*omgang*) commerce *m*; 4 (*verbinding*) communication *v*; (*trouwen*) *in — van goederen*, sous le régime de la communauté; *buiten — van goederen*, sans communauté de biens; *sous le régime dotal*; — *hebben met*, communiquer avec; — *hebben met een vrouw*, avoir des relations sexuelles; *zie ook*: **Europees**. ▼—**pelijk I** *bn* commun, collectif. **II** *bw* en commun. ▼—**sgevoel**, —**szin** solidarité *v*, esprit *m* de corps. ▼—**splicht** devoirs *m mv* de solidarité.
gemeente 1 commune; 2 communauté; (*in ss*) communal, municipal. ▼—**ambtenaar** fonctionnaire *m* municipal. ▼—**bestuur** municipalité *v*. ▼—**huis** mairie *v*, hôtel *m* de ville. ▼—**raad** conseil *m* municipal. ▼—**raadslid** conseiller *m* municipal. ▼—**raadsverkiezing** élection *v* municipale. ▼—**reiniging** voirie *v*. ▼—**school** école *v* communale. ▼—**secretaris** secrétaire *m* de mairie. ▼—**wege**: *van* —, de la part de la commune. ▼—**werken** travaux *m mv*. ▼—**werkman** ouvrier municipal.
gemeenzaam I *bn* familier; *zich — maken met*, se familiariser avec. **II** *bw* familièrement. ▼—**heid** familiarité, intimité *v*.
gemelijk I *bn* morose, maussade. **II** *bw* avec humeur. ▼—**heid** morosité *v*.
gemenebest république *v*; commonwealth *m*.
gemengd mêlé, mélangé; mixte; — *nieuws*, faits divers *m mv*.
gemeubileerd meublé, garni; *op — e kamers*, en garni; *—e kamers verhuren*, tenir un garni.
gemiddeld I *bn* moyen. **II** *bw* en moyenne. **III** *zn*: *het —e*, la moyenne.
gemis manque, défaut *m*, absence; perte *v*; — *van moeder* (*of vader*), carence *v* maternelle (paternelle).
gemoed âme *v*, cœur *m*; *op iem.'s — werken*, prendre qn par le sentiment. ▼—**elijk** 1 brave, honnête; 2 bonhomme, bon enfant; 3 doux, sentimental. ▼—**elijkheid** bonté, bonhomie, facilité *v*. ▼—**saandoening**, —**sbeweging** émotion, agitation *v*, mouvement *m* d'âme. ▼—**sbezwaar** scrupule *m*. ▼—**sgesteldheid** état *m* d'âme; disposition d'esprit, humeur *v*. ▼—**sleven** vie *v* intérieure. ▼—**srust** sérénité, tranquillité *v* d'esprit. ▼—**stoestand** état *m* d'âme.

gemoeid: *zijn leven is er mee* —, il y va de sa vie; *daar is veel geld mee* —, cela demande beaucoup d'argent.
gemompel murmures *m mv*, bourdonnement *m*.
gemopper murmures *m mv*, récriminations *v mv*.
gemotoriseerd motorisé.
gems chamois; (*in de Pyreneeën*) isard *m*.
gemuilband muselé.
gemunt monnayé; *het — hebben op*, viser (qn).
gemurmel murmure, bruissement *m*.
gemutst: *goed* (*slecht*) —, de bonne (mauvaise) humeur.
gen gène *m*.
genaamd nommé, appelé, dit.
genade 1 grâce; 2 (*vergeving*) grâce *v*, pardon *m*; — *van staat*, grâce *v* d'état; *heiligmakende* —, grâce habituelle; — *van bijstand*, grâce actuelle; — *vragen*, demander (sa) grâce; — *schenken*, faire grâce à, gracier; *op — of ongenade overgeven*, rendre à discrétion; *aan de — van iem. overgeleverd zijn*, être à la merci de qn. ▼—**brood** pain *m* de charité. ▼—**leer** doctrines *v mv* sur la grâce. ▼—**loos** sans merci. ▼—**middelen**: *de — der Kerk*, les sacrements *m mv*. ▼—**oord** lieu (de pèlerinage) où la grâce de Dieu s'est manifesté. ▼—**slag**, —**stoot** coup *m* de grâce; *goeie* —!, bonté divine!
genadig I *bn* clément, miséricordieux; gracieux; *—e hemel!*, juste ciel!; *—è straf*, châtiment *m* léger. **II** *bw* avec clémence; gracieusement; *hij is er — afgekomen*, il l'a échappé belle. ▼—**heid** 1 clémence; 2 grâce; 3 condescendance *v* hautaine.
gene celui-là, celle-là; ceux-là, celles-là; *aan — zijde* (*van*), au delà (de); *de l'autre côté* (de); *deze of* —, quelqu'un; quelque (passant); *l'un ou l'autre* (de vos camarades).
gêne gêne *v*.
genea/logie généalogie *v*. ▼—**logisch** généalogique.
genees/heer médecin *m*; *behandelende* —, médecin traitant. ▼—**kracht** vertu *v* curative. ▼—**krachtig** médicinal; médicamenteux. ▼—**kunde** médecine; (*toegepaste* —) thérapeutique *v*. ▼—**kundig I** *bn* médical; *—e dienst*, service *m* médical; — *adviseur*, médecin-conseil *m*. **II** *zn*: *—e médecin m*, femme médecin *v*. **III** *bw* médicinalement; thérapeutiquement. ▼—**lijk** curable, guérissable. ▼—**lijkheid** curabilité *v*. ▼—**middel** remède, médicament *m*. ▼—**middelleer** pharmacologie *v*. ▼—**wijze** traitement *m* (thérapeutique); cure *v*.
genegen disposé (à), enclin (à); *favorable* (à); *iem. — zijn*, affectionner qn. ▼—**heid** inclination; bienveillance; affection *v*; — *opvatten voor*, prendre en affection.
geneigd enclin (à), porté (à); *ik ben — om*, j'incline à. ▼—**heid** inclination (à) *v*; penchant (à) *m*; tendance *v* (à); *zich — gevoelen om*, incliner à.
generaal *zn & bn* général. ▼—**majoor** général *m* de brigade. ▼—**svrouw** générale *v*. ▼**generaliseren** généraliser.
generatie/crisis crise *v* des générations. ▼—**kloof** fossé *m* des générations. ▼**generator** génératrice *v*.
generen I *ov.w* gêner, déranger. **II** *zich — se* gêner (pour).
genet/ica génétique *v*. ▼—**isch** génétique.
genez/en I *ov.w* guérir. **II** *on.w* guérir; recouvrer la santé, se rétablir; *—de zieke*, convalescent(e) *m* (*v*). **III** *bn* guéri. ▼—**ing** guérison; convalescence *v*; rétablissement; traitement *m*.
geniaal I *bn* génial, de génie; — *mens*, homme de génie, génie *m*. **II** *bw* d'une façon géniale. ▼**genialiteit** génialité *v*.
genie génie *m*. ▼—**officier** officier *m* du génie.
geniepig I *bn* sournois, dissimulé. **II** *bw* sournoisement.

geniet/baar supportable; lisible. ▼**—en**
I *on.w* jouir (de qc). II *ov.w* **1** jouir (de qc);
2 avoir, recevoir; **3** prendre (un repas). ▼**—er**
1 jouisseur; **2** possesseur, bénéficiaire *m*.
▼**—ing** jouissance *v*.
genist officier (*of* soldat) *m* du génie.
genitaal génital. ▼**genitaliën** organes *m mv*
génitaux.
genitief génitif *m*.
genius génie *m*.
genocide génocide *m*.
genodigde invité(e) *m* (*v*).
genoeg assez, suffisamment; — *geld*, assez
d'argent; *vreemd* —, *hij*..., chose étrange, `
il ...; *één is* —, c'en est assez d'un; *ik heb* —
aan een, j'ai assez d'un; — *hebben* (*van*), en
avoir assez (de); (*pop.*) en avoir marre (de);
meer dan — *hebben van*, être excédé de; —
hebben om van te leven, avoir de quoi vivre.
▼**—doening** satisfaction *v*. ▼**genoegen**
1 satisfaction *v*, contentement *m*; **2** plaisir *m*;
het zou mij een — *zijn*..., je me ferais un
plaisir de...; *je zult veel* — *aan hem beleven*,
il vous donnera beaucoup de satisfaction;
iem. een — *doen*, faire plaisir à qn; *zijn* —
eten, manger à sa faim; — *nemen met*, se
contenter de; *daar neem ik geen* — *mee*, je ne
m'en déclare pas satisfait; — *scheppen in*,
prendre plaisir à; *tot* — /, au plaisir de vous
revoir! ▼**genoeglijk** I *bn* agréable; content.
II *bw* agréablement; avec satisfaction.
▼**—heid** agrément; plaisir *m*. ▼**genoegzaam**
I *bn* suffisant. II *bw* suffisamment. ▼**—heid**
suffisance *v*.
genoemd ledit, ladite, susdit(e), précité.
genootschap 1 société, association,
compagnie *v*; **2** (*broederschap*) confrérie *v*;
geleerd —, société savante, académie *v*.
▼**—sjaar** année *v* sociale, exercice *m*.
genot 1 jouissance *v*, délice, plaisir *m*;
2 (*gebruik*) jouissance *v*, usage, profit *m*; *in
het* — *stellen van*, mettre en possession de;
het — *hebben van*, jouir de; *onder het* —
van ..., en savourant ... ▼**—middel** stimulant;
condiment m. ▼**—vol** délicieux, ravissant.
▼**—zucht** soif *v* de jouissance. ▼**—zuchtig**
avide de jouissances; jouisseur; voluptueux.
genre genre *m*; *in dat* —, en ce genre.
geoefend exercé; habile, expert; (*v. leger*)
bien entraîné. ▼**—heid** adresse, habileté *v*;
niveau *m* d'entraînement.
geo/fysica géophysique *v*. ▼**—graaf**
géographe *m*. ▼**—grafie** géographie *v*.
▼**—grafisch** géographique. ▼**—logie**
géologie *v*. ▼**—logisch** géologique. ▼**—loog**
géologue *m*.
gepaard accouplé; par couples, par paires; —
gaan met, être accompagné de.
gepakt: — *en gezakt*, tout équipé; prêt à
partir.
gepantserd cuirassé; blindé (char).
geparenteerd parent (de), allié (à).
gepast I *bn* **1** convenable, propre, décent;
2 (*geld*) compté; *net* —, juste; — *geld a.u.b.*,
on est prié de faire l'appoint. II *bw*
convenablement, comme il faut. ▼**—heid**
convenance, décence; opportunité *v*.
gepatenteerd breveté.
gepeins méditation, réflexion *v*.
gepensioneerd en retraite; —*e*, retraité.
gepeperd poivré; (*fig.*) pimenté; salé (note).
gepeupel populace, plèbe *v*.
gepikeerd irrité. ▼**—heid** irritation *v*.
gepingel chipotage; (*v. auto*) cliquetis *m*.
geplaag taquinerie *v*, tracasseries *v mv*.
geplas barbotage *m*.
geploeter 1 (*geplas*) barbotage; **2** (*gesloof*)
piochage *m*, efforts *m mv* stériles.
geplooid plissé.
gepolsterd rembourré, capitonné. .
gepopel battement *m mv* de cœur,
palpitations *v mv*.
geporteerd: — *voor*, prévenu en faveur de;
— *zijn voor*, s'intéresser vivement à.
gepraat babil, bavardage *m*.
geprevel marmottage *m*.

geprikkeld excité; (*fig.*) irrité. ▼**—heid**
agacement *m*, mauvaise humeur *v*.
geprogrammeerd: — *onderwijs*,
enseignement *m* programmé.
gepromoveerde jeune docteur *m*.
geprononceerd prononcé, (bien) accusé.
gepruil bouderie *v*.
geraakt touché; (*fig.*) offusqué, irrité.
▼**—heid** dépit, chagrin *m*.
geraamte 1 squelette *m*; **2** charpente *v* (d'un
bâtiment); **3** grandes lignes *v mv* (d'un livre).
geraas bruit, fracas, vacarme, tumulte *m*.
geraden prudent, utile, convenable, à propos;
het is u —, je vous conseille (de ...).
geraffineerd raffiné, subtil, sophistiqué, rusé.
geraken arriver à, parvenir à; *aan de drank* —,
s'adonner à la boisson; *aan de man* —,
trouver mari; *in brand* —, prendre feu; *in
onbruik* —, tomber en désuétude.
gerand bordé, à bordure.
geranium géranium *m*.
gerant gérant *m*.
gerecht I *zn* **1** justice *v*; **2** tribunal *m*, cour *v*;
3 (*spijs*) mets, plat; service *m*; *voor het* —
verschijnen, comparaître (devant le tribunal).
II *bn* juste, légitime. ▼**—elijk** judiciaire;
juridique. ▼**—ig** I *bn* juste. II *bw* avec justice.
▼**—igd** compétent, autorisé, qualifié: — *zijn
tot*, avoir droit à; être autorisé à. ▼**—igde**
ayant droit; titulaire. ▼**—igdheid** justice *v*,
droit *m*. ▼**—sbode** huissier *m* de justice.
▼**—shof** cour *v* (de justice); cour d'appel, (*v.
criminele zaken*) cour d'assises, palais *m* (de
j.). ▼**—szaak** cause, affaire *v* judiciaire.
▼**—szaal** salle *v* d'audience. ▼**—szitting**
audience *v*.
geredde rescapé *m*.
gereduceerd réduit.
gereed prêt; — *geld*, argent comptant *m*; *ik
ben* —, j'ai fini, je suis prêt. ▼**—heid**
promptitude. ▼**—maken** I *ov.w* préparer,
apprêter. II *zich* — *om* se mettre en devoir de.
III *zn*. *het* —, la préparation.
gereedschap outils, instruments *m mv*.
▼**—skist** boîte *v* à outils. ▼**—stas** trousse *v* à
outils.
gereedstaan se tenir prêt.
gereformeerd réformé.
geregeld I *bn* régulier; en ordre; méthodique;
—*e bezoeker van*, habitué de. II *bw*
régulièrement.
gerekt long, prolixe; prolongé; ennuyeux.
geremd (*psych.*) inhibé, complexé.
gereserveerd réservé. ▼**—heid** réserve *v*.
gereutel râle *m*.
geriatrie gériatrie *v*.
geribd muni de côtes, (velours) côtelé;
cannelé.
gerichtheid orientation *v*.
geridderd décoré; médaillé.
gerief commodité; utilité *v*, avantage *m*.
▼**—elijk** I *bn* commode, confortable,
pratique. II *bw* commodément.
confortablement. ▼**—elijkheid** commodité *v*,
confort *m*. ▼**gerieven** rendre service à, aider,
être utile à.
gering futile, de peu d'importance; petit,
mince, médiocre; —*e mensen*, gens *m mv* de
peu, petites gens *v mv*; *van* —*e komaf*, de
basse condition; *voor* —*e prijs*, à vil prix.
II *bw* faiblement, médiocrement; *niet* —
denken over, avoir bonne opinion de. III *zn* :
het —*ste*, la moindre chose. ▼**—heid**
petitesse, médiocrité, insignifiance *v*.
▼**—schatten** dédaigner, faire peu de cas de.
▼**—schatting** dédain, mépris *m*.
geritsel frémissement, murmure, froufrou *m*;
bij het minste —, au moindre bruit.
Germaan Germain *m*. ▼**-s** germanique.
geroddel insinuations *v mv*, cancans *m mv*.
geroep appel *m*, cris *m mv*.
geroerd 1 ému, attendri; touché; **2** mêlé.
gerommel 1 bruit sourd; grondement *m*; **2** (*in
ingewanden*) borborygme *m*.
geronk ronflement *m*; (*v. vliegtuig*)
vrombissement *m*.

geronnen coagulé, caillé.
gerontologie gérontologie v.
gerookt fumé.
geroosterd grillé, rôti; *snee — brood*, rôtie v; (*als onderlaag voor hapjes*) canapé m; *lap — vlees*, grillade v.
geroutineerd expérimenté; fin, rompu aux affaires.
gerst orge v.
gerucht bruit m; *het — loopt dat*, le bruit court que; *hij is voor geen klein —je vervaard*, il en a vu bien d'autres. ▼—**makend** bruyant; (*fig.*) sensationnel, célèbre.
geruis 1 bruit léger, murmure; **2** bruissement, frémissement; froufrou m. ▼—**loos** sans bruit.
geruit à carreaux, losangé; (*v. papier*) quadrillé.
gerundivum gérondif m.
gerust I *bn* tranquille, calme; *ik ben — op*, je suis tranquille sur. **II** *bw* sans crainte; tranquillement; *doe het —*, faites-le hardiment. ▼—**heid** tranquillité v, calme m. ▼—**stellen** rassurer (sur). ▼—**stelling** pensée v rassurante.
ges (*muz.*) sol bémol m.
gesar agaceries, excitations v mv.
gesatineerd satiné.
gescharrel 1 tripotage m; manigances v mv; **2** flirtage m.
geschater éclats m mv de rire.
geschenk cadeau, don, présent m; *iem. iets ten — geven*, faire présent (*of* cadeau) de qc à qn.
geschept: *— papier*, papier m à la forme, *- à la main*.
gescherts raillerie v continuelle.
geschetter 1 fanfare v; **2** (*fig.*) forfanterie v.
geschieden arriver, avoir lieu, se passer; *uw wil geschiede*, que votre volonté soit faite; *hem geschiedt onrecht*, on lui fait tort.
geschiedenis 1 histoire v; **2** (*gebeuren*) événement m; *algemene —*, histoire v universelle; *bijbelse —*, histoire sainte; *nieuwste —*, histoire contemporaine. ▼—**boek** livre -, manuel m d'histoire. ▼—**leraar** professeur m d'histoire. ▼—**les** leçon v d'histoire. ▼**geschied/kundig I** *bn* historique. **II** *zn*: *—e*, historien m. ▼—**schrijver 1** historien, chroniqueur; **2** (*officieel*) historiographe m.
geschiet tirs m mv continuels.
geschift 1 *v. melk*, lait m caillé, - tourné; **2** (*fam.*) loufoque, un peu toqué.
geschikt I *bn* **1** facile, peu exigeant, bon enfant; **2** propre (à), bon (pour); **3** convenable; approprié; *hij was heel —*, il était fort aimable; *dat is niet — om*, ce n'est pas pour; *op het —e ogenblik*, en temps utile. **II** *bw* proprement. ▼—**heid** modération, discrétion; capacité; aptitude; opportunité v.
geschil différend; conflit m; *het — beslechten*, vider le différend; *— hebben over*, avoir un différend sur. ▼—**punt** point m litigieux.
geschipper compromissions v mv.
geschitter scintillation v, flamboiement m.
geschommel balancement m.
geschoold formé à bonne école; (*ouvrier*) qualifié, entraîné.
geschreeuw 1 bruit m, clameur v; **2** criailleries v mv, cris m mv; *veel — en weinig wol*, beaucoup de bruit et peu de besogne.
geschrei cris, pleurs m mv; vagissement m (de bébés).
geschrift écrit, document m; *valsheid in —e*, faux m en écritures.
geschubd couvert d'écailles; écailleux.
geschuifel glissement m des pieds; sifflement m des serpents.
geschut artillerie v; *een stuk —*, une pièce; *met grof — beginnen*, employer les grands moyens; *faire donner l'artillerie lourde*. ▼—**koepel** coupole v cuirassée. ▼—**opstelling** position v. ▼—**toren** tourelle v. ▼—**vuur** feu m d'artillerie, canonnade v.

gesel fouet m; verges v mv; discipline v (des moines); (*fig.*) fléau m. ▼—**en I** *ov.w* fouetter, flageller. **II** *zich —*, se donner la discipline. ▼—**ing** flagellation v. ▼—**paal** poteau de supplice, pilori m.
gesis sifflement; mijotement m (*in de pan*).
gesjochten sec, fichu, fadé.
geslaagd réussi; bien venu. ▼—**e** (*v. gedeelte v. examen*) candidat admissible.
geslacht 1 (*soort*) genre m; **2** (*familie*) race, famille, maison v; **3** génération v; **4** sexe m; **5** (*taalk.*) genre m; **6** (*vee*) viande v de boucherie; *het menselijk —*, le genre humain; *het schone —*, le beau sexe; les personnes v mv du sexe; *van — tot —*, d'âge en âge. ▼—**elijk I** *bn* **1** générique; **2** sexuel. **II** *bw* sexuellement. ▼—**elijkheid** sexualité v. ▼—**kunde** généalogie v. ▼—**sboom** arbre m généalogique. ▼—**sdaad** acte m sexuel. ▼—**sdelen** parties génitales, - sexuelles v mv. ▼—**sdrift** instinct m sexuel. ▼—**skenmerk** caractère m sexuel. ▼—**srijp** pubère. ▼—**srijpheid** puberté v. ▼—**sziekte** maladie v vénérienne.
geslepen 1 (*v. mes*) aiguisé; **2** (*v. edelsteen*) taillé; **3** (*fig.*) fin, rusé. ▼—**heid** finesse, ruse v.
geslinger mouvement oscillatoire; roulis m.
gesloten fermé, réservé; relâche (*opschrift*); (*fig.*) peu communicatif; *— karakter*, caractère m fermé; *hoog — japon*, robe v montante; *met — deuren*, à huis clos; *met — beurs*, sans bourse délier. ▼—**heid** caractère m ferme; réserve v.
gesluierd voilé.
gesmokkeld de contrebande.
gesnork, gesnurk ronflement m.
gesnuffel recherches v mv, furetage, fouillement m.
gesnuif 1 reniflement; **2** (*v. paard*) ébrouement m.
gesol tiraillements m mv; trimbalage m.
gesorteerd assorti; *goed — in*, bien assorti en, grand assortiment de.
gesp boucle v.
gespannen contracté; tendu; *op — voet met*, en délicatesse avec.
gespen boucler.
gespierd musclé, musculeux, robuste, nerveux. ▼—**heid** vigueur; robustesse v.
gespikkeld tacheté, moucheté.
gespleten fendu, fourchu; (*v. geest*) tiraillé en divers sens. ▼—**e** schizophrène m. ▼—**heid** dualité; *innerlijke —*, schizophrénie v.
gespot railleries v mv, sarcasme m.
gesprek conversation v, entretien m; *een — aanknopen*, lier conversation (avec qn); *het — een andere wending geven*, détourner la conversation; *het onderwerp van alle —ken zijn*, être vivement commenté; *het — plotseling afbreken*, rompre les chiens; *het — gaande houden*, soutenir la conversation; *in —*, (*tel.*) occupé, pas libre; *telefonisch — voeren na betaalde oproep*, parler en P.C.V. ▼—**leider** animateur m des débats.
gespuis vermine; canaille, lie v du peuple.
gesputter (*v. motor*) crachotement m.
gestadig, gestaag I *bn* constant, continuel, régulier. **II** *bw* constamment, régulièrement. ▼—**heid** constance v.
gestalte taille, stature, figure v; *slanke —*, taille svelte.
Gestapo gestapo v.
gesteente 1 pierre, roche v; **2** (*edel—*) pierreries v mv.
gestel 1 construction, composition v; **2** (*stellage*) armature v, échafaudage m; **3** (*lichaams—*) constitution v.
gesteld I *bn* posé, situé; *de — e machten*, les autorités constituées; *binnen de —e tijd*, dans les délais voulus; *het is daarmee — als met...*, il en est de cela comme de...; *hoe is het — met...?*, comment va...?, où en est...?; *het is slecht met hem —*, il va mal; *— zijn op*, tenir à, aimer. **II** *vgw*: *— dat*, supposé que (*met subj.*). ▼—**heid** état m, nature;

disposition *v*; *lichamelijke* —, physique *m*.
gestemd 1 (*muz.*) accordé; **2** (*fig.*) disposé (à).
gestencild polycopié (à l'aide d'un stencil).
gesternte 1 astre *m*; **2** constellation *v*; *gelukkig* —, bonne étoile *v*.
gesticht établissement *m*, institution *v*; hospice *m*.
gesticuleren gesticuler.
gestikt: —*e deken*, courtepointe *v*.
gestileerd stylisé.
gestipt tacheté, moucheté.
gestoei ébats *m mv*, batifolage *v*.
gestoelte chaire *v*; siège *m* (d'honneur).
gestoffeerd garni.
gestoofd braisé.
gestreept rayé; à rayures; *rood* —, rayé de rouge.
gestrekt tendu; *in* —*e draf*, au grand trot; —*e hoek*, angle *m* plat.
gestreng I *bn* **1** sévère, rigoureux; **2** (*v. zeden*) austère. **II** *bw* sévèrement, rigoureusement; austèrement. ▼—**heid** sévérité, rigueur; austérité *v*.
gestroomlijnd caréné, aérodynamique.
gesukkel langueurs *v mv*; (*fig.*) retards *m mv*; (*fam.*) lambinage *m*.
gesuspendeerd suspens.
getailleerd resserré à la taille.
getal nombre *m*; *in groten* —*e*, en grand nombre; *ten* —*e van*, au nombre de; *om het* — *vol te maken*, pour faire nombre. ▼—**sterkte** force *v* numérique; effectif *m*.
getand en dents de scie.
getapt 1 (*v. melk*) écrémé; **2** aimé, populaire.
getekend marqué.
getemperd modéré, mitigé.
getij marée *v*; *dood* —, morte-eau *v*; *opkomend* —, marée montante; *afgaand* —, marée descendante. ▼**getij(den)boek** bréviaire, livre *m* d'heures. ▼—**den heures** *v mv*. ▼—**dencentrale** usine *v* marémotrice. ▼—**energie** énergie *v* marémotrice. ▼—**haven** port *m* de marée. ▼—**rivier** fleuve *m* à marée. ▼—**tafel** annuaire *m* des marées.
getik coups *m mv* secs; tic-tac *m*.
getikt (*fam.*) toqué.
getimmerd charpente *v*, échafaudage *m*.
getintel 1 étincellement; **2** (*v. koude*) picotement *m*, onglée *v*.
getiteld 1 (*v. boek*) intitulé; **2** titré.
getob soucis *m mv*, difficultés *v mv*.
getoeter coups *m mv* de claxon.
getokkel pincement *m*.
getraind entraîné.
getralied grillé; — *hek*, grille *v*.
getrappel trépignement, piétinement *m*.
getroebleerd détraqué.
getroffen sinistré *m*.
getrokken: — *buis*, tube *m* étiré; — *kanon*, canon *m* rayé.
getroost rassuré, sans crainte, en toute confiance. ▼—**en** (*zich*) s'accommoder de, se résigner à; *zich moeite* — (*om*), se donner la peine (de); *zich ontberingen* —, s'imposer des privations.
getrouw *bn* (*& bw*) fidèle(ment), loyal(ement); assidu. ▼**getrouwd** marié. ▼**getrouwheid** fidélité, loyauté *v*.
getto ghetto *m*.
getuige 1 témoin *m*; *tot* — *nemen*, prendre à témoin; — *zijn van*, assister à, être témoin de; **2** témoignage *m*; *van goede* —*n voorzien*, muni de bons certificats *of* de bonnes références. ▼—*en* témoigner; attester; porter témoignage (de); — *tegen*, parler contre. ▼—*enis* témoignage *m*; déposition *v*; — *geven van*, témoigner de; — *afleggen van*, porter témoignage de. ▼—**schrift** certificat *m*, attestation *v*; — *van bekwaamheid*, brevet *m* de capacité; — *van goed gedrag*, certificat de bonne vie et mœurs.
getweeën à deux.
getwist disputes, querelles *v mv*.
geul chenal *m*; (*gleuf*) rainure *v*.
geur senteur *v*, parfum *m*. ▼—*en sentir bon*;

met iets —, afficher qc. ▼—**ig** qui sent bon, odorant. ▼—**igheid** senteur *v*.
geus 1 gueux *m*; **2** (*mar.*) flamme; **3** (*tech.*) gueuse *v*.
gevaar danger, péril; risque *m*; *het gele* —, le péril jaune; *groot* — *lopen te*, risquer fort de; *in* — *zijn*, — *lopen*, être en danger; *in* — *brengen*, mettre en danger; *zich in* — *begeven*, s'exposer (à un danger); *op* — *af van*, au risque de. ▼—**lijk I** *bn* dangereux, périlleux; *vervoer v*, —*e stoffen*, transport *m* de marchandises dangereuses. **II** *bw* dangereusement, périlleusement. ▼—**loos** sans danger, innocent. ▼**gevaarte** masse *v* énorme, colosse *m*.
geval 1 cas; **2** hasard *m*; **3** aventure *v*; *dat is het* — *met*, c'est le cas de; *dat is het* — *met mij*, c'est mon cas; *bij* —, par hasard; *in* — *van*, en cas de; *voor het* — *dat*, en cas que (*met subj.*); *au cas où*, pour le cas où (*met verl. toek. tijd*); *in allen* —*le*, en tout cas, de toutes façons; *in dit bijzondere* —, en l'espèce; *als het* — *zich zou voordoen*, le cas échéant; *in zulk een* —, en pareil cas.
gevangen(e) prisonnier, captif (*m*). ▼—**houden** détenir. ▼—**houding** détention *v*. ▼—**is** prison *v*. ▼—**isstraf** détention *v*, peine *v* de prison; *tot 10 jaar* — *veroordelen*, condamner à dix ans de prison. ▼—**iswezen** administration *v* pénitentiaire. ▼—**nemen** arrêter. ▼—**neming** arrestation *v*. ▼—**schap** captivité, détention *v*. ▼—**wagen** voiture *v* cellulaire. ▼—**zetten** mettre en prison. ▼—**zetting** emprisonnement *m*. ▼—**zitten** être en prison.
gevaren/driehoek triangle *m* de présignalisation. ▼—**klasse** catégorie *v* de risques.
gevat fin; prompt à la riposte, à propos; — *antwoord*, repartie *v*. ▼—**heid** finesse, promptitude *v* à la riposte; esprit *m* d'à-propos.
gevecht combat *m*; engagement *m*; *buiten* — *stellen*, mettre hors de combat. ▼**gevechts/baan** parcours *m* du combattant. ▼—**front** front *m* de bataille. ▼—**handeling** action *v* militaire. ▼—**klaar** prêt au combat. ▼—**stelling** position *v* de combat. ▼—**tenue** tenue *v* de combat, treillis *m*. ▼—**toren** tourelle *v* de combat. ▼—**vliegtuig** avion *m* de combat. ▼—**waarde** valeur *v* combative. ▼—**wagen** char *m* de combat.
gevederte plumage *m*.
geveinsd feint, dissimulé, hypocrite. ▼—**heid** feinte; dissimulation *v*.
gevel façade *v*. ▼—**dak** toit *m* à pignon. ▼—**lijst** architrave *v*. ▼—**spits** pignon *m*.
geven I *ov.w* **1** donner; **2** (*afdekken*) passer; **3** faire (l'aumône, cadeau, crédit); *iem. een cijfer* —, mettre une note à qn; *er een stuiver voor* —, en donner un sou; *10 gulden voor een boek* —, donner dix florins d'un livre; *wat geeft het?*, à quoi bon?; *zal het iets* —, cela sortira-t-il le moindre effet; *mag ik u vuur* —, puis-je vous offrir du feu; *dat geeft niets*, cela ne fait rien; *dat zal wel niets* —, ce sera inutile; *veel* — *om*, **1** tenir beaucoup à; **2** se soucier de; *niets* — *om*, **1** faire peu de cas de; **2** se soucier peu de. **II** *zich* — se donner; *zich geheel* —, **1** se consacrer (à); **2** se livrer; *zich niet* —, ne pas être expansif; *zich* — *zoals men is*, être franc (comme l'or); *zich gevangen* —, se constituer prisonnier. **III** *on.w* donner; *zij* — *niet*, ils ne font pas l'aumône; (*kaartspel*) *jij moet* —, à vous la donne, c'est à vous de donner; *er is verkeerd gegeven*, il y a fausse donne; *iem. er van langs* —, en donner à qn, servir qn; *ik geef er niet om*, je n'y tiens pas; *cela m'est égal*; *eens gegeven blijft gegeven*, donner et retenir ne vaut; — *en nemen*, en prendre et en laisser; *het is zaliger te* — *dan te ontvangen*, mieux vaut donner que recevoir. ▼**gever 1** donneur, donateur; **2** (*uitdeler*) dispensateur *m*.
gevestigd établi; domicilié; installé: —*e*

schuld, dette *v* consolidée; *maatschappij —te Y*, société dont le siège social est à Y; *—e overtuiging*, conviction bien assise.
gevierd célèbre, illustre.
gevit chicanes, critiques, ergoteries *v mv*.
gevlamd moiré, ondé, flammé, marbré.
gevlekt tacheté, moucheté.
gevleugeld ailé; *— woord*, mot *m* historique.
gevlij: *in het — komen bij*, gagner les bonnes grâces (*of* les suffrages) de.
gevoeg: *zijn — doen*, aller (à la selle), faire ses besoins. ▼—**lijk** convenablement, décemment. ▼—**lijkheid** convenance, décence *v*.
gevoel 1 (*—szin*) toucher, tact *m*; **2** (*gewaarwording*) sensation *v*; **3** (*v. ziel*) sentiment, sens *m*; **4** sensibilité *v*; *— voor het schone hebben*, avoir le sentiment du beau; *veel — hebben*, être d'une grande sensibilité; *met — spelen*, jouer avec âme; *op het —*, au toucher; à tâtons; *op het —werken*, prendre (qn) par les (bons) sentiments. ▼**gevoel/en I** *ov.w* sentir; ressentir, éprouver; *ik gevoel er iets voor*, je vois cela; cela me dit qc. **II** *zn* sentiment; avis *m*, opinion *v*. ▼—**ig I** *bn* **1** sensible; **2** (*vol gevoel*) sensible, touchant; **3** (*lichtgeraakt*) susceptible; *— zijn voor*, être sensible à; *een —e keel hebben*, être sensible de la gorge; *—e koude*, froid *m* vif; *—e slag*, coup *m* bien sensible; (*fig.*) un rude coup. **II** *bw* sensiblement; d'une manière touchante. ▼—**igheid** sensibilité; susceptibilité *v*; *— verminderen*, désensibiliser; *het verminderen van —*, la désensibilisation. ▼—**loos I** *bn* insensible, impassible; dur; (*med.*) anesthésique; *— maken*, anesthésier. **II** *bw* impassiblement. ▼—**loosheid 1** insensibilité; impassibilité; (*med.*) anesthésie *v*. ▼—**loosmaking** anesthésie *v*. ▼—**sindruk** impression *v* sensorielle. ▼—**sleven 1** vie *v* intime; **2** vie affective. ▼—**smens** impulsif, émotif *m*. ▼—**sorgaan** organe *m* sensoriel. ▼—**soverweging** considération *v* sentimentale. ▼—**sprikkel** stimulant *m*. ▼—**swaarde** valeur *v* émotive. ▼—**szenuw** nerf *m* sensoriel. ▼—**szin** tact, (sens du) toucher *m*. ▼—**vol I** *bn* sensible; expressif; tendre; chaleureux. **II** *bw* avec sentiment.
gevoerd doublé (de).
gevogelte 1 oiseaux *m mv*; **2** volaille *v* (*bij maaltijd*).
gevolg 1 suite; conséquence *v*; **2** (*wisk.*) corollaire *m*; **3** (*geleide*) cortège *m*, suite *v*; *— geven*, accepter à (une invitation); *donner suite à (un projet); tot — hebben*, avoir pour conséquence; *geen — en hebben*, ne pas avoir de suites; *er de —en van ondervinden*, s'en ressentir; *bij —*, par conséquent, donc; *met goed —*, avec succès; *ten —e van*, par suite de. ▼—**aanduidend** consécutif. ▼—**trekking** déduction, conclusion *v*; *een — maken*, tirer une conclusion.
gevolmachtigd I *bn* autorisé. **II** *zn*: *—e*, plénipotentiaire; fondé de pouvoirs; délégué, mandataire *m*.
gevonden: *— voorwerpen*, objets *m mv* trouvés.
gevorderd avancé; *verder — dan*, en avance sur.
gevorkt fourchu, bifurqué.
gevraagd: *een — artikel*, un article démandé.
gevreesd redouté; *zich — maken*, se rendre redouté.
gevrij amours; caresses; assiduités *v mv*.
gevuld rempli; farci; *—e bonbons*, des bonbons *m mv* fourrés; *—e lippen*, des lèvres *v mv* fournies. ▼—**heid** rondeur *v* (des formes).
gewaad vêtements *m mv*; habit *m*.
gewaagd hardi, osé, audacieux; *zij zijn aan elkaar —*, ils se valent; *een — spel spelen*, jouer gros jeu. ▼—**heid** hardiesse *v*.
gewaand prétendu, supposé.
gewaarword/en apercevoir, découvrir; (*fig.*) s'apercevoir. ▼—**ing** perception, sensation *v*.

gewag: *— maken van*, faire mention de.
gewapend armé; *— beton*, béton *m* armé. ▼—**erhand** à main armée.
gewas 1 (*oogst*) récolte *v*; **2** (*v. wijn*) crû *m*; **3** (*plant*) plante *v*, végétal *m*.
gewatteerd ouatiné; matelassé.
geweer fusil *m*; *presenteert het —*, présentez armes; *over de schouder —*, portez armes; *zet af —*, reposez armes; *in de arm —*, l'arme au bras; *in het —l*, aux armes! ▼—**kogel** balle *v*. ▼—**kolf** crosse *v*. ▼—**lade** fût *m*. ▼—**loop** canon *m* (de fusil). ▼—**maker** armurier *m*. ▼—**riem** bretelle *v*. ▼—**schot** coup *m* (de fusil); *op —s afstand*, à portée de fusil. ▼—**slot** patine *v*. ▼—**vuur** fusillade *v*.
gewei ramure *v*, bois *m mv*.
geweld 1 violence *v*; **2** tapage, vacarme *m*; *— aandoen*, violer (une femme); faire violence à; (*dwingen*) violenter; *zich zelf — aandoen*, se faire violence, faire un effort sur soi-même; *met —*, de force, par force; *met — openen*, forcer. ▼—**daad** acte *m* de violence; *verzekering tegen gewelddaden*, assurance *v* anti-violence. ▼—**dadig I** *bn* violent. **II** *bw* violemment, de force. ▼—**dadigheid** violence *v*; *gewelddadigheden*, voies *v mv* de fait. ▼—**enaar** tyran; usurpateur *m*. ▼—**enarij** tyrannie, violence *v*. ▼—**ig I** *bn* **1** violent; **2** puissant; **3** formidable, énorme; **4** terrible. **II** *bw* **1** violemment; **2** énormément; **3** terriblement. ▼—**pleging** violence *v*; voies *v mv* de fait; *diefstal met —*, vol *m* à main armée.
gewelf voûte *v*; *onderaards —*, souterrain *m*, crypte *v*. ▼—**d** (*rug*) voûté; (*wenkbrauw*) arqué, (*borst*) bombé, galbé; (*voet*) cambré.
gewemel fourmillement *m*, agitation *v*.
gewen/d accoutumé (à), habitué (à); *ik ben eraan —*, j'ai l'habitude. ▼—**nen I** *ov.w* accoutumer, habituer (qn à qc). **II** *on.w* s'habituer (quelque part); *men gewent aan alles*, on se fait à tout. **III** *zich —* (*aan*) s'accoutumer à, s'habituer (à), se faire (à).
gewenst désiré, voulu.
gewerveld vertébré.
gewest région, contrée *v*; province *v*. ▼—**elijk** régional; provincial; *—e letterkunde*, littérature *v* régionaliste.
geweten conscience *v*; *een gerust* (*zuiver*) *— hebben*, avoir la conscience tranquille (nette); *om zijn — gerust te stellen*, par acquit de conscience. ▼—**loos** sans conscience, - scrupule. ▼—**loosheid** manque *m* de conscience. ▼—**sangst** remords *m mv*, trouble *m* de la conscience. ▼—**sbezwaar** scrupule *m*. ▼—**sdwang** contrainte *v* morale. ▼—**sonderzoek** examen *m* de conscience. ▼—**svol** conscieux. ▼—**svraag** cas *m* de conscience. ▼—**swroeging** remords *m mv*. ▼—**szaak** cas *m* de conscience; *zich een — maken van*, se faire (un) scrupule de.
gewettigd autorisé, légitime.
gewezen ancien, ex-.
gewicht 1 (*zwaarte*) poids *m*; **2** (*belang*) importance *v*; *berekend —*, poids taxé; *eigen — van een vervoertuig*, poids à vide; *levend —*, poids vivant; *soortelijk —*, poids spécifique; *maten en —en*, poids et mesures; *dat is zijn — in goud waard*, cela vaut son pesant d'or; *— in de schaal leggen*, peser dans la balance; *bij het —*, au poids; *een man van —*, un homme d'importance, - de poids. ▼—**ig I** *bn* important, considérable. **II** *bw* d'un air d'importance; *— doen*, faire l'important. ▼—**igheid** importance *v*. ▼—**loosheid** apesanteur *v*. ▼—**seenheid** unité *v* de poids. ▼—**stoename** augmentation *v* pondérale. ▼—**sverdeling** répartition *v* des masses. ▼—**sverlies** perte *v* de poids.
gewiekst débrouillard; roublard. ▼—**heid** esprit *m* débrouillard, roublardise *v*.
gewijd consacré; *—e aarde*, terre *v* sainte; *—e muziek*, musique *v* sacrée.
gewijsde chose jugée; *kracht van — hebben*, avoir force de chose jugée.

gewild 1 voulu, recherché, demandé, en vogue; **2** (*fig.*) voulu, étudié.
gewillig I *bn* docile, complaisant. **II** *bw* librement; docilement; de bonne grâce. **▼—heid** bonne grâce, docilité *v*.
gewoel agitation; foule *v*; tumulte *m*.
gewogen: — *gemiddelde*, moyenne *v* pondérée.
gewonde blessé(e) *m* (*v*); *licht* —, blessé *m* léger; *een ernstig* —, un grand blessé.
gewoon I *bn* **1** ordinaire, commun; **2** (*gewend*) accoutumé, habitué (à); *het is een heel gewone film*, c'est un film très quelconque; *kun je niet* — *doen?*, ne peux-tu pas faire comme tout le monde?; — *zijn om*, être habitué à. **II** *bw* comme à l'ordinaire; *het is* — *niet te geloven*, c'est tout simplement incroyable. **▼—heid 1** habitude; banalité, vulgarité *v*. **▼—lijk** ordinairement; communément; *zoals* —, comme à l'ordinaire.
gewoonte 1 habitude, coutume *v*; **2** usage *m*; **3** routine *v*; *dat is hier zo de* —, c'est l'usage; *dat is mijn* — *niet*, ce n'est pas dans mes habitudes; — *worden*, tourner en habitude; *een* — *aanleren* (*afleggen*), contracter (quitter) une habitude; *ouder* —, comme d'habitude; *uit* —, par habitude. **▼—recht** droit *m* coutumier. **▼gewoonweg** tout bonnement, - simplement.
geworden parvenir à, recevoir; devenir; *uw brief is mij* —, j'ai reçu votre lettre; *wat zal er van hem* —?, que deviendra-t-il?
gewricht articulation, jointure *v*. **▼—sontsteking** arthrite *v*. **▼reumatiek** rhumatisme *m* articulaire. **▼—stijfheid** ankylose *v*. **▼—sverbinding** articulation *v*.
gewrijf frottement *m*; (*fig.*) discussions *v mv*.
gewroet fouilles; intrigues, menées *v mv*.
gewrongen artificiel, recherché; — *stijl*, style *m* tourmenté. **▼—heid** caractère *m* recherché; - tourmenté.
gezag autorité; puissance *v*; prestige *m*; — *uitoefenen*, exercer le pouvoir; *het* (*openbaar*) —, le gouvernement *m*; *op* — *van*, sur la foi de; *op een toon van* —, d'un ton autoritaire; *bevoegd* —, autorité *v* compétente. **▼—hebbend** pourvu d'autorité; dont l'autorité est reconnu; — *zijn*, faire autorité. **▼—hebber** directeur, chef *m*; patron.
gezalfde oint *m*.
gezamenlijk I *bn* collectif, entier; —*e actie*, action *v* d'ensemble; —*e krachtsinspanningen*, efforts *m mv* conjugués; —*e reis*, voyage *m* collectif; *voor* —*e rekening*, à frais communs; (*tussen twee*) de compte à demi. **II** *bw* de concert (avec), ensemble; collectivement.
gezang 1 chant; **2** (*kerk—*) cantique *m*. **▼—boek**, —**bundel** livre *m* de cantiques.
gezanik embêtements *m mv*.
gezant ambassadeur; envoyé *m*; *pauselijk* —, nonce, légat *m*. **▼—schap** ambassade; légation; nonciature *v*. **▼—schaps** ... (*in ss*) d'ambassade, de légation. **▼—schapsgebouw** ambassade, légation *v*.
gezegde 1 dires *m mv*; **2** parole, expression *v*; **3** (*gram.*) prédicat *m*.
gezegeld: — *papier*, papier *m* timbré.
gezegend béni; *in* —*e omstandigheden verkeren*, être dans une position intéressante.
gezeg/gen persuader; *zich laten* —, se laisser persuader, entendre raison. **▼—lijk** docile, traitable. **▼—lijkheid** docilité *v*.
gezel 1 compagnon, camarade; **2** (*knecht*) garçon.
gezellig I *bn* intime, familier, confortable; *het is hier* —, on est bien ici. **II** *bw* intimement, confortablement. **▼—heid** sociabilité; intimité *v*; confort, confortable *m*.
gezellin compagne *v*. **▼gezelschap** compagnie; société *v*; *besloten* —, cercle (privé), club *m*; *iem.* — *houden*, tenir compagnie à qn. **▼—sbiljet**, —**skaart** billet

m collectif, - de groupe. **▼—sjuffrouw** dame de compagnie. **▼—sreis** voyage *m* collectif. **▼—sspel** jeu *m* de société.
gezet 1 déterminé; **2** fort, corpulent; *op* —*te tijden*, à des époques déterminées.
gezeten établi, domicilié; aisé, confortable.
gezetheid corpulence *v*, embonpoint *m*.
gezicht 1 vue *v*; **2** aspect; **3** (*gelaat*) visage *m*, face, figure, mine *v*; *tweede* —, seconde vue *v*; *iem. op zijn* — *slaan*, casser la gueule à qn; *dat is geen* —, ça n'existe pas; —*en trekken*, faire des grimaces; *zijn* — *wassen*, se débarbouiller; *in het* — *zeggen*, dire en face; *een zuur* — *zetten* (*tegen iem.*), faire la grimace, - la moue (à qn); *op het eerste* —, à première vue; de prime abord; *op iemands* — *krijgen*, se faire casser la gueule; *uit het* — *verliezen*, perdre de vue; *ik ken hem van* —, je le connais de vue; *die sigaretten liggen er voor het* —, ces cigarettes sont là pour le coup d'œil; *ik zie hier allemaal bekende* —*en*, je suis ici en pays de connaissance. **▼gezicht/je** minois *m*, frimousse *v*. **▼—sbedrog** illusion *v* d'optique; (*fig.*) trompe-l'œil. **▼—shoek** angle *m* visuel; *uit die* —, de ce point de vue. **▼—skring** horizon *m*. **▼—sorgaan** organe *m* de la vue. **▼—spunt** point *m* de vue; optique *v*. **▼—sscherpte** acuité *v* visuelle. **▼—sstoornis** trouble *m* de la vision. **▼—sveld** champ *m* visuel. **▼—sverlies** (*fig.*) perte *v* de prestige. **▼—svermogen** faculté visuelle, vue *v*. **▼—szenuw** nerf *m* optique.
gezien 1 vu; **2** estimé, populaire, notable; *niet* —, mal vu; *aldus* —, sous ce biais.
gezin famille *v*; *een* — *stichten*, fonder une famille; *groot* —, famille nombreuse.
gezind disposé, intentionné; *hij is u goed* —, il vous veut du bien; *vijandig* —, malintentionné. **▼—heid 1** disposition *v*; **2** croyance, religion; église *v*. **▼—te** secte *v*; culte *m*.
gezins/blad magazine *m* familial. **▼—fles** bouteille *v* de famille. **▼—hoofd** chef *m* de famille. **▼—hulp** aide *v* familiale. **▼—lasten** charges *v mv* de famille. **▼—planning** planning *m* familial. **▼—leven** vie *v* de famille. **▼—politiek** politique *v* d'aide à la famille. **▼—toeslag** allocation *v* familiale. **▼—verbruik** consommation *v* des ménages. **▼—verpleging** traitement *m* à domicile. **▼—voogd** tuteur *m* familial. **▼—zorg** service *m* social familial.
gezocht I *bn* **1** recherché, en vogue; **2** (*onnatuurlijk*) affecté, étudié. **II** *bw* avec affectation. **▼—heid** affectation, recherche *v*.
gezond I *bn* **1** bien portant, en bonne santé; **2** (*heilzaam*) sain, salubre; — *oordeel*, jugement *m* sain; — *verstand*, bon sens, sens *m* commun; (*weer*) — *worden*, se rétablir; *zo* — *zijn als een vis*, se porter comme un charme; *dat is* — *voor je*, cela vous fera du bien; — *en wel*, sain et sauf; *er* — *uitzien*, avoir un air de santé. **II** *bw* sainement; — *wonen*, habiter dans un endroit salubre. **▼gezondheid 1** (*v. persoon*) santé *v*; **2** (*v. plaats*) salubrité *v*, bonnes conditions *v mv* hygiéniques; *op de* — *drinken van*, porter un toast à, boire à la cigarette de; *officier van* —, major, médecin *m* militaire, (- de marine). **▼—sattest** certificat *m* de santé. **▼—scommissie** conseil *m* d'hygiène. **▼—sdienst** (service *m* de) santé. **▼—sleer** hygiène *v*. **▼—smaatregel** mesure -, précaution *v* hygiénique. **▼—sredenen** raisons *v mv* de santé; *om* —, pour raisons de santé. **▼—stoestand 1** (*v.e. pers.*) état *v* de santé; **2** (*v. velen*) état *m* sanitaire; **3** conditions *v mv* hygiéniques. **▼—szorg** organisation *v* sanitaire. **▼gezondmaking 1** guérison *v* (d'un malade); **2** assainissement *m* (d'une situation).
gezouten salé; (*fig.*) salé, raide.
gezucht gémissements *m mv*.
gezusters: — *Dubois*, Dubois sœurs, in de
gezwam fariboles; blagues *v mv*; — *in de*

ruimte, spéculation *v* dans l'espace.
gezwel enflure, tumeur *v*, abcès *m*.
gezwendel filouterie, escroquerie *v*.
gezwoeg labeur *m*, trimes *v mv*.
gezwollen 1 (*v. rivier*) grossi; 2 (*v. lichaamsdeel*) enflé; 3 (*fig.*) (style) ampoulé, enflé; emphatique. ▼—**heid** enflure; (*fig.*) emphase *v*.
gezworen assermenté, juré; (ennemi) mortel. ▼**gezworene** juré; *de* —*n*, le jury; *rechtbank met* —*n*, cour *v* d'assises.
ghost-writer nègre *m*.
gids guide, conducteur *m*.
giechelen rire tout bas.
giek yole *v*.
gier 1 vautour *m*; 2 (*zwaai*) virement *m*; 3 (*spoeling*) lavure *v*; 4 (*mest*) purin *m*. ▼—**brug** pont *m* volant. ▼—**en** *ov.w* 1 crier; (*v. wind*) siffler; 2 (*schuinlopen*) être de biais; 3 (*v. schip of auto*) embarder; *het is om te* —, c'est à se tordre. **II** *zn: het* —, le sifflement (du vent). **III** *ov.w* fumer au purin.
gierig avide; avare, ladre. ▼—**aard** avare *m*. ▼—**heid** avarice, ladrerie *v*.
gier/pont traille *v*. ▼—**put** fosse *v* à purin.
gierst mil, millet *m*.
gierzwaluw martinet *m*.
giet/bui averse, ondée *v*. ▼—**cokes** coke *m* métallurgique. ▼—**eling** gueuse *v*. ▼—**emmer** arrosoir *m*. ▼—**en** I *ov.w* 1 (*uit*—) verser; 2 (*be*—) arroser; 3 (*in vorm* —) couler, jeter en moule; *vol* —, remplir. **II** *on.w* pleuvoir à verse. **III** *zn: het* —, la fonte, le moulage. ▼—**er** 1 (*persoon*) fondeur; 2 arrosoir *m*. ▼—**erij** fonderie *v*. ▼—**ijzer** fonte *v*. ▼—**kroes** creuset *m*. ▼—**rand** bord *m* verseur. ▼—**vorm** moule *m*, matrice *v*.
gift 1 don, cadeau *m*; 2 donation *v*; 3 poison, venin *m*. ▼—**gas** gaz *m* toxique. ▼—**ig** 1 (*v. plant*) vénéneux; 2 (*v. dier en fig.*) venimeux; — *worden*, s'exaspérer; — *antwoord*, repartie *v* aigre. ▼—**klier** glande *v* à venin. ▼—**menger**, —**mengster** empoisonneur *m*, -euse *v*. ▼—**slang** serpent *m* venimeux.
gigantisch gigantesque.
gigolo gigolo *m*.
gij vous; tu; toi.
gijntje blague *v*.
gijzel/aar otage *m* & *v*. ▼—**en** I *ww* détenir; arrêter pour dettes. **II** *zn* prise *v* d'otages.
gil cri *m* perçant; *een* — *geven*, jeter -, pousser un cri.
gilde corps *m* de métier, corporation *v*. ▼—**broeder** confrère *m*. ▼—**huis** hôtel *m* de corporation. ▼—**meester** syndic, doyen *m*. ▼—**stuk** tableau *m* de corporation. ▼—**wezen** régime *m* corporatif.
gillen I *on.w* pousser des cris perçants. **II** *ov.w* crier, glapir, hurler.
ginds I *bn* qui est là-bas. **II** *bw* là, là-bas.
ginnegappen ricaner.
gips plâtre, stuc, gypse *m*; *in het* — *liggen*, porter un appareil plâtré. ▼—**afdruk** reproduction *v* en plâtre. ▼—**afgietsel** (moulage *m*) plâtre *m*. ▼—**beeld** statue(tte) *v* en plâtre. ▼—**en** I *ov.w* plâtrer. **II** *bn* en plâtre. ▼—**model** moulage *m* en plâtre. ▼—**verband** appareil *m* plâtré. ▼—**vorm** moule *m* de plâtre. ▼—**werk** plâtres *m mv*.
giraal: — *geld*, monnaie *v* scripturale.
giraf(fe) girafe *v*.
gireren virer (au compte de). ▼**giro** endossement, virement *m* postal. ▼—**bank** banque *v* de virements. ▼—**betaalkaart** carte *v* de paiement (des chèques postaux néerlandais). ▼—**biljet** chèque -, mandat *m* de virement. ▼—**dienst** service *m* de chèques postaux. ▼—**overschrijving** virement *m*. ▼—**pas** carte *v* de garantie. ▼—**rekening(nummer)** compte *m* chèques postal. ▼—**verkeer** virements *m mv* postaux.
gis 1 (*muz.*) sol dièse *m*; 2 conjecture *v*; *op de* —, au jugé; au petit bonheur.
gispen critiquer, censurer, reprendre, blâmer.
giss/en conjecturer (de), présumer, estimer;

naar iets —, deviner. ▼—**ing** 1 conjecture, hypothèse *v*; 2 (*mar.*) estime *v*.
gist 1 levure *v*, levain; 2 (*fig.*) ferment *m*. ▼—**en** 1 fermenter; 2 (*fig.*) s'agiter, fermenter.
gister/avond hier (au) soir. ▼—**en** hier; *ik ben niet van* —, je ne suis pas né d'hier. ▼—**morgen** hier matin. ▼—**nacht** hier dans la nuit, dans la nuit d'hier.
gistfabriek levurerie *v*. ▼**gisting** fermentation; (*fig.*) effervescence (des esprits), agitation *v*. ▼—**sproces** fermentation *v*.
git jais *m*.
gitaar guitare *v*. ▼—**speler, gitarist** guitariste *m*.
gitten de jais. ▼**gitzwart** noir comme jais.
glaasje zie **glas**.
glac/é glacé. ▼—**eren** glacer.
glad I *bn* 1 glissant; 2 (*effen*) lisse; uni, égal; 3 (*gepolijst*) poli; 4 (*onbehaard*) glabre; 5 (*slim*) rusé, délure; —*e band*, pneu *m* lisse; *het is hier* —, ça glisse ici; *de weg is* —, la route glisse; *een* —*e tong hebben*, avoir la langue bien pendue; — *geschoren*, rasé de près. **II** *bw* facilement, sans la moindre difficulté. ▼—**borstelen** brosser, lisser. ▼—**digheid** état *m* glissant des rues. ▼—**harig** à poil lisse. ▼—**heid** 1 poli, uni *m*; 2 (*fig.*) roublardise, finesse *v*; *zie ook*: —**digheid**.
gladiator gladiateur *m*.
gladiool glaïeul *m*.
glad/maken, —**schuren** lisser, polir. ▼—**strijken** 1 lisser, défriper; 2 (*met strijkijzer*) repasser. ▼—**wrijven** frotter, lisser, polir.
glans 1 éclat, brillant, lustre *m*; 2 (*schijnsel*) lueur *v*; 3 splendeur *v* (du soleil); *de* — *op zijn gezicht*, le rayonnement de sa figure; *met* — *slagen*, être reçu avec distinction. ▼—**garen** coton *m* brillanté. ▼—**loos** terne, sans éclat. ▼—**middel** polissure *v*, apprêt *m*. ▼—**punt** point *m* lumineux; (*fig.*) le grand événement; moment *m* du plus grand éclat. ▼—**rijk** I *bn* brillant; glorieux. **II** *bw* brillamment; glorieusement. ▼—**rijkheid** éclat *m*. ▼—**strijken** glaçage *m*. ▼**glanzen** I *on.w* lisser, lustrer, polir. **II** *on.w* briller, resplendir; reluire.
glas 1 verre *m*; 2 (*spiegel*—) glace; 3 (*ruit*) vitre *v*; carreau *m*; *gebrand* —, verre *m* de vitrail; *geslepen* —, verre poli; — *blazen*, souffler le verre; *zijn eigen glazen ingooien*, gâter son affaire; *uit een* — *drinken*, boire dans un verre. ▼—**achtig** vitreux, vitré; *het* — *lichaam*, le corps vitré. ▼—**blazer** souffleur *m*. ▼—**elektriciteit** électricité *v* vitrée. ▼—**erts** argentite *v*. ▼—**fabriek** verrerie *v*. ▼—**fiber** fibre *v* de verre. ▼—**gordijn** vitrage *m*. ▼—**groen** vert bouteille. ▼—**handel** verrerie *v*. ▼—**helder** I *bn* clair, limpide. **II** *bw* clairement, lumineusement.
▼—**-in-loodraam** vitrail *m*, *mv*: vitraux, verrière *v*. ▼—**k(o)raal** perle *v* de verre. ▼—**lichaam** corps *m* vitré. ▼—**plaat** plaque *v* de verre. ▼—**raam** châssis *m*, croisée *v*. ▼—**ruit** carreau *m*, vitre *v*. ▼—**schilder** peintre-verrier. ▼—**schilderen** peinture *v* sur verre. ▼—**snijder** coupe-verre *m*. ▼—**verzekering** assurance *v* contre le bris des glaces. ▼—**werk** verrerie *v*, (*ruiten*) vitrage *m*. ▼—**wol** coton *m* (of laine *v*) de verre. ▼**glazebakje** sous-verre *m*. ▼**glazen** de verre, en verre; — *raam*, — *wand*, vitrage *m*. ▼—**blaadje** plateau *m* à verres. ▼—**deur** porte *v* vitrée; vitrage *m*. ▼—**doek** essuie-verres *m*. ▼—**ier** artiste verrier. ▼—**kast** armoire *v* vitrée; vitrine *v*. ▼—**maker** 1 vitrier *m*; 2 libellule *v*. ▼—**wasser** laveur *m* de vitres. ▼**glazig** vitreux, terne. ▼—**heid** éclat *m* vitreux.
glazuren émailler, glacer, vernir. ▼**glazuur** 1 glaçure *v*; 2 (*v. tanden*) émail *m*.
gletsjer glacier *m*; *van de* —*s*, glaciaire. ▼—**sneeuw** névé *m*.

gleuf 1 rainure, cannelure ; **2** (*spleet*) fente, crevasse *v.* ▼**—hoed** chapeau mou, feutre *m.*
glibber/en glisser. ▼**—ig** glissant ; visqueux. ▼**—igheid** état *m* glissant.
glij/baan glissoire *v* ; toboggan *m.* ▼**—boot** hydroglisseur *m.* ▼**—den** l on.w glisser ; *in zijn zak laten* —, glisser dans sa poche. **II** zn : *het* —, le glissement ; *—de werktijden*, horaire *m* flottant, - flexible. ▼**—goot** transporteur *m.* ▼**—vliegtuig** glisseur *m.* ▼**—vlucht** vol *m* plané.
glimlach sourire *m.* ▼**—en** sourire.
glim/licht luisant *m.* ▼**—men 1** (re)luire, briller ; **2** couver sous la cendre ; *—de schoenen*, des souliers bien cirés ; *mijn mouwen beginnen te* —, mes manches s'éliment. ▼**—mend** luisant, brillant ; — *worden*, (v. *weefsel*) se lustrer. ▼**glimmer** mica *m.* ▼**—plaat** feuille *v* de mica.
glimp : *een* — *te zien geven*, laisser entrevoir.
glimworm ver *m* luisant.
glinster/en étinceler, briller, (re)luire. ▼**—ing** étincellement, éclat *m.*
glippen glisser ; (v. *fiets*) déraper ; (*fig.*) échapper.
globaal l *bn* approximatif. **II** *bw* approximativement.
globe globe *m.*
gloed 1 braise ; ardeur *v* (du soleil) ; **2** (*fig.*) feu *m* ; ardeur, ferveur *v* ; *in* — *staan*, être embrasé, *in* — *geraken*, 1 s'embraser ; **2** (*fig.*) s'enthousiasmer. ▼**—nieuw** tout flambant neuf. ▼**—wolk** nuée *v* ardente.
gloei/draad filament *m* incandescent. ▼**—en** l on.w être (chauffé au) rouge, brûler, être enflammé ; resplendir ; *van liefde* —, brûler d'amour. **II** ov.w faire rougir ; calciner. ▼**—end** l *bn* ardent, (chauffé au) rouge, brûlant ; **2** (*wit—*) incandescent ; — *staan*, être rouge ; — *worden*, s'embraser. **II** *bw* ardemment ; *zich* — *vervelen*, s'ennuyer à mourir. ▼**—hltte** ardeur, ignition, incandescence ; chauffe *v.* ▼**—ing** incandescence, calcination *v.* ▼**—kousje** manchon *v.* ▼**—lamp** lampe *v* à incandescence ; ampoule *v* électrique. ▼**—oven** four *m* de calcination.
glooi/en aller en pente (douce). ▼**—end** en pente ; *zacht* —, en pente douce. ▼**—ing** talus *m*, pente, déclivité *v.*
gloren l on.w 1 briller, resplendir ; 2 (v. *dageraad*) poindre. **II** zn : *het* —, l'aube *v*, la pointe du jour.
glorie gloire, splendeur *v.* ▼**—rijk** l *bn* glorieux. **II** *bw* glorieusement.
glossarium glossaire *m.* ▼**glosse 1** glose, note marginale *v* ; **2** (*spotternij*) quolibet *m.*
glucose glucose *m.*
gluiper(d) sournois, fourbe *m.* ▼**—ig** l *bn* sournois ; *—e blik*, regard en dessous. **II** *bw* sournoisement.
glunder l *bn* 1 resplendissant de santé ; 2 pimpant, épanoui. **II** *bw* d'un air radieux. ▼**—en** rayonner de joie, avoir le sourire.
gluren épier, guetter ; jeter des regards d'envie (sur).
gluton pâte *v* à coller.
gluurder guetteur, voyeur *m.*
glycerine glycérine *v.* ▼**—zeep** savon *m* à la glycérine.
gnuiven rire sous cape.
goal but *m* ; — *maken*, marquer un but. ▼**—keeper** gardien *m* de but.
God Dieu *m* ; — *de Heer*, le Seigneur Dieu ; — *beware me er voor*, Dieu m'en préserve ; — *verhoede*, à Dieu ne plaise ; — *lone het u*, que Dieu vous le rende ; *hoe is het 's mogelijk ?*, est-ce Dieu possible ; *leven als* — *in Frankrijk*, vivre comme coq en pâte ; *om —s wil*, pour l'amour de Dieu. ▼**goddank** Dieu merci. ▼**goddelijk** *bn* (& *bw*) divin(ement). ▼**—heid** divinité *v.* ▼**goddeloos** l *bn* 1 athée ; 2 impie ; 3 affreux ; pervers. **II** *bw* d'un façon impie ; affreusement. ▼**—heid** 1 athéisme *v* ; 2 impiété ; dépravation, perversité *v.* ▼**goddeloze** impie *m.*

god/gans(elijk) : *de —e dag*, toute la sainte journée. ▼**—geheiligd** sacré. ▼**—geklaagd** scandaleux. ▼**—geleerd** théologique ; *—e*, théologien *m.* ▼**—geleerdheid** théologie *v.* ▼**—gevallig** agréable à Dieu. ▼**—gewijd** consacré à Dieu, saint. ▼**—heid** divinité *v.* ▼**—in déesse** *v.* ▼**—loochenaar** athée *m.* ▼**—loochening** athéisme *m.* ▼**—mens** homme-dieu *m.* ▼**—sbegrip** idée *v* de Dieu
godsdienst religion *v.* ▼**—haat** haine *v* religieuse. ▼**—ig 1** religieux ; **2** pieux ; **3** bien pensant. ▼**—igheid** piété, dévotion ; religiosité *v.* ▼**—ijver** zèle *m* religieux ; ferveur *v.* ▼**—leer** doctrine *v* (religieuse). ▼**—leraar 1** professeur de religion ; **2** ministre *m* du culte. ▼**—loos 1** athée ; **2** laïque, neutre. ▼**—oefening** culte, service divin ; (*rk*) office *m.* ▼**—onderwijs** enseignement religieux, catéchisme *m.* ▼**—oorlogen** guerres *v mv* de religion. ▼**—plechtigheid** cérémonie *v* religieuse. ▼**—plicht** devoir *m* religieux ; *zijn —en waarnemen*, pratiquer. ▼**—vrijheid** liberté *v* de conscience, - des cultes. ▼**—waanzin** folie *v* religieuse. ▼**—wetenschap** science *v* des religions. ▼**—zin** sentiment *m* religieux
gods/gericht jugement *m* de Dieu ; ordalie *v.* ▼**—geschenk** don *m* divin. ▼**—gezant** envoyé de Dieu ; apôtre, ange *m.* ▼**—huis 1** église *v* ; temple *m* ; **2** (*gesticht*) hospice, hôtel *m* Dieu.
godslaster/aar blasphémateur *m.* ▼**—ing** blasphème *m.* ▼**—lijk** blasphématoire, sacrilège
godsmoord déicide *m.* ▼**—enaar** déicide *m.*
gods/naam nom *m* de Dieu. ▼**—openbaring** révélation ; Epiphanie *v.* ▼**—rijk** royaume *m* de Dieu. ▼**—spraak** oracle *m.* ▼**—vrede** trêve *v* de Dieu. ▼**—vrees, —vrucht** crainte de Dieu, piété, dévotion *v.*
god/vergeten impie, sacrilège ; affreux ▼**—vrezend** craignant Dieu. ▼**—vruchtig** l *bn* craignant Dieu, dévot, pieux. **II** *bw* dévôtement, pieusement. ▼**—vruchtigheid** dévotion, piété *v.* ▼**—zalig** l *bn* pieux, béat. **II** *bw* pieusement. ▼**—zaligheid** piété, vie dévote, béatitude *v.*

goed l *bn* bon ; satisfaisant ; *erg* —, très bien ; (*fam.*) sensass ; *mij* —, je veux bien ; *—en avond* (*dag*), bonsoir (bonjour) ; *een* — *eind*, un bon bout de chemin ; *een* — *e 20*, une bonne vingtaine ; *een* — *uur*, plus d'une heure ; — *dan*, 15 rozen, va pour quinze roses ; *wie daar ?* — *volk*, qui va là ? ami ; *—e Vrijdag*, le vendredi saint ; *de —e week*, la semaine sainte ; *alles* — *thuis ?*, ça va bien chez vous ? ; *ook* —, comme vous voudrez ; *weer* — *worden met elkaar*, se réconcilier ; *die is* —, elle est bien bonne, celle-là ; *zo is het* —, c'est bien ; *hij is niet* —, 1 il ne se sent pas bien ; 2 il est fou ; *is zij niet* — ?, est-elle malade ? ; *wij zijn heel* — *met hen*, nous sommes très bien avec eux ; *ik was niet zo.* — *of...*, je fus bien obligé de ...; *wees zo goed*, veuillez ; ayez la bonté de ; *hij was zo* — *als dood*, il était quasi mort ; *niets is zo* — *als...*, rien ne vaut ...; *het werk is zo* — *als klaar*, l'ouvrage est fait ou autant vaut ; *er was zo* — *als niemand op het kerkhof*, au cimetière personne, ou presque ; *zo* — *als niets*, autant dire rien ; *zij zijn* — *in Engels*, ils sont forts en anglais ; — *voor hoofdpijn*, bon contre le mal de tête ; *thee is niet* — *voor mij*, le thé ne me vaut rien ; *hij is er* — *voor*, il payera ; *zich te* — *doen aan*, se régaler de ; *iets te* — *houden*, avoir qc à recevoir ; faire crédit de qc ; *houdt me dat woord ten* — *e*, passez-moi le mot ; il ne faut pas m'en vouloir ; — *praten hebben*, en parler à son aise ; *het is maar* — *dat*, il n'est pas malheureux que ; *waar is dat* — *voor ?*, à quoi est-ce que cela sert ? **II** zn : *en kwaad*, le bien et le mal ; — *doen*, faire du bien ; *wie* — *doet*, — *ontmoet*, qui bien fera, bien trouvera ; *ik wens u alle goeds*, je vous souhaite tout le bien possible ; *iets* (*wat*) —*s*, qc de bon. **III** *bw* : *zij is* — ... *hij* elle est bien au courant; — *doen met, er aan doen als*..., bien faire de ...; *wij hebben hem — gekend*, nous l'avons beaucoup connu; *het — menen*, avoir de bonnes intentions; *het — opnemen*, le prendre en bien; — *wat geld*, pas mal d'argent; *voor —*, pour de bon; *zo — als ik kan*, de mon mieux; *zo — en zo kwaad als het gaat*, tant bien que mal; *zo — mogelijk*, le mieux possible; *het is — te zien*, cela se voit très bien; *je kan net zo — zeggen*..., autant dire ...; *we treffen het —*, nous tombons bien. **IV goed** (*bezitting*) **1** bien *m*; **2** terre *v*; **3** (*stof*) étoffe *v*, tissu *m*; **4** vêtements, habits; **5** bagages, effets *m mv*; **6** marchandises; choses *v mv*; *het hoogste G—*, le souverain bien; *vuil —*, linge *m* sale; *schoon — aandoen*, se changer; *mijn warm —*, mes vêtements chauds; *gestolen — gedijt niet*, bien mal acquis ne profite pas.

goedaardig I *bn* **1** doux, d'un bon naturel; **2** (*med.*) bénin, anodin. II *bw* bénignement. ▼—**heid 1** bon naturel *m*; **2** (*med.*) bénignité *v*.

goeddeels en bonne partie.

goeden/avond bonsoir. ▼—**dag 1** bonjour; **2** au revoir, adieu; **3** masse *v* d'armes; — *zeggen*, dire bonjour (adieu) à qn. ▼—**morgen** bonjour.

goederen/beurs bourse *v* de commerce. ▼—**bureau 1** (*v. vrachtgoed*) bureau *m* des bagages; **2** (*v. bestelgoed*) bureau des messageries. ▼—**dienst** service *m* des marchandises; messageries *v mv*. ▼—**lift** monte-charge *m*. ▼—**loods** hangar, abri *m*. ▼—**station** gare *v* aux marchandises. ▼—**trein** train *m* de marchandises. ▼—**verkeer, —vervoer** trafic, transport -, mouvement *m* des marchandises. ▼—**wagen** wagon de marchandises; fourgon *m*; *open —*, truc (k) *m*.

goedertieren miséricordieux, clément. ▼—**heid** miséricorde, clémence *v*.

goedgeefs large, libéral. ▼—**heid** libéralité *v*.

goedgelovig I (*lichtgelovig*) crédule; **2** (*rechtzinnig*) orthodoxe. ▼—**heid 1** crédulité; **2** orthodoxie *v*.

goed/geluimd de bonne humeur. ▼—**gezind** bien intentionné, ami.

goedgunstig I *bn* bienveillant, favorable, (*v. lezer*) bénévole. II *bw* avec bienveillance. ▼—**heid** bienveillance, faveur *v*.

goedhartig I *bn* bon, doux; bienveillant. II *bw* avec bonté. ▼—**heid** bonté *v*.

goedheid bonté *v*; bienfait *m*; *met —*, en douceur; *grote — !*, bonté *v* divine!

goedhouden I *ov.w* conserver. II zich — se conserver; garder son sérieux; tenir bon.

goedig I *bn* bon enfant, doux, indulgent; conciliant. II *bw* avec douceur. ▼—**heid** bonhomie, douceur *v*.

goedkeur/en approuver; ratifier; reconnaître apte au service (militaire); (*v. motorhelm bijv.*) homologuer. ▼—**end I** *bn* approbatif. II *bw* en signe d'approbation. ▼—**ing 1** approbation, sanction; **2** (*v. verdrag*) ratification *v*.

goedkoop I *bn* bon marché, pas cher; *goedkoper*, (à) meilleur marché, moins cher; *-st*, le moins cher; *goedkoper worden*, diminuer, baisser de prix. II *bw* à bon compte, à peu de frais. ▼—**heid**, —te bon marché *m*.

goed/lachs rieur, disposé à rire, enjoué. ▼—**leers** intelligent. ▼—**leggen** ranger, arranger. ▼—**maken** réparer; redresser; corriger. ▼—**moedig I** *bn* tout bon, bonhomme. II *bw* avec bonhomie. ▼—**praten** justifier; excuser. ▼—**schiks** de bon gré; — *of kwaadschiks*, bon gré, mal gré. ▼—**vinden I** *ov.w* approuver; consentir (à). II *zn* approbation; permission *v*; *naar —*, à volonté, à discrétion.

goelash goulache *of* goulasche *m*.

goeroe gourou *m*.

gokken jouer, boursicoter.

golf 1 onde, vague, lame *v*, flot *m*; **2** (*aardrk.*) golfe *v*; **3** (*nat.*) onde *v*; **4** (*spel*) golf *m*; *lange*

—, grandes ondes; *midden—*, petites ondes; *korte —*, ondes courtes; *ultrakorte —*, ondes ultra-courtes. ▼—**bereik** portée *v* d'onde. ▼—**beweging** mouvement *m* ondulatoire, ondulation *v*. ▼—**breker** brise-lames *m*. ▼—**dal** creux *m* des vagues. ▼—**karton** carton *m* ondulé. ▼—**lengte** longueur *v* d'onde. ▼—**lijn** ligne *v* ondulatoire, - ondoyante. ▼—**slag** lame, houle *v*. ▼—**speler** golfeur *m*. ▼—**stok** crosse *v*. ▼**G—stroom** Gulf Stream *m*.

Golgotha Golgotha *m*; *een —*, un calvaire.

golv/en ondoyer, onduler. ▼—**end** ondoyant, ondulant, ondulatoire. ▼—**ing** ondulation *v*.

gom gomme *v*. ▼—**bal** boule *v* de gomme. ▼—**boom** gommier *m*. ▼—**men** gommer.

gondel gondole *v*. ▼—**feest** fête *v* vénitienne. ▼—**ier** gondolier *m*. ▼—**lied** barcarolle *v*.

gong gong *m*. ▼—**slag** coup *m* de gong.

goniometr/ie goniométrie *v*. ▼—**isch** *bn* (& *bw*) goniométrique(ment).

gonorrhoe blennorragie *v*.

gonzen I *on.w* bourdonner. II *zn* bourdonnement *m*.

goochel/aar prestidigitateur; jongleur *m*. ▼—**arij** prestidigitation; jonglerie *v*. ▼—**en** faire des tours de passe-passe, jongler; — *met cijfers*, jongler avec les chiffres. ▼—**toer** tour *m* (de passe-passe).

goochem rusé, roublard, déluré; (*pop.*) à la coule.

goodwill (*hand.*) fonds *m*; clientèle *v*.

gooi jet, coup *m*; *een — doen naar*, faire des efforts pour, postuler. ▼—**en I** *ov.w* jeter, lancer. II *on.w* jeter; *met de deur —*, faire claquer la porte. ▼**til** zn jet; lancement *m*; *het — met geld*, le gaspillage. ▼—**er** jeteur *m*.

goor 1 sale, douteux; **2** (*v. melk*) tourné; **3** vulgaire, obscène. ▼—**heid 1** saleté, malpropreté; aigreur *v*.

goot 1 conduit, tuyau; **2** (*straat—*) ruisseau *m*; **3** (*dak—*) gouttière *v*. ▼—**pijp** tuyau *m* de descente. ▼—**steen** évier *m*, caisson *m* d'évier; *dubbele —*, évier *m* à double bac.

gordel 1 ceinture *v*; porte-jarretelles *m*; **2** ceinturon *m*; **3** (*aardrk.*) zone *v*. ▼—**roos** zona *m*.

gordijn 1 rideau; **2** (*rol—*) store *m*; **3** (*deur—*) portière *v*. ▼—**haak, —knop** patère *v*. ▼—**ophouder** embrasse *v*. ▼—**ring** anneau *m* de rideau. ▼—**roede** tringle *v*.

gorgel/drank gargarisme *m*. ▼—**en** se gargariser.

gorilla gorille *m*.

gort gruau *m*. ▼—**ebrij, —epap** bouillie *v* de gruau. ▼—**ewater** tisane *v* de gruau. ▼—**ig** ladre; *het al te — maken*, dépasser les bornes, aller trop loin.

gotiek (*style*) gothique *m*. ▼**gotisch** gothique, ogival.

goud or *m*; *met — op snee*, doré sur tranche; *een kies met — vullen*, aurifier une dent; *het is niet alles — wat er blinkt*, tout ce qui reluit n'est pas or. ▼—**achtig** doré. ▼—**ader** veine *v* of filon *m* d'or. ▼—**agio** agio *m* sur l'or. ▼—**appel 1** pomme *v* dorée; **2** tomate *v*. ▼—**baar** lingot *m* d'or. ▼—**bedding** gisement *m* aurifère. ▼—**blond** (cheveux *m. mv*) d'or blond. ▼—**brokaat** brocart *m*. ▼—**brons I** *zn* or *m* en poudre. II *bn* bronze doré. ▼—**bruin** mordoré. ▼—**clausule** clause *v* or. ▼—**dekking** couverture *v*. ▼—**en** or, en or; — *standaard*, étalon *m* d'or; — *koets*, carrosse *m* d'or. ▼—**enregen** cytise *m*. ▼—**erts** minerai *m* d'or. ▼—**fazant** faisan *m* doré. ▼—**frank** franc-or *m*. ▼—**geel** jaune doré, blond. ▼—**gehalte** titre *m*. ▼—**houdend** aurifère. ▼—**karper** carpe *v* dorée. ▼—**kleurig** doré, d'or. ▼—**land 1** Eldorado; **2** pays *m* à étalon d'or. ▼**—le(d)er** cuir *m* doré. ▼—**lening** emprunt-or *m*. ▼—**markt** marché *m* de l'or. ▼—**papier** papier *m* doré. ▼—**politiek** politique *v* monétaire. ▼—**pool** pool *m* de l'or. ▼—**reserve** réserve-or *v*. ▼—**smid** orfèvre *m*. ▼—**staaf** barre *v* d'or. ▼—**stuk** pièce *v* d'or.

▼—**verf** dorure v, orpiment m. ▼—**vink** bouvreuil m. ▼**vis** poisson m rouge.
▼—**viskom** bocal m. ▼—**voorraad** encaisse-or v. ▼—**vulling** aurification v.
gourmetteketting gourmette v.
gouvernement gouvernement m.
▼—**sgebouw**, —**shuis** hôtel m de l'administration provinciale. ▼**gouverneur** 1 gouverneur ; 2 (*onderwijzer*) précepteur m.
▼—**-generaal** gouverneur-général m.
gouw 1 province, région v ; 2 district m.
gouwenaar longue pipe v de terre.
graad 1 (v. *schaal*) degré ; 2 (*rang*) grade m ; — *Celsius*, centigrade m ; *40 graden koorts hebben*, avoir quarante degrés ; *we hebben 15 graden vorst*, nous avons 15 degrés au-dessous de zéro ; *in de hoogste* —, au dernier degré ; — *van bezetting* (v. *hotel bijv.*), taux m d'occupation ; *vergelijking van de tweede* —, équation v du second degré ; *bijwoord van* —, adverbe m d'intensité.
▼—**boog** rapporteur m. ▼—**meting** mesurage m du méridien. ▼—**verdeling** graduation v.
graaf comte m.
graafmachine excavateur v.
graafschap comté m.
graafwerk travaux m mv de terrassement, fouilles v mv.
graag 1 bw affamé (de), ayant bon appétit. II bw volontiers, avec plaisir ; — *zingen*, aimer à chanter ; — *hebben*, aimer ; — *mogen*, tenir beaucoup à ; — *of niet*, c'est à prendre ou à laisser. ▼—**heid**, —**te** appétit m ; avidité ; envie v ; désir m.
graaien fouiller (dans).
Graal le (Saint-) Graal. ▼**g—ridder** chevalier m du Graal.
graan blé, grain m. ▼—**akker** champ m de blé. ▼—**beurs** halle v aux blés. ▼—**bouw** culture v des céréales. ▼—**elevator** élévateur v de grains. ▼—**factor** facteur m de blé.
▼—**gewassen** céréales v mv. ▼—**handel** commerce m des grains, - des blés.
▼—**handelaar** marchand de blés. ▼—**land** emblavure v. ▼—**makelaar** commissionnaire m en grains. ▼—**markt** marché m aux blés ; (*notering*) cote v des blés. ▼—**molen** moulin m à blé. ▼—**oogst** moisson v. ▼—**opper** moyette v. ▼—**pakhuis** grenier m. ▼—**silo** silo m. ▼—**soort** céréale v.
graat arête v ; *niet zuiver op de* — *zijn*, jouer un rôle équivoque ; *zuiver op de* —, loyal ; *van de* — *vallen*, mourir de faim.
grabbel : *te* — *gooien*, jeter à la gribouillette ; (*fig.*) faire bon marché de ; *zijn goede naam te* — *gooien*, se perdre de réputation. ▼ en se jeter avidement sur : *in een laatje* —, fouiller dans un tiroir.
gracht 1 canal ; 2 fossé (de fortification) m ; douve v ; 3 (*straat*) quai m. ▼—**entocht** balade v en bateau sur les canaux.
gracieus I bn gracieux. II bw gracieusement, avec grâce.
graderen graduer.
graduale graduel m. ▼**gradueel** I bn graduel, gradué. II bw graduellement, par degrés.
graf 1 (*kuil*) fosse v ; 2 tombe v, tombeau, sépulcre m ; *het Heilig* —, le Saint-Sépulcre ; *algemeen* —, fosse v commune ; *eigen* —, concession v à ... ans, - à perpétuité ; *zijn eigen* — *graven*, creuser sa fosse, se perdre ; *zich in zijn* — *omkeren*, frémir dans sa tombe ; *ten grave dragen*, enterrer, porter en terre, assister aux funérailles de ; *aan gene zijde van het* —, au-delà du tombeau ; *van gene zijde van het* —, d'outre-tombe.
grafelijk, **graaflijk** comtal, de comte.
graffiti m mv.
graf/gesteente pierre v tombale. ▼—**heuvel** tertre, tumulus m. ▼—**kamer** chambre v funéraire. ▼—**kapel** chapelle v mortuaire.
▼—**kelder** caveau m. ▼—**krans** couronne v mortuaire. ▼—**kuil** fosse v. ▼—**monument** monument m funéraire. ▼—**schender** profanateur m de sépulture. ▼—**schennis**

violation v de sépulture. ▼—**schrift** épitaphe v. ▼—**steen** pierre v tombale. ▼—**stem** voix v sépulcrale. ▼—**tombe** tombeau m. ▼—**urn** urne v. ▼—**zuil** stèle v.
graf/icus dessinateur m. ▼—**iek** graphique m.
▼—**iet** graphite m. ▼—**isch** bn (& bw) graphique(ment).
grafo/logie graphologie v. ▼—**logisch** graphologique. ▼—**loog** graphologue m.
gram gramme m.
grammatic/a grammaire v. ▼—**aal** bn (& bw) grammatical(ement). ▼—**cus** grammairien m.
grammofoon phonographe, (*fam.*) phono m ; électrophone m. ▼—**muziek** musique v enregistrée. ▼—**naald** pointe v. ▼—**plaat** disque m ; *op de* —, en disque.
▼—**platenhandelaar** disquaire m.
gramschap courroux m ; colère v.
granaat 1 (—*appel*) grenade v ; 2 (*boom*) grenadier m ; 3 (*mil.*) obus m. ▼—**buis** fusée v. ▼—**kanon** obusier m. ▼—**scherf** éclat m d'obus. ▼—**trechter** entonnoir m d'obus.
▼—**vrij** à l'abri des obus. ▼—**werper** lance-grenades m.
grandioos grandiose ; avec grandeur.
graniet granit m. ▼—**achtig** graniteux, granitique. ▼—**blok** bloc m de granit. ▼—**en** de granit. ▼—**kleurig** granité. ▼—**rots** rocher m granitique.
grap plaisanterie, farce v ; *flauwe* —, mauvaise plaisanterie ; —*pen maken*, faire des farces ; *daarmee moet je geen* —*jes maken*, il ne faut pas rigoler avec cela ; *voor de* —, pour rire, par jeu.
grapefruit pamplemousse m.
grapjas blagueur m. ▼**grappen/maakster** farceuse v. ▼—**maker** farceur, plaisant m.
▼—**makerij** plaisanterie, farce, blague v.
▼**grappig** I bn comique, facétieux, plaisant ; *het* — *is dat*, le curieux est que. II bw comiquement, plaisamment. ▼—**heid** drôlerie, bouffonnerie v.
gras 1 (—*gewas*) graminée v ; 2 herbe v, 3 (*weide*—) herbage m ; *geen* — *laten groeien over*, ne pas laisser refroidir (qc) ; *te hooi en te* —, de loin en loin, à bâtons rompus ; *iem. het* — *voor de voeten wegmaaien*, couper l'herbe sous le pied de qn. ▼—**achtig** herbacé, graminé. ▼—**band** bande v de gazon. ▼—**boter** beurre m de mai.
▼—**duinen** fouiller ; s'en donner à cœur joie.
▼—**etend** herbivore. ▼—**groen** vert comme pré, vert-pré ; *hij is nog* —, il est encore bien neuf. ▼—**halm** brin m d'herbe. ▼—**hark** balai m à gazon. ▼—**kalf** veau m d'élève. ▼—**land** prairie v, herbage, pré m. ▼—**linnen** batiste v de canton. ▼—**maaien** tondre l'herbe, - le gazon. ▼—**maaimachine** tondeuse v à gazon. ▼—**maand** avril ; germinal m. ▼—**mat** pelouse, terre gazonnée v. ▼—**oogst** fenaison v. ▼—**perk** pelouse v, gazon m.
▼—**rol** rouleau m à gazon. ▼—**veld** gazon m, pré m, pelouse v. ▼—**vlakte** plaine v herbeuse. ▼—**zode** (plaque v de) gazon m ; *met* —*n beleggen*, gazonner.
gratie grâce v ; *iem.* — *verlenen*, faire grâce à qn ; *in de* — *komen bij*, gagner les bonnes grâces de ; *bij de* —, par la faveur, - la grâce ; *met* —, avec grâce, gracieusement.
gratificatie gratification v.
gratineren (*cul.*) gratiner.
gratis I bn gratuit. II bw gratuitement, gratis, gracieusement.
grauw I bn gris ; —*e lucht*, temps couvert m.
II zn 1 populace, canaille v ; 2 coup m de bec, brusquerie v. ▼—**achtig** grisâtre. ▼—**en** rudoyer, rabrouer. ▼—**heid** couleur v grise, terreuse v. ▼—**schildering** grisaille v.
graveel gravelle v. ▼—**steen** calcul m.
graveer/der graveur m. ▼—**kunst** (art m de la) gravure v. ▼—**naald**, —**stift** burin m.
▼—**werk** gravure v ; œuvre v graphique.
gravel red cover m.
graven I on.w bêcher, creuser le sol. II ov.w creuser (une fosse) ; *een tunnel* —, percer un tunnel. III zn : le creusement.

Gravenhage ('s-) La Haye.
graventitel titre *m* de comte.
graver 1 (*grondwerker*) terrassier; **2** (*dood—*) fossoyeur; **3** (*dier*) fouisseur *m*.
graver/en graver. ▼**—ing** gravure *v*. ▼**graveur** graveur *m*.
gravin comtesse *v*.
gravure gravure *v*.
grazen paître, brouter l'herbe.
Greenwichtijd heure *v* occidentale.
greep I prise, saisie *v*, choix; maniement *m* (*geweer*). **II 1** (*handvol*) poignée *v*; **2** (*handvat*) manche *m*, anse *v*; *een gelukkige — doen,* avoir la main heureuse.
gregoriaans grégorien; *de —e zang,* le chant grégorien, le plain-chant; *deze mis is met —e zang,* cette messe est chantée en grégorien.
grein 1 (*gewicht*) grain; **2** (*stof*) camelot *m*.
grenadier grenadier *m*. ▼**—smuts** bonnet *m* à poil.
grenadine grenadine *v*.
grendel 1 (*v. deur*) verrou *m*; **2** (*v. geweer*) culasse *v* (mobile); **3** (*knip*) targette *v*; *de — op de deur doen,* pousser le verrou; *achter slot en —,* sous les verrous. ▼**—boom** barre *v*. ▼**—en** verrouiller, fermer au verrou.
grenehout bois *m* de pin. ▼**grenen** en bois de pin.
grens 1 limite; **2** frontière; **3** (*eindpaal*) borne *v*; *natuurlijke —,* frontière *v* naturelle; *de grenzen te buiten gaan,* dépasser les bornes; *grenzen stellen aan,* limiter, borner; *de grenzen van het mogelijke,* les limites du possible; (*meetk.*) *een lijn is de — van een vlak,* une ligne est le terme du plan. ▼**—bepaling** délimitation, démarcation *v*. ▼**—bewaker** garde-frontière *m*. ▼**—bewoner** frontalier *m*. ▼**—document** carnet *m* de passages. ▼**—gebied** zone *v* frontalière. ▼**—geschil** litige *m* frontalier. ▼**—geval** cas-limite *m*. ▼**—kantoor** bureau *m* de la douane. ▼**—lijn** ligne *v* de démarcation. ▼**—paal** poteau-frontière *m*. ▼**—plaats** place *v* frontière. ▼**—pas** carte *v* de frontalier. ▼**—rechter** juge *m* de touche. ▼**—rivier** rivière *v* frontière. ▼**—station** gare *v* frontière. ▼**—verkeer** commerce *m* des zones (limitrophes); trafic *m* frontalier. ▼**—vlak** face, plan *m*. ▼**—waarde** valeur limite *v*, plafond *m*. ▼**grenz/en:** *— aan,* confiner à, être limitrophe de, toucher à, avoisiner (qc); *dat grenst aan het wonderbaarlijke,* cela tient du prodige; *dat grenst aan onbeschaamdheid,* cela frise l'impertinence. ▼**—end** contigu(ë) (à), voisin (de), limitrophe (de). ▼**grenzeloos I** *bn* infini, immense. ▼**—heid** infinité, immensité *v*.
greppel rigole *v*.
gretig I *bn* avide (de), âpre (à). **II** *bw* avec empressement; avidement. ▼**—heid** avidité (de), ardeur (pour) *v*.
grief 1 douleur, peine *v*; **2** grief *m*.
Griek Grec, Hellène *m*. ▼**—enland** la Grèce. ▼**Grieks I** *bn* grec, grecque; *een —e,* une Grecque; *— worden,* se gréciser, s'helléniser. **II** *zn: het —,* le grec; *kenner van het —,* helléniste *m*.
griend/hout osier *m*. ▼**—land** oseraie *v*.
grien *m* pleurnicher, piailler. ▼**—er** pleurnicheur *m*.
griep grippe, influenza *v*. ▼**—erig** grippé; *— geworden,* atteint d'une grippe.
gries(meel) (farine de) semoule *v*. ▼**—pudding** pouding *m* de semoule.
grieven blesser, navrer, offenser; ulcérer.
griezel 1 frisson, frissonnement *m*; **2** type *m* répugnant. ▼**—en** frissonner; *het is om van te —,* c'est à vous donner le frisson. ▼**—film** film *m* d'épouvante. ▼**—ig** qui donne le frisson, horrible. ▼**—igheid** horreur *v*. ▼**—ing** frisson *m*. ▼**—roman** roman *m* noir, - terrifiant. ▼**—stuk** mélo(drame) *m*.
grif I *bn* prompt, adroit (à). **II** *bw* promptement; *— verkopen,* vendre couramment.

griffel 1 crayon *m* d'ardoise; **2** (*plk.*) greffon; **3** (*v. graveur*) burin *m*. ▼**—doos** plumier *m*.
griffie greffe *m*. ▼**griffier** greffier *m*. ▼**—schap** office *m* de greffier.
griff(i)oen griffon *m*.
grifheid facilité, promptitude *v*.
grijns grimace *v*, ricanement *m*. ▼**—lach** ricanement, rictus *m*. ▼**—lachen** ricaner.
grijp/anker grappin *m*. ▼**—arm** bras *m* préhensile. ▼**—baar** à portée de la main, saisissable. ▼**—emmer** godet *m*. ▼**grijpen I** *ov.w* saisir; empoigner; happer; *iem. bij de kraag —,* prendre qn au collet; *plaats —,* avoir lieu. **II** *on.w* saisir, porter la main à; *in elkaar —,* s'engrener; *naar iets —,* étendre la main vers qc; *naar een middel —,* recourir à un moyen; *naar de wapens —,* courir aux armes; *de ziekte grijpt om zich heen,* l'épidémie se propage de plus en plus; *uit het leven —,* prendre sur le vif, peindre d'après nature; *uit de lucht —,* inventer. **III** *zn: men heeft dat voor het —,* on n'a qu'à prendre la main; *dat ligt daar voor het —,* cela abonde. ▼**grijper** benne *v* preneuse.
grijs gris; blanc; *haar grijze vader,* son vieux père; *— worden,* grisonner, blanchir. ▼**—aard** vieillard *m*. ▼**—blauw** d'un gris bleu, couleur d'acier. ▼**—groen** d'un gris verdâtre, glauque. ▼**—harig** à cheveux blancs. ▼**grijzen I** *ww* grisonner, (commencer à) blanchir. **II** *zn: het —,* le grisonnement.
gril I *zn* **1** fantaisie, lubie, boutade *v*, caprice *m*; **2** frisson *m*. **II** *bn* horrible; (*v. kleuren*) criard. **III** *bw:* — *kijken,* regarder d'un œil hagard. ▼**—lig I** *bn* capricieux, fantasque, bizarre. **II** *bw* capricieusement, bizarrement; *— gekleurd,* bigarré. ▼**—ligheid** caprice *m*, bizarrerie *v*; (*v. kleuren*) bigarrure *v*.
grill rôtissoire *v*; gril *m*. ▼**—en** griller.
grimas grimace, singerie *v*; *— sen maken,* grimacer.
grime maquillage *m*; tête *v*. ▼**—ren** grimer, maquiller. ▼**—ring** maquillage, art *m* de se grimer. ▼**grimeur** maquilleur *m*.
grimlach ricanement *m*, grimace *v*. ▼**—en** ricaner, rire malicieusement.
grimmig I *bn* rageur; féroce; renfrogné; (froid) âpre. **II** *bw* furieusement. ▼**—heid** rage, colère, fureur *v*, courroux *m*.
grind, grint gravier *m*; *grof —,* pierraille *v*. ▼**—grond** terrain *m* caillouteux. ▼**—weg** chemin *m* de gravier.
grinneken ricaner, rire sous cape.
grip: *— om de weg,* adhérence à la route.
grissen arracher, rafler, chiper.
groef 1 prison, rigole, fosse *v*; **2** (*steen—*) carrière *v*; **3** (*gleuf*) rainure, cannelure *v*; **4** (*rimpel*) ride *v*. ▼**—ijzer** burin *m*. ▼**—werk** cannelure *v*.
groei croissance *v*, développement *m*, extension *v*, essor *m*; progression *v* (du pouvoir d'achat). ▼**—en** croître; pousser, grandir; s'accroître, augmenter; *er zal een goed leraar uit je —,* tu feras un bon professeur; *tegen de verdrukking in —,* engraisser de mal avoir; *iem. boven het hoofd —,* dépasser qn; *uit zijn kleren —,* devenir trop grand pour ses habits. ▼**—koorts** fièvre *v* de croissance. ▼**—kracht** (*v. plant*) faculté *v* végétative; énergie vitale; fécondité *v*. ▼**—peil** taux *m* de croissance. ▼**—politiek** politique *v* de croissance. ▼**—stuip** convulsion *v* d'enfance. ▼**—tijd** période *v* de croissance. ▼**—zaam** favorable à la végétation; fertile.
groen I vert; (*fig.*) jeune, neuf, inexpérimenté; *—e kaart,* carte *v* verte (d'assurance internationale); *—e zeep,* savon *m* noir; *— maken,* verdir; *— verven,* peindre en vert. **II** novice, bleu *m*. **III** (*kleur*) **1** vert *m*, couleur *v* verte; **2** (*v. bladeren enz.*) verdure *v*. ▼**—achtig** verdâtre. ▼**—bemesting** fumage *m* en vert. ▼**—blauw** glauque. ▼**—boer** *zie* **groenteboer.** ▼**—en** verdir, verdoyer, se couvrir de verdure. ▼**—heid** verdeur, viridité *v*.

v; (*fig.*) innocence, gaucherie *v.*
Groenland Groënland *m.* ▼—**er** Groënlandais *m.* ▼—**s** groënlandais.
groen(te)markt marché *m* aux légumes. ▼**groente** légume *m*; *jonge* —*n*, primeurs *v mv.* ▼—**boer** marchand *m* des quatre-saisons. ▼—**kweker** maraîcher, cultivateur *m.* ▼—**man** marchand *m* de légumes. ▼—**molen** moulin *m* à légumes. ▼—**pers** presse-légumes *m.* ▼—**schaal** légumier *m.* ▼—**soep** julienne *v.* ▼—**tuin** jardin *m* potager. ▼—**vrouw** marchande *v* des quatre-saisons.
groentijd période *v* de brimades.
groep groupe, groupement *m*; *vergaderen in* —*en*, se réunir par groupes. ▼—**age** groupage *m.* ▼—**eren** *I ov.w* grouper. **II** *zich* — se grouper. ▼—**ering** groupement *m.* ▼—**sgeest** esprit *m* d'équipe. ▼—**sgewijze** par groupes. ▼—**spraktijk** cabinet *m* de groupe. ▼—**stherapie** thérapie *v* de groupe. ▼—**sverband** équipe *v*; *in* —, en équipe; *werk in* —, travail *m* d'équipe. ▼—**svervoer** transports *m mv* en commun.
groet salutation *v*, salut, compliment *m*; *mijn* —*en aan uw vrouw*, mes respects à Madame; —*en thuis*, bien le bonjour -, mes amitiés chez vous; *doe hem de* —*en*, saluez-le de ma part; *met vriendelijke* —*en*, bien à vous, recevez mes salutations amicales. ▼—**en** saluer; complimenter; *zonder* — *weggaan*, filer à l'anglaise; *groet hem van mij*, saluez-le de ma part; *wees gegroet*, je vous salue; salut.
groev/e fosse *v*; *zie* **groef.** ▼—**en** canneler, rainer; *gegroefde loop*, canon *m* rayé; *gegroefde planken*, planches *v mv* à rainure.
groezelig 1 malpropre, sale; **2** (*v. gezicht*) mal débarbouillé; **3** (*v. linnen*) douteux. ▼—**heid** malpropreté *v*; état *m* douteux.
grof I *bn* gros; grossier, rude; lourd; — *geld verdienen*, gagner gros; *grove handen*, mains *v mv* rudes; *grove onbillijkheid*, injustice *v* qui crie au ciel. **II** *bw* grossièrement; — *spelen*, jouer gros. ▼—**gebouwd** membru, osseux. ▼—**heid** grossièreté; (*fig.*) rudesse, impertinence *v.* ▼—**schilder** peintre *m* en bâtiments. ▼—**smederij** forge *v.* ▼—**smid** forgeron *m.* ▼—**wild** gros gibier *m.*
grol clownerie, sornette *v*; —*len maken*, faire des farces.
grom/baard, —**pot** grognon *m.* ▼—**men** **I** *on.w* gronder, grogner. **II** *ov.w* vider (le poisson).
grond 1 (*bodem*) fond *m*; **2** (—*slag*) base *v*, fondement *m*; **3** (*aarde*) sol; terrain *m*; terre *v*; **4** (*reden*) raison *v*, motif, argument *m*; *platte*—, plan *m*; *vaste* —, terre *v* ferme; —*en aanvoeren*, alléguer des raisons; *alle* — *missen*, être dénué de tout fondement; — *voelen*, avoir ou prendre pied; *geen* — *onder zijn voeten voelen*, perdre pied; *aan de* — *lopen* (*raken*), échouer, toucher; *aan de* — *zitten*, être échoué, - à la côte; *door de* — *zinken*, rentrer sous terre; *in de* —, à fond, radicalement; (*eigenlijk*) au fond; *in de* — *boren*, couler; *in de* — *van zijn hart*, dans son for intérieur; *langs de* —, au ras du sol; *langs de* — *vliegen*, raser la terre; *op de* —, à terre; *par terre*; *op* — *daarvan*, de ce fait; *op* — *van*, pour, à cause de; en vertu de; *op goede* — *en kunnen aannemen dat*, être fondé de croire que; *op* — *hiervan*, pour cette raison; *op de* — *slapen*, coucher sur la dure; *te* —*e gaan*, se perdre; *te* — *e richten*, perdre; *tegen de* — *gaan*, tomber (par terre); *uit de* — *van zijn hart*, au fond de son cœur; *van de* — *af*, à partir des fondements; *van de koude* —, **1** de plein vent, de pleine terre; **2** (*fig.*) de rien du tout; de troisième qualité. ▼**grond/akkoord** (*muz.*) accord *m* fondamental. ▼—**beginsel** principe *m.* ▼—**begrip** idée *v* fondamentale; mère; —*pen v. een wetenschap*, éléments *m mv* d'une science. ▼—**belasting** impôt *m* foncier. ▼—**bestanddeel** élément *m* essentiel. ▼—**betekenis** sens *m* primitif. ▼—**bezit** propriété *v* foncière; *groot* —, la

grande propriété. ▼—**bezitter** propriétaire *m* foncier. ▼—**boor** sonde *v.* ▼—**boring** sondage *m.* ▼—**dienst** service *m* -, organisation *v* à terre. ▼—**eigenschap** qualité *v* foncière, - première. ▼—**eloos** sans fond, insondable; (*fig.*) infini. ▼—**en 1** fonder, établir; **2** (*peilen*) sonder; **3** (*v. schilderwerk*) donner la première couche à; *zijn mening* — *op*, fonder (*of* appuyer) son opinion sur. ▼—**erig** qui a un goût de terre. ▼—**gebied** territoire, domaine *m.* ▼—**gedachte** idée *v* fondamentale. ▼—**getal 1** nombre *m* cardinal; **2** base *v.*
grondig I *bn* **1** qui sent la vase; **2** (*fig.*) solide; approfondi. **II** *bw* solidement; profondément; à fond; *een kwestie* — *bestuderen*, approfondir une question. ▼—**heid 1** (*fig.*) solidité, profondeur *v*; **2** goût *m* terreux.
grond/ing fondation *v*, établissement *m*; **2** (*v. verf*) première couche *v.* ▼—**kapitaal** capital *m* d'apport. ▼—**kleur 1** couleur primitive; **2** première couche *v*; fond *m.* ▼—**krediet** crédit *m* foncier. ▼—**laag 1** (*v. verf*) fond *m*; **2** (*v. aarde*) couche *v* primitive; **3** (*v. muur*) première assise *v.* ▼—**legger** fondateur *m.* ▼—**legster** fondatrice *v.* ▼—**lijn 1** base; **2** (*vislijn*) ligne *v* de fond. ▼—**oorzaak** cause *v* première. ▼—**organisatie** infrastructure *v.* ▼—**paal** pilotis *m.* ▼—**personeel** personnel *m* non navigant, - au sol. ▼—**pijler** support *m.* ▼—**plaat** socle *m*, terre *v.* ▼—**regel** règle fondamentale, maxime *v*, principe *m.* ▼—**slag** fondement *m*, base *v*; *de* — *leggen*, jeter les bases; *ten* — *liggen aan*, être à la base de. ▼—**sop** lie *v*, marc, sédiment *m.* ▼—**steen** pierre *v* fondamentale. ▼—**stelling** maxime *v*, principe, axiome *m.* ▼—**stof** matière *v* première, élément *m.* ▼—**strijdkrachten** forces *v mv* terrestres. ▼—**tal** base *v.* ▼—**tekst** texte *m* original, - primitif. ▼—**thema** thème *m* fondamental. ▼—**toon** note fondamentale, tonique *v.* ▼—**trek** trait *m* essentiel. ▼—**verf** première couche, couche de fond *v.* ▼—**verschuiving** glissement *m* de terrain. ▼—**verven** donner la première couche à. ▼—**verzakking** affaissement *m* de terrain. ▼—**vesten** fonder, établir. ▼—**vlak** base *v.* ▼—**vorm** forme *v* primitive. ▼—**waarheid** vérité *v* fondamentale. ▼—**water** eaux *v mv* souterraines. ▼—**waterstand** niveau *m* de la nappe souterraine. ▼—**werk** travaux *m mv* de terrassement. ▼—**werker** terrassier *m.* ▼—**wet** constitution *v.* ▼—**wetsherziening** révision *v* de la constitution. ▼—**wettig, —wettelijk** *bn* (& *bw*) constitutionnel(lement). ▼—**zee** lame *v* de fond. ▼—**zeil** tapis *m* de sol. ▼—**zicht**: *met* — *vliegen*, pilotage *m* à vue.
Groningen Groningue *v.*
groom chasseur.
groot I *bn* **1** grand, gros; **2** (*volwassen*) adulte; **3** (*ruim*) vaste; *grote appel*, grosse pomme *v*; *een* — *man*, un grand homme; *een grote man*, un homme *m* grand; *driemaal zo* — *als*, trois fois grand comme; — *worden*, grandir; *Karel de Grote*, Charlemagne. **II** *bw* grandement. **III** *zn*: *veel kleintjes maken een* —, tout fait nombre; *in het* —, en grand; (*hand.*) en gros.
groot/bedrijf grande industrie *v.* ▼—**boek** grand-livre *m.* ▼—**brengen** élever, nourrir.
Groot-Brittannië la Grande-Bretagne.
groot/doen prendre de grands airs, faire du fla-fla. ▼—**grondbezit** grande propriété *v* terrienne. ▼—**handel** commerce *v* de gros. ▼—**handelaar** négociant, marchand *m* en gros. ▼—**handelsprijs** prix *m* de gros.
grootheid 1 grandeur, puissance, dignité; **2** quantité *v*; *een onbekende* —, une inconnue. ▼—**swaan(zin)** folie des grandeurs, mégalomanie *v.*
groothertog grand-duc *m.* ▼—**dom** grand-duché *m.* ▼—**elijk** grand-ducal. ▼—**in** grande-duchesse *v.*

groothoek grand angle *m*. ▼—**lens** objectif *m* grand-angulaire ; grand-angle *m*.
groothouden (zich) tenir bon, cacher sa douleur, ne pas perdre contenance ; faire bonne mine à mauvais jeu.
grootje grand-mère, vieille *v* ; *loop naar je —*, va te promener.
groot/kapitaal grand capital *m*. ▼—**kruis** 1 grand-croix *v* ; 2 (—*drager*) grand-croix *m*. ▼—**maken** agrandir, rendre grand ; (*fig.*) exalter. ▼—**mama** grand-maman, bonne-maman, (*fam.*) mémère, mémé *v*. ▼—**meester** grand-maître *m*. ▼—**moeder** grand-mère *v*.
grootmoedig I *bn* magnanime, généreux. **II** *bw* magnanimement, généreusement. ▼—**heid** magnanimité *v*.
groot/ouders grands-parents, aïeuls *m mv*. ▼—**pa(pa)** bon-papa.
groots 1 imposant, grandiose, sublime ; 2 fier (de), orgueilleux (de). ▼—**heid** 1 grandeur ; magnificence *v* ; aspect *m* grandiose ; 2 fierté *v* ; orgueil *m*.
groot/spraak vantardise, fanfaronnade *v*. ▼—**spreken** se vanter (de) ; exagérer. ▼—**spreker** fanfaron, vantard *m*.
grootsteeds de grande ville ; *op zijn —*, comme à la ville.
grootte 1 grandeur, étendue ; 2 (*dikte*) grosseur ; 3 (*lengte*) taille *v* ; *naar de —*, (placer) par rang de taille ; *ter — van . . .*, gros comme . . . ; *van gelijke —*, de même taille.
grootvader grand-père. ▼—**lijk** de grand-père.
groot/vorst grand-duc *m*. ▼—**vorstin** grande-duchesse *v*.
▼—**waardigheidsbekleder** grand dignitaire *m*. ▼—**zegelbewaarder** garde des sceaux *m*.
gros 1 (*12 dozijn*) grosse *v* ; 2 majorité *v*, commun *m* ; *het — der mensen*, la foule, la masse. ▼—**lijst** liste *v* provisoire des candidats.
grosse grosse *v*. ▼—**ren** grossoyer.
grossier marchand en gros. ▼—**derij**, —**szaak** commerce *m* de gros.
grot grotte *v*.
grote grand(e) *m* (*v*) ; *de —n*, les grandes personnes *v mv* ; les grands *m mv*. ▼—**lijks** grandement, fort. ▼—**ndeels** en grande partie, en majeure partie.
grotesk *bn* (& *bw*) grotesque(ment).
grotonderzoeker spéléologue *m*.
gruis débris *m mv* ; poudre, poussière *v* ; (*kolen*—) poussier *m* ; *tot — stoten*, briser, broyer, écraser. ▼—**wal** moraine *v*. ▼—**zand** gravier, gros sable *m*.
gru(i)zelementen débris *m mv* ; *aan — slaan*, briser en mille morceaux ; *iem. aan — slaan*, rompre bras et jambes à qn. ▼**gruizelen I** *ov.w* réduire en miettes. **II** *on.w* tomber en poussière. ▼**gruizen** gréser.
grut 1 gruau *m* ; 2 (*kinderen*) marmaille *v*, marmots *m mv*. ▼—**jes** du gruau.
grutter grainetier *m*. ▼—**swaren** céréales *v mv* en graines. ▼—**swinkel** graineterie *v*.
gruwel 1 horreur, abomination *v* ; *een — van iets hebben*, avoir qc en horreur ; 2 bouillie *v* de gruau. ▼—**daad** atrocité *v*. ▼**gruwelijk I** *bn* horrible, atroce, effroyable. **II** *bw* horriblement, atrocement ; — *vervelen*, assommer ; *zich — vervelen*, s'ennuyer à mourir. ▼—**heid** atrocité, horreur *v*.
▼**gruw/en** frémir d'horreur ; avoir horreur (de qc) ; *ik gruw van hem*, je l'ai en horreur.
▼—**zaam** *bn* (& *bw*) horrible(ment), atroce(ment).
gruyère gruyère *m*.
g-snaar sol *m* du violon.
guerrilla guérilla *v*. ▼—**oorlog** guérilla, guerre *v* de partisans. ▼—**strijder** guérillero *m*.
guide guide *m* ; — *rechts*, guide à droite.
guillotine guillotine *v*. ▼—**ren** guillotiner.
Guin/ea la Guinée *v*. ▼—**ees** de Guinée.
guit espiègle, fripon, polisson *m*. ▼—**achtig**, —**ig I** *bn* espiègle, mutin, malin, malicieux.

II *bw* en espiègle. ▼—**enstreek**, —**igheid** espièglerie, niche *v*.
gul I *bn* 1 généreux, large, donnant ; 2 franc, sincère, cordial ; 3 mou, sec ; — *zijn*, avoir la main large. **II** *bw* généreusement ; franchement ; cordialement.
gulden I *bn* d'or ; (*fig.*) précieux ; *de — middenweg*, le juste milieu ; — *vlies*, toison *v* d'or. **II** *zn* florin *m*.
gulheid libéralité ; cordialité, franchise *v*.
gulp 1 flot *m* ; 2 (*teug*) trait, coup *m* ; 3 fente, braguette *v* (d'un pantalon). ▼—**en** couler à flots, - à gros bouillons.
gulzig I *bn* avide (de), glouton, goulu. **II** *bw* gloutonnement, goulûment. ▼—**aard** glouton, gourmand *m*. ▼—**heid** gloutonnerie, gourmandise *v*.
gummi gomme *v* élastique ; (*in ss*) en caoutchouc. ▼—**hak** talon *m* caoutchouc. ▼—**handschoen** gant de c. ▼—**jas** imperméable *m* en c. ▼—**kabel** câble *m* isolé. ▼—**stok** matraque *v* en caoutchouc.
gunn/en I permettre, accorder ; 2 souhaiter (qc à qn) ; ne pas envier (qc à qn) ; *het is u van harte gegund*, je vous le permets de grand cœur ; *zich de tijd — om*, prendre le temps de ; *iem. de tijd — om*, laisser à qn le temps de ; *iem. alle goeds —*, vouloir du bien à qn ; *iem. een werk —*, adjuger un ouvrage à qn. ▼—**er** adjudicateur *m*. ▼—**ing** adjudication *v*.
gunst faveur, grâce *v* ; *naar iem.'s — dingen*, tâcher de gagner les bonnes grâces de qn ; *bij wijze van —*, par faveur ; *ten — a van*, en faveur de ; *uit de —*, en disgrâce. ▼—**bejag** intrigues *v mv* ; *uit —*, pour obtenir les bonnes grâces de qn. ▼—**betoon**, —**bewijs** marque *v* de faveur. ▼—**eling** favori(te), protégé(e) *m* (*v*). ▼**gunstig I** *bn* favorable (à), propice (à) ; avantageux ; *hij heeft een — uiterlijk*, il paye de mine ; *iem. — zijn*, favoriser qn, protéger qn. **II** *bw* favorablement ; *zich — laten aanzien*, s'annoncer bien ; — *bekend staan*, jouir d'une bonne réputation ; *dit boek wordt — beoordeeld*, ce livre est accueilli favorablement ; — *beschikken op een verzoek*, donner satisfaction à une demande ; — *over iem. denken*, avoir bonne opinion de qn ; *de dingen — voorstellen*, montrer les choses du bon côté ; — *werken*, avoir un effet salutaire.
guts, —**beitel** gouge *v*. ▼—**en I** *ov.w* 1 travailler à la gouge ; 2 canneler. **II** *on.w* couler à gros bouillons, jaillir, ruisseler.
guur rude, âpre, rigoureux. ▼—**heid** âpreté *v*, intempéries, rigueurs *v mv*.
gymnasi/aal classique. ▼—**ast** collégien, lycéen *m*. ▼—**um** 1 (*staats*—) lycée *m* ; 2 (*particulier*—) collège *m* ; gymnase *m* classique ; *op het — gaan*, suivre les cours du collège (lycée).
gymnast gymnaste *m*. ▼**gymnastiek** gymnastique, gym *v*. ▼—**schoen** basket *m* of *v*. ▼—**school** gymnase *m*. ▼—**toestellen** appareils, engins *m mv*. ▼—**zaal** gymnase *m*.
gynaecol/ogie gynécologie *v*. ▼—**ogisch** *bn* (& *bw*) gynécologique(ment). ▼—**oog** gynécologiste *m*.
gyro/kompas boussole *v* gyroscopique. ▼—**scoop** gyroscope *m*. ▼—**scopisch** gyroscopique.

H h v.
ha ah !, tiens ! ; *ha, fijn,* chic ; chouette.
haag haie v ; *groene* —, haie vive ; *Den H*—, La
Haye. ▼—**beuk** charme m ; —**enbos of**
—*laan,* charmille v. ▼—**doorn** aubépine v.
haai 1 requin, squale m ; **2** (*fig.*) arabe m.
haak 1 croc, crochet m ; **2** (*kleer*—) patère v ;
3 (*schippersboom*) gaffe v ; **4** (*vis*—)
hameçon m ; **5** (*winkel*—) équerre v ; **6** (*met
oog*) agrafe v ; **7** (*sluit*—) fermoir m ; *aan de*
—*slaan,* mettre la main sur, pêcher (un mari) ;
haken en ogen, agrafes et portes ; (*fig.*) des
difficultés ; *dat is niet in de* —, il y a un accroc ;
c'est louche ; *op de* — *hangen,* accrocher ;
van de — *nemen,* décrocher. ▼—**jes**
(*vierkante* —) crochets m mv ; (*ronde* —)
parenthèses v mv ; *tussen* — *zetten,* mettre
entre crochets (parenthèses) ; *tussen twee* —
gezegd, à ce propos, soit dit incidemment.
▼—**garen fil** m à crocheter. ▼—**pen**
crochet m. ▼—s d'équerre, carrément ; — *op,*
d'équerre avec. ▼—**sluiting** fermeture v à
boucles et agrafes. ▼—**spijker** clou m à
crochet. ▼—**steek** point m de crochet, maille
v. ▼—**stelling** formation v en équerre.
▼—**ster** brodeuse v au crochet. ▼—**vormig**
crochu ; en (forme de) crochet. ▼—**werk**
(ouvrage au) crochet m.
haal 1 trait, coup m ; *een* — *met de pen,* un
trait de plume ; *aan de* — *gaan,* décamper ;
2 crémaillère v. ▼—**baar** réalisable, faisable.
haan 1 coq ; **2** (*v. geweer*) chien m ; **3** (*weer*—)
girouette v ; *de gebraden* — *uithangen,*
trancher du grand seigneur ; *de* — *spannen,*
armer son fusil ; *hij is* —*tje de voorste,* il mène
la bande, il est le boute-en-train ; *daar kraait
geen* — *naar,* personne n'en sait rien. ▼—**pal**
pièce v de sûreté.
haar I *pers. vnw* la, les ; lui, leur. II *bez. vnw*
son, sa, ses, leur(s). III *zn* **1** poil m ;
2 (*hoofd*—) cheveu(x) m (*mv*), chevelure v ;
borstelig —, soie v (d'un cochon) ; *het
scheelde geen* — *of* ..., un peu plus et ... ;
geen — *op mijn hoofd, dat er aan denkt,*
jamais de la vie ; — *op de tanden hebben,*
avoir bec et ongles ; *het* — *opmaken,* faire les
cheveux (à qn) ; *zijn wilde haren verliezen,*
jeter sa gourme ; *elkaar in het* — *vliegen,* se
prendre aux cheveux ; *met de handen in het*
— *zitten,* ne savoir à quel saint se vouer ; *met
de haren erbij gesleept,* tiré par les cheveux.
▼**haar/band** bandeau ; ruban m. ▼—**borstel**
brosse v à cheveux. ▼—**breed** épaisseur v
d'un cheveu ; *geen* — *wijken,* ne pas reculer
d'une semelle. ▼—**buis** tube m capillaire.
haard foyer m ; (*aan*) *de huiselijke* —, (dans)
le sein de la famille ; *open* —, cheminée v.
▼—**ijzer** chenet m ; —**kleed** (tapis de) foyer
m.
haardos chevelure v.
haardplaat 1 (*liggende*) plaque v de
cheminée ; **2** (*staande*) contre-cœur m.
haardroger sèche-cheveux m.
haard/scherm écran m de cheminée.
▼—**stede** foyer, feu m. ▼—**steen** dalle v de
foyer. ▼—**stel** garniture v de foyer. ▼—**vuur**
feu m de l'âtre.
haar/fijn I *bn* délié, très fin. II *bw* jusqu'aux

moindres détails, par le menu. ▼—**golf**
ondulation v ; *blijvende* —, ondulation
permanente. ▼—**groei** système m pileux ;
croissance v des cheveux. ▼—**hygrometer**
hygromètre m capillaire. ▼—**kloven** chicaner
sur. ▼—**klover** chicaneur m. ▼—**kloverij**
chicane v. ▼—**knippen** couper les cheveux
(à qn). ▼—**krans** couronne v ciliaire. ▼—**krul**
boucle v. ▼—**lak** laque m à cheveux. ▼—**lint**
ruban m. ▼—**lok** boucle de cheveux, mèche v.
▼—**netje** résille v, filet m. ▼—**pijn** mal m aux
cheveux, la tête de bois. ▼—**rol** crêpon m.
▼—**roller** rouleau m de mise en plis.
▼—**scheiding** raie v. ▼—**speld** épingle v à
cheveux. ▼—**speldbocht** virage m en
épingle à cheveux. ▼—**stukje** postiche m.
▼—**tooi** coiffure v. ▼—**uitval** chute des
cheveux, alopécie v. ▼—**vat** vaisseau m
capillaire. ▼—**vatennet,** —**vatenstelsel**
système m capillaire. ▼—**verf** teinture v
capillaire. ▼—**vlecht** tresse v de cheveux.
▼—**wassing** shampooing m, lotion v de tête.
▼—**wrong** chignon m. ▼—**zeef** tamis m de
crin. ▼—**ziekte** maladie v du cuir chevelu.
haas 1 lièvre m ; **2** (*osse*—) filet m de bœuf.
▼—**je-over** saute-mouton m ; — *spelen,*
jouer à saute-mouton.
haast I *zn* hâte, précipitation v, empressement
m ; *is er* — *bij ?,* c'est pressé ? ; *er is geen* —
bij, rien ne presse ; *hebt je er* — *mee ?,* vous
êtes pressé ? ; — *maken,* faire vite, se
dépêcher ; *er* — *achter zetten,* faire diligence ;
in der —, à la hâte. II *bw* **1** bientôt ; **2** presque ;
hij is — *gevallen,* il a failli tomber. ▼**haasten**
I *ov.w* presser, hâter. II *zich* — se dépêcher,
se hâter, se presser ; *zich* — (*naar*), se hâter
d'aller ; *zich* — *te komen,* s'empresser de
venir. ▼**haastig** I *bn* pressé ; précipité ; —*e
spoed is zelden goed,* plus on se hâte, moins
on avance. II *bw* précipitamment, à la hâte.
▼—**heid** précipitation, hâte v.
haat haine v ; ressentiment m ; — *toedragen,*
porter de la haine à ; *uit* — *jegens,* en haine
de. ▼—**dragend** rancunier, vindicatif.
▼—**dragendheid** caractère m rancunier.
habijt habit ; froc m.
hachée ragoût m, fricassée v.
hachelijk hasardeux, dangereux ; délicat ;
précaire. ▼—**heid** péril, danger m ; situation v
délicate.
hachje 1 fripon, mauvais garnement m ;
2 corps, vie v ; *zijn* — *wagen,* exposer sa
peau ; *er het* — *bij inschieten,* y laisser sa
peau ; *bang zijn voor zijn* —, craindre pour sa
peau.
hagedis lézard m.
hagedoorn aubépine v.
hagel 1 grêle v ; **2** (*om te schieten*) menu
plomb m, chevrotines v mv. ▼—**bui** giboulée
v de grêle ; *een* — *van stenen,* une grêle de
pierres. ▼—**en** grêler ; *het hagelt,* il grêle.
▼—**korrel 1** grêlon ; **2** grain m de menu
plomb. ▼—**patroon** cartouche v chargée de
plomb. ▼—**schade** dégâts m mv causés par la
grêle ; *verzekering tegen* —, assurance v
contre la grêle. ▼—**slag** grêle v ; *door* —
vernield, grêlé ; *chocolade*—, vermicelle m de
chocolat. ▼—**steen** grêlon m. ▼—**wit** blanc
comme la neige.
hagepreek prédication v en plein vent.
haha *tw* ah, ah.
hairspray laque v.
hak 1 (*houweel*) houe v, hoyau m ; **2** (*hiel*)
talon ; **3** coup m de hache ; *iem. een* — *zetten,*
jouer un tour à qn ; *van de* — *op de tak
springen,* entretenir une conversation
décousue ; *met de* —*ken van de sloot,* de
justesse ; *met de* — *bijl* hache, cognée v. ▼—**blok**
billot, tronc m. ▼—**bord** hachoir, tailloir m.
haken I *ov.w* accrocher ; attirer à soi avec un
croc. II *on.w* **1** (*blijven* —) s'accrocher ;
s'attraper à ; **2** (*haakwerk maken*) faire du
crochet ; **3** (— *naar*) aspirer (à), brûler (de).
hakenkruis croix v gammée.
hak(er)ig plein d'aspérités, barbelé.

hakhout taillis *m*.
hakkel/aar bredouilleur *m*. ▼**—en** bégayer, bredouiller.
hakken I *ov.w* **1** hacher, couper, tailler; **2** fendre (du bois); **3** abattre (des arbres); *een leger, in de pan* —, tailler une armée en pièces. **II** *on.w* donner des coups de hache (à *of* dans); *dat hakt erin,* c'est une grosse dépense; *op iem.* —, taper sur qn. **III** *zn: het* —, la taille, la coupe; l'abbattage *m*.
hakkenbar (service) talon-minute *m*.
▼**hakker** fendeur (de bois); piqueur *m*.
hakketeren 1 se chamailler; **2** chicaner (qn sur qc).
hak/machine machine *v* à hacher. ▼**—mes** hachoir, couperet, coupe-légumes *m*. ▼**—sel 1** (*vlees*) hachis *m*; **2** (*stro*) paille *v* hachée = —**stro.** ▼**—stuk** talonnière *v*.
▼**—vlees** hachis *m*, viande *v* hachée.
hal halle; grande salle *v*.
halen 1 (*gaan*) chercher, prendre (dans un armoire); retirer; **2** (*verwerven*) obtenir, acquérir; (*hand.*) faire (le poids); **3** (*bereiken*) atteindre (son but); attraper (le train); obtenir; **4** (*trekken*) tirer (qc de sa poche); *adem* —, respirer; *alles door elkaar* —, bouleverser tout, mettre tout sens dessus dessous; *zich op de hals* —, s'attirer (une maladie); encourir (une punition); *naar beneden* —, descendre; *de zieke zal de morgen niet* —, le malade ne passera pas la nuit; *komen* —, venir prendre; *de dokter laten* —, envoyer chercher le médecin; *dat haalt het niet bij,* cela n'est rien auprès de; *het einde van de maand* —, parvenir à la fin du mois; *zesmaal* —, relever le rideau six fois; *daar is wat te* —, on y trouve à grapiller.
half I *bn* demi; semi-; — *een,* midi (*of* minuit) et demi; *het slaat* —, la demie sonne; *kinderen betalen* — *geld,* les enfants payent demi-tarif; *een halve noot,* une blanche; — *juni,* la mi-juin; — *vier,* trois heures et demie; *halve dagen werken,* travailler à mi-temps; *baan voor halve dagen,* poste *m* à mi-temps. **II** *bw* à demi, à moitié; — *open,* entr'ouvert; — *en* —, imparfaitement, incomplètement, un peu, presque. **III** *zn* moitié *v*, demi *m*.
▼**half/ambtelijk** officieux. ▼**—back** demi *m*. ▼—**bakken** demi-cuit, cuit à demi; — *wijsheid,* savoir *m* mal digéré; — *geleerde,* demi-savant. ▼—**blind** borgne. ▼—**bloed** sang-mêlé; demi-sang *m*. ▼—**broer 1** demi-frère *m*; **2** (*v. één vader*) frère consanguin; **3** (*v. één moeder*) frère utérin.
▼**—cirkelvormig** demi-circulaire.
▼**—donker** demi-jour *m*, pénombre, clarté douteuse *v*. ▼—**d** à moitié mort.
▼**—edel(ge)steen(te)** pierre *v* fine.
▼**—elfje** collation *v*. ▼**—fabrikaat** produit *m* demi-ouvré = —, semi-fini. ▼—**gaar** à moitié cuit; saignant; (*fig.*) un peu toqué.
▼—**geleerd** demi-savant. ▼—**geleider** semi-conducteur *m*. ▼**—heid** indécision, tiédeur *v*; à-peu-près *m*; insuffisance *v*.
▼**—jaar** six mois *m mv*; semestre *m*.
▼—**jaarlijks** semestriel. ▼—**je** moitié *v*; demi-cent *m*; demi *m*. ▼—**lang** mi-long.
▼**—leren** demi-veau. ▼—**linnen** I *zn* demi-toile *v*. **II** *bn* demi-toile. ▼—**luid** à mi-voix. ▼—**maandelijks** bimensuel.
▼—**produkt** produit *m* semi-fini. ▼—**rond** I *zn* hémisphère *m*. **II** *bn* demi-rond, demi-circulaire. ▼—**schaduw** pénombre *v*.
halfslachtig amphibie; (*fig.*) peu énergique, douteux, ambigu. ▼—**heid** indécision *v*; ambiguité *v*, manque *m* d'énergie; *politiek van* —, politique *v* de moyens termes.
half/stok: *de vlaggen hangen* —, les drapeaux ont été mis en berne; — *hijsen,* mettre en berne. ▼—**tijd** mi-temps *v*.
▼**—uur** demi-heure *v*. ▼—**vasten** mi-carême *v*; *met* —, à la mi-carême. ▼—**volwassen** semi-adulte. ▼—**was** I *bn* demi. **II** *zn* apprenti, demi-ouvrier *m*. ▼—**wijd** mi-large.
▼**—wollen** mi-laine. ▼—**zacht** (*v. e. ei*) à la

coque; (*fig.*) mou, ni chair ni poisson.
▼**—zachtheid** molesse *v*. ▼**—zuster 1** demi-sœur *v*; **2** (*v. één vader*) sœur consanguine; **3** (*v. één moeder*) sœur utérine.
▼**—zwaargewicht** mi-lourd *m*.
halleluja alléluia *m*. ▼—**hoed** chapeau *m* lucarne. ▼**—meisje** salutiste *v*.
hallo *tw* allô; — *met wie?,* allô! qui est à l'appareil?; (*groet*) salut.
hallu/cinatie hallucination *v*. ▼—**cinogeen** hallucinogène.
halm 1 tige *v*; **2** (*stro—, gras—*) brin *m*.
▼—**stro** chaume *m*.
halogeen halogène *m*.
hals 1 (*v. mens*) cou *m*; gorge *v*; **2** col, collet *m*; **3** (*nek*) nuque *v*; **4** (*v. viool*) manche *m*; **5** (*sukkel*) niais, naïf *m*; *blote* —, gorge *v*; *iem. om de* — *vallen,* se jeter au cou de qn; *om* — *brengen,* tuer; *een stijve* —, souffrir d'un torticolis; *iem. iets op de* — *schuiven,* endosser qc à qn; *zich op de* — *halen,* encourir, s'attirer (qc), attraper (un rhume); *de* — *omdraaien,* tordre le cou (à).
▼**hals/ader** veine *v* jugulaire. ▼—**band** collier *m*. ▼—**boord** col *m*; *losse* —, faux col *m*. ▼—**brekend** périlleux. ▼—**doek** fichu, (*v. man*) foulard *m*. ▼—**keten** chaîne(tte) *v*, collier *m*. ▼—**lengte** encolure *v*; *met een* — *winnen,* gagner d'une encolure. ▼—**maat** encolure *v*. ▼—**misdaad** crime *m* capital.
▼**—sieraad** collier, pendentif *m*, rivière *v*.
▼**—slagader** carotide *v*. ▼—**snoer** *zie* —**keten.**
halsstarrig I *bn* obstiné, opiniâtre. **II** *bw* obstinément, opiniâtrement; — *vasthouden aan,* s'obstiner à. ▼**—heid** obstination, opiniâtreté *v*.
halsstraf peine *v* capitale.
halster licou *m*. ▼—**en** mettre le licou à.
▼**—riem** longe *v*.
hals/wervel vertèbre *v* cervicale. ▼—**wijdte** encolure *v*. ▼—**zaak** cas *m* pendable.
halt (*e*) arrêt *m*, halte, station *v*; — *houden,* s'arrêter; faire halte; *halt!,* halte-là!; *vaste* —, arrêt obligatoire; — *op verzoek,* arrêt facultatif; *bij de volgende* — *uitstappen,* descendre à la station prochaine.
halte signal *m* d'arrêt.
halvemaan croissant *m*; (*mil.*) demi-lune *v*.
halver/en partager en deux, couper par moitié; réduire de moitié. ▼—**hoogte:** *ter* —, **1** à moitié de la hauteur; **2** (*v. h. lichaam*) à mi-corps, à hauteur d'appui. ▼**—ing** partage en deux, dédoublement *m*. ▼—**wege** à moitié chemin, à mi-chemin; — *blijven steken,* s'arrêter à mi-chemin.
ham jambon *m*. ▼—**vraag** question *v* de fond.
hamer marteau *m*; *houten* —, maillet *m*; *onder de* — *brengen,* mettre aux enchères. ▼—**en** I *ov.w* marteler, travailler au marteau; *het erin* —, enfoncer à coups de marteau. **II** *on.w* frapper des coups de marteau (sur); *op iets* —, insister sur qc; *altijd op hetzelfde aambeeld* —, revenir toujours sur le même chapitre. ▼**—stukken** points *m mv* de l'ordre du jour votés sans discussion.
hamster hamster *m*. ▼—**aar** accapareur *m*.
▼**—en** I *on.w* faire des provisions clandestines. **II** *ov.w* accaparer, emmagasiner.
hand main *v*; *de sterke* —, les agents de la force publique; *hij weet geen raad met zijn* —*en,* il est embarrassé de ses dix doigts; *iem. de hulpzame* — *bieden,* prêter la main à qn; *iem. de* — *drukken,* donner une poignée de main à qn; *hij heeft er de* — *in gehad,* il y est pour qc; *een vaste* — *hebben,* avoir la main ferme; *de* — *houden aan,* surveiller, tenir la main à; *iem. de* — *boven het hoofd houden,* protéger qn; *de* — *er in eensnlaan,* **1** joindre les mains; **2** (*fig.*) agir de concert; *de* — *leggen op,* mettre la main sur, faire main basse sur; *er de* — *op leggen,* mettre la main dessus; *hij heeft de* — *gelegd op een*

partijtje ..., il a arrêté une petite partie de... ; *de — ophouden*, tendre la main ; *de — opsteken*, lever la main ; *bij —opsteken*, à main levée ; *de —en uit de mouwen steken*, mettre la main à la pâte ; *zijn —en niet thuis kunnen houden*, toucher à tout ; *—en thuis l*, bas les pattes ! ; *geen — uitsteken om*, ne pas remuer le doigt pour ; *de —en vrij hebben*, avoir les mains libres ; *zijn —en in onschuld wassen*, s'en laver les mains ; *geen —voor de ogen kunnen zien*, n'y voir goutte ; *— aan — gaan*, aller de pair ; *— in —*, la main dans la main ; *iem. een middel, denkbeelden aan de — doen*, 1 suggérer un moyen à qn ; 2 apporter des suggestions ; *aan de — van die gegevens*, sur la base de ces données ; *er is iets aan de —*, il se passe qc ; *wat is er aan de —?*, que se passe-t-il ?, qu'y a-t-il ? ; *iets achter de — hebben*, avoir qc en réserve ; *iets bij de — hebben*, avoir qc sous la main ; *nog niet bij de — zijn*, ne pas être visible ; *vallen door moordenaars—*, mourir de la main d'un meurtrier ; *(opschrift) in —en*, en mains propres, personnelle, privée ; *men kan ook meisjes dit boek in —en geven*, ce livre peut être mis entre les mains de jeunes filles ; *een advocaat de zaak in —en geven*, commettre l'affaire à un avocat ; *in de —en klappen*, 1 battre des mains, applaudir ; 2 *(om te roepen)* frapper des mains ; *in —en vallen van*, tomber entre les mains de ; *iets in de — werken*, aider à qc ; *dat tijdschrift is in —en*, cette revue est en mains ; *in de derde —*, en main tierce ; *in verkeerde —en zijn*, être en mauvaises mains ; *met de — gemaakt*, fait à la main ; *met beide —en*, (accepter, saisir) à deux mains ; *met lege —en*, les mains vides ; *met — en tand verdedigen*, défendre énergiquement ; *onder de —*, 1 sous main ; 2 en attendant ; *onder —en hebben*, s'occuper de qc ; avoir qc sur le métier ; *onder —en nemen*, entreprendre qc (of qn sur qc) ; *onder dokters —en zijn*, être en traitement ; *de lachers op zijn — krijgen*, avoir les rieurs de son côté ; *op —en zijn*, approcher, être imminent ; *op —en voeten*, à quatre pattes ; *— over —*, de plus en plus ; *— over — toenemen*, aller en augmentant ; *de pen ter —nemen*, mettre la main à la plume ; *een werk ter — nemen*, entreprendre un ouvrage ; *iem. iets ter — stellen*, remettre qc à qn ; *uit de —eten*, manger dans la main ; *van de — wijzen*, refuser, décliner (une offre) ; *van hoger —*, d'en haut, de la part du gouvernement ; *voor de — liggen*, 1 se trouver à la portée de la main ; 2 être évident, - manifeste ; s'imposer ; *voor de — zitten*, avoir la main, être à la main ; *het zijn twee —en op één buik*, ce sont deux têtes sous un bonnet ; *— en omhoog l*, haut les mains !

hand/**appel** pomme *v* à couteau. ▼—**arbeider** travailleur *m* manuel. ▼—**bagage** bagage *m* à main. ▼—**bal** hand-ball *m*. ▼—**bediening** : *met —*, à commande manuelle. ▼—**bereik** : *binnen —*, sous la main. ▼—**beschermer** garde-main *v*. ▼—**bijl** hachette *v*. ▼—**boei** menotte *v*, cabriolet *v*. ▼—**boek** manuel, traité *m*. ▼—**boog** arc *m*, arbalète *v*. ▼—**boogschutter** archer, arbalétrier *m*. ▼—**boogschutterij** société *v* de tir à l'arc, - d'arbalétriers. ▼—**boor** perceuse *v* à main. ▼—**breed** large comme la main. ▼—**breedte** largeur *v* de la main ; *op een — verwijderd van*, à deux doigts de. ▼—**camera** appareil *m* photo de petit format. ▼—**doek** serviette *v* (de toilette) ; essuie-main *m* (pour la cuisine). ▼—**doekenrekje** porte-serviettes *m*. ▼—**druk** 1 serrement *m* -, poignée *v* de main ; 2 impression *v* à la main ; *gouden —*, pont *m* d'or.

handel 1 commerce, négoce, trafic *m* ; *— in granen*, commerce des blés ; *— in blanke slavinnen*, traite *v* des blanches ; *vrije —*, libre échange *m* ; *zwarte —*, marché *m* noir ; *— drijven in*, faire le commerce de ; *niet in de —*,

hors commerce ; *in de — brengen*, mettre dans le commerce, commercialiser ; *in de — gaan*, se mettre dans le commerce ; 2 *(tech.)* manette *v*, levier *m*. ▼—**aar** 1 marchand (de) ; 2 *(in het groot)* négociant, commerçant *m* (en) ; *— in blanke slavinnen*, trafiquant *m* de chair humaine. ▼—**baar** maniable, souple, traitable. ▼—**baarheid** souplesse, facilité *v* en affaires. ▼—**drijvend** commerçant. ▼—**en** I *on.w.* 1 agir, procéder ; 2 faire le commerce ; *over een onderwerp —*, traiter d'un sujet ; *het ogenblik van —*, le moment d'agir. II *zn* : *het —*, l'action *v* ; *vrijheid van —*, liberté *v* d'action. ▼—**end** agissant ; *— optreden*, prendre des mesures, agir. ▼—**ing** action *v*, acte, procédé *m* ; *de H—en der Apostelen*, les Actes *m mv* des Apôtres ; *de —en der Kamer*, le compte rendu officiel de la Chambre. ▼—**ingsbevoegdheid** capacité *v* de contracter.

handelmaatschappij société *v* de commerce. ▼**handels**/**aangelegenheid** transaction, affaire *v* commerciale. ▼—**agent** agent *m* commercial. ▼—**artikel** article *m* de commerce. ▼—**balans** balance *v* commerciale. ▼—**bank** banque *v* commerciale. ▼—**belang** intérêt *m* commercial. ▼—**betrekking** relation *v* (commerciale). ▼—**blad** journal *m* du commerce. ▼—**brief** lettre *v* de commerce. ▼—**correspondent** correspondancier *m*. ▼—**correspondentie** correspondance *v* commerciale. ▼—**drukte** mouvement *m* commercial. ▼—**embargo** embargo *m* sur les activités de commerce. ▼—**firma** raison sociale, firme *v*. ▼—**gebruik** usage *m* de commerce. ▼—**geest** intelligence *v* commerciale ; esprit *m* mercantile. ▼—**haven** port *m* marchand. ▼—**hogeschool** école *v* des hautes études commerciales. ▼—**huis** maison *v* (de commerce) ; comptoir *m*. ▼—**kapitaal** capital *m* de roulement. ▼—**kennis** connaissances *v mv* commerciales. ▼—**man** commerçant, négociant *m*. ▼—**merk** marque *v* déposée. ▼—**naam** appellation *v* contrôlée. ▼—**onderwijs** enseignement *m* commercial. ▼—**prijs** prix *m* à la distribution. ▼—**recht** droit *m* commercial. ▼—**register** registre *m* du commerce. ▼—**reis** voyage *m* d'affaires. ▼—**reiziger** commis-voyageur, représentant *m*. ▼—**rekenen** arithmétique *v* commerciale. ▼—**school** école *v* de commerce. ▼—**stad** ville *v* commerçante. ▼—**taal** langage *m* des affaires ; terminologie *v* commerciale. ▼—**term** terme *m* de commerce. ▼—**traktaat**, —**verdrag** traité *m* de commerce. ▼—**vereniging** société *v* de commerce. ▼—**verkeer** (relations *v mv* de) commerce, trafic *m*. ▼—**vloot** flotte *v* marchande. ▼—**volk** peuple *v* commerçant. ▼—**vriend** correspondant *m*. ▼—**vrijheid** liberté *v* du commerce. ▼—**waar** denrée *v* commerciale, article *m* de commerce. ▼—**waarde** valeur *v* commerciale. ▼—**weg** voie *v* commerciale ; *nieuwe —en openen*, ouvrir de nouveaux débouchés pour le commerce. ▼—**wetenschappen** sciences *v mv* commerciales. ▼—**zaak** 1 affaire commerciale, transaction *v* ; 2 maison *v* de commerce ; entreprise *v* commerciale. **handelwijze** façon *v* d'agir, procédé *m*.

hand/**enarbeid** travail *m* manuel. ▼—**- en spandiensten** : *— verrichten voor iem.*, être l'homme lige de qn. ▼—**gebaar** geste *v* (de la main). ▼—**geklap** applaudissement ; battement *m* de mains. ▼—**geld** arrhes *v mv* ; prime *v* d'engagement ; *(v. koopman)* étrenne *v* ; *hij heeft nog geen — gehad*, il n'a pas encore été étrenné. ▼—**gemeen** I *bn* : *— worden*, en venir aux mains ; *— zijn*, en être aux prises (avec). II *zn* corps-à-corps *m*, mêlée *v*. ▼—**genaaid** cousu main. ▼—**geschilderd** peint à la main. ▼—**granaat** grenade *v* à main. ▼—**greep** 1 coup *m* de main ; 2 poignée *v* ; *de*

handgrepen van het geweer, le maniement du fusil. ▼—**haven I** *ov.w* maintenir, défendre. **II zich** — se maintenir.
handicap handicap *m*. ▼—**pen** handicaper.
handig I *bn* **1** adroit; **2** maniable, commode. **II** *bw* adroitement, habilement. ▼—**heid** adresse *v*, savoir-faire *m; de* — *hebben om*, avoir le tour de main pour ; habileté *v*, truc *m*.
hand/je petite main, menotte *v; er een* — *van hebben om*, exceller à *; iem. een* — *helpen*, donner un coup de main à qn. ▼—**jevol** poignée *v*. ▼—**kar** charrette *v* à bras.
▼—**koffer** valise *v*. ▼—**kus** baisemain *v*.
▼—**langer 1** complice *m*; **2** aide, garçon *m*.
▼—**lantaarn** lanterne *v* portative.
▼—**leiding** manuel *m*; instruction, notice *v* explicative. ▼—**lezen** chiromancie *v*.
▼—**lichting** émancipation *v*. ▼—**mitrailleur** mitraillette *v*. ▼—**molen** moulin *m* à bras.
▼—**omdraai** tour *m* de main. ▼—**oplegging** imposition *v* des mains. ▼—**palm** paume *v*.
▼—**peer** poire *v* à couteau. ▼—**pomp** pompe *v* à main. ▼—**rem** frein *m* à main. ▼**hands !** (*sp.*) il y a main ! ▼**hand/schoen** gant *m; (sp.) —en aantrekken*, mettre ses gants, se ganter ; *huwelijk met de* —, mariage *m* par procuration ; *een —tje*, une mariée blanche.
▼—**schrift 1** main, écriture *v*; **2** manuscrit *m*.
▼—**slag** coup *m* de la main; *op* — *verkopen*, vendre sur parole ; *op* — *beloven*, toper.
▼—**tas** sac *m* à main. ▼—**tastelijk 1** palpable, évident; **2** prêt à en venir aux voies de fait ; — *worden*, jouer des mains.
▼—**tastelijkheid** voies *v mv* de fait ; (*bij een vrouw*) privautés *v mv*; jeu *m* de main.
▼—**teken** dessin *m* à main levée.
▼—**tekening** signature *v*, seing *m; gedrukte* —, *stempel met* —, griffe *v*. ▼—**vaardigheid** habileté *v* manuelle. ▼—**vat**, —**vatsel 1** manche (de couteau) ; poignée; **2** (*oor*) anse *v*; **3** (*v. koffer*) portant *m*; **4** (*handel*) manette ; **5** (*aan tram*) main *v* courante.
▼—**veger** brosse *v*. ▼—**verzorger**, —**verzorgster** manucure *m & v*. ▼—**vest** charte *v*, document ; privilège *m*. ▼—**vol** poignée *v*. ▼—**waarzegger** chiromancie *m*.
▼—**wagen** *zie* —*kar*. ▼—**weefstof** textile *m* fait à la main. ▼—**werk 1** métier, manuel ; travail *m* manuel; **2** *dat is* —, c'est fait à la main; *fraaie* —*en*, travaux *m mv* d'agrément; *nuttige* —*en*, travaux d'utilité ; *vrouwelijke* —*en*, ouvrages *m mv* de dames. ▼—**werker** artisan, travailleur *m* manuel. ▼—**werkkistje** boîte *v* à ouvrage. ▼—**werktafeltje** travailleuse *v*. ▼—**werkwinkel** magasin *m* d'ouvrages de dame. ▼—**wijzer** poteau *m* indicateur. ▼—**woordenboek** dictionnaire *v* portatif. ▼—**zaag** scie *v* à égoïne. ▼—**zaam** maniable, traitable ; accommodant.
hane/balk entrait, tirant *m; in de* —*en*, dans les combles. ▼—**gekraai** chant du coq, cocorico *m*. ▼—**poot 1** patte *v* de coq; **2** (*fig.*) hanepoten, griffonnage *m*.
hangar hangar *m*.
hang/boog pendentif *m*. ▼—**brug** pont *m* suspendu. ▼—**buik** bedaine *v*. ▼—**en I** *on.w* **1** être suspendu, - accroché, pendre ; **2** (*hellen*) incliner; *blijven* —, rester accroché ; s'embarrasser dans ; ne pas avancer ; rester en suspens ; *het hoofd laten* —, être découragé ; *staan te* —, se tenir appuyé ; *aan iem.'s lippen* —, être suspendu aux lèvres de qn ; *aan de muur* —, pendre contre la muraille ; *vol* — *met*, être chargé de ; être couvert de. **II** *ov.w* pendre, suspendre, accrocher. **III** *zn : het* —, **1** la suspension; **2** à peine du gibet. ▼—**end** pendant ; suspendu; *de zaak is nog* —, l'affaire est en suspens; —*e het proces*, le procès pendant. ▼—**- en sluitwerk** serrurerie *v* et de bâtiment. ▼—**er 1** (*oor—*) pendant; **2** (*borstjuweel*) pendentif; **3** (*kleer—*) cintre *m*. ▼—**erig** apathique, languissant, indolent. ▼—**kast** penderie ; garde-robe *v*. ▼—**kastje** armoire-applique *v*. ▼—**klok** pendule *v*; cartel *m*. ▼—**lamp** suspension *v*.

▼—**lantaarn** lanterne *v* à suspension.
▼—**mat** hamac *m; (mar.)* branle *m*. ▼—**op** lait *m* égoutté. ▼—**plant** plante *v* retombante.
▼—**slot** cadenas *m; met een* — *sluiten*, cadenasser. ▼—**steiger** échafaudage *m* suspendu.
hansworst polichinelle, paillasse *m*.
hant/eerbaar maniable. ▼—**eren** manier.
▼—**ering** maniement *m*.
Hanze Hanse *v*. ▼—**stad** ville *v* hanséatique.
hap 1 coup *m* de dent; **2** (*mondvol*) bouchée *v*.
haper/en 1 manquer (de) ; **2** s'arrêter ; rater ; **3** demeurer court, hésiter, bégayer ; *er hapert iets*, il y a qc qui ne va pas ; *wat hapert er aan ?*, qu'est-ce qu'il y a ? ▼—**ing** arrêt; accroc *m*; hésitation ; bégaiement *m*.
hapje bouchée *v*; amuse-gueule *m; een lekker* —, un bon morceau. ▼**happen I** *on.w* mordre (à *of* dans) ; — *naar*, happer. **II** *ov.w* happer, saisir. ▼**happening** happening ; événement *m*. ▼**happig** avide (de), âpre (à) ; *ik ben er niet* — *op*, je n'y tiens pas, ça ne me dit rien.
▼—**heid** avidité (de), âpreté (à) *v*.
hard I *bn* dur ; ferme, solide ; insensible, rude; pénible, difficile ; *een* — —*e kop hebben*, avoir la tête dure ; *een* — —*e stem*, une voix forte ; *op de* — *e grond slapen*, coucher sur la dure ; *een* — —*e winter*, un hiver rigoureux ; *hij is zo* — — *als een spijker*, il est à sec ; - dur comme fer ; *je bent* — *voor hem*, vous êtes dur envers lui ; —*e acties*, actions *v mv* directes ; —*e afspraken*, conventions *v mv* bien précisées ; —*e gegevens*, données *v mv* irréfutables ; —*e lijn*, ligne *v* dure ; — *maken* (*fig.*), **1** prouver; **2** réaliser. **II** *bw* durement; dur ; *iem.* — *behandelen*, traiter qn durement; — *werken*, travailler dur ; *het* — *hebben*, avoir la vie dure ; — *lachen*, rire aux éclats ; — *neerkomen*, tomber lourdement ; *het* — *nodig hebben*, en avoir grandement besoin; *het regent* —, il pleut à verse ; — *spreken*, parler haut ; *nog eens zo* —, de plus belle ; *om het* — *st*, à l'envie, à qui mieux mieux ; — *gaan*, faire de la vitesse ; — *errijden*, aller plus vite, accélérer.
▼**hardboard** isorel *m* (*merknaam*).
▼**hard/draven** prendre part à une course au trot; courir. ▼—**draver** coureur, trotteur *m*.
▼—**draverij** course *v* de trot; — *voor sulky*, course attelée au trot. ▼—**en 1** durcir; tremper ('l'acier) ; **2** (*fig.*) endurcir (son corps) ; aguerrir (les troupes) ; **3** (*uitstaan*) endurer, souffrir ; *ik kon het niet langer* —, je n'y tenais plus ; *zich* — (*tegen*), s'endurcir (à). ▼—**geel** d'un jaune cru. ▼—**glas** verre *m* trempé.
▼—**handig I** *bn* brutal, qui a la main dure. **II** *bw* brutalement. ▼—**handigheid** rudesse, dureté *v* de main. ▼—**heid** dureté *v*, (*fig.*) parole dure ; rigueur *v*. ▼—**horend**, —**horig** qui a l'oreille dure. ▼—**horendheid**, —**horigheid** dureté *v* d'oreille. ▼—**hout** bois *m* dur. ▼—**houten** de *of* en bois dur. ▼—**ing** trempe *v* (d'une métal) ; endurcissement *m*.
▼—**leers** lent d'esprit, obtus ; — *zijn*, avoir la tête dure. ▼—**leersheid** lenteur *v* d'esprit.
▼—**lijvig** constipé. ▼—**lijvigheid** constipation *v*. ▼—**lopen** course *v* à pied.
▼—**loper** coureur *m; hij is geen* —, il n'est jamais pressé. ▼—**nekkig I** *bn* entêté, acharné, obstiné ; —*e koorts*, fièvre *v* rebelle. **II** *bw* obstinément, avec acharnement; — *volhouden*, s'obstiner (à). ▼—**nekkigheid** entêtement *m*, obstination *v*, acharnement *m*.
▼—**op** tout haut, à haute voix. ▼—**rijden** courir, prendre part à une course; *het* — (*op schaatsen*), le patinage de vitesse. ▼—**rijder** coureur ; — *op de lange baan*, coureur de fond, stayer *m* ; — *op de korte baan*, coureur de vitesse, sprinter *m*. ▼—**rood** rouge vif.
▼—**steen** pierre *v* de taille. ▼—**vallen:** *iem.* —, reprocher amèrement (qc) à qn.
▼—**vochtig I** *bn* dur, insensible, impitoyable ; — *zijn*, avoir le cœur dur. **II** *bw* durement, sans pitié. ▼—**vochtigheid** insensibilité, dureté *v* (de cœur).
hardware hardware, matériel *m*.

hardzeilen régates *v mv* ; course *v* à voile.
harem harem, sérail *m*.
haren I *ov.w* affiler (la faux). II *bn* de crin, de poil ; — *kleed*, haire *v*.
harent : *ten* —, chez elle(s). ▼—**wege** de sa part, de leur part. ▼—**wil** : *om* —, pour (l'amour d') elle(s).
harig 1 velu, poilu ; 2 (*met hoofdhaar*) chevelu.
haring hareng ; (*tent*—) piquet *m* ; *gerookte* —, hareng saur ; *nieuwe* —, hareng frais.
▼—**buis** trinquart *m*. ▼—**kaken** I *ov.w* caquer le hareng. II *zn* : *het* —, le caquage.
▼—**rokerij** saurisserie *v*, séchoir *m*.
▼—**school** banc *m* de harengs. ▼—**sla** salade *v* aux harengs. ▼—**tijd** harengaison *v*.
▼—**ton** baril *m* -, caque *v* à harengs.
▼—**vangst** pêche *v* du hareng. ▼—**vrouw** harengère *v*.
hark râteau *m* ; *stijve* —, empoté *m*. ▼—**en** râteler, ratisser. ▼—**erig** raide comme une perche, gauche.
harlekijn arlequin *m*.
harmonie harmonie *v*. ▼—**gezelschap** fanfare *v*. ▼—**leer** harmonie *v*. ▼—**muziek** fanfare *v*. ▼harmoniëren s'accorder avec.
▼harmonika 1 (*trek*—) accordéon ;
2 (*mond*—) harmonica ; 3 (*v. trein*) soufflet *m*. ▼—**koffer** valise *v* à soufflets. ▼—**speler** accordéoniste *m*. ▼—**trein** train *m* à intercirculation - avec passages à soufflet.
▼harmonisatie harmonisation *v*.
▼harmonisch I *bn* 1 (*welluidend*) harmonieux ; 2 (*tech. & wisk.*) harmonique. II *bw* 1 harmonieusement ;
2 harmoniquement.
harnas cuirasse ; armure *v* ; *iem. tegen zich in het* — *jagen*, se mettre à dos.
harp 1 harpe *v* ; 2 crible *m* à blé. ▼—**ist(e)** harpiste *m* & *v*. ▼—**spel** jeu *m* de la harpe.
harpoen harpon *m*, ▼—**eren** harponner.
harrewarren quereller, chicaner.
hars résine *v* ; (*v. strijkstok*) colophane *v*.
▼—**achtig** résineux. ▼—**elektriciteit** électricité *v* résineuse. ▼—**gom** gomme-résine *v*.
hart cœur *m* ; —- *en vaatziekten*, maladies *v mv* cardio-vasculaires ; *het* — *hebben om*, avoir le cœur de ; *het* — *niet hebben om*, ne pas avoir le courage de ; *het* — *op de tong hebben*, avoir le cœur sur la main ; *geen* — *hebben voor zijn werk*, ne pas avoir le cœur à son métier ; *een goed* — *hebben*, avoir bon cœur ; *zijn* — *luchten*, parler à cœur ouvert ; - *zijn* — *ophalen aan iets*, s'en donner à cœur joie ; *iem. een* — *onder de riem steken*, lui mettre du cœur au ventre, remonter le moral à qn ; *iem.'s* — *stelen*, se mettre dans le cœur de qn ; *iem. een goed (kwaad)* — *toedragen*, vouloir du bien (du mal) à qn ; *aan het* — *drukken*, presser sur son cœur ; *dat ging mij aan het* —, cela m'a été au cœur ; *dat lag haar na aan het* —, cela lui tenait au cœur ; *in zijn* — (*wilde hij wel*), au fond de son cœur ; *in haar* — *is zij Franse*, elle est Française de cœur ; *met de hand op het* —, en conscience ; *met* — *en ziel*, de cœur et d'âme ; *midden in het* —, en plein cœur ; *een man naar mijn* —, un homme selon mon cœur ; *een kind onder het* — *dragen*, porter un enfant dans son sein ; *op het* — *drukken*, recommander vivement ; *iets ter* — *nemen*, prendre qc à cœur ; *van* —*e*, de bon cœur, de grand cœur ; *niet van* —*e*, à contre-cœur ; *het* — *draait je erbij om*, cela vous fait lever le cœur ; *zijn* — *voelen ineenkrimpen*, avoir un serrement de cœur ; *waar het* — *van vol is, vloeit de mond van over*, de l'abondance du cœur la bouche parle.
▼hart/aandoening affection *v* cardiaque.
▼—**aanval** crise *v* cardiaque. ▼—**ader** grosse artère *v*. ▼—**beklemming** oppression *v*, (*fig.*) serrement de cœur. ▼—**bewaking** surveillance *v* continue. ▼—**brekend** navrant, déchirant. ▼—**chirurgie** chirurgie *v* du cœur. ▼—**edief** amour, ange, chéri *v*.
▼—**eleed** crève-cœur, chagrin *m*, douleur *v*.

harte/lijk I *bn* cordial, affectueux. II *bw* cordialement ; de tout cœur ; — *lachen*, rire de bon cœur. ▼—**lijkheid** cordialité, affectuosité *v*. ▼—**loos** sans cœur. ▼—**loosheid** insensibilité *v* ; manque *m* de cœur. ▼—**lust** : *naar* —, à cœur joie, tant qu'on voudra ; (*fam.*) à gogo.
harten cœur *m*. ▼—**aas** (—*boer*, —*heer*, —*tien*, —*vrouw*) as *m* (valet, roi, dix *m*, dame) de cœur.
hart/- en vaatziekte maladie *v* cardio-vasculaire. ▼—**gebrek** maladie *v* de cœur. ▼—**geruis** souffle *m* au cœur.
▼—**grondig** I *bn* cordial, sincère. II *bw* cordialement, sincèrement ; du plus profond du cœur. ▼—**ig** bien salé ; épicé ; (*fig.*) sérieux ; (*iem.*) *een* — *woordje zeggen over*, tancer (qn) à propos de. ▼—**infarct** infarctus *m* (du myocarde). ▼—**klopping** palpitation *v*. ▼—**kramp** crispation *v* cardiaque.
▼—**kwaal** affection *v* cardiaque.
▼—**longmachine** dispositif *m* cœur-poumon artificiel. ▼—**operatie** : *open* —, opération *v* à cœur ouvert. ▼—**patiënt** cardiaque *m*. ▼—**roerend** émouvant, touchant, pathétique. ▼—**sgeheim** secret *m* du cœur. ▼—**slag** battement *m* de cœur.
▼—**slagader** aorte *v*. ▼—**slaggangmaker** stimulateur *m* cardiaque = —**stimulator**.
▼—(**ver**)**sterking** cordial ; réconfortant *m* ; (*fam.*) goutte *v*.
hartstocht passion *v*. ▼—**elijk** I *bn* passionné ; — *muziekliefhebber*, fervent *m* de musique. II *bw* passionnément. ▼—**elijkheid** caractère *m* passionné ; fougue *v*.
hart/streek région *v* du cœur.
▼—**svriend(in)** ami(e) *m* (*v*) de cœur.
▼—**vergroting** hypertrophie *v* du cœur.
▼—**verheffend** noble, grand, sublime.
▼—**verlamming** paralysie *v* du cœur.
▼—**verscheurend** déchirant, navrant.
▼—**verwijding** hypertrophie *v* du cœur.
▼—**vormig** en (forme de) cœur. ▼—**zeer** crève-cœur, chagrin *m*. ▼—**ziekte** maladie *v* du cœur ; *specialist voor* —*n*, cardiologue *m*.
▼—**zwakte** défaillance du cœur *v*.
hasj(iesj) ha(s)chisch *m*.
haspel dévidoir *m*. ▼—**en** I *ov.w* 1 dévider ;
2 (*verwarren*) confondre, brouiller. II *on.w* se quereller.
hatelijk I *bn* odieux, haissable ; malicieux, mordant. II *bw* odieusement ;
malicieusement. ▼—**heid** odieux *m* ; haine ; malice *v*. ▼**haten** haïr, avoir en haine ; détester.
Havanna la Havane ; *een h*—, un cigare *m* de la Havane, un havane.
have biens *m mv*. ▼—**loos** I *bn* 1 indigent ; misérable ; 2 malpropre, dépenaillé. II *bw* en guenilles. ▼—**loosheid** 1 indigence *v* ;
2 dépenaillement *m*.
haven port ; bassin *m* ; *een* — *aandoen*, faire escale à ; *in behouden* —, à bon port.
▼—**arbeider** débardeur, docker *m*.
▼—**bedrijf** mouvement *m* du port ; société *v* des docks et entrepôts. ▼—**dam** môle *m*.
▼—**dienst** police *v* du port.
havenen chiffonner, endommager, abîmer ; *gehavend boek*, livre fatigué.
haven/geld droits *m mv* de port. ▼—**hoofd** jetée *v*. ▼—**inrichtingen** installations *v mv* du port. ▼—**licht** phare, fanal *m*. ▼—**loods** pilote de port, (pilote) lamaneur *m*.
▼—**meester** capitaine *m* de port. ▼—**politie** police *v* de port. ▼—**stad** port *m* de mer, ville *v* maritime. ▼—**staking** grève *v* maritime.
▼—**ton** balise *v*. ▼—**werken** constructions *v mv* du port. ▼—**werker** ouvrier *m* du port.
haver avoine *v* ; *de paarden die de haver verdienen krijgen ze niet (altijd)*, les chevaux courent les bénéfices et les ânes les attrapent. ▼—**mout** flocons *m mv* (d'avoine).
havik autour *m*. ▼—**sneus** nez *m* aquilin.
havo école *v* d'enseignement du second degré, section *v* moderne.

hazardspel jeu *m* de hasard.
hazehart cœur *m* de lièvre.
hazel/aar noisetier, coudrier *m*. ▼**—noot** noisette *v*.
haze/lip bec-de-lièvre *m*. ▼**—pad** : *het — kiezen*, détaler; se sauver. ▼**—peper** civet *m*. ▼**—slaap** sommeil *m* léger; *een — doen*, ne dormir que d'un œil. ▼**—wind(hond)** lévrier *m*.
H-bom bombe *v* H.
he! comment!, oh là là!, hein!, ouf!; *ja —?*, oui n'est-ce pas?
hearing audition *v*; (*vergadering*) séance *v*.
hebbelijkheid habitude, coutume *v*.
hebben avoir; *wij — dat artikel niet*, nous ne tenons pas cet article; *ik heb dat van X*, c'est X qui me l'a donné; je tiens cela de X; *dat zullen we eens —*, nous allons nous payer ça; *we — vandaag de tiende*, nous sommes le dix aujourd'hui; *daar heb je het boek*, voilà le livre; *nou heb ik het*, j'y suis; *het armoedig —*, vivre misérablement; *het goed —*, être bien; *het over iem. —*, parler de qn; *heb je het tegen mij?*, c'est pour moi que vous dites cela?; *nou zul je het —*, nous y voici; *hoe heb ik het nou met je?*, qu'est-ce qui te prend?; à quoi pensez-vous?; *ik kan hem best —*, je puis bien le souffrir; *hij is in huis niet te —*, il est intenable à la maison; *hoe laat — we het?*, quelle heure est-il?; *hij wil het zo —*, il le veut ainsi; *hij heeft iets aan zijn voet*, il a mal au pied; *iets graag —*, aimer qc; *zij kan zo iets niet —*, c'est ce qu'elle ne peut souffrir; *iets over zich —*, avoir un certain air; *iets bij zich —*, avoir qc sur soi; *ik wil er het mijne van —*, je veux en avoir le cœur net; *ik moet niets van hem —*, je ne l'aime pas; *zij moet niets van hem —*, elle ne veut pas de lui; *hij heeft niets van zijn vader*, il a peu de chose de son père; *wij — oorlog*, c'est la guerre; *we — de tijd aan ons*, nous avons tout le temps; *daar —we niet veel aan*, cela ne nous sert de rien; *men weet wat men aan hem heeft*, il n'en est plus à faire ses preuves; *men weet niet wat men aan hem heeft*, il se cache; je me demande ce qu'il me fait; *hij had het niet meer van de pijn*, il n'en pouvait plus de douleur; *hij kan niet veel ... —*, il supporte mal ...; *wat heb ik daaraan!*, la belle avance!; *nu weet ik wat ik aan hem heb*, me voilà fixé sur son compte; *wie moet u —?*, qui demandez-vous?; *willen —*, vouloir; *terug willen —*, réclamer; *heb je ooit van je leven ...*, a-t-on jamais ...; *zijn hele — en houden*, tout son saint frusquin.
hebberig égoïste; qui veut tout avoir.
Hebreeër Hébreu *m*. ▼**Hebreeuws I** *bn* hébreu, hébraïque. II *zn* l'hébreu *m*.
hebzucht cupidité *v*. ▼**—ig** cupide.
hecht I *bn* solide, durable, inébranlable. II *bw* solidement. III *zn* manche *m*. ▼**—draad** fil *m* de suture. ▼**—en I** *ov.w* attacher; coudre, suturer (une plaie); *waarde — aan*, attacher du prix à; *zijn zegel — aan*, apposer son sceau sur; (*fig.*) souscrire à. II *on.w* s'attacher, coller, tenir; *aan iets —*, tenir à qc. III *zich — (aan)* s'attacher (à). ▼**—enis** détention *v*; *in — nemen*, arrêter; *in — zijn*, être détenu; *in — houden*, détenir. ▼**—heid** solidité *v*. ▼**—ing** suture *v*; *een — doen*, faire un point de suture. ▼**—pleister** sparadrap, adhésif *m*. ▼**—rank** vrille *v*. ▼**—wortel** crampon *m*.
hectare hectare *m*.
hecto/gram hectogramme *m*. ▼**—liter** hectolitre *m*. ▼**—meter** hectomètre *m*.
heden I *bn* aujourd'hui; actuellement; *—avond*, ce soir; *— over 8 dagen*, d'aujourd'hui en huit. II *zn* : *het —*, le présent. ▼**—daags I** *bn* d'aujourd'hui; contemporain, moderne; actuel. II *bw* à présent.
heel I *bn* l tout, entier; **2** (*onbeschadigd*) intact, complet; **3** guéri; *het is een hele geschiedenis*, c'est toute une histoire; *een — gat*, un grand trou; *de hele wereld*, le monde entier; *hele dagen werken*, travailler à plein temps. II *bw* fort, très; *— en al*,

complètement; *— klein*, tout petit; *— wat mensen*, bien du monde; *— wat sympathieker*, autrement sympathique. ▼**—al** univers *m*. ▼**—baar** guérissable. ▼**—huids** sain et sauf; *er — afkomen*, s'en tirer indemne. ▼**—kracht** vertu *v* curative. ▼**—kunde** chirurgie *v*. ▼**—kundig** *bn* (& *bw*) chirurgical (ement). ▼**—kundige, —meester** chirurgien *m*; *zachte heelmeesters maken stinkende wonden*, aux grands maux les grands remèdes.
heem pays; enclos *m*. ▼**—kunde** science *v* du milieu régional, - des traditions locales. ▼**—raad** membre *m* du conseil de surveillance d'un polder. ▼**—raadschap** conseil *m* de surveillance d'un polder. ▼**—schut** protection *v* des paysages.
heen *er —*, y; *— en terug*, aller et retour; *— en weer gaan*, aller et venir; courir çà et là; *— en weer reizen*, faire la navette; *nergens —*, nulle part; *overal —*, partout, de tous les côtés; *er — gaan*, y aller; *over de muur —*, pardessus le mur; *voor het huis —*, en passant devant la maison; *waar ga je —?*, où vas-tu allez-vous?; *ik begrijp waar u — wilt*, je vous vois venir. ▼**—gaan 1** s'en aller, partir; **2** passer; **3** mourir; *daar gaat een hele tijd mee heen*, cela prend (*of* prend) beaucoup de temps. ▼**—glijden**; *over iets —*, glisser sur qc. ▼**—komen**: *een goed — zoeken*, s'enfuir, se sauver. ▼**—reis** aller *m*; *op de —*, à l'aller. ▼**—rit** aller *m*. ▼**—snellen** partir en courant. ▼**—stappen 1** s'en aller d'un pas ferme; **2** passer (sur qc); *over iets —*, enjamber qc; (*fig.*) ne pas s'arrêter à qc. ▼**—weg**: *op de —*, à l'aller.
heer 1 monsieur; **2** (*baas*) maître; **3** (*begeleider v. dame*) cavalier; **4** seigneur; **5** souverain; **6** (*kaartspel*) roi *m*; *de H—*, le Seigneur; *de — des huizes*, le maître de maison; *de — X*, monsieur X; *de dames en heren*, les dames et les messieurs; *onze lieve H—*, le bon Dieu; *de oude —*, le vieux monsieur; mon paternel; *hij is het —tje*, il boit du lait; *dat is de grote — spelen*, trancher du grand seigneur; *haar — in de H— meester*, son seigneur et maître; *in de H— ontslapen*, pieusement décédé; *langs 's heren straten lopen*, flâner, battre le pavé; *zo — zo knecht*, tel maître, tel valet; **7** armée, multitude *v*. ▼**—achtig I** *bn* de monsieur. II *bw* comme un monsieur. ▼**—broer**: *uw —*, M. votre frère l'abbé. ▼**heerlijk I** *bn* excellent, délicieux; magnifique, charmant; superbe; *—e vinding*, invention *v* superbe; *— vinden*, adorer. II *bw* délicieusement. ▼**—heid 1** seigneurie, terre seigneuriale *v*; **2** magnificence, splendeur, grandeur *v*; **3** (*iets heerlijks*) chose *v* exquise; délices *v mv*. ▼**heer/oom** monsieur le curé; oncle abbé. ▼**—schaar** armée *v*; *de Heer der heerscharen*, le Dieu des armées. ▼**—schap** maître, type, monsieur *m*. ▼**—schappij** domination *v*; pouvoir *m*; autorité *v*; *— hebben over*, régner sur.
heers/en régner, dominer (sur); gouverner; (*fig.*) être à la mode, être répandu; (*v. ziekte*) sévir. ▼**—end** régnant, (pré)dominant; répandu, général; *de — e mode*, la mode qui court. ▼**—er** souverain, dominateur, maître *m*. ▼**—eres** souveraine, dominatrice, maîtresse *v*. ▼**—zucht** esprit *m* de domination. ▼**—zuchtig** despotique, autoritaire.
hees enroué, rauque; *zich — schreeuwen, — worden*, s'enrouer; *een stem — van woede*, une voix étranglée de colère. ▼**—heid** enrouement *m*.
heester arbuste *m*. ▼**—achtig** arbustif.
heet I *bn* l chaud, brûlant, ardent; **2** (*scherp*) échauffant; **3** passionné; *hete koorts*, fièvre *v* ardente; *hete luchtstreek*, zone *v* torride; *— van de naald*, tout chaud; *— van de pan*, tout chaud, tout bouillant; *in het —st van het gevecht*, au plus fort de la mêlée; *hete tranen schreien*, pleurer à chaudes larmes; (*fig.*) *lange hete zomer*, été *m* brûlant. II *bw* :

— drinken (eten), boire (manger) chaud; het
ging er — toe, l'affaire fut chaude; —!, (spel)
on brûle! ▼—**gebakerd** vif, irascible.
▼—**hoofd** tête v brûlée. ▼—**hoofdig**
emporté; fanatique. ▼—**lopen** chauffer.
hef(fe) lie v; de — des volks, la lie du peuple.
hef/boom levier m, commande v. ▼—**brug**
pont m levant. ▼—**deur** vanne v. ▼—**fen**
1 lever, soulever (un poids); 2 lever, percevoir
(des impôts); ten doop, tenir sur les fonts
baptismaux; te veel geheven bedrag,
trop-perçu m. ▼—**fing** levée v (des impôts);
perception v; — bij de bron, retenue v à la
source; — ineens, prélèvement m sur le
capital. ▼—**hoogte** hauteur v de levage.
▼—**koepel** tourelle v à éclipse.
▼—**schroefvliegtuig** hélicoptère m.
heft manche m; (fig.) pouvoir m; het — in
handen hebben, avoir la haute main dans
(une affaire); het — uit handen geven, se
dessaisir de son autorité.
heftig I bn violent, véhément. II bw
violemment; véhémentement. ▼—**heid**
violence, véhémence v.
hef/truck chariot m élévateur. ▼—**vermogen**
puissance v de levage. ▼—**wagen** chariot m
élévateur.
hegemonie hégémonie v.
heg(ge) haie v; groene —, haie vive.
▼—**geschaar** cisailles v mv à haies.
hei 1 hé, holà; 2 mouton m.
heibel bagarre v.
heiblok mouton m.
heibrand feu m de bruyère.
heide bruyère v. ▼—**maatschappij** société v
pour le défrichement des terres incultes.
heiden 1 païen, gentil; 2 (zigeuner)
bohémien. ▼—**dom** paganisme m. ▼**heldens**
païen; een — leven maken, faire un bruit
infernal. ▼**heidin** 1 païenne; 2 bohémienne.
heien enfoncer à la sonnette; enfoncer des
pilotis.
heiig vaporeux, nébuleux.
heil salut; bonheur m; félicité v; iem. veel —
en zegen wensen, former les meilleurs vœux
pour qn; veel — en zegen, mes meilleurs
vœux; tot — strekken, être salutaire; Leger
des H—s, armée v du salut. ▼**Heiland**
Sauveur m.
heilbot flétan m.
heil/dronk toast m, santé v; een —
uitbrengen op, porter un toast à, porter la
santé de. ▼—**gymnast** orthopédiste m.
▼—**gymnastiek** orthopédie v; massage m.
heilig I bn saint; sacré; —e dag, jour m de
fête; het — Avondmaal, la Sainte Cène; de
—e Geest, le Saint-Esprit; het — graf,
Saint-Sépulcre; de —e stad, la Cité Sainte;
de —e Vader, le Saint-Père; de —e Elisabeth,
Sainte-Elisabeth; het H— Hart, le
Sacré-Cœur; de H—e Stoel, le Saint-Siège;
bij al wat — is, par tout ce qu'il y a de plus
sacré. II bw saintement; — beloven,
promettre solennellement; zich —
voornemen, faire vœu (de...). ▼**heilig/dom**
sanctuaire; temple m; (fig.) relique v. ▼—**e**
saint(e) m(v). ▼—**en** sanctifier; justifier.
▼—**enbeeld** statue v sacrée. ▼—**enverering**
culte m de dulie. ▼—**heid** sainteté v; Zijne
H—, Sa Sainteté (le Pape). ▼—**ing**
sanctification v. ▼—**makend** sanctifiant.
▼—**schendend** schennend** sacrilège.
▼—**schenner** sacrilège, profanateur m.
▼—**schennis** sacrilège m; profanation v.
▼—**verklaren** canoniser. ▼—**verklaring**
canonisation v.
heil/loos I bn funeste, fatal; méchant. II bw
fatalement; méchamment. ▼—**sleger** armée
v du salut. ▼—**soldaat** salutiste m & v.
▼—**staat** cité future, Utopie v. ▼—**wens** vœu
m de bonheur. ▼—**zaam** bn (& bw)
salutaire(ment); efficace(ment).
▼—**zaamheid** effet m salutaire.
hei/machine bélier m. ▼—**mast** pilotis m.
heimelijk I bn secret; clandestin; furtif. II bw
secrètement; clandestinement; furtivement.

▼—**heid** secret, mystère m.
heimwee nm m du pays; nostalgie v; —
krijgen naar, être pris de la nostalgie de.
heinde van — en ver, de tous côtés.
hei/paal pilotis, pieu m. ▼—**stelling**,
—**toestel** sonnette v. ▼—**werk** travaux m mv
de pilotage; pilotis m.
hek 1 (v. ijzer) grille; 2 (v. hout) barrière v; de
—ken zijn verhangen, les choses ont changé
de face; het — is van de dam, le chat parti, les
souris dansent.
hekel 1 séran m; 2 (fig.) aversion v; een —
hebben aan iem., avoir de l'aversion pour qn,
détester qn; een — krijgen aan, prendre en
grippe; over de — halen, déchirer (qn) à
belles dents. ▼—**dicht** poème m satirique.
▼—**dichter** poète m satirique. ▼—**en**
1 sérancer; 2 (fig.) critiquer, satiriser.
▼—**schrift** satire v; pamphlet m.
heks sorcière v; kleine —, gamine v. ▼—**en**
user de sortilèges; jeter des sorts; ik kan niet
—, je ne suis pas sorcier. ▼—**enjacht** chasse
v aux sorcières. ▼—**enmeester** magicien m.
▼—**ensabbat** sabbat m. ▼—**enwerk**
sorcellerie v; dat is geen —, ce n'est pas plus
malin que cela.
heksluiter serre-fil; dernier enfant m.
▼**hekwerk** grillage, treillage m.
hel 1 zn enfer m; het is zo donker als de —, il
fait noir comme dans un four. II bn vif, clair,
éclatant. III bw vivement; — verlicht, inondé
de lumière.
helaas hélas.
held héros m; geen — zijn, manquer de cœur;
hij is een — in, il est fort dans, il excelle à.
▼**helden/daad** —**feit** exploit, haut fait m,
action v héroïque. ▼—**dicht** poème m épique,
épopée v. ▼—**dood** mort v héroïque; de —
sterven, mourir de la mort des braves, mourir
en héros. ▼—**moed** héroïsme, courage m
héroïque. ▼—**schaar** phalange v de héros.
▼—**tenor** fort ténor m. ▼—**ziel** âme v
héroïque.
helder I bn 1 clair, vif; (v.d. lucht) serein;
3 (zindelijk) propre; 4 (v. verstand) lucide; —
linnen, du linge blanc. II bw clair(ement); —
lucidement; — blauw, bleu clair; — klinken,
sonner clair; — rood, rouge vif; — verlicht,
vivement éclairé. ▼—**denkend** pénétrant,
perspicace. ▼—**heid** clarté, netteté; limpidité
(du cristal); sérénité (du ciel); lucidité,
propreté v. ▼—**ziende** voyant(e) m(v).
▼—**ziendheid** voyance v.
heldhaftig bn (& bw) héroïque(ment).
▼—**heid** héroïsme m. ▼**heldin** héroïne v.
heleboel een —..., bien des, pas mal de, un
grand nombre de, plein de.
helemaal entièrement, tout à fait, du tout au
tout; — niet, aucunement, pas du tout; —
niet slecht, pas mal du tout.
helen I ov. w guérir. II on.w (se) guérir, se
cicatriser. ▼**helend** curatif, cicatrisant.
helen receler, cacher. ▼**heler** receleur; de —
is zo goed als de steler, le receleur ne vaut pas
mieux que le voleur.
helft moitié v; voor de —, à demi; par moitié;
voor de — van de prijs, à moitié prix; de —
duurder, plus cher de (la) moitié; de —
verschillen, varier du simple au double.
helihaven héliport m. ▼**helikopter**
hélicoptère m.
heling 1 guérison v; 2 recel, recèlement m.
helio/graaf héliographe m. ▼—**grafisch** bn
(& bw) héliographique(ment).
helium hélium m.
Hellas la Hellade.
hellebaard hallebarde v. ▼—**ier** hallebardier
m.
Helleen Hellène m. ▼—**s** hellène, hellénique.
hell/en aller en pente, pencher, incliner; (fig.)
— naar, pencher à or vers, tirer sur. ▼—**end** en
pente, incliné; — vlak, plan m incliné; (fig.)
op een — vlak zijn, suivre une pente.
hellenisme hellénisme m. ▼**hellenist**
helléniste m. ▼—**isch** hellénistique.
helle/vaart descente v en enfer. ▼—**veeg**

furie, mégère v.

helling 1 inclinaison v; 2 (van onder naar boven) pente; (van boven naar beneden) rampe, côte v; 3 (v. berg) versant m; 4 (scheeps—) chantier m, cale v; tegen — aan, à flanc de coteau; tegen een — opgaan, monter une côte. ▼—shoek angle m d'inclinaison.

helm 1 casque m; integraal—, casque intégral; 2 (kolf) chapiteau m; met een — geboren, né coiffé; 3 (plk.) oya(t) m. ▼—beplanting plantation v d'oyats. ▼—bos panache m. ▼—stok timon m, barre v.

help au secours!, à moi! ▼help/en I ov.w 1 aider, secourir; dépanner; assister (qn); 2 servir (un client); rendre service; iem. een handje —, donner un coup de main à qn; ik kan het niet —, ce n'est pas de ma faute, je n'y peux rien; wat helpt het?, à quoi bon?; dat middel heeft hem geholpen, ce remède lui a fait du bien; — onthouden, rappeler (qc à qn); iem. aan een betrekking —, procurer une place à qn; iem. bij zijn werk —, aider qn à faire son travail; ben je daarmee geholpen?, cela vous suffit-il?; iem. uit de auto —, aider qn à descendre de voiture; elkaar —, s'entr'aider. II on.w 1 prêter aide; 2 être efficace; niets hielp, rien n'y faisait; dat helpt tegen hoofdpijn, c'est bon pour les maux de tête. III zichzelf — s'aider; men moet zich weten te —, il faut savoir se tirer d'affaire; alle beetjes —, tout fait nombre. ▼—end secourable. ▼—er, —ster aide m & v; assistant m.

helrood ponceau, d'un rouge vif.

hels I bn 1 infernal; diabolique; 2 furieux; een — leven maken, faire un tapage d'enfer; — worden, se fâcher tout rouge, enrager (de qc). II bw infernalement; furieusement.

Helvet/ië I Helvétie v. ▼—iër Helvète m.

h'm hm!, uh!

hem lui, à lui; le; dat is het —, voilà ce que c'est.

hemd chemise v; een ander — aantrekken, changer de chemise; in zijn — (blijven) staan, en être pour sa courte honte; nat tot op het —, mouillé jusqu'aux os; het — is nader dan de rok, charité bien ordonnée commence par soi-même. ▼—broek combinaison v. ▼—enfabrikant, —enmaker chemisier m. ▼—jurk robe v chemise. ▼—smouw manche v de chemise; in zijn —en, en bras de chemise.

hemel 1 ciel v; 2 (v. bed, troon, schilderij) dais, baldaquin; ciel m (mv: ciels); de —en, les cieux; bewolkte —, ciel couvert; in de zevende — zijn, être aux anges; lieve —, bon Dieu, juste ciel; onder de blote — slapen, coucher à la belle étoile; — en aarde bewegen, remuer ciel et terre. ▼—bed lit m à baldaquin. ▼—bol globe m céleste. ▼—boog voûte v céleste, firmament m. ▼—hoog I bn qui perce les nues, énorme. II bw: — verheffen, élever (qn) jusqu'aux nues. ▼—ing esprit céleste, ange m. ▼—kaart planisphère m céleste. ▼—lichaam corps céleste, astre m. ▼—licht 1 clartés v mv du ciel; 2 foudre v; 3 astre m. ▼—rijk royaume m des cieux. ▼hemels I bn céleste; divin, ravissant. II bw divinement. ▼—blauw bleu céleste. ▼—breed à vol d'oiseau; (fig.) immense; de — tout au tout. ▼—breedte distance en ligne droite; latitude v. ▼—naam: in 's —, au nom du ciel. ▼hemel/streek zone v; climat m. ▼—swil: om 's —, pour l'amour de Dieu. ▼—tergend révoltant, criant. ▼—vaart ascension v; Maria —, Assomption v. ▼H—vaartsdag Ascension v. ▼—vuur feu m céleste.

hemisfeer hémisphère m.

hemmen faire hum, hum; s'éclaircir la voix.

hemofilie hémophilie v.

hen I zn poule v. II vnw les, eux.

hendel zie handel 2.

Henegouw/en le Hainaut. ▼—er Hennuyer m.

hengel canne v à pêche. ▼—aar pêcheur m à la ligne. ▼—en pêcher à la ligne; naar iets —, pêcher, quêter qc; faire la chasse (au mari). ▼—roede canne v à pêche. ▼—snoer ligne v. ▼—wedstrijd concours m de pêche.

hengsel anse v; (v. koffer) portant m; (v. deur, venster) charnière, penture v.

hengst étalon, cheval m entier. ▼—en piocher, trimer; (d'une jument) être en rut. ▼—enkeuring inspection v d'étalons.

hennep chanvre m. ▼—teelt culture v du chanvre.

hens: alle — aan dek, tout le monde sur le pont, tous les bras dehors.

herademen reprendre haleine; respirer.

herald/icus héraldiste m. ▼—iek (science) héraldique v, blason m. ▼—isch bn (& bw) héraldique(ment).

heraut héraut m (d'armes).

herbarium herbier m.

herbebossing reboisement m.

herbenoem/en confirmer dans sa charge; (na ontslag) réintégrer. ▼—ing renouvellement m de sa charge; (na ontslag) réintégration v.

herberg auberge, hôtellerie v; (kroeg) cabaret, bar m. ▼—en héberger, loger. ▼—ier aubergiste, hôte; cabaretier m. ▼—zaam I bn hospitalier. II bw hospitalièrement.

herbewapen/en réarmer. ▼—ing réarmement m.

herbi/cide herbicide m. ▼—voor herbivore m.

herbloeien refleurir, renaître.

herboren régénéré; — worden, renaître.

herbouw reconstruction v. ▼—en reconstruire.

herbronning ressourcement m.

Hercul/es Hercule m. ▼—isch herculéen.

herdenk/en se rappeler; repenser; commémorer. ▼—ing commémoration, fête v commémorative.

herder 1 pâtre; 2 (schaap—) berger; 3 (fig.) pasteur, berger m; de goede —, le bon pasteur. ▼—in bergère v. ▼—lijk pastoral; idyllique; — schrijven, lettre v pastorale. ▼—sambt ministère m (pastoral), fonctions v mv pastorales. ▼—shond chien m de berger. ▼—smis messe v de l'aurore (à la Noël). ▼—sspel pastorale v. ▼—sstaf 1 (v. herder) houlette v; 2 (v. bisschop) crosse v. ▼—svolk peuple pasteur, - nomade m. ▼—szang églogue, poésie v pastorale.

herdopen rebaptiser.

herdruk réimpression, nouvelle édition v; in — zijn, être en réimpression. ▼—ken réimprimer.

hereboer gentilhomme campagnard; gros fermier; propriétaire m rural.

heremiet ermite m.

heren/fiets bicyclette v d'homme. ▼—huis hôtel m; maison v de maître.

herenig/en 1 réunir; rallier (les troupes); 2 réconcilier. ▼—ing 1 réunion v; ralliement; rattachement m (v. afgescheiden gebied); 2 réconciliation v. ▼—ingspunt point m de ralliement.

heren/kapper coiffeur m pour messieurs. ▼—knecht laquais m. ▼—leven(tje): een — hebben, vivre comme coq en pâte. ▼—(pols)tas pochette v homme; sac m fourre-tout. ▼—sjaal cache-nez, châle m.

herexamen nouvel examen m; - supplémentaire.

herfst automne m; in de —, en automne. ▼—achtig automnal. ▼—draad fil m de la Vierge, filandre v. ▼—maand (mois de) septembre m. ▼—tijd automne m, arrière-saison v.

hergebruik recyclage m.

hergeven rendre.

hergroeper/en regrouper, recombiner. ▼—ing regroupement m, recombinaison v.

herhaald répété, réitéré; —e malen, à plusieurs reprises, plusieurs fois; zich aan — misdrijf schuldig maken, récidiver; wie zich aan — misdrijf schuldig maakt, récidiviste m. ▼—elijk zie herhaalde malen: — voorkomen,

être fréquent. ▼herhal/en 1 (*opnieuw doen*)
répéter ; refaire ; 2 (*weer zeggen*) répéter,
redire ; *kort* —, résumer, récapituler ; *tot*
vervelens toe —, rabâcher. ▼—end réitératif.
▼herhaling répétition, récapitulation, redite
v ; *bij* —, plus d'une fois ; *in* —*en vervallen*, se
répéter. ▼—sles leçon v de récapitulation.
▼—soefening (*mil.*) période v d'instruction.
▼—sonderwijs enseignement postscolaire ;
cours m d'adultes. ▼—steken reprise v.
herinneren I o.v.w rappeler (qc à qn), faire
souvenir (qn de qc) ; *er wordt aan herinnerd*
dat, il est rappelé que. II *zich iets* — se
souvenir de qc, se rappeler qc ; *als ik mij wel*
herinner, si j'ai bonne mémoire.
▼herinnering souvenir m, mémoire v ; *ter* —
aan, en souvenir de, en mémoire de ; *in* —
brengen, remettre en mémoire ; *de* — *aan*
haar, son souvenir. ▼—smedaille médaille v
commémorative. ▼—s(verkeers)bord
rappel m. ▼—svermogen mémoire v.
herkansing 1 examen m supplémentaire ;
2 course -, épreuve v de repêchage.
herkauw/en 1 ruminer, remâcher ; 2 (*fig.*)
rabâcher. ▼—er ruminant ; (*fig.*) rabâcheur m.
▼—ing rumination v ; (*fig.*) rabâchage m.
herken/baar reconnaissable. ▼—nen I o.v.w
reconnaître, remettre. II *zn : het* —, la
reconnaissance. ▼herkenning
reconnaissance v. ▼—sletters lettres v mv
d'immatriculation. ▼—smelodie indicatif m.
▼—splaatje plaque v d'identité. ▼—steken
signe m d'identification ; - de ralliement.
▼—swoord mot m de ralliement, - d'ordre.
herkeur/en v réexaminer ; (*mil.*) faire passer de
nouveau devant le conseil de révision. ▼—ing
nouvel examen m ; nouvelle comparution v
devant le conseil de révision.
herkiesbaar rééligible ; *zich* — *stellen*,
accepter une nouvelle candidature ; *zich niet*
— *stellen*, refuser le renouvellement de son
mandat. ▼herkiez/en réélire. ▼—ing
réélection v.
herkomst origine, provenance, extraction v.
herkrijgen recouvrer ; récupérer (ce qu'on a
perdu).
herleid/baar réductible. ▼—baarheid
réductibilité v. ▼—en réduire (à *of* en).
▼—ing réduction v (à, en) ; *van yards tot*
meters, conversion v de yards en mètres.
▼—ingstabel tableau m de conversion ; - de
réduction.
herlev/en revivre ; renaître ; se ranimer ; *doen*
—, ranimer. ▼—ing résurrection ; renaissance
v.
herlez/en relire. ▼—ing seconde lecture v.
hermafrodiet hermaphrodite m.
hermelijn(bont) hermine v.
hermetisch bn (& bw) hermétique (ment).
hermiet ermite m. ▼hermitage ermitage m.
hernem/en v reprendre. ▼—ing reprise v.
hernhutter frère m morave.
hernia hernie v.
hernieuw/d renouvelé ; *een* —*e bloei*, un
renouveau de prospérité. ▼—en renouveler ;
de vriendschap —, renouer amitié. ▼—er
rénovateur m. ▼—ing renouvellement m ; (*v.*
contract) reconduction v.
hero/ïek, -isch héroïque, épique.
heroïne héroïne v ; *aan* — *verslaafde*,
héroïnomane.
heropen/en rouvrir. ▼—ing réouverture v.
heropvoed/en rééduquer. ▼—ing
rééducation v.
herover/en reconquérir, reprendre. ▼—ing
reconquête, reprise v.
herplaats/en v replacer, remettre en place ;
insérer de nouveau (une annonce). ▼—ing
réinstallation ; nouvelle insertion v.
herrie 1 bagarre v ; 2 (*lawaai*) tapage, tumulte
m ; (*pop*) barouf ; raffut m ; 3 (*ruzie*) des
histoires, des affaires v mv ; — *maken bij een*
leraar, monter un chahut à un professeur ;
troep —*makers* (*om bijeenkomst te*
verstoren), équipe v de raffut.
herrijz/en se relever ; ressusciter. ▼—enis,

—ing résurrection v.
herroep/en révoquer ; désavouer ; *het vroeger*
gezegde —, se dédire. ▼—ing révocation v ;
désaveu m.
herschepp/en recréer, régénérer ; transformer
(en). ▼—end, - er régénérateur. ▼—ing
régénération ; transformation v.
herschol/en recycler. ▼—ing recyclage m.
hersen/arbeid travail m cérébral, -
intellectuel. ▼—bloeding hémorragie v
cérébrale. ▼—en, —s cerveau m ; cervelle v ;
kleine —, cervelet m ; *iem. de* — *inslaan*,
casser la tête à qn ; (*zich*) *een kogel door de*
— *jagen*, (se) brûler la cervelle ; *hoe krijg je*
het in je — ?, où prenez-vous cela ?
▼—gymnastiek gymnastique v de la
mémoire ; - de l'esprit. ▼—koorts fièvre v
cérébrale. ▼—kronkel circonvolution v.
▼—loos sans cervelle ; (*fig.*) écervelé ; —
maken, décerveler. ▼—ontsteking
encéphalite v. ▼—schim chimère, vision,
lubie v. ▼—schimmig chimérique.
▼—schudding commotion v cérébrale.
▼—spoeling lavage m de cervelle ; —
toepassen, lessiver la cervelle.
▼—vliesontsteking méningite v. ▼—werk
travail m cérébral.
herstel 1 rétablissement m, convalescence v ;
2 (*v. fout, schade*) redressement (du dollar) ;
reprise v (économique) ; 3 (*in oude staat*)
réhabilitation ; 4 (*in oude staat*) restitution ;
5 (*v. machine*) réparation v. ▼—baar
réparable ; guérissable. ▼—betaling
réparation v. ▼—len I o.v.w rétablir ; remettre
(dans l'ancien état) ; réparer. II o.n.w guérir,
se rétablir ; *herstel l*, au temps ! III *zich* —
récupérer, se remettre ; (*mil.*) se reformer.
▼—lende convalescent(e) m (v). ▼—ler
réparateur ; restaurateur m. ▼—ling
réparation v ; *zie ook herstel*. ▼—lingsoord
maison v de repos, - de santé ; sanatorium m.
herstemm/en I o.n.w procéder à un second
tour de scrutin. II o.v.w vôter de nouveau.
▼—ing second tour m de scrutin ; ballotage
m ; *in* — *komen*, être en ballotage.
herstructurering restructuration v.
hert cerf, daim m ; —*je*, faon m. ▼—ebout
cuisse*ot* m de cerf. ▼—ekoe biche, daine v.
▼—ejacht chasse v au cerf. ▼—enkamp
parc m aux cerfs.
hertog duc m. ▼—dom duché m. ▼—elijk
ducal. ▼—in duchesse v.
▼'s-Hertogenbosch Bois-le-Duc m.
hertrouw secondes noces v mv. ▼—en se
remarier (avec).
herts/hoorn corne v de cerf. ▼—leer peau v
de cerf.
heruitzend/en retransmettre. ▼—ing
retransmission v.
hervatt/en reprendre. ▼—ing reprise v ; —
der lessen (*na zomervakantie*), rentrée v (des
classes).
herverdeling redistribution v.
herverkaveling remembrement m.
herverzeker/en réassurer. ▼—ing
réassurance v.
hervinden retrouver.
hervorm/de réformé(e) m (v). ▼—en
réformer ; transformer. ▼—er réformateur m.
▼—ing réforme ; transformation v.
▼—ingsplan projet m de réforme.
herwaarder/en revaloriser, réévaluer. ▼—ing
revalorisation, réévaluation v.
herwinnen regagner, reprendre, recouvrer.
▼herwinning reprise v.
herzien revoir, réviser. ▼—ing révision v ; —
der salarissen, réadaptation v des salaires.
hes blouse v.
hesp jambon m.
het I /w le, la. II *vnw* il, ce ; le, lui ; la chose ; —
moet, il le faut ; — *is jammer*, c'est dommage ;
hij is —, c'est lui ; — *sneeuwt*, il neige ; *daar*
heb je — (*al*), ça y est ; *dat is hèt antwoord*,
c'est la réponse par excellence ; *hèt van hèt*, le
fin du fin.
heteluchtmotor moteur m à air chaud.

heten I ov.w **1** (*noemen*) appeler, nommer; **2** (*bevelen*) dire, ordonner; *iem. welkom* —, souhaiter la bienvenue à qn. **II** on.w s'appeler, se nommer; être intitulé; vouloir dire; *hoe heet hij?*, comment s'appelle-t-il?; *zij heet A. van zich zelf*, elle est née A.; *zoals het heet*, comme on dit; *het heet dat hij onschuldig is*, on le dit innocent.

heterdaad: *op* — *betrappen*, prendre en flagrant délit.

hetero/geen hétérogène. **▼—seksueel** hétérosexuel.

hetgeen ce qui; ce que; ce dont.

hetwelk qui, que, lequel, laquelle.

hetze campagne v; *een* — *voeren tegen*, mener une campagne contre.

hetzelfde I bn (e *of* la) même. **II** zn la même chose; *het is mij* —, cela m'est égal; *op* — *neerkomen*, revenir au même; *zou jij* — *kunnen zeggen?*, sauriez-vous en dire autant?; *dat is voor hen* —, c'est tout un pour eux.

hetzij soit; — *dat*, soit que (*met subj.*).

heugen: *het heugt mij dat*, je me rappelle que; *dat zal je* —, vous vous en repentirez.

heug en meug: *tegen* —, à contre-cœur, à regret.

heuglijk 1 joyeux, heureux; **2** mémorable.

heulen: — *met*, avoir des intelligences avec.

heup hanche v; *het op zijn* —*en hebben*, avoir le bonnet de travers. **▼—been** os m iliaque. **▼—broek** pantalon m à taille basse. **▼—gewricht** articulation v coxo-fémorale. **▼—jicht** sciatique v. **▼—omvang** tour m des hanches. **▼—slip** slip m taille basse. **▼—wiegend** en (se) dandinant.

heus I bn poli, honnête; courtois; **2** (*echt*) vrai, véritable; *een* —*e gravin*, une comtesse authentique, - pour de vrai. **II** bw **1** poliment, honnêtement, avec courtoisie; **2** vraiment, en vérité, pour de bon, sans blagues; *het is* — *waar*, je vous assure que c'est vrai; *ik bewonder hem,* —*!*, je l'admire, mais beaucoup! ; —*?*, bien sûr?, sûr? **▼—heid** politesse, courtoisie v.

heuvel colline, éminence v, coteau m. **▼—achtig** accidenté, ondulé. **▼—rug** crête de colline; suite v de collines. **▼—tje** butte v, tertre m.

hevel siphon m. **▼—barometer** baromètre m à siphon. **▼—en** siphonner.

hevig I bn violent, fort, vif; —*e pijn*, vive douleur v. **II** bw violemment, fortement, vivement. **▼—heid** violence, force, intensité v.

hexameter hexamètre m.

hiaat hiatus m; (*fig.*) lacune v.

hiel talon m; *de* —*en lichten*, montrer les talons, décamper; *op de* —*en lichten*, talonner, serrer de près. **▼—band** talonnière v. **▼—enlikker** lèche-cul m. **▼—stuk** talonnette v.

hier ici; *in cet endroit;* *tot die ook daar;* — *ben ik*, me voici; — *te lande*, dans ce pays, chez nous; *tot* — *toe*, jusqu'ici; — *rust*, ci gît, ici repose; — *heb je je boek*, tenez, voici votre livre. **▼—aan** à ceci, à cela, y; *denk* —, pensez-y; — *valt niet te twijfelen*, il n'y a pas de doute là-dessus. **▼—achter** derrière; *wat steekt* —*?*, qu'y a-t-il derrière tout cela?

hiërarch/ie hiérarchie v. **▼—isch** hiérarchique.

hier/beneden I en bas, ci-dessous; **2** (*op aarde*) ici-bas. **▼—bij 1** à ceci; près d'ici; **2** ci-joint, ci-inclus, sous ce pli; **3** par la présente; *wij zullen het* — *laten*, nous en resterons là; *u gelieve* — *aan te treffen*, veuillez trouver ci-joint. **▼—boven 1** ici en haut; **2** ci-dessus (dans un livre); *zie* —, voir ci-dessus, - plus haut. **▼—buiten** dehors; *houdt u* —, ne vous en mêlez pas; *hij kan niet* —, il ne saurait s'en passer. **▼—door 1** par ici; **2** ainsi, de cette manière, c'est pourquoi. **▼—heen** par ici, de ce côté-ci. **▼—in 1** ici dedans; **2** en ceci. **▼—langs** par ici. **▼—mede** par là, ainsi; *wat wil je* — *doen?*,

que voulez-vous en faire? **▼—na 1** ensuite, après ceci; — *te noemen*, — *volgend*, ci-après; *de dag* —, le lendemain. **▼—naast 1** à côté, tout près d'ici; **2** (*bladz.* —) ci-contre: *boodschappen* —, s'adresser à côté. **▼—namaals** dans l'autre monde; *het* —, l'au-delà m.

hiëroglief hiéroglyphe m.

hier/om 1 autour (de ceci); **2** c'est pourquoi. **▼—omtrent** à cet égard, à ce sujet. **▼—onder 1** ci-dessous, ci-après; **2** parmi eux (d'elles), du nombre; *wat verstaat ge* —*?*, qu'entendez-vous par là?; *zie* —, voir plus bas; - ci-dessous. **▼—op 1** là-dessus; **2** (*v. tijd*) là-dessus; après cela. **▼—tegenover** en face d'ici; (*fig.*) par contre, en revanche. **▼—toe 1** à ceci, à cela; **2** à cet effet, pour cela; *tot* —, jusqu'ici. **▼—uit** d'ici, hors d'ici; de là, en; — *volgt dat...*, il s'ensuit que... **▼—voor 1** (*plaats*) devant d'ici; avant ce moment; **3** (*ruil*) pour cela; **4** (*doel*) pour cela, à cet effet; *zoals ik* — *gezegd heb*, comme je l'ai dit plus haut. **▼—zo 1** ici; **2** voilà, tenez, tiens.

hi-fi-/installatie chaîne v haute fidélité, chaîne Hifi. **▼—meubel** —*toren* enz.) meuble m - (colonne v) Hifi; Hifithèque v.

high drogué.

hij il, lui; —, *die*, celui qui; *een* —, un garçon; un mâle.

hijgen 1 haleter; souffler; **2** (— *naar*) soupirer (après).

hijs/blok poulie v. **▼—en** hisser; — *bovenop*, jucher; (*bier*) —, lamper.

hik hoquet m. **▼—ken** avoir le hoquet.

hinde biche v.

hinder inconvénient, embarras m, gêne v; *de* — *van het autoverkeer*, les nuisances du trafic des automobiles. **▼—en** I ov.w **1** incommoder, gêner; **2** déranger; **3** agacer; **4** nuire (à); *hij hindert je toch niet?*, il ne vous dérange pas, au moins? **II** on.w gêner, être gênant; *dat hindert niet*, cela ne fait rien. **▼—laag** embuscade v, guet-apens m; *een* — *leggen*, dresser une embuscade (à qn). **▼—lijk** gênant; agaçant. **▼—nis** obstacle m; entrave v. **▼—nisbaan** parcours m d'obstacles. **▼—paal** obstacle m. **▼—wet** loi v sur les établissements dangereux, incommodes et insalubres.

Hindoe Hindou m. **▼—s** hindou; *een H—se*, une Hindoue. **▼—stan** l'Hindoustan m.

hinkelen jouer à la marelle.

hink/en boiter, clocher; *op twee gedachten* —, ne savoir quel parti prendre. **▼—end** boiteux. **▼—stap-sprong** triple saut m.

hinniken I on.w hennir. **II** zn: *het* —, le hennissement.

hip hip; dans le vent.

hippie hippie, freak, junk m.

histor/icus historien m. **▼—ie** histoire v. **▼—ieschrijver 1** historien; **2** (*officieel*) historiographe m. **▼—isch** bn (& bw) historique(ment).

hit 1 bidet, petit cheval m; **2** petite bonne v; **3** (*muz.*) tube m. **▼—parade** hit-parade, palmarès m.

hitte chaleur v; **2** (*fig.*) ardeur v; *in de* — *van het gevecht*, au fort de la bataille. **▼—barrière** barrière v thermique. **▼—bestendig** réfractaire à la chaleur. **▼—golf** vague v de chaleur. **▼—meter** pyromètre m. **▼—schild** bouclier m thermique.

ho ho!, halte-là!

hobbel/en (se) balancer; cahoter. **▼—ig** raboteux, cahoteux. **▼—igheid** inégalité v. **▼—paard** cheval m à bascule.

hobby hobby, dada, violon d'Ingres m.

hobo hautbois m. **▼—ïst** hautboïste m.

hockey hockey m. **▼—er** hockeyeur m.

hoe I bw **1** (*op welke wijze*) comment; **2** (*hoeveel*) combien, comme, que; — *eer, — beter*, le plus tôt vaudra le mieux; — *laat is het?*, quelle heure est-il?; — *ver is het naar Y?*, combien y a-t-il d'ici à Y?; — *..., des*

te..., plus..., plus...; — komt het, dat...,
d'où vient que...; — lang is, de quelle
longueur est; — lang is het geleden, dat,
combien y a-t-il que; — hij ook studeert, il a
beau étudier; — langer, — beter, de mieux en
mieux; — oud is hij?, quel âge a-t-il?; —
ook, quelque... que (met subj.); — mooi is
zij!, comme elle est belle!; je weet — ik je
bemin, vous savez combien je vous aime; —
zo?, comment cela?; — kan iemand zo stom
zijn?, croyez-vous qu'il faut être bête? II zn:
het — en waarom willen weten, vouloir
savoir pourquoi et comment.
hoed 1 chapeau; 2 (vilten —) feutre; 3 (bol-)
melon m; hoge —, haut-de-forme m; —en
af!, chapeaux bas!; zijn — afzetten, se
découvrir; voor iem. de — afnemen, donner
un coup de chapeau à; zijn — ophouden,
garder son chapeau; zijn — opzetten, se
couvrir, mettre son chapeau.
hoedanigheid qualité v.
hoede garde v; onder zijn — nemen, prendre
en garde; onder zijn — hebben, avoir sous sa
garde, veiller sur; op zijn — zijn (voor), se
tenir sur ses gardes; se méfier (de).
hoede/borstel brosse v à chapeau.
hoeden I o.v.w garder. II zich — voor se
garder de; se méfier de.
hoeden/maakster modiste v. ▼—**maker**
chapelier m. ▼—**winkel** chapellerie v; (v.
dames) magasin m de modes. ▼**hoedeplank**
tableau m arrière.
hoef sabot m. ▼—**beslag** ferrure v.
▼—**getrappel** bruit m de sabots. ▼—**ijzer** fer
m à cheval. ▼—**ijzervormig** en fer à cheval.
▼—**smederij** maréchalerie v. ▼—**smid**
maréchal (ferrant) m. ▼—**stal** travail m.
hoegenaamd quoi que ce soit; — niet, pas le
moins du monde; — niets, absolument rien.
hoegrootheid quantité v, montant m.
hoek 1 coin, angle, (bocht) coude m;
2 (vishaak) hameçon m; (aanliggende
(inspringende, overeenkomstige,
overstaande, rechte, scherpe, stompe,
uitspringende) —, angle adjacent (rentrant,
correspondant, opposé par le sommet, droit,
aigu, obtus, saillant); een — maken, faire
angle (avec); dode —, angle mort; in alle
—en en gaten, dans tous les coins et recoins;
een — van een kaartje omvouwen, corner
une carte; het huis op de —, la maison du
coin; uit de — komen, placer son mot; zien
uit welke — de wind waait, voir de quel côté
vient le vent; de — omslaan, tourner le coin.
▼**hoek/huis** maison v qui fait angle. ▼—**ig**
anguleux, cornu; (fig.) âpre, rude. ▼—**je** petit
coin m; het — omgaan, passer l'arme à
gauche. ▼—**kast** armoire v d'angle,
encoignure v. ▼—**lijn** diagonale v. ▼—**man**
(beurs) remisier; (sp.) ailier m. ▼—**meter**
1 goniomètre; 2 graphomètre m. ▼—**pand**
immeuble m d'angle. ▼—**pijler** pilier m
cornier. ▼—**plaats** place v de coin; —
achteruit (vooruit) aan de gangzijde (a. h.
raam), le coin de dos (de face) côté couloir
(côté fenêtre). ▼—**punt** sommet m d'angle.
▼—**raam** vitre v du coin. ▼—**schop** corner
m; een — nemen, corner. ▼—**schot** shoot m
en coin. ▼—**sgewijs** en angle. ▼—**snelheid**
vitesse v angulaire. ▼—**steen** pierre v
angulaire. ▼—**tand** dent v canine. ▼—**toren**
tour v placée à l'angle.
Hoek van Holland Pointe v de Hollande.
hoekvormig angulaire, en angle.
hoelang combien de temps?; tot —?, jusqu'à
quand?
hoen poule v; gemest —tje, poularde v.
▼**hoender/hof** basse-cour v. ▼—**hok**
poulailler m. ▼—**markt** marché m à volaille.
▼—**park** ferme v avicole. ▼—**s** des poules; —
—, les gallinacés m mv. ▼—**teelt** élevage m
de volaille.
hoepel cercle, cerceau m; van —s ontdoen,
décercler. ▼—**en** jouer au cerceau. ▼—**rok**
crinoline v.
hoer prostituée; putain, pute v.

hoerastemming allégresse v.
hoes housse v; pochette v (de disque); (v.
auto) bâche v. ▼—**laken** drap-housse m.
hoest toux v. ▼—**bui** accès m (of quinte v) de
toux. ▼—**en** tousser. ▼—**middel, —stillend**
béchique m & bn. ▼—**siroop** sirop m contre
la toux.
hoeve ferme v.
hoeveel combien; — boeken?, combien de
livres?; — kost dat?, c'est combien?; — is
dat samen?, ça fait combien?; om de —
(minuten)?, tous les combien?; met — zijn
jullie?, combien êtes-vous? ▼—**heid** quantité
v. ▼—**ste** quantième; de — is het?, quel jour
sommes-nous?; de — ben je?, le combien
êtes-vous?
hoeven être nécessaire; devoir; het hoeft niet,
ce n'est pas la peine; ne vous dérangez pas.
hoever jusqu'où; in —?, à quel point?
hoewel quoique, bien que (met subj.).
hoezeer I vgw quelque... que (met subj.).
II bw à quel point, combien.
hof 1 jardin, enclos m; 2 (v. vorst) cour v;
3 (gerechts—) cour v; het — maken, faire la
cour (à); conter fleurette (à); van huis en —
verdrijven, chasser de son foyer; vrij —
hebben, avoir le champs libre. ▼—**dame**
dame v d'honneur; (v. paleis) — du palais. ▼—**felijk** bn
(& bw) courtois(ement); overdreven —,
obséquieux. ▼—**felijkheid** courtoisie v;
hoffelijkheden, des politesses v mv;
overdreven —, obséquiosité v. ▼—**houding**
maison v, train m princier. ▼—**je** hospice m,
cité v de maisons de retraite. ▼—**leverancier**
fournisseur m de la cour; chef m du
protocole. ▼—**maarschalk**
grand maréchal m de la cour. ▼—**meester** steward; intendant;
maître m d'hôtel. ▼—**rijtuig** voiture v de la
cour. ▼—**stad** résidence v de la cour.
hogelijk grandement, extrêmement.
hogepriester grand-prêtre; souverain pontife
m. ▼—**lijk** pontifical. ▼—**schap** pontificat m.
hoger I bn plus haut, supérieur. II bw plus
haut. ▼—**hand**: van —, de la part des
autorités. ▼**H—huis** Chambre v haute, - des
lords.
hogeschool école v supérieure.
hoi salut, (bij afscheid ook:) ciao.
hok 1 (bergplaats) décharge, remise v; 2 (v.
dieren) loge, cabane v; 3 (school) boîte v,
bahut m; 4 (krot) taudis, bouge m. ▼—**ken**
rester dans un coin; clocher, marquer un
temps d'arrêt; bij elkaar —, rester ensemble;
met elkaar —, vivre maritalement. ▼—**vast**
casanier. ▼—**vastheid** sédentarité v.
hol I bn 1 creux; caves v. (v. lens) concave;
3 (fig.) creux; —le kies, dent v creuse; —le
ogen, des yeux m mv caves; —le zee, mer v
houleuse; —le stem, voix v caverneuse; in het
—st van de nacht, au milieu de la nuit; —
slijpen, évider. II bw: — klinken, sonner
creux. III zn 1 caverne, antre v, creux m;
grotte v; 2 (v. dier) tanière v, trou m; 3 iem.
het hoofd op — brengen, tourner la tête à qn;
op — slaan, prendre le mors aux dents;
s'emballer. ▼**holbewoner** troglodyte,
habitant m des cavernes. ▼**holbol**
convexe-concave.
holding-company société v holding, société
de contrôle; een bank in een — opnemen,
prendre une banque en gérance.
hole (sp.) trou m.
holenkun/de spéléologie v. ▼—**dige**
spéléologue m & v.
holheid cavité v, creux m; (fig.) vide m,
ineptie v. ▼**holklinkend** caverneux.
Holland v. Hollande; — is in last, l'alarme est
au camp. ▼—**er** Hollandais; de Vliegende —
le Vaisseau-Fantôme; vliegende —, autoskiff
m, auto-rame v. ▼**Hollands** I bn hollandais,
de Hollande. II zn: het —, le hollandais; een
—e, une Hollandaise; —e kaas, du fromage
de Hollande.
hollen courir (au galop); s'emporter; het is
met hem — of stilstaan, il passe d'une
extrémité à l'autre. ▼**holletje**: op een —, au

galop.
hologig aux yeux enfoncés, - caves.
holografie holographie v.
holrond concave. ▼**—heid** concavité v.
holster fonte, gaine v, étui-gaine m.
holte 1 creux m, cavité v; **2** (uitholling) excavation v; **3** (oog—) orbite v.
hom 1 laitance, laite v (de poisson); **2** jabot m (de chemise). ▼**—baars** perche v laitée.
home home, intérieur m. ▼**- - made** fait à la maison.
homeop/aat homéopathe m. ▼**—athie** homéopathie v. ▼**—athisch** bn (& bw) homéopathique(ment).
homerisch homérique. ▼**Homerus** Homère.
hometrainer appareil m de culture physique.
hommel bourdon m.
homofilie homophilie v.
homo/geen homogène. ▼**—geniteit** homogénéité v.
homolog/atie homologation v. ▼**—eren** homologuer.
homoniem homonyme (m).
homoseksu/aliteit homosexualité v. ▼**—eel** homosexuel, inverti.
homp quignon m (de pain).
hond chien m; (in kindertaal) toutou m; blaffende **—** en bijten niet, chien qui aboie ne mord pas; rode **—**, rubéole v; de **— in de pot vinden**, dîner par cœur; wie een **— wil slaan, kan licht een stok vinden**, qui veut noyer son chien l'accuse de rage; slapende **—** en wakker maken, réveiller le chat qui dort. ▼**—ebaantje** chien m de métier, sale métier m. ▼**—ehok** niche, loge v, chenil m. ▼**—ekar** charrette v à chien. ▼**—eleven** chienne v de vie.
▼**—enasiel** asile m pour chiens.
▼**—enbelasting** taxe v sur les chiens.
▼**—epoep** crotte v. ▼**—eras** race v de chiens; race canine.
honderd I telw cent; het is **— tegen een**, il y a cent contre un à parier (que). **II** zn centaine v; bij **—en**, par centaines; (de boel in het **— gooien**, laisser les cartes se brouiller; dat loopt in het **—**, tout y va de travers, tout s'embrouille; **—en en duizenden**, des mille et des cents. ▼**—delig** centésimal v. (v. thermometer) centigrade. ▼**—duizend** cent mille; **—en**, des centaines de mille. ▼**—jarig** centenaire, séculaire; **—** gedenkfeest, centenaire m. ▼**—ste** centième (m). ▼**—tal** centaine v. ▼**—voud** centuple m. ▼**—voudig** centuple.
honde/voer pâtée v. ▼**—wacht** second quart m. ▼**—weer** temps m de chien. ▼**—werk** sale corvée v. ▼**honds I** bn **1** cynique; brutal, effronté, éhonté. **II** bw brutalement.
▼**—dagen** canicule v. ▼**—dolheid** rage, hydrophobie v; tegen de **—**, antirabique.
▼**—heid** brutalité v; cynisme m. ▼**—end** bn injurieux, outrageant. **II** bw d'une façon outrageante.
Hongaar Hongrois m. ▼**—s** hongrois; een H—e, une Hongroise; het **—**, le hongrois. ▼**Hongarije** la Hongrie.
honger I zn v; ik heb niet veel **—**, je n'ai pas très faim; **— hebben als een paard**, avoir une faim de loup; grote **— hebben**, avoir grand-faim. ▼**— lijden**, souffrir la faim; van **— sterven**, mourir de faim; **— is de beste saus**, il n'est chère que d'appétit. ▼**—dood** mort v d'inanition. ▼**—en** avoir faim (de); être affamé (de); zich dood **—**, se laisser mourir d'inanition. ▼**—ig** affamé; iem. **— maken**, donner faim à qn. ▼**—igheid** appétit m.
▼**—kuur** diète v (absolue). ▼**—lijder** affamé, meurt-de-faim m. ▼**—loon** salaire m de famine; traitement m de misère. ▼**—mars** marche v de faim. ▼**—oedeem** oedème m de carence. ▼**—snood** famine v. ▼**—staker** gréviste m de la faim. ▼**—staking** grève v de la faim.
honi(n)g miel m; iem. **— om de mond smeren**, cajoler qn. ▼**—achtig** mielleux.
▼**—bereiding** mellification v. ▼**—bij** abeille v

domestique. ▼**—drank** hydromel m.
▼**—kleurig** couleur de miel. ▼**—koek** pain m d'épices (au miel). ▼**—pot** pot m à miel.
▼**—raat** rayon m de miel. ▼**—zoet** doux comme du miel, mielleux.
honk but m, barres v mv; terme; logis m; bij **— blijven**, rester chez soi; être casanier; van **— zijn**, être absent. ▼**—bal** base-ball m. ▼**—vast** casanier.
honneur honneur m; de **—s waarnemen in**, faire les honneurs de. ▼**honor/air** honoraire. ▼**—arium** honoraires m mv, cachet m.
▼**—eren** rétribuer, rémunérer; een wissel **—**, réserver bon accueil à une lettre de change.
▼**honoris causa**: doctoraat **—**, doctorat m d'honneur.
hoofd 1 tête v; **2** chef m; **3** (v. brief enz.) en-tête; **4** (haven—) jetée v; **— van het gezin**, chef de famille; **—** ener school, directeur m d'école; een **— groter zijn dan iem.**, dépasser qn de la tête; **— links (rechts)** !, tête à gauche (à droite) !; mijn **— staat er niet naar**, je n'ai pas la tête (of l'esprit) à ça; het **— bieden aan**, tenir tête à, affronter; zich het **— breken met**, se rompre la tête à (qc); iem. het **— op hol brengen**, tourner la tête à qn; het **— laten hangen**, baisser la tête; teveel aan het **— hebben**, avoir trop de choses en tête; aan het **— staan van**, être à la tête de; aan het **— van de brief**, en tête de la lettre; aan het **— der tafel**, au haut bout de la table; zich aan het **— stellen**, se mettre à la tête; niet goed bij het **— zijn**, avoir le cerveau dérangé; wat ons boven het **— hangt**, ce qui nous menace; het is mij door het **— gegaan (plotseling ingevallen)**, cela m'a passé par la tête; (vergeten) cela m'est sorti de la tête; zich iets in het **— halen**, se mettre qc en tête; zich allerlei dingen in het **— halen**, se monter l'imagination; het in zijn **— krijgen om**, s'aviser de; zwaar in het **— zijn**, avoir la tête lourde; met opgeheven **—**, (marcher) la tête haute; met het **— tegen de muur lopen**, donner de la tête contre le mur; met het **— voorover**, la tête la première; met het **— stijgen**, monter à la tête; iets over het **— zien**, négliger qc; ik heb dat over het **— gezien**, cela m'a échappé; de **— en bij elkaar steken**, comploter; se concerter; het **— verliezen**, perdre la tête; **- contenance**; uit **— e van**, pour cause de; du fait de; uit dien **—**, e, pour cette raison; iets uit zijn **— kennen (leren)**, savoir (apprendre) qc par cœur; uit zijn **— opzeggen**, réciter de mémoire; iem. iets uit het **— praten**, dissuader qn de qc; uit het **— rekenen**, calculer de tête; zich voor het **— schieten**, se tirer un coup de revolver à la tête; iem. voor het **— stoten**, blesser, offusquer qn; het **— stoten**, être refusé, essuyer un refus; zoveel **—en**, zoveel zinnen, autant de têtes, autant d'avis.
hoofd... (in ss meestal:) principal. ▼**—akte** brevet m de directeur d'école primaire.
▼**—altaar** maître-autel m. ▼**—ambtenaar** haut fonctionnaire m. ▼**—arbeider** travailleur m intellectuel. ▼**—artikel 1** article principal; **2** (in krant) article m de fond; (v. redactie) éditorial m.
hoofd/band bandeau m frontal.
▼**—beschuldiging** premier chef d'accusation m. ▼**—bestanddeel** élément m principal. ▼**—bestuur** comité directeur, bureau m central. ▼**—bestuurder** membre m du comité directeur. ▼**—betrekking** fonction v principale. ▼**—bewerking** de vier **—en**, les quatre règles, - opérations v mv fondamentales. ▼**—bewoner** principal locataire m. ▼**—boekhouder** chef-comptable. ▼**—breken**: dat heeft me veel **—s gekost**, cela m'a valu beaucoup de peine. ▼**—brekend** fatigant, pénible.
▼**—bureau** bureau m central; siège m central.
hoofd/commies commis m principal.
▼**—commissaris** commissaire m central.
▼**—conducteur** chef m de train.

hoofd/deksel coiffure v. ▼**—denkbeeld** idée v fondamentale. ▼**—depot** dépôt m central. ▼**—deugd** vertu v cardinale. ▼**—deur** grande porte v; portail m. ▼**—doek** foulard m, madras, mouchoir m de tête. ▼**—doel** but m principal.
hoofd/eigenschap propriété v principale. ▼**—einde** chevet m. ▼**—elijk** par tête, individuel (lement); —e stemming, vote m nominal; zonder —e stemming, par acclamation; à main levée; — e omslag, répartition v individuelle. ▼**—film** grand film m. ▼**—gebouw** bâtiment m central; corps m du bâtiment. ▼**—gerecht** plat m de résistance.
hoofd/ingang entrée v principale.
▼**—ingenieur** ingénieur m en chef.
▼**—inspecteur** inspecteur m général, - en chef; (v. onderw. in Frankrijk) recteur m (d'académie).
hoofd/kaas fromage m de tête. ▼**—kantoor** bureau m central; siège m social. ▼**—kerk** cathédrale v. ▼**—klerk** commis m principal. ▼**—kleur** couleur v dominante; - primaire. ▼**—kraan** robinet m principal, prise v générale. ▼**—kussen** oreiller m. ▼**—kwartier** quartier m général.
hoofd/leiding 1 direction générale; 2 conduite v principale. ▼**—letter** majuscule v. ▼**—macht** gros m (de l'armée). ▼**—officier** officier m supérieur. ▼**—onderwijzer** instituteur m en chef. ▼**—oorzaak** cause v principale; - essentielle.
hoofd/persoon personnage principal; héros m, héroïne v. ▼**—pijn** mal m de tête; schele —, migraine v; — hebben, avoir mal à la tête. ▼**—plaats** chef-lieu m. ▼**—postkantoor** bureau m central des postes. ▼**—prijs** premier prix; (in loterij) gros lot m. ▼**—punt** point m principal.
hoofd/redacteur rédacteur m en chef. ▼**—regel** règle v principale. ▼**—rekenen** calcul m mental. ▼**—rol** premier -, grand rôle m. ▼**—rolspeler, —rolspeelster** vedette v. **hoofd/schotel** plat m principal; pièce v de résistance. ▼**—schudden** hochement m de tête. ▼**—schuldige** auteur m principal. ▼**—sieraad** diadème m. ▼**—som** total; capital; (v. belasting) principal m. ▼**—stad** capitale v; chef-lieu m. ▼**—station** gare v principale. ▼**—stel** têtière v. ▼**—stelling** thèse principale; (mil.) position v principale. ▼**—steun** appui-tête m. ▼**—straat** rue principale, grande rue v. ▼**—stuk** chapitre m. **hoofd/telefoon** casque m écouteur. ▼**—telwoord** nombre m cardinal. ▼**—thema** thème m principal. ▼**—trap** grand escalier m. ▼**—trek** trait m caractéristique; in —ken, dans ses grandes lignes; in —ken schetsen, ébaucher, esquisser.
hoofd/vak branche v principale; dit is mijn —, c'est ma spécialité. ▼**—verkeersweg** grande artère v. ▼**—verkenner** chef scout. ▼**—verpleegster** infirmière v (en) chef. ▼**—vertegenwoordiger** agent m général. ▼**—werk** 1 ouvrage principal; livre essentiel; 2 travail m intellectuel. ▼**—werkwoord** verbe m principal.
hoofd/zaak affaire v principale; de —, le principal, l'essentiel m; — is, il n'est que de; in —, 1 au fond; en principe; 2 essentiellement; en substance; laat ons tot de — komen, venons au fait. ▼**—zakelijk** I bn principal, essentiel. II bw essentiellement, avant tout. ▼**—zetel** siège m principal; maison v mère. ▼**—zin** proposition v principale. ▼**—zonde** péché m capital. **hoofs** courtois. ▼**—heid** manières v mv de cour, courtoisie v.
hoog I bn 1 haut, élevé; 2 (verheven) éminent, noble, sublime; twee meter —, haut de deux mètres; hij woont een —, il demeure au premier (étage); hoge eer, grand honneur m; (kaartspel) een hoge harten, un coeur maître; japon met hoge hals, robe v montante; hoge koorts, forte fièvre v; hoge leeftijd, âge m

avancé; te hoge prijs, prix m exorbitant; de hoge raad, la cour de cassation; hoge temperatuur, température v élevée; — water, marée v haute; hoge zee, haute mer v; dat gaat mij te —, cela me passe; het hoge woord is eruit, le grand mot est lâché; ergens — en droog zitten, être à l'abri de tout danger. II bw haut, hautement; — aangeschreven, bien noté; het — in de bol hebben, porter la tête haute; het — nodige, le strict nécessaire; opgeven van, vanter; iets — opnemen, être offensé de qc; — zingen, chanter haut; het is — tijd, il n'est que temps, il est grand temps. III zn: de Hoge, le Très-Haut; een hoge, (fam.) un gros bonnet, une des huiles, une grosse légume.
hoogacht/en vénérer, considérer; —d, agréez (je vous prie), l'expression de ma considération distinguée. ▼**—ing** sentiments de haute considération.
hoog/altaar maître-autel m. ▼**—bejaard** fort âgé. ▼**—blond** d'un blond doré; - hardi.
hoogconjunctuur conjoncture v de prospérité.
hoogdravend I bn pompeux, emphatique, ronflant. II bw pompeusement, emphatiquement. ▼**—heid** enflure, emphase v.
hoog/druk impression v en relief. ▼H**—duits** (haut-) allemand.
hoog/edel très noble; uwe —e, Votre Seigneurie v. ▼**—eerwaard** vénérable; uw —e, Votre Révérence v, Monseigneur m; ▼**—feest** grande fête v. ▼**—gaand** excessif, violent; (v. zee) houleux. ▼**—geacht** très estimé, honoré.
hooggebergte haute montagne v.
hoog/geëerd très honoré. ▼**—geleerd** très savant. ▼**—geplaatst** haut placé, en place.
hooggerechtshof haute cour v de justice.
hoog/gesloten (v. kleding) montant. ▼**—gestemd** exalté; noble, élevé. **hooghartig** I bn hautain, altier, fier. II bw fièrement. ▼**—heid** hauteur; fierté v.
hoogheemraad intendant m des digues. ▼**—schap** intendance v des digues.
hoogheid 1 grandeur, élévation; 2 générosité v; Zijne (Hare) Koninklijke H—, Son Altesse Royale.
hooghouden tenir haut; (fig.) maintenir, faire respecter.
hoogland Hautes-Terres m mv; de Schotse —en, les Highlands. ▼H**—er** highlander.
hoogleraar professeur m de faculté; buitengewoon —, chargé m de cours.
Hooglied Cantique m des cantiques.
hooglopend violent.
hoogmis grand-messe v.
hoogmoed orgueil m; arrogance v. ▼**—ig** I bn orgueilleux, hautain. II bw orgueilleusement. ▼**—swaanzin** folie des grandeurs, mégalomanie v.
hoognodig I bn urgent, indispensable. II bw absolument; iets — hebben, avoir grand besoin de qc.
hoogoven haut fourneau m.
hoogrood I bn d'un rouge vif; 2 haut en couleur, rubicond.
hoog/schatten faire grand cas de. ▼**—schatting** considération v.
hoogspanning haute tension v. ▼**—sdraad, —skabel** fil (câble) m à haute tension. ▼**—sleiding** ligne v à haute tension. ▼**—snet** réseau m à haute tension.
hoogspringen zn saut m en hauteur.
hoogst I bn le plus haut; zijn —e kaart, sa carte la plus forte. II bw le plus haut; au plus haut point; — gewichtig, de la dernière (of de la plus haute) importance. III zn: het —, le maximum, le point culminant; op het —, à son comble; op zijn —, ten —e, tout au plus. ▼**—aangeslagene** plus haut imposé.
hoog/staand éminent. ▼**—stand** équilibre m.
hoogst/ens tout au plus. ▼**—waarschijnlijk** selon toutes les probabilités.
hoogte 1 hauteur, élévation; 2 (heuvel)

hauteur, colline v; de — hebben, être plein; geen — hebben van, n'avoir aucune idée de; iem. in de — steken, élever qn aux nues; op de — brengen, mettre au courant; op gelijke — met, de niveau avec; zich op de — stellen, se renseigner; goed op de — zijn, être bien informé (de); tot op zekere —, en quelque sorte, jusqu'à un certain point; uit de — behandelen, traiter de haut; uit de — zijn, être distant; uit de — spreken, parler avec arrogance. **hoogte/doorgang** gabarit m.
▼—**grens** plafond m. ▼—**kaart** carte v du relief. ▼—**lijn 1** ligne v de hauteur; **2** (aardr.) courbe v de niveau. ▼—**meter** altimètre m.
▼—**punt** apogée v; point m culminant.
▼—**record** record m d'altitude. ▼—**roer** gouvernail m de profondeur. ▼—**sprong** saut m en hauteur. ▼—**station** station v d'altitude.
▼—**verschil** dénivellation v. ▼—**vrees** phobie v des hauteurs. ▼—**zon** lampe v ultraviolette; met — behandelen, traiter par les rayons ultraviolets. ▼—**zonbestraling** héliothérapie v.
hooguit (tout) au plus.
hoogveen tourbière v.
hoogverheven auguste, sublime.
hoog/verraad haute trahison v. ▼—**vlakte** plateau m. ▼—**vlieger** aigle, esprit m supérieur.
hoog/waarde révérendissime. ▼—**waardig** vénérable; het —e, le saint sacrement.
▼—**waardigheid** monseigneur; zijne — de Bisschop, Sa Grandeur l'Évêque. ▼—**werker** camion m nacelle.
hooi foin m; men moet niet te veel — op zijn vork nemen, qui trop embrasse, mal étreint.
▼—**berg** meule v; een speld in een — zoeken, chercher une aiguille dans un botte de foin. ▼—**boter** beurre m d'hiver.
▼—**bouw** fenaison v. ▼—**broei** échauffement m du foin. ▼—**en I** ww faner, faire les foins. **II** zn: het —, la fenaison.
▼—**er, —ster** faneur m, faneuse v. ▼—**kist** autocuiseur m, marmite v norvégienne.
▼—**koorts** rhume v (of fièvre v) des foins.
▼—**maand** juillet m. ▼—**machine** faneuse v.
▼—**mijt** meule v. ▼—**schuur** fenil m.
▼—**vork** fourche v (à foin). ▼—**wagen 1** chariot m à foin; **2** (spin) faucheur m.
▼—**zolder** grenier m à foin.
hoon insulte v, outrage m. ▼—**gelach** ricanement m.
hoop 1 tas, monceau, amas m; **2** (fig.) foule, masse, troupe v; bij hopen, des tas de…; in een — trappen, mettre le pied dedans; de grote —, la masse, le vulgaire; te — lopen, s'attrouper; s'ameuter; **3** espérance v.
4 (bepaald) espoir m; de — op, l'espoir de (qc); zijn — is vervlogen, son rêve s'est évanoui; de — opgeven, renoncer à tout espoir; zijn — stellen op, mettre son espoir en; in de —, dans l'espoir (de, que); op — van zegen, en espérant le mieux; in zijn — beschaamd (worden), (être) déçu dans ses espérances. ▼—**vol 1** promettant beaucoup; **2** plein d'espoir.
hoor! va, allez, tu sais, vous savez; neen —, mais non. ▼—**apparaat** audiophone m.
▼—**baar** audible, perceptible; distinct.
▼—**baarheid** perceptibilité v. ▼—**bril** lunettes v mv auditives, - acoustiques.
▼—**buis** cornet m acoustique. ▼—**der** auditeur m; de —s, l'auditoire m. ▼—**ster** auditrice v.
hoorn, horen corne v (de bœuf); bois (de cerf); cornet (acoustique); (muz.) cor; (mil.) clairon m; (tel.) combiné m; — van overvloed, corne v d'abondance; op de — blazen, sonner du cor; — (stof), corne v.
▼—**achtig** corné. ▼—**blazer** corniste, trompette; (mil.) clairon m. ▼—**en de corne**.
▼—**huis** cornée v. ▼—**muziek** fanfare v.
▼—**signaal** sonnerie v (de cor). ▼—**vee** bêtes v mv à cornes. ▼—**vlies** cornée v.
▼—**vliestransplantatie** kératoplastie, greffe v de la cornée.

hoorspel scène v radiophonique.
hoos trombe v.
hop (plk.) houblon m.
hopelijk comme je me plais à espérer.
▼**hopeloos I** bn désespéré, sans espoir. **II** bw désespérément. ▼—**heid** état m désespéré.
hopen I on.w espérer; (ww na espéren in toekomende tijd) ik hoop dat ze gauw schrijft, j'espère qu'elle écrira bientôt; — op, espérer (en Dieu); ik hoop van niet, j'espère que non. **II** ov.w: het beste (ervan) —, espérer le mieux; ik hoop het, j'espère bien; ik hoop, dat hij u betaald heeft, j'aime à croire qu'il vous a payé.
hopje caramel m (de Hollande).
hopman capitaine; (v. verkennerij) scoutmestre m.
hop/teelt culture v du houblon. ▼—**veld** houblonnière v.
hor moustiquaire v, treillis m.
horde 1 troupe, bande, (v. verkennerij) meute v; **2** (vlechtwerk) claie, clisse v. ▼—**nloop** course v de haies.
horen I ov.w **1** entendre; **2** (verhoren) écouter, entendre, ouïr (les témoins); **3** (vernemen) apprendre; dat heb ik gehoord, je l'ai entendu dire; ik heb hem — zingen, je l'ai entendu chanter; ik heb haar — zingen, je l'ai entendue chanter; als men hem zo hoort, à l'entendre (on dirait); iets van zich laten — zeggen, il le sait par oui-dire. **II** on.w **1** entendre; **2** écouter; hoor eens, écoute (un peu); ik ga eens even —, je vais chercher des nouvelles; goed —, entendre clair; slecht —, avoir l'oreille dure; hij wil daar niet van —, il ne veut pas en entendre parler; wie niet — wil, moet voelen, dommage rend sage. **III** zn: het —, l'audition, l'ouïe v.
horizon(t) horizon m; schijnbare (ware) —, horizon apparent (rationnel). ▼—**taal** bn (& bw) horizontal(ement).
horloge montre v; op zijn — kijken, regarder l'heure. ▼—**bandje** bracelet m de montre.
▼—**kast** boîtier m. ▼—**maker** horloger m. ▼—**zakje** gousset m.
hormoon hormone v.
horoscoop horoscope m; iem.'s — trekken, faire l'horoscope de qn.
horrelvoet pied m bot.
horretjespolitiek politique v de clocher.
hors d'oeuvre hors d'œuvre m. ▼—**schaal** hors d'œuvrier m. ▼—**schaaltje** ravier m.
hort heurt, choc m; met —en stoten, par saccades; difficilement. ▼—**en cahoter**; discontinuer. ▼—**end saccadé**.
horzel frelon, taon m.
hosanna hosanne m.
hospes logeur m. ▼**hospita** hôtesse v.
hospitaal hôpital m. ▼—**dienst** service m hospitalier. ▼—**linnen** toile v imperméable.
▼—**ridder** hospitalier m. ▼—**schip** navire-hôpital m. ▼—**soldaat** infirmier m.
▼—**trein** train m sanitaire.
hospit/ant (professeur) stagiaire m. ▼—**eren** assister à une leçon; faire un stage. ▼—**ium** hospice m.
hossen se bousculer en criant et en dansant.
hostess hôtesse v.
hostie hostie v. ▼—**kelk** ciboire m.
▼—**schoteltje** patène v.
hotel hôtel m; rijdend —, hôtel ambulant.
▼—**bedrijf** industrie v hôtelière. ▼—**houder** hôtelier m. ▼—**schakelaar** va-et-vient m.
▼—**school** école v hôtelière.
hotsen cahoter, secouer.
houd/baar tenable; supportable; défendable; qui se conserve bien. ▼—**en I** ov.w **1** tenir; **2** (bevatten) contenir, renfermer; **3** (be—) garder; avoir, posséder; **5** (tegen—) retenir; **6** (in acht nemen) observer, garder; **7** (uitspreken) faire, prononcer; houdt de dief!, au voleur!; iem. aan zijn woord —, prendre qn au mot; zijn woord —, tenir parole; de stad heeft het niet kunnen —, la

ville n'a pas pu tenir; *zij — het met elkaar, ils sont s'intelligence; *het met een balletmeisje —*, avoir une liaison avec une danseuse; *ik houd het met je vader*, je suis de l'avis de votre père; *ik houd het ervoor dat*, je crois que; *zijn lachen niet kunnen —*, ne pouvoir se tenir de rire; *zij kan maar geen dienstbode —*, elle ne peut garder aucune bonne; *de prijzen laag —*, maintenir bas les prix; *zijn woord niet —*, manquer à sa parole; *iets aan zich —*, se réserver qc; *zijn gedachten erbij —*, avoir la tête à (la besogne); *hij houdt haar bij zich*, il la garde auprès de lui; *(iets) in het oog —*, ne pas perdre de vue; *ten eten —*, retenir (qn) à dîner; *ze uit elkaar —*, les distinguer; - écarter; *ze van elkaar —*, les tenir éloignées; *waar houd u me voor?*, pour qui me prenez-vous?; *ik houd hem voor een eerlijk mens*, je le tiens pour un honnête homme; *iets voor zich —*, taire qc. **II** *on.w* tenir; *links (rechts) —*, tenir la (of sa) gauche (droite); *het zal erom —*, ce sera tout juste (si...); *van iem. —*, aimer qn; *veel —* van, aimer beaucoup, adorer. **III** *zich —* se tenir; *zich — alsof...*, faire semblant de...; *zich doof —*, faire le sourd; *zich goed —*, 1 (*v. waren*) se conserver; 2 (*v. personen*) se bien tenir; maîtriser son émotion; garder son sérieux; se défendre bien (*voor zijn leeftijd*); *zich — aan*, s'en tenir à, observer (les règles); *zich aan de voorschriften —*, se conformer strictement aux instructions; *zich er buiten —*, se tenir à l'écart; *zich voor een kunstenaar —*, se croire un artiste. ▼**houder** 1 porteur; 2 (*v. winkel enz.*) tenancier; 3 (*v. recht, postrekening enz.*) titulaire; 4 (*v. aandelen*) détenteur *m*; 5 support *m*. ▼**houdgreep** prise *v* d'épaules; clé *v*. ▼**houding** 1 attitude; tenue, contenance *v*; port, maintien *m*; 2 (*bij het lopen*) démarche *v*; 3 conduite *v*; *zich een — geven*, se donner une contenance; 4 (*mil.*) position *v*; *de — aannemen*, se mettre au garde à vous.

hout bois *m*; pièce *v* de bois; *alle — is geen timmerhout*, tout bois n'est pas bon à faire flèche; *— snijden*, être efficace, sortir son effet; *— bewerken*, travailler le bois; *het —*, le travail du bois. ▼**—aankap** coupe *v* (de bois); exploitation *v* forestière. ▼**—blok** bille *v*; billot *m*; bûche *v* (à brûler). ▼**—duif** ramier *m*. ▼**—en de bois**; *— vloer*, plancher *m*. ▼**—erig** *l bn* raide, gauche. **II** *bw* avec raideur. ▼**—erigheid** raideur *v*, gaucherie *v*. ▼**—graniet** granité *m*. ▼**—gravure** gravure *v* sur bois. ▼**—hakker** bûcheron *m*. ▼**—hok** bûcher *m*. ▼**—houdend** ligneux. ▼**—industrie** industrie *v* utilisant le bois. ▼**—je** morceau *m* de bois; *op een — moeten bijten*, n'avoir rien à se mettre sous la dent; *iets op zijn eigen — doen*, faire qc de sa propre autorité. ▼**—lijm** colle *v* forte. ▼**—mijt** bûcher *m*, pile *v* de bois. ▼**—skool** 1 charbon *m* de bois; (*brandende —*) braise *v*; 2 (*om te tekenen*) fusain *m*. ▼**—skooltekening** fusain *m*. ▼**—snede** gravure *v* sur bois. ▼**—snijkunst, —snijwerk** sculpture *v* en bois. ▼**—snip** bécasse *v*. ▼**—soort** essence *v* de bois. ▼**—stapel** *zie* **—mijt**. ▼**—teer** goudron *m* végétal. ▼**—vester** garde-forestier *m*. ▼**—vesterij** 1 métier *m* de forestier; 2 maison *v* forestière. ▼**—vezel** fibre *v* ligneuse. ▼**—vezelplaat** aggloméré, (*fam.*) agglo *m*. ▼**—vlot** train de bois, radeau *m*. ▼**—vlotter** flotteur *m*. ▼**—vrij** sans lignine. ▼**—werk** 1 (*aan gebouw*) boiserie, charpente *v*; 2 (*in mijn*) boisage *m*. ▼**—werker** ouvrier *m* en bois. ▼**—wol** laine -, paille *v* de bois. ▼**—worm** perce-bois, xylophage *m*. ▼**—zaag** scie *v* à bois. ▼**—zaagmolen, —zagerij** scierie *v*.

houvast crampon, tenon *m*; point *m* d'appui; *— hebben aan*, avoir prise sur.

houw 1 coup *m* (de sabre etc.); 2 blessure, balafre *v*. ▼**—degen** 1 espadon *v*; 2 (*persoon*) sabreur *m*. ▼**—eel** houe, pioche *v*. ▼**—en** *l on.w* couper, frapper. **II** *ov.w* tailler; hacher.

▼**—er** tailleur *m* (de mine).
houwitser obusier *m*. ▼**—granaat** obus *m*.
hovaardig I *bn* hautain, audacieux. **II** *bw* audacieusement. ▼**hovaardij** orgueil *m*.
hoveling courtisan *m*.
hovenier horticulteur; maraîcher *m*.
hovercraft aéroglisseur *m*.
hozen vider à l'écope, épuiser.
hugenoot huguenot *m*.
huichel/aar, —aarster hypocrite *m & v*. ▼**—achtig** *bn* (& *bw*) hypocrite(ment). ▼**—achtigheid, —arij** hypocrisie *v*. ▼**—en** *l on.w* faire l'hypocrite, feindre. **II** *ov.w* feindre, simuler.
huid peau *v*; (*opper—*) épiderme *m*; *iem. de — vol schelden*, accabler qn d'injures; *op zijn — krijgen*, être roué de coups. ▼**—aandoening** dermatose; dermatite *v*. ▼**—ademhaling** respiration *v* cutanée. ▼**—arts** dermatologie *m*. ▼**—enhandel** peausserie *v*.
huidig présent, actuel; *tot op de —e dag*, jusqu'au jour d'aujourd'hui. ▼**—kanker** cancer *m* de la peau. ▼**—uitslag** éruption *v*, eczéma *m*. ▼**—vlek** tache *v* de la peau. ▼**—wond** lésion *v* cutanée. ▼**—ziekte** maladie de peau, dermatose *v*. ▼**—ziektenleer** dermatologie *v*.
huif 1 (*hoofdbedekking*) coiffe; 2 (*v. kar*) bâche *v*. ▼**—kar** charrette *v* à bâche.
huig luette *v*; *met de — gevormd*, uvulaire.
huil/bui crise *v* de larmes, - de nerfs. ▼**—ebalk** pleureur, pleurnicheur *m*, pleureuse, pleurnicheuse *v*. ▼**—en** *l on. w* 1 pleurer; (*fam.*) chialer; 2 (*v. wolven*) hurler; 3 (*v. wind*) gémir, hurler; 4 larmoyer. **II** *zn*: *het — van*, les pleurs *m mv*; le hurlement. ▼**—erig** *l bn* larmoyant, pleureur. **II** *bw* d'une manière larmoyante.
huis 1 maison *v*; pavillon *m*; 2 (*woning*) demeure *v*, domicile *m*; 3 (*geslacht*) maison, famille *v*; 4 (*handels—*) maison *v* de commerce; *heer -, vrouw des huizes*, maître -, maîtresse de maison; *er is met dat kind geen — te houden*, cet enfant est intraitable; *iem. het — uitzetten*, mettre qn à la porte; *bij iem. aan — komen*, fréquenter chez qn; *naar — gaan*, rentrer; *ten huize van*, chez; *van iem.'s — komen*, venir de chez qn; *van goeden huize*, de bonne famille; *een jongen van goeden huize*, un fils de famille. ▼**huis/adres** adresse *v*. ▼**—apotheek** pharmacie *v* de famille. ▼**—arbeid** travail *m* à domicile. ▼**—archief** archives *v mv* privées. ▼**—arrest** arrêts *m mv* à domicile; *— geven*, consigner qn chez lui. ▼**—arts** généraliste, médecin *m* de famille, - traitant. ▼**—baas** propriétaire *m*. ▼**—bediende** employé *m* de maison. ▼**—bewaarder, —bewaarster** gardien(ne), concierge *m v*. ▼**—bezoek** visite *v* (domiciliaire). ▼**—bijbel** bible *v* de famille. ▼**—braak** effraction *v*. ▼**—brand** charbons *m mv* domestiques. ▼**—brandolie** fuel *m* domestique; mazout *m*. ▼**—dier** animal *m* domestique. ▼**—dokter** *zie* **—arts**.
huis(e)lijk I *bn* 1 domestique; du ménage; de famille; d'intérieur; 2 agréable, confortable, où l'on est bien; 3 (*v. personen*) casanier; *—e bezigheden*, soins *m mv* du ménage; *het — leven*, la vie de famille. **II** *bw* sans cérémonie, entre nous; (vivre) en famille. ▼**—heid** qualités *v mv* ménagères; goût *m* pour la vie de famille.
huis/genoot colocataire; membre *m* de la famille. ▼**—gezin** famille *v*. ▼**—heer** 1 maître de maison; 2 propriétaire *m*. ▼**—hond** chien *m* de garde, - domestique.
huishoud/beurs 1 bourse *v* de la ménagère; 2 salon *m* des arts ménagers. ▼**—boek** livre *m* de ménage, - de comptes. ▼**—elijk** 1 ménager, économe; 2 de maison, domestique; *— reglement*, règlement *m* intérieur; *—e vergadering*, réunion *v* ordinaire; *voor — gebruik*, pour l'usage journalier; *—e artikelen*, articles *m mv* de ménage; *winkel voor —e artikelen*,

quincaillerie v. ▼—elijkheid qualités v mv
d'économie, ordre m. ▼—en l on.w faire le
ménage ; tenir une maison ; vreselijk —, se
livrer aux pires excès. II zn : het —, le ménage ;
zijn — opzetten, monter son ménage ; het —
doen, faire le ménage ; het — waarnemen,
s'occuper du ménage. ▼—geld argent m du
ménage. ▼—ing 1 ménage m ; 2 conduite v
d'un ménage ; de — leren, apprendre à
conduire un ménage. ▼—kunde économie -,
science v ménagère. ▼—kundig ménager.
▼—onderwijs enseignement m ménager.
▼—school école v ménagère. ▼—ster
1 ménagère ; 2 gouvernante ; 3 femme de
charge v. ▼—weegschaal balance v de
ménage. ▼—zeep savon m de ménage.
huis/huur lover m ; vergoeding voor —,
indemnité v de logement. ▼—industrie
industrie v à domicile. ▼—japon peignoir ;
déshabillé m. ▼—jasje veston d'intérieur,
coin de feu m. ▼—jesmelker proprio m.
▼—jesslak escargot, limaçon m. ▼—kamer
salle v de séjour, - à manger, living-room m.
▼—kamerthermostaat thermostat m
d'ambiance. ▼—kapel oratoire m, chapelle v
privée. ▼—knecht domestique, valet m de
chambre. ▼—middel remède m de bonne
femme. ▼—moeder mère de famille v.
▼—mus 1 moineau m ; 2 (fig.) personne v
casanière. ▼—naaister couturière v à la
journée. ▼—onderwijzer gouverneur,
précepteur m. ▼—onderwijzeres
gouvernante v. ▼—prelaat prélat m
domestique. ▼—raad meubles m mv.
▼—schilder peintre m en bâtiments.
▼—slacht abattage m familial. ▼—sloof : —
zijn, être pot-au-feu. ▼—telefoon téléphone
m intérieur. ▼—vader père de famille.
huisvest/en loger, héberger. ▼—ing
logement m ; — vinden, trouver un logis ;
—scomité, comité m d'installation.
huisvlijt travail m du foyer, art m populaire ; -
rustique. ▼—school école v d'art populaire.
huisvrede paix v du ménage. ▼—breuk
violation v de domicile.
huisvrouw 1 femme, épouse ; 2 maîtresse de
maison v.
huisvuil ordures v mv ménagères.
▼—afvoerkoker vide-ordures m.
▼—emmer poubelle v.
huis/waarts à la maison ; — gaan, rentrer.
▼—werk 1 travaux domestiques ; 2 (v.
school) devoirs m mv. ▼—zoeking
perquisition v ; een — doen, perquisitionner
(chez).
huiver/en frissonner, frémir ; — om, hésiter à.
▼—ig frileux ; (fig.) hésitant. ▼—igheid
nature frileuse ; (fig.) hésitation v. ▼—ing
frisson, frémissement m. ▼—ingwekkend
qui donne le frisson ; terrifiant.
huizen demeurer, habiter, faire ménage (avec
qn). ▼—nood problème -, crise v du
logement.
hulde hommage m. ▼—betoon, —blijk
hommage m.
huldig/en 1 rendre hommage à (qn, à la
vérité) ; 2 prêter le serment de fidélité à ; een
mening —, se ranger à une opinion. ▼—ing
hommage m ; installation v. ▼—ingseed
serment m de fidélité.
hullen I ov.w envelopper (dans, de), voiler
(de). II zich — se draper (dans).
hulp aide, assistance v ; secours m ; — aan het
buitenland, aide v à l'étranger ; eerste — bij
ongelukken, les premiers secours ; onderlinge
—, secours mutuel ; technische — bij pech,
dépannage m ; — bieden, aider, assister,
secourir (qn) ; ik heb daarvan veel —, cela
m'est d'un grand secours ; iem.'s — inroepen,
implorer le secours de qn ; met Gods —, Dieu
aidant, avec l'aide de Dieu ; om — roepen,
crier au secours ; te — komen, venir au
secours de qn ; — in de huishouding, aide
familiale v. ▼hulp/behoevend
1 nécessiteux, indigent ; 2 (gebrekkig)
infirme. ▼—behoevendheid 1 indigence ;

2 infirmité v. ▼—betoon assistance v active ;
bons offices m mv. ▼—boek livre m auxiliaire.
▼—brigade équipe v de secours. ▼—bron
ressource v. ▼—brug pont m provisoire.
▼—colonne caravane v de secours.
▼—dienst 1 secourisme m ; 2 service m
auxiliaire ; medische — voor spoedgevallen,
service v d'aide médicale d'urgence,
S.A.M.U. ; technische —, service m de
dépannage. ▼—eloos 1 sans ressources,
délaissé ; 2 infirme. ▼—eloosheid
1 abandon, délaissement m ; 2 infirmité v.
▼—fonds caisse v de secours. ▼—kantoor
bureau m auxiliaire, agence v. ▼—kist boîte v
de secours. ▼—lijn ligne v auxiliaire.
▼—middel ressource v ; (fig.) expédient m.
▼—motor moteur m auxiliaire, servomoteur
m. ▼—post poste m de secours. ▼—raket
pousseur m. ▼—troepen troupes v mv
auxiliaires. ▼—vaardig serviable, empressé.
▼—vaardigheid empressement m (à servir) ;
obligeance v. ▼—verlening assistance v ;
belangeloze vrijwillige —, bénévolat m.
▼—werkwoord verbe m auxiliaire.
huls 1 (mil.) douille v ; 2 (v. fles) paillon m ;
capsule v. ▼—el enveloppe v ; stoffelijk —,
dépouille v (mortelle).
hulst houx m ; bonte —, houx panaché.
humaan I bn humain ; bienveillant. II bw avec
bienveillance. ▼human/iora humanités v
mv. ▼—isme humanisme m. ▼—ist,
—istisch humaniste. ▼—iteit humanité v.
humbug blague v, bluff, m.
humeur humeur v ; in zijn — zijn, être de
bonne humeur ; iem. in —, uit zijn — brengen,
mettre qn de bonne -, de mauvaise humeur.
▼—ig 1 inégal d'humeur ; 2 de mauvaise
humeur.
hummen zie hemmen.
hummel bambin, mioche m.
humor humour m. ▼—ist humoriste m.
▼—istisch bn (& bw) humoristique(ment).
humus terre v végétale ; humus m.
hun 1 (pers. vnw) leur, à eux, à elles ; 2 (bez.
vnw) leur(s).
hunebed allée v couverte ; dolmen m.
hunkeren aspirer (à), soupirer (après) ; ik
hunker naar om, il me tarde de.
huppelen sautiller ; bondir.
hups I bn gentil, charmant ; obligeant. II bw
gentiment, obligeamment.
huren I ov.w 1 louer ; 2 retenir (des places) ;
3 engager (un domestique). II zn : het —,
louage m ; location v ; engagement m.
hurk : op de —en zitten, être accroupi ; op de
—en gaan zitten, s'accroupir.
hut 1 cabane, chaumière, hutte v ; 2 (mar.)
cabine v. ▼—koffer malle v (de) cabine.
▼—kooi couchette v. ▼—passagier
passager m de cabine.
hutspot hochepot, pot-au-feu v ; (fig.)
salmigondis m.
huur 1 (daad) louage m, location v ; 2 (geld)
loyer m ; 3 (loon) salaire m, gages m mv ; de
— betalen, payer le terme ; in — hebben, tenir
(qc) en location. ▼—auto voiture v de
louage. ▼—bewijs voucher m. ▼—ceel,
—contract contrat de louage, bail m ;
voorlopig —, engagement m de location.
▼—commissie commission v arbitrale des
loyers. ▼—compensatie compensation v de
l'augmentation du prix de location. ▼—der
locataire. ▼—huis maison v de louage ; de -
rapport. ▼—koop location-vente v ; achat m à
tempérament. ▼—kazerne maison-caserne v.
▼—loon gages m mv. ▼—moordenaar tueur m à gages.
▼—opslag majoration v de loyer.
▼—opzegging congé m. ▼—prijs prix m de
location. ▼—rijtuig fiacre m. ▼—toeslag
allocation v de logement. ▼—waarde valeur
v locative.
huwbaar nubile, pubère, à marier ; huwbare
leeftijd, âge m nubile. ▼—heid puberté,
nubilité v. ▼huwelijk mariage m ; alliance,
union v ; — beneden zijn stand, mésalliance

v; *burgerlijk* —, mariage *m* civil; *gemengd* —, mariage mixte; *kerkelijk* —, mariage religieux; *vrij* —, union *v* libre; — *uit berekening*, mariage de raison; — *uit liefde*, mariage d'amour; — *sluiten*, conclure le mariage (à la mairie); célébrer le mariage (à l'église); *in het* — *treden*, se marier; *ten* — *geven*, donner en mariage; *ten* — *vragen*, demander en mariage; *kind uit het eerste* —, enfant du premier lit. ▼**huwelijks/aangifte** déclaration *v* de mariage. ▼—**aankondiging** 1 faire-part *m* de mariage; 2 (*in krant*) annonce *v* de mariage. ▼—**aanzoek** demande *v* en mariage. ▼—**advertentie** annonce *v* matrimoniale. ▼—**afkondiging** publication *v* des bans. ▼—**band** lien *m* conjugal. ▼—**bed** lit *m* nuptial. ▼—**bureau** agence *v* matrimoniale. ▼—**candidaat** prétendant *m*. ▼—**contract** contrat *m* de mariage. ▼—**feest** noces *v mv*. ▼—**geluk** bonheur *m* conjugal. ▼—**gemeenschap**: *in* — *leven*, vivre maritalement. ▼—**geschenk** cadeau *m* de noces. ▼—**gift** 1 (*geld*) dot *v*; 2 (*uitzet*) trousseau *m*. ▼—**inzegening** bénédiction *v* nuptiale. ▼—**leven** vie *v* conjugale. ▼—**plannen** projets *m mv* matrimoniaux. ▼—**plicht** devoir *m* conjugal. ▼—**reis** voyage *m* de noces. ▼—**staat** état *m* de mariage. ▼—**verbintenis** alliance *v*. ▼—**voltrekking** union *v*. ▼—**voorwaarde** convention *v* matrimoniale; *met* —*n*, sous le régime dotal. ▼—**zegen** bénédiction *v* nuptiale. ▼**huwen** I *ov.w* 1 (*uithuwelijken*) marier; 2 (— *met*) épouser qn; se marier avec, à qn; (*fig.*) lier, unir. II *on.w* se marier.
huzaar hussard *m*.
hyacint jacinthe *v*. ▼—**ebol** bulbe *m* & *v* de jacinthe.
hybridisch hybride.
hydraat hydrate *m*.
hydraul/ica hydraulique *v*. ▼—**isch** hydraulique.
hydro/dynamica hydrodynamique *v*. ▼—**fiel** hydrophile. ▼—**grafisch** hydrographique. ▼—**statica** hydrostatique *v*. ▼—**xygeengas** gaz *m* oxhydrique. ▼—**xygeenvlam** chalumeau *m* oxhydrique.
hyena hyène *v*.
hygiën/e hygiène *v*. ▼—**isch** *bn* (& *bw*) hygiénique(ment). ▼—**ist** hygiéniste *m*.
hygro/meter hygromètre *m*. ▼—**scoop** hygroscope *m*. ▼—**scopisch** hygroscopique.
hymne hymne *m* & *v*.
hyper/bolisch hyperbolique. ▼—**bool** hyperbole *v*. ▼—**oxyde** peroxyde *m*.
hypno/se hypnose *v*; *onder* —, en état d'hypnose; à l'état *m* second. ▼—**tisch** hypnotique. ▼—**tiseren** hypnotiser.
hypochondr/ie hypochondrie *v*. ▼—**isch** hypocondriaque.
hypotenusa hypoténuse *v*.
hypothecair hypothécaire. ▼**hypotheek** hypothèque *v*; *eerste* —, hypothèque de premier rang; — *aflossen*, purger les hypothèques; *vrij van* — (*belast met* —), franc (grevé) d'hypothèque; — *nemen op*, hypothéquer. ▼—**bank** banque *v* hypothécaire. ▼—**bewijs** titre *m* hypothécaire. ▼—**gever** emprunteur *m* sur hypothèque. ▼—**houder** créancier *m* hypothécaire. ▼—**nemer** prêteur *m* sur hypothèque.
hypothe/se hypothèse *v*. ▼—**tisch** *bn* (& *bw*) hypothétique(ment).
hyster/ie hystérie *v*. ▼—**isch** hystérique.

I i *m*. **I.V.O.**; **I.O.B.L.** *zie* **internationaal**.
Iberisch: *het* —*e schiereiland*, la péninsule Ibérique.
ibis ibis *m*.
ico(o)n icône *v*.
ide/aal I *bn* idéal. II *bw* d'une manière idéale. III *zn* idéal *m*. ▼—**aliseren** idéaliser. ▼—**alisme** idéalisme *m*. ▼—**alist** idéaliste *m*. ▼—**alistisch** I *bn* idéaliste. II *bw* en idéaliste.
idee idée *v*; *ik heb zo'n* — *dat*, je me doute que; *ik had een beter* — *van hem gehad*, j'avais mieux auguré de lui; *hij had er weinig* — *op om*, il n'avait guère envie de; *hoe kom je op het* —?, tu n'y penses pas!; *iem. op 'n* — *brengen*, suggérer une idée à qn; *hij kwam op het* —, l'idée lui vint. ▼**ideëel** idéal. ▼**ideeënbus** boîte *v* aux idées.
idem idem.
ident/lek *bn* (& *bw*) identique(ment). ▼—**ificatie** identification *v*. ▼—**ificeren** identifier. ▼**identiteit** identité *v*. ▼—**sbewijs** pièce -, carte *v* d'identité. ▼—**splaatje** plaque *v* d'identité.
ideol/ogie idéologie *v*. ▼—**oog** idéologue *m*.
idiomatisch *bn* (& *bw*) idiomatique(ment). ▼**idioom** idiome *m*.
idioot I *bn* (& *bw*) idiot(ement). II *zn* idiot; fou *m*. ▼**idiot/ie** idiotie, faiblesse *v* d'esprit. ▼—**isme** idiotie *v*.
idolaat idolâtre; — *zijn van*, idolâtrer. ▼**idool** idole *v*.
idyll/e idylle *v*. ▼—**isch** idyllique.
ieder I *bn* chaque, tout. II *zn* chacun; *hij kan* —*e dag komen*, il peut venir d'un jour à l'autre; *een* — *die*, tous ceux qui, quiconque. ▼—**een** tout le monde, chacun.
iel 1 clairsemé, rare; 2 frêle; délicat; 3 (*schraal*) malingre.
iemand 1 (*in bevestigende zinnen*) quelqu'un; 2 (*in ontkennende zinnen*) personne; *je weet beter dan* —, vous savez mieux que personne.
iep(eboom) orme *m*. ▼—**enbos** ormaie *v*.
Ier Irlandais *m*. ▼—**land** l'Irlande *v*. ▼**Iers** I *bn* irlandais. II *zn*: *een I—se*, une Irlandaise; *het* —, l'irlandais *m*.
iets I *vnw* 1 (*bevestigend*) quelque chose; 2 (*ontkennend*) rien; *dat is* — *anders*, c'est autre chose; — *goeds*, quelque chose de bon; — *meer*, un peu plus; *een zeker* —, un je ne sais quoi; — *te eten*, de quoi manger; *is er* — *mooiers dan*?, y a-t-il rien de plus beau que? II *bw* un peu.
ijdel I *bn* 1 vain, vaniteux; 2 (*vruchteloos*) vain, inutile; 3 futile; chimérique; — *zijn op*, tirer vanité de. II *bw* vainement, inutilement, en vain. ▼—**heid** vanité *v*; frivolité, futilité *v*. ▼—**tuit** vaniteux, vaniteuse *v*.
ijk marque *v* d'étalonnage. ▼—**en** étalonner.
ijl I *zn* hâte, précipitation *v*; *in aller* —, en toute hâte; *in aller* — *eten*, manger sur le pouce. II *bn* 1 vide; 2 peu serré, clair; 3 (*v. lucht*) rare; *de lucht wordt* —*er*, l'air se raréfie; 4 (*dun*) ténu. ▼—**bode** courrier *m*, estafette *v*. ▼—**en** 1 se hâter, courir; 2 (*in koorts*) délirer, avoir le délire; divaguer. ▼—**end** délirant; divagant. ▼—**goed** marchandises *v mv* de grande vitesse; *als* —, par grande vitesse

▼—**heid** rareté (de l'air) ; ténuité v. ▼—**ings**
promptement, au plus vite, en toute hâte.
ijs glace v ; *het* — breken, rompre la glace ; *in*
—, *met* — *gekoeld*, à la glace, frappé ; *hij gaat
niet over een nacht* —, il ne se risque pas à la
légère ; *onbeslagen ten* — *komen*, être mal
préparé ; *een portie* —, une glace.
▼—**afzetting** givrage m. ▼—**baan** piste,
patinoire v. ▼—**bank** banc m de glace ; (*in
zee*) banquise v. ▼—**beer** ours m blanc.
▼—**beren** faire l'ours en cage. ▼—**berg**
iceberg m. ▼—**bestrijder** dégivreur m.
▼—**blaas** vessie v à glace. ▼—**bloemen**
fleurs v mv de glace, arborisation v. ▼—**blok**
bloc m de glace ; —*je*, glaçon m. ▼—**breker**
briseglace(s) m. ▼—**club** cercle m des
patineurs ; piste v. ▼—**co** glace v. ▼—**coman**
glacier m. ▼—**compres** compresse v à la
glace. ▼—**dam** embâcle m.
ijselijk l bn affreux, horrible. **ll** bw
affreusement, horriblement. ▼—**heid** horreur
v.
ijs/emmertje seau m à glace. ▼—**fabriek**
glacière v, fabrique v de glace artificielle.
▼—**gang** débâcle v. ▼—**heilige** saint m de
glace. ▼—**hockey** hockey m sur glace. ▼—**je**
glace v. ▼—**kap** calotte v de glace. ▼—**kast**
réfrigérateur m. ▼—**kegel** chandelle v de
glace. ▼—**kelder** glacière v. ▼—**korst**
couche v de glace. ▼—**koud** glacé, glacial,
froid comme glace ; *dat laat mij* —, ça me
laisse de glace.
IJsland Islande v. ▼—**er** Islandais m. ▼—**s**
islandais, d'Islande.
ijs/machine machine v à glaces. ▼—**muts**
passe-montagne m. ▼—**paleis** palais m des
glaces. ▼—**pegel** *zie* —**kegel.** ▼—**periode**
période v glaciaire. ▼—**pudding** pouding m à
la glace. ▼—**regen 1** pluie v surfondue ;
2 verglas m. ▼—**salon** pâtissier-glacier m.
▼—**schol**, —**schots** glaçon m. ▼—**taart**
bombe v glacée. ▼—**tang** pince v à glace.
▼—**tijd** période v glaciaire. ▼—**veld 1** champ
m de glace ; **2** banquise v ; **3** glacier m.
▼—**vermaak** patinage, sport m
d'hiver. ▼—**vogel** marin-pêcheur m.
▼—**vorming** glaciation v. ▼—**wafeltje**
gaufrette v (à la crème glacée). ▼—**wagon**
wagon-glacière m. ▼—**water** eau v glacée.
▼—**zak** vessie v à glace. ▼—**zee** mer v
glaciale ; *Noordelijke* —, Océan m Glacial
Arctique ; *Zuidelijke* —, Océan m Antarctique.
ijver zèle m ; ardeur, assiduité v ; *blinde* —, un
excès d'ardeur. ▼—**aar** zélateur (pour) ;
fanatique (de) m. ▼—**aarster** zélatrice ;
fanatique v. ▼—**en** avoir du zèle ; *tegen iets*
—, agir contre qc ; *voor iets* —, pousser
activement, faire de la propagande pour ;
militer en faveur de qc. ▼—**ig l** bn zélé,
diligent, appliqué ; ardent. **ll** bw avec zèle,
avec empressement, activement. ▼—**zucht**
jalousie v. ▼—**zuchtig l** bn jaloux (de). **ll** bw
jalousement ; *een* —, un jaloux.
ijzel verglas m. ; (*op bomen*) givre m.
▼—**afzetting** givrage m. ▼—**en** faire du
verglas ; verglacer.
ijzen être glacé d'effroi, - saisi d'horreur ;
voor, reculer devant.
ijzer fer m ; *oud* —, ferraille v ; *van* — *en staal
zijn*, avoir une santé de fer ; *men kan geen* —
met handen breken, à l'impossible nul n'est
tenu ; *een hart van* —, un cœur de bronze.
▼—**achtig** ferrugineux. ▼—**beslag** garniture
de fer, ferrure v. ▼—**borstel** brosse v
métallique. ▼—**draad** fil m de fer.
▼—**draadversperring** barbelé m. ▼—**en** de
fer ; — *eeuw*, âge m de fer. ▼—**erts** minerai m
de fer. ▼—**fabriek** forge v. ▼—**garen** fil m de
double. ▼—**gieterij** fonderie v. ▼—**handel**
commerce m du fer. ▼—**handelaar** ferronnier
m. ▼—**industrie** industrie v du fer ; —
sidérurgique. ▼—**kit** lut m de fer. ▼—**kleur**
couleur v de fer. ▼—**mijn** mine v de fer.
▼—**oer** limonite v. ▼—**oxyde** oxyde m
ferreux. ▼—**pletter** laminoir m. ▼—**pletterij**
laminerie v. ▼—**preparaat** ferrugineux,

(*med.*) chalybé m. ▼—**roest** rouille v.
▼—**smederij** forge v. ▼—**smid** forgeron m.
▼—**sterk** très solide, inusable, incassable ;
d'une santé robuste. ▼—**vreter** brave à trois
poils, vieux m de la vieille. ▼—**waren** articles
m mv de fer. ▼—**werk** ferrure, serrurerie v.
▼—**winkel** (magasin m de) quincaillerie,
ferronnerie v.
ijzig glacial ; (*fig.*) épouvantable, horrible.
ijzingwekkend terrifiant,épouvantable.
ik je, moi ; on ; *mijn tweede* —, mon autre
moi-même. ▼—**heid** individualité,
personnalité v, moi m.
ikoon *zie* ico(o)n.
illeg/aal illégal, interdit ; de la Résistance ;
illegale, résistant m. ▼—**aliteit** résistance v.
illumin/atie illumination v. ▼—**eren**
illuminer.
illusie illusion v ; leurre m ; *zich geen* —*s meer
maken over*, ne plus se faire d'illusions sur ; *de
— was weg*, le charme était rompu.
illustr/atie 1 journal m illustré, revue v
illustrée ; **2** illustration, reproduction v.
▼—**ator** illustrateur m. ▼—**eren** illustrer.
image (*Eng.*) image v de marque.
imaginair imaginaire.
imbeciel imbécile.
I.M.F. *zie* internationaal.
imitatie imitation v. ▼—**leer** simili-cuir m.
▼**imitator** imitateur m. ▼**imiteren** imiter.
imker apiculteur m.
immens l bn immense. **ll** bw immensément.
immer jamais, toujours ; *voor* —, à jamais,
pour toujours.
immers puisque ; n'est-ce pas ; c'est que ; car.
immigr/ant immigrant m. ▼—**atie**
immigration v. ▼—**eren** immigrer.
immoreel bn (& bw) immoral (ement).
immortelle immortelle v.
immuniteit immunité v. ▼**immuun** à l'abri
(de), insensible (à) ; — *maken*, immuniser.
impasse impasse v ; *z. in een* — *bevinden*, être
dans une impasse.
imperatief bn & zn impératif (m).
imperiaal galerie v de voiture, porte-bagages
m.
imperi/alist(isch) impérialiste (m). ▼—**um**
empire m.
impliceren impliquer. ▼**impliciet** implicite.
imponderabilia impondérables v mv.
imponeren (en) imposer à (qn).
import importation v. ▼—**antie** importance v.
—**eur** importateur m.
▼—**exportmaatschappij** société
import-export v. ▼—**handel** commerce m
d'importation.
impotent impuissant ; invalide. ▼—**ie**
impuissance ; invalidité v.
impresario impresario m.
impressie impression v.
imprimatur imprimatur m ; bon m à tirer.
improduktief improductif.
improvis/atie improvisation v. ▼—**eren**
improviser ; *geïmproviseerde stoel*, chaise v
de hasard.
impuls impulsion v. ▼—**ief** impulsif.
in l vz dans, en, à ; — *Frankrijk*, en France ; —
heel Frankrijk, dans toute la France ; —
Nederland, aux Pays-Bas ; — *het huis*, dans
la maison ; — *huis*, à la maison ; *hij woont* —
de Rembrandtstraat, il demeure Rue
Rembrandt ; — *Nijmegen*, à Nimègue ; *leraar*
— *Engels*, professeur m d'anglais ; — *het wit
gekleed*, vêtu de blanc ; — *zijn armen nemen*,
prendre entre ses bras ; — *zijn*, être à la page,
être dans le vent. **ll** bw y ; (*in ss*) on ne peut
plus ; très, fort, extrêmement.
inaccuraat bn (& bw) inexact(ement).
inachtneming observation v ; *met* — *van*, en
considération de.
inadem/en respirer ; aspirer ; inhaler. ▼—**ing**
respiration, aspiration ; inhalation v.
inaugureel inaugural, d'ouverture.
inbaar exigible, encaissable.
inbakeren l ov.w emmailloter ; (*fig.*)
emmitoufler. **ll** zich — s'emmitoufler.

inbeeld/en (zich) s'imaginer ; croire ; *zich veel* —, être infatué de sa personne. ▼—**ing 1** (*verbeelding*) imagination ; illusion *v* ; **2** (*droombeeld*) chimère ; hallucination *v* ; **3** (*verwaandheid*) présomption *v*.
inbegrepen compris. ▼**inbegrip** : *met* — *van*, y compris.
inbeslagneming saisie *v* ; arrêt *m*.
inbewaring/houding consigne *v*. ▼—**neming** prise *v* en dépôt. ▼— **stellen** mettre sous mandat de dépôt. ▼—**stelling** mise *v* sous mandat de dépôt.
inbezit/neming prise de possession, occupation *v*. ▼—**stelling** mise en possession, installation *v*.
inbijt/en corroder, ronger. ▼—**end** corrosif. ▼—**ing** corrosion *v*.
inbind/en I *ov.w* **1** relier (un livre) ; **2** (*fig.*) réprimer (ses passions). **II** *on.w* baisser de ton ; se modérer, se contenir. ▼—**ing 1** reliure ; **2** (*fig.*) modération *v*.
inblaz/en insuffler ; (*fig.*) souffler, inspirer. ▼—**ing** insufflation ; (*fig.*) inspiration, suggestion *v*.
inboedel mobilier *m*.
inboeken inscrire, porter en compte.
inboeten 1 perdre ; y laisser ; **2** repiquer.
inboezemen inspirer ; imposer (du respect).
inboorling indigène ; naturel *m*.
inborst naturel, caractère *m*.
inbouw- encastrable. ▼—**elementen** éléments *m mv* à encastrer. ▼—**en 1** encastrer ; **2** (*in tekst bijv.*) incorporer ; insérer.
inbraak cambriolage *m*, effraction *v*. ▼—**verzekering** assurance *v* contre le vol avec effraction. ▼—**vrij** à l'abri de l'effraction.
inbranden marquer au fer (chaud) ; (*med.*) cautériser ; *een letter op hout* —, faire une lettre à la pyrogravure.
inbrek/en cambrioler. ▼—**er** cambrioleur *m*.
inbreng apport *m* ; mise *v* de fonds ; (*bij spaarbank*) dépôt *m*. ▼—**en 1** apporter, contribuer ; **2** faire entrer, introduire ; **3** rapporter, produire ; **4** (*aanvoeren*) opposer (à) ; alléguer ; *niets in te brengen hebben*, ne pas avoir voix au chapitre ; *daar is niets tegen in te brengen*, il n'y a pas à dire ; *het* —, l'intromission *v*.
inbreuk infraction (à), contravention *v* (à) ; — *maken op*, porter atteinte à, enfreindre.
inburgeren I *ov.w* acclimater, naturaliser. **II zich** — s'acclimater, s'adapter (à).
incarn/atie incarnation *v*. ▼—**eren** incarner.
incasser/en encaisser, recouvrer. ▼—**ing** encaissement *m* ; *een wissel ter* — *geven*, envoyer une traite en recouvrement. ▼—**ingsvermogen** — *hebben*, savoir encaisser. ▼**incasso** encaissement ; courtage *m* (pour encaissement).
incest inceste *m*.
incident incident *m*. ▼—**eel** incident.
inclinatie 1 (*neiging*) inclination ; **2** (*helling*) inclinaison *v*.
incluis, inclusief inclusivement, y compris ; service compris.
incognito incognito (*m*).
incompetent incompétent.
inconsequent inconséquent. ▼—**ie** inconséquence *v*.
incontinent incontinent. ▼—**ie** incontinence *v*.
incourant (valeur) non coté(e) ; (article) peu courant, hors de vente.
incubatietijd (période *v d'*) incubation (*v*).
indachtig se souvenant de ; — *zijn aan*, se souvenir de.
indammen endiguer.
indampen concentrer ; réduire.
indekken : *zich* — *tegen*, se préserver de ; se garder de.
indel/en 1 diviser, repartir ; classer ; **2** distribuer ; **3** incorporer, verser ; *opnieuw* —, reclasser ; *iem.* — *bij een regiment*, affecter qn à un régiment. ▼—**ing 1** division, répartition ; **2** distribution ; **3** incorporation, affectation *v* ;

nieuwe — *op loonschaal*, reclassement *m* professionnel.
indenken (zich) pénétrer dans ; se figurer ; *zich in iem.'s toestand* —, se mettre à la place de qn.
inderdaad en effet ; en vérité, en réalité.
inderhaast à la hâte.
indertijd dans le temps, autrefois.
indeuken bossuer, bosseler.
index index *m* ; (*wisk. & nat.*) indice *m* ; — *van de kosten van levensonderhoud*, indice *m* du coût de vie. ▼—**cijfer** (chiffre) indice *m*. ▼—**eren** indexer. ▼—**ering** indexation *v*.
Indi/a l'Inde *v*. ▼—**aan** Indien *m*. ▼—**aans** indien ; *een* —*se*, une Indienne.
indien si ; au cas que (*met subj.*) ; — *al*, quand même (on aurait...) ; — *dan al*, si tant est que (*met subj.*).
indienen présenter ; déposer (un projet de loi) ; *zijn ontslag* —, donner sa démission ; *zijn stukken* —, produire ses titres. ▼—**ing** présentation *v*, dépôt *m*, production *v*.
indienst/neming engagement *m*. ▼—**stelling** mise *v* en service.
Indiër Indien *m*.
indigo indigo *m*.
indijk/en endiguer. ▼—**ing** endiguement *m*.
indikken se coaguler, se cailler.
indirect *bn* (*& bw*) indirect(ement).
Indisch de l'Inde ; indonésien.
individu individu *m*. ▼—**aliteit** individualité *v*. ▼—**eel** individuel.
Indo-China Indochine *v* ; Viêt-nam *m*.
indoctri/natie endoctrinement *m*. ▼—**neren** endoctriner.
Indo-europ/eaan Indo-Européen *m*. ▼—**ees** indo-européen = **Indo-germaan(s)**.
indol/ogie indianisme *m*. ▼—**oog** indianiste *m*.
indommelen s'assoupir.
Indones/ië l'Indonésie *v*. ▼—**iër** Indonésien *m*. ▼—**isch** indonésien.
indoor en salle.
indopen tremper (dans).
indraaien faire entrer dans ; (*fig.*) *zich ergens* —, s'insinuer quelque part.
indrijven faire entrer ; enfoncer.
indring/en I *ov.w* faire entrer, pousser dans. **II** *on.w* pénétrer dans. **III zich** — s'introduire, s'insinuer. ▼—**er** intrus *m*. ▼—**ing** insinuant, importun, envahissant. ▼—**ingsvermogen** force *v* de pénétration.
indrog/en se sécher ; se rétrécir. ▼—**ing** dessiccation, freinte *v*.
indroppelen I *ov.w* instiller. **II** *on.w* tomber goutte à goutte dans.
indruisen : — *tegen*, aller à l'encontre de.
indruk 1 marque, empreinte *v* ; **2** (*fig.*) impression *v* ; — *maken op*, faire impression sur, impressionner ; *de* — *maken te*, avoir l'air de ; *dat maakt op mij de* — *van...*, cela me fait l'effet de.. ; *onder de* — *van*, sous le coup de. ▼—**ken 1** enfoncer, pousser ; écraser ; **2** imprimer ; *iets de kop* —, étouffer qc ; réprimer (une révolte) ; *een toets* —, enclencher une touche ; *ingedrukt blijven*, rester enclenché. ▼—**wekkend** imposant, impressionnant.
in dubio : — *staan*, hésiter.
induc/eren induire, conclure. ▼—**tieklos** bobine *v d'*induction. ▼—**tiestroom** courant *m d'*induction. ▼—**tietoestel** inducteur *m*.
induiken plonger (dans) ; *zijn bed* —, glisser entre les draps.
industr/ialisatie industrialisation *v*. ▼—**ialiseren** industrialiser. ▼—**ie** industrie *v* ; *zware* —, industrie *v* lourde. ▼—**ieel** industriel (*m*). ▼—**ieland** pays *m* industrialisé.
indutten s'assoupir.
induwen enfoncer, faire entrer de force.
ineen ensemble ; l'un dans l'autre ; *zie ook* **samen**. ▼—**draaien** tortiller, tordre. ▼—**dringen** comprimer, resserrer. ▼—**drukken** comprimer. ▼—**drukking** compression *v*. ▼—**duiken** se blottir ;

s'accroupir. ▼—**frommelen** chiffonner, froisser. ▼—**gedoken** blotti, pelotonné, ramassé sur soi-même. ▼—**gedrongen** ramassé, trapu. ▼—**krimpen** se contracter, se crisper; (v. h. hart) se serrer; (v. pijn) se tordre. ▼—**krimping** contraction v; rétrécissement m. ▼—**kronkelen** se recroqueviller. ▼—**kruipen** se blottir. ▼—**lopen** communiquer, se joindre. ▼—**passen** s'emboîter, s'adapter. ▼—**rollen** I ov.w enrouler. II zich — se replier sur soi-même.

ineens 1 d'un coup; 2 soudain, d'emblée.
ineen/schakelen coordonner.
▼—**schakeling** coordination v.
▼—**schroeven** emboîter à vis.
▼—**schrompelen** se racornir, se ratatiner.
▼—**schuiven** I ov.w emboîter. II on.w se
telescoper; s'emboîter. ▼—**slaan** (de handen
—, 1 joindre les mains; 2 agir de concert; 3 (v.
verwondering) lever les bras au ciel.
▼—**sluiten** I ov.w emboîter. II on.w
s'emboîter. ▼—**storten** s'écrouler.
▼—**storting** écroulement m. ▼—**strengelen**
enlacer. ▼—**strengeling** enlacement m.
▼—**vloeien** se réunir, se joindre; se fondre.
▼—**voegen** joindre; emboîter. ▼—**vouwen**
plier. ▼—**zakken** (v. mens) s'affaisser;
s'écrouler. ▼—**zakking** affaissement;
écroulement m. ▼—**zetten** monter,
assembler.
inent/en 1 greffer; 2 inoculer, vacciner.
▼—**ing** 1 greffage m; 2 inoculation,
vaccination v.
infanter/ie infanterie v; bij de —, dans
l'infanterie. ▼—**ist** fantassin m.
infarct infarctus m.
infect/eren infecter. ▼—**ie** infection v.
▼—**iehaard** foyer m d'infection. ▼—**ieziekte**
maladie v infectieuse.
infiltr/ant qn qui s'infiltre (dans). ▼—**atie**
infiltration v. ▼—**eren** s'infiltrer.
infla/tie inflation v. ▼—**tionistisch**, —**toir**
inflationniste.
influenza influenza, grippe v.
influisteren souffler; (fig.) inspirer, suggérer.
inform/ant informateur m. ▼—**atica**
informatique v. ▼—**atie** renseignement m.
▼—**atiebureau** bureau m de
renseignements. ▼—**atiedrager** support m
d'une information.
informeel familier; informele besprekingen,
conversations v mv.
informeren informer (qn de qc); — naar,
s'informer de, se renseigner sur.
infrarood infrarouge v.
infrastructuur infrastructure v.
infuus perfusion v.
ingaan entrer dans; 2 commencer; rente
—de op, intérêt compté à partir de; op iets —,
faire droit à (une demande); relever (une
impertinence); donner suite (à une idée); se
rendre à (une proposition); er niet op —, ne
pas insister. ▼—**de** : — rechten, droits m mv
d'entrée. ▼**ingang** entrée v; met — van, à
partir de; — vinden, avoir du succès; — doen
vinden, faire accepter; lancer.
ingebeeld 1 imaginaire; 2 prétentieux.
ingeblikt (ook fig.) en conserve.
ingeboren inné.
ingebouwd faisant corps avec, construit
dans; caréné; incorporé; encastré.
ingeland propriétaire m foncier dans un
polder.
ingenieur ingénieur m.
ingenomen : — met, prévenu en faveur de,
charmé de; — zijn met, applaudir à; met zich
zelf —, infatué de sa personne; — tegen,
prévenu contre. ▼—**heid** satisfaction v; —
met zich zelf, infatuation v.
ingeroest mangé par la rouille; (fig.) invétéré.
ingesloten ci-inclus; sous ce pli; — terrein,
enclave v.
ingetogen I bn retenu, modeste. II bw
modestement. ▼—**heid** retenue, modestie v.
ingeval en (of au) cas que (met subj.).

ingev/en 1 administrer, faire prendre;
2 suggérer, inspirer. ▼—**ing** suggestion,
inspiration v.
ingevoerd : goed — (germ.), compétent,
expert; qui a de nombreuses relations.
ingevolge suivant, en conséquence de; en
raison de; me référant à.
ingewand(en) entrailles v mv, viscères,
intestins m mv. ▼—**skoorts** fièvre v
entérique. ▼—**sziekte** maladie v intestinale.
ingewijde initié(e) m (v).
ingewikkeld compliqué; embrouillé; obscur;
(fig.) sophistiqué. ▼—**heid** complication v.
ingeworteld invétéré, tenace.
ingezetene habitant(e), domicilié m (v).
ingieten verser (dans), faire avaler; (fig.)
inculquer.
ingooi (sp.) rentrée v en touche. ▼—**en** jeter
dans; remettre en touche; casser (les vitres).
ingraven I ov.w enfouir, enterrer. II zich — se
creuser un trou, se terrer.
ingrediënt ingrédient m.
ingreep : operatieve —, intervention v
chirurgicale. ▼**ingrijp/en** 1 (v. raderen)
(s')engrener; 2 intervenir (dans); diep —,
atteindre profondément; être d'une
importance capitale. ▼—**end** 1 énergique;
2 profond, radical.
ingroeien 1 entrer; (in het vlees) s'incarner;
2 s'adapter (à).
inhaal/cursus, —**lessen** cours m de
rattrapage. ▼—**manoeuvre** dépassement m.
▼—**verbod** interdiction v de dépasser.
▼—**wedstrijd** match m remis, - de
rattrapage.
inhaken accrocher, agrafer.
inhakken zie **hakken**.
inhal/en I ov.w 1 rentrer (la récolte);
2 recevoir solennellement; 3 retirer (la
passerelle); 4 rattraper (le temps perdu);
récupérer (werkuur); achterstand —, combler
un retard; 5 rejoindre; doubler, dépasser;
verboden in te halen, défense de doubler.
II zn: het —, (v. visnet) la levée; 2 (v. auto) le
dépassement. ▼—**ig** avide, intéressé.
▼—**igheid** avidité, avarice v.
inham anse, baie v; renfoncement m (d'une
rue).
inhameren enfoncer, inculquer.
inhebben 1 renfermer, contenir; 2 signifier;
3 être d'importance; dat heeft heel wat in,
c'est toute une affaire.
inhechtenisneming arrestation v.
inheems indigène, du pays; —e ziekte,
maladie v endémique.
inhoud 1 contenu m; 2 capacité, contenance v
(grootte); 3 volume m; korte —, résumé,
précis m. ▼—**en** I ov.w 1 contenir, renfermer;
2 (tegenhouden) retenir; 3 (v. geld) retenir,
déduire (qc sur); zijn woede —, réprimer sa
colère. II zich — se retenir, se contenir.
▼—**ing** rétention (d'urine); retenue (sur le
traitement); (fig.) retenue, réserve v. ▼—**rijk**
riche de matière, dense. ▼—**smaat** mesure v
de capacité. ▼—**sopgave** index m.
inhuldig/en installer; prêter le serment de
fidélité à; ▼—**ing** installation v solennelle;
intronisation v.
inhuren rengager.
initiaal initiale v.
initiatief initiative v; het — nemen tot,
prendre l'initiative de; op — van, sur
l'initiative de; op eigen —, de sa propre
initiative.
injectie injection v; een — geven, piquer.
▼—**spuit** injecteur m, seringue v.
inkankeren s'invétérer.
inkapsel/en (zich) s'enkyster; (v. insekt)
coconner. ▼—**ing** enkystement;
coconnement m.
inkeep entaille, incision v.
inkeer retour m sur soi-même, repentir; tot —
komen, se repentir.
inkep/en entailler, encocher. ▼—**ing** zie
inkeep.
inkeren : tot zich zelf —, rentrer en soi-même.

inkijken I ov.w parcourir (du regard). **II** on.w voir à l'intérieur; lire avec.
inklapbaar escamotable.
inklar/en déclarer (à l'entrée), dédouaner. ▼—**ing** déclaration v, dédouanement m.
inkled/en vêtir (les novices); (fig.) présenter, tourner; exprimer. ▼—**ing** vêture v; (fig.) façon de présenter les choses; rédaction v.
inklimm/en entrer -, s'introduire par escalade. ▼—**ing** : diefstal met —, vol m par escalade.
inklinken I ov.w river dans. **II** on.w se tasser.
inkoken I ov.w (faire) réduire en bouillant. **II** on.w se réduire (en bouillant).
inkomen I on.w **1** entrer; **2** arriver; **3** (v. geld) rentrer; daar kan ik — , je vois cela d'ici; **II** zn **1** entrée, arrivée; **2** rentrée v; revenu(s) m (mv); zuiver —, revenu clair et net; nationaal —, revenu m national. ▼—**sgrens** plafond m. ▼**inkomst** entrée v; —en, revenu(s) m (mv). ▼—**enbelasting** impôt m sur le revenu.
inkoop 1 (daad) achat m; **2** (het ingekochte) emplette, acquisition v; **3** prix m d'achat; **4** versement m (d'hospitalisation); inkopen doen, faire des courses. ▼—**boek** facturier m d'entrée de marchandises. ▼—**(s)prijs** prix m de revient, - d'achat. ▼—**ster** acheteuse v. ▼—**vereniging** groupement m d'achats en commun. ▼**inkop/en I** ov.w acheter. **II** zich — acheter le droit d'entrer; zich weer —, se racheter. ▼—**er** acheteur m.
inkort/en raccourcir; abréger; (fig.) diminuer; iem.'s rechten —, empiéter sur les droits de qn. ▼—**ing** raccourcissement m; diminution v.
inkrimp/en I on.w se rétrécir, se contracter. **II** on.w rétrécir. **III** zich — diminuer ses dépenses. ▼—**ing** rétrécissement m, contraction; réduction v (des dépenses).
inkt encre v; Oostindische —, encre de Chine. ▼—**fles** bouteille v à l'encre. ▼—**klad** pâté m. ▼—**koker** encrier m. ▼—**kussen** tampon m. ▼—**lap** essuie-plumes m. ▼—**lint** ruban m encreur. ▼—**patroon** recharge v de stylo. ▼—**potlood** crayon à copier m. ▼—**rol** rouleau m encreur. ▼—**stel** écritoire v. ▼—**vis** seiche; pieuvre v.
inkuilen I ov.w ensiler. **II** zn: ensilage m.
inkwartier/en loger chez les habitants, cantonner. ▼—**ing** logement m.
inlaag mise v de fonds; (in spaarbank) dépôt m.
inlad/en charger, embarquer. ▼—**ing** charge v, embarquement m, mise v en wagon.
inlander indigène, naturel m. ▼**inlands** indigène, du pays.
inlass/en 1 (hout) emboîter; **2** (fig.) insérer, intercaler. ▼—**ing 1** emboîtement m; **2** insertion, intercalation v.
inlaten I ov.w **1** laisser -, faire entrer; admettre; **2** (tech.) encastrer, noyer. **II** zich — **met** se mêler de; s'engager dans; se commettre avec; s'occuper de (qn).
inleg/blad 1 rallonge v (d'une table); **2** feuille v intercalaire. ▼—**geld 1** mise v, enjeu m; **2** (in bank) dépôt v; **3** (sp.) poule v; **4** droit m d'entrée. ▼—**gen I** ov.w **1** mettre dans; **2** déposer (de l'argent); **3** mettre au jeu; **4** conserver; saler (des poissons); confire (des fruits); **5** (met inlegwerk) marqueter, incruster; met iets een —, retirer la gloire de qc. **II** on.w faire des conserves. **III** zn **1** dépôt m; **2** conservation; confiserie v; **3** marqueterie, incrustation v. ▼—**ger** déposant; marqueteur; (in drukkerij) margeur m. ▼—**vel** feuille v intercalaire. ▼—**werk** marqueterie v. ▼—**zool** semelle v.
inleid/en introduire, présenter. ▼—**end** préparatoire; introductif; enkele —e woorden, qqs mots d'introduction. ▼—**er** introducteur; conférencier m. ▼—**ing** introduction; présentation; (v. rede) préambule; exorde m.
inleven (zich) zich — in, se familiariser avec; vivre (un rôle); zich in iem. —, entrer dans la peau de qn.
inlever/en présenter, remettre, produire (ses

titres). ▼—**ing** présentation, remise, production v; tegen — van, contre remise de.
inlicht/en instruire, renseigner; mettre au courant; je bent slecht ingelicht, tu es mal renseigné. ▼—**ing** éclaircissement, renseignement; voor —en wende men zich tot, pour tous renseignements s'adresser à. ▼—**endienst** service m des renseignements.
inliggend ci-inclus, ci-joint.
inlijst/en encadrer. ▼—**ing** encadrement m.
inlijv/en 1 incorporer (à); **2** intégrer (à); **3** annexer (un pays). ▼—**ing** incorporation; intégration; annexion v.
inlopen I ov.w **1** entrer; **2** être inondé; een straat —, prendre une rue; hij loopt er niet in, on ne l'y prend pas; il ne marche pas; iem. er laten —, mettre qn dedans; op iem. —, **1** gagner sur qn; **2** heurter qn au passage. **II** ov.w: een deur —, enfoncer une porte; achterstand —, rattraper un arriéré.
inloss/en dégager, racheter. ▼—**ing** dégagement, rachat m.
inmaak 1 (daad) conservation v; **2** conserves, confitures v mv. ▼—**fles** bocal m. ▼—**pot** pot m à conserves. ▼—**tijd** temps m des conserves. ▼**inmaken I** ov.w conserver, confire; iem. —, faucher qn. **II** on.w faire des conserves.
inmeng/en I ov.w mêler dans. **II** zich — se mêler dans, s'ingérer dans. ▼—**ing** intervention, ingérence, immixtion v.
inmetselen (bevestigen) sceller.
inmiddels en attendant.
innaaien 1 coudre dans, **2** brocher (un livre); **3** rétrécir.
innem/en I ov.w **1** recevoir (de la garnison); prendre (sa médecine); s'approvisionner; se ravitailler (en); **2** occuper (beaucoup de place); **3** occuper (la place de qn); **4** prendre conquérir (une ville); **5** (vernauwen) rétrécir; **6** gagner (le cœur de qn); benzine —, faire son plein d'essence; iem. tegen zich —, prévenir qn contre soi; iem. voor zich —, prévenir qn en faveur de soi. **II** zn: het —, la prise; l'approvisionnement m; le rétrécissement. ▼—**end** engageant, aimable. ▼—**ing** prise v.
innen 1 (v. geld) encaisser, toucher; **2** (v. belasting) percevoir.
innerlijk I bn intérieur, interne; intime; —e waarde, valeur v intrinsèque. **II** bw intérieurement.
innig I bn intime; sincère; cordial, tendre, fervent. **II** bw intimement; profondément; tendrement. ▼—**heid** intimité; sincérité; tendresse; ferveur v.
inning 1 (v. geld) encaissement m; **2** (v. belasting) perception v; **3** (sp.) tour m de batte.
innoveren innover.
inpakk/en I ov.w emballer; faire un paquet de; envelopper; warm —, emmitoufler. **II** on.w faire ses malles. **III** zich — s'emmitoufler. ▼—**er** emballeur m.
inpalmen attirer à soi; (fig.) s'approprier, accaparer; empaumer, enjôler (qn).
inpass/en insérer. ▼—**ing** insertion v.
inpeperen poivrer; (fig.) faire payer cher à qn; ik zal het je —, tu me le payeras.
inperken restreindre.
inpikken 1 (gappen) chiper; **2** cueillir (qn); **3** (aanleggen) arranger, s'y prendre.
inplant (med.) implant m.
inpolderen I ww endiguer; assécher. **II** zn: het —, l'endiguement, l'assèchement m.
inpompen pomper dans; (fig.) inculquer (à).
inpraten suggérer (qc à qn).
inprenten I ov.w inculquer (qc à qn). **II** zich iets —, s'imprégner de qc.
input input m; information v.
inrekenen 1 couvrir (le feu) de cendres; **2** cueillir, pincer (un voleur).
inricht/en I ov.w arranger, disposer; installer, monter (un ménage); organiser (un état); aménager (un cabinet). **II** zich — s'installer,

se meubler. ▼**—ing 1** arrangement *m*; organisation; disposition; installation *v*; (*indeling*) emménagement *m*; **2** (*instelling*) institut *m*; institution *v*; établissement *m*; **3** (*v. mach.*) dispositif; (*toestel*) appareil *m*.

inrij entrée *v*; *verboden* —, sens (passage) *m* interdit. ▼**—den I** *ov.w* entrer (en voiture etc.) dans; *een straat* —, s'engager dans une rue; *op elkaar* —, fondre l'un sur l'autre; (*v. voertuigen*) se tamponner. **II** *ov.w* **1** (*inhalen*) rattraper; **2** (*stukrijden*) enfoncer, briser; **3** accoutumer (un cheval); roder (une auto); *wordt ingereden*, en rodage. **III** *zn*: *het* —, le rodage.

inrijgen serrer (la taille); lacer (une femme).

inrit entrée *v*; *verboden* —, sens *m* interdit.

inroepen I *ov.w* appeler, inviter (qn) à entrer; invoquer, faire appel à. **II** *zn*: *het* —, l'invocation *v*.

inruilauto voiture *v* échangée.

inruilen échanger, troquer (contre).
▼**inruil(ing)** échange, troc *m*.

inruimen 1 ranger (une chambre); **2** (*toestaan*) accorder, concéder; **3** (*afstaan*) céder; *een plaats* —, faire place à.

inrukken 1 entrer dans; **2** rompre les rangs; *ingerukt!*, rompez (les rangs)!

inschakel/en I *ov.w* intercaler; brancher (sur); mettre le contact, - sous tension; **2** (*fig.*) intégrer. ▼**—ing 1** branchage *m*; mise *v* en contact; **2** (*fig.*) intégration *v*.

inschalen insérer dans la grille des salaires.

inschenk/en remplir (les verres); verser (qc à qn); *schenk eens in,* **1** servez-vous; **2** servez à boire (à Monsieur); servez-moi à boire; *ik heb ingeschonken,* j'ai rempli les verres (les tasses). ▼**—er** verseur *m*.

inschep/en I *ov.w* embarquer. **II** *zich* — s'embarquer. ▼**—ing** embarquement *m*.

inscherpen inculquer, recommander.

inscheuren I *ov.w* faire un déchirure. **II** *on.w* se déchirer, se fendre.

inschieten I *ov.w* régler le tir, fixer la portée; *hij heeft er zijn geld bij ingeschoten,* il en est pour son argent; *het leven er bij* —, y perdre la vie. **II** *on.w* pénétrer dans. **III** *zich* — régler son tir.

inschikkelijk I *bn* accommodant; indulgent. **II** *bw* avec complaisance. ▼**—heid** caractère *m* accommodant; indulgence *v*.

inschoppen lancer à coups de pied dans; *het* — *van de bal,* le coup d'envoi.

inschrift inscription *v*. ▼**inschrijv/en I** *ov.w* inscrire, enregister; immatriculer; encarter; (*hand.*) porter (sur); *zich laten* —, se faire inscrire; *zijn bagage laten* —, faire enregistrer ses bagages; *een nieuw record officieel* —, homologuer un nouveau record. **II** *on.w* **1** souscrire (à un livre; pour 100 florins); **2** (*voor werk*) soumissionner (à). ▼**—er 1** souscripteur; **2** soumissionnaire; *laagste* —, moins disant *m*. ▼**—ing 1** inscription, immatriculation *v*; **2** (*v. aanbesteding*) soumission, offre *v*; **3** engagement *m*. ▼**—ingsbiljet** bulletin de souscription, - de soumission *m*.

inschuif/bed deux-en-un *m*. ▼**—tafel** table *v* à coulisses. ▼**inschuiven I** *ov.w* pousser, glisser (de) dans. **II** *on.w* se serrer, reculer.

insekt insecte *m*. ▼**—ebeet** morsure *v* d'insecte. ▼**—enkenner** entomologiste *m*. ▼**—enkunde** entomologie *v*. ▼**—enpoeder** poudre *v* insecticide.

inseminatie: *kunstmatige* —, insémination *v* artificielle.

insgelijks pareillement, de même.

insider initié; connaisseur *m*.

inslaan I *ov.w* **1** enfoncer; **2** briser, casser; **3** faire provision de, s'approvisionner en; **4** replier (une robe); **5** prendre, s'engager dans (une voie); **6** tramer (le fil au moyen de la navette). **II** *on.w* **1** (*v. bliksem*) tomber (sur une maison); **2** (*fig.*) prendre, porter. **III** *zn*: *het* —, **1** l'enfoncement *m*; **2** le bris; **3** l'approvisionnement *m*. ▼**inslag 1** approvisionnement *m*; **2** (*in kleed*) rempli *m*;

3 (*v. weefsel*) trame *v*. ▼**—spoel** navette *v*.

inslapen s'endormir; *doen* —, endormir.

inslikken 1 avaler; **2** (*fig.*) ravaler (ses paroles); **3** (*slecht uitspreken*) manger.

insluimeren s'assoupir; *doen* —, assoupir.

insluip/en se glisser dans, entrer furtivement. ▼**—ing** introduction *v* furtive.

insluit/en 1 enfermer, mettre sous clef, écrouer; **2** joindre (qc à une lettre); **3** cerner (des troupes); investir (une forteresse); **4** (*fig.*) comprendre, impliquer; *dat sluit niet in dat,* cela n'implique pas que. ▼**—ing 1** (*brief*) insertion *v*; **2** investissement *m*.

insmeren graisser, enduire (de); *met olie* —, huiler; *met zeep* —, savonner.

insneeuwen: *het sneeuwt in,* la neige entre; *ingesneeuwd zijn,* être bloqué par les neiges.

insnijd/en inciser, entailler; (*med.*) scarifier. ▼**—ing** incision, entaille *v*.

insnoeren lacer; rétrécir, étrangler.

insnuiven humer, renifler; aspirer.

insolide peu digne de confiance.

insolvent insolvable. ▼**—ie** insolvabilité *v*.

inspann/en I *ov.w* atteler; *iem.* —, équiper qn; *zijn krachten* —, faire un effort; *alle krachten* —, faire tout son possible; *ingespannen bezig,* tendu sur. **II** *zich* — s'efforcer, faire des efforts. ▼**—ing 1** attelage; **2** effort *m*; tension *v* d'esprit; *met* — *van alle krachten,* en faisant un violent effort.

inspect/eren inspecter, faire une inspection de; passer en revue. ▼**—eur** inspecteur. ▼**—ie** inspection, revue *v*; (*v. onderw. in Frankrijk*) —(*gebied*), académie *v*; — *houden,* passer en revue; — *maken,* être passé en revue; *op* —, en tournée d'inspection.

inspelden épingler, attacher avec des épingles.

inspelen I *ov.w* essayer. **II** *zich* — s'essayer; s'exercer (à).

inspiciënt régisseur *m*.

inspir/atie inspiration *v*. ▼**—eren** inspirer.

inspraak concertation *v*; — *hebben,* avoir voix consultative.

inspring/en entrer, rentrer, renfoncer; *voor iem.* —, suppléer qn. ▼**—end** (*v. hoek*) rentrant; en retrait.

inspuit/en injecter. ▼**—ing** injection; piqûre *v*.

instaan *voor iets* —, répondre de qc.

install/ateur installateur *m*. ▼**—atie** installation *v*; *elektrische* —, équipement *m* électrique. ▼**—eren** installer.

instampen enfoncer; (*fig.*) faire entrer dans la tête (de qn); bourrer dans.

instandhouding maintien *m*, conservation *v*.

instantie 1 instance *v*; *in laatste* —, en dernier ressort; **2** bureau *m* officiel.

instantkoffie café *m* instantané.

instappen entrer dans; monter en voiture; — *!,* en voiture !; *verboden in te stappen,* montée *v* interdite.

insteken ficher -, passer -; introduire dans; *een draad* —, enfiler une aiguille; *de stekker* —, brancher; — (*in file*), faire un créneau.

instelbaar réglable; *vooraf* —, préréglable. ▼**instell/en I** *ov.w* **1** instituer, créer, établir; porter (un toast à qn); **2** commencer, procéder à; ouvrir (une enquête); **3** mettre au point, régler, ajuster. **II** *zich* — *op* se préparer à. ▼**—ing** institution *v*, établissement *m*.

instemm/en: — *met,* consentir à; se ranger de l'avis de. ▼**—ing** accord *m*; adhésion, sympathie *v*; — *betuigen,* approuver; *met* — *begroeten,* accueillir favorablement.

instigatie instigation *v*; *op* — *van,* à l'instigation de.

instinct instinct *m*; *bij* —, d'instinct. ▼**—matig I** *bn* instinctif. **II** *bw* instinctivement.

institution/aliseren institutionnaliser. ▼**—eel** institutionnel. ▼**instituut 1** institution *v*, pensionnat *m*; **2** (*instelling*) institution *v*, établissement *m*; **3** (*geleerd genootschap*) institut *m*.

instoppen I *ov.w* fourrer (qc) dans;

2 emmitoufler (un enfant) ; *de dekens* —, border un lit. **II** zich — s'emmitoufler.
instort/en I tomber en ruine, s'écrouler, s'effondrer ; **2** (*med.*) faire une rechute. ▼—**ing 1** ruine *v*, écroulement *m* ; **2** rechute *v*.
instouw/en arrimer. ▼—**ing** arrimage *m*.
instru/cteur instructeur *m*. ▼—**ctie** instruction *v*. ▼—**eren** instruire.
instrument instrument ; appareil *m*. ▼—**aal** instrumental. ▼—**alis** instrumental *m*. ▼—**alist** instrumentiste *m*. ▼—**atie** instrumentation *v*. ▼—**enbord** tableau *m* de bord. ▼—**entas** trousse *v*. ▼—**maker** facteur *m*.
instuderen étudier, mettre à l'étude ; piocher.
instuif surprise-partie, (*fam.*) surboum *v*.
instulp/en invaginer. ▼—**ing** invagination *v*.
insturen 1 conduire ; **2** envoyer ; présenter.
insufficient insuffisant. ▼—**ie** insuffisance *v*.
insuline insuline *v*.
inswinger (*sp.*) balle *v* avec effet intérieur.
integendeel au contraire.
integraal I *bn* intégral. **II** *zn* intégrale *v* ; les fonds 2½ % de l'État néerlandais. ▼—**rekening** calcul *m* intégral. ▼**integratie** intégration *v*. ▼**integreren** intégrer.
inteken/aar souscripteur *m*. ▼—**biljet** bulletin *m* de souscription. ▼—**en** souscrire (à un livre ; à un emprunt). ▼—**ing** souscription *v*. ▼—**lijst** liste *v* de souscription.
intellect intellect *m*. ▼—**ueel I** *bn* (& *bw*) intellectuel(lement). **II** intellectuel *m*.
intelligent I *bn* intelligent. **II** *bw* intelligemment. ▼—**ie** intelligence *v*. ▼—**iequotiënt** quotient *m* intellectuel.
intens I *bn* intense. **II** *bw* intensément. ▼—**ief I** *bn* intensif ; *bij — gebruik*, dans le cas d'une utilisation intensive ; **II** *bw* intensivement. ▼—**iteit** intensité *v*. ▼**intensive care** surveillance *v* continue. ▼—**iveren** intensifier.
intentie intention *v* ; *tot zekere —*, dans une intention particulière.
inter/academiaal interuniversitaire. ▼—**com** interphone *m*. ▼—**communaal** interurbain. ▼—**continentaal** intercontinental. ▼—**departementaal** interministériel. ▼—**dict** interdit *m*.
interen I *ov.w* manger, entamer (son capital). **II** *on.w* se consumer, diminuer.
interesseren I *ov.w* intéresser. **II** zich — voor s'intéresser à.
interest intérêt *m* (simple ou composé) ; — *op* —, avec les intérêts capitalisés ; *op* — *zetten*, placer à intérêt ; — *geven*, rapporter. ▼—**rekening** compte *m* d'intérêts.
intergeallieerd interallié.
interim I *zn* intérim *m* ; *ad* —, par intérim. **II** *bn* intérimaire ; —*dividend*, acompte *m* de dividende.
interlandwedstrijd match *m* international.
inter/lineair interlinéaire. ▼—**linie** interligne *v*.
interlokaal interurbain.
inter/mediair intermédiaire. ▼—**mezzo** intermède *m*. ▼—**mitterend** intermittent.
intern interne (*m*). ▼—**aat** internat *m*.
internationaal international ; — *monetair fonds*, fonds *m* monétaire international. ▼**international** (*sp.*) international *m*. ▼**Internationale :** — *vluchtelingenorganisatie*, organisation *v* internationale pour les réfugiés ; — *organisatie voor de burgerluchtvaart*, organisation *v* de l'aviation civile internationale.
interner/en interner. ▼—**ing** internement *m*. ▼**internist** spécialiste *m* pour les maladies internes.
interpell/ant interpellateur *m*. ▼—**atie** interpellation *v*. ▼—**eren** interpeller.
Interpol interpol *m*.
inter/punctie interponction *v*. ▼—**rumperen** interrompre. ▼—**ruptie** interruption *v*. ▼—**stellair** interstellaire, intersidéral. ▼—**val** intervalle *m*. ▼—**view**

interview *v*. ▼—**viewen** interviewer.
intestaat (mourir) intestat ; (succession) ab intestat.
intiem *bn* (& *bw*) intime(ment). ▼**intimiteit** intimité *v*.
intocht entrée *v* (solennelle).
intomen brider ; (*fig.*) refréner.
intransigent intransigeant.
intransitief I *bn* intransitif. **II** *bw* intransitivement.
intrappen enfoncer.
intraveneus intraveineux.
intreden entrer dans ; (*fig.*) se produire.
intrek : *zijn — nemen*, s'installer, descendre (à ; chez qn). ▼—**ken I** *ov.w* retirer, révoquer (un ordre) ; contracter ; *zijn woorden* —, se rétracter ; se dédire (de) ; *zijn buik* —, rentrer le ventre. **II** *on.w* **1** entrer dans ; *bij iem.* —, aller demeurer chez qn ; **2** pénétrer, s'infiltrer. ▼—**king 1** rétractation ; **2** révocation ; **3** contraction *v* ; — *van het rijbewijs*, retrait *m* du permis de conduire.
intrig/ant intrigant *m*. ▼—**e** intrigue *v*. ▼—**eren** intriguer.
intrinsiek intrinsèque.
introduc/é visiteur, invité *m*. ▼—**eren** introduire, présenter. ▼—**tie** introduction *v*. ▼—**tieprijs** prix *m* de lancement.
introitus introit *m*.
intronisatie intronisation *v*.
intro/versie introversion *v*. ▼—**vert** introverti.
intuinen être (la) dupe (de qn)
intuïtie intuition *v*. ▼—**ief** intuitif ; par intuition.
intussen 1 en attendant ; **2** quoi qu'il en soit.
inund/atie inondation *v*. ▼—**eren** inonder.
inval 1 invasion *v*, envahissement *m* ; **2** pensée subite, idée ; *hij kwam op de* —, il eut l'idée de ; *hoek van* —, angle *m* d'incidence ; *geestige* —, saillie *v* heureuse ; *geniale* —, idée *v* de génie.
invali/de invalide (*m*). ▼—**denwagentje** voiture *v* d'invalide, bancaline *v*. ▼—**diteit** invalidité *v*. ▼—**diteitsverzekering** assurance *v* invalidité.
inval/len I *on.w* **1** tomber dans ; **2** (*instorten*) s'écrouler ; **3** envahir, faire une invasion ; **4** interrompre ; **5** (*in de gedachte komen*) revenir, s'aviser de ; **6** (*beginnen*) arriver, commencer ; **7** (*muz.*) entrer, partir ; *dat valt me niet in*, je n'y songe pas ; *voor een ander* —, remplacer qn ; *ingevallen wangen*, joues *v mv* creuses. **II** *zn* : *het —*, l'écroulement *m*, la tombée (de la nuit) ; **2** (*muz.*) entrée *v*. ▼—**er** remplaçant, bouche-trou *m* ; envahisseur *m*. ▼—**shoek** angle *m* d'incidence. ▼—**sweg** grande voie *v* d'accès, - d'entrée.
invasie invasion *v* ; (*v. 1944*) débarquement *m*.
inventaris inventaire *m* ; *voorlopige* —, constat *m* sommaire. ▼—**atie** inventaire *m*. ▼—**eren** faire l'inventaire, inventorier.
inverzekeringstelling arrestation *v*.
invester/en investir. ▼—**ing** investissement *m*. ▼—**ings-** investisseur ; ▼—**ingsbank** banque *v* d'investissement. ▼—**ingsmaatschappij** société *v* d'investissement.
invetten graisser.
invit/atie invitation *v*. ▼—**eren** inviter.
invlechten entrelacer ; (*fig.*) intercaler.
invlieg/en I *on.w* voler dans ; (*fig.*) se précipiter dans ; *er* —, être attrapé ; être dupe. **II** *ov.w* faire des vols d'essai avec, essayer. ▼—**er** pilote *m* d'essais.
invloed influence *v* ; *onder* —, sous l'empire de la boisson ; en état d'ébriété ; — *hebben op*, — *uitoefenen op, van* — *zijn op*, influencer, influer sur ; *de beslissende invloed van het loslaten van de prijzen op de kosten van levensonderhoud*, l'impact *m* de la libération des prix sur le coût de la vie. ▼—**rijk** influent.
invochten humecter.

invoeg/en emboîter; intercaler; ajouter; *in file* —, s'insérer dans une file. ▼—**ing** emboîtement *m*, intercalation *v*; insertion *v* (dans la circulation). ▼—**strook** couloir *m* d'accès; voie v d'accélération.

invoer importation, entrée *v*; —-*en uitvoerhandel*, import-export *v*. ▼—**der** 1 importateur; 2 (*fig.*) introducteur *m*. ▼—**en** 1 importer (des marchandises); 2 introduire (un usage); lancer (une mode); adopter (un système); admettre; faire admettre. ▼—**handel** commerce *m* d'importation. ▼—**ing** introduction *v*. ▼—**rechten** droits *m mv* d'entrée, - d'importation; *vrij zijn van —*, passer en franchise. ▼—**ster** importatrice; introductrice v. ▼—**vergunning** licence *v* d'importation.

invorder/baar exigible. ▼—**en** réclamer, exiger; (*v. belasting*) percevoir. ▼—**ing** réclamation; perception *v*.

invouwen replier (en dedans).

invret/en I *ov.w* ronger; mordre; corroder. II *on.w* ronger; pénétrer; corroder. ▼—**end** corrosif; mordant. ▼—**ing** corrosion *v*.

invriezen I *on.w* être pris dans les glaces. II *ov.w* frigorifier (de la viande).

invrijheidstelling mise *v* en liberté, élargissement *m*.

invul/len remplir. ▼—**ling** remplissage *m*. ▼—**oefening** thème *m* d'application, - d'intercalation *v*.

inwaarts en dedans.

inwendig I *bn* intérieur, interne; *het —e*, l'intérieur *m*; —*e ziekte*, maladie *v* interne. II *bw* intérieurement.

inwerk/en I *ov.w* 1 faire entrer; 2 brocher. II *zich in iets* — s'orienter dans qc. III *on.w* agir (sur), influer (sur); s'exercer (sur). ▼—**ing** action, influence *v*. ▼—**ingtreding** entrée *v* en vigueur.

inwijd/en 1 bénir; 2 consacrer (une église); 3 inaugurer (un monument); *iem. in iets* —, initier qn à qc. ▼—**ing** 1 bénédiction; 2 consécration; 3 inauguration; 4 initiation *v*.

inwikkel/en envelopper. ▼—**ing** enveloppement *m*.

inwillig/en consentir à, accorder. ▼—**ing** consentement *m*.

inwinden entortiller, envelopper.

inwinnen regagner, rattraper; *inlichtingen* —, prendre des informations.

inwissel/baar convertible; remboursable. ▼—**en** changer; échanger (contre); convertir (en). ▼—**ing** échange; remboursement *m*.

inwon/en loger, demeurer chez; —*end geneesheer*, interne *m*. ▼—**er** 1 habitant; 2 locataire *v*. ▼—**ing** 1 logement *m*; 2 cohabitation *v*; *kost en* —, le logement et la table.

inwrijven frotter (de, avec); (*med.*) frictionner (de).

inzaaien semer (de), ensemencer (de).

inzage inspection *v*, examen *m*; — *geven van*, communiquer; — *nemen van iets*, prendre connaissance de; *ter — zenden*, envoyer en communication; *adresboek ter* —, ici on consulte le Bottin.

inzakken s'affaisser, s'effondrer.

inzamel/en recueillir; collecter; *giften* —, quêter. ▼—**ing** 1 récolte; 2 collecte, quête; 3 (*v. afval*) récupération *v*.

inzegen/en bénir, consacrer. ▼—**ing** bénédiction, consécration *v*.

inzend/en envoyer; exposer (*op tentoonstelling*). ▼—**er** envoyeur; exposant *m*. ▼—**ing** envoi; stand *m*.

inzepen savonner.

inzet 1 (*bij verkoop*) mise *v* à prix; 2 (*spel*) enjeu *m*; mise *v*; 3 (*muz.*) attaque *v*. ▼—**ten** I *ov.w* mettre dans, poser; 2 mettre à prix; 3 miser; 4 monter, enchâsser (un diamant); 5 (*muz.*) attaquer, entonner; 6 déclencher (une offensive); engager (des troupes). II *on.w* 1 miser; 2 (*muz.*) entrer, partir; 3 débuter, commencer; *het seizoen zet goed in*, la saison s'annonce bien. III *zich* —, se

donner, se consacrer, s'engager.

inzicht opinion, notion *v*; *naar zijn* —, à son avis; — *hebben in*, voir clair dans. ▼**inzien** I 1 *ov.w* examiner, parcourir; 2 (*begrijpen*) comprendre, voir, reconnaître; *donker* —, voir en noir; *zij ziet niet in*, elle ne comprend pas. II *zn* opinion *v*, sentiment *m*; *zijns —s*, à son avis; *bij nader* —, tout bien considéré.

inzinking enfoncement *m*; (*psych.*) dépression, déprime *v*; effondrement *m*.

inzitten: *ergens over* —, s'inquiéter de qc; *er warmpjes* —, avoir de quoi. ▼—**de** occupant, passager *m*; passagère *v*.

inzouten saler; *het* —; la salaison.

inzoverre en tant que.

inzwachtelen 1 bander; 2 emmailloter.

ion ion *m*. ▼—**iseren** ioniser.

Irak l'Irak *m*.

Iran l'Iran *m*. ▼—**iër**, —**isch** Iranien (*m*).

irenisch conciliant.

iridium iridium *m*.

iris iris *m*.

iron/ie ironie *v*. ▼—**isch** *bn* (& *bw*) ironique(ment).

irreëel irréel.

irrelevant inopérant, négligeable.

irrig/atie irrigation *v*. ▼—**eren** irriguer.

irrit/atie irritation *v*. ▼—**eren** irriter.

ischias sciatique *v*.

islam Islam *m*. ▼—**iet** Islamite *m*. ▼—**itisch** islamique.

isobaar ligne *v* isobarique.

isolatie isolant *m*. ▼—**band** ruban *m* isolant. ▼**isol/ator** isolateur *m*. ▼—**ement** isolement *m*. ▼—**eren** isoler; *dubbel geïsoleerd*, surisolé. ▼**iso/therm** ligne *v* isotherme. ▼—**toop** isotope *m*.

Israël Israël *m*. ▼—**iet**, —**itisch** Israélite (*m*).

Itali/aan Italien *m*. ▼—**aans** italien; *een l—e*, une Italienne. ▼**Italië** l'Italie *v*.

item question *v*; point *m*; numéro *m*.

ivoor ivoire *m*. ▼**ivoren** d'ivoire, en ivoire.

J j *m.*

ja I *bw* 1 oui; 2 (*na ontkenning*) si; — *graag,* oui, merci; ▼— *antwoorden,* répondre (par) oui; — *zeggen,* dire que oui; accepter; *o* —, *dat is waar ook,* à propos, j'y songe; *wel* —, mais oui; *zo* —, *dan,* ..., si oui, s'il en est ainsi. **II** *zn* oui *m.*

jaap 1 entaille; 2 (*in gezicht*) balafre v.

jaar an *m;* année v; *een half* —, six mois; *hij is 50* —, il a cinquante ans; il est âgé de cinquante ans; *in het* — *1950,* en (l'an) 1950; *in het* — *onzes Heren,* en l'an de grâce; *in mijn jonge jaren,* dans mon jeune âge; — *in,* — *uit, d'année en année; op zijn achttiende* —, à dix-huit ans; *over twee* —, dans deux ans; *in drie* —, en trois ans; *per* —, par an, l'an (il gagne...); *zij is van mijn jaren,* elle est de mon âge. ▼**jaar/bericht** bulletin *m* annuel. ▼—**beurs** foire v d'échantillons, foire-exposition v. ▼—**boek** annuaire *m.* ▼—**gang** année v. ▼—**geld** pension, rente v annuelle. ▼—**genoot** copain *m.* ▼—**getij(de)** 1 saison v; 2 service *m* anniversaire. ▼—**lijks** *I bn* annuel. **II** *bw* tous les ans; —e *aflossing,* —e *toelage,* annuité v. ▼—**premie** prime v annuelle. ▼—**tal** date, année v. ▼—**telling** ère v. ▼—**verslag** rapport *m* annuel. ▼—**wedde** traitement *m* annuel, appointements *m mv* annuels.

jacht 1 chasse v; — *maken op,* donner la chasse à; (*fig.*) courir après, viser à; *op de* — *gaan,* aller à la chasse; 2 (*mar.*) yacht *m.* ▼—**akte** permis *m* de chasse. ▼—**en I** *ov.w* presser. **II** *on.w* s'empresser. ▼—**eskader** escadrille v de chasse. ▼—**geweer** fusil *m* de chasse. ▼—**haven** port *m* de plaisance. ▼—**hond** chien *m* de chasse, braque *m.* ▼—**hoorn** cor *m* de chasse. ▼—**ig I** *bn* précipité, agité, pressé. **II** *bw* précipitamment. ▼—**meester** veneur *m.* ▼—**mes** coutelas; couteau *m* de chasse. ▼—**opziener** garde -chasse *m.* ▼—**recht** droit *m* de chasse. ▼—**schotel** pot-au-feu *m* aux oignons, ragoût *m.* ▼—**sneeuw** poussière v de neige. ▼—**stoet** équipage *m* de chasse. ▼—**terrein** chasse v. ▼—**vlieger** aviateur *m* de chasse. ▼—**vliegtuig** avion *m* de chasse.

jacquet jaquette v.

jagen I *on.w* 1 chasser, aller à la chasse; 2 (*jachten*) se précipiter; 3 (*gejaagd zijn*) être agité, - pressé; — *naar,* courir après, poursuivre; *op hazen (herten)* —, courir le lièvre (le cerf). **II** *ov.w* 1 chasser; 2 (*fig.*) presser (qn); *iem. een kogel door de kop* —, brûler la cervelle à qn; *iem. op kosten* —, mettre qn en frais; *een schrik op het lijf* —, donner l'alarme à qn. **III** *zn: het* —, la chasse. ▼**jager** chasseur *m.* ▼—**stas** gibecière v.

jak caraco, casaquin *m,* camisole v.

jakhals chacal *m;* (*fig.*) gueux *m.*

jakkeren I *on.w* talonner. **II** *on.w* aller à fond de train; (*v. auto*) faire de la vitesse.

jakobsladder 1 échelle de Jacob; 2 noria v.

jaloers I *bn* jaloux (de). **II** *bw* jalousement. ▼—**heid** jalousie v (*de*). ▼**jaloezie** 1 jalousie v; 2 (*blind*) jalousie, persienne v. ▼—**sluiting** rideau *m* à coulisse.

jam confitures v *mv.*

jamb/e iambe *m.* ▼—**isch** iambique.

jammer 1 misère v; 2 (*klacht*) lamentation v; — *!,* c'est dommage !, tant pis ! ▼—**en se** lamenter, gémir. ▼—**kreet** cri *m* de douleur. ▼—**lijk I** *bn* misérable, pitoyable. **II** *bw* misérablement, pitoyablement; — *einde,* fin v tragique; échec, fiasco *m.*

jampot confiturier *m.*

jan 1 Jean; 2 garçon *m* (de café); — *en alleman,* tout le monde; *ome* —, ma tante; *boven* — *zijn,* être hors d'embarras. ▼—**boel** désordre *m,* pagaille v. ▼—**hagel** 1 canaille v; 2 gâteau *m* croquant.

janken 1 hurler; 2 (*v. kinderen*) chialer.

janklaassen polichinelle *m.*

jan/maat les cols bleus *m mv.* ▼—**plezier** char *m* à bancs. ▼—**salie** homme *m* sans énergie. ▼—**saliegeest** manque *m* de vigueur, veulerie, apathie v.

jansen/isme jansénisme *m.* ▼—**ist** janséniste *m.*

januari janvier *m.*

Japan le Japon. ▼—**nees,** —**ner** Japonais *m.* ▼—**s** japonais; *een J—e,* une Japonaise.

japon robe v. ▼—**schort** tablier-fourreau *m.* ▼—**stof** étoffe v -; tissu *m* pour robes.

jarenlang I *bn* qui date d'il y a plusieurs années. **II** *bw* durant de longues années.

jarig I *bn* 1 d'un an; 2 *ik ben vandaag* —, c'est aujourd'hui mon anniversaire. **II** *zn: de* —*e,* la personne qui fête son anniversaire.

jarretel(le) jarretelle v. ▼—**gordel** porte-jarretelles *m.*

jas 1 (*korte* —) veston; 2 (*over*—) manteau, pardessus *m.*

jasmijn jasmin *m.*

jaspis jaspe m. ▼—**kleurig** jaspé.

jas/schort blouse v. ▼—**zak** poche v d'habit.

jassen I *ov.w* éplucher. **II** *zn: het* —, la corvée de patates.

Java Java *m.* ▼**Javaan** Javanais *m.* ▼—**s** javanais; *een J—e,* une Javanaise.

ja/wel 1 (*na ontkenning*) si, si fait; 2 (*iron.*) ah ouiche. ▼—**woord** consentement *m; het* — *geven,* prononcer le grand oui.

jazz jazz *m.*

je I *pers. vnw* vous, tu, te, (*fam.*) on. **II** *bez. vnw* votre, vos; ton, ta, tes. **III** *onbep. vnw* on.

jeans blue-jean, jean *m.*

jeep jeep *m.*

jegens envers, à l'égard de.

jekker vareuse v, gros veston *m* d'hiver.

jenever genièvre, schiedam *m.* ▼—**brander** bouilleur *m.* ▼—**branderij** brûlerie v. ▼—**stoker(ij)** *zie* —**brander(ij).**

jengelen pleurnicher; geindre.

jeremi/ade jérémiade v. ▼—**ëren** se lamenter.

jerrican jerrican *m.*

jersey jersey *m.*

Jeruzalem Jérusalem.

jet (*Eng*) jet; avion *m* à réaction.

jeugd jeunesse v; *studerende* —, jeunesse des écoles; *jeugd studieuse; ontspoorde* —, jeunesse désaxée; *tweede* —, seconde jeunesse; *van zijn vroegste* — *af,* dès sa plus tendre jeunesse; *rijpere* —, adolescence v; *bron van eeuwige* —, fontaine v de jouvence. ▼—**afdeling** section v cadette. ▼—**concert** concert *m* pour la jeunesse. ▼—**herberg** gîte *m* d'étape, auberge v de la jeunesse. ▼—**herinnering** souvenir *m* de jeunesse, -d'enfance. ▼—**ig I** *bn* jeune; juvénile; *er* — *uitzien,* avoir l'air jeune. **II** *bw* en jeune homme, vivement. ▼—**igheid** 1 (*air m de*) jeunesse v; 2 vigueur; fraîcheur v. ▼—**leider** animateur, moniteur *m.* ▼—**leidster** animatrice, monitrice; cheftaine v. ▼—**tehuis** centre v de jeunesse. ▼—**zorg** œuvre *m* de jeunesse.

jeuk démangeaisons v *mv.* ▼—**en** démanger; *mijn handen* —, (*fig.*) les mains me démangent. ▼—**erig** prurigineux. ▼—**poeder**

poil *m* à gratter.
jezuïet jésuite *m*. ▼—**enorde** compagnie *v* de Jésus.
Jezus Jésus; — *Christus*, Jésus-Christ.
jicht goutte, arthrite *v*. ▼—**flanel** flanelle *v* anti-arthritique. ▼—**knobbel** gonflement *m* arthritique. ▼—**lijder** arthritique, goutteux *m*.
Jiddisch juif allemand; *het* —, le judéo-allemand.
jíj tu, toi, vous, (*fam.*) on; *met — en jou aanspreken*, tutoyer.
jioe-jitsoe jiu-jitsu *m*.
jobs/bode messager *m* de malheur. ▼—**geduld** patience *v* à toute épreuve. ▼—**tijding** fâcheuse nouvelle *v*.
joch(ie) gosse, galopin *m*.
jockey jockey *m*. ▼—**pet** toque *v* de jockey.
jodelen jodler, jodler.
joden/dom judaïsme, peuple *m* juif. ▼—**fooi** piètre récompense *v*. ▼—**haat** antisémitisme *m*. ▼—**hatend** antisémite. ▼—**kerk** synagogue *v*; *het lijkt wel een* —, c'est un vrai sabbat. ▼**jodin** juive *v*.
jodium iode *m*. ▼—**lamp** lampe *v* à iode; *schijnwerpers met* —*en*, phares *m mv* de route à iode. ▼—**tinctuur** teinture *v* d'iode.
jodoform iodoforme *m*. ▼—**gaas** gaze *v* iodoformée.
Joego-Slavië la Yougoslavie. ▼**Joegoslavisch** yougoslave.
joelen se divertir bruyamment, pousser des cris.
joghurt yaourt *m*.
johannieter/orde ordre *m* de Saint-Jean de Malte. ▼—**ridder** chevalier de S.-J. de M.
joint joint *m*.
jok raillerie *v*, badinage *m*. ▼—**ken I** *on.w* **1** badiner, plaisanter; **2** mentir. **II** *zn*: *het* —, la menterie. ▼—**kernij** plaisanterie *v*.
jol yole *v*.
jolig I *bn* gai, pétulant, enjoué. **II** *bw* gaiement. ▼—**heid** gaieté, pétulance *v*.
jong I *bn* jeune; —*edame*, jeune personne, demoiselle *v*; —*e groenten*, primeurs *v mv*; *weer — worden*, se rajeunir. **II** *zn* petit *m*; —*en krijgen*, faire des petits; *van* —*s af aan*, dès l'enfance. ▼—**edochter** demoiselle, jeune personne *v*. ▼—**eheer** (jeune) monsieur. ▼—**ejuffrouw** demoiselle; (*aanspreking*) mademoiselle *v*, (*afgekort* Mlle). ▼—**elingsjaren** adolescence *v*. ▼—**elingsvereniging** union *v* (chrétienne) de jeunes gens. ▼—**elui** jeunes gens *m mv*.
jongen I *zn* **1** garçon; gamin, (*fam.*) gars; (*pop.*) mec *m*; *hallo* —*s*, salut les gars; **2** (*leer*—) apprenti; (*scheeps*—) mousse *m*; **3** —, —*!*, mon Dieu!, ciel!; *kom oude* —, allons, mon vieux. **II** *on.w* faire des petits, mettre bas. ▼—**sachtig I** *bn* **1** juvénile, gamin; **2** (*kinderachtig*) puéril; — *meisje*, fille *v* garçonnière. **II** *bw* en garçon. ▼—**sgek** garçonnière *v*. ▼—**spak** complet *m* de garçon. ▼—**sschool** école *v* de garçons. ▼—**swerk** jeu *m* d'enfants.
jong/er I *bn* plus jeune; *zij is drie jaar jonger dan hij*, elle est de trois ans plus jeune que lui; *Plinius de* —*e*, P. le jeune; *zich — maken dan men is*, se rajeunir; *hij ziet er — uit, dan hij is*, il ne paraît pas son âge. **II** *zn* disciple *m*. ▼—**geborene** nouveau-né(e) *m* (*v*). ▼—**gehuwde** nouveau marié *m*, nouvelle mariée *v*; *de* —*n*, les jeunes mariés *m mv*. ▼—**gezel** garçon, célibataire *m*.
jongleren jongler.
jongmens jeune homme *m*.
jongst 1 le (la) plus jeune; **2** (*v. tijd*) récent, dernier = —**leden**; *de* —*e broer*, frère *m* cadet; *de* —*e dag*, le jugement *m* dernier.
jonk/er gentilhomme *m*; page; *de* —, le jeune seigneur. ▼—**heer** écuyer, jonkheer *m*. ▼—**heid** jeunesse *v*. ▼—**man** jeune homme, adolescent *m*. ▼—**vrouw** damoiselle, jeune fille *v* noble. ▼—**vrouwelijk** virginal.
jood juif *m*; *de wandelende* —, le juif errant. ▼**joods** juif, judaïque.
jool joie, fête *v*.

jou te, toi, vous.
joule joule *m*.
journaal journal *m* (de bord); (*film*) actualités *v mv*. ▼**journal/isme** journalisme *m*, presse *v*. ▼—**ist** journaliste *m*. ▼—**istiek I** *zn* journalisme *m*. **II** *bn* journalistique.
jouw ton, ta, tes; votre, vos.
jouwen huer.
jovia/al *bn* (& *bw*) jovial(ement). ▼—**liteit** jovialité *v*.
joy-rijden faire une balade en voiture volée.
Jozef Joseph; *de ware* —, l'élu *m* du cœur, le prince Charmant.
jubel/en pousser des cris de joie; jubiler, exulter. ▼—**end** jubilant, enthousiaste. ▼—**jaar** année *v* jubilaire.
jubil/aris héros *m* de la fête. ▼—**eren** célébrer une fête de jubilée. ▼—**eum** jubilé *m*.
juchtleer cuir *m* de Russie.
judassen agacer; faire enrager.
judic/ieel *bn* (& *bw*) judiciaire(ment). ▼—**ium** jugement *m*; verdict *m*.
judo judo *m*. ▼**judoka** judoka *m*.
juffertje 1 jeune fille; demoiselle; **2** (*insekt*) libellule, demoiselle *v*.
juffrouw 1 demoiselle, dame; **2** (*aanspreking*) mademoiselle; (*getrouwd*) madame *v*; — *van gezelschap*, dame de compagnie.
juich/en pousser des cris de joie, jubiler. ▼—**kreet** cri *m* de joie.
juist I *bn* exact, juste, précis, correct; *het* —*e woord*, le terme propre; *de* —*e weg*, la route vraie; *het* —*e ogenblik*, le moment psychologique. **II** *bw* justement, précisément, exactement; — *spreken*, parler correctement; *zo*—, à l'instant même; *ik heb hem* — *geschreven*, je viens de lui écrire; *nog* — *de tijd hebben*, avoir tout juste le temps (de). ▼—**heid** exactitude, justesse, précision *v*.
jujube jujube; pâte *v* de jujube.
juk 1 joug *m*; **2** (*draag*—) palanche *v*; *onder het* — *brengen*, subjuguer. ▼—**been** os malaire, zygoma *m*.
juke-box juke-box *m*.
juli juillet *m*.
jullie *vnw* **1** (*pers.*) vous (autres); (*fam.*) on; **2** (*bezitt.*) votre, vos.
jumbo-jet gros-porteur, jumbo-jet *m*.
jumper chandail, pull-over *m*.
juni juin *m*.
junior 1 cadet, jeune; fils; **2** (*sp.*) —*es*, juniors, débutants *m mv*.
junkie junkie *m*.
junta junte *v*.
juridisch *bn* (& *bw*) juridique(ment); —*e faculteit*, faculté *v* de droit; —*e adviseur*, avocat-conseil *m*. ▼**juris/dictie 1** juridiction *v*; **2** (*rk*) droit *m* de célébration des choses divines. ▼—**prudentie** jurisprudence *v*. ▼**jurist** homme de loi; juriste; étudiant en droit.
jurk robe *v*; (*nauwaangesloten rechte* —) fourreau *m*.
jury jury *m*. ▼—**lid** juré *m*.
justeren I *ov.w* ajuster. **II** *zn* ajustage *m*.
justit/ie justice *v*. ▼—**ieel** *bn* (& *bw*) judiciaire(ment).
jute jute *m*. ▼—**zak** sac *m* de jute.
juttepeer mouille-bouche *v*.
jutter pilleur *m* d'épaves; naufrageur *m*.
juweel joyau, bijou *m*; pierre *v* précieuse; parure *v*. ▼**juwelen** de diamants. ▼—**kistje** écrin *m*. ▼**juwelier** joaillier, bijoutier *m*. ▼—**swinkel** magasin *m* de joaillier, joaillerie *v*.

K k m.
kaai quai; embarcadère m. ▼—**muur** mur m du quai. ▼—**werker** débardeur m.
kaak 1 machoire; joue v; **2** (schandpaal) pilori m. ▼—**been** os m maxillaire. —**je** biscuit m sec. ▼—**slag** soufflet m. ▼—**spier** masséter m.
kaal 1 (onbehaard) glabre, imberbe; nu, dégarni; ras; **2** (—hoofdig) chauve; **3** (v. kleren) râpé, qui montre la corde; **4** dépouillé (de feuilles); **5** pauvre; —vreten, dépouiller; — worden, se dépouiller, se dégarnir. ▼—**geschoren** rasé, glabre. ▼—**heid 1** (v. hoofd) calvitie; **2** nudité v. ▼—**hoofdig** chauve. ▼—**hoofdigheid** calvitie v.
kaantjes frltons, rillons m mv.
kaap cap m; een — omzeilen, doubler un cap; K— de Goede Hoop, Cap de Bonne-Espérance. ▼—**vaarder** corsaire m. ▼—**vaart** course v.
kaar banneton m.
kaard/e chardon m; cardé v. ▼—**en** carder. ▼—**machine** cardeuse v. ▼—**wol** laine v cardée.
kaars 1 (vet—) chandelle v; **2** (was—) bougie v; **3** (v. kerk) cierge m. ▼—**ensterkte** intensité v lumineuse. ▼—**epit** mèche v. ▼—**lantaarn** lanterne v à bougie. ▼—**licht** lumière v d'une bougie; bij —, aux bougies, à la chandelle. ▼—**recht** droit comme un cierge. ▼—**vet** suif m.
kaart 1 carte; **2** carte v géographique; in — brengen, mettre en carte; groene —, carte v verte (d'assurance internationale); de — leggen, tirer les cartes; open — spelen, jouer cartes sur table; iem. in de — spelen, faire le jeu de qn; iem. in de — kijken, voir le jeu de qn; zich niet in de — laten kijken, cacher son jeu; alles op één — zetten, jouer le tout pour le tout; zijn —en openleggen, abattre ses cartes. ▼—**catalogus** catalogue m sur fiches. ▼—**en jouer** aux cartes. ▼—**endoos** classeur m. ▼—**enhuis** château m de cartes. ▼—**enkamer** kiosque m des cartes, - de veille. ▼—**enkast** meuble classeur m. ▼—**je 1** (spoor—) billet m; **2** (bon) cachet m; **3** (visite—) carte v (de visite); zijn — afgeven, déposer sa carte (chez qn). ▼—**leggen** cartomancie v. ▼—**legster** cartomancienne v. ▼—**lezen** lecture v des cartes. ▼—**register** fichier m. ▼—**spel** jeu m de cartes. ▼—**speler** joueur m de cartes. ▼—**systeem** classement m par fiches, fichier m.
kaas fromage m; volvette —, fromage gras; heeft hij er — van gegeten?, s'y entend - il?; zich de — van het brood laten eten, se laisser manger la laine sur le dos. ▼—**achtig** caséeux, caséiforme. ▼—**boer** fromager m. ▼—**bolletje** melon m. ▼—**fondue** fondue v (au fromage). ▼—**handel** fromagerie v. ▼—**koek** galette v au fromage. ▼—**makerij** industrie fromagère, fromagerie v. ▼—**markt** marché m au fromage. ▼—**mes** couteau m à fromage. ▼—**plank** plateau m à fromage. ▼—**stof** caséine v. ▼—**stolp** cloche v à fromage.
kaats chasse v. ▼—**baan** (salle v de) jeu m de paume. ▼—**bal** éteuf m. ▼—**en jouer** à la paume. ▼—**er** joueur m de paume. ▼—**plankje** palette v, battoir m.
kabaal 1 vacarme, chahut m; een hels — maken, faire un tapage d'enfer; **2** cabale, intrigue v. ▼—**maker** tapageur m.
kabbel/en murmurer, clapoter. ▼—**ing** murmure, clapotement m.
kabel câble m. ▼—**baan** téléphérique m; — met één kabel, télécabine v. ▼—**ballon** ballon m captif. ▼—**box** —**haspel** enrouleur m de câble. ▼—**en** câbler.
kabeljauw morue v, cabillaud m.
kabel/lengte encâblure v. ▼—**net** réseau m (électrique). ▼—**spoorweg** (chemin de fer) funiculaire m. ▼—**telegram** câblogramme m. ▼—**televisie** télévision v par câble(s). ▼—**touw** câble m.
kabinet 1 cabinet m; **2** (kast) buffet, bahut m. ▼—**formaat** format m album. ▼—**scrisis** crise v ministérielle. ▼—**sformateur** président du conseil désigné. ▼—**skwestie** question v de confiance, - de cabinet. ▼—**sraad** conseil m des ministres; — houden, se réunir en conseil de ministres. ▼—**sstuk** document m sortant du cabinet. ▼—**stuk** pièce v rare. ▼—**werk** ébénisterie v. ▼—**werker** ébéniste m.
kabouter 1 lutin, gnome; **2** (kind) marmot, moutard m.
kachel 1 zn poêle m; de — zetten, monter le poêle. **II** bn pompette. ▼—**glans** mine v de plomb. ▼—**hout** bois m de chauffage. ▼—**pljp** tuyau m de poêle. ▼—**pook** attisoir m. ▼—**smid** poêlier m.
kadast/er cadastre m. ▼—**raal** cadastral; — bekend, cadastré. ▼—**eren** cadastrer.
kadaver cadavre m.
kade quai m.
kader cadre m; buiten het — vallen, déborder le cadre (de); ne pas être du ressort (de). ▼—**lid** cadre m. ▼—**oefening** exercice m de cadres.
kadetje petit pain m.
kadr/er en cadrér. ▼—**ist** cadreur m.
haduuk caduc; dérangé, cassé, usé.
kaf balle v; het — van het koren scheiden, séparer l'ivraie d'avec le bon grain.
kaffer Cafre; (fig.) lourdaud, butor m.
kaft couverture; chemise v. ▼—**en** mettre une couverture à. ▼—**papier** papier m de garde.
Kaïn Caïn m. ▼—**steken** marque v de Caïn.
kajak kayak m; — varen, faire du kayak.
kajuit cabine v, salon m.
kakel/aar (—aarster) bavard(e) m (v). ▼—**bont** bariolé, bigarré. ▼—**en** caqueter; (fig.) bavarder, jaser.
kaki, —**kleurig** khaki (m).
kakken chier, faire caca.
kakkerlak blatte v; cancrelat m.
kakofonie cacophonie v.
kal(e)bas calebasse, gourde v.
kal(e)fate(re)n calfater, radouber.
kalender calendrier m. ▼—**blok** bloc-éphémérides m. ▼—**jaar** année v civile.
kalf veau m; **2** (fig.) bonne bête v; **3** (arch.) entretoise v; als het — verdronken is, dempt men de put, on ferme l'écurie quand les chevaux sont dehors. ▼—**achtig** bêta; bonasse. ▼—**koe** vache v pleine. ▼—**sbout** quartier m de veau. ▼—**skotelet** côtelette v de veau. ▼—**slapje** tranche v de veau, escalope v de veau. ▼—**sleer** (cuir de) veau m. ▼—**soester** escalope v de veau. ▼—**soog 1** œil m de veau; (fig.) - hébété; **2** (spiegelei) œuf m sur le plat. ▼—**spoelet** veau m en hachis. ▼—**sschijf** rouelle v de veau. ▼—**svlees** du veau. ▼—**szwezerik** ris m de veau.
kali potasse v. ▼—**bemesting** fumage m aux sels de potasse.
kaliber calibre m; gabarit m; (fig.) aloi m.
kalium potassium m. ▼—**verbinding** composé m de potassium.
kalk chaux v; (on)gebluste —, chaux (vive) hydratée. ▼—**achtig** calcaire. ▼—**bemesting** chaulage m. ▼—**branden**

cuisson *v* de la chaux. ▼—**branderij**
1 cuisson *v* de la chaux ; **2** (—*oven*) four à
chaux, chaufour *m*. ▼—**ei** œuf *m* à la chaux.
▼—**en l** *ov.w* blanchir à la chaux ; chauler.
II *on.w* broder ; noircir du papier. ▼—**gruis**
plâtras *m*. ▼—**houdend** calcaire. ▼—**licht**
lumière *v* oxhydrique. ▼—**meel** chaux *v* en
poudre. ▼—**melk** lait *m* de chaux. ▼—**mortel**
mortier *m* à chaux.
kalkoen 1 (*haan*) coq d'Inde, dindon *m* ;
2 (*hen*) poule d'Inde, dinde *v*. ▼—**tje**
1 dindonneau ; **2** (*fles*) carafon *m*.
kalk/oven *zie* —**branderij 2**. ▼—**puin**
plâtras, gravats *m mv*. ▼—**put** fosse *v* à
chaux. ▼—**steen** calcaire *m*. ▼—**water** eau *v*
de chaux ; *in* — *leggen*, chauler.
kalligraaf calligraphe *m*.
kalm l *bn* calme, tranquille ; *blijf maar* —, ne
t'en fais pas. **ll** *bw* tranquillement ; *kalm aan !*,
doucement ! (*arg.*) mollo, vas-y mollo.
▼—**eren l** *ov.w* calmer, apaiser ; —*d middel*,
calmant *m*. **ll** *on.w* se calmer.
kalmoes acore *m*.
kalmte calme *m* ; tranquillité, sérénité *v*.
kalot ; —je calotte *v*.
kalv/en l *on.w* vêler. **ll** *zn* : *het* —, le vêlage.
▼—**erliefde** amours *v mv* d'adolescent.
kam 1 peigne *m* ; **2** (*hane*—, *berg*—) crête *v* ;
3 (*viool*—) chevalet *m* ; **4** (*aan rad*) came *v* ;
grove —, démêloir *m* ; *over een* — *scheren*,
mesurer à la même aune.
kameel chameau *m*. ▼—**ruiter** méhariste *m*.
kameleon caméléon *m*.
kamenier femme de chambre ; (*toneel*)
soubrette *v*.
kamer 1 chambre, pièce *v* ; **2** (*werk*—,
kleed—) cabinet *m* ; **3** (*v. hart*) ventricule *m* ;
Eerste K—, (*in Frankr.*) Conseil *m* de la
République ; *Tweede* K—, Assemblée *v*
Nationale ; *op* —*s wonen*, loger en garni ; *op
zijn* —, dans sa chambre ; *donkere* —,
chambre noire.
kameraad camarade ; copain *m*. ▼—**schap**
camaraderie *v*. ▼—**schappelijk l** *bn*
confraternel. **ll** *bw* en bon(s) camarade(s).
kamer/**antenne** antenne *v* d'intérieur.
▼—**arrest** consigne *v* ; *iem.* — *geven*,
consigner qn à la chambre. ▼—**bewaarder**
huissier *m*. ▼—**dienaar** valet *m* de chambre.
▼—**fractie** groupe *m* (de députés).
▼—**geleerde** homme (savant) *m* de cabinet.
▼—**geleerdheid** science *v* de cabinet.
▼—**gymnastiek** gymnastique *v* de chambre.
▼—**heer 1** (*v. vorst*) chambellan ; **2** (*v. paus*)
camérier *m*. ▼—**huur** loyer *m*. ▼—**japon**,
—**jas** robe *v* de chambre. ▼—**katje** soubrette
v. ▼—**kleur** : *een* — *hebben*, avoir un air
malsain. ▼—**lid majesté**. ▼—**lidmaatschap**
députation *v*. ▼—**ling** (*rk*) camerlingue *m*.
▼—**meisje** femme *v* de chambre. ▼—**muziek**
musique *v* de chambre. ▼—**nummer** numéro
m de chambre. ▼—**orgel** orgue *m* de salon.
▼—**orkest** orchestre *m* de chambre.
▼—**overzicht** compte-rendu *m* (de la
séance). ▼—**plant** plante *v* d'appartement.
▼—**scherm** paravent *m*. ▼—**stoel** chaise *v*
percée. ▼—**tje** chambrette *v*, cabinet
m. ▼—**temperatuur** : *op* — *brengen*,
chambrer ; *op* — *houden*, garder à la
température ambiante. ▼—**vergadering**
séance *v*. ▼—**verhuurder** logeur *m*.
▼—**verkiezingen** élections *v mv* législatives.
▼—**verslag** compte-rendu *m*. ▼—**wacht**
garde *v* de chambrée. ▼—**zitting** séance *v* de
la Chambre.
kamfer camphre *m*. ▼—**spiritus** alcool *m*
camphré.
kamgaren l *zn* peigné *m*. **ll** *bn* de laine
peignée.
kamille camomille *v̄*. ▼—**thee** infusion *v* de
camomille.
kamikaze kamikaze *m*.
kamizool camisole *v*.
kammen l *ov.w* peigner ; *wol* —, carder la
laine. **ll** *zich* — se peigner.
kamp 1 camp, campement *m* ; *het* —

opbreken, lever le camp ; **2** (*strijd*) lutte *v*,
combat *m* ; *de* — *opgeven*, renoncer à la lutte,
se déclarer vaincu ; *geen* — *geven*, tenir bon.
▼**kampeer-** (*in ss*) de camping.
▼—**aanhangwagen** remorque *v* de
camping. ▼—**auto** camping-car *m*.
▼—**centrum** centre *m* de camping. ▼—**geld**
prix *m* du camping. ▼—**gids** guide *m* de
camping. ▼—**kaart** passeport *m* de camping.
▼—**reglement** règlement *m* du camping.
▼—**der**, —**ster** campeur *m*, campeuse *v*.
▼—**tent** tente *v* de camping. ▼—**uitrusting**
matériel *m* de camping. ▼—**wagen** caravane
v familiale, camping-car *m*. ▼**kampement**
campement *m*.
kampen combattre, lutter ; *te* — *hebben met*,
être aux prises avec ; *met moeilijkheden te* —
hebben, se débattre (contre des difficultés).
kamperen l *on.w* camper ; faire du camping.
ll *zn* : *het* —, le camping.
kamperfoelie chèvrefeuille *v*.
kampioen champion *m*. ▼—**schap**
championnat *m*.
kamp/leider, —**leidster** chef *m*, cheftaine *v*
(de camp). ▼—**rechter** arbitre *m*. ▼—**spel**
tournoi, concours *m*. ▼—**vuur** feu *m* de camp.
▼—**winkel** stand *m* d'alimentation.
kam/rad, —**wiel** roue *v* à dents, -
d'engrenage. ▼—**wol** peigné *m*.
kan 1 aiguière *v* ; bidon *m* ; **2** litre *m* ; *wie het
onderste uit de* — *wil hebben*, *krijgt het lid op
de neus*, qui veut tout, n'a rien.
kanaal 1 canal ; **2** (*buis*) tube, conduit ;
3 (*zeeëngte*) détroit *m* ; **4** (*fig.*) voie, source *v* ;
5 (*v. rad. en tv*) canal *m* ; *het* K—, la Manche ;
van over het K—, d'outre-Manche. ▼—**pand**
bief *m*. ▼—**sluis** écluse *v* à sas. ▼—**straal**
rayon *m* canal, - positif. ▼**kanalis/atie**
canalisation *v*. ▼—**eren** canaliser.
kanarie(**vogel**) canari, serin *m* jaune.
▼—**geel** jaune serin. ▼—**zaad** graine *v*
d'oiseau.
kandeel chaudeau *m*.
kandelaar chandelier ; bougeoir ; flambeau *m*.
kandidaat 1 candidat ; **2** aspirant, licencié (ès
lettres) ; —*notaris*, aspirant *m* au notariat.
▼—**sexamen** licence *v* ; *zijn* — *doen*, prendre
sa licence. ▼—**stelling** (déclaration de)
candidature *v*. ▼**kandidatuur** candidature *v*.
kandij sucre candi *m*. ▼—**stroop** mélasse *v*.
kaneel cannelle *v*. ▼—**pijp** bâton *m* de
cannelle. ▼—**wijn** hypocras *m*.
kangoeroe kangourou *m*. ▼—**schip**
porte-barges *m*.
kanjer : *een* — *van een* ..., un(e) ... énorme.
kanker 1 (*v. mens*) cancer, carcinome *m* ;
2 (*fig.*) cancer *m* ; gangrène *v* ; **3** chancre *m*
des arbres. ▼—**aandoening** affection *v*
cancéreuse. ▼—**aar** rouspéteur *m*. ▼—**achtig**
cancéreux, carcinomateux, chancreux.
▼—**bestrijding** lutte *v* contre le cancer.
▼—**en l** se gangrener ; (*fig.*) s'invétérer ;
rouspéter (contre). ▼—**gezwel** tumeur *v*
cancéreuse, squirrhe *m*. ▼—**instituut** institut
m du cancer. ▼—**lijder**, —**lijdster** cancéreux
m, cancéreuse *v*. ▼—**specialist** carcinologue
m. ▼—**studie** cancérologie *v*.
▼—**verwekkend** cancérigène.
kanne/**gieter** potier *m* d'étain ; *politieke* —,
politicien *m* de cabaret. ▼—**tje** petit pot *m*,
burette *v* ; pichet *m*.
kannibaal cannibale, anthropophage *m*.
kano canoë *m*, périssoire, pirogue *v*. ▼—**ën**
faire du canoë.
kanon (*mil. & muz.*) canon *m*. ▼—**nade**
canonnade *v*. ▼—**gebulder** grondement *m*
du canon. ▼—**neerboot** canonnière *v*.
▼—**nenvlees** chair *v* à canon. ▼—**neren**
canonner. ▼—**nier** canonnier ; servant *m*.
▼—**schot** coup *m* de canon ; *tot op
—safstand*, à portée de canon. ▼—**vuur** feu *m*
d'artillerie, tir *m*.
kano/**sport** canoëisme *m*. ▼**—vaarder**
canoëiste *m*.
kans 1 possibilité *v* ; **2** chance *v*, hasard, risque
m ; *de* — *is gekeerd*, la chance a tourné ; *de* —

is verkeken, il n'y a plus moyen; — *hebben op*, être en passe de; *er is geen — op*, il n'y en a pas moyen; — *hebben te*, avoir des chances de; — *lopen te zakken*, risquer d'échouer; *de — waarnemen*, saisir l'occasion; *een — wagen*, tenter la chance; *ergens — toe zien*, voir moyen de faire qc; *zie je er — toe?*, voyez-vous cela?

kansel chaire v; — *betreden*, monter en chaire; *van de —*, du haut de la chaire. ▼—**arij** chancellerie v. ▼—**arijstijl** style m de palais. ▼—**ier** chancelier m. ▼—**rede** sermon, prêche m. ▼—**redenaar** prédicateur m. ▼—**taal** langage m de la chaire.

kans/hebber: *hij is een —*, il a des chances; *de grootste —*, celui qui a le plus de chances de succès. ▼—**overeenkomst** contrat m aléatoire. ▼—**paard** favori (te) m (v). ▼—**rekening** calcul m des probabilités. ▼—**spel** jeu m de hasard.

kant I zn **1** côté m; **2** (*scherpe —*) arête v; **3** (*oever*) rive v, bord m; **4** (*v. blz.*) marge v; *de goede* (*verkeerde*) —, l'endroit (l'envers) m; *aan die —*, de ce côté; *aan — doen*, ranger (la chambre); *zijn zaak aan — doen*, se retirer des affaires; *langs de — gaan*, côtoyer; *aan —, naar —, van alle —en*, de tous les côtés; *op zijn — zetten*, mettre de chant; *de — opgaan van*, se diriger vers; *niets over zijn — laten gaan*, y regarder de près; *iets van alle —en bekijken*, considérer qc sous toutes les faces; *van de ene —, van de andere —*, d'une part, d'autre part; *van mijn —*, de mon côté; *aan 2 —en te dragen*, réversible; *van — maken*, tuer, supprimer; **5** dentelle v; point m; *met — afzetten*, garnir de dentelle. **II** bn **1** (*—gehouwen*) équarri; **2** (*gereed*) convenable, en ordre; *alles is — en klaar*, tout est prêt.

kant/eel créneau m. ▼—**elen** créneler.

kantel/deur porte v basculante. ▼—**en I** ov.w retourner, verser; (*opschrift*) *niet —*, debout. **II** on.w chavirer, verser. ▼—**ing** chavirement, renversement m.

kant/en I ov.w équarrir. **II** *zich tegen iets —* s'opposer à qc. ▼—**ig 1** à vIvês arêtes, anguleux; **2** (*v. wijn*) qui sent le tonneau; **3** avec beaucoup de croûte.

kantine cantine v.

kant/je point m; dentelle v; *op het — af*, tout juste, de justesse; *dat is net op het — af*, cela passe tout juste; *dat is op het — af van onhebbelijkheid*, cela frise la grossièreté. ▼—**klossen** fabrication v de dentelle aux fuseaux. ▼—**kloster** dentellière v aux fuseaux. ▼—**koek** croûton(s) m (mv) de pain d'épices. ▼—**lijn 1** marge; **2** arête v.

kanton canton m. ▼—**gerecht** justice v de paix. ▼—**naal** cantonnal. ▼—**rechter** juge m de paix.

kantoor 1 bureau m; **2** (*v. notaris, advocaat*) étude v; **3** (*betaal—*) comptoir m; **4** (*handelshuis*) maison v de commerce; *aan het verkeerde — zijn*, se tromper de porte, mal tomber; — *houden*, avoir ses bureaux; avoir son siège social; *zij is op een —*, elle est dans un bureau. ▼—**bediende** commis m. ▼—**behoeften** fournitures v mv de bureau. ▼—**boek** livre m de commerce. ▼—**boekhandel** librairie-papeterie v. ▼—**inkt** encre v double. ▼—**klerk** commis m (de bureau). ▼—**knecht** garçon de bureau. ▼—**lokaal** bureau m. ▼—**mannetje** plumitif m. ▼—**meubelen** meubles m mv pour bureaux. ▼—**stoel** chaise v de bureau. ▼—**tijd, —uren** heures v mv de bureau. ▼—**werk** affaires v mv de bureau; écritures v mv.

kanttekening note marginale; apostille v.

kantwerk (*ouvrage m de*) dentelle v. ▼—**ster** dentellière v.

kanunnik chanoine m; *van —en*, canonial. ▼—**es** chanoinesse v.

kap 1 coiffe; cape v; **2** (*v. mantel*) capuchon m; **3** (*v. huis*) comble m; toiture v; **4** (*v. rijtuig*) capote v; **5** (*v. vrachtwagen*) bâche v;

6 (*v. lamp*) abat-jour m; *met open —*, décapotable. ▼—**beitel** ciseau m à froid. ▼—**blok** billot m.

kapel 1 chapelle v; **2** papillon m; **3** orchestre m; musique v (militaire). ▼—**aan** vicaire m. ▼—**anie** vicariat m. ▼—**meester 1** chef d'orchestre; **2** (*mil.*) chef m de musique.

kapen 1 prendre à la course, détourner (avion); **2** (*fig.*) chiper, escamoter. ▼**kaper 1** pirate (de l'air); corsaire, bâtiment m armé en course; **2** coiffe v, bonnet m.

kapitaal I zn **1** capital m; **2** (*letter*) capitale v; *maatschappelijk —*, capital social; *omlopend —*, capital en circulation. **II** bn capital; principal; excellent; superbe; *kapitale letter*, majuscule v. **III** bw magnifiquement. ▼—**belegging** placement m. ▼—**bezitter** détenteur m de capitaux. ▼—**goederen** moyens m mv de production servant de capital. ▼—**heffing** prélèvement m sur le capital. ▼—**krachtig** riche, solvable, disposant de moyens financiers suffisants. ▼—**markt** marché m financier. ▼—**rekening** compte-capitaux m. ▼—**vlucht** évasion v de capitaux. ▼—**vorming** capitalisation v. ▼—**waarde** valeur v en capital. ▼**kapital/iseren** capitaliser. ▼—**isering** capitalisation v. ▼—**ist** -istisch capitaliste.

kapiteel chapiteau m.

kapitein capitaine m. ▼—**intendant** capitaine d'intendance. ▼—**luitenant** c. de frégate.

kapittel chapitre m; *stem in het — hebben*, avoir voix au chapitre. ▼—**en** chapitrer, tancer. ▼—**heer** chanoine m capitulaire. ▼—**zaal** salle v capitulaire.

kapje 1 chaperon; **2** accent circonflexe m; **3** (*v. brood*) entame v.

kap/laars botte v à revers. ▼—**mantel 1** capote v, manteau m à capuchon; **2** peignoir m (à coiffer). ▼—**mes** couperet m, serpe v.

kapoen chapon m.

kapok capoc m. ▼—**matras** matelas m en c.

kapot 1 (*defect*) détraqué; abîmé; déchiré; en morceaux; troué; **2** (*dood*) crevé, mort; **3** (*spel*) capot; **4** (*fig.*) altéré, atterré; *ik ben —*, je suis brisé; — *maken*, abîmer, détruire; — *gaan*, casser; — *vallen*, tomber en morceaux; *zich — werken*, s'esquinter, se crever de travail; *daar ben ik — van*, cela me confond.

kapot/hoed, —jas capote v.

kappen I ov.w **1** (*hakken*) couper, abattre; **2** (*snoeien*) tailler; **3** coiffer, arranger les cheveux à. **II** *zich —* se coiffer. ▼**kapper** coiffeur m. ▼—**sbediende** garçon coiffeur. ▼—**swinkel** boutique v de coiffeur. ▼—**tje** câpre v. ▼**kapsalon** salon m de coiffure.

kapseizen capoter, chavirer.

kap/sel coiffure v. ▼—**seltje** capsule v.

kaps(j)ones chicanes, histoires v mv.

kap/spiegel psyché v. ▼—**ster** coiffeuse v. ▼—**stok** portemanteau m; ...*aan de — hangen*, pendre ... au croc. ▼—**tafel** coiffeuse v.

kapucijn(er) 1 capucin m; **2** (*erwt*) pois gris m. ▼—**ernon** capucine v. ▼—**erorde** ordre m des capucins.

kar voiture v; charrette v; (*vuilnis—*) tombereau v; **2** machine, bécane v; **3** (*auto*) bagnole v, tacot m.

karaat carat m.

karab/ijn carabine v. ▼—**inier** carabinier m.

karaf carafe v. ▼—**je** carafon m.

karakter caractère m; *geen — hebben*, manquer de caractère; *een slecht — hebben*, avoir un mauvais fond. ▼—**dans** danse v de caractère. ▼—**iseren** caractériser. ▼—**istiek** caractéristique (de = *voor*). ▼—**loos** sans caractère; mou. ▼—**loosheid** manque v de caractère. ▼—**roman** roman m d'analyse, -psychologique. ▼—**schets, —schildering** analyse v. ▼—**stuk** pièce-, comédie v de caractère. ▼—**trek** trait m de caractère.

karate karaté m.

karav/aan caravane v. **▼—ansera(i)** caravansérail m.

karbies cabas m.

karbonade côtelette, côte v.

karbonkel 1 (steen) escarboucle v; **2** (med.) charbon m.

karbouw kérabau, bœuf à bosse m.

kardinaal cardinal m; — worden, recevoir la barette. **▼—schap** cardinalat m. **▼—spurper** pourpre v cardinalice.

karig l bn sobre, modeste; mesquin, parcimonieux. **II** bw sobrement; chichement. **▼—heid** modestie; mesquinerie, avarice v.

karikaturiseren caricaturer. **▼karikatuur** caricature v. **▼—tekenaar** caricaturiste m.

karkas carcasse v, squelette m; armature v.

karkiet rousserolle v.

karmeliet carme m. **▼—es** carmélite v.

karmijn carmin m.

karmozijn cramoisi v.

karn baratte v. **▼—emelk** petit-lait, babeurre m. **▼—en** battre (du beurre), baratter. **▼—machine** baratte v mécanique. **▼—ton** zie karn.

karos carrosse m.

karper carpe v.

karpet carpette v; tapis m.

karre n rouler, pédaler. **▼—spoor** ornière v. **▼—voerder** charretier. **▼—vracht** charretée v. **▼—weg** voie v carrossable.

kartel 1 entaille, (v. zegel) dent v; (hand.) cartel m. **▼—darm** côlon m. **▼—en** entailler, denteler; (v. munten) créneler. **▼—ing** denteluré; crénelure v.

karter/en mettre en carte. **▼—ing** mise en carte, cartographie v.

kartets boîte v à mitraille. **▼—vuur** mitraille v.

karting karting m.

karton carton m; geribd —, carton côtelé. **▼—fabriek** cartonnerie v. **▼—nen** en -, de carton. **▼—neren** cartonner.

kartuizer chartreux m. **▼—in** chartreuse v. **▼—klooster** chartreuse v.

karwats cravache v; met de — slaan, cravacher.

karwei corvée v; ouvrage m; het is een heel —, c'est toute une affaire; naar zijn — gaan, aller à son chantier; een —tje hebben, avoir du rabiot.

kas 1 (geld—) caisse v; **2** (broei—) serre v chaude; **3** (v. ring) chaton m; **4** (horloge—) boîtier m; de — opmaken, faire sa caisse; niet bij — zijn, être à court d'argent; met de — er van door gaan, faire sauter la grenouille; de — gaat om 6 uur open, bureau à six heures. **▼—bescheiden** pièces v mv comptables. **▼—bloem** fleur v de serre chaude. **▼—boek** livre m de caisse. **▼—diefstal** détournement m, déprédation v. **▼—houder** caissier m. **▼—houdster** caissière v. **▼—loper** encaisseur m.

kasjmier cachemire m.

kas/middelen encaisse v. **▼—overzicht** situation v de caisse. **▼—plant** plante v de serre chaude. **▼—positie** état m de caisse, liquidité v. **▼—register** caisse-contrôle, caisse-automatique, caisse-tiroir v. **▼—rekening** compte du grand livre m. **▼—sabon** caisse v; per —, au comptant. **▼—sabon** ticket m de caisse.

kassier caissier m. **▼—sboekje** carnet m de comptes. **▼—sbriefje** chèque m. **▼—sfirma** —skantoor** banque v particulière. **▼—sloon** —sprovisie** courtage m.

kasstuk pièce v à recette.

kast 1 armoire v; **2** (vast) placard m; **3** boîte, turne v (d'étudiant); coffre m; iem. in de — zetten, coffrer qn.

kastanje 1 châtaigne v; **2** (eetbaar) marron m. **▼—boom 1** châtaignier m; **2** marronnier m. **▼—bos** châtaigneraie v. **▼—bruin** (licht) châtain; (donker) marron.

kaste caste v.

kasteel 1 château m; citadelle v; **2** (schaakstuk) tour v.

kastekort déficit m.

kastelein 1 châtelain m; **2** (herbergier) aubergiste, cabaretier m.

kasten/stelsel, **—wezen** régime m des castes.

kastie : — spelen, jouer une partie de balle au mur.

kastijd/en l ov.w châtier; zijn vlees —, se mortifier. **II zich** — se châtier. **▼—ing** châtiment m.

kastje petit armoire v, cabinet m; (in schoolbank) case v; iem. van het — naar de muur sturen, envoyer qn de Caiphe à Pilate; — kijken, regarder la télé. **▼kastpapier** papier m de planche.

kasvoorraad encaisse v.

kat 1 chat m; **2** (wijfje) chatte v; als een — in een vreemd pakhuis, dépaysé; de — in het donker knijpen, cacher son jeu; ze is een —, c'est une chipie. **▼—achtigen** félins m mv.

katafalk catafalque m.

katalysator catalyseur m.

katapult catapulte v; lance-pierre m.

kater 1 matou m; **2** een — hebben, avoir mal aux cheveux, - la gueule de bois.

katern cahier m.

katheder chaire v.

kathedraal cathédrale v.

katheter cathéter m.

kathode cathode v. **▼—stralen** rayons m mv cathodiques.

kathol/icisme catholicisme m. **▼—iek** catholique (m & v). **▼—iseren** catholiser; romaniser. **▼—isering** catholisation; romanisation v.

katoen 1 coton m; **2** (weefsel) toile v de coton; **3** (draad) fil m de coton; **4** (lampepit) mèche v. **▼—bouw** culture v cotonnière. **▼—fluweel** velours coton, velours m de coton. **▼—industrie** industrie v cotonnière. **▼—plant** cotonnier m. **▼—plantage** cotonnerie v. **▼—spinner** fileur m de coton. **▼—spinnerij** filature v de coton. **▼—tje** cotonnade v, calicot m. **▼—weverij** manufacture v de toile de coton. **▼—winkel** mercerie, bonneterie v.

katrol poulie v.

katte/bak 1 (v. eten) écuelle v; **2** plat m de sciures. **▼—belletje** petit mot, petit billet m. **▼—kwaad** malice, polissonnerie v; — uithalen, faire des niches. **▼—ngemauw** miaulement m. **▼—ntentoonstelling** exposition v féline. **▼—rig** qui a mal aux cheveux. **▼—righeid** mal m aux cheveux. **▼—snaar** corde v en boyau.

kattig aigre, hargneux. **▼—heid** humeur v de chipie, caractère m acrimonieux.

kat/uil chat-huant m. **▼—vis** (menu) fretin m, menuaille v. **▼—zwijm** pâmoison v.

kauw choucas m.

kauw/en l ov.w mâcher. **II** zn : het —, la mastication. **▼—gom** gomme v (à mâcher), chewing-gum m. **▼—middel** masticatoire m. **▼—spier** (muscle) masticateur m. **▼—tand** molaire v.

kavel lot m. **▼—en** diviser en lots, lotir, allotir. **▼—ing 1** lot m, parcelle v; **2** (daad) allotement, lotissement m.

kaviaar caviar m.

kazak casaque v.

kazemat casemate v.

kazen se cailler.

kazerne caserne v. **▼—ren** caserner. **▼—ring** casernement m. **▼—taal** argot m militaire. **▼—woning** maison-caserne v.

kazuifel chasuble v. **▼—maker** chasublier m.

keel 1 (v. buiten) gorge v; (v. binnen) gosier m; iem. — opzetten, crier à tue-tête; zijn — smeren, se rincer la dalle; de woorden bleven hem in de — steken, les mots s'étranglaient dans sa gorge; hem naar de — vliegen, lui sauter à la gorge; dat heeft me de — uit, j'en ai par-dessus la tête, j'en ai soupé; **3** (her.) gueules v mv. **▼—band 1** bride; **2** jugulaire v. **▼—gat** gosier m; er is hem wat in het verkeerde — gekomen, il a avalé de travers. **▼—holte** arrière-bouche v, pharynx m.

▼—**kanker** cancer *m* à la gorge. ▼—**klank** son *m* guttural. ▼—**knobbel** pomme *v* d'Adam. ▼—**letter** gutturale *v*. ▼**keel-, neus- en oorarts** oto-rhino-laryngologiste, oto-rhino of O.R.L. ▼—**ontsteking** angine; laryngite *v*. ▼—**pijn** mal *m* de gorge; — hebben, avoir mal à la gorge. ▼—**riem** sous-gorge *v*. ▼—**stem** voix *v* de la gorge; met de — zingen, chanter de la gorge. ▼—**ziekte** maladie *v* de la gorge.

keep 1 entaille, encoche *v*; **2** (*vogel*) pinson *m* d'Ardenne.

keeper gardien *m* de but.

keer 1 (*wending*) tour *m*, tournure *v*; **2** (*maal*) fois *v*; *een gunstige — nemen*, prendre une tournure favorable; *in een —*, en une fois, d'un seul coup, *op één —*, un jour; *te — gaan tegen*, tonner contre; engueuler (qn); *erg te — gaan*, faire le diable à quatre; — *op —*, coup sur coup. ▼—**dam** bâtardeau; barrage *m*. ▼—**koppeling** changement *m* de marche. ▼—**kring** tropique *m*. ▼—**punt** tournant; (*sp.*) virage *m*; (*fig.*) moment *m* critique, crise *v*. ▼—**rijm** refrain *m*. ▼—**zijde 1** (*v. munt*) revers; **2** (*v. papier*) verso; **3** (*v. stof*) envers *m*.

keeshond chien-loup, loulou *m*.

keet 1 baraque, cabane *v*; **2** (*herrie*) boucan, chahut *m*; — hebben, rigoler; — maken, — schoppen (*bij iem.*) chahuter (qn).

keff/en japper, glapir. ▼—**er**, —**ertje** jappeur, brusquet; (*fig.*) roquet *m*.

keg coin *m*.

kegel 1 (*spel*) quille *v*; **2** (*wisk.*) cône *m*; —*s opzetten*, dresser des quilles; —*s omgooien*, abattre des quilles; *afgeknotte —*, tronc *m* de cône, cône tronqué. ▼—**aar** joueur *m* de quilles. ▼—**baan** jeu *m* de qs. ▼—**bal** boule *v*. ▼—**bord** quillier *m*. ▼—**club** société *v* de joueurs de quille. ▼—**en 1** jouer aux quilles; **2** flanquer, ficher (dehors). ▼—**schijf** disque *v* conoïde. ▼—**snede** section *v* conique; ellipse *v*. ▼—**vormig** conique.

kei caillou; pavé *m*; (*fig.*) *een —*, un as; *een — in wiskunde*, fort en mathématiques; *met —en bestraten*, caillouter. ▼—**hard** dur comme un caillou; (*fig.*) sans cœur; —*e valuta*, monnaie *v* très forte.

keil coin *m*. ▼—**bout** boulon *m* à cheville. ▼—**en 1** *on.w* faire des ricochets (sur l'eau). **II** *ov.w* jeter, lancer.

kei/leem argile *v* caillouteuse. ▼—**steen** caillou *m* (*mv* cailloux). ▼—**weg** chaussée *v* caillouteuse.

keizer empereur *m*; geef den — wat des —s is, rendez à César ce qui est à César; wat is, verliest de — zijn recht, où il n'y a rien, le roi lui-même perd ses droits. ▼—**in** impératrice *v*. ▼—**lijk I** *bn* impérial. **II** *bw* en empereur. ▼—**rijk** empire *m*. ▼—**snede** opération *v* césarienne.

kelder cave *v*; cellier *m*; naar de — gaan, périr; naar de — helpen, conduire aux abîmes. ▼—**achtig** de cave. ▼—**eren I** *ov.w* encaver. **II** *on.w* dégringoler. ▼—**gat** soupirail *m* (*mv* soupiraux). ▼—**ing 1** mise en cave; **2** (*fig.*) dégringolade *v*. ▼—**kamer** pièce *v* en sous-sol. ▼—**kast** cellier *m*. ▼—**luik** trappe *v*. ▼—**meester** sommelier *m*. ▼—**mot** cloporte *v*. ▼—**raam** soupirail *m*. ▼—**verdieping** sous-sol *m*. ▼—**woning** cave *m*.

kelen *ov.w* couper la gorge à, égorger. **II** *bn* (*her.*) de gueules.

kelk coupe *v*; calice *m*. ▼—**bloem** fleur *v* calicée. ▼—**doek** purificatoire *m*. ▼—**schoteltje** patène *v*. ▼—**vormig** caliciforme.

kelner garçon *m*. ▼—**in** serveuse.

Kelt celte *m*. ▼—**isch** celtique.

kemel chameau *m*; —*v* (*v chamelle*). ▼—**shaar** poil *m* de chameau (*of* de chèvre).

kemphaan batailleur, bretteur *m*.

ken/baar (re)connaissable; — maken, signaler, faire connaître, présenter. ▼—**getal 1** indicatif *m* d'appel; **2** (*bij industriële en dgl.*

planning) chiffre *m* mesure. ▼—**letter** marque *v* littérale.

kenmerk cachet, indice, caractère *m*; caractéristique *v*. ▼—**en I** *ov.w* caractériser, distinguer. **II** *zich —* se caractériser, se distinguer (par). ▼—**end** caractéristique.

kennel chenil *m*; meute *v*.

kennelijk I *bn* évident, manifeste; *in —e staat van dronkenschap*, en état d'ébriété manifeste. **II** *bw* évidemment. ▼—**heid** évidence, notoriété *v*.

kenn/en I *ov.w* **1** connaître; **2** (*geleerd hebben*) savoir; **3** *iem. in iets —*, consulter qn, demander l'avis de qn; *zich laten —*, se trahir; *iem. leren —*, faire la connaissance de qn; *niet —*, ignorer; *te — geven*, faire connaître, exprimer, faire entendre. **II** *zich —* se connaître (soi-même). ▼—**er** connaisseur *m* (en), connaisseuse *v*. ▼—**ersblik** regard *m* de connaisseur.

kennis connaissance *v*; *een — van mij*, une personne de ma connaissance; — dragen van, être informé de; — geven van, faire part de (qc à qn), informer (qn de qc); (*mil.*) rendre compte; — maken met, faire la connaissance de; aangenaam met u — te maken, charmé de vous connaître, - de faire votre connaissance; — opdoen, acquérir des connaissances; weer bij — komen, reprendre connaissance; hij is bij —, il a toute sa connaissance; buiten —, sans connaissance; buiten mijn —, à mon insu; buiten — raken, perdre connaissance; met — van zaken, en connaissance de cause. ▼—**geving 1** communication *v*; avis *m*; **2** (*v. geboorte enz.*) faire-part *m*; enige en algemene —, le présent avis tiendra lieu de faire-part; voor — aannemen, passer outre. ▼—**je** (petite) amie *v*. ▼—**leer** théorie *v* de la connaissance. ▼—**making** première entrevue *v*; ter — zenden, envoyer en communication. ▼—**neming** examen; ter —, pour en prendre connaissance.

ken/schets caractérisation *v*. ▼—**schetsen** caractériser, peindre. ▼—**spreuk** devise *v*. ▼—**teken** indice *m*, marque, caractéristique *v*, signe *m*; (*med.*) symptôme *m*; (*auto*) met —, immatriculée. ▼—**tekenbewijs** carte *v* grise; — deel III, vignette *v* fiscale. ▼—**tekenen** marquer; caractériser.

kenter/en chavirer; capoter; (*fig.*) changer, se modifier. ▼—**ing 1** changement; **2** renversement (de la mousson); **3** (*fig.*) revirement, tournant *m*.

ken/theorie théorie *v* de la connaissance. ▼—**vermogen** connaissance, (*fil.*) cognition *v*. ▼—**woord** mot *m* de passe.

keper 1 (*v. weefsel*) croisure *v*; **2** (*drap*) croisé *m*; **3** (*her.*) chevron *m*; iets op de — beschouwen, examiner (qc) à fond. ▼—**en** croiser.

kepie képi *m*.

keram/iek, —**isch** céramique (*v*).

kerel 1 (*gesch.*) vilain; **2** gaillard, type, individu, (*pop.*) mec *m*; arme —, pauvre diable; zijn vader was een —, son père était un homme; — !, mon cher, mon vieux!; een goeie —, une bonne pâte d'homme, un bon type. ▼—**tje** mioche, gosse; petit homme *m*.

keren I *ov.w* **1** (*om—*) tourner; retourner (un vêtement); **2** (*af—*) empêcher, prévenir, détourner; **3** (*tegenhouden*) arrêter, repousser; **4** balayer, nettoyer; het hooi —, remuer le foin; stof die men kan —, étoffe à deux endroits; ten beste (*kwade*) —, tourner en bien (mal). **II** zich — se tourner (à gauche, à droite). **III** *on.w* tourner; rechtsom keert!, demi-tour à droite!; naar huis —, retourner chez soi, rentrer; in zich zelf —, rentrer en soi-même; beter ten halve gekeerd, dan ten hele gedwaald, il vaut mieux se raviser que de se ruiner. **IV** zn: het —, le retournage (d'un veston); le retour, le changement. ▼**kerend**: per —e post, par retour du courrier.

kerf coche, entaille *v*. ▼—**mes** couchoir *m*. ▼—**stok** taille *v*; hij heeft veel op zijn —, il a

un casier bien chargé.
kerk 1 église v; **2** (prot.) temple; **3** service,
office, culte m; lijdende —, strijdende —,
zegepralende —, église souffrante, -
militante, - triomphante. ▼**—bestuur**
administration v de l'église, fabrique v.
▼**—boek 1** (rk) paroissien; livre d'heures;
2 (prot.) livre m de psaumes. ▼**—briefje**
bulletin m des services. ▼**—bus** tronc m
d'église. ▼**—buurt** paroisse v. ▼**—concert**
concert m spirituel. ▼**—dag** jour m férié.
▼**—dienst 1** (plechtigheid) service divin,
office m; **2** (ambt) ministère m de l'autel, -
divin. ▼**—ekas** trésor m; (rk) fabrique v.
▼**—elijk I** bn ecclésiastique, ecclésial; —e
plechtigheid, cérémonie v religieuse; K—e
Staat, les Etats pontificaux; —e kunst, art m
chrétien; — jaar, année v religieuse. **II** bw
religieusement; een huwelijk — inzegenen,
bénir un mariage. ▼**—en** aller à l'église,
assister à l'office divin. ▼**—enordening**
ordonnances v mv de l'église.
kerker cachot m, geôle v.
kerkeraad consistoire m.
kerker/en incarcérer. ▼**—ing** incarcération v.
kerk/ezakje aumônière v. ▼**—fabriek**
fabrique v. ▼**—feest** fête v religieuse, -
d'église. ▼**—gang** visite v à l'église; (na
bevalling) relevailles v mv. ▼**—ganger**
dévot(e), fidèle m (& v); een trouw — zijn,
fréquenter assidûment l'église. ▼**—gebouw
1** (rk) église v; **2** (prot.) temple m.
▼**—gebruik** rite m, liturgie v.
▼**—genootschap 1** confession v; tot geen
— behorend, sans confession; **2** société v
religieuse. ▼**—geschiedenis** histoire v de
l'Église. ▼**—gezang 1** chant m (d'église);
hymne v; (gregoriaans) plain-chant m;
2 (prot.) cantique m spirituel. ▼**—hervormer**
réformateur m. ▼**—hervorming** réforme v.
▼**—hof** cimetière m; de dader ligt op het —,
c'est le chat qui l'a fait. ▼**—koor** maîtrise v.
▼**—latijn** latin m de l'Église. ▼**—leer** doctrine
v, dogme m. ▼**—leraar** docteur m de l'Eglise.
▼**—meester** fabricien, marguillier m.
▼**—muziek** musique v sacrée, - spirituelle.
▼**—plein** parvis m. ▼**—portaal** porche m
intérieur. ▼**—raam** vitrail m (mv vitraux).
▼**—recht** droit m canon. ▼**—roof** vol m
d'église, sacrilège m. ▼**—rover** voleur m
d'église. ▼**—s** pratiquant, assidu à visiter
l'église; — zijn, pratiquer, fréquenter l'église.
▼**—schender** sacrilège, profanateur m.
▼**—schennis** profanation v, sacrilège m.
▼**—scheuring** schisme m. ▼**—stijl 1** style m
de la chaire; **2** (muz.) style de plain-chant.
▼**—straf** pénitence v. ▼**—taal** termes m mv
ecclésiastiques. ▼**—tijd** heure v du service
divin; - de la messe. ▼**—toren** clocher m.
▼**—vader** père de l'église. ▼**—vergadering**
(rk) concile; (prot.) synode m.
▼**—verordening** ordonnance v de l'église.
▼**—voogd 1** (rk) prélat; opperste —, primat
m; **2** (prot.) administrateur m. ▼**—vorst**
prince m de l'Église. ▼**—vrijdom** privilège m
ecclésiastique. ▼**—wet** loi v canonique.
▼**—wetboek** code m des lois canoniques.
▼**—wettig** bn (& bw) canonique(ment).
▼**—wijding** dédicace, consécration v
d'église. ▼**—zang** hymne v; cantique m;
(gregoriaans) plain-chant m. ▼**—zanger** (rk)
chanteur, choriste; (prot.) chantre m.
kermen I on.w gémir, se lamenter. **II** zn: het
—, le gémissement.
kermis foire, kermesse v. ▼**—bed** lit m de
fortune. ▼**—gast** forain m. ▼**—kraam**
baraque v foraine. ▼**—pop** poupée v à la
foire; (fig.) femme fagotée. ▼**—stuk** pièce v
foraine. ▼**—tent** baraque v foraine.
▼**—terrein** champ m de foire. ▼**—volk**
forains m mv. ▼**—wagen** roulotte v foraine.
kern 1 noyau; pépin (d'une pomme) m;
amande v (de noix); **2** (fig.) essentiel m,
substance, quintessence v; de — der kolonie,
le noyau de la colonie; de — van de zaak, le
nœud de la question. ▼**kern-** ... (nat.)

nucléaire. ▼**—achtig I** bn énergique; (style)
nourri, lapidaire. **II** bw énergiquement.
▼**—achtigheid** concison v énergique.
▼**—centrale** centrale v nucléaire. ▼**—deling**
division v du noyau; mitose v. ▼**—energie**
énergie v nucléaire; (le) nucléaire. ▼**—fusie**
fusion v thermo-nucléaire. ▼**—fysica**
physique v nucléaire. ▼**—gezond** sain; d'une
santé robuste; er — uitzien, respirer la santé.
▼**—kop** tête v nucléaire. ▼**—lading** charge v
nucléaire. ▼**—leder** cœur m. ▼**—lis**
chromosome m. ▼**—macht** force v nucléaire
stratégique, force de frappe.
▼**—mogendheid** puissance v nucléaire.
▼**—onderzeeër** sous- marin m nucléaire
(lanceur d'engins). ▼**—proef** expérience v
nucléaire. ▼**—reactor** réacteur m nucléaire.
▼**—splitsing** fissure v nucléaire. ▼**—spreuk**
maxime v, aphorisme m. ▼**—vorm** forme v
élémentaire; cellule v. ▼**—vormig**
nucléiforme. ▼**—vrucht** fruit m à pépins.
▼**—wapen** engin m nucléaire; proef met —,
expérience v nucléaire.
kerosine kérosène v.
kerrie curry m. ▼**—soep** potage m au curry.
kers 1 (vrucht) cerise v; **2** (plant) cresson m;
oostindische —, grande capucine v.
▼**—ebloesem** fleur v de cerisier. ▼**—eboom**
cerisier m. ▼**—eboomgaard** cerisaie v.
▼**—enbrandewijn** kirsch m. ▼**—enjam**
confitures v mv de cerises. ▼**—entaart** tarte v
aux cerises.
kerspel paroisse v.
kersrood (rouge) cerise.
kerst/avond veillée v de Noël. ▼**—boom**
arbre m de Noël. ▼**—dag** jour m de Noël.
▼**—enen** christianiser. ▼**—ening**
christianisation v. ▼**—feest** (fête de) Noël v;
gelukkig —, zalig —, joyeux Noël. ▼**—kindje**
l'enfant Jésus, le petit Noël m. ▼**—krans**
couronne v de Noël. ▼**—lied** noël m.
▼**—maal** repas de Noël; réveillon m.
▼**—mannetje** le père Noël. ▼**—mis** Noël m;
met —, à (la) Noël. ▼**—nacht** nuit v de Noël.
▼**—tijd** Noël m. ▼**—vakantie** vacances v mv
de Noël. ▼**—zang** cantique m de Noël.
kersvers I bn tout frais; de date récente. **II** bw
fraîchement; — van school, frais émoulu de
l'école.
kerv/en I ov.w **1** entailler; **2** hacher (du
tabac). **II** on.w (v. stof) s'érailler. ▼**—er**
hacheur m.
ketchup ketchup m.
ketel (kook—) chaudron m; **2** (thee—)
bouilloire; **3** (stoom—) chaudière v. ▼**—dal**
cirque, entonnoir m. ▼**—haak** crémaillère v.
▼**—huis** salle -, installation v des chaudières.
▼**—lapper** chaudronnier m. ▼**—ruim**
chambre v de chauffe. ▼**—steen** incrustation
v, tartre m. ▼**—trom(mel)** timbale v.
▼**—trom(mel)slager** timbalier m.
keten chaîne; (fig.) servitude v. ▼**—en**
enchaîner; dompter. ▼**—ing** enchaînement
m.
ketsen I on.w rater; manquer; (v. vuurwapen)
s'enrayer. **II** ov.w faire rater; refuser; rejeter.
ketter(s) hérétique (m). ▼**—ij** hérésie v.
ketting chaîne v. ▼**—botsing** collision v en
chaîne. ▼**—breuk** fraction v continue.
▼**—brief** boule-de-neige v. ▼**—brug** pont m
suspendu. ▼**—garen** fil m de chaîne.
▼**—haak** crochet m de chaînette. ▼**—handel**
commerce m d'intermédiaire. ▼**—handelaar**
intermédiaire m. ▼**—hond** chien m d'attache.
▼**—kabel** câble-chaîne m. ▼**—kast**
couvre-chaîne, carter m. ▼**—molen** chapelet
m hydraulique. ▼**—pomp** pompe v à
chapelet. ▼**—rad** roue v à chaîne. ▼**—reactie**
réaction v en chaîne. ▼**—redenering** sorite
m. ▼**—regel** règle v conjointe. ▼**—scheprad**
noria v. ▼**—slot** chaînette v antivol.
▼**—sluitreep** sorite v. ▼**—steek** point m de
chaînette. ▼**—spanner** vis v de tension.
▼**—trommel** tambour, carter m. ▼**—werk**
échappement m à chaîne. ▼**—wiel** pignon m.
▼**—zaag** (elektr.) tronçonneuse v.

▼**kettinkje** chaînette v.

keu (biljart—) queue v.

keuken cuisine v; koude —, mets m mv froids, buffet m froid. ▼—**afval** déchets m mv de cuisine. ▼—**doek** torchon m de cuisine. ▼—**fornuis** cuisinière v. ▼—**gereedschap**, —**gerei**, —**gerief** batterie v de cuisine; (aardewerk) vaisselle v. ▼—**geyser** ballon m d'eau chaude. ▼—**handdoek** essuie-mains m. ▼—**kast** placard (vitré); buffet de cuisine; garde-manger m. ▼—**meid** cuisinière v; bekwame —, cordon m bleu. ▼—**stroop** mélasse v. ▼—**trapje** escabeau (-chaise) m. ▼—**wagen** cuisine v roulante. ▼—**wekker** compte-minute m. ▼—**zout** sel de cuisine, gros sel m.

Keulen Cologne v. ▼**Keuls** de Cologne; — aardewerk, gresserie v; —e pot, jarre v de grès.

keur 1 choix m; 2 (merk) poinçon m, marque v. ▼—**der** essayeur m. ▼—**en** 1 examiner; 2 censurer (un livre); 3 poinçonner, essayer (de l'or); 4 faire subir un examen médical (à qn); (mil.) faire passer devant le conseil de révision; 5 trouver, estimer; 6 (in techn. opzicht) visionner (un film). ▼—**gewicht** étalon m. ▼—**ig** I bn élégant; exquis, choisi; coquet; propre. II bw élégamment, d'une façon exquise. ▼—**igheid** élégance; délicatesse; bonne tenue v. ▼—**ing** examen m, épreuve v, essayage m; examen médical; conseil m de révision, -de réforme. ▼—**ingscommissie** conseil m de révision. ▼—**ingsdienst** contrôle m sanitaire. ▼—**korps** élite v. ▼—**meester** 1 essayeur; 2 inspecteur m de la salubrité des denrées. ▼—**merk** poinçon m de garantie.

keurs, —**lijf** corset m; een — aanleggen, contraindre, entraver par des règles étroites.

keur/stempel —**teken** marque v, poinçon m. ▼—**troepen** troupes v mv d'élite. ▼—**vorst** (prince) électeur. ▼—**vorstendom** électorat m.

keus, keuze 1 choix m, sélection v; 2 option v; 3 (tussen twee dingen) alternative v; er is geen —, il n'y a pas à choisir; naar —, au choix; vak naar —, branche v facultative, matière v à option; de — hebben, avoir le choix; voor de — staan om, être dans l'alternative de; bij — bevorderd, promu au choix. ▼**keuze/commissie** jury m de sélection; lid van de —, sélectionneur. ▼—**vak** matière v à option.

keuter(boer) closier m.

keuvelen causer, faire un bout de causette.

kever coléoptère m.

kibbel/arij bisbille v. ▼—**en** être en bisbille avec. ▼—**ziek** querelleur.

kibboets kibboutz m.

kick down pression v sur l'accélérateur.

kidnapp/en kidnapper. ▼—**er** kidnappeur m. ▼—**ing** kidnappage m.

kiek vue, photo v. ▼—**en** I ov.w tirer, prendre. II zn poulet; poussin m. ▼—**toestel** appareil m photographique.

kiel blouse v; 2 (mar.) quille v.

kiele-kiele: het was —, c'était tout juste.

kiel/legging mise v sur quille. ▼—**water**, —**zog** remous, sillage m.

kiem 1 germe m; 2 (v. dier, plant) embryon m; in de — smoren, étouffer dans l'œuf. ▼—**dodend** germicide. ▼—**en** germer. ▼—**kracht** pouvoir m germinatif. ▼—**vermogen** faculté v germinative. ▼—**vorming** embryogénie v. ▼—**vrij** stérilisé.

kien quine m. ▼—**dopje** boule v de loto. ▼—**en** jouer au loto. ▼—**spel** loto m.

kier entrebâillement m; op een — staan, être entrebâillé; op een — zetten, entrebâiller; de deur op een — laten, laisser la porte tout contre.

kies I zn 1 grosse dent, molaire v; iem. een — trekken, arracher une dent à qn; 2 pyrite v. II bn 1 délicat; 2 (—keurig) difficile. III bw délicatement.

kies/baar éligible. ▼—**baarheid** éligibilité v. ▼—**deler** quotient m électoral. ▼—**district** circonscription v. ▼—**gerechtigd** qui est inscrit sur les listes électorales; qui a droit de vote; —e leeftijd, âge m électoral.

kiesheid délicatesse; circonspection v.

kieskouw/en chipoter, manger du bout des dents. ▼—**er** chipoteur m.

kieskeurig difficile. ▼—**heid** délicatesse v (sur), goût m difficile.

kieskring zie **kiesdistrict**.

kiespijn mal m de dents; — hebben, avoir mal aux dents.

kies/plicht devoir m d'électeur; vote m obligatoire. ▼—**recht** droit m de suffrage; algemeen —, suffrage m universel. ▼—**schijf** cadran m d'appel. ▼—**stelsel** système m électoral. ▼—**toon** (tel.) tonalité v continue. ▼—**vereniging** comité m électoral. ▼—**wet** loi v électorale.

kietelen chatouiller.

kieuw branchie, ouïe v.

kieviet vanneau m.

kiezel silex m, cailloux m mv. ▼—**achtig** siliceux. ▼—**grint** gravier m. ▼—**steen** caillou, silex m. ▼—**weg** route v de gravier. ▼—**zuur** acide m silicique.

kiez/en I ov.w 1 choisir; opter (pour); 2 (door stemming) élire; 67723 — (op telefoon), composer le numéro 67723; iem.'s partij —, prendre le parti de qn; zee —, prendre le large. II on.w choisir, faire son choix; voter. III zn: het —, le choix, l'option; l'élection v. ▼—**er** électeur; de —s, le corps électoral. ▼—**eres** électrice v. ▼—**erslijst** liste v électorale.

kift envie; jalousie v.

kijf: buiten —, sans contredit, incontestablement.

kijk vue v, (gezichtspunt) optique v; een — hebben op, avoir des notions de; — hebben op, s'y connaître en; geen — hebben op, n'avoir aucune idée de; daar is geen — op, il ne faut pas y compter; te — zetten, exposer; te — zitten, être en spectacle (à tout le monde); tot —, au revoir. ▼—**dag** (jour m d') exposition. ▼—**dichtheid** pourcentage m de vision. ▼—**en** I on.w regarder; kijk!, tiens!, tenez!; gaan —, aller voir; pas komen —, débuter; er komt heel wat —, il faut bien de la peine, - de l'argent, etc.; ik sta er van te —, j'en suis stupéfait; hij kijkt niet zo nauw, il n'y regarde pas de si près; hij kijkt niet op een 100 gulden, il n'en est pas à 100 florins près; naar het eten —, surveiller le pot; op zijn horloge —, regarder sa montre; uit het venster —, regarder par la fenêtre; voor zich —, regarder devant soi. II ov.w regarder, voir; laat eens —, voyons voir. III zn: — kost niets, la vue n'engage à rien. ▼—**er** 1 curieux, spectateur; 2 lunette, jumelle v; 2 (fam.) mirette v. ▼—**gat** trou, regard m; judas m. ▼—**je** coup m d'œil; een — gaan nemen, voir un peu ce qui se passe. ▼—**spleet** dioptre v. ▼—**venster** vasistas m.

kijv/en se quereller, criailler. ▼—**er** querelleur m. ▼—**erij** querelle, dispute v.

kik: geen — geven, ne pas souffler mot. ▼—**ken** piper; niet —, ne pas souffler mot de qc.

kikker grenouille v. ▼—**bil** cuisse v de grenouille. ▼—**en** sauter à croupetons.

kikvors grenouille v.

kil I zn chenal m, passe v. II bn (& bw) froid(ement), glacé, glacial; —le moordenaar, tueur m à froid. ▼—**heid** froid m, fraîcheur; (fig.) froideur v.

killer tueur; assassin m.

kil/lig frileux, frisquet. ▼—**ligheid** sensation v de froid.

kilo, —**gram** kilogramme m. ▼—**liter** kilolitre m. ▼—**meter** kilomètre m; 100 — per uur rijden, faire du 100 à l'heure. ▼—**meterboekje** carnet m kilométrique. ▼—**meterpaal** borne v —, poteau m kilométrique. ▼—**meterteller** compteur m (kilométrique). ▼—**metervreter** dévoreur m

de kilomètres. ▼—**watt** kilowatt *m*.
▼—**wattuur** kilowattheure *v*.
kilte froid *m* humide.
kim 1 horizon *m*; **2** (*kant*) bord *m*.
kimono kimono *m*. ▼—**mouw**
manche-kimono *v*.
kin menton *m*.
kina quinquina *m* = —**boom**. ▼—**wijn** vin *m*
au quinquina.
kin/baard barbiche *v*. ▼—**band** mentonnière
v.
kind enfant *m*; (*fam.*) gosse, (*klein*) marmot
m; *van* —*eren*, enfantin; (*med.*) infantile; *hij
is het* — *van de rekening*, il est le dindon de la
farce; — *noch kraai hebben*, n'avoir ni
enfants, ni suivants; *een* — *krijgen*,
accoucher (d'un enfant); *het* — *bij zijn naam
noemen*, appeler un chat un chat; *rijk aan*
—*eren*, prolifique; *van* —*af*, dès l'enfance.
▼—**eke** petit enfant *m*; *het* — *Jesus*, l'enfant
Jésus.
kinderachtig I *bn* puéril; *wat ben jij* —*!*, que
tu es enfant! **II** *bw* puérilement; *en enfant;
zich* — *aanstellen*, faire l'enfant. ▼—**heid**
puérilité *v*, enfantillage *m*.
kinder/aftrek exonération *v* familiale.
▼—**arts** pédiatre *m*. ▼—**bed 1** lit *m* d'enfant;
couchette *v*; **2** couches *v mv*. ▼—**bedtijd**
heure *v* du coucher. ▼—**bescherming**
protection *v* de l'enfance. ▼—**bewaarplaats**
garderie, crèche *v*. ▼—**boek** livre *m* pour
enfants. ▼—**bijslag** allocation *v* familiale.
▼—**diefstal** enlèvement -, rapt *m* de mineur.
▼—**geneeskunde** pédiatrie *v*. ▼—**hand**
menotte *v*; *een* — *is gauw gevuld*, un enfant
est facile à contenter. ▼—**jaren** (*eerste jaren v
d'*) enfance *v*. ▼—**juffrouw** bonne *v*
d'enfants, gouvernante *v*. ▼—**kleding**
vêtements *m mv* d'enfant. ▼—**kliniek**
clinique *v* infantile. ▼—**liedje** chanson *v*
enfantine. ▼—**liefde 1** amour *m* paternel (*of
maternel*); **2** (*voor ouders*) piété *v* filiale.
kinderlijk I *bn* **1** enfantin, d'enfant; **2** (*voor
ouders*) filial; **3** naïf, ingénu. **II** *bw* **1** en
enfant, d'un façon enfantine; **2** en bon
enfant; **3** naïvement. ▼—**heid** naïveté,
ingénuité *v*.
kinder/loosheid stérilité *v*. ▼—**meel** farine *v*
lactée. ▼—**meisje** bonne *v* d'enfants;
nounou *v*. ▼—**mis** messe *v* pour enfants.
▼—**moord** infanticide *m* = —**moorder**.
▼—**plicht** devoir *m* filial. ▼—**pokken** petite
vérole *v*. ▼—**postzegel** timbre *m* de
bienfaisance. ▼—**praat** babil, bavardage *m*
puéril. ▼—**programma** (*radio, tv*) émission *v*
enfantine. ▼—**rechtbank** tribunal *m* pour
enfants. ▼—**rechter** juge *m* des enfants.
▼—**roof** enlèvement -, rapt *m* d'enfant.
▼—**rover** voleur *m* d'enfants. ▼—**slot** (*v.
auto*) sécurité *v* portes arrière. ▼—**speeltuin**
jardin *m* de récréation. ▼—**spel** jeu *m*
d'enfant; *dat is geen* —, c'est sérieux.
▼—**sprookje** conte *m* de fées. ▼—**sterfte**
mortalité *v* infantile. ▼—**stoel** chaise *v*
d'enfant; chaise percée. ▼—**taal** langage *m*
enfantin. ▼—**toeslag** = —**bijslag**.
▼—**uurtje** (*radio*) les ondes *v mv* enfantines.
▼—**verhaaltje** conte *m* pour les enfants.
▼—**verlamming** paralysie *v* infantile; *acute*
—, poliomyélite *v*. ▼—**verzorger**,
—**verzorgster** puériculteur *m*, puéricultrice
v. ▼—**verzorging** puériculture *v*.
▼—**voeding** nutrition *v* des enfants.
▼—**voetje** peton *m*. ▼—**voorstelling**
représentation (matinée) *v* enfantine.
▼—**wagen** voiture *v* d'enfant, poussette *v*.
▼—**weegschaal** pèse-bébé *m*. ▼—**wereld**
monde *m* de l'enfant; petit monde *m*. ▼—**werk**
enfantillage *m*, bagatelle *v*. ▼—**zegen** joies *v
mv* de la paternité, - de la maternité;
progéniture *v* nombreuse. ▼—**ziekenhuis**
hôpital *m* d'enfants. ▼—**ziekte** maladie *v*
infantile. — *(fig.)* difficultés *v mv* du début.
▼—**zitje** siège-bébé *m*. ▼—**zorg 1** (*v. kind*)
souci enfantin; **2** (*voor kind*) soin *m* des
enfants.

kinds puéril; sénile, en enfance; — *worden*,
tomber en enfance. ▼—**been**: *van* — *af*, dès
l'enfance. ▼—**deel**, —**gedeelte** portion *v*
légitime. ▼—**heid 1** enfance; **2** seconde
enfance *v*. ▼**kindvrouwtje** femme-enfant *v*.
kinematograaf cinéma (tographe) *m*.
kinet/ica cinématique *v*. ▼—**isch** cinétique.
kinine quinine *v*. ▼—**vergiftiging** quininisme
m.
kink coque *v*; *er is een* — *in de kabel
gekomen*, il y a un cheveu; il y a qc qui cloche.
kinkel lourdaud, rustre *m*. ▼—**achtig** *l bn*
grossier. **II** *bw* grossièrement.
kinkhoest coqueluche *v*; *aanval van* —,
quinte *v* de coqueluche.
kin/kuiltje fossette *v* (au menton).
▼—**verband** mentonnière *v*.
kiosk kiosque *m*.
kip 1 poule; **2** (*gemeste* —) poularde *v*; *er was
geen* —, il n'y avait pas un chat; *redeneren als
een* — *zonder kop*, raisonner comme une
pantoufle.
kip/auto auto *v* à bascule. ▼—**kar** wagonnet
m.
kiplekker en bonne forme, frais comme un
gardon. ▼**kippe/boutje** cuisse *v* de poulet.
▼—**gaas** toile *v* métallique.
kippen 1 faire basculer; **2** (*fig.*) saisir, attraper.
kip/pen/boer marchand *m* de volaille.
▼—**fokkerij** élevage *m* des poules. ▼—**hok**
poulailler *m*. ▼—**ren** abri *m*. ▼**kippe/soep**
bouillon *m* de poulet. ▼—**vel**: *daar krijg ik* —
van, cela me donne la chair de poule.
▼—**voer** pâtée *v* des poules.
kippig myope; *hij is* —, il a la vue basse.
▼—**heid** myopie *v*. ▼**kipwagen** *zie* **kipkar**.
kirren I *on.w* roucouler. **II** *zn*: *het* —, le
roucoulement.
kirschwasser kirsch *m*.
kist 1 caisse, boîte *v*; coffre *m*; **2** (*dood*—)
cercueil *m*; *in* —*en verpakken*, encaisser.
▼—**dam** bâtardeau *m* à coffre. ▼—**en 1** (*v.
dode*) mettre en bière; **2** renforcer (une
digue) un bâtardeau; *laat je niet* —, ne cède
pas. ▼—**enmaker** layetier *m*. ▼—**ing 1** mise *v*
en bière (d'un mort); **2** bâtardeau *m*. ▼—**je**
caissette, cassette, boîte *v*, coffret *m*.
kit 1 (*kolen*—) seau *m* à charbon; **2** fumerie *v*
d'opium; **3** colle *v* (*lijm*).
kitsch kitsch *m*.
kittelorig chatouilleux, irascible. ▼—**heid**
irascibilité *v*.
kitten coller; mastiquer.
kittig alerte; leste. ▼—**heid** vivacité *v*.
klaag/figuur (*kunst*) pleurant *m*. ▼—**lied**
élégie; lamentation; complainte *v*. ▼—**lijk**
I *bn* plaintif, lamentable. **II** *bw* plaintivement,
lamentablement. ▼—**muur** mur *m* des
lamentations. ▼—**stem** voix *v* plaintive.
▼—**ster** femme dolente; (*jur.*) plaignante,
demanderesse *v*. ▼—**zang** élégie, thrène *v*.
klaar I *bn* **1** (*duidelijk*) clair, évident;
2 (*helder*) clair; limpide; (*v. hemel*) serein;
3 (*gereed*) prêt, achevé, préparé; **4** (*zuiver*)
pur; *dat is* —, voilà qui est fait, nous y
sommes; *ik ben zo* —, je vais avoir fini; *ik ben*
— *met*, j'ai fini (qc of de faire qc). **II** *bw*
clairement; — *wakker*, tout éveillé.
▼—**blijkelijk I** *bn* évident, manifeste. **II** *bw*
évidemment. ▼—**heid** clarté; évidence;
limpidité; sérénité; pureté *v*; *tot* — *brengen*,
tirer au clair. ▼—**komen** achever, finir.
▼—**leggen** arranger, préparer; mettre à la
disposition de (qn). ▼—**licht**: *op* —*e dag*, en
plein jour; *het is* —*e dag*, il fait grand jour.
▼—**liggen** être prêt. ▼—**maken I** *ov.w*
préparer; confectionner; *klaargemaakte
schotel*, plat *m* cuisiné. **II** *zich* — se préparer
(à); achever sa toilette. ▼—**spelen**: *het* —,
venir à bout de qc, réussir (à). ▼—**staan** être
prêt à; — *om allen* (*met inf.*); *voor iem.* —,
être prêt pour servir qn. ▼—**stomen** chauffer.
▼—**zetten** *zie* —**leggen**.
klacht plainte, lamentation *v*; —*en indienen*,
réclamer; *een* — *indienen*, porter plainte.
▼—**enboek** registre *m* des réclamations.

klad 1 tache *v*; **2** brouillon *m*; *de — brengen in*, gâter; *— inkt*, pâté *m*; *in — schrijven*, faire un brouillon (de). ▼**—boek** (*hand.*) main courante *v*, brouillon *m*. ▼**—den** I *ov.w* souiller; tacher, gâter. II *on.w* (*v. papier*) boire. ▼**—der** barbouilleur *m*. ▼**—derig** malpropre, sale. ▼**—papier** brouillon; papier *m* brouillard. ▼**—schilder** peintre en bâtiments; barbouilleur *m*. ▼**—schilderen** peindre; barbouiller. ▼**—schrift** cahier *m* de brouillons. ▼**—werk** barbouillage *m*.

klag/en I *on.w* se plaindre (à qn), gémir. II *ov.w*: *iem. zijn nood —*, faire part de ses peines à qn; *steen en been —*, se lamenter. ▼**—end** I *bn* plaintif. II *bw* plaintivement. ▼**—er 1** celui qui se plaint; **2** (*jur.*) demandeur, plaignant *m*.

klak 1 tache *v* (d'encre); **2** chapeau *m* claque. ▼**—keloos** I *bn* soudain; sans motif. II *bw* sans réfléchir; inopinément. ▼**—ken** I *on.w* claquer (de). II *ov.w* barbouiller, tacher.

klam moite, humide et froid.

klamboe moustiquaire *v*.

klam/heid moiteur *v*. ▼**—mig** un peu moite.

klamp tenon *m*, patte *v*; (*nar.*) taquet *m*.

klandizie pratique, clientèle *v*; *iem. de — geven*, se fournir chez qn.

klank son; timbre *m*; *holle —en*, des paroles vides de sens; *— geven*, rendre un son, (ré)sonner; *—gevend*, sonore; *op de — af*, d'après le son. ▼**—beeld** image *v* sonore. ▼**—bord** abat-voix *m*. ▼**—effect** sonorité *v*. ▼**—figuur** figure *v* nodale. ▼**—film** film *m* sonore. ▼**—kast** caisse *v* de résonance. ▼**—kleur** timbre *m*. ▼**—leer 1** phonétique; **2** (*nat.*) acoustique *v*. ▼**—loos** sourd, étouffé; *klankloze stem*, voix *v* blanche. ▼**—meter** phonomètre *m*. ▼**—nabootsend** imitatif; *— woord*, onomatopée *v*. ▼**—opname** enregistrement *m* sonore. ▼**—rijk** sonore; riche de timbre. ▼**—rijkheid** sonorité *v*. ▼**—rijm** assonance *v*. ▼**—schrift** écriture *v* phonétique. ▼**—teken** accent; signe *m* phonétique. ▼**—verandering** changement *m* phonétique. ▼**—vol** *zie* **—rijk**. ▼**—volume** volume *m* de l'émission sonore. ▼**—voortbrenging** émission *v*.

klant pratique, client, *m*; *rare —*, drôle de corps *m*; *vaste —*, habitué *m*; *de vaste —en*, la clientèle. ▼**—enbinding** mesures *v mv* pour créer et renforcer les liens avec les clients.

klap 1 (*slag*) coup, soufflet *m*; tape, claque *v*; **2** (*gepraat*) caquet, bavardage *m*; *— om de oren*, soufflet *m*, gifle *v*; *een — van de molen weghebben*, être un peu toqué; *twee vliegen in één — slaan*, faire d'une pierre deux coups. ▼**—band** pneu *m* qui éclate, - crevé. ▼**—bankje** strapontin *m*. ▼**—brug** pont-levis *m*. ▼**—camera** appareil pliant, folding *m*. ▼**—deur** porte *v* battante.

klap/lopen I *on.w* écornifler. II *zn*: *het —*, parasitisme *m*. ▼**—loper** parasite, pique-assiette *m*. ▼**—loperij** parasitisme *m*.

klappen 1 claquer, battre (des mains); **2** bavarder, jaser; *uit de school —*, commettre une indiscrétion; *het — van de zweep kennen*, avoir vu le loup.

klapper 1 babillard; **2** répertoire; index alphabétique; **3** (*vuurwerk*) pétard *m*; **4** (*v. hout*) cliquette *v*. ▼**—(boom) 1** cocotier; **2** tremble *m*. ▼**—en** claquer. ▼**—tanden** claquer des dents; grelotter.

klap/pistool pistolet *m* à bouchon détonant. ▼**—roos** coquelicot, ponceau *m*. ▼**—sigaar** cigare *m* à pétard. ▼**—stoel** pliant; siège *m* à bascule. ▼**—stuk 1** plat *m* de côte; **2** sensation *v*. ▼**—tafel** table *v* pliante. ▼**—venster** fenêtre *v* à tabatière. ▼**—wieken** battre des ailes.

klare schiedam *m*. ▼**klaren 1** clarifier; **2** mener à bonne fin, venir à bout de.

klarinet clarinette *v*. ▼**—tist** clarinettiste *m*.

klaring 1 clarification *v*; **2** arrangement *m*.

klaroen, —blazer clairon *m*. ▼**—geschal** bruit *m* de clairons.

klas(se) classe *v*; *tweede — reizen*, voyager en seconde classe; *een eerste — vulpen*, un stylo de première marque. ▼**—bewustzijn** conscience *v* de classe. ▼**—boek** journal *m* de classe. ▼**—genoot** condisciple *m*. ▼**klasse/justitie** justice *v* de classe. ▼**—leraar** professeur *m* de classe. ▼**—ment**: *algemeen —*, classement *m* général. ▼**klassen/haat** haine *v* des classes. ▼**—strijd** lutte *v* des classes. ▼**klasse/oudste** délégué des élèves, chef *m* de classe. ▼**—ren** classer. ▼**—ring** classement *m*. ▼**—splitsing** dédoublement *m* de classe.

klassiek *bn* (*& bw*) classique(ment).

klassikaal I *bn* fait en classe; *— onderwijs*, enseignement *m* simultané. II *bw* en classe.

klater/en éclater; gronder; retentir. ▼**—goud** oripeau, clinquant *m*.

klauter/aar grimpeur. ▼**—en** grimper. ▼**—ijzer** grappin *m*. ▼**—ing** ascension; escalade *v*.

klauw 1 griffe; **2** (*v. vogel*) serre *v*; **3** (*fam.*) griffe, patte *v*; *in de —en vallen van*, tomber entre les griffes de; *blijf er met je —en af*, bas les pattes. ▼**—en** griffer, égratigner. ▼**—vormig** ongulé. ▼**—zeer** piétin *m*.

klavecimbel clavecin *m*.

klaver trèfle *m*. ▼**—aas** as *m* de trèfle. ▼**—blad** trèfle *m*; (*fig.*) trio *m*. ▼**—en** trèfle *m*. ▼**—enboer** valet de trèfle. ▼**—vier** trèfle *m* à quatre.

klavier 1 clavecin; piano *m*; **2** (*toetsenbord*) clavier *m*; **3** (*fam.*) patte *v*. ▼**—speler** pianiste *m*. ▼**—uittreksel** partition *v* pour le piano.

kleden I *ov.w* habiller, vêtir, couvrir; *als een dame gekleed*, vêtu comme une dame; *blauw kleedt haar niet*, le bleu ne lui va pas; *in het wit gekleed*, habillé (vêtu) de blanc; *zwart staat altijd gekleed*, le noir est toujours habillé; (*rk*) *hij werd gekleed*, il reçut la vêture. II *zich — s'habiller, se vêtir. ▼**klederdracht** costume *m* régional. ▼**kleding** habillement *m*, vêtements *m mv*; costume *m*; toilette *v*. ▼**—industrie** industrie *v* du vêtement. ▼**—magazijn** magasin *m* de confection; (*mil.*) - d'habillement. ▼**—stuk** vêtement *m*. ▼**kleed 1** habit, vêtement *m*; robe *v*; **2** (*overtrek*) housse, couverture *v*; **3** (*vloer-, tafel-*) tapis *m*; *de kleren maken de man*, l'habit fait le moine; *bijna geen kleren aan het lijf hebben*, être à peine vêtu; *dat gaat niet in je kleren zitten*, on ne secoue pas cela; *vast —*, tapis cloué. ▼**—geld** frais *m mv* de toilette. ▼**—je 1** robe *v*; **2** petit tapis *m*, descente *v* de lit; (*op tafel*) napperon *m*. ▼**—kamer** vestiaire *m*; (*in schouwb.*) loge *v*.

kleef/kracht pouvoir *m* adhésif. ▼**—middel** agglutinatif *m*. ▼**—pleister** sparadrap *m*. ▼**—stof** gluten *m*; matière *v* collante. ▼**—strook** bande *v* adhésive.

kleer/borstel brosse *v* à habits. ▼**—hanger** cintre *m*. ▼**—kast** garde-robe, penderie *v*. ▼**—kist** bahut, coffre *m*. ▼**—maker** tailleur *m*. ▼**—makerij** atelier *m* de tailleur. ▼**—markt** marché *m* de la friperie. ▼**—mot** teigne *v*, artison *m*. ▼**—scheuren**: *er zonder — afkomen*, s'en tirer sain et sauf. ▼**—winkel** magasin *m* de confection.

klef pâteux; *het brood is —*, le pain fait colle.

klei 1 argile, terre *v* argileuse; **2** (*pottenbakkers—*) terre *v* glaise. ▼**—aardappel** (pomme de terre de) Hollande *v*. ▼**—achtig** argileux. ▼**—arbeid** modelage *m*. ▼**—duif** pigeon *m* d'argile; *— schieten, kleiduivenwedstrijd*, tir *m* aux pigeons d'argile, concours *m* de ball-trap. ▼**—en** I *ww* modeler. II *zn* modelage *m*. ▼**—grond** sol *m* argileux. ▼**—laag** couche *v* argileuse.

klein I *bn* **1** petit; menu; **2** (*gering*) exigu; **3** (*fig.*) petit, mesquin; *dat is — van hem*, c'est petit à lui; *— gezelschap*, société *v* peu nombreuse; *—e letter*, minuscule *v*; *uiterst —*, microscopique. II *bw* petitement; —

wonen, être logé à l'étroit. III *zn*: *in het —*, en petit, en miniature; *in het — verkopen*, vendre en détail.
Klein-Azië l'Asie Mineure *v*.
klein/bedrijf petits métiers *m mv*. ▼**—beeldcamera** appareil *m* pour petit format. ▼**—dochter** petite-fille. ▼**K—duimpje** Petit Poucet *m*. ▼**k—e** petit(e) *m* (*v*). ▼**—er** plus petit; moindre; *de helft —*, moitié moins grand. ▼**—eren** diminuer, déprécier; (*fig.*) humilier. ▼**—ering** dépréciation; humiliation *v*.
kleingeestig l *bn* borné, petit, mesquin; *— mens*, petit esprit *m*. ll *bw* petitement, mesquinement. ▼**—heid** mesquinerie, petitesse *v* (d'esprit).
kleingeld menue monnaie *v*; *— geven van*, donner la monnaie de.
kleingelovig de peu de foi. ▼**—heid** manque *m* de foi.
kleinhakken fendre; hacher menu.
kleinhandel commerce *m* de détail; petit commerce. ▼**—aar** (commerçant) détaillant, petit commerçant *m*.
klein/heid petitesse; petite taille *v*. ▼**—igheid** bagatelle *v*, rien *m*; *dat is geen —*, ce n'est pas une petite affaire. ▼**—kind** petit-enfant *m*. ▼**—krijgen** venir à bout de; mater, avoir raison de (qn); avoir la monnaie de; mettre en morceaux. ▼**—kunst** arts *m mv* mineurs. ▼**—maken** l fendre; 2 *zie* **—krijgen**.
kleinmoedig pusillanime, découragé. ▼**—heid** pusillanimité *v*, découragement *m*.
kleinood joyau, bijou *m*.
klein/st (le) plus petit, (le) moindre. ▼**—steeds** de petite ville, provincial; *erg —*, du dernier bourgeois. ▼**—steedsheid** esprit *m* de clocher. ▼**—tje** l petit, petiot *m*; 2 bagatelle; 3 demi-tasse *v* (de café); *een — krijgen*, accoucher; *hij past op de —s*, il sait compter, il regarde aux moindres dépenses; *veel —s maken een groot*, plusieurs peu font un beaucoup; *voor geen — vervaard zijn*, ne pas avoir froid aux yeux. ▼**—vee** menu bétail *m*. ▼**—zerig** délicat, douillet. ▼**—zerigheid** délicatesse, mollesse *v*. ▼**—zielig**, **—zieligheid** *zie* **—geestig** enz. ▼**—zoon** petit-fils *m*.
kleiweg chemin *m* d'argile battue.
klem l trappe *v*, piège *m*; 2 (*nadruk*) énergie, emphase *v*; 3 (*verlegenheid*) embarras *m*; 4 (*med.*) tétanos; trisme *m*; *— zitten*, être coincé; *— bijzetten aan*, étayer; *met — van redenen*, par une argumentation serrée. ▼**—men** l *ov.w* coincer, serrer. ll *on.w* 1 ne pas avoir assez de jeu; *de deur klemt*, la porte force; 2 (*fig.*) être concluant. ▼**—mend** l *bn* convaincant, concluant; *— betoog*, argumentation *v* serrée. ll *bw* d'une façon convaincante, énergiquement. ▼**—schroef** serre-fil *m*; vis *v* de serrage. ▼**—toon** accent (tonique) *m*; *de — leggen op*, accentuer. ▼**—toonteken** accent *m*.
klep l (*v. pomp*) clapet *m*; (*v. machine*) soupape *v*; 2 (*v. kachel*) clef *v*; 3 (*v. broek*) pont *m*; 4 (*v. tafel*) abattant *m*; 5 (*v. pet*) visière *v*; 6 volet *m*, trappe *v*; 7 (*v. jaszak*) rabat *m*. ▼**—broek** pantalon *m* -, culotte *v* à pont.
klepel battant *m*.
klep/mand cabas *m*. ▼**—pen** l (*v. klok*) sonner, tinter; 2 (*klapperen*) cliqueter. ▼**—per** l garde *m* de nuit; 2 trotteur *m*; 3 cliquette *v*. ▼**—peren** l craqueter (comme une cigogne); 2 cliqueter.
kleren habits, vêtements *m mv*; *gedragen —*, des habits usagés; *over — praten*, parler chiffons. ▼**kleren-** *zie* **kleer-**.
klerik/aal clérical. ▼**—alisme** cléricalisme *m*.
klerk l commis *m* (de bureau); 2 (*v. notaris, advocaat*) clerc *m*.
klets l *zie* **klap**; 2 nonsens; bavardage *m*; *— l*, flic flac l, vlan l ▼**—en** l *ov.w* flanquer, ficher. ll *on.w* 1 claquer; 2 bavarder. ▼**—kous** commère, bavarde *v*. ▼**—nat** mouillé jusqu'aux os. ▼**—praatje** potin, ragot *m*.

kletteren (*v. wapen*) cliqueter; (*v. regen*) ruisseler; fouetter.
kleumen être transi de froid; frissonner.
kleunen: *ernaast —*, gaffer.
kleur l couleur *v*; 2 (*gelaats—*) teint *m*; *— bekennen*, (*spel*) donner de la couleur; (*fig.*) montrer sa couleur; *een — krijgen*, rougir; *— houden*, être bon (*of* grand) teint. ▼**—bad** bain *m* de couleur; (*foto*) - de virage *m*. ▼**—boek** album *m* à colorier. ▼**—doos** boîte *v* · de couleurs. ▼**—echt** bon -, grand teint.
kleuren l *ov.w* colorer; teindre. ll *on.w* 1 se colorer; (*foto*) virer; 2 (*blozen*) changer de couleur, rougir. ▼**—beeld** spectre *m* (solaire). ▼**—blind** daltonien. ▼**—blindheid** daltonisme *m*. ▼**—druk** impression en couleurs, chromotypographie *v*; *in —*, en couleurs. ▼**—film** film *m* en couleurs. ▼**—foto** photographie *v* en couleurs. ▼**—gamma** gamme *v* chromatique. ▼**—gloed** éclat *m* des couleurs. ▼**—pracht** richesse *v* de coloris. ▼**—schijf** disque *m* de Newton. ▼**—spectrum** spectre (solaire) *m*. ▼**—spel** chatoiement *m*. ▼**—televisie** télé couleur *v*; *— hebben*, avoir la télé couleur. ▼**—televisietoestel** téléviseur *m* couleur.
kleur/filter écran *m*. ▼**—fixeerbad** viro-fixage *m*. ▼**—gevoel** sentiment *m* du coloris. ▼**—houdend** *zie* **—echt**. ▼**—ig** coloré, de couleur. ▼**—krijt** pastel; crayon *m* de couleur. ▼**—ling** homme (*of* femme) de couleur. ▼**—loos** sans couleur; (*fig.*) incolore, neutre. ▼**—middel** colorant *m*. ▼**—potlood** crayon *m* de couleur. ▼**—prent** image *v* à colorier. ▼**—schakering** nuance, teinte *v*. ▼**—sel** colorant *m*. ▼**—stelling** combinaison *v* de couleurs. ▼**—stof** matière *v* colorante; pigment *m*. ▼**—verandering** changement de couleur; (*foto*) virage *m*.
kleuter mioche, moutard *m*. ▼**—klas** classe *v* enfantine. ▼**—leidster** institutrice *v* d'enseignement préprimaire. ▼**—onderwijs** enseignement *m* préprimaire. ▼**—school** maternelle *v*.
klev/en coller; s'attacher. ▼**—erig** gluant, visqueux, poisseux. ▼**—erigheid** viscosité *v*.
klewang kléban *m*.
klie*deren barbouiller.
kliek l coterie *v*, clan *m*; 2 (*restje*) restes, reliefs *m mv*. ▼**—geest** esprit *m* de coterie.
kliekjes rogatons *m mv*. ▼**—dag** jour *m* des rogatons.
klier glande *v*; *— van een vent*, type *m* embêtant. ▼**—achtig** scrofuleux. ▼**—gezwel** tumeur *v* glanduleuse. ▼**—lijder (-ster)** scrofuleux (-euse *v*). ▼**—ontsteking** adénite *v*. ▼**—tje** glandule *v*. ▼**—ziekte** maladie *v* scrofuleuse.
klieven fendre.
klik l déclic; 2 avant-quart *m*. ▼**—ken** 1 cliqueter; 2 rapporter (contre); 3 *het klikte meteen tussen hen*, ils ont tout de suite sympathisé. ▼**—ker** rapporteur, cafard *m* = **—spaan**.
klim: *dat is een hele —*, c'est toute une montée.
klimaat climat *m*; *aan een — gewennen*, (s')acclimater. ▼**—gordel** zone *v* climatique. ▼**—regelaar** climatiseur *m*. ▼**—regeling** climatisation *v*.
klim/men l *on.w* grimper; monter (sur); s'augmenter; *uit het raam —*, passer par la fenêtre. ll *zn*: *het —*, la montée; *bij het — der jaren*, quand on avance en âge. ▼**—mer** grimpeur; ascensionniste *m*. ▼**—op** lierre *m*. ▼**—plant** plante *v* grimpante. ▼**—rek** espalier *m* suédois.
kling lame, épée *v*; *over de — jagen*, passer au fil de l'épée.
klingel/en tintinnabuler. ▼**—ing** drelin, drelin.
klin/iek clinique *v*. ▼**—ikus** clinicien *m*. ▼**—isch** clinique.
klink loquet *m*; clenche *v*; *op de — staan*, être fermé au loquet. ▼**—bout** boulon *m* rivé. ▼**—en** l *on.w* sonner; tinter; (*met glazen*) trinquer. ll *ov.w* riveter. ▼**—end** résonnant;

in —e munt, en espèces sonnantes.
klinker 1 voyelle *v* ; **2** (*steen*) brique *v*
hollandaise ; **3** riveur *m*. ▼**—bestrating**
pavage *m* en briques. ▼**—weg** chemin *m* en
briques.
klink/hamer rivoir *m*. ▼**—klaar** tout pur.
▼**—nagel** rivet *m*.
klip écueil *m* ; *blinde* —, écueil à fleur d'eau ;
tegen de —pen aan, effrontément ; *op een —
stoten*, donner sur un écueil ; *tussen de —pen
doorzeilen*, éviter un écueil. ▼**—geit** chamois
m. **—per** clipper *m*.
klist/eer lavement *m*. ▼**—eerspuit**
clysopompe *v*. ▼**—eren** administrer un
lavement à.
klit bardane *v*. glouteron *m*. ▼**—band** : *sluiting
met —*, fermeture *v* adhésive.
klodder pâté *m*, tache *v*. ▼**—en** barbouiller.
kloek I *zn* poule couveuse *v*. **II** *bn* **1** grand,
robuste ; **2** ingénieux ; **3** vaillant ; courageux.
III *bw* vaillamment. ▼**—heid** force, vigueur ;
intelligence, ingéniosité ; vaillance *v*.
klok 1 (*bel*) cloche *v* ; **2** horloge, pendule ;
3 (*stolp*) cloche *v* ; *staande —*, horloge à
gaîne ; *de — achtèruit zetten*, faire marche
arrière ; *—ke 10*, au coup de dix heures ; à dix
heures, heure militaire ; *de — rond slapen*,
faire le tour du cadran ; *de — slaat 10*, dix
heures sonnent ; *het is al... wat de — slaat*, le
vent est à... ▼**—gelui** tintement *m* des
cloches ; *onder —*, au son des cloches.
▼**—gewicht** contre-poids *m*. ▼**—huis 1** (*v.
appel*) cœur, trognon *m* ; **2** cage *v* de cloche ;
3 culot *m* (dans une pipe). ▼**—je 1** clochette ;
2 (*plk.*) campanule *v*.
klokken 1 (*v. kip*) glousser ; **2** (*v. vocht*)
glouglouter ; *het —*, le pointage. ▼**—gieter**
fondeur *m* de cloches. ▼**—gieterij** fonderie *v*
de cloches. ▼**—gieterskunst** art *m*
campanaire. ▼**—ist**, —*e* gage *v*. ▼**—speler** carillonneur *m*.
▼**—maker** horloger *m*. ▼**—spel** carillon *m*,
sonnerie *v*. ▼**klok/ketoren** clocher *m*.
▼**—luider** sonneur *m*. ▼**—rok** jupe *v* cloche.
▼**—sein** signal *m* sonore. ▼**—slag** coup *m* de
cloche ; *— 8 uur*, à huit heures précises, sur le
coup de huit heures. ▼**—vormig** en forme de
cloche.
klomp 1 (*massa*) masse, motte *v* ; **2** sabot *m*.
▼**—endans** sabotière *v*. ▼**—enmaker**
sabotier *m*. ▼**—schoen** galoche *v*. ▼**—voet**
pied bot *m*.
klont grumeau, morceau *m* ; caillot *m* (de
sang). ▼**—eren** se grumeler ; se cailler, se
coaguler. ▼**—erig** grumeleux ; caillé.
kloof 1 fente, crevasse *v* ; **2** (*huid*) gerçure *v* ;
3 (*fig.*) abîme *m* ; **4** gorge *v*, ravin *m* ; *de —
overbruggen tussen*, jeter le pont entre.
▼**—baar** clivable *v*. ▼**—bijl** merlin *v*.
kloon clone *m*.
klooster couvent, cloître, monastère *m* ; *in een
— gaan*, se retirer -, entrer dans un couvent ;
prendre le voile. ▼**—achtig** claustral ;
monastique. ▼**—broeder** profès, religieux *m*.
▼**—cel** cellule *v* monacale. ▼**—gang** cloître
m. ▼**—gelofte** vœux *m mv* de religion.
▼**—gemeente** congrégation *v*. ▼**—gewaad**
habit *m* religieux. ▼**—kerk** prieuré *v*.
▼**—leven** vie *v* monastique. ▼**—lijk** zie
—*achtig*. ▼**—ling** religieux *m*, religieuse,
moniale *v*. ▼**—naam** nom *m* de religion.
▼**—orde** ordre *m* religieux. ▼**—overste**
supérieur(e) *m* (*v*). ▼**—regel** règle *v*
claustrale. ▼**—tucht** discipline *v* claustrale.
▼**—wet** règle *v* monastique. ▼**—zuster**
religieuse professe *v*.
kloot 1 (*bol*) globe *m*, sphère *v* ; **2** boule *v* ;
3 (*anat.*) testicule *v*, (*fam.*) couille *v*. ▼**—zak**
con *m*.
klop coup *m* ; *— krijgen*, recevoir une raclée ;
(*fig.*) essuyer une défaite ; *—! —!*, pan ! pan !
▼**—boor** perceuse *v* percuteuse ; *het
klopboren*, le perçage percussion. ▼**—geest**
esprit *m* frappeur. ▼**—jacht** battue ; razzia *v*.
▼**—partij** rixe, bagarre *v*. ▼**—pen I** *on. w*
1 frapper, heurter, cogner ; **2** (*v. hart*) battre,
palpiter ; **3** (*fig.*) être juste ; *dat klopt niet*, le

compte n'y est pas. **II** *ov. w* **1** battre, secouer
(un tapis) ; **2** casser ; **3** battre (des œufs) ; *het
—*, (*v. motor*) le cognement. ▼**—pend**
palpitant, battant ; *begroting — maken*,
équilibrer le budget. ▼**—per 1** batteur,
frappeur *m* ; **2** (*deur—*) heurtoir, marteau *m* ;
3 (*eier—*) fouet *m*.
klos 1 bobine *v* ; (*spoel*) fuseau *m* ; **2** (*blok*)
bûche *v*. ▼**—kant** dentelle *v* aux fuseaux.
▼**—sen I** *ov. w* bobiner, faire aux fuseaux.
II *on. w* marcher lourdement.
klotsen I *on. w* heurter, clapoter. **II** *zn* : *het —*,
le heurt, le choc ; le clapotement.
kloven I *ov. w* fendre ; cliver (un diamant).
II *on.w* se fendre.
klucht farce, bouffonnerie *v*. ▼**—ig I** *bn*
bouffon, drôle. **II** *bw* drôlement.
kluif 1 os *m* à ronger ; cuisse *v* ; **2** *het is een
hele —*, c'est toute une affaire ; *lekker —je*,
bon morceau *m*.
kluis 1 ermitage *m* ; **2** (*brandvrije —*) cave *v*
blindée ; (*bank*) salle *v* des coffres ; **3** (*mar.*)
écubier *m*. ▼**—deur** porte *v* réfractaire.
kluisteren entraver ; (*fig.*) captiver.
kluit 1 motte *v*, morceau *m* ; *de hele —*, tout le
bazar ; *flink uit de —en gewassen*, bien
découplé ; **2** (*vogel*) avocette *v*. ▼**—je** petite
motte *v* ; *iem. met een — in het riet sturen*,
payer qn de belles paroles.
kluiven ronger ; *daar is heel wat aan te —*, il y a
là un bon boulot ; *— aan*, ronger.
kluizenaar ermite ; (*fig.*) homme casanier *m*.
▼**—sleven** vie *v* d'ermite ; *een — leiden*,
mener une vie de reclus. ▼**—ster** recluse *v*.
▼**—swoning** ermitage *m*.
klungel/en passer son temps à des riens.
▼**—werk** bousillage *m*.
klus : *dat is een hele —*, c'est toute une affaire.
▼**klusje 1** (*groep*) bande *v* ; **2** (*karweitje*)
bricole *v*.
kluts : *de — kwijtraken*, se déconcerter, perdre
la tête ; *— en* battre, brouiller (des œufs)
kluwen pelote *v* ; peloton *m*
klysma lavement *m*.
knaagdier rongeur *m*.
knaap 1 garçon ; **2** (*tafeltje*) guéridon *m* ;
3 portemanteau ; cintre *m*.
knabbelen ronger ; grignoter ; mordiller.
knag/en ronger. ▼**—end** rongeant, rongeur ;
(*pijn*) lancinant. ▼**—ing** rongement *m* ; (*fig.*)
tourments *m mv*.
knak I *tw* crac. **II** *zn* crac *m* ; fêlure *v* ; (*fig.*)
coup *m*, atteinte *v* ; *een — toebrengen aan*,
porter un coup à. ▼**—ken I** *on.w* craquer ; se
rompre, se briser. **II** *ov.w* ruiner, porter
atteinte à. ▼**—worst** saucisse *v* genre
Francfort.
knal éclat, fracas *m* ; détonation (d'arme à
feu) ; explosion *v* (de moteur). ▼**—demper**
silencieux *m*. ▼**—effect** gros effet *m* ; (*fig.*)
mot à effet, coup *m* de théâtre. ▼**—gas** gaz *m*
détonant. ▼**—len I** *on.w* éclater ; détoner ;
(*zweep*) claquer. **II** *zn* : *het —*, l'éclatement
m ; la détonation ; le claquement. ▼**—poeder**
poudre *v* fulminante. ▼**—pot** pot *m*
d'échappement, silencieux *m* ; *met open —*, à
échappement libre. ▼**—rood** rutilant.
▼**—sigaar** cigare *m* à pétard. ▼**—signaal**
pétard *m*.
knap 1 (*v. uiterlijk*) joli (de figure), bien (de sa
personne), agréable ; **2** (*krap*) juste, étroit ;
3 propre, net ; **4** habile, intelligent, fort ; *—pe
kop*, cerveau *m* ; *— zijn in*, être fort en, en
savoir long sur. ▼**—heid 1** beauté *v* ;
agrément *m*, attraits *m mv* ; **2** propreté ;
3 habileté *v*, aptitudes *f mv*.
knapp/en I *on.w* pétiller, crépiter ;
croustiller ; **2** se fêler, craquer ; **3** se casser.
II *ov. w* (*eten*) croquer ; *een uiltje —*, piquer
un chien. ▼**—erd** forte tête *v*, aigle, as *m*.
▼**—eren** craquer, craqueter ; (*v. vuur*) pétiller.
▼**—zak** sac *m* ; gibecière ; musette *v*.
knars/en grincer, crier. ▼**—etanden** grincer -,
crisser des dents. ▼**—ing** grincement *m*,
craquement.
knauw coup *m* de dent ; (*fig.*) atteinte *v*.

▼—en ronger, mordiller ; (*fig.*) abîmer ; blesser.

knecht 1 garçon, ouvrier ; **2** valet, domestique *m*. ▼—en asservir, dompter.

kneden I *ov.w* pétrir. **II** *zn : het —,* le pétrissage. ▼**kneed/baar** pétrissable, malléable. ▼—**baarheid** plasticité *v.* ▼—**bom** bombe *v* au plastic. ▼—**machine** pétrisseuse *v.*

kneep pincement ; pinçon *m* ; (*fig.*) manigance *v*, truc *m* ; *de knepen van het vak,* les ficelles du métier ; *daar zit hem de —,* voilà le hic ; *—jes geven,* pincoter.

knel 1 étreinte *v* ; **2** trappe *v*, piège *m* ; *in de — zitten,* être dans l'embarras. ▼—en étreindre, pincer, serrer ; (*fig.*) vexer, oppresser ; *die schoen knelt me,* ce soulier me fait mal. ▼—**punt** point *m* chaud.

knersen *zie* **knarsen**.

knetter/en 1 pétiller, crépiter, grésiller ; (*v. motor*) pétarader ; **2** (*chem.*) décrépiter. ▼—**gek** fou à lier. ▼—**ing 1** pétillement, crépitement *m* ; pétarades *v mv* ; **2** décrépitation *v.*

kneukel articulation *v* du doigt.

kneuz/en meurtrir, contusionner. ▼—**end** contondant. ▼—**ing** meurtrissure *v* ; (*med.*) contusion *v* ; *inwendige —,* lésion *v* interne.

knevel 1 moustache *v* ; **2** (*prop*) bâillon *m.* ▼—**arij** concussion, extorsion *v.* ▼—**en 1** ligoter, bâillonner, garrotter ; **2** (*afpersen*) extorquer de l'argent à, pressurer (qn). ▼—**verband** garrot *m* ; *— aanleggen,* garrotter.

knibbel/arij 1 marchandage *m* ; **2** chicane *v.* ▼—**en 1** marchander ; **2** chicaner.

knie 1 genou *m* ; **2** (*kromming*) courbe *v*, coude *m* ; *de — buigen,* fléchir le genou ; *iets onder de — hebben,* posséder qc, savoir qc à fond ; *op de — vallen,* se mettre à genoux, s'agenouiller. ▼—**band** jarretière *v.* ▼—**boog** jarret *m.* ▼—**broek** culotte *v.* ▼—**buiging 1** génuflexion *v* ; **2** (*gymn.*) flexion *v* des genoux. ▼—**holte** jarret *m.* ▼—**kous** *v.* ▼—**lap** genouillère *v.*

kniel/bankje agenouilloir *m.* ▼—**en** se mettre à genoux, s'agenouiller. ▼—**end** agenouillé.

knieschijf rotule *v.*

kniesoor broyeur *m* de noir ; hypocondre *m* & *v.*

knie/val génuflexion *v* ; *een — doen voor,* se jeter aux genoux de. ▼—**warmer** genouillère *v.*

kniez/en se chagriner. ▼—**er** *zie* **kniesoor**.

knijp 1 gêne *v*, embarras *m* ; **2** brasserie *v*, café *m.* ▼—**en I** *ov.w* pincer, serrer ; (*fig.*) pressurer ; *iem. in de wang —,* pincer -, caresser la joue à qn. **II** *on.w* pincer ; *het knijpt,* il fait un froid vif. ▼—**er 1** pinceur *m* ; **2** pince *v* (d'écrevisse) ; **3** (*tang*) pincette *v* ; **4** pince *v* à linge. ▼—**tang** tenailles *v mv.*

knik 1 brisure *v* ; **2** mouvement *m* de tête, signe *m* de tête (affirmatif of négatif) ; **3** (*arch.*) flambage *m.* ▼—**kebollen** dodeliner (de) la tête, branler la tête. ▼—**ken I** *ov.w* casser. **II** *on.w* **1** saluer de la tête, faire un signe de tête ; **2** fléchir, se dérober sous qn ; *ja —,* faire signe que oui ; *neen —,* faire un signe de tête négatif.

knikker 1 bille, boule *v* ; **2** (*hoofd*) caboche *v* ; *kale —,* genou *m.* ▼—**en I** *on.w* jouer aux billes. **II** *ov.w* : *iem. er uit —,* balancer qn. ▼—**spel** jeu *m* de billes.

knik/spanning flambage *m.* ▼—**vastheid** résistance *v* au flambage.

knip 1 (*met de vingers*) chiquenaude *v* ; **2** coup *m* de ciseaux, coupure *v* ; *geen — voor de neus waard zijn,* ne valoir rien ; **2** piège ; **3** ressort *m* ; **4** (*van de deur*) verrou *m*, *de — doen op,* verrouiller ; **5** cabaret *m* borgne. ▼—**beurs** bourse *v* à ressort. ▼—**cursus** cours *m* de coupe. ▼—**kaart** carte *v* à poinçonner. ▼—**mes** couteau *m* pliant. ▼—**ogen** cligner des yeux ; *tegen iem. —,* cligner de l'œil du côté de qn. ▼—**oogje geven** clignement *m* de l'œil, œillade *v* ; *— geven,* faire de l'œil à qn.

▼—**patroon** patron *m* découpé. ▼**knippen I** *ov.w* **1** couper, tailler (les cheveux) ; se couper (les ongles) ; **2** tailler, découper ; détacher (un coupon) ; **3** prendre, pincer (un voleur) ; **4** poinçonner (un billet). **II** *on.w* : *met de ogen,* cligner de l'œil. **III** *zn : het —,* la coupe ; le découpage ; la prise ; le poinçonnage.

knipper/(en 1 clignoter (des yeux) ; **2** avertir avec ses phares ; **3** (*vliegt.*) faire cligner ses feux de position. ▼—**licht** feu *m* clignotant. ▼—**lichtinstallatie** : *automatische —,* signal *m* de position lumineux automatique. ▼—**signaal** signal *m* intermittent.

knip/prent image *v* à découper. ▼—**schaar** découpoir *m.* ▼—**sel** découpure *v* ; (*afval*) rognures *v mv* de papier. ▼—**slot** serrure *v* à cliquet ; cadenas *m* à ressort. ▼—**tang** pince *v* de poinçonneur.

K.N.O.-arts médecin *m* O.R.L.

knobbel bosse *v* ; nœud *m* ; tubercule *m.* ▼—**achtig 1** noueux, tuberculeux. ▼—**ziekte** rachitisme *m.*

knock-out knock-out, K.O., assommé.

knoei gâchis *m* ; *in de — zitten,* être dans l'embarras. ▼—**boel** tripotage *m.* ▼—**en 1** barbouiller ; **2** (*broddelen*) gâcher, bouisiller ; **3** (*fig.*) tripoter. ▼—**er 1** barbouilleur ; **2** bousilleur ; **3** tricheur, tripoteur *m.* ▼—**erij** barbouillage, bousillage *m* ; tricherie ; intrigue *v.* ▼—**werk** bousillage *m.*

knoest nœud *m*, loupe *v.* ▼—**(er)ig** noueux, loupeux. ▼—**(er)igheid** nodosité *v.*

knoet knout *m.*

knoflook ail *m* ; *naar — ruikend,* alliacé. ▼—**reuk** odeur *v* alliacée. ▼—**teentje** gousse *v* d'ail.

knok 1 os ; **2** = —**kel** *zie* **kneukel**. ▼—**ken** se cogner. ▼—**partij** bagarre *v.* ▼—**ploeg** équipe *v* exécutante.

knol 1 (*aan wortel*) tubercule *m* ; **2** (*raap*) navet ; **3** (*paard*) carcan *m*, rosse *v.* ▼—**lentuin** : *in zijn — zijn,* être dans son assiette. ▼—**raap** chou-rave *m.* ▼—**selderij** céleri-rave *m.* ▼—**vormig** tubéreux.

knoop 1 (*aan kleren*) bouton ; **2** nœud *m* ; *zijn knopen vastmaken,* se boutonner ; *de — doorhakken,* trancher le nœud ; *daar zit hem de —,* voilà le hic ; *een — leggen,* faire un nœud ; (*mar.*) 15 *knopen lopen,* filer quinze nœuds. ▼—**lijn** ligne *v* nodale. ▼—**naald** navette *v.* ▼—**punt** nœud *m* ; *— van autosnelwegen,* échangeur *m.* ▼—**sgat** boutonnière *v.* ▼—**werk** ouvrage *m* filoché.

knop 1 (*bloem—*) bouton ; (*blad—*) bourgeon *m* ; **2** (*alg.*) bouton *m* ; **3** (*v. speld*) tête *v* ; **4** (*geweer—*) levier *m.*

knopen I *ov.w* **1** nouer, faire un nœud ; **2** (*dicht—*) boutonner ; *zich iets in het oor —,* se tenir qc pour dit. **II** *on.w* faire du filet. **III** *zn : het —,* le nouement.

knopje téton *m.*

knoppen bourgeonner ; boutonner.

knopspeld épingle *v* à grosse tête.

knorr/en I *on.w* grogner ; gronder. **II** *zn ; het —,* le grognement. ▼—**epot** ronchon *m.* ▼—**ig** grondeur, grognon ; *d'un ton bourru.* ▼—**igheid** mauvaise humeur *v.*

knot pelote ; touffe *v.*

knots 1 (*wapen*) massue *v*, casse-tête *m* ; **2** (*gymn.*) mil *m.* ▼—**drager** porte-massue *m.* ▼—**slag** coup *m* de massue.

knotten écimer, étêter (un arbre) ; tronquer (un cône) ; (*fig.*) réprimer, dompter. ▼**knotwilg** saule étêté, têtard *m.*

know-how connaissances *v mv* techniques ; savoir-faire *m.*

knuffelen 1 (*hardhandig*) secouer, chiffonner ; **2** (*liefkozend*) caresser, embrasser.

knuist 1 *zie* **knoest** ; **2** poing *m*, patte *v.* ▼—**je** menotte *v.*

knul niais ; type *m.*

knuppel gourdin *m*, matraque *v* ; (*talhout*) rondin *m* ; *dat was een — in het hoenderhok,* ce fut comme un coup de fusil dans un vol de corbeaux. ▼—**dam** barrage *m* en rondins. ▼—en battre à coups de bâton; *dood*—, assommer. ▼—**hout** rondin *m*.

knus, —**jes** bien confortable(ment); dans l'intimité.

knutsel/aar bricoleur *m*. ▼—en bricoler. ▼—**werk** bricole(s) *v* (*mv*).

kobalt cobalt *m*. ▼—**blauw** bleu *m* de cobalt. ▼—**bom** bombe *v* au cobalt.

kobold lutin, gnome; kobold *m*.

kodak kodak *m*.

koddig *bn* (& *bw*) drôle(ment), bouffon, comique(ment). ▼—**heid** drôlerie, bouffonnerie *v*.

koe vache *v*; *een waarheid als een —*, une vérité de Monsieur de la Palisse; *oude —ien uit de sloot halen*, remuer le passé. ▼—**brug** 1 pont *m* aux vaches; 2 (*mar.*) faux-pont *m*. ▼—**haar** poil *m* de vache. ▼—**herder** vacher *m*. ▼—**handel** marchandage *m*. ▼—**hoorn**, —**horen** 1 corne *v* de vache; 2 cornet de vacher *m*.

koeioneren agacer.

koek 1 gâteau; (*peper*—) pain *m* d'épice; (*panne*—) crêpe *v*; 2 (*lijn*—) tourteau *m*; 3 (*massa*) masse compacte *v*; *het is — en ien tussen die twee*, ils sont de grands amis; *dat is andere —*, c'est une autre paire de manches; *er in gaan als —*, se vendre comme du pain. ▼—**bakker** pâtissier. ▼—**bakkerij**, —**bakkerswinkel** pâtisserie *v*. ▼—**deeg** pâte *v*.

koekeloeren guetter; mener une vie oisive.

koek/epan poêle *v* à frire; (*v. vlees*) sauteuse *v*. ▼—je petit gâteau, biscuit *m*, galette *v*.

koekoek 1 coucou *m*; 2 (*venster*) claire-voie *v*, abat-jour *m*. ▼—**sbloem** œillet *m* des prés. ▼—**sklok** (pendule *v* à) coucou *m*.

koel I *bn* frais, frisquet; (*fig.*) froid; —*e drank*, boisson *v* rafraîchissante; — *houden!*, craint la chaleur!; *in — en bloede*, de sang froid. II *bw* fraîchement; (*fig.*) froidement; — *bejegenen*, battre froid à qn. ▼—**apparaat** appareil *m* frigorifique. ▼—**bloedig** *bn* (& *bw*) froid(ement), flegmatique(ment), de sang froid. ▼—**bloedigheid** sangfroid, flegme *m*. ▼—**cel** réfrigérateur *m*. ▼—**emmer** rafraîchissoir, seau *m* à glace. ▼—en I *on.w* se rafraîchir, se refroidir. II *ov.w* refroidir; réfrigérer; (*fig.*) calmer, apaiser; assouvir (sa vengeance); *met ijs gekoelde wijn*, du vin frappé; *gekoelde schijfremmen*, freins *m mv* à disques ventilés. ▼—er refroidisseur, réfrigérant *m*. ▼—**huis** entrepôt *m* frigorifique.

koelie coolie *m*. ▼—**werk** travail *m* forcé.

koel/ing refroidissement *m*; réfrigération *v*. ▼—**kamer** 1 chambre froide; 2 chambre frigorifique *v*. ▼—**kast** réfrigérateur *m* (*fam.*) frigo *m*. ▼—**machine** machine *v* frigorifique. ▼—**mantel** enveloppe *v* d'eau. ▼—**middel** réfrigérant *m*. ▼—**te** fraîcheur *v*; frais *m*. ▼—**tje** brise *v* légère, frais *m*. ▼—**tjes** froidement. ▼—**toren** réfrigérant *m*. ▼—**vloeistof** fluide *m* réfrigérant. ▼—**wagen** wagon *m* réfrigérant. ▼—**water** eau *v* de refroidissement.

koe/melk lait *m* de vache. ▼—**melker** trayeur *m*. ▼—**mest** bouse *v* de vache.

koen *bn* (& *bw*) hardi(ment), intrépide(ment). ▼—**heid** hardiesse, intrépidité *v*.

koepel 1 coupole *v*, dôme *m*; 2 kiosque, pavillon *m*. ▼—**fort** fort *m* à c. ▼—**gewelf** voûte *v* en plein cintre. ▼—**vormig** en forme de coupole.

koepok vaccine *v*. ▼—**inenting** vaccination *v*. ▼—**stof** *v* accin *m*.

koeren I *on.w* roucouler. II *zn*: *het —*, le roucoulement.

koers 1 (*mar.*) route *v*; 2 direction *v*; 3 (*hand.*) cours *m*; *hoe hoog is de — van?*, à quel prix est cité…?; — *van uitgifte*, cours d'émission; *buiten — stellen*, démonétiser; — *houden*, faire route; *hij is de — kwijt*, il fait fausse route; *van — veranderen*, changer de

route; (*fig.*) changer de tactique. ▼—**bericht** cote *v*. ▼—**daling** baisse *v*. ▼—**en** I *on.w* se diriger (vers). II *ov.w* 1 évaluer; 2 mener à bout. ▼—**herstel** reprise *v*. ▼—**houdend** ferme. ▼—**inzinking** baisse *v*. ▼—**lijst** cote *v*. ▼—**notering** cote; (*daad*) cotation *v*. ▼—**peil** cote *v*. ▼—**rekening** calcul *m* du change. ▼—**stijging** hausse *v*. ▼—**stop** blocage *m* des cours. ▼—**verhoging** hausse; plus-value *v*. ▼—**verlaging** baisse; moins-value *v*. ▼—**verschil** écart *m*. ▼—**waarde** valeur *v* du cours. ▼—**wijziging** fluctuation *v* des cours.

koest couche (- toi) !, tout beau!, assez!; *zich — houden*, se tenir coi, ne souffler mot.

koestal étable *v*.

koester/en I *ov.w* 1 réchauffer; 2 soigner, choyer; 3 nourrir (l'espoir). II *zich — se* chauffer (au soleil); se choyer. ▼—**end** caressant. ▼—**ing** 1 dorlotement *m*, les soins *m mv* délicats; 2 bonne chaleur *v*.

koeterwaals baragouin, jargon *m*.

koets carrosse *m*. ▼—**huis** remise *v*. ▼—**ier** cocher *m*. ▼—**poort** porte *v* cochère.

koe/vlees vache *v*. ▼—**voet** pied *m* de chèvre.

koffer 1 (*reis*—) malle *v*; 2 (*kist*) coffre *m*. ▼—**grammofoon** électrophone *m* portatif. ▼—**schrijfmachine** machine *v* à écrire portative avec mallette. ▼—**tje** mallette, valise *v*.

koffie café *m*; *gebrande —*, café grillé; *gemalen —*, café en poudre; — *met melk*, café au lait; *café crème*; — *zonder melk*, café noir; (*bij bestellen*:) un crème! *of* un noir!; *een (kleintje) —*, une demi-tasse; — *drinken*, 1 prendre le café; 2 déjeuner *m*; — *zetten*, faire du café; *op de — komen*, prendre qc pour son rhume. ▼—**automaat** distributeur *m* de café. ▼—**brander** torréfacteur *m* de café. ▼—**boon** grain *m* de café; *koffiebonen*, café *m* en grains. ▼—**bus** boîte *v* au café. ▼—**dik** marc *m* de café. ▼—**drinken** déjeuner *m*. ▼—**extract** essence *v* de café. ▼—**filter** filtre *m* de cafetière. ▼—**huis** café *m*. ▼—**ijs** glace *v* au café. ▼—**kan** cafetière *v*. ▼—**kop** tasse *v* à café. ▼—**makelaar** courtier *m* de cafés. ▼—**markt** marché *m* au café. ▼—**melk** lait *m* au café. ▼—**molen** moulin *m* à café. ▼—**pauze** pause-café *v*. ▼—**plant** caféier *m*. ▼—**plantage** caféière *v*. ▼—**pot** *zie —kan*. ▼—**servies** service *m* à café. ▼—**stroop** chicorée-café *v*. ▼—**tafel** (second) déjeuner *m*. ▼—**teelt** culture *v* du café. ▼—**zetapparaat** percolateur *m*.

kogel 1 balle *v*; 2 (*v. fiets*) bille *v*; *de — krijgen*, être fusillé; *de — is door de kerk*, sort en est jeté. ▼—**as** essieu *m* à billes. ▼—**baan** trajectoire *v*. ▼—**gewricht** énarthrose *v*. ▼—**lager** coussinet -, roulement *m* à billes. ▼—**pen** stylo *m* à bille. ▼—**regen** grêle *v* de balles. ▼—**rond** sphérique, en boule. ▼—**stoten** lancement *m* du poids. ▼—**vormig** sphérique. ▼—**vanger** butte *v*, pare-balles *m*. ▼—**vrij** à l'épreuve des balles; — *vest*, gilet *m* pare-balles; — *e ruit*, vitre *v* anti-balles.

kohier rôle *m* (des contributions), matrice *v*; —**belasting**, impôt *m* cédulaire.

kok cuisinier; (*mar.*) coq; (*mil.*) cuistot; traiteur *m*.

kokarde cocarde *v*.

kok/en I *ov.w* 1 (*v. spijzen*) faire cuire; 2 (*v. water*) faire bouillir; *zachtjes —*, mijoter; *lang zachtjes laten —*, mitonner; *soep —*, faire de la soupe. II *on.w* 1 cuire; 2 bouillir; (*v. zee*) écumer; *hij kan goed —*, il sait bien faire la cuisine. ▼—**end** 1 bn bouillant; en ébullition; *—end water overgieten*, ébouillanter. II *bw*: — *heet*, tout bouillant, brûlant.

koker étui, fourreau *m*, gaine *v*; *uit wiens — komt dat?*, qui a inventé cela?

kokerij cuisine *v*; coquerie *v*.

koket *bn* (& *bw*) coquet(tement). ▼—**teren** coqueter, faire la coquette; flirter; — *met*,

avoir la coquetterie de.
kokhalzen avoir des haut-le-cœur (devant).
kokkerellen popoter. ▼**kokkin** cuisinière v.
kokos/boom cocotier m. ▼**—kleed** tapis m en
fibre de coco. ▼**—noot** (noix v de) coco m.
▼**—olie** huile v de coco. ▼**—zeep** savon m à
l'huile de coco.
koks/jongen marmiton m. ▼**—maat** aide m
de cuisine; (mar.) aide-coq m.
kolbak colback m.
kolder 1 cotte v d'armes; **2** (v. paard) vertigo
m; **3** folie v; de — in de kop hebben, avoir le
vertigo; (fig.) s'emballer; faire des bêtises =
—en.
kolen charbon m; — laden, faire le charbon;
gloeiende — op iem. hoofd stapelen, amasser
des charbons ardents sur la tête de qn; op
hete — zitten, être sur les charbons
(ardents); — en staalgemeenschap, zie
Europees. ▼**—ader** couche v de houille.
▼**—bak** boîte v à charbon. ▼**—bekken** bassin
m houiller. ▼**—bergplaats** soute v (à
charbon). ▼**—damp** émanation v de charbon.
▼**—drager** ouvrier m charbonnier.
▼**—emmer** zie **—kit.** ▼**—gas** gaz m de
houille, gaz Lebon. ▼**—gruis** poussier m.
▼**—handel** charbonnerie v. ▼**—handelaar**
marchand m de charbon. ▼**—hok**
charbonnier m. ▼**—kit** seau à charbon,
verseur m. ▼**—komfoor** brasero m. ▼**—laag**
gisement m houiller. ▼**—mijn** houillère v.
▼**—premie** prime v sur l'économie de
combustible. ▼**—schop** pelle v à charbon.
▼**—trein** train m charbonnier. ▼**—uitvoer**
exportation v charbonnière. ▼**—voorziening**
approvisionnement m en charbon.
▼**—voorraad** provision v de charbon.
▼**—vuur** feu m de charbon. ▼**—wagen**
wagon à charbon; tender m.
kolf 1 (knots) massue v; **2** (mil.) crosse v;
3 (chem.) cornue; **4** (plk.) spadice; **5** téterelle
v. ▼**—baan** jeu m de crosse. ▼**—fles** cornue
v, matras m. ▼**—je** petite crosse; dat is een —
naar zijn hand, cela lui va comme un gant,
c'est son affaire. ▼**—plaat** plaque v de
couche. ▼**—slag** coup m de crosse. ▼**—spel**
jeu m de crosse. ▼**—stoot** coup m de crosse.
kolibrie colibri m.
koliek colique v; hevige —, tranchées v mv.
kolk 1 fosse v; **2** gouffre m; **3** (sluis—)
chambre v; **4** (draai—) tournant m. ▼**—en**
tournoyer. ▼**—sluis** écluse v à sas.
kolom colonne v. ▼**—hoofd** titre m de
colonne.
kolonel colonel m.
kolon/iaal I bn colonial; koloniale waren,
denrées v mv coloniales. **II** zn habitant des
colonies, colonial m. ▼**—ie** colonie v.
▼**—isatie** colonisation v. ▼**—iseren**
coloniser. ▼**—ist** colon m.
koloriet coloris m.
kolos colosse m. ▼**—saal** bn (& bw)
colossal (ement), énorme (énormément).
kolven 1 jouer à la crosse; **2** aspirer le lait du
sein.
kom 1 écuelle, jatte v; **2** bassin m;
3 (bebouwde —) agglomération v; centre m.
komaan allons!, voyons! ▼**komaf** origine v.
komed/iant comédien, acteur m. ▼**—ie**
1 (gebouw) théâtre m; **2** (voorstelling)
spectacle m; **3** (stuk) pièce v de théâtre;
4 (blijspel) comédie v; — spelen, jouer la
comédie.
komeet comète v.
komen 1 (naar spreker toe) venir; **2** (v. spreker
af) aller; **3** (aan—) arriver; kom!, voyons!; ik
kom al!, j'y vais!; kom, kom!, allons (donc);
kom je?, viendras-tu?; kom hier, amène -toi
ici; er zijn soldaten gekomen, il est arrivé des
soldats; er komt regen, il y aura de la pluie,
nous aurons de la pluie; hij komt er wel, il
trouvera son chemin; — te sterven, venir à
mourir; laten —, faire venir; op hoeveel komt
dat?, à combien est-ce que cela revient?; hoe
komt het, dat ...?, comment se fait-il que?
(met subj.); dat komt, doordat, c'est que; het

zal nog zover —, dat wij ..., nous en
viendrons encore à; aan water —, se procurer
de l'eau; hij moet bij de baas —, il doit venir
auprès du patron; dichter bij iets —,
s'approcher de qc; mag (kan) ik bij jullie —?,
je peux venir avec vous?; goed bij iets —,
bien aller avec; boven —, monter; daarmee
kom je niet veel verder, cela ne vous avance
guère; dat komt niets van in!, il n'en sera
rien!; door een examen —, réussir, être reçu à
un examen; hoe is ze daaraan gekomen?, où
a-t-elle pris cette idée?; daarop wilde ik juist
—, c'est là où je voulais en venir; dat komt
ervan, voilà ce que c'est; dat komt u op 10
gulden, cela vous revient à dix florins; ik kan
niet op die naam —, ce nom ne me revient
pas; hij kan nergens toe —, il n'arrive pas à
faire qc; tot de zaak —, venir au fait; tot
zichzelf —, revenir à soi; — uit, venir de
(Paris), sortir de (la maison); ik kom van huis,
je viens de chez nous; er is een tijd van — en
er is een tijd van gaan, il n'y a si bonne
compagnie qui ne se quitte. ▼**komend** qui
vient, futur; prochain; de — eeuwen, les
siècles à venir.
komfoor réchaud m; brasero m.
komiek I bn (& bw) comique(ment). **II** zn
comique m.
komijnekaas fromage m au cumin.
komisch bn (& bw) comique(ment).
komkommer concombre m. ▼**—tijd**
morte-saison v.
komma virgule v; (muz.) comma m. ▼**—punt**
point et virgule m.
kommer chagrin, souci m; indigence, misère
v. ▼**—vol** plein de soucis, misérable.
kompas 1 boussole v; **2** (scheeps—) compas
m; **3** (v. horloge) raquette v. ▼**—naald**
aiguille v aimantée. ▼**—streek** rumb m.
komplot complot m.
kompres I bn serré, compact. **II** zn compresse
v.
komst arrivée v; avènement m; op —,
imminent; hij is op —, il ne tardera pas à venir.
kond: — doen, faire savoir, notifier;
proclamer.
konfijten confire.
kongsi(e) association v (secrète); bande v.
konijn lapin m. ▼**—ehaar** poil m de lapin.
▼**—ehok** clapier m. ▼**—ehol** trou m de lapin.
▼**—ejacht** chasse v au lapin.
koning roi; de drie —en, les trois mages.
▼**—in** reine; (spel) dame v. ▼**—in-moeder**
reine-mère. ▼**—innedag** fête v de la reine.
▼**—in-weduwe** reine douairière.
▼**—sadelaar** aigle m royal. ▼**—sblauw** bleu
m de roi. ▼**—schap** royauté v. ▼**—sgezind**
royaliste. ▼**—sgezindheid** royalisme m.
▼**—shuis** maison v royale. ▼**—smoord**
régicide m. ▼**konink/lijk** bn (& bw)
royal (ement). ▼**—rijk** royaume m.
konkel/aar, —aarster tripotier m, -ière v.
▼**—arij** tripotage m, intrigues v mv. ▼**—en**
tripoter, intriguer.
konstabel maître canonnier m.
kont cul m.
konterfeiten faire le portrait de.
konvooi convoi, cortège m; in —, de
conserve. ▼**—eren** escorter.
kooi 1 cage v; **2** (mar.) couchette v. ▼**—en**
mettre en cage. ▼**—ker, —man** propriétaire m
d'une canardière.
kook ébullition v; aan de — brengen, porter à
ébullition; aan de — raken, entrer en
ébullition; van de — zijn, ne plus bouillir;
(fig.) ne pas être dans son assiette. ▼**—boek**
livre m de cuisine. ▼**—cursus** cours m de
cuisine. ▼**—fornuis** cuisinière v. ▼**—gas** gaz
m de cuisine. ▼**—gelegenheid** foyer m.
▼**—hitte** température v d'ébullition.
▼**—kachel** cuisinière v. ▼**—ketel** chaudron
m, marmite v. ▼**—kunst** cuisine v, art m
culinaire. ▼**—pan** casserole v. ▼**—plaat**
plaque v chauffante; plaque de cuisson (à 4
feux = met 4 branders). ▼**—pot** marmite v.
▼**—punt** point m d'ébullition. ▼**—tijd** temps

m de la cuisson. ▼—**toestel** réchaud *m*.
kool 1 (*groente*) chou *m*; **2** (*steen*—) charbon *m*, houille *v*; *iem. een* — *stoven*, jouer un tour à qn; *het sop is de* — *niet waard*, le jeu ne vaut pas la chandelle. ▼—**borstel** balai *m*.
▼—**draad** filament *m* carbone. ▼—**houdend** carbonifère. ▼—**hydraat** hydrate *m* de carbone. ▼—**monoxyde** oxyde *m* de carbone. ▼—**raap** (*boven de grond*) chou-rave; (*onder de gr.*) chou-navet *m*.
▼—**rabi** rutabaga (s) *m*. ▼—**soep** soupe *v* aux choux. ▼—**spits** pointe de charbon, bougie *v*.
▼—**stift** crayon *m* de lampe à arc. ▼—**stof** carbone *m*. ▼—**stofverbinding** composé *m* de carbone. ▼—**teer** goudron *m* minéral.
▼—**waterstof** hydrogène *m* carburé.
▼—**zaad 1** graine *v* de chou; **2** colza *m*.
▼—**zuur** acide *m* carbonique.
▼—**zuurhoudend** gazeux. ▼—**zwart** noir comme jais.

koop 1 marché *m*; **2** achat *m*; acquisition; emplette *v*; *een* — *sluiten*, conclure un marché; *op de* — *toe*, pardessus le marché; par surcroît; — *breekt huur*, achat passe louage; *de* — *opzeggen*, se dédire; *te* —, à vendre; *te* — *zetten*, exposer, mettre en vente; *te* — *lopen met*, afficher (qc), faire étalage de (qc); *wat in de wereld te* — *is*, ce qui se passe dans le monde. ▼—**akte** acte *m* de vente. ▼—**avond** (vente en) nocturne *m of v*. ▼—**contract** contrat *m* de vente; *voorlopig* —, promesse *v* d'achat. ▼—**handel** commerce *m* (de); *kamer van* —, Chambre *v* de commerce. ▼—**ig** occasion *v*; *dat is 'n* —, c'est bonmarché; — *koop*, à bas prix, à peu de frais.
▼—**kracht** pouvoir *m* d'achat. ▼—**krachtig** solvable. ▼—**lust** amour *m* de la dépense, demande *v*.

koopman commerçant; (*groot*) négociant; (*met winkel*) marchand; (*op straat*) vendeur *m*. ▼—**sbeurs** bourse *v* de commerce.
▼—**sboek** livre *m* de commerce. ▼—**schap** commerce *m*. ▼—**sgeest** esprit *m* de commerce. ▼—**sstand** commerce *m*.
▼—**sterm** terme *m* de commerce; —*en*, terminologie *v* commerciale.

koop/penningen, —**prijs** prix *m* d'achat.
▼—**staking** grève *v* des achats. ▼—**ster** acheteuse *v*.

koopvaar/der 1 navire marchand; **2** capitaine *m* d'un navire marchand. ▼—**dij** marine *v* marchande, commerce *m* maritime. ▼—**dijvlag** pavillon *m* commercial.
▼—**dijvloot** marine *v* marchande.

koop/vernietigend réhibitoire.
▼—**vernietiging** réhibition *v*. ▼—**vrouw** marchande, commerçante *v*. ▼—**waar** marchandise *v*. ▼—**waarde** valeur *v* marchande.

koor chœur *m*; chorale *v*; *in* — *herhalen*, reprendre en chœur *m*. ▼—**bank** banc *m* de chœur, stalle *v*. ▼—**boek** antiphonaire *m*.

koord 1 corde *v*; cordon *v*; **2** (*boordsel*) galon *m*. ▼—**dansen II** *on.w* danser sur la corde, voltiger. **II** *zn: het* —, danse *v* funambulesque, voltige *v*. ▼—**danser** danseur de corde, funambule *m*.
▼—**danseres** danseuse de corde. ▼—**e** (*meetk.*) sous-tendante, corde *v*. ▼—**je** ficelle, cordelette *v*.

koor/fantasie fantaisie *v* chorale.
▼—**gezang** chœur; choral *m*. ▼—**heer** chanoine *m*. ▼—**hemd** surplis *m*. ▼—**kap** chape *v*; pluvial *m*. ▼—**knaap** enfant *m* de chœur. ▼—**muziek** musique *v* de chœur.
koorts fièvre *v*; — *hebben*, avoir la fièvre; — *krijgen*, attraper la fièvre; *40 graden* —, la fièvre à 40, 40° de fièvre. ▼—**aanval** accès *m* de fièvre. ▼—**achtig I** *bn* fiévreux, fébrile. **II** *bw* fiévreusement, fébrilement.
▼—**achtigheid** fébrilité *v*. ▼—**drank** potion *v* fébrifuge. ▼—**ig** *zie* —**achtig**. ▼—**ijling** délire *m* de la fièvre. ▼—**lijder** fiévreux *m*.
▼—**middel** remède *m* fébrifuge.
▼—**thermometer** thermomètre *m* médical.
▼—**uitslag** éruption *v* fébrile.

koor/zang chant choral; plain-chant *m*.
▼—**zanger** choriste *m*. ▼—**zuster** sœur de chœur, officiante *v*.
koosjer kascher.
kootje 1 osselet *m*; **2** (*vinger*—) phalange *v*.
kop 1 tête; **2** (*drink*—) tasse *v*; **3** fourneau *m* (de pipe); **4** (*krante*—) gros titre *m*; — *op !*, haut la tête !; *een* — *groter*, plus grand (que qn) de la tête; *de* —*pen bij elkaar steken*, comploter; *de* — *indrukken*, réprimer; *op de* — *af*, tout juste; *iem. op zijn* — *geven*, (*fig.*) laver la tête à qn; *aan de* — *liggen*, mener; *iets op de* — *tikken*, trouver par hasard; *iem. op zijn* — *zitten*, régenter qn; *zich op de* — *laten zitten*, se laisser faire; *over de* — *gaan*, chavirer; (*fig.*) faire faillite, - la culbute. ▼—**bal** (coup *m* de) tête *v*. ▼—**bout** boulon *m* à tête.
kopen 1 acheter; acquérir, faire l'acquisition de; **2** (*spel*) prendre, aller aux cartes; — *van*, acheter à; — *voor 50 gulden*, acheter (qc) 50 florins. ▼**koper** acheteur; acquéreur *v*.
koper cuivre *m*; *het* —, (*muz.*) les cuivres.
▼—**achtig** cuivré; cuivreux. ▼—**diepdruk** rotogravure *v*. ▼—**druk** taille *v* douce. ▼—**en** *de* -, en cuivre. ▼—**erts** minerai *m* de cuivre.
▼—**geld** monnaie *v* de cuivre. ▼—**graveur** graveur *m* en taille douce. ▼—**gravure** gravure sur cuivre; planche *v* en taille douce.
▼—**groen** vert-de-gris, verdet *m*.
▼—**houdend** cuprifère. ▼—**kleurig** rouge cuivré, cuivreux; — *gelaatskleur*, teint *m* cuivré, - bronzé. ▼—**mijn** mine *v* de cuivre.
▼—**oxyde** oxyde *m* cuivrique. ▼—**poets** pâte *v* à cuivre. ▼—**slager** chaudronnier *m*.
▼—**slak** scorie *v* de cuivre. ▼—**sulfaat** vitriol *m* bleu; sulfate *m* de cuivre. ▼—**waarde** valeur *v* cuprifère. ▼—**waren**, —**werk** cuivres *m mv*.
kopie copie *v*. ▼**kopieer/boek** copie-lettres *m*. ▼—**inkt** encre *v* à copier. ▼—**machine** copieur *m*. ▼—**papier** papier-copie *m*.
▼—**werk** ouvrage *m* à copier. ▼**kopiëren** copier. ▼—**ist** copiste *m*.
kopij copie *v*; manuscrit *m*. ▼—**klem** porte-sténogramme *m*. ▼—**recht** droit *m* d'auteur, - de réproduction.
kopje 1 petite tête; **2** tasse *v*; *een aardig* —, un joli minois; —*s geven*, faire des grâces.
▼—**buitelen** faire la culbute. ▼—**onder**: — *gaan*, boire un coup.
kop/klasse classe *v* de première supérieure.
▼—**lamp** phare *m* = —**licht**; *de* — *en doven* **1** (*half*) baisser les lumières; **2** (*geheel*) éteindre les phares. ▼—**lampwisser** essuie-phare *m*. ▼—**loper** premier *m*.
▼—**man** premier *m* de peloton. ▼—**pakking** joint *m* de culasse; *de* — *is doorgeslagen*, le joint de culasse est défectueux.
koppel 1 (*band*) lien *m*, lanière *v*; **2** (*mil.*) ceinturon *m*; **3** couple *v*. ▼—**aar**, —**aarster** entremetteur *m*, entremetteuse *v*. ▼—**arij** proxénétisme *m*. ▼—**baas** trafiquant *m* de main d'oeuvre. ▼—**en** accoupler; coupler; embrayer (les parties d'une machine); *een huwelijk* —, s'entremettre pour faire un mariage. ▼—**ing** (ac)couplement; accrochage (de train); embrayage *m*; amarrage *m* (*ruimtevaart*). ▼—**ingspedaal** pédale *v* de débrayage. ▼—**ingssysteem** système *m* d'amarrage. ▼—**omvormer** convertisseur *m* de couple. ▼—**riem** laisse, accouple *v*. ▼—**stang** bielle *v* d'accouplement; (*voor aanhangwagen*) prolonge *v*. ▼—**teken** trait d'union, tiret *m*.
▼—**verkoop** achat *m* forcé. ▼—**werkwoord** copule *v*. ▼—**wedstrijd** course *v* par couples. ▼—**woord** conjonction *v*.
koppen 1 ventouser; **2** (*sp.*) jouer de la tête; renvoyer d'un coup de tête.
koppig I *bn* entêté, obstiné; —*e wijn*, vin *m* capiteux. **II** *bw* obstinément; — *volhouden om*, s'entêter à, s'obstiner à. ▼—**heid** entêtement *m*, obstination *v*.
kopra copra(h) *m*.
kops debout.

kop/schuw rétif; — worden, renâcler.
▼—schuwheid rétivité v. ▼—spiegellamp
lampe v à calotte argentée. ▼—spijker pointe
v de fer, clou m à tête. ▼—station gare v
terminus, tête v de ligne. ▼—stem voix v de
tête. ▼—stoot 1 (sp.) tête v; 2 coup m de
bélier. ▼—stuk 1 (fam.) gros bonnet m;
2 (koppig mens) opiniâtre m & v.
▼—telefoon écouteur m. ▼—werk
(voetbal) jeu m de la tête. ▼—zorg souci m.
koraal 1 choral m (mv chorals); 2 (stof) corail
m. ▼—achtig 1 (muz.) en forme de choral;
2 corallin. ▼—boek livre m de cantiques.
▼—dier coralliaire m. ▼—eiland atoll m.
▼—gezang plaint-chant, choral m =
—muziek. ▼—rood corallin. ▼—visser
corailleur m. ▼koralen de -, en corail.
koran Coran m; van de -, coranique.
kordaat I bn courageux, résolu, hardi. II bw
courageusement. ▼—heid résolution v.
kordon cordon m.
Korea la Corée. ▼Koreaans coréen.
koren (gewas) blé m; 2 (zaad) grain m; dat
is — op zijn molen, cela lui fait son affaire; cela
lui vient fort à propos. ▼—aar épi m.
▼—beurs halle v aux blés. ▼—blauw bleu
barbeau. ▼—bloem bluet, barbeau m.
▼—gewassen céréales v mv. ▼—halm tige v
de blé. ▼—handelaar marchand m de blé.
▼—invoer importation v des céréales.
▼—maaimachine moissonneuse v.
▼—maat mesure v à blé; zijn licht onder de
— zetten, mettre sa lumière sous le boisseau.
▼—markt marché m aux blés. ▼—molen
moulin m à blé. ▼—oogst moisson v.
▼—schoof gerbe v. ▼—schuur grange v;
(fig.) grenier m. ▼—veld champ m de blé.
korf corbeille v, panier m; (op de rug) hotte v.
▼—bal basket-ball m.
koriander coriandre v.
kornak cornac m.
kornet 1 (vaandrig) cornette v; porte-drapeau
m; 2 (muts) cornette v.
kornoelje cornouille v. ▼—boom cornouiller
m.
kornuit camarade, copain, (fam.) pote m.
korporaal caporal m. ▼—sstrepen chevrons
m mv de caporal.
korps corps m. ▼—commandant chef m de
corps. ▼—geest esprit m de corps.
▼—troepen éléments m mv non
endivisionnés.
korrel 1 grain; 2 (mil.) guidon m; op de —
nemen, coucher (qn) en joue. ▼—ig
granuleux, grenu. ▼—igheid granulosité v.
▼—suiker sucre m granulé. ▼—vormig zie
—ig.
korset corset m. ▼—tenmaker
—tenmaakster corsetier m, corsetière v.
korst 1 croûte v. ▼—(acht)ig croûteux.
▼—deeg croustade v. ▼—je croûton m.
▼—mos lichen m. ▼—vorming incrustation
v.
kort I bn 1 (v. afstand) court; (over weg)
direct; 2 (v. duur) bref; 3 (v. gestalte) petit;
4 (bondig) succinct; aan het — eind
trekken, avoir le dessous; — geding, référé
m; —e tijd, peu de temps; — en bondige stijl,
style m concis; —er maken, raccourcir. II bw
courtement; brièvement; — daarna, peu
après; — geleden, il y a peu de temps,
dernièrement; — binnen—, sous peu, d'ici peu; in het —,
brièvement; en substance; — en goed
zeggen, dire tout net, dire carrément; te —
doen (aan), déroger à (son rang, etc.);
manquer à (l'honneur); iem. te — doen in,
faire tort à qn de...; zich te — doen, 1 se faire
tort (à qc); 2 te tuer; iem. te — houden, serrer
la bride à qn; te — komen, ne pas avoir son
compte; manquer (de temps); hoeveel komt
daaraan te —?, combien y manque-t-il?; te
— schieten, faillir (à sa tâche); in liefde te
schieten jegens iem., manquer de charité à
qn; er is een gulden te —, il manque un florin.
▼kortaangebonden I bn brusque; — zijn,

avoir la tête près du bonnet. II bw
brusquement.
kortademig asthmatique; — zijn, avoir
l'haleine courte. ▼—heid asthme m.
kort/af brusque; — spreken, être cassant;
— weigeren, refuser net. ▼—elings
récemment, l'autre jour. ▼—en I ov.w
1 abréger; raccourcir; rogner (les ailes);
2 (aftrekken) rabattre, réduire; 3 iem. de tijd
helpen —, faire passer le temps à qn, amuser
qn. II on.w (se) raccourcir; diminuer; de
dagen —, les jours décroissent. ▼—harig à
poil court; à cheveux courts. ▼—heid
1 brièveté v; 2 peu de longueur m; 3 (v.
woorden) concision v. ▼—ing
1 raccourcissement m; 2 retenue (de salaire),
réduction v, rabais m, escompte m; 25 % —
op alle prijzen, rabais de 25 p.c. sur tous les
prix; de in de handel gebruikelijke —en, les
réductions commerciales; ik geef hem 15 %
—, je lui fais une remise de 15 p.c. ▼—lopend
à court terme. ▼—om bref, en un mot, enfin.
kortsluit/en court-circuiter. ▼—ing
court-circuit m.
kortstondig momentané, passager, de courte
durée. ▼—heid brièveté v.
kort/verbander engagé m. ▼—weg tout
court, brièvement; net(tement). ▼—wieken
rogner les ailes à.
kortzicht: wissel op —, effet m à courte
échéance. ▼—ig myope; (fig.) borné,
imprévoyant. ▼—igheid myopie v; (fig.) vue
courte, imprévoyance v.
korvet corvette v.
korzelig irascible. ▼—heid irascibilité v.
kosme/tiek cosmétique v. ▼—tisch
cosmétique.
kosm/isch cosmique. ▼—ografie
cosmographie v. ▼—onaut cosmonaute m.
▼—opoliet, —opolitisch cosmopolite (m).
▼—opolitisme cosmopolitisme m.
▼kosmos univers, cosmos m.
kost nourriture v, mets; oude —, du réchauffé;
— en inwoning, le logement et la table; de
vrije le couvert; werken tegen — en
inwoning, travailler au pair; de — verdienen,
gagner sa vie, (fam.) gagner sa croûte; in de
—, en pension; ten — e van, aux dépens de;
au détriment de (la vérité); ten — e leggen
aan, dépenser pour; ten — e van zijn leven, au
prix de sa vie.
kostbaar 1 cher, coûteux; 2 précieux;
superbe. ▼—heid 1 haute valeur v, prix m;
magnificence v; 2 objet de prix, bijou m.
kostbaas logeur m.
kostelijk I bn 1 superbe, splendide;
2 excellent, exquis, délicieux; divertissant.
II bw superbement; zich — vermaken,
s'amuser royalement. ▼—heid somptuosité v;
excellence v.
kosteloos I bn gratuit. II bw gratuitement,
gratis. ▼kosten I on.w coûter, valoir, revenir
à; het koste wat het wil, coûte que coûte; het
kost me moeite om..., j'ai de la peine à, il m'en
coûte de... II zn coût m, frais, dépens m mv;
de — dragen van, faire les frais de; iem. —
vergoeden, indemniser, dédommager qn; op
— van, aux frais de; zich op — jagen, se
mettre en frais; zijn — goedmaken, faire ses
frais; — bestrijden, faire face aux frais.
▼—berekening devis m estimatif.
koster (prot.) marguillier; (rk) sacristain m.
kost/ganger —gangster pensionnaire m &
v. ▼—geld, —huis pension v. ▼—juffrouw
logeuse, maîtresse v de pension. ▼—prijs prix
m de revient - coûtant. ▼—school
pensionnat, internat m. ▼—schoolleerling
élève interne, pensionnaire m & v.
kostuum costume m; driedelig —, costume
trois pièces. ▼—naaiste costumière v.
▼—verhuurder costumier m.
kostwinn/er soutien m de famille. ▼—ing
gagne-pain m.
kot 1 taudis m; 2 (v. dieren) loge, niche v, (v.
varkens) toit m; 3 cachot m.
kotelet côtelette v.

kotsen vomir, rendre.
kotter cutter, cotre m.
kou(de) froid m; — vatten, prendre froid; s'enrhumer; *wat doe je in de —?*, qu'alliez-vous faire dans cette galère? ▼**koud**
I bn froid; *het is —*, il fait froid; *ik ben —*, j'ai froid; *ik heb —e vingers*, j'ai les doigts froids; *het — krijgen*, commencer à avoir froid; *dat laat me —*, cela ne me fait ni chaud ni froid; — *maken*, refroidir; — *worden*, se refroidir; *je wordt er — van*, cela fait frémir. II bw froidement. ▼—**bloedig** à sang froid. ▼—e froid m. ▼—**efront** front m froid. ▼—**egolf** vague v de froid. ▼—**makend** réfrigérant. ▼—**vuur** gangrène v; *aangetast door —*, gangreneux. ▼—**watergeneeskunde** hydrothérapie v. ▼—**weg** froidement. ▼**koukleum** frileux m, frileuse v.
kous bas; (*gloei—*) manchon m; *elastieke —*, bas à varices; *halve —*, mi-bas; *op —evoeten*, à pieds de bas; *de — op de kop krijgen*, en être pour sa courte honte. ▼—**eband** jarretière v. ▼—**enwinkel** bonneterie v.
kout causerie v. ▼— en causer, deviser. ▼—**er** 1 causeur m; 2 (*v. ploeg*) coutre m.
kouvatten prendre froid, - un refroidissement.
kouwelijk frileux. ▼—**heid** sensibilité v au froid.
kozak Cosaque m.
koz/en caresser. ▼—**erij** caresses v mv.
kozijn châssis m.
kraag col; collet m; *zijn — afslaan* (*opzetten*), rabattre (relever) le col de son manteau; *een stuk in de — hebben*, avoir une cuite. ▼—**je** collerette v.
kraai 1 (*vogel*) corneille v; 2 (*fam.*) croque-mort m. ▼—**en** I on.w chanter; (*fig.*) crier; (*v. kindje*) vagir. II ov.w chanter (victoire); *opraer —*, pousser à la révolte. ▼—**enest** 1 nid de corneille; 2 (*mar.*) nid m de corbeau. ▼—**epootjes** (*bij ooghoek*) pattes v mv d'oie.
kraakbeen cartilage m. ▼—**achtig** cartilagineux.
kraak/gas gaz m de désintégration. ▼—**installatie** installation v de craquage, craqueur m. ▼—**porselein** porcelaine v craque. ▼—**zindelijk** d'une propreté extrême.
kraal grain m (de verre, de corail); perle v de verre.
kraam 1 boutique, baraque v; 2 (*bevalling*) couches v mv; *de hele —*, tout le tremblement; *dat komt in zijn — te pas*, voilà qui fait son affaire. ▼—**bed** couches v mv. ▼—**bezoek** visite v rendue à une accouchée. ▼—**hulp** assistance v aux femmes en couches; traitement m des couches normales. ▼—**inrichting** clinique v d'accouchement. ▼—**kamer** chambre v de l'accouchée. ▼—**koorts** fièvre v puerpérale. ▼—**verpleegster** infirmière v accoucheuse. ▼—**verpleging** zie —**inrichting**. ▼—**vrouw** accouchée, jeune mère. ▼—**vrouweninrichting** maternité v. ▼—**vrouwenkoorts** zie —**koorts**.
kraan 1 grue v; 2 (*tap—, gas—*) robinet m; 3 (*fig.*) crâne, aigle, as m; *drijvende —*, ponton-grue m; *rijdende —*, grue roulante. ▼—**arm** volée v. ▼—**auto** auto v de dépannage. ▼—**bok** pied-de-chèvre m. ▼—**brug** pont-grue m. ▼—**drijver** grutier m. ▼—**hals** cou m de grue. ▼—**sleutel** clef v de robinet. ▼—**vogel** grue v. ▼—**wagen** camion-grue m, dépanneuse v.
krab 1 (*dier*) crabe m; 2 (*schram*) griffure, égratinure v. ▼—**bel** 1 griffure, égratinure v; 2 pochade v. ▼—**belen** 1 gratter, égratigner; 2 (*schrijven*) griffonner, barbouiller; 3 patiner maladroitement; *er weer bovenop —*, se remettre. ▼—**belpootje**, —**belschrift** griffonnage m, écriture v de chat. ▼—**ben** I ov.w gratter, griffer, égratigner. II zich — se gratter; *zich achter de oren —*, se gratter la tête. ▼—**ber** gratteur; grattoir, racloir m (*ijzer*); (*med.*) curette v.

krach débâcle, déconfiture v.
kracht 1 force, vigueur; énergie v; 2 (*v. geneesmiddel*) vertu, efficacité v; 3 (*macht*) pouvoir m, puissance v; — *en last*, force mouvante et force résistante; *zijn — en herstellen*, se refaire; — *zoeken in*, recourir à; *in de — van zijn leven*, dans la force de l'âge; *met —*, avec force; *met alle —*, de toutes ses forces; *met vereende —en*, à forces réunies; *op eigen — vertrouwen*, se suffire à soi-même; *uit — van*, en vertu de; *van — blijven* (*worden, zijn*), demeurer (entrer, être) en vigueur. ▼**kracht/dadig** I bn énergique, efficace. II bw énergiquement. ▼—**dadigheid** efficacité, énergie v. ▼—**eloos** sans force, faible, inefficace; — *maken*, affaiblir; annuler. ▼—**eloosheid** faiblesse, débilité v. ▼—**enleer** dynamique v. ▼—**ens** en vertu de; selon. ▼—**ig** I bn vigoureux, fort; énergique, efficace; —*e arm*, bras m nerveux; —*voedsel*, nourriture v substantielle. II bw fortement, énergiquement. ▼—**installatie** zie —**station**. ▼—**lijn** ligne v de force. ▼—**mens** athlète; hercule m. ▼—**meter** dynamomètre m. ▼—**proef** épreuve v de force. ▼—**sinspanning** effort m; tension v (de la volonté). ▼—**sport** athlétisme m. ▼—**station** usine génératrice; centrale v (électrique). ▼—**vermindering** dépérissement m. ▼—**veld** champ m de forces. ▼—**verlies** déperdition v de force of d'énergie = —**verspilling**. ▼—**vertoon** déploiement m de forces. ▼—**voe(de)r** fourrage m concentré; nourriture v substantielle.
krak I tw crac. II zn 1 craquement m; 2 (*barst*) fêlure, fente v.
krakelen se quereller, se chamailler.
krakeling craquelin m.
krak/en I on.w 1 craquer; 2 (*v. deur, sneeuw enz.*) crisser; (*de stem*, voix v de perroquet; *het vriest dat het kraakt*, il gèle à pierre fendre; —*de wagens lopen het langst*, les pots fêlés durent longtemps. II ov.w 1 casser (des noix); 2 (*v. eten*) croquer; 3 vider (une bouteille); 4 (*tegenstander*) démolir; 5 occuper un logement vide, squatteriser. ▼—**er** squatter m.
kram crampon m; (*med.*) agrafe v.
kramer colporteur; mercier m.
krammen cramponner; (*med.*) affronter avec des agrafes.
kramp crampe v, spasme m; *ik kreeg — in het been*, j'ai eu une crampe à la jambe. ▼—**achtig** bn (& bw) spasmodique(ment); (*zich*) — *vasthouden aan*, se cramponner à, être crispé sur. ▼—**hoest** toux v spasmodique. ▼—**middel**, —**stillend** antispasmodique (m).
kranig I bn crâne, fameux. II bw crânement. ▼—**heid** crânerie v.
krankzinnig bn (& zn) dément, aliéné (m); — *worden*, tomber en démence. ▼—**enarts** médecin m aliéniste. ▼—**engesticht** maison v d'aliénés. ▼—**heid** aliénation mentale, démence v; *dat is een —*, c'est une absurdité.
krans 1 couronne v; 2 (*fig.*) réunion v, cercle m d'amis. ▼—**en** couronner. ▼—**legging** déposition v d'une couronne.
krant journal m. ▼—**eartikel** article m de j. ▼—**ebericht** nouvelle v de j. ▼—**eknipsel** coupure v de j. ▼—**ekop** gros titre m, manchette v. ▼—**enhanger** porte-journaux m. ▼—**enjongen** porteur m de journaux. ▼—**enpapier** papier m journal. ▼—**envrouw** marchande v de journaux. ▼—**eschrijver** journaliste m.
krap I zn 1 (*boekslot*) fermoir m; 2 (*mee—*) garance v; 3 côtelette v de porc. II bn trop juste, étroit; étriqué; *het is — aan*, c'est tout juste; *zijn pak is wat te —*, son costume est un peu juste; — *zitten*, être un peu gêné. III bw étroitement (= —**jes**); — *meten*, mesurer tout juste; *het — hebben*, vivre chichement.
kras I zn rayure, raie, égratinure v. II bn

robuste, vigoureux ; fort, raide ; *dat is* —, elle
est raide celle-là ; *dat is wat* —, c'est un peu
fort ; *nog* — *zijn,* être encore vert ; *al te* —, par
trop fort. **III** *bw* vigoureusement, en termes
vifs. ▼—**heid** 1 force, vigueur ; **2** (*v. grijsaard*)
verdeur *v*. ▼—**sen** I *on.w* **1** (*v. pen*) crier ; **2** (*v.
kraai*) croasser ; *op de viool* —, racler du
violon. II *ov.w* égratigner ; inscrire. ▼—**ser**
1 celui qui raie, - qui égratigne ; **2** racleur *m*
(de violon).
krat châssis *m*, caisse *v* à claire-voie.
krater cratère *m*. ▼—**vörmig** cratériforme.
krats : *voor een* —, pour une bouchée de pain.
krediet crédit *m* ; *op* —, à crédit ; *op — geven,*
faire crédit de ; — *hebben,* avoir un crédit
ouvert chez qn. ▼—**bank** banque -, société *v*
de crédit. ▼—**beperking** encadrement *m* du
crédit. ▼—**brief** lettre *v* de crédit.
▼—**instelling** établissement *m* de crédit.
▼—**kaart** carte *v* de crédit. ▼—**kas** caisse *v* de
warrants. ▼—**nemer** demandeur *m* de crédit.
▼—**verband** engagement *m*. ▼—**vereniging**
société *v* de crédit. ▼—**verlenging**
renouvellement *m* de crédit. ▼—**verruiming**
augmentation *v* de crédits. ▼—**verzekering**
assurance *v* contre les risques du crédit.
▼—**waardig** solvable. ▼—**waardigheid**
solvabilité *v*. ▼—**wet** loi *v* de finances
provisoire. ▼—**wezen** crédit *m*.
kreeft 1 (*rivier*—) écrevisse *v* ; **2** (*zee*—)
homard *m* ; langouste *v* ; **3** (*astr.*) cancer *m*.
▼—**egang** mouvement *m* à reculons ; *de* —
gaan, rétrograder. ▼—**esla** salade *v* aux
homards. ▼—**esoep** bisque *v* d'écrevisses.
▼—**skeerkring** tropique *m* du Cancer.
kreek crique, anse *v*.
kreet cri *m* ; *een* — *slaken,* pousser un cri.
kregel(ig) irascible, hargneux ; — *maken,*
irriter. ▼—**heid** humeur *v* irascible.
krekel grillon, cri-cri *m*.
Kremlin Kremlin *m*.
kreng 1 charogne ; **2** (*scheldwoord*) peste,
vache *v*.
krenk/en 1 froisser, blesser, offenser ;
2 (*benadelen*) faire tort à, altérer ; déranger
(l'esprit). ▼—**end** I *bn* blessant. II *bw* d'une
façon blessante. ▼—**ing** atteinte (à) ;
altération *v* (de la santé) ; offense *v*,
froissement *m*.
krent 1 raisin *m* de Corinthe ; **2** (*med.*) croûte
v ; **3** (*fig.*) pingre *m*. ▼—**enbaard** dartres *v*
mv, impétigo *m*. ▼—**enbrood** (petit) pain *m*
aux raisins de Corinthe. ▼—**erig** I *bn*
méticuleux. II *bw* méticuleusement.
▼—**erigheid** mesquinerie *v*.
krep crêpe *m*.
kreuk(el) faux pli *m* ; (*fig.*) tache, tare *v* ; *vol*
— *els,* chiffonné. ▼—**elen** I *ov.w* chiffonner,
froisser, friper. II *on.w* se chiffonner, se
froisser. ▼—**elig** froissable ; fripé, froissé.
▼—**en** *zie* —**elen**. ▼—**elzone** zone *v*
d'absorption de chocs, zone déformable.
▼—**herstellend** défroissable. ▼—**vrij**
infroissable.
kreunen pousser une plainte, gémir.
kreupel 1 boiteux, en boitant ; **2** (*fig.*) boiteux,
défectueux, misérable ; — *gaan,* boiter,
clocher. ▼—**e** boiteux *m*, boiteuse *v*.
▼—**hout** —**bos** taillis *m*, broussailles *v mv.*
krib(be) 1 crèche, mangeoire *v* ; **2** (*bed*)
couchette *v* ; (*mil.*) châlit ; **3** épi *m*.
kribbig hargneux. ▼—**heid** humeur *v*
hargneuse.
kriebel fourmillement *v* ; *de* — *in zijn benen*
hebben, avoir des fourmis dans les jambes.
▼—**en** I *on.w* **1** (*schrijven*) gribouiller ;
2 (*jeuken*) démanger. II *ov.w* chatouiller.
▼—**ig** chatouilleux ; — *worden,*
s'impatienter. ▼—**igheid** humeur *v*
chatouilleuse. ▼—**ing** démangeaison *v* ;
picotement *m* (dans la gorge). ▼—**schrift**
écriture *v* menue.
kriek 1 (*krekel*) grillon *m* ; **2** (*kers*) guigne *v*.
▼—**en** I *on.w* **1** (*v. krekel*) chanter, crier ; **2** (*v.
de dag*) poindre. II *zn* : *het* —, le point du jour.
krielkip poule *v* naine.

krieuwel/en 1 démanger, chatouiller, picoter ;
2 gratter. ▼—**ig** 1 prurigineux ; **2** *zie*
kriebelig.
krijg guerre *v* ; — *voeren,* faire la guerre.
krijgen I *ov.w* 1 (*verwerven*) obtenir,
acquérir ; gagner (un prix) ; **2** (*ontvangen*)
recevoir, avoir (des nouvelles) ; **3** (*nemen*)
prendre ; **4** (*achterhalen*) attraper ;
5 (*opdoen*) prendre, gagner (une maladie) ;
krijg je dat vaak ? ça vous prend souvent ? ;
honger —, commencer à avoir faim ; *ik zal*
hem —, il aura de mes nouvelles ; *ik heb haar*
niet te zien kunnen —, je ne suis pas parvenu
à la voir ; *de koffer dicht* —, réussir à fermer la
valise ; *hij zal het wel gedaan* —, il en viendra
à bout ; *iets van iem. gedaan* —, obtenir qc de
qn ; *het in zijn hoofd* — *om,* se mettre dans la
tête de… ; *dat heb ik van mijn broer gekregen,*
mon frère m'en a fait cadeau ; *iets aan zijn arm*
—, avoir le bras malade ; *we zullen ze wel* —*!,*
on les aura ! ; *te* — (*bij*), en vente (chez) ; *je*
zult er niets van —, vous n'en aurez rien. II *zn* :
het —, l'obtention *v*.
krijger guerrier, homme de guerre. ▼—**tje** : —
spelen, jouer à la sauvette. ▼**krijgs/artikel**
article *m* de guerre. ▼—**bedrijf** fait *m*
d'armes ; opération *v* militaire. ▼—**behoeften**
matériel *m*, munitions *v mv.* ▼—**beleid**
tactique *v*. ▼—**daad** fait d'armes ; exploit *m*.
▼—**dienst** service *m* militaire. ▼—**gebruik**
usages *m mv* de la guerre ; *naar* —,
militairement. ▼—**geschiedenis** histoire *v*
militaire. ▼—**gevangene** prisonnier *m* de
guerre. ▼—**gevangenschap** captivité *v* ; *in*
— *geraken,* tomber entre les mains de
l'ennemi.
krijgshaftig I *bn* martial ; guerrier. II *bw* d'un
air martial. ▼—**heid** martialité, vaillance *v*.
krijgs/kans fortune *v* des armes ; hasard *m* de
la guerre. ▼—**kunde** science militaire,
stratégie *v*. ▼—**kundig** *bn* (& *bw*)
stratégique(ment). ▼—**list** stratagème *m*.
▼—**macht** forces *v mv* (de terre, de mer).
▼—**makker** compagnon *m* d'armes.
▼—**manseer** honneur *m* militaire. ▼—**plicht**
1 devoir *m* militaire ; **2** sujétion *v* au service
militaire. ▼—**raad** conseil *m* de guerre.
▼—**school** *Hogere* —, Centre des hautes
études militaires. ▼—**tocht** campagne,
expédition *v*. ▼—**toerusting** préparatifs *m*
mv de guerre ; armement *m*. ▼—**tucht**
discipline *v*. ▼—**verrichting** opération *v*
militaire ; fait *m* d'armes. ▼—**wet** loi *v*
martiale ; *de* — *afkondigen in X,* mettre X en
état de siège. ▼—**wetenschap** science *v*
militaire. ▼—**zaak** affaire *v* militaire.
krijs cri *m* perçant. ▼—**en** crier, hurler. ▼—**end**
strident, perçant.
krijt 1 craie *v* ; **2** (*strijdperk*) lice, arène *v* ; *bij*
iem. in het — *staan,* devoir de l'argent à qn.
▼—**berg** montagne *v* crétacée. ▼—**en** I *on.w*
crier, pleurer. II *ov.w* **1** crier ; **2** blanchir à la
craie. ▼—**formatie** crétacé *m*. ▼—**tekening**
crayon, crayonnage ; pastel *m* ; (*rode* —)
sanguine *v*. ▼—**wit** blanc comme la craie.
krik cric *m*.
krimp gêne *v*, manque *m* ; *geen* — *hebben,*
être à l'abri du besoin ; *geen* — *geven,* ne pas
céder ; — *geven,* mettre les pouces. ▼—**en**
I *ov.w* rétrécir. II *on.w* se rétrécir, se
contracter, se retirer, diminuer ; (*v. wind*)
tourner (*bijv.* par le sud à l'est). ▼—**ing**
1 rétrécissement *m* ; diminution *v* ;
2 contraction *v*. ▼—**vrij** irrétrécissable, qui
résiste à la trempe, décati. ▼—**vrijmaken**
rendre irrétrécissable.
kring 1 cercle, rond ; halo *m* ; (*vocht*—)
auréole *v* ; **2** cercle, milieu *m* ; **3** (*gebied*)
sphère ; *de hogere* —**en,** la haute société ; *in*
een — *zitten,* être assis en rond ; faire cercle ;
—*en om de ogen hebben,* avoir les yeux
cernés ; *dat maakt* —*en,* ça fait des auréoles.
▼—**loop** cercle *m* ; évolution *v* cyclique (de la
nature) ; (*fig.*) *in een* —, en circuit fermé.
krinkelen s'enrouler en spirale ; monter en
volutes.

krioelen fourmiller, grouiller.
krip crêpe *m*. ▼—**pen** I *bn* en -, de crêpe.
II *on.w* crêper.
kris criss *m*.
kriskras pêle-mêle.
kristal cristal *m*. ▼—**achtig** cristallin;
cristalloïde. ▼—**fabriek** cristallerie *v*.
▼—**helder** cristallin. ▼—**len** de cristal.
▼—**lens** cristallin *m*. ▼—**lijn(en)** cristallin.
▼—**liseerbaar** cristallisable. ▼—**liseren**
cristalliser. ▼—**lisering,** **-lisatie**
cristallisation *v*. ▼—**ontvanger** poste *m* à
galène. ▼—**suiker** sucre *m* cristallisé.
▼—**vormig** cristalloïde.
kritiek I *bn* critique; délicat; périlleux; —*e*
dagen, jours *m mv* critiques. II *zn* critique *v*;
afbrekende (opbouwende) —, critique
destructive (constructive). ▼**kritisch**
critique; contestataire; *(godsd.)* —*e*
gemeente, communauté *v* de base.
▼**kritiseren** blâmer, critiquer, désapprouver.
krocht 1 caverne *v*, antre *m*; 2 crypte *v*.
kroeg café; bistro *m*. ▼—**baas** bistro *m*.
kroep croup *m*. ▼—**hoest** toux *v* croupale.
kroes I *zn* 1 gobelet; 2 *(smelt—)* creuset
m. II *bn* crépu, frisé. ▼—**haar** cheveux *m mv*
crépus. ▼—**kop** tête *v* crépue. ▼**kroezen** (se)
crêper, (se) friser, moutonner.
krokodil crocodile *m*.
krokus crocus *m*.
krollen miauler. ▼**krols** en chaleur, en amour.
▼—**heid** chaleur *v*.
krom I *bn* 1 courbe, courbé; 2 *(gebogen)*
voûté; 3 dévié, tordu; *(v. neus)* crochu;
4 *(kronkelig)* sinueux, tortueux; — *zijn,* avoir
la taille arquée, avoir un vice de
conformation; *zich — lachen,* rire à se tordre;
zich — werken, s'esquinter le tempérament.
II *bw:* — *lopen,* marcher courbé; — *spreken,*
écorcher la langue. ▼**krom**/benig bancal.
▼—**groeien** avoir la taille déviée. ▼—**heid**
courbure *v*. ▼—**liggen** s'imposer des
privations. ▼—**lijnig** curviligne. ▼—**lopen** *zie*
krom II. ▼—**me** courbe *v*. ▼—**men** I *ov.w*
courber; cambrer. II *on.w* se courber. III *zich*
— se courber, se plier. ▼—**ming** courbé *v*,
coude *m* (de chemin, de rivière); sinuosité *v*
(de la côte); courbure *v*, courbement *m*.
▼—**spreken** *zie* krom II. ▼—**staf** crosse *v*
(d'évêque). ▼—**trekken** gauchir.
▼—**trekking** gauchissement *m*.
kronen couronner; *iem. tot koning* —,
couronner qn roi.
kroniek chronique *v*. ▼—**schrijver**
chroniqueur.
kroning couronnement *m*. ▼—**seed** serment
m de fidélité (à la constitution).
kronkel faux pli; repli; méandre *m*; *(v.*
hersens) circonvolution *v*; — *in de darmen,*
occlusion *v* intestinale. ▼—**darm** iléon *m*.
▼—**en** I *on.w* se replier, s'entortiller; *(v. weg*
enz.) serpenter. II *zich* — serpenter, se tordre
(v. pijn). ▼—**end** sinueux, tortueux. ▼—**ing**
tortillement *m*; détour *m*; sinuosité *v*; *zie ook*
kronkel. ▼—**pad** sentier *m* tortueux.
kroon 1 couronne *v*; 2 *(licht—)* lustre *m*;
3 *(plk.)* corolle *v*; *pauselijke* —, tiare *v*; *de —*
spannen, l'emporter; *iem. naar de — steken,*
rivaliser avec qn en *(of* de). ▼—**bambte**
officier *m* de la couronne. ▼—**domein**
domaine *m* de la couronne. ▼—**getuige**
principal témoin *m* à charge. ▼—**glas**
crown-glass *m*. ▼—**kolonie** colonie *v* de la
couronne. ▼—**kurk** capsule *v*. ▼—**lijst**
corniche *v*. ▼—**luchter** lustre *m*.
▼—**prins(es)** prince(sse) royal(e), - héritier
(- héritière) *m (v)*.
kroos lentilles *v mv* d'eau.
kroost enfants *m mv*; progéniture, lignée *v*.
kroot betterave *v* rouge.
krop 1 jabot; 2 *(—gezwel)* goitre *m*; 3 *(sla)*
pomme *v* de laitue. ▼—**brood** pain *m*
complet. ▼—**duif** pigeon *m* grosse-gorge.
▼—**gezwel** goitre *m*. ▼—**pen** *ov.w*
1 empâter; 2 supporter, endurer. ▼—**sla** laitue
v pommée. ▼—**ziekte** crétinisme *m*.

krot taudis *m*, bicoque *v*.
kruid 1 herbe, plante *v*; 2 *(specerij)* épices *v*
mv; *geneeskrachtige* —*en,* simples *m mv*;
daar is geen — voor gewassen, il n'y a pas de
remède à cela. ▼—**achtig** herbacé. ▼—**boek**
herbier *m*. ▼—**en** I *ov.w* épicer, *(fig.)*
assaisonner. II *zn: het* —, l'assaisonnement
m. ▼**kruidenier** épicier *m*. ▼—**sgeest** esprit
m mesquin. ▼—**spolitiek** politique *v* de
clocher. ▼—**svak** épicerie *v* = —**swaren,**
—**swinkel**. ▼—**zakje** sachet *m* aromatique.
▼**kruid**/erij condiment *m*, épice *v*. ▼—**ig**
épicé, aromatique. ▼—**je-roer-mij-niet**
sensitive *v*; *(fig.)* fagot *m* d'épines. ▼—**kaas**
fromage *m* aux épices. ▼—**koek** pain *m*
d'épices. ▼—**nagel** clou *m* de girofle.
▼—**nagelolie** huile *v* de girofle. ▼—**tuin**
jardin *m* botanique.
krui/en I *ov.w* 1 brouetter, transporter dans
une brouette; 2 *(fig.)* pistonner. II *on.w*
charier. ▼—**er** porteur; commissionnaire *m*.
▼—**ersloon** portage *m*. ▼—**ing** débâcle *v*.
kruik cruche; urne *v*; *warme* —, bouillotte *v*;
de — gaat zo lang te water tot ze breekt, tant
va la cruche à l'eau qu'à la fin elle se brise.
▼—**je** cruchon *m*.
kruim mie *v* de pain. ▼—**el** miette *v*.
▼—**eldiefstal** larcin *m*. ▼—**elen** I *ov.w*
émietter. II *on.w* s'émietter. III *zn: het* —,
l'émiettement *m*. ▼—**elig** farineux.
kruin sommet *m*; cime; tête *v*. ▼—**kapje,**
—**mutsje** calotte *v*. ▼—**schering** tonsure *v*.
kruip/**broek** barboteuse *v*. ▼—**en** ramper, se
traîner; *in zijn bed* —, se fourrer au lit. ▼—**end**
I *bn* rampant; *(fig.)* obséquieux; — *dier,*
reptile *m*. II *bn* obséquieusement. ▼—**er**
flagorneur. ▼—**erig** I *bn* rampant,
obséquieux, qui a l'échine souple.
II obséquieusement. ▼—**erigheid,** —**erij**
obséquiosité *v*. ▼—**pakje** barboteuse *v*.
▼—**ruimte** *(onder vloer)* vide *m* sanitaire.
▼—**spoor** voie *v* de droite (pour véhicules
lents).
kruis 1 croix *v*; 2 *(v. dier)* croupe *v*; 3 *(v.*
broek) fond; entre-jambes *m*; 4 *(v. raam)*
croisée *v*; 5 *(muz.)* dièse *m*; *van een* —
voorzien, diéser; *het Rode* —, la
Croix- Rouge; *het is een* —, c'est un fléau;
een — maken, faire le signe de la croix, se
signer. ▼—**afneming** descente *v* de la croix.
▼—**beeld** crucifix *m*. ▼—**berg** Calvaire *m*.
▼—**bes** groseille *v* à maquereau. ▼—**beuk**
transept *m*. ▼—**boog** arbalète *v*.
▼—**boogschutter** arbalétrier *m*. ▼—**dagen**
rogations *v mv*. ▼—**draging** portement *m* de
croix. ▼—**elings** en croix; *met de benen* —
zitten, avoir les jambes croisées. ▼—**en** I *ov.w*
1 croiser; 2 *(kruisigen)* crucifier;
3 *(versterven)* mortifier. II *on.w (mar.)*
croiser; —*d fietspad,* traversée *v* de piste
cyclable. III *zich* — se signer. ▼—**er** croiseur
m. ▼—**gang** cloître *m*. ▼—**gewelf** voûte *v*
d'arête. ▼—**gewijze** en croix. ▼—**heer**
croisier *m*. ▼—**igen** crucifier, mettre en croix.
▼—**iging** crucifixion *v*; crucifiement *m*.
▼—**ing** 1 croisement *m*. 2 *(v. wegen)*
carrefour *m*, intersection *v*; *(v. snelwegen)*
croix *v*. ▼—**lat** traverse *v*. ▼—**offer** sacrifice
m de la croix. ▼—**punt** 1 *(v. lijnen)* (point *m*
d') intersection *v*; 2 *(v. wegen)* carrefour *m*,
croisée *v*; embranchement *m*. ▼—**raam**
croisée *v*. ▼—**ridder** croisé *m*.
▼—**schroevedraaier** tournevis *m*
cruciforme. ▼—**snede** incision *v* cruciale.
▼—**snelheid** vitesse *v* de croisière. ▼—**steek**
point *m* de croix. ▼—**teken** signe *m* de la
croix; *het — maken,* se signer. ▼—**tocht**
1 croisade *v*; 2 *(mar.)* croisière *v*. ▼—**vaarder**
croisé *m*. ▼—**verhoor** contre-interrogatoire
m. ▼—**vuur** feu *m* croisé. ▼—**weg** 1 *(rk)*
chemin de (la) croix; 2 carrefour *m*.
▼—**woordraadsel** mots *m mv* croisés.
kruit poudre *v*; *al zijn — verschieten,* épuiser
ses ressources; *met los — schieten,* tirer à
blanc, - à poudre. ▼—**damp** fumée *v* de la

poudre. ▼—**lading** charge v.
kruiwagen brouette v; (fig.) piston m; —s hebben, être pistonné.
kruizemunt menthe v. ▼—**olie** huile v de menthe.
kruk 1 béquille; **2** (v. machine) manivelle v; **3** (v. deur) bouton m; **4** (bankje) tabouret, escabeau m; op —ken gaan, marcher avec des béquilles; **5** (fig.) bousilleur m. ▼—**as** arbre coudé, vilebrequin m. ▼—**asbak** carter m. ▼—**ken 1** marcher avec des béquilles; **2** (fig.) traîner la jambe; languir. ▼—**kig** languissant, valétudinaire. ▼—**stang** bielle v.
krul 1 boucle v; **2** (hout—) copeau m; (arch.) volute v; —len zetten, friser. ▼—**haar** cheveux m mv frisés (of bouclés). ▼—**lebol**, —**lekop 1** tête v frisée; **2** personne qui a les cheveux bouclés. ▼—**len I** ov.w boucler, friser. **II** on.w boucler, se friser. ▼—**lenjongen** apprenti m. ▼—**letter** lettre v d'ornement. ▼—**lig** frisé, bouclé. ▼—**speld** bigoudi m. ▼—**tabak** tabac m frisé. ▼—**tang** fer m à friser. ▼—**ziekte** frisolée v.
kubiek I bn cubique (de forme); (mètre) cube; —e centimeter, centimètre m cube. **II** zn: in het —, (à la) puissance trois. ▼—**getal** nombre m cube. ▼—**wortel** racine cubique. ▼**kub/isme** cubisme m. ▼—**ist**, —**istisch** cubiste. ▼**kubus** cube m.
kuch 1 (mil.) boule v de son; **2** toux v sèche. ▼—**en I** on.w tousser légèrement. **II** zn: het —, le toussottement. ▼—**er** tousseur m. ▼—**je** toux v légère.
kudde troupeau m. ▼—**dier** animal m grégaire; de mens is een —, l'homme est moutonnier (de nature). ▼—**geest** esprit m grégaire. ▼—**mens** mouton de m Panurge.
kuieren faire un tour; flâner, se balader.
kuif 1 houppe, huppe v; **2** (v. mens) toupet m. ▼—**leeuwerik** alouette v huppée.
kuiken poussin, poulet m.
kuil fosse v; trou, creux m; wie een — graaft voor een ander valt er zelf in, qui tend un piège pour un autre, s'y prend le premier. ▼—**en 1** enterrer; **2** (knikkeren) jouer à la fossette. ▼—**tje** fossette v.
kuip cuve v, baquet m; ik weet wat voor vlees ik in de — heb, je connais mon homme. ▼—**bad** bain m chaud. ▼—**en** faire des vases de bois; (fig.) cabaler, intriguer. ▼—**er** tonnelier m; (fig.) cabaleur, intrigant m. ▼—**erij 1** tonnellerie; **2** cabale, intrigue v. ▼—**stoel** siège m baquet.
kuis bn (& bw) chaste(ment), pudique(ment). ▼—**en** purifier; nettoyer; (fig.) châtier (le style). ▼—**heid** chasteté; pudicité v.
kuit 1 mollet m; **2** œufs m mv, frai m; ik wil er haring of — van hebben, je veux en avoir le cœur net; — schieten, frayer. ▼—**been** péroné m. ▼—**broek** culotte v. ▼—**vis** poisson m œuvé.
kul: flauwe —, bêtises, blagues v mv.
kummel cumin; (likeur) kummel m.
kund/e savoir m; instruction, science v. ▼—**ig** capable, instruit (de) ; versé (dans), habile (à). ▼—**igheid** savoir m, connaissances; aptitudes v mv, instruction v.
kunne sexe m.
kunnen I ov.w **1** pouvoir, être en état de; **2** (geleerd hebben) savoir; die kan het!, il (elle) sait y faire! ; zoals men wel denken kan, comme bien on pense ; ik kan zwemmen, je sais nager ; vandaag kan ik niet zwemmen, omdat..., aujourd'hui je ne peux pas nager, parce que... ; ik kan het u niet zeggen, je ne saurais vous le dire; men kan nooit weten, on ne sait jamais; kunt u nog zien, y voyez-vous encore? **II** on.w: dat kan niet, **1** cela ne se peut pas; **2** c'est impossible; het kan niet anders, il ne peut en être autrement; ik kan niet meer, je n'en peux plus; zo goed zij kan, de son mieux; dat kan er niet door, cela ne peut pas passer; we — er met vijven in, nous y tiendrons à cinq; dat kan nu niet, ce n'est pas le moment; ik kan er niet meer in (v. kleding), je n'entre plus dedans.

kunst 1 art m; **2** (bekwaamheid) savoir m, habilité v; **3** (—greep) tour, procédé, truc m; —en, caprices v mv; —en en wetenschappen, les sciences et les arts; de beeldende —en, les arts plastiques; dat is geen —, ce n'est pas malin; iem. zijn —en afleren, mettre qn au pas; —en verkopen, faire des manières; de — verstaan om, savoir (vivre); vrije —en, arts libéraux; zwarte —, magie v noire.
▼**kunst/aardewerk** produits m mv de la céramique. ▼—**aas** appâts m mv artificiels. ▼—**academie** académie v des beaux-arts. ▼—**ambacht** artisanat m d'art. ▼—**arm** bras m artificiel. ▼—**beschermer** mécène m. ▼—**bewerking** manipulation; opération v. ▼—**bezit** richesses v mv artistiques. ▼—**bloem** fleur v artificielle. ▼—**broeder** confrère m. ▼—**criticus** critique m d'art. ▼—**drukpapier** papier m couché. ▼—**enaar**, —**enares** artiste m & v. ▼—**enmaker** jongleur; acrobate, saltimbanque m. ▼—**gebit** dentier, râtelier m. ▼—**genot** plaisir m esthétique. ▼—**geschiedenis** histoire v de l'art. ▼—**gevoel** sentiment m de l'art, - . esthétique. ▼—**greep** tour de main, truc, artifice m. ▼—**handel** commerce; magasin m d'objets d'art; librairie v d'art. ▼—**handelaar** marchand m d'objets d'art.
kunstig I bn habile, ingénieux. **II** bw artificiellement, avec art. ▼—**heid** habileté v.
kunst/ijsbaan patinoire v artificielle. ▼—**licht** lumière v artificielle. ▼—**kenner** connaisseur. ▼—**kring** cercle m artistique. ▼—**kritiek** critique v d'art. ▼—**liefhebber** amateur m d'art. ▼—**lievend** amateur des arts. ▼—**maan** satellite m artificiel. ▼—**matig I** bn artificiel; factice. **II** bw artificiellement. ▼—**mest** engrais m mv chimiques. ▼—**moeder** couveuse v artificielle. ▼—**naaldwerk** travail m artistique à l'aiguille.
kunstnijverheid arts m mv décoratifs. ▼—**school** école v des arts et métiers.
kunst/produkt produit m d'art. ▼—**rijden** (op schaatsen) patinage m artistique. ▼—**rijder**, —**rijdster** écuyer m, écuyère v; patineur m -, patineuse v artistique. ▼—**rubber** caoutchouc m synthétique. ▼—**schilder**, —**schilderes** artiste peintre m; femme peintre v. ▼—**smeedwerk** ferronnerie v d'art. ▼—**stoffen** plastiques v mv. ▼—**stopperij** stoppage m (américain). ▼—**stuk** chef-d'œuvre; tour m de force. **kunstvaardig** bn (& bw) habile(ment). ▼—**heid** habileté v.
kunst/vezel fibrane, fibre v artificielle. ▼—**voorwerp** objet m d'art. ▼—**weg** route v d'art. ▼—**werk 1** œuvre m d'art; **2** (arch.) ouvrage m d'art. ▼—**zin** sens de l'art, sentiment m esthétique.
kuras cuirasse v. ▼—**sier** cuirassier m.
kur/en faire une cure. ▼—**haus** casino m.
kurk 1 (stof) liège v; **2** (ding) bouchon m; naar de — smaken, avoir un goût de bouchon. ▼—**achtig** liégeux, subéreux. ▼—**droog** très sec. ▼—**en I** bn de liège. **II** ov.w boucher. **III** zn: het —, le bouchage. ▼—**engeld** (droit de) bouchon m. ▼—**enzak** panier m amortisseur. ▼—**etrekker** tire-bouchon m. ▼—**isolatie**: met —, isolé au liège. ▼—**stof** subérine v.
kus baiser m. ▼—**hand**: iem. een — toewerpen, envoyer un baiser à qn. ▼—**je** baiser m; (fam.) bisou m, bise, bisette v. ▼—**sen I** ww embrasser, baiser, (pop.) biser; iem. op de wang —, embrasser qn sur la joue; iem. wakker —, réveiller qn d'un baiser; elkaar —, s'embrasser. **II** zn **1** coussin, **2** (hoofd—) oreiller m. ▼—**senovertrek**, —**sensloop** taie v.
kust 1 côte v; rivage m; aan de —, sur la côte; **2** choix; te — en te laup, à volonté; in abondance; steile, rotsachtige —, falaise v. ▼—**artillerie** artillerie v de côte. ▼—**bevolking** population v côtière. ▼—**handel** commerce m de cabotage. ▼—**land** littoral m. ▼—**licht** phare m.

▼—**meer** lagune v. ▼—**plaats** ville v côtière. ▼—**station** station v côtière. ▼—**streek** zie —**land.** ▼—**strook** cordon m littoral. ▼—**vaarder** côtier m. ▼—**vaart** navigation v côtière. ▼—**verdediging** défense v des côtes. ▼—**visser** pêcheur m côtier. ▼—**visserij** pêche v côtière. ▼—**wachter** garde-côte m.

kut con m.

kuur 1 cure v; traitement m; **2** (gril) fantasie v, caprice m; een — doen, faire une cure, suivre un traitement.

kwaad I bn **1** mauvais, méchant; mal; **2** fâcheux, difficile; **3** malin, dangereux; **4** fâché, irrité; zo goed en zo — als het gaat, tant bien que mal; hij heeft het daar niet —, il n'est pas mal là; een — geweten hebben, ne pas avoir la conscience nette; het te — krijgen, être gagné par l'émotion; het te — hebben met, être aux prises avec; je ziet er niet — uit, tu n'es pas mal; — worden (op), se fâcher (contre). **II** bw mal; hij meent het niet —, il n'y entend pas malice; hij heeft het niet — gemeend, il n'a pas pensé à mal. **III** zn mal m; — doen, faire du (le) mal; — in de zin hebben, penser à mal; dat kan geen —, il n'y a pas de mal à cela; iem. iets ten kwade duiden, en vouloir à qn de qc; waarin geen — steekt, sans malice. ▼**kwaad/aardig 1** malin; **2** méchant, malicieux; **3** haineux. ▼—**aardigheid** malignité, malice v. ▼—**denkend** méfiant, soupçonneux. ▼—**gezind** malintentionné. ▼—**heid 1** (slechtheid) méchanceté v; **2** mauvaise humeur, colère v. ▼—**schiks** goedschiks —, bon gré, mal gré. ▼—**spreken** médire (de). ▼—**sprekendheid** médisance v. ▼—**willig 1** malintentionné, malveillant; **2** indocile, rétif. ▼—**willigheid** malice; malveillance v.

kwaal mal m; maladie v chronique.

kwab(be) 1 lobe; **2** (huidplooi) faron m.

kwade malin esprit m.

kwadraat carré m; in het — brengen, élever au carré. ▼—**getal** nombre m carré. ▼—**worteltrekking** extraction v de racine carrée.

kwadr/ant quart m de cercle. ▼—**atuur** quadrature v. ▼—**ofonie** tétraphonie v. ▼—**ofonisch** tétraphonique.

kwajongen gamin, polisson, gosse m. ▼—**sachtig I** bn gamin, polisson. **II** bw en gamin. ▼—**streek** gaminerie v.

kwak 1 bruit sourd; **2** (klodder) pâté; **3** (fluim) crachat m. ▼—**en 1** (v. eend) caqueter; **2** (v. kikker) coasser. ▼—**er** quaker m, quakeresse v.

kwakkel/en 1 caqueter; **2** languir, être maladif; **3** faire doux (en hiver). ▼—**winter** hiver m doux.

kwakken I on. w **1** coasser; courcailler; **2** tomber lourdement. **II** ov. w flanquer.

kwakzalver charlatan m. ▼—**ij** charlatanerie v.

kwal 1 méduse; **2** (fig.) moule v.

kwalific/atie qualification v. ▼—**eren** qualifier.

kwalijk I bn mal; malade; — nemen, prendre en mauvaise part, en vouloir (à qn de qc); neem me niet — pardon; il ne faut pas m'en vouloir; permettez. **II** bw à peine. ▼—**riekend** malodorant.

kwaliteit qualité v.

kwansel/aar, —**aarster** troqueur m, troqueuse v. ▼—**en** troquer.

kwark fromage m blanc, - frais.

kwart 1 quart m; **2** (muz.) quarte v; — over zeven, sept heures et (of un) quart; — voor zeven, sept heures moins un (of le) quart. ▼**kwartaal** trimestre m. ▼—**huur** terme m. ▼—**staat** état m trimestriel. ▼**kwartdraai** quart m de conversion.

kwartel caille v; doof als een —, sourd comme un pot.

kwartet quatuor m; — voor strijkers, quatuor à cordes.

kwartier 1 quartier; **2** (verblijf) logement;

3 quart m (d'heure); zie ook **kwart;** — geven, faire quartier; (mil.) — maken, pourvoir aux logements; hij heeft geen goed —, il n'est pas bien logé. ▼—**arrest** consigne v; — hebben, être consigné. ▼—**maker** sergent-fourrier m. ▼—**meester 1** (mil.) officier m d'administration; **2** (mar.) quartier-maître m. ▼—**muts** bonnet de police, calot m.

kwartje pièce v de 25 cents des Pays-Bas.

kwartnoot noire v.

kwarto, —**formaat** in-quarto m; — papier, papier m ministre.

kwarts quartz m. ▼—**achtig** quartzeux. ▼—**glas** céramo-cristal m. ▼—**horloge** montre v à quartz. ▼—**houdend** quartzifère.

kwartslag quartz m (de tour).

kwartslamp lampe v de quartz.

kwast 1 snob; fat, pédant m; **2** (verf—) brosse v, pinceau m; **3** houppe v; gland m; **4** (in hout) nœud m; **5** citron m pressé, citron m nature. ▼—**erig** fat, snob. ▼—**je** pompom m; een — geven aan, mettre en couleur.

kwebbel péronnelle v, papoteur. ▼—**en** javotter, papoter.

kweek/reactor réacteur m surrégénérateur. ▼—**school** école v normale; (fig.) pépinière v. ▼**kwek/eling** élève-instituteur; (fig.) élève m. ▼—**en** cultiver, élever. ▼—**er 1** (v. dieren) éleveur; **2** (v. planten) cultivateur m. ▼—**erij** pépinière v. ▼—**ing** culture v.

kwel source v.

kwelder atterrissement m non endigué.

kwel/duivel, —**geest** diablotin; taquin m. ▼—**len I** ov. w tourmenter, tracasser, agacer. **II** zich — se tourmenter. ▼—**lend** qui tourmente, douloureux. ▼—**ler** tourmenteur; taquin m. ▼—**ling** tourment m, peine v; een — zijn voor, supplicier. ▼—**water** eau v d'infiltration.

kwestie 1 question v; **2** (geschil) querelle v, différend m; — hebben met, avoir un différend avec; het is een — van 10 minuten, c'est l'affaire de dix minutes; het is een — van tijd, c'est une affaire de temps; geen — van, point d'affaire! je n'y pense pas; het is de — of, la question est de savoir si; de man in —, l'homme en question.

kwets/baar vulnérable; (fig.) susceptible, délicat. ▼—**baarheid** vulnérabilité v; (fig.) susceptibilité v. ▼—**en I** ov. w blesser, léser; meurtrir; (fig.) blesser; offenser. **II zich** — se blesser. ▼—**uur** blessure, plaie v.

kwetteren gazouiller.

kwezel 1 faux dévot m, fausse dévote v. ▼—**achtig I** bn dévot, bigot. **II** bw d'une façon bigote. ▼—**arij** fausse dévotion.

kwibus fat, quidam; rare —, drôle de type m.

kwiek vif, éveillé, alerte.

kwijl bave v. ▼—**en** baver.

kwijn/en languir, dépérir. ▼—**ing** langueur v, état m languissant.

kwijt perdu; hij is de koorts —, la fièvre l'a quitté; hoe raak ik hem —?, comment me débarrasser de lui? ▼—**en; zich — van,** s'acquitter de. ▼—**ing** acquittement m. ▼—**raken** se débarrasser de; se défaire de; perdre. ▼—**schelden** remettre (qc à qn), relever (qn de qc); lever (une punition). ▼—**schelding** remise v, pardon m, rémission v (de péchés).

kwik mercure, vif-argent m. ▼—**barometer** baromètre m à mercure. ▼—**buis** tube m à mercure. ▼—**damp** vapeurs v mv mercurielles. ▼—**kuur** traitement m mercuriel. ▼—**lamp** lampe v à vapeur de mercure. ▼—**staart** hochequeue v. ▼—**thermometer** thermomètre m à mercure. ▼—**zilver** mercure m.

kwink/eleren gazouiller. ▼—**slag** bon mot m, saillie, pointe v.

kwint (muz.) quinte v. ▼**kwintessens** quintessence v. ▼—**et** quintette v. ▼—**snaar** chanterelle v, mi m (du violon).

kwispedoor crachoir m.

kwispel/en asperger; agiter la queue.
▼—**staarten** remuer la queue.
kwistig I *bn* prodigue (de — *met*). **II** *bw*
prodigalement. ▼—**heid** prodigalité *v.*
kwitantie quittance *v*; — *geven*, donner
quittance (de). ▼—**loper** encaisseur *m.*
▼**kwiteren** acquitter; signer pour acquit;
ontvangen… waarvoor wij dankend —, reçu
la somme de… dont quittance.
kynologenclub club *m* canin.

L l *m.*
la 1 (*muz.*) la *m*; **2** (*lade*) tiroir *m.*
laad/bak benne *v* (basculante); conteneur *m.*
▼—**brug** portique *m* à grue mobile. ▼—**kist**
conteneur *m.* ▼—**plaats** embarcadère *m.*
▼—**ruim** cale *v* de chargement. ▼—**ruimte**
capacité *v.* ▼—**steiger** embarcadère *m.*
▼—**vermogen** capacité *v* de charge.
laag I *bn* **1** bas, peu élevé; **2** humble;
3 (*gemeen*) bas, ignoble; *tegen lage prijs*, à
bas prix. **II** *bw* bas, bassement;
—-*bij-de-gronds*, terre à terre; *zich —*
gedragen, se conduire bassement. **III** *zn*
1 couche *v*; lit *m*; (*v. stenen*) assise *v*;
2 (*hinder—*) embuscade *v*; piège *m*; *de*
onderste lagen der maatschappij, les
bas-fonds *m mv* de la société; *iem. de volle —*
geven, lâcher une bordée contre qn; *iem.*
lagen leggen dresser des embûches à qn.
▼—**gezonken** dégradé. ▼—**hartig** *bn* (&
bw) bas(sement), infâme (d'une façon
infâme). ▼—**hartigheid** bassesse, infâmie *v.*
▼—**heid 1** modicité *v*; **2** *zie* —**hartigheid**.
▼—**land** plaine *v.* ▼—**spannings…** de basse
tension. ▼—**te** terrain *m* bas; vallée *v*; — *van*
de prijs, modicité *v* du prix; *in de —*, en bas.
▼—**veen** marais *m* tourbeux. ▼—**vlakte**
plaine *v.*
laakbaar blâmable; répréhensible.
laan allée, avenue *v*; *de — uitgaan*, être
congédié; *de — uitsturen*, congédier.
laar/s 1 botte; **2** (*schoen*) bottine *v*; *zijn*
laarzen aantrekken, se botter. ▼—**zeknecht**
arrache-botte *m.* ▼—**zenmaker** bottier *m.*
laat I *bn* tard; *het late uur*, l'heure avancée, -
tardive; — *worden*, se faire tard. **II** *bw* tard;
tardivement; — *in de nacht*, bien avant (*of*
tard) dans la nuit; *hoe — is het?*, quelle heure
est-il?; *hoe — heb je het?* quelle heure
avez-vous?; *om hoe — ?*, à quelle heure?; *te*
— *zijn* (*komen*), être en retard; *een uur te —*,
trop tard d'une heure; *een uur te —*
aankomen, être en retard d'une heure, avoir
une heure de retard; *ik weet al hoe — het is*,
je sais à quoi m'en tenir.
laatdunkend I *bn* arrogant, plein de morgue.
II *bw* arrogamment. ▼—**heid** arrogance,
morgue *v.*
laatkomer tard-venu(e), retardataire *m*(*v*).
laatst I *bn* dernier, suprême; *ten —e*, à la fin,
en dernier lieu; *ten langen —e*, à la fin des
fins; *op een na de —e*, pénultième. **II** *bw*
dernièrement, l'autre jour; *zij kwam het —*,
elle était la dernière à venir. ▼—**genoemd**
I *bn* dernier nommé. **II** *zn*: —*e*, celui-ci,
celle-ci. ▼—**leden** dernier, passé.
label étiquette *v*; label *m* (de garantie).
labiaal (voyelle *of* consonne) labiale *v.*
labiel instable; *in — evenwicht zijn*, se tenir
en équilibre instable. ▼**labiliteit** instabilité *v.*
labora/nt(e) laborantin(e) *m* (*v*). ▼—**torium**
laboratoire *m.* ▼—**toriumjas** blouse *v.*
laboreren: *aan iets —*, souffrir de qc.
Labourpartij partie *v* travailliste.
labyrint labyrinthe, dédale *m.*
lach rire *m*; —*je*, sourire *m*; *in een — schieten*,
éclater de rire. ▼—**bui** accès *m* de rire;
onbedaarlijke —, fou rire *m*; *een — krijgen*,

être pris d'un accès de rire. ▼—**ebek** rieur *m*, rieuse *v*. ▼—**en** I *on.w* rire ; rigoler ; *er is niets te* —, il n'y a pas de quoi rigoler ; — *om*, rire de ; *lach eens lief tegen*, faites donc risette à ; *stilletjes voor zich heen* —, rire tout seul. **II zich ziek** — se tordre de rire ; *zich tranen* —, rire aux larmes ; *het is om je dood te* —, c'est à se tordre ; *in* — *uitbarsten*, éclater - *of* pouffer de rire ; *wie het laatst lacht, lacht het best*, rira bien qui rira le dernier. ▼—**er** rieur *m*. ▼—**gas** gaz *m* hilarant. ▼—**lust** envie de rire, hilarité *v* ; *iem.'s* — *opwekken*, donner à rire à qn. ▼—**spiegel** miroir *m* déformant. ▼—**succes** succès *m* de fou rire. ▼—**wekkend** *bn* (& *bw*) risible (ment).
laconiek *bn* (& *bw*) laconique (ment).
lacune lacune *v*.
ladder 1 échelle ; 2 (*v. wagen*) ridelle ; 3 (*in kous*) échelle, maille *v* qui a filé. ▼—*en* se démailler, filer. ▼—**sport** échelon *m*. ▼—**vrij** indémaillable. ▼—**wagen** grande échelle *v* automobile.
lade 1 (*v. kast*) tiroir ; 2 (*v. geweer*) fût *m*.
laden charger. ▼—**lading** 1 charge *v* ; chargement *m* ; 2 (*mil. en elektr.*) charge *v*. ▼—**sbrief** charte-partie *v* ; connaissement *m*. ▼—**splaats** embarcadère *m*.
lady lady ; (*fig.*) dame, femme du monde.
Laetare le dimanche de Laetare.
laf I *bn* (*smakeloos*) fade, insipide ; 2 (*fig.*) inepte, bête ; 3 (*v. weer*) mou ; 4 lâche, poltron = —**aard**. II *bw* lâchement.
lafenis rafraîchissement ; soulagement *m*.
lafhartig I *bn* lâche, poltron. II *bw* lâchement. ▼—**heid** lâcheté, poltronnerie *v*. ▼**lafheid** 1 (*v. smaak*) insipidité ; 2 (*praatje*) bêtise, ineptie *v* ; 3 *zie* **lafhartigheid**.
lagedruk *bn* de basse pression.
lager I *bn* plus bas ; —*e akte*, brevet *m* élémentaire ; — *onderwijs*, enseignement *m* du premier degré ; —*e rang*, rang *m* inférieur. II *bw* plus bas ; — *draaien*, baisser ; — *plaatsen dan*, mettre au-dessous de. III *zn* (*tech.*) coussinet *m*.
lagerbier bière *v* de garde.
lager/eind bas bout *m*. ▼—**L—huis** Chambre *v* des communes. ▼—**wal** côté *m* sous le vent ; *aan* — *geraken*, s'affaler ; *aan* — *zijn*, être à la côte ; être ruiné.
lagune lagune *v*.
lak 1 laque *v*, vernis *m* ; 2 cire *v* à cacheter ; 3 blagues *v mv* ; *ik heb er* — *aan*, je m'en fiche. ▼—**achtig** laqueux.
lakei laquais, valet *m* de pied.
laken I *ov.w* blâmer, critiquer. II *zn* 1 (*stof*) drap ; 2 drap *m* (de lit) ; *schone* —*s*, changer les draps d'un lit ; *de* —*s uitdelen*, avoir la haute main (dans …) ; *van hetzelfde* — *een pak geven*, payer de la même monnaie. ▼—**fabrikant** fabricant de drap, drapier *m*. ▼—**hal** halle *v* aux drap(ier)s. ▼—**handel** commerce *m* du drap. ▼—**handelaar** drapier *m*. ▼—**industrie** industrie *v* drapière. ▼—*s bn* de drap, en drap. ▼—**wever** drapier, tisserand *m* de drap. ▼—**weverij** draperie *v*. ▼—**zak** drap-sac *m*, sac *m* à viande.
lakken I *ov.w* 1 laquer, vernir ; 2 cacheter (une lettre). II *zn* : *het* —, le vernissage ; 2 le cachetage.
lakmoes tournesol *m*.
laks indolent, mou ; apatique.
lakschoen soulier *m* vernis, escarpin *m*.
laksheid indolence ; apathie *v*.
lak/stempel cachet *m* à cire. ▼—**verf** peinture *v* laquée. ▼—**vernis** laque *v*. ▼—**werk** laques *v mv*. ▼—**zegel** cachet *m* de cire.
lam I *bn* 1 (*stijf*) perclus, paralytique ; 2 lâche, dérangé ; 3 (*vervelend*) embêtant ; — *leggen*, paralyser ; *deze veer is* —, ce ressort ne joue plus. II *zn* agneau *m* ; *het* — *Gods*, l'Agneau de Dieu.
lama lama *m*.
lambrizer/en lambrisser. ▼—**ing** lambris *m*.
lamenteren se lamenter (de).

lam/heid paralysie *v* ; (*fig.*) manque *m* d'énergie. ▼—**lendig** I *bn* veule ; (*naar*) embêtant. II *bw* sans énergie. ▼—**lendigheid** veulerie *v*. ▼—**me** paralytique *m & v*. ▼—**meling** misérable ; lâche *m* ; —*!*, moule ! chameau !
lammetjespap bouillie *v* (de lait et de farine).
lamoen limonière *v*. ▼—**paard** limonier *m*.
lamp lampe ; (*gloei-*) ampoule *v* ; *staande* —, lampadaire *m* ; *tegen de* — *lopen*, être attrapé. ▼—**ekap** abat-jour *m*. ▼—**enist** lampiste *m*. ▼—**epit** mèche *v*.
lampet/kan pot *m* à eau. ▼—**kom** cuvette *v*.
lamp/houder douille *v*. ▼—**ion** lanterne *v* vénitienne. ▼—**licht** lumière *v* artificielle, - de la lampe. ▼—**zwart** noir *m* de fumée.
lamsbout gigot *m* d'agneau.
lam/straal *zie* —**meling**.
lams/vlees agneau *m*. ▼—**wol** agneline *v*.
lanceer/basis base *v* de lancement. ▼—**buis** tube *m* lance-torpilles. ▼—**inrichting** rampe *v* de lancement, table de l. ▼—**terrein** aire *v* de l. ▼**lanceren** lancer.
lancet lancette *v*. ▼—**vormig** lancéolé.
land 1 terre *v* ; sol *m* ; 2 terrain, champ *m* ; 3 campagne *m* ; 4 pays *m* ; patrie *v* ; *het Heilig L—*, la Terre-Sainte ; *niet-gebonden* —*en*, pays non-alignés ; *het platte* —, la campagne ; *het vaste* —, la terre ferme ; le continent ; *het* — *hebben*, s'ennuyer ; avoir le cafard ; *het* — *hebben (krijgen) aan*, avoir (prendre) en grippe ; *aan* — *komen*, mettre pied à terre, aborder ; *op het* —, à la campagne ; *over* —, par la voie de terre ; *te* — *en ter zee*, par terre et par mer ; *sur terre* et *sur mer*.
▼**land/aanslibbing** atterrissement *m*. ▼—**aanwinning** endiguement *m* et assèchement *m*. ▼—**aard** naturel, caractère *m* national. ▼—**arbeid** travaux *m mv* des champs. ▼—**arbeider** ouvrier *m* agricole.
landauer landau *m*.
landbouw agriculture *v*. ▼—**bank** banque *v* agricole. ▼—**bevolking** population *v* rurale. ▼—**bedrijf** exploitation *v* agricole. ▼—**consulent** conseiller *m* agricole. ▼—**en** cultiver la terre. ▼—**end** agricole. ▼—*er* agriculteur, cultivateur. ▼—**hogeschool** école *v* des hautes études agronomiques. ▼—**hulpkas** caisse *v* rurale. ▼—**kredietbank** banque *v* de crédit agricole. ▼—**kunde** agronomie *v*. ▼—**kundig** agronomique. ▼—**kundige** agronome *m*. ▼—**markt** marché *m* agricole. ▼—**onderwijs** enseignement *m* agricole. ▼—**produkt** produit *m* agricole. ▼—**proefstation** station *v* agronomique. ▼—**schap** agriculture *v*. ▼—**scheikunde** chimie *v* agricole. ▼—**school** école *v* d'agriculture. ▼—**tentoonstelling** exposition *v* agricole. ▼—**verlof** congé *m* pour travaux agricoles. ▼—**werktuigen** instruments *m mv* aratoires.
land/dag diète *v*. ▼—**dier** animal *m* terrestre. ▼—**drost** grand bailli *m*. ▼—**edelman** gentilhomme campagnard. ▼—**eigenaar** propriétaire foncier. ▼—**eigendom** propriété *v* foncière. ▼—**elijk** 1 champêtre, rural ; rustique ; 2 national. ▼—**en** I *on.w* atterrir. II *ov.w* débarquer. ▼—**engte** isthme *m*. ▼—**enklassement** classement *m* par nation. ▼—**enwedstrijd** match international ; concours *m* interpays.
landerig ennuyé, maussade. ▼—**heid** ennui *m*, mauvaise humeur *v*.
land/erij champ *m*, terre *v*. ▼—**genoot** compatriote *m & v*. ▼—**goed** terre *v*, domaine *m*. ▼—**heer** seigneur *m*. ▼—**honger** besoin *m* d'expansion. ▼—**hoofd** jetée *v*.
landhuis maison *v* de campagne, villa *v*. ▼—**je** chalet, cottage *m*. ▼—**houdkunde** économie *v* rurale. ▼—**houdkundig** d'économie rurale. ▼—**houdkundige** spécialiste *m* en é. r.
landing atterrissage ; *harde* —, *zachte* —, atterrissage *m* brusque, - en douceur ; débarquement *m* ; descente *v* (de l'ennemi). ▼—**sbaan** piste *v* d'atterrissage. ▼—**sdivisie** division *v* de débarquement. ▼—**sgestel** train

m d'atterrissage. ▼—**smat** aire *v* d'atterrissage métallique. ▼—**splaats** 1 (point d') atterrissage, lieu *m* de débarquement ; 2 gare *v* d'eau. ▼—**ssteiger** débarcadère *m*. ▼—**sterrein** terrain *m* -, aire *v* d'atterrissage. ▼—**stroepen** troupes *v mv* de débarquement. ▼—**svaartuig** bateau *m* de débarquement, péniche *v*.

land/kaart carte *v* (géographique). ▼—**klimaat** climat *m* continental. ▼—**leger** armée *v* de terre. ▼—**leven** vie *v* à la campagne, vie champêtre. ▼—**loper** vagabond *m*. ▼—**loperij** vagabondage *m*. ▼—**macht** forces *v mv* de terre. ▼—**man** campagnard, paysan *m*. ▼—**meetkunde** géodésie *v*. ▼—**meter** arpenteur *m*. ▼—**mijn** mine *v* terrestre. ▼—**rot**, —rat rat de terre ; (*fig.*) terrien *m*. ▼—**sbestuur** gouvernement *m*. ▼—**schap** paysage *m* ; province *v*. ▼—**schapschilder** paysagiste *m*. ▼—**sdrukkerij** imprimerie *v* nationale. ▼—**sman** compatriote *m* ; (*fam.*) pays *m* ; *wat voor een — is hij?*, de quel pays est-il ? ▼—**streek** contrée, région *v*. ▼—**sverdediging** défense *v* nationale. ▼—**svrouw** souveraine *v*. ▼—**tong** langue *v* de terre. ▼—**verhuizer** émigrant, immigrant *m*. ▼—**verhuizing** émigration *v*. ▼—**verraad** haute trahison *v*. ▼—**verrader** traître *m* (à la patrie). ▼—**vruchten** fruits *m mv* de la terre. ▼—**waarts** vers la terre, - la côte ; — *in*, vers -, dans l'intérieur. ▼—**wacht** milice *v*. ▼—**wachter** milicien. ▼—**weg** 1 chemin *m* vicinal ; 2 voie *v* de terre. ▼—**werk** travaux *m mv* agricoles. ▼—**wijn** vin *m* de pays, - du cru. ▼—**wind** vent *m* de terre. ▼—**winning** *zie* —**aanwinning**.

lang I *bn* 1 long ; 2 (*v. gestalte*) grand, de haute taille ; *een — gezicht zetten*, avoir la mine allongée ; *een —*, en robe du soir ; *met —e tanden eten*, manger du bout des dents ; *10 meter —*, long de dix mètres ; *zo als hij was*, tout de son long ; *een —e tong hebben*, médire. II *bw* 1 longtemps ; 2 (*breedvoerig*) longuement ; 3 pendant ; durant ; *jaren —*, durant des années ; — *aanhouden*, (se) prolonger ; — *over doen*, mettre longtemps pour le faire ; *wat duurt dat —!*, que c'est long ! ; *hij is — weggebleven*, il a été long à rentrer ; — *daarna*, longtemps après ; *niet — daarna*, peu après ; *sedert —*, *reeds —*, depuis longtemps ; *hoe —* (*blijft hij*)?, combien de temps (restera-t-il) ? ; *hoe — is het geleden*, combien de temps y a-t-il de cela ; *zo — als*, aussi longtemps que ; *tant que* ; *hoe —er hoe meer*, de plus en plus. ▼**lang/armig** à longs bras. ▼—**benig** haut sur jambes. ▼—**dradig** I *bn* prolixe. II *bw* avec beaucoup de longueurs. ▼—**dradigheid** prolixité, longueur *v*. ▼—**durig** de longue durée ; durable. ▼—**durigheid** longue durée *v*. ▼—**e-afstands**... à grand rayon d'action.

langer I *bn* plus long ; — *maken*, allonger, prolonger, rallonger ; — *worden*, 1 s'allonger, se rallonger ; 2 grandir ; (*een meter*) — *zijn dan*, dépasser (d'un mètre). II *bw* plus longtemps ; *verveel me niet —*, ne m'embêtez pas davantage.

lang/harig qui a les cheveux longs, chevelu ; à poil long. ▼—**lopend** à long terme. ▼—**polig** — *tapijt*, tapis *m* à longues mèches.

langs le long de, en bordure de ; — *gaan*, longer, côtoyer ; suivre ; — *komen bij iem.*, passer voir qn ; — *elkaar heen praten*, argumenter sur des plans différents ; — *welke weg*, par quel chemin ? ; *er van — krijgen*, recevoir une bonne raclée ; *wat zal ik er van — krijgen*, qu'est-ce que je vais prendre ? ▼—**doorsnede** coupe *v* longitudinale. ▼—**gaan** passer devant, longer.

lang/slaper, —**slaapster** dormeur *m*, dormeuse *v*. ▼—**speelplaat** disque microsillon *m*. ▼—**st** I *bn* le plus long. II *bw* : *het —*, le plus longtemps. ▼—**stlevend** survivant. ▼—**svaren** côtoyer. ▼—**uit** tout de

son long ; — *vallen*, s'étaler tout de son long. ▼—**vezelig** à fibres longues. ▼—**werpig** oblong ; — *rond*, oval.

langzaam I *bn* lent. II *bw* lentement ; peu à peu ; *langzamer rijden*, ralentir sa marche ; *langzamer gaan*, se ralentir. ▼—**-aan-staking** grève *v* au ralenti. ▼—**-aan-taktiek** tactique *v* du travail au ralenti. ▼—**heid** lenteur ; paresse *v*. ▼**langzamerhand** peu à peu, insensiblement.

lanspunt fer *m* de lance.

lantaarn 1 lanterne *v* ; 2 (*straat—*) réverbère *m* ; 3 (*scheeps—*) fanal *m* ; 4 (*dieven—*) lanterne *v* sourde. ▼—**opsteker** allumeur *m* de réverbères. ▼—**paal** (poteau de) réverbère *m*. ▼—**plaatje** diapositive *v*.

lanterfant/(er) badaud *m*. ▼—**en** fainéanter.

Laotiaans, Laotisch laotien.

lap 1 pièce *v* ; coupon *v* ; 2 (*vod*) chiffon, lambeau *m* ; 3 tissu, linge, torchon *m*. ▼—**je** petit lambeau, petit coupon *m* ; — *vlees*, tranche *v* de viande ; *iem. voor het — houden*, mettre qn dedans ; — *grond*, lopin de terre.

Lapland la Laponie. ▼—**er** Lapon *m*. ▼—**s** lapon, *een —e*, une Laponne.

lap/middel palliatif, expédient *m*. ▼—**pen** I *ov.w* 1 raccommoder, rapiécer ; 2 nettoyer (les vitres) ; 3 (*sp.*) gratter (un concurrent) ; *hoe zullen we dat —*, comment nous y prendre ; *wie heeft hem dat gelapt?*, qui lui a joué ce tour ? ; *dat — ze me niet meer*, on ne m'y prendra plus. II *zn* : *het —*, 1 le raccommodage ; 2 le nettoyage. ▼—**pendeken** couverture v d'arlequin. ▼—**penmand** chiffonnier ; *in de — zijn*, être souffrant. ▼—**penmarkt** marché *m* de friperie.

lapsus lapsus *m* ; erreur *v*.

lapwerk rafistolage, bousillage *m*.

larder/en (entre)larder. ▼—**ing** lardage *m*.

larie balivernes *v mv* ; *allemaal —!*, chansons que tout cela !

larve larve *v*.

las joint *m*. ▼—**baar** soudable. ▼—**brander** chalumeau autogène.

laser laser *m*.

lash-schip porte-barges *m*.

lasplaat éclisse *v*. ▼**lassen** souder ; joindre, assembler. ▼**lassing** soudure *v*.

lasso lasso *m*.

last 1 charge *v* ; 2 fardeau *m* ; 3 charge *v*, impôt *m* ; *sociale —en*, charges sociales ; 4 ordre *m*, instruction *v* ; 5 (*hinder*) embarras *m*, gêne *v* ; — *bezorgen*, causer de l'embarras ; — *hebben van*, être incommodé par ; *ik heb geen — van hem*, il ne me gêne pas ; — *hebben van tandpijn*, souffrir d'un mal de dents ; *ten —e brengen van*, mettre à la charge de ; *ten —e komen van*, incomber à ; *op zware —en zitten*, avoir de lourdes charges ; *iem. iets ten —e leggen*, imputer qc à qn ; *iem. tot — zijn*, être à charge à qn. ▼—**brief** mandat *m*. ▼—**dier** bête *v* de somme.

laster calomnie, diffamation *v*. ▼—**aar**, —**aarster** calomniateur *m*, calomniatrice *v*. ▼—**en** calomnier, diffamer ; (*godsd.*) blasphémer. ▼—**ing** calomnie *v* ; (*godsd.*) blasphème *v*. ▼—**lijk** I *bn* calomnieux, diffamatoire. II *bw* calomnieusement.

last/geld droit *m* de tonnage. ▼—**gever** commettant *m* ; (*hand.*) command *m*. ▼—**geving** commission, délégation *v* ; *op —*, par délégation. ▼—**hebber** mandataire *m*.

lastig I *bn* 1 difficile ; pénible ; 2 (*hinderlijk*) ennuyeux ; embarrassant ; 3 (*v. kinderen*) turbulent, récalcitrant ; *het iem. — maken*, *iem. — vallen*, déranger -, importuner qn. II *bw* avec difficulté. ▼—**heid** difficulté ; gêne ; importunité *v* ; caractère *m* difficile.

lat latte ; lame *v*.

latafel commode *v*.

laten I *ov.w* 1 laisser ; 2 (*doen*) faire ; 3 (*na—*) s'abstenir de ; 4 lâcher (un vent) ; pousser (un soupir) ; verser (des larmes) ; 5 (*alleen —*) laisser ; *wil je dat eens —!*, as-tu fini

(bientôt) ! ; *hij kan het niet — om*..., il ne peut s'empêcher de...; *het daarbij niet —*, ne pas s'en tenir là ; *we zullen het hierbij —*, nous en resterons là. **II** *on.w* laisser ; *laat maar !*, laissez ! je vous en prie ; *(fam.)* laisse tomber.
latent latent; *—e kennis*, connaissance *v* passive.
later *bn* (& *bw*) ultérieur(ement) ; plus tard ; *enige tijd —*, après quelque temps ; *— op de dag*, plus avant dans la journée.
lathyrus gesse *v* ; pois *m* de senteur.
Latijn latin *m*. ▼—**s** latin. ▼**latin/iseren** latiniser. ▼—**isme** latinisme *m*. ▼—**ist** latiniste *m*.
latrine latrines *v mv*.
lattenrooster caillebotis ; treillis *m*. ▼**latwerk 1** (*arch.*) lattis ; **2** treillage *m*.
laurier laurier *m*.
lauw l *bn* tiède; (*fig.*) indifférent ; *— worden*, s'attiédir. **II** *bw* tièdement ; (*fig.*) indifféremment.
lauwer laurier *m* ; *—en oogsten* (*plukken*) cueillir des lauriers ; *op zijn —en rusten*, **1** (*te vroeg*) s'endormir sur les lauriers ; **2** (*na succes*) se reposer sur les lauriers. ▼—**en** couronner de lauriers. ▼—**krans** couronne *v* de lauriers.
lauw/heid, —**te** tiédeur ; indifférence *v*.
lava lave *v*. ▼—**stroom** coulée *v* de lave.
lavement lavement *m*. ▼—**spuit** clysopompe *v*.
laven *ov. w* rafraîchir ; soulager, ranimer.
lavendel lavande *v*. ▼—**water** eau *v* de lavande.
laveren 1 louvoyer ; *dronken over straat —*, zigzaguer; **2** (*fig.*) biaiser, louvoyer.
lawaai tapage, vacarme, bruit *m* ; *— maken*, faire du tapage. ▼—**erig l** *bn* tumultueux, tapageur. **II** *bw* tapageusement. ▼—**maker** tapageur *m*. ▼—**saus** sauce *v* claire.
lawine avalanche *v*.
lawn-tennis tennis *m*.
lax/ans, —**eermiddel** laxatif *m*. ▼—**eren** purger.
lay-out mise *v* en pages. ▼—**man** metteur *m* en pages.
lazar/et lazaret *m*. ▼—**ist** lazariste *m*.
lazuur l *zn* lapis-lazuli *m*. **II** *bn* azuré.
leasing leasing *m*, crédit *m* bail.
lebberen siroter.
lector maître *m* de conférences. ▼—**aat** maîtrise *v* de conférences.
lectuur lecture *v* ; des livres, des journaux *m mv*. ▼—**bak** porte-magazines *m*.
ledematen membres *m mv* ; *kunstmatige —*, appareils *m mv* de prothèse.
leder cuir *m*, peau *v*. ▼—**achtig** coriace ; (*plk.*) coriacé. ▼—**doek** moleskine *v*. ▼—**en en -**, de cuir. ▼—**huid** derme *m*. ▼—**waren**, —**werk** articles *m mv* en cuir ; (*articles m mv* de) maroquinerie *v* ; (*mil.*) buffleterie *v*.
ledig 1 vide, vidé ; **2** vacant, libre, non occupé, oisif ; *—e plek*, vide *m* ; lacune *v* ; *—e tijd*, loisirs *m mv*, heures *v mv* perdues. ▼—**en** vider. ▼—**heid 1** vide *m* ; **2** (*niets doen*) désœuvrement *m*, oisiveté *v* ; *— is des duivels oorkussen*, l'oisiveté est la mère de tous les vices. ▼—**ing** vidage, épuisement *m*.
ledikant bois *m* de lit, lit *m*.
leed l *zn* **1** douleur *v*, chagrin ; mal *m* ; peine *v* ; **2** malheur *m* ; **3** regrets *m mv* ; *het doet mij —*, je suis désolé ; *in lief en —*, dans la bonne et dans la mauvaise fortune. **II** *bn* fâcheux ; *met lede ogen aanzien*, voir d'une mauvais œil. ▼—**vermaak 1** joie *v* maligne ; **2** délectation *v* cruelle. ▼—**wezen** regret *m* ; *zijn — betuigen*, exprimer ses regrets (à qn).
leef/baar vivable. ▼—**kuil** fosse *v* de conversation. ▼—**milieu** environnement *m* physique. ▼—**regel** régime *m*, diète *v*. ▼—**ruimte** espace *m* à vivre. ▼—**tijd** âge *m* ; *iem. op —*, une personne d'âge ; *ik heb de —*, l'âge est là ; *de — hebben om*, être en âge de. ▼—**tijdsgrens** limite *v* d'âge. ▼—**tijdsgroep** groupe *m* d'âge. ▼—**tijdsopbouw** répartition *v* par âge. ▼—**tocht** provisions *v*

mv.
leeg *zie* **ledig**. ▼—**drinken**, —**eten** vider (son verre, un plat). ▼—**gieten** verser, vider. ▼—**hoofd** tête *v* vide. ▼—**lopen 1** fainéanter, flâner ; **2** se vider ; (*v. luchtband*) se dégonfler ; **3** (*v. machine*) marcher à vide. ▼—**pompen** vider, épuiser. ▼—**staan** être vide, - inoccupé ; (*v. gebouw buiten werktijd*) vaquer. ▼—**te** vide *m*, lacune *v* ; *een — achterlaten*, laisser un vide.
leek laïque, profane *m*.
leem limon *m*, terre glaise *v*.
leemte lacune, omission *v*, défaut *m*.
leen 1 bien *m* féodal ; **2** *te —*, à titre de prêt ; *ter — geven*, prêter (à) ; *ter — krijgen*, emprunter (à) ; *te — vragen*, demander à prêter. ▼—**bank** caisse *v* de crédit. ▼—**-en-pachtwet** loi *v* du prêt-bail. ▼—**heer** seigneur féodal, suzerain *m*. ▼—**man** vassal *m*. ▼—**stelsel** régime *m* féodal.
leep l *bn* **1** (*v. ogen*) chassieux ; **2** (*slim*) subtil, malin. **II** *bw* subtilement. ▼—**heid 1** chassie *v* ; **2** finesse *v*.
leer 1 *zie* **leder** ; **2** leçon, instruction ; **3** théorie ; doctrine *v* ; **4** dogme ; **5** apprentissage ; **6** (*ladder*) échelle *v* ; *in de — doen* (*zijn*), mettre (être) en apprentissage ; *laat u dat tot een — zijn*, que cela vous serve de leçon. ▼—**boek** manuel, traité ; livre *m* d'étude. ▼—**dicht** poème *m* didactique. ▼—**doel** objectif *m* didactique. ▼—**gang** cours *m*, méthode *v*. ▼—**geld** apprentissage *m* ; *ik heb — betaald*, je suis payé pour le savoir. ▼—**gierig** studieux. ▼—**gierigheid** envie d'apprendre, application *v*. ▼—**jaar 1** année scolaire ; **2** année *v* d'apprentissage. ▼—**jongen** apprenti *m*. ▼—**ling(e) 1** écolier (-ière), élève ; **2** apprenti (e).
leer/looien tannage *m*. ▼—**looier** tanneur *m*.
leer/meester maître, professeur. ▼—**meesteres** maîtresse *v*, professeur femme *m*. ▼—**middelen** matériel *m* scolaire. ▼—**plan** programme *m* des études. ▼—**plicht** scolarité *v* obligatoire ; *de — verlengen*, prolonger la scolarité. ▼—**plichtig** en âge de scolarité. ▼—**plichtwet** loi *v* sur l'enseignement obligatoire. ▼—**rijk l** *bn* instructif. **II** *bw* instructivement. ▼—**school** école *v*. ▼—**stellig** dogmatique, doctrinal. ▼—**stelling** thèse, maxime *v* ; dogme *m*. ▼—**stoel** chaire *v* (professorale de français) ; *bijzondere —*, chaire de fondation. ▼—**stof** matières *v mv* (du programme). ▼—**stuk** dogme, article *m* de foi. ▼—**tijd 1** années *v mv* de scolarité ; **2** apprentissage *m*. ▼—**vak** branche, matière *v*. ▼—**vermogen** capacités *v mv* intellectuelles. ▼—**wijze** méthode *v*. ▼—**zaam 1** docile, appliqué ; **2** instructif. ▼—**zaamheid 1** docilité, application *v* ; **2** caractère *m* instructif.
lees/baar *bn* (& *bw*) lisible(ment). ▼—**baarheid** lisibilité *v*. ▼—**bibliotheek** bibliothèque *v* de prêt ; cabinet *m* de lecture. ▼—**blindheid** alexie *v*. ▼—**boek** livre *m* de lecture. ▼—**gezelschap** société *v* de lecture. ▼—**lamp** liseuse *v*. ▼—**portefeuille** portefeuille *v* d'une société de lecture.
leest 1 taille, stature *v* ; **2** (*v. schoenmaker*) forme *v*, embauchoir *m* ; *op dezelfde — schoeien*, mettre sur le même pied.
lees/tafel table *v* de lecture. ▼—**teken** signe *m* de ponctuation. ▼—**wijzer** signet *m*. ▼—**zaal** salle *v* de lecture.
leeuw lion *m*. ▼—**eandeel** part *v* du lion. ▼—**ejong** lionceau *m*. ▼—**ekuil** fosse *v* aux lions. ▼—**emoed** courage *m* de lion.
leeuwerik alouette *v*.
leeuwin lionne *v*.
lef cran *m* ; *— hebben*, avoir du toupet.
leg ponte *v* ; *aan de — zijn*, pondre.
legaal *bn* (& *bw*) légal (ement). ▼**legaat 1** légat ; **2** legs *m* ; *een — vermaken*, consentir un legs. ▼**lega/lisatie** légalisation *v*. ▼—**liseren** légaliser. ▼—**taris** légataire *m*.

▼—teren léguer. ▼—tie légation v. ▼—tor testateur m.
legboor tarière v. ▼legdoos parqueterie v Froebel; puzzle m.
legen vider.
legendarisch légendaire. ▼legende légende v.
leger 1 armée v; 2 lit; gîte; 3 camp m; staand —, armée permanente; en vloot, les armées de terre et de mer. ▼—afdeling unité v. ▼—bericht bulletin m. ▼—commandant commandant m d'armée. ▼—commando haut commandement m. ▼—en camp. & ov.w camper.
legéren ov.w 1 (erfenis) léguer; 2 (samensmelten) allier (des métaux).
legering campement m.
legéring alliage m (de métaux).
leger/korps corps m d'armée. ▼—leiding haut commandement m. ▼—nummer numéro m matricule. ▼—stede couche v, lit, gîte m. ▼—trein, —tros train m des équipages. ▼—verpleging approvisionnements m mv. ▼—wagen fourgon m militaire.
leges droit m mv d'expédition.
leggen I ov.w 1 coucher, mettre, poser; 2 tomber (un adversaire); eieren —, pondre (des œufs); de grondslagen —, jeter les bases. II on.w pondre. III zn: het —, la mise, la pose; la ponte. ▼legger 1 registre m, matrice v; 2 (balk) poutre v. ▼leghen pondeuse v. ▼leghok pondoir m.
legio légion v. ▼legioen légion v; het — van eer, la Légion d'honneur.
legislat/ief législatif. ▼—uur législation v. ▼legitiem bn (& bw) légitime(ment). ▼legitimatie légitimation v. ▼—kaart carte v d'identité. ▼—bewijs pièce v d'identité. ▼legitimeren légitimer.
legkaart jeu de patience, puzzle m. ▼legkast armoire v à linge. ▼legkip pondeuse v. ▼legpenning 1 jeton v; 2 médaille v commemorative. ▼legprent zie —kaart.
lei zie —steen; met — en dekken, ardoiser. ▼leiband lisière v; aan de — lopen, se laisser dominer, - mener à la lisière.
Leiden Leyde v.
leid/en I ov.w 1 (ge—) conduire, mener; guider, gouverner; 2 (besturen) diriger; zich laten — door, se laisser mener par, obéir à; s'inspirer de. II on.w mener, conduire (à Amsterdam); tot niets —, ne pas aboutir. ▼—end dirigeant; directeur. ▼—er guide; chef (d'exploitation); directeur; leader (politique); cheftain (de scouts); animateur; dirigeant (d'une organisation); responsable m. ▼—ing 1 direction, conduite v; 2 (buis) conduit m; 3 (gas— enz.) canalisation v; 4 tls m mv électriques; de — hebben, mener (la course); de — nemen, prendre la tête; prendre la direction. ▼—motief thème conducteur, leitmotiv m. ▼—raad fil conducteur; guide m, méthode v. ▼—sel guide, rêne v. ▼—sman guide; mentor m. ▼—ster 1 étoile polaire; 2 cheftaine; animatrice v. ▼—zaam docile, facile à conduire.
lei/en d'ardoise. ▼—kleurig couleur d'ardoise. ▼—steen schiste m, ardoise v.
lek I fuite v; een — krijgen, faire une voie d'eau. II bn percé, qui a une fuite; — zijn, faire eau; couler, fuir; —ke band, pneu crevé, - à plat. ▼—bak égouttoir m.
leke/broeder frère lai (of convers). ▼—zuster sœur laie (of converse).
lekkage infiltration v, coulage m; er is — aan het dak, le toit perce. ▼lekken 1 (v. dak) percer; 2 fuir; een —de kraan, un robinet qui fuit; 3 (v. vloeistof) couler.
lekker I bn 1 bon; délicat, exquis; 2 bien, agréable; — !, chouette ! ; je zit hier —, on est bien ici. II bw bien, délicatement; agréablement; graag — eten, aimer la bonne chère. ▼—bek gourmet m; een — zijn, être sur sa bouche. ▼—nij friandise v. ▼—s du

nanan; bonbons m mv. ▼—tjes joliment.
lelie 1 lis m; 2 (her.) fleur v de lis. ▼—achtig liliacé. ▼—tje: — van dalen, muguet m.
lelijk I bn laid, vilain; dat is —er, cela se gâte; — als de nacht, laid à faire peur; er — aan toe zijn, être dans de jolis draps; — worden, enlaidir. II bw vilainement; joliment; iem. — aankijken, regarder qn de travers; hij heeft zich — vergist, il s'est joliment (of lourdement) trompé. ▼—erd homme m laid; laideron v; (fig.) vilain type m. ▼—heid laideur; vilenie v.
lemmer lame v.
lemmet 1 lame; 2 mèche v, lumignon m.
lende(n), —nen reins m mv. ▼—kussen cale-reins m. ▼—pijn douleurs v mv lombaires, lumbago m. ▼—steun appui-reins m. ▼—stuk aloyau, filet m. ▼—wervel vertèbre v lombaire.
lenig souple, flexible. ▼—en adoucir, soulager. ▼—heid souplesse v. ▼—ing adoucissement, soulagement m.
lening 1 prêt; 2 emprunt m; gedwongen —, emprunt forcé; — aangaan (sluiten), faire (contracter) un emprunt; — op onderpand, prêt sur nantissement.
lens I zn lentille v; objectif m; lenzenstel, trousse v d'objectifs. II bn vide. ▼—opening diaphragme m. ▼—vormig lenticulaire.
lente printemps m; in de —, au printemps. ▼—achtig printanier. ▼—maand mars m. ▼—nachtevening équinoxe m vernal.
lenzen vider, épuiser.
lepel cuiller v. ▼—doosje écrin m de cuiller(s). ▼—en manger la cuiller. ▼—kost mets m semi-liquide. ▼—vol cuillerée v.
lepra lèpre v. ▼—lijder lépreux m.
leraar 1 professeur (d'enseignement du second degré), (fam.) prof; 2 (geestelijke) ministre, pasteur m. ▼—sambt, —schap 1 professorat m; 2 ministère m. ▼leraren enseigner, professer. ▼—korps corps m enseignant. ▼lerares professeur, professeur femme m.
leren I ov.w 1 apprendre, étudier; 2 (onderwijzen) enseigner (qc), instruire (qn); zingen —, apprendre à chanter; Frans —, apprendre le français; van buiten —, apprendre par cœur. II on.w apprendre. III zn: het —, l'étude v. IV bn de -, en cuir. ▼lering 1 leçon; 2 doctrine v; 3 catéchisme m.
les 1 leçon v; 2 classe v; cours m; séance v; — geven in, donner des leçons de; iem. de — lezen, donner un savon à qn. ▼—rooster tableau -, horaire m des cours.
lesbienne, lesbisch lesbienne (v).
lessen 1 étancher (la soif); éteindre (le feu); assouvir (une passion); zijn dorst —, se désaltérer; 2 prendre des leçons; donner des leçons.
lessenaar pupitre m.
lest — best, aux derniers les bons; ten langen —e, à la fin des fins.
les/uur classe v. ▼—vliegtuig avion-école m. ▼—wagen voiture-école v.
Let Letton m. ▼—land la Lettonie. ▼—s letton; een —e, une Lettone.
letsel 1 mal, accident; 2 (schade) préjudice m; lichamelijk —, dommage m corporel; er zonder — afkomen, en sortir indemne.
letter lettre v; (—teken) caractère, type m;

kleine —, minuscule *v* ; *met vette* —*s gedrukt,* en vedette ; imprimé en caractères gras ; *naar de* — *opvatten,* prendre à la lettre, - littéralement ; *brieven onder de* —*s . . .*, lettres sous les initiales… ▼—**banket** pâtisserie *v* en pâte d'amandes. ▼—**dief** plagiaire *m.* ▼—**dieverij** plagiat *m.* —**en** 1 lettre *v* ; 2 lettres *v mv,* littérature *v* ; *in de* — *studeren,* faire des études littéraires ; *doctor in de* —, docteur *m* ès lettres. ▼—**greep** syllabe *v* ; — *die de klemtoon heeft,* syllabe tonique. ▼—**greepraadsel** charade *v.* ▼—**knecht** esclave *m* de la lettre. ▼—**knechterij** interprétation *v* servile.
letterkund/e littérature *v,* lettres *v mv.* ▼—**ig** *bn (& bw)* littéraire(ment) ; — ontwikkeld, lettré. ▼—**ige** homme (femme) de lettres ; —*n,* gens de lettres *m mv.*
letter/lijk *bn (& bw)* littéral(ement) ; — *opnemen,* prendre au pied de la lettre. ▼—**raadsel** logogriphe *m.* ▼—**schrift** écriture *v* en lettres. ▼—**sjabloon** grille *v* lettres et chiffres ; normographe *m.* ▼—**slot** serrure *v* à combinaison. ▼—**tang** étiqueteuse *v.* ▼—**teken** signe graphique, caractère *m.* ▼—**zetten** (art *m* de la) composition *v.* ▼—**zetter** compositeur ; typographe, typo *m.* ▼—**ziften** critique *v* pointilleuse.
leugen mensonge *m.* ▼—**aar,** —**aarster** menteur *m,* menteuse *v.* ▼—**achtig** 1 (*v. persoon*) menteur ; 2 (*onwaar*) mensonger. ▼—**detector** détecteur *m* de mensonge.
leuk 1 charmant, amusant, agréable ; (*fam.*) chouette, marrant (= amusant) ; gentil, coquet ; sympa ; — *om te zien,* agréable à regarder ; 2 flegmatique, — *boek,* livre intéressant ; —, *dat je gekomen bent,* gentil (à toi) d'être venu ; *een* — *gezicht zetten,* n'avoir l'air de rien.
leuk(a)emie leucémie *v*
leukoplast sparadrap *m.*
leun/en s'appuyer (*à of* sur) ; s'adosser (contre), *met de ellebogen* —, s'accouder (sur). ▼—**ing** 1 (*rug*—) dos, dossier ; 2 (*arm*—) accoudoir ; 3 (*brug*—) parapet, garde-fou *m* ; 4 (*trap*—) rampe ; 5 balustrade *v.* ▼—**(ing)stoel** fauteuil *m.*
leuren colporter.
leus, leuze mot *m* d'ordre, devise *v* ; *voor de* —, pour sauver les apparences.
leut plaisir *m,* farce, rigolade *v* ; *voor de* —, histoire de rire, pour rire. ▼—**eraar(ster)** lambin(e) ; bavard(e) *m (v).* ▼—**eren** 1 hésiter, lambiner ; 2 (*kletsen*) bavarder ; 3 (*loszitten*) branler. ▼—**erkous** rabâcheur *m,* -euse *v.* ▼—**erpraat** bavardages *m mv.* ▼—**ig** rigolo, amusant.
Leuven Louvain *m.*
Levant Levant *m.* ▼—**ijn(s)** Levantin (*m*).
leven I *on.w* vivre ; *dat portret leeft,* ce portrait est vivant ; *dat beeld leeft,* cette statue paraît animée ; *hij leeft niet meer,* il n'est plus en vie, il n'est plus de ce monde ; *slecht* —, vivre dans la débauche ; *genoeg om van te* —, de quoi vivre ; *stil gaan* —, se retirer de ses affaires ; *die dan leeft, die dan zorgt,* qui vivra verra. II *zn* 1 vie *v* ; 2 (*levend deel*) vif *m* ; 3 naturel *m* ; 4 (—*digheid*) vivacité *v* ; (*drukte*) mouvement *m,* animation *v* ; 5 (*lawaai*) bruit, tapage *m* ; *het* — *geven, het* — *schenken aan,* donner le jour à ; *een rustig* — *leiden,* mener une vie tranquille ; *bij zijn* —, de son vivant ; *een best* — *hebben,* se la couler douce ; *een nieuw* — *beginnen,* refaire sa vie ; *in het* — *roepen,* créer, donner naissance à, faire naître ; *naar het* — *getekend,* dessiné d'après nature ; *op* — *en dood,* à outrance, à mort ; *voor het* — *benoemd,* nommé à vie ; *uit het* — *gegrepen,* pris sur le vif ; *nooit van zijn* —, jamais de la vie ; *heb ik van mijn* —, a-t-on jamais vu ça ! non. ▼**levend** I *bn* vivant, en vie, vif ; —*e bloemen,* fleurs *v mv* naturelles ; — *vlees,* chair *v* vive ; *geen* — *e ziel,* pas âme qui vive ; pas un chat ; — *verbranden,* brûler vif ; — *maken,* vivifier. II *zn* : —*e,* vivant(e) ; (*recht*)

vif (vive) *m* (*v*).
levendig I *bn* vif, alerte ; animé, mouvementé ; —*e straat,* rue *v* très fréquentée. II *bw* vivement, avec animation. ▼—**heid** vivacité ; animation ; activité *v.*
levenloos inanimé, sans vie ; (*fig.*) mort, terne. ▼—**heid** inanimation *v.*
levenmaker tapageur *m.*
levens/adem souffle *m* de vie. ▼—**ader** source *v* de la vie. ▼—**avond** déclin *m* de la vie. ▼—**beginsel** principe *m* vital. ▼—**behoefte** besoin *m* vital. ▼—**behoeften** vivres *m mv* ; *de eerste* —, les objets de première nécessité. ▼—**behoud** vie *v,* salut *m.* ▼—**belang** intérêt *m* vital. ▼—**bericht** notice biographique ; nécrologie *v.* ▼—**beschouwing** conception *v* de la vie. ▼—**beschrijver** biographe *m.* ▼—**beschrijving** biographie *v.* ▼—**drang,** —**drift** élan *m* vital, poussée *v* vitale. ▼—**duur** durée de la vie ; longévité *v* ; (*v. apparaat*) fiabilité *v.* ▼—**geesten** esprits *m mv* (vitaux) ; *de* — *weer opwekken,* rappeler à la vie. ▼—**gevaar** danger *m* de mort ; *met* —, au péril de sa vie. ▼—**gevaarlijk** périlleux ; *gewond,* mortellement blessé. ▼—**gezel(lin)** compagnon *m* ; compagne *v.* ▼—**groot** de grandeur naturelle ; *meer dan* —, plus grand que nature. ▼—**houding** attitude *v* devant la vie. ▼—**kans** chance *v* de vie. ▼—**kracht** force *v* vitale. ▼—**lang** pour la vie, à vie, toute la vie ; perpétuel ; à perpétuité ; — *jaargeld,* pension *v* à titre viager. ▼—**licht** vie *v,* jour *m* ; *het* — *zien* (*schenken*), voir (donner) le jour. ▼—**loop** 1 carrière *v* ; 2 biographie *v.* ▼—**lust** joie de vivre *v.* ▼—**lustig** gai, vif.
levensmiddelen provisions *v mv* d'alimentation ; *van* — *voorzien,* approvisionner, ravitailler. ▼—**bedrijf** (magasin *m* d') alimentation *v.* ▼—**industrie** industrie *v* alimentaire. ▼—**kaart** carte *v* d'alimentation. ▼—**pakket** colis *m* de vivres. ▼—**voorziening** ravitaillement ; approvisionnement *m.*
levens/minimum minimum *m* vital. ▼—**moe** las de vivre. ▼—**moed** courage *m* de vivre. ▼—**moeheid** ennui *m* de la vie. ▼—**omstandigheden** conditions *v mv* de vie, - d'existence ; qualité *v* de vie ; *het streven naar betere* —, l'aspiration à une meilleure qualité de vie. ▼—**onderhoud** subsistance, vie matérielle *v* ; *in iem.* — *voorzien,* fournir aux besoins de qn ; *kosten van* —, coût *m* de la vie. ▼—**peil** niveau *m* de la vie ; *verhoging van* — élévation *v* du niveau de vie. ▼—**positie** situation *v* d'avenir. ▼—**ruimte** espace *v* vital. ▼—**standaard** conditions *v mv* -, standard *m* de vie. ▼—**teken** signe *m* de vie. ▼—**vatbaar** viable. ▼—**vatbaarheid** viabilité *v.* ▼—**verrichting** fonction *v* vitale. ▼—**verwachting** espérance *v* de vie. ▼—**verzekering** assurance *v* sur la vie ; *een* — *sluiten,* prendre -, contracter une assurance sur la vie. ▼—**voorwaarde** condition *v* vitale ; *de* —*n,* les conditions de la vie. ▼—**vraag** question *v* de vie ou de mort. ▼—**vreugde** joie *v* de vivre. ▼—**warmte** chaleur *v* vitale. ▼—**wijsheid** sagesse *v,* tact *m.* ▼—**wil** volonté *v* de vivre.
levenwekkend vivifiant.
lever foie *m.* ▼—**aandoening** affection *v* hépatique.
lever/ancier fournisseur *m.* ▼—**antie** fourniture *v.* ▼—**baar** livrable. ▼—**en** 1 fournir ; 2 (*af*—) livrer ; *dat heeft hij me geleverd,* il m'a joué ce tour-là ; *hoe moet ik het* — *om,* comment m'y prendre pour. ▼—**ing** livraison, fourniture *v* ; — *c.i.f.,* livraison c.a.f. ; — *f.o.b.,* livraison f.o.b. ▼—**ingstijd** délai *m* de livraison.
lever/kleur(ig) couleur (*v*) de foie. ▼—**pastei** pâté *m* de foie. ▼—**traan** huile *v* de foie de morue. ▼—**worst** boudin *m* blanc.
leviet lévite *v.* ▼**Leviticus** Lévitique *m.*
lexico/graaf lexicographe *m.* ▼—**grafisch**

bn (& *bw*) lexicographique(ment).
▼—**logisch** lexicologique. ▼—**loog**
lexicologue *m.* ▼**lexicon** dictionnaire;
lexique *m.*

lezen I 1 *ov.w* **1** lire; **2** (*verzamelen*) ramasser,
cueillir; **3** déchiffrer (de la musique); *de mis*
—, dire la messe. **II** *on.w* faire la lecture; faire
une conférence. **III** *zn* **1** lecture *v*; **2** glanage
m; **3** (*v. de Mis*) célébration *v.* ▼—**aar** lutrin
m. ▼—**swaardig** intéressant. ▼**lezer, lezeres
1** lecteur *m*, lectrice *v*; **2** (*veel*—) liseur *m*,
liseuse *v.* ▼**lezing 1** lecture; **2** (*opvatting*)
version; **3** conférence *v*; *een* — *houden*,
donner une conférence; *ter* —, en lecture; *in
eerste* —, en première lecture.

liaan liane *v.*

lias liasse *v*; (*steen*) lias *m.* ▼—**haak**, —**pen**
pique-notes *m.*

Libanees Libanais (*m*). ▼**Libanon** le Liban.

libel 1 libelle *m*; **2** niveau *m* à bulle d'air;
3 libellule *v.*

liberaal *bn* (& *bw*) libéral(ement).

libido libido *v.*

librett/ist librettiste, parolier *m.* ▼—**o** livret *m.*

licentie licence *v.* ▼—**houder** tenancier *m*
titulaire de (d'une) licence.

lichaam corps *m*; *zedelijk* —, corps ayant la
personnalité civile; *naar* — *en ziel*,
physiquement et moralement. ▼—**sarbeid**
travail *m* physique. ▼—**sbehoefte** besoin *m*
physique. ▼—**sbeweging** exercice *m.*
▼—**sbouw** stature, conformation *v.*
▼—**sdeel** membre *m*, partie *v* du corps.
▼—**sgebrek** infirmité *v.* ▼—**sgestalte** taille
v. ▼—**sgestel** constitution *v.* ▼—**shouding**
port *m*, attitude, tenue *v.* ▼—**skracht** force *v*
physique; vigueur *v.* ▼—**soefening** culture *v*
physique; exercice *m* (corporel).
▼—**swarmte** chaleur *v* animale.

▼**lichamelijk** *bn* (& *bw*) physique(ment);
corporel(lement), matériel(lement). ▼—**heid**
matérialité *v.*

licht I *bn* **1** léger; **2** facile, aisé; **3** clair; —*e
sigaar* (*tabak*), cigare (tabac) *m* léger; *het
wordt* —, il commence à faire jour; (*v. weer*)
le temps s'éclaircit. **II** *bw* légèrement;
facilement; — *gebouwd*, peu solidement
construit. **III** *zn* **1** lumière; clarté *v*; **2** (*dag*—)
jour *m*; **3** feu; (*v. auto*) phare *m*; *groot* —,
feux *m mv* de route; *gedimd* —, feux *m mv* de
croisement; *vals* —, faux jour; — *en donker*,
les lumières et les ombres; *er gaat hem een* —
op, il y est; *het* — *is aan*, c'est éclairé; *het
elektrisch* — *aandoen* (*uitdoen*), allumer
(éteindre); *een bijzonder* — *doen vallen op*,
éclairer d'un jour particulier; *zijn* — *opsteken
bij iem.*, se renseigner auprès de qn; *nieuw* —
werpen op, jeter une nouvelle clarté sur; *het*
— *zien*, voir le jour, paraître; *iets aan het* —
brengen, mettre qc au jour; *aan het* —
komen, se découvrir, éclater; *bij het* —, à la
lumière; *in het* — *geven*, publier; *iem. in het* —
— *staan*, se mettre dans le jour de qn; *tegen
het* —, à contre-jour; *iem. uit het* — *gaan*,
s'ôter de devant le jour de qn, s'écarter.
▼**licht/baak** feu *m* flottant; balise *v*
lumineuse. ▼—**bak** lanterne-piège *v.*
▼—**beeld** projection *v.* ▼—**blauw** bleu clair,
bleu pâle. ▼—**blond** blond pâle. ▼—**boei**
bouée *v* lumineuse. ▼—**boog** arc *m* lumineux.
▼—**breking** réfraction *v.* ▼—**bron** source *v*
de lumière. ▼—**buis** tube *m* luminescent.
▼—**bundel** faisceau *m* lumineux. ▼—**druk
1** bleu *m*; **2** phototypie *v.* ▼—**echt**
inaltérable; bon teint. ▼—**effect** effet *m* de
lumière. ▼—**ekooi** prostituée *v.* ▼—**elijk**
facilement; un peu, légèrement.

lichten I *on.w* **1** luire, rayonner; **2** faire des
éclairs; **3** faire jour. **II** *ov.w* **1** alléger,
décharger; **2** lever, soulever; relever (un
navire); *de brievenbus* —, lever la boîte aux
lettres; *iem. van het bed* —, enlever qn de son
lit. **III** *zn* **1** éclairs *m mv* de chaleur;
2 phosphorescence *v*; **3** relèvement *m* (d'un
navire); **4** levée *v* (de la boîte aux lettres).
▼**lichtend** lumineux; resplendissant;

phosphorescent.
licht/erlaaie: *in* —, en flammes, en feu.
▼—**fakkel** fusée *v* (éclairante). ▼—**fontein**
fontaine *v* lumineuse. ▼—**gas** gaz *m*
d'éclairage. ▼—**gebouwd** de construction
légère. ▼—**gelovig** *bn* (& *bw*)
crédule(ment). ▼—**gelovigheid** crédulité *v.*
▼—**geraakt** irascible, susceptible.
▼—**geraaktheid** irascibilité, susceptibilité *v.*
▼—**gevend** lumineux; phosphorescent.
▼—**gewicht** (*sp.*) poids *m* léger. ▼—**heid
1** légèreté *v*; **2** facilité *v.*

lichting 1 (*post*) levée *v*; **2** relèvement *m*
(d'un navire); **3** (*mil.*) levée *v*; contingent *m*;
de — *1918*, la classe 1918.

licht/installatie installation *v* électrique.
▼—**jaar** année-lumière *v.* ▼—**je** petite lampe;
petite lumière; (*fam.*) loupiote *v.* ▼—**kegel**
cône *m* lumineux. ▼—**knop** commutateur *m.*
▼—**kogel** fusée *v* lumineuse. ▼—**kroon**
lustre *m.* ▼—**leiding** circuit-lumière *m.*
▼—**mast** lampadaire *m.* ▼—**matroos**
apprenti *m* matelot. ▼—**meter** photomètre *m.*
▼—**mis** débauché *m.* Lichtmis: *Maria* —, la
Chandeleur. ▼—**net** réseau (électrique);
secteur *m.* ▼—**punt** point *m* lumineux; (*fig.*)
lueur *v* d'espoir. ▼—**reclame** réclames
lumineuses. ▼—**schip** bateau-phare *m.*
▼—**schuw 1** photophobe; **2** (*fig.*) qui craint
la lumière. ▼—**sein**, —**signaal** signal *m*
lumineux. ▼—**spoorkogel** traceur *m*,
traceuse *v.* ▼—**stad** Ville-Lumière *v.*
▼—**sterkte** intensité *v* lumineuse. ▼—**straal**
rayon *m* de lumière. ▼—**toren** phare *m.*
▼—**vaardig** *bn* (& *bw*) léger (légèrement),
étourdi(ment). ▼—**legéreté** *v.* ▼—**zijde**
côté du jour; (*fig.*) bon côté, jour favorable *m.*
▼—**zinnig I** *bn* léger, étourdi. **II** *bw*
légèrement, étourdiment. ▼—**zinnigheid**
légèreté, étourderie *v.*

lid 1 membre *m*; **2** membre viril; pénis; phallus
m; **3** (*vinger*—) phalange *v*; **4** alinéa *m*;
nieuw — *dat plechtig ontvangen wordt*,
récipiendaire *m*; — *worden van*, se faire
recevoir *v*; *werkend* —, membre actif.
▼**lidmaat** membre, sociétaire *m.* ▼—**schap**
qualité *v* de membre; *voor het* — *bedanken*,
démissionner. ▼—**schapskaart** carte *v* de
membre. ▼**lidwoord** article *m.*

lied chant, air *m*, chanson; romance *v*;
geestelijk —, cantique *m*, hymne *v.*
▼**lieden** *zn mv*, personnes *v mv.*
▼**liederavond** audition *v*, récital *m.*
▼**liederlijk I** *bn* débauché, crapuleux. **II** *bw*
licencieusement. ▼—**heid** débauche *v.*
▼**liedertafel** (société) chorale *v.* ▼**liedje**
chansonnette *v*, air *m*; *het is weer het oude*
—, c'est le même refrain; *het* — *van
verlangen zingen*, traînasser.

lief I *bn* **1** cher, chéri; **2** (*aardig*) joli, mignon;
aimable, charmant, gentil (*avec* = *voor*); *de
lieve lange dag*, toute la sainte journée; *lieve
deugd!* juste ciel!; *Onze Lieve Heer*, le bon
Dieu; Notre Seigneur; *lieve schoentjes*, des
souliers *m mv* mignons; *Onze Lieve Vrouw*,
Notre Dame; *dat is* — *van je*, c'est gentil à
vous; *je bent* —, on t'aime; — *krijgen*,
prendre (qn) en amitié; se prendre d'affection
pour; *iets voor* — *nemen*, s'arranger de qc,
s'accommoder de qc. **II** *bw* joliment,
gentiment; *ik zou net zo* —, j'aimerais autant.
III *zn* bien aimé(e); bon(ne) ami(e) *m* (*v*); —
en leed, bonne et mauvaise fortune *v.*
liefdadig *bn* (& *bw*) bienfaisant;
charitable(ment); —*e instelling*, œuvre *v*;
établissement *m* de bienfaisance. ▼—**heid**
bienfaisance, charité *v.*

liefde 1 amour *m*, affection, tendresse *v*;
2 *christelijke* —, charité (chrétienne); — *tot*,
amour de; — *opvatting voor*, concevoir de
l'amour pour; *uit* —, par amour; — *op het
eerste gezicht*, coup de foudre. ▼—**blijk**
témoignage *m* d'affection. ▼—**dienst**
bienfait, acte de charité; bon office *m.*
▼—**gloed** feu(x) *m* (*mv*) de l'amour. ▼—**loos**
bn (& *bw*) dur(ement), impitoyable(ment).

▼—**loosheid** dureté v, manque m de charité.
▼—**rijk I** bn charitable, doux. II bw charitablement, avec douceur.
▼—**savontuur** aventure v galante.
▼—**sbetuiging** témoignage m d'amour.
▼—**(s)verklaring** déclaration v (d'amour); een — doen, se déclarer. ▼—**vol I** bn tendre, amoureux. II bw avec tendresse. ▼—**werk** œuvre v (de charité). ▼—**zuster** sœur de charité.
lief(e)lijk I bn doux, gracieux; ravissant; mélodieux; —e streek, contrée v riante. II bw gracieusement. ▼—**heid** aménité v, charme m, grâces v mv.
liefhebb/en aimer; chérir. ▼—**end** qui (vous) aime. ▼—**er** amateur, dilettante m. ▼—**eren** s'occuper en dilettante de; in tekenkunst —, dessiner en amateur. ▼—**erij** goût m; uit —, par goût, en dilettante. ▼—**erijstudie** étude v à côté, - spéciale.
liefheid gentillesse, amabilité v.
lief/kozen caresser, chouchouter. ▼—**kozend** câlin. ▼—**kozing** cajolerie, caresse v.
liefst I bn le plus cher, favori(te); II bw de préférence; — 's avonds, plutôt dans la soirée. ▼**liefste** zie **lief III**.
lieftallig I bn gracieux, charmant, affable. II bw gracieusement, d'une façon charmante. ▼—**heid** grâce, affabilité v, charme m.
liegen mentir; dat liegt hij, il a menti.
lier 1 (muz.) lyre v; 2 (mar.) treuil m.
lies aine v. ▼—**breuk** hernie v inguinale.
▼—**laarzen** cuissardes v mv.
lieveheersbeestje coccinelle v, bête v à bon Dieu.
lieveling chéri(e); favori(te) m(v).
▼—**sbezigheid** occupation v de prédilection.
▼—**sboek** livre m de chevet. ▼—**skost** mets m favori.
liever I bn plus cher, plus aimable. II bw plutôt, de préférence; ik drink — wijn dan bier, j'aime mieux le vin que la bière; ik praat — dan ik schrijf, je préfère parler qu'écrire; dan zwijg ik maar —, en ce cas je préfère me taire; — hebben (willen), aimer mieux, préférer; — niet, je préfère que non; (fam.) plutôt pas.
lieverd chéri(e), mignon(ne) m(v); je bent me een —, tu es bien bon; vet is me een —je, c'est un joli monsieur.
lieverlede van —, peu à peu, insensiblement.
lievigheid air m doucereux; cajoleries v mv.
lift ascenseur; monte-charge; monte-plats m; een — krijgen, avoir un auto-stop. ▼—**bak** cabine v d'ascenseur. ▼—**boy** garçon d'ascenseur, liftier. —en faire du stop; naar Parijs —, aller à Paris en stop. ▼—**er** stoppeur m. ▼—**koker** cage v d'ascenseur.
liga ligue v.
ligdagen jours de planche m mv, estarie v.
▼**liggeld** droit m de quai. ▼**liggen** être couché; être situé (sur la côte); blijven —, rester couché; gaan —, **1** se coucher, s'étendre; 2 (v. wind) s'abattre, tomber; 3 (v. zieke) s'aliter; dat ligt eraan, cela dépend; dat ligt aan hem, c'est (de) sa faute; het zal aan mij niet —, il ne sera pas de ma faute, je ferai mon possible; waar ligt het aan?, à quoi est-ce que cela tient?; er is hem niets aan gelegen, il n'y tient pas; hier ligt (begraven), ici repose, ci gît; op de grond — (slapen), être (coucher) par terre; op het noorden —, être exposé au nord; het ligt niet op onze weg, il ne nous appartient pas de …; A ligt 4 uur van N, A est à 4 lieues de N. ▼**liggend** couché, étendu; gisant; situé; —e grond, col m rabattu. ▼**ligging 1** situation, position v; **2** couchage m (des troupes); **3** (muz.) tessiture v; **4** (v. auto op weg) tenue v de route. ▼**lighal** galerie v pour cure d'air. ▼**ligplaats** embarcadère v; mouillage m; (in trein) place v couchée. ▼—**voiture** v couchettes. ▼**ligstoel 1** chaise-lit v; **2** transatlantique m.
lij: in —, sous le vent; in — liggen, avoir le

dessous.
lijd/baar supportable. ▼—**elijk I** bn passif; — verzet, résistance v passive; grève v perlée. II bw passivement. ▼—**elijkheid** passivité v.
▼—**en I** ov.w 1 souffrir; supporter, endurer; subir, éprouver (une perte); **2** (dulden) souffrir, tolérer; ik mag het —, je veux bien, je l'espère. II on.w souffrir; aan duizeligheid — onder —, sa santé s'en ressentira. III zn **1** souffrance; **2** Passion v (de Jésus). ▼—**end** souffrant (de = aan); passif; de —e partij, la partie lésée; — en — uitzien, avoir l'air souffrant; —e vorm, voix v passive; — voorwerp, complément m direct. ▼**lijdens/beker** calice m; de — tot op de bodem ledigen, boire le calice jusqu'à la lie. ▼—**geschiedenis 1** Passion; **2** histoire v douloureuse. ▼—**preek** passion v. ▼—**week** semaine v sainte. ▼—**weg** chemin de croix, calvaire m. ▼**lijder** malade, souffrant m. ▼**lijdzaam I** bn patient, résigné. II bw patiemment, avec résignation. ▼—**heid** patience, résignation v.
lijf 1 corps; **2** (boven—) buste m, taille v; **3** (romp) tronc; **4** (buik) ventre v; **5** (v. japon) corsage m; **6** (leven) vie v; aan iem.'s — hangen, être pendu aux côtés de qn; niets om het — hebben, n'avoir aucune importance; iem. tegen het — lopen, tomber sur qn; se trouver nez à nez avec qn. ▼—**arts** médecin m ordinaire. ▼—**deuntje** air m favori. ▼—**elijk** corporel. ▼—**goed** linge m (de corps). ▼—**je** corsage, corps m de jupe.
Lijf/land la Livonie. ▼—**lands** livonien. ▼—**lander** Livonien.
lijf/luis pou m du corps. ▼—**rente** rente v viagère; op — zetten, mettre en viager. ▼—**rentverzekering** assurance v viagère. ▼—**sbehoud** vie v, salut m. ▼—**sdwang** contrainte v par corps. ▼—**spreuk** devise v. ▼—**straf** peine v corporelle, supplice m. ▼—**wacht** garde v du corps. ▼—**wachter** garde m d.c.
lijk cadavre, corps (mort) m; hij was —, il était ivre mort. ▼—**auto** fourgon m funèbre. ▼—**baar** civière v. ▼—**bezorger**, ▼—**bidder** employé m des pompes funèbres. ▼—**dienst** office des morts, service m funèbre; messe v de requiem. ▼—**doek** suaire m. ▼—**drager** porteur m. ▼—**egif** cadavérine v.
lijken 1 (gelijken) ressembler (à); **2** (schijnen) sembler, paraître; **3** (aanstaan) convenir à, aller à; op elkaar —, se ressembler; dat lijkt mij, cela me va, cela me convient; dat lijkt me niet naar, vous n'y êtes pas, il s'en faut de beaucoup; iets dat er op lijkt, qc d'approchant; het lijkt wel een feest, on dirait une fête.
lijk/enhuis morgue v. ▼—**kist** bière v, cercueil m. ▼—**kleed 1** linceul; **2** (over de baar) drap mortuaire, poêle m. ▼—**kleur** teint m cadavéreux, lividité v. ▼—**kleurig** livide. ▼—**koets** char funèbre, corbillard m. ▼—**krans** couronne v mortuaire. ▼—**lucht** odeur v cadavéreuse. ▼—**plechtigheid** cérémonie v funèbre. ▼—**rede** oraison v funèbre. ▼—**schouwer** médecin m légiste. ▼—**schouwing** autopsie v. ▼—**staatsie 1** pompes funèbres; **2** obsèques v mv; **3** cortège m (funèbre) = —**stoet**. ▼—**verbranding** crémation, incinération v; oven voor —, four m crématoire. ▼—**wade** linceul m. ▼—**wagen** zie —**koets**.
lijm colle v. ▼—**en I** ov.w 1 coller; **2** (fig.) engluer (qn); zich laten —, marcher. II zn — het —, le collage. ▼—**er** colleur m. ▼—**erig I** bn gluant; (fig.) traînard; —e spraak, accent m traînard. II bw avec un accent traînard; — spreken, traîner les mots. ▼—**klem** serre-joints m. ▼—**kwast** brosse v à coller. ▼—**pot** m pot m à colle. ▼—**stof** gélatine v. ▼—**verf** détrempe v.
lijn 1 ligne v, trait m; **2** (richttouw) cordeau m; **3** (touw) corde v; beschrijvende —, génératrice v; gebroken —, ligne v brisée; rechte —, (ligne) droite v; — 2 nemen,

prendre le 2; *de — trekken*, tirer au cul, - au flanc; *één — trekken*, agir de concert; *ik heb A aan de —*, j'ai A. au bout du fil; *op een — brengen*, aligner; *op één — staan*, être sur la même ligne; *voor de — zorgen*, sauver sa ligne (impeccable); *blijf aan de —*, ne quittez pas. ▼—**dienst** service *m* de ligne. ▼—**en 1** régler (du papier); 2 suivre un régime.
lijn/koek tourteau *m* de lin. ▼—**olie** huile *v* de lin.
lijn/pen tire-ligne *m*. ▼—**perspectief** perspective *v* linéaire. ▼—**piloot** pilote *m* de ligne. ▼—**recht I** *bn* en ligne droite. **II** *bw* tout droit, directement; *— tegenover*, diamétralement opposé. ▼—**tekenen** dessin *m* linéaire, - géométrique, - graphique. ▼—**tje 1** cordeau *m*; 2 ligne *v*, petit trait, tiret *m*; *iem. aan het — houden*, faire lanterner qn; *met een zoet —*, en douceur, sans rien brusquer; *zachtjes aan, dan breekt het — niet*, qui veut aller loin, ménage sa monture. ▼—**toestel** avion *m* de ligne. ▼—**trekker 1** (*tech.*) régleur; 2 (*fig.*) tireur *m* au cul, - au flanc. ▼—**vaart** messageries (maritimes) *v mv*. ▼—**verbinding** chaîne *v*. ▼—**vliegtuig** avion *m* de ligne; *intercontinentaal —*, long-courrier *m*. ▼—**vlucht** vol *m* de ligne. ▼—**vormig** linéaire.
lijnwaad toile *v* de lin.
lijnwachter garde-voie *m*.
lijnzaad graine *v* de lin.
lijst 1 cadre *m*; 2 bordure *v*; 3 liste *v*, rôle, registre; tableau (de la troupe); générique *m* (d'un film); *in een — zetten*, encadrer. ▼—**enmaker** encadreur *m*.
lijster grive *v*.
lijvig 1 corpulent; 2 (*v. boek*) gros, volumineux; 3 (*v. vloeistof*) épais, consistant. ▼—**heid** corpulence *v*; consistance *v*.
lijzig I *bn* traînant. **II** *bw* d'une voix traînante; *— spreken*, traîner la voix.
lik tour -, coup *m* de langue; *een — verf*, un coup de peinture.
likdoorn cor, œil *m* de perdrix. ▼—**mes** coupe-cors *m*. ▼—**pleister** coricide *m*.
likeur liqueur *v*. ▼—**glaasje** verre *m* à liqueur. ▼—**stel** cabaret *m*. ▼—**stoker, —verkoper** liquoriste *m*.
likkebaarden s'en lécher les babines. ▼**likken 1** lécher; *van iets —*, passer la langue sur qc; 2 polir, lustrer.
lil gelée *v*.
lila lilas (*m*).
lill/en palpiter, trembler. ▼—**end** palpitant.
lilliputter lilliputien *m*.
Limburg le Limbourg. ▼—**er** Limbourgeois *m*. ▼—**s** limbourgeois; *—e*, Limbourgeoise *v*.
limiet limite *v*. ▼**limitatief** limitatif.
limonade limonade *v*, sirop *m*.
linde *—boom* tilleul *m*. ▼—**bloesem** (fleurs *v mv* de) tilleul *v*; (*-thee*) infusion *v* de tilleul.
lineair linéaire.
lingerie lingerie *v*.
linguïst linguiste *m*. ▼—**iek** linguistique *v*. ▼—**istisch** linguistique.
liniaal règle *v*; *vierkante —*, carrelet *m*. ▼**linie 1** ligne *v*; 2 équateur *m*; 3 file, rangée *v*. ▼**liniëren** régler.
link I *zn* chaînon *m*. **II** *bn* **1** rusé; 2 risqué; *— jongen*, débrouillard *m*.
linker gauche. ▼—**arm** bras *m* gauche. ▼—**baan** (*rijstrook*) voie *v* de gauche. ▼—**been** jambe *v* gauche. ▼—**hand** main *v* gauche; *aan mijn —*, sur ma gauche; *met de — trouwen*, épouser une femme morganatiquement. ▼—**vleugel** aile *v* gauche. ▼—**zijde** côté *m* gauche; (*in de Kamer*) gauche *v*.
links I *bn* **1** à gauche; 2 (*v. gebruik handen*) gaucher; 3 (*onhandig*) gauche, maladroit; 4 (*pol.*) de gauche; *uiterst —*, gauchiste, gauchof; *— stemmen, — zijn*, voter -, être à gauche; *nieuw —*, nouvelle gauche *v*. **II** *bw* **1** à gauche; 2 (*fig.*) gauchement, de travers; *— houden*, tenir sa gauche; *— aanhouden*,

appuyer à gauche; *— rijden*, rouler sur la gauche; *iem. — laten liggen*, ne pas se soucier de qn; *naar —*, du côté gauche, vers la gauche. ▼—**achter(speler)** arrière gauche *m*. ▼—**af** à gauche; par (*of* vers) la gauche; *— gaan*, prendre à gauche, sur la gauche. ▼—**binnen** intérieur gauche *m*. ▼—**buiten** ailier gauche. ▼—**e gaucho. ▼—**half** demi gauche. ▼—**heid** gaucherie *v*. ▼—**om** à gauche; *— keert !*, demi-tour à gauche, gauche!
linnen I *zn* **1** (*stof*) toile *v*; 2 (*—goed*) linge *m*; *schoon — aandoen*, se changer, changer de linge. **II** *bn* de toile; de lin. ▼—**bleek** blanchisserie *v* de toile. ▼—**goed** linge *m*. ▼—**juffrouw** lingère *v*. ▼—**kamer** garde-linge *m*, lingerie *v*. ▼—**kast** armoire *v* à linge.
linoleum linoléum *m*. ▼—**snede** gravure *v* sur linoléum.
lint ruban *m*. ▼—**bebouwing** construction *v* en bordure de la route. ▼—**je** ruban *m*; décoration *v*. ▼—**worm** ver solitaire, ténia *m*. ▼—**zaag** scie *v* à ruban.
linze lentille *v*. ▼—**nsoep** potage *m* aux lentilles.
lip 1 lèvre *v*; 2 (*v. dier*) babine; 3 langue, languette *v*; *de — laten hangen*, faire la lippe, - la moue; *zijn —pen drukken op*, appliquer ses lèvres sur. ▼—**letter** labiale *v*. ▼—**lezen I** *on.w* faire de la lecture labiale. **II** *zn* lecture *v* labiale. ▼—**penstift** rouge *m* à lèvres, bâton *m* de rouge.
liquid/atie liquidation *v*. ▼—**e** liquide; *— positie*, situation *v* liquide. ▼—**eren** liquider.
lire lire *v*.
lis ganse *v*, nœud *m* coulant. ▼—**bloem** iris *m*.
lisp(el)en I *on.w* zézayer; murmurer. **II** *ov.w* murmurer, chuchoter.
Lissabon Lisbonne *v*.
list 1 ruse, finesse, astuce *v*; 2 (*verbergen*) artifice; 3 (*krijgs—*) stratagème *m*. ▼—**ig I** *bn* rusé, fin, astucieux. **II** *bw* avec ruse, astucieusement. ▼—**igheid** *zie* **list**.
litanie litanie *v*.
liter litre *m*.
lit(t)er/air *bn* (*& bw*) littéraire(ment). ▼—**ator** homme de lettres. ▼—**atuur** littérature *v*.
liter/fles, —glas litre *m*.
litho litho(graphie) *v*. ▼—**graaf** lithographe *m*. ▼—**graferen** lithographier. ▼—**grafisch** *bn* (*& bw*) lithographique(ment).
Litouw/en la Lithuanie. ▼—**er** Lithuanien *m*. ▼—**s** lithuanien; *—se*, Lithuanienne.
lits-jumeaux lits jumeaux *m mv*.
litteken cicatrice *v*. ▼—**vorming** cicatrisation *v*.
liturgi/e liturgie *v*. ▼—**isch** liturgique.
live *— -uitzending*, émission *v* en direct.
livrei livrée *v*; *— dragen*, porter la livrée. ▼—**bediende** laquais *m*.
lob lobe *m*; (*sp.*) lob *m*. ▼—**bes** bon diable *m*.
lobby 1 couloirs *m mv*; 2 groupe *m* de pression. ▼—**en** faire les couloirs.
loco suppléant, intérimaire; *in —*, disponible; sur place; *— station A*, A, pris en gare; *— voorraad*, stock *m* disponible. ▼—**mobiel** locomobile *v*. ▼—**motief** locomotive *v*. ▼—**motiefloods** dépôt *m*.
loden I *zn* löden *m*. **II** *bn* de plomb. **III** *ov.w* plomber; sonder. **IV** *on.w* sonder.
loeder chameau *m*, vache *v*.
loef lof *m*; *de — afsteken*, gagner le dessus du vent; *iem. de — afsteken*, l'emporter sur qn. ▼—**waarts** au lof, au vent. ▼—**zijde** côté *m* du vent.
loeien I *on.w* mugir, beugler. **II** *zn*: *het —*, le mugissement, le beuglement.
loens louche. ▼—**en** loucher.
loep loupe *v*.
loer guet *m*; *iem. een — draaien*, mettre qn dedans; *op de — liggen*, être aux aguets. ▼—**en** être à l'affût; épier, guetter.
loeven aller au lof, serrer le vent.
lof 1 *Brussels —*, endives *v mv*; 2 (*rk*) salut *m*;

office *m* de louange; **3** louange *v*, éloge *m*; *een en al —*, un concert de louanges; *God —*, Dieu soit loué; *de — zingen van*, faire l'éloge de. ▼**—felijk** I *bn* 1 digne d'éloge, louable; **2** élogieux. II *bw* d'une façon louable.
▼**—felijkheid** mérite *m*. ▼**—lied** *zie* **—zang**. ▼**—prijzing** louange *v*. ▼**—rede** éloge, panégyrique *m*; *een — houden op*, faire l'éloge de. ▼**—redenaar** panégyriste *m*.
▼**—trompet** trompette *v* héroïque; *de — steken*, emboucher la trompette. ▼**—tuiting** louange *v*. ▼**—waardig** *zie* **—felijk**.
▼**—zang** chant -, hymne *m* de louange.
log I *bn* lourd, pesant; *— worden*, s'alourdir. II *bw* lourdement, pesamment. III *zn* (*mar.*) loch *m*.
logaritme logarithme *m*. ▼**—nstelsel** système *m* des logarithmes. ▼**—ntafel** table *v* de logarithmes.
logboek journal de bord; livre *m* de bord.
loge loge *v*.
logé(e) hôte, ami(e) *m* (& *v*.) ▼**logeer/bed** lit *m* d'appoint. ▼**—gast** hôte *m* & *v*. ▼**—kamer** chambre *v* d'amis. ▼**logement** auberge *v*.
▼**—houder** hôtelier, aubergiste *m*.
logen lessiver.
logenstraffen démentir. ▼**—straffing** démenti *m*.
logeren I *ov.w* loger, héberger. II *on.w* être chez qn; passer quelque temps chez; loger.
loggen jeter du loch.
logger lougre *m*.
loggia loggia *v*.
logheid lourdeur *v*; indolence *v*.
logica logique *v*.
logies 1 logis *m*; chambre *v*; **2** logement *m*; *gratis —*, séjour *m* gratuit; *— en ontbijt*, chambre et petit déjeuner; *iem.— bezorgen*, trouver où loger qn.
logisch *bn* (& *bw*) logique(ment).
logope/die logopédie *v*. ▼**—dist** orthophoniste *m*.
logos 1 Verbe *m*; **2** raison; **3** intelligence *v*.
lok boucle (de cheveux); mèche *v*.
lokaal I local *m*, salle *v*. II *bn* local.
▼**—spoorweg** chemin *m* de fer d'intérêt local. ▼**—trein** train *m* d'intérêt local, - de banlieue. ▼**lokali/seren** localiser. ▼**—teit** local *m*.
lokaas amorce *v*, appât *m*; (*fig.*) leurre *m*.
loket 1 guichet *m*; **2** (*vakje*) case *v*.
▼**—beambte** guichetier *m*. ▼**—kast** casier *m*. ▼**—tist** guichetier *m*, guichetière *v*.
lokken amorcer, allécher; (*v. dieren onderling*) appeler; (*fig.*) attirer. ▼**lokmiddel** *zie* **lokaas**. ▼**lokvogel** appeau *m*.
lol rigolade *v*; *— maken, — hebben*, rigoler; *niet voor zijn — uit zijn*, ne pas être à la noce. ▼**lolletje** farce, rigolade *v*. ▼**lollig** rigolo, *v* rigolote.
lolly sucette *v*.
lommer ombre *v*, ombrage *m*.
lommerd mont-de-piété *m*; *in de — brengen*, engager; *uit de — halen*, dégager.
▼**—briefje** reconnaissance *v*. ▼**—houder** prêteur *m* sur gages.
lommerrijk ombragé, ombreux.
lomp I *zn* haillon, chiffon *m*. II *bn* lourd, grossier. III *bw* lourdement, grossièrement.
▼**—enhandel** commerce *m* des chiffons.
▼**—enhandelaar** marchand *m* de chiffons.
▼**—ensorteerder** trieur, délisseur *m*.
▼**—enstof** effiloché*e v*. ▼**—erd** lourdaud *m*.
▼**—heid** lourdeur *v*; (*fig.*) bêtise; grossièreté.
Londen Londres *v*. ▼**—aar, —s** Londonien.
lon/en récompenser, payer, rémunérer; *dat loont de moeite niet*, cela ne vaut pas la peine.
▼**—end** payant; *— zijn*, payer.
long poumon *m*; *ijzeren —*, poumon d'acier.
▼**—aandoening** affection *v* pulmonaire.
▼**—kanker** cancer *m* du poumon. ▼**—lijder, —lijderes** poitrinaire *m* & *v*. ▼**—ontsteking** pneumonie, fluxion *v* de poitrine. ▼**—pijp** bronche *v*.
longroom carré *m* des officiers.
longtering tuberculose, phtisie *v*

(pulmonaire).
lonken 1 jeter des œillades; **2** loucher.
lont mèche *v*; *— ruiken*, éventer la mèche.
loochen/aar, —aarster dénégateur *m*, -trice *v*. ▼**—en** nier; désavouer (qn). ▼**—ing** dénégation *v*, désaveu, démenti *m*.
lood 1 plomb *m*; **2** (*diep—*) (plomb *m* de) sonde *v*; **3** (*gewicht*) décagramme *m*; *in het —*, à plomb, perpendiculaire(ment); *uit het —*, en surplomb. ▼**—arm** peu chargé en plomb. ▼**—gieter** plombier *m*. ▼**—glas** verre *m* de plomb. ▼**—houdend** plombifère. ▼**—je** plomb *m*; *het — leggen*, avoir le dessous.
▼**—kabel** câble *m* sous plomb. ▼**—lijn 1** perpendiculaire, verticale *v*; **2** (*dieplood*) ligne *v* de sonde; (*schietlood*) fil *m* à plomb; *een — neerlaten*, abaisser une droite perpendiculaire. ▼**—menie** minium *m*.
▼**—prop** fusible *m*. ▼**—recht** *bn* (& *bw*) perpendiculaire(ment), vertical(ement).
loods 1 pilote, lamaneur *m*; **2** baraque *v*; hangar *m*. ▼**—boot** bateau-pilote *m*.
▼**—dienst** service *m* du pilotage *m*. ▼**—en** piloter.
loods/vlag pavillon *m* de la pilote. ▼**—wezen** pilotage *m*.
lood/vergiftiging saturnisme *m*. ▼**—wit** blanc *m* de céruse. ▼**—zekering** (plomb) fusible *m*. ▼**—zwaar** lourd comme du plomb; (*fig.*) accablant, écrasant.
loof feuillage *m*; verdure *v*. ▼**—boom** arbre *m* feuillu. ▼**—bos** bois *m* feuillu.
▼**L—huttenfeest** fête *v* des Tabernacles.
loogachtig alcalin.
looi tan *m*. ▼**—en** I *ov.w* tanner. II *zn*: *het —*, tannage *m*. ▼**—er** tanneur *m*. ▼**—erij 1** (*plaats*) tannerie *v*; **2** (*daad*) tannage *m*.
▼**—stof** tanin *m*. ▼**—zuur** acide tannique, tanin *m*.
look ail *m* (*mv* aulx).
loom *bn* (& *bw*) lent(ement), lourd(ement).
▼**—heid** lenteur, lourdeur; apathie *v*.
loon 1 salaire *m*; (*mil.*) solde, paye *v*; appointements, *m mv*; **2** (*beloning*) récompense *v*, prix *m*; *— in het handje*, salaire *m* direct; *hoog —*, bons gages; *— trekken*, être salarié; *— uitbetalen aan*, appointer; payer; *de arbeider is zijn — waard*, tout travail mérite salaire; (*door de staat*) *geïndexeerd minimum —*, salaire *m* minimum interprofessionnel de croissance; SMIC; *wie dat verdient*, smicard *m*; *— en prijsbeleid*, régime *m* des salaires et des prix. ▼**—actie** action *v* -, mouvement *m* pour l'augmentation des salaires. ▼**—arbeid** travail *m* salarié.
▼**—arbeider** salarié *m*. ▼**—bederver** personne *v* qui travaille à trop bas prix.
▼**—belasting** impôt *m* sur les salaires.
▼**—briefje** feuille *v* de paye. ▼**—dienst**: *in —*, salarié. ▼**—eis** revendication *v* salariale.
▼**—kosten** charges *v mv* salariales. ▼**—lijst** bordereau *m* des salaires.
▼**—onderhandeling** négociation *v* salariale.
▼**—politiek** politique *v* salariale. ▼**—ronde** palier *m*. ▼**—schaal** grille *v* des salaires; *nieuwe indeling op de —*, reclassement *m*; *glijdende —*, échelle mobile. ▼**—standaard** taux *m* des salaires. ▼**—stijging** hausse *v* des salaires. ▼**—stop** blocage *m* des salaires.
▼**—sverhoging** élévation -, augmentation *v* de(s) salaire(s). ▼**—sverlaging** réduction *v* de(s) salaire(s). ▼**—tarief** bordereau *m* des salaires. ▼**—trekkend, —trekker** salarié.
▼**—vraagstuk** question *v* du salariat.
loop 1 marche; **2** course *v*; **3** cours *m* (d'une rivière); **4** (*—baan*) carrière; **5** (*gang*) démarche, allure *v*; **6** (*geweer*) canon *m*; **7** (*muz.*) trait *m*; **8** (*buik—*) diarrhée *v*; *de vrije — geven* (*laten*) *aan*, donner libre cours à; *een andere — nemen*, prendre une autre tournure; *in de — van*, dans le cours de; *in de — der tijden*, à travers le temps; *in de — van het jaar*, dans l'année; *geweer met dubbele —*, fusil *m* à deux coups; *op de — gaan*, décamper; (*v. paard*) s'emballer; *op de — zijn*, être égaré. ▼**—baan 1** carrière *v*; **2** (*astr.*)

orbite v. ▼—**brug** passerelle v. ▼—**graaf** tranchée v. ▼—**ing** looping m. ▼—**hek** parc; box m. ▼—**je** 1 tour; 2 (muz.) trait m; een — nemen met, s'amuser au dépens de. ▼—**jongen** garçon de courses; garçon-livreur m. ▼—**kraan** pont m roulant, grue v mobile. ▼—**lamp** baladeuse v. ▼—**oefeningen** exercices m mv de marche. ▼—**pad** passage m. ▼—**pas** pas de course m. ▼—**plank** passerelle v. ▼—**s** en chaleur, en rut. ▼—**ster** coureuse v. ▼—**tijd** terme m; durée v de validité; met een — van hoogstens 6 maanden, dont l'échéance n'excède pas 6 mois; — 10 jaar, amortissable en 10 ans. ▼—**vlak** bande v de roulement.

loos 1 (slim) fin, rusé; futé; 2 (onecht) faux, postiche; 3 (leeg) vide, creux; — alarm, fausse alerte v; — onderwerp, sujet grammatical. ▼—**heid** ruse, finesse v.

loot rejeton m; pousse v.

lopen I on.w 1 marcher, aller (à pied); (snel) courir; se promener; 2 (v. bloed enz.) circuler; couler; 3 (zich uitstrekken) aller, s'étendre; 4 (geldig zijn) courir; 5 (ver—) passer, s'écouler; 6 (tech.) marcher, fonctionner; evenwijdig —, être parallèle; hoe het zal —, comment les choses tourneront; de trolley van 12 uur loopt niet, le trolley de midi est supprimé; alles loopt verkeerd, tout va mal; gaan — (vluchten), se sauver; we moeten nog drie uur —, nous en avons encore pour trois heures de marche; komen —, arriver à pied; aan de grond —, échouer; door een bos —, traverser (passer par) un bois; dat loopt in de miljoenen, cela se monte à des millions; in elkaar — (v. kamers), communiquer; met melk —, porter le lait; met een meisje —, faire la cour à une jeune fille; naar beneden (boven) —, descendre (monter); naar de 60 —, aller sur ses 60 ans; twee treinen — op elkaar, deux trains se télescopent; er loopt een bus op Wheel, W. est desservi par un autobus; over de brug —, passer par le pont; men kan over hem —, on peut marcher sur lui; het onderhoud loopt over…, l'entretien porte sur…; het loopt tegen twaalven, il est près de midi; uit de rails —, dérailler; er loopt een balkon om het huis, un balcon règne autour de la maison. II on.w: zich dood —, se tuer à force de courir; zich in het zweet —, se mettre en sueur (en courant). III zn: het —, la marche; het op een — zetten, prendre ses jambes à son cou, se sauver; manier van —, démarche v. ▼**lopend** I bn courant; en cours; aan de —e band, à la chaîne; een — vuurtje, une traînée de poudre. II bw en courant. ▼**loper** 1 coureur; 2 (bode) messager; 3 (loopjongen) garçon de courses; livreur; 4 (kantoorjongen) garçon de recette; 5 (kranten—) porteur; 6 (sleutel) passe-partout, rossignol; 7 (tafel—, gang—) chemin; (trap—) tapis d'escalier m; 8 (in schaakspel) fou m.

lor 1 chiffon, haillon m; 2 (fig.) bagatelle chose v de peu de valeur; ik geef er geen — om, je m'en moque; hij weet er geen — van, il n'en sait pas le premier mot.

lord-mayor lord-maire m.

lorgnet lorgnon; pince-nez m.

lorrie lorry; fardier m.

los I zn lynx; loup-cervier m. II bn 1 lâche; détaché; branlant, mobile; 2 (niet samenhangend) peu serré; (v. grond) mouvant, meuble; 3 (onbestendig) inconstant; 4 (vrij) libre, désinvolte; dégagé; 5 (hand.) en vrac; sans emballage; 6 (tech.) isolé; 7 (—bandig) déréglé, léger, licencieux; — blad, feuille v volante; —se bloemen, des fleurs v mv coupées; — geld, menue monnaie v; — haar, cheveux m mv flottants; —se manchetten, des manchettes détachables; —se patroon, cartouche v à blanc; —se stijl, style m dégagé; —se schijven, des pièces v mv détachées; —se trap, escalier m volant; — werkman, manœuvre journalier; de deur is —, la porte n'est pas fermé à clef; wat — en vast is, tout le tremblement; bank met —se kussens, banc à coussins indépendants. III bw librement; légèrement, avec désinvolture; licencieusement; er op — gaan, y aller; er op — praten, parler à tort et à travers; er op — schieten, tirer dessus; er op — slaan, taper dans le tas. ▼**losbaar** zie aflosbaar.

losbandig I bn licencieux, débauché. II bw licencieusement. ▼—**heid** débauche, licence v.

losbarst/en éclater, se déchaîner. ▼—**ing** éclat m; décharge v.

los/binden délier, détacher. ▼—**bladig** à feuillets mobiles. ▼—**bol** débauché m. ▼—**branden** I on.w décharger. II on.w se décharger. ▼—**breken** I ov.w détacher, faire sauter. II on.w s'évader; rompre sa chaîne. ▼—**ceel** permis m de décharge. ▼—**draaien** dévisser; lâcher (le robinet); desserrer. ▼—**gaan** se disjoindre; se détacher; se décrocher; se rompre; op iem. —, fondre sur qn; dat gaat er op los, le bal va commencer. ▼—**geld** rançon v. ▼—**gespen** déboucler. ▼—**haken** dégrafer, décrocher. ▼—**gooien** détacher; (mar.) démarrer. ▼—**hangen** flotter en l'air; met —d haar, les cheveux défaits (of flottants), en cheveux.

losheid 1 mobilité, légèreté; 2 (fig.) liberté, désinvolture v; 3 (v. leven) débauche v, libertinage m. ▼**losjes** avec désinvolture; légèrement; — heenlopen over, glisser sur, effleurer.

los/knippen défaire à coups de ciseaux. ▼—**knopen** 1 déboutonner; 2 (v. koord) dénouer. ▼—**komen** se dégager; être mis en liberté; (v. vliegt.) décoller; (fig.) se détendre, quitter sa réserve. ▼—**kopen** racheter. ▼—**koppelen** découpler; débrayer (le moteur). ▼—**krijgen** détacher, dénouer; (fig.) obtenir qc de qn. ▼—**laten** I ov.w 1 lâcher; 2 détacher; relâcher (un prisonnier). II on.w 1 se détacher; 2 (fig.) niet —, insister, ne pas démordre; hij laat niet los, il n'en démord pas. III zn: het —, le lâcher (des pigeons); le relâchement (d'un prisonnier); het — van de prijzen, la libération des prix. ▼—**lippig** peu discret. ▼—**lopen** être libre; het zal wel —, tout finira par s'arranger; dat is te gek om los te lopen, c'est par trop bête. ▼—**maken** 1 défaire, détacher; 2 dégager; déboutonner; dévisser; zie ook andere ss met los-. ▼—**peuteren** défaire péniblement. ▼—**plaats** débarcadère m. ▼—**prijs** rançon v. ▼—**raken** se dégager; se détacher. ▼—**rijgen** délacer. ▼—**rukken** I ov.w arracher. II zich — s'arracher (de, à).

löss lœss m.

los/scheuren I ov.w arracher, déchirer. II on.w s'arracher (de). ▼—**schieten** se détacher. ▼—**schroeven** dévisser. ▼—**sen** 1 décharger (un wagon); 2 débarquer (des marchandises); 3 tirer, décharger (un coup de fusil). ▼—**ser** décharger m. ▼—**sing** déchargement; débarquement m. ▼—**snijden** détacher, couper. ▼—**springen** se détacher; sauter; — op, fondre sur (qn). ▼—**stormen** — op, s'élancer sur. ▼—**tornen** découdre, dépiquer. ▼—**weken** décoller. ▼—**zitten** branler; être mal fixé.

lot 1 billet de loterie; 2 (prijs) lot m; 3 sort m, condition v; 4 (nood—) destin m, destinée v; het — is geworpen, le sort en est jeté; iem. aan zijn — overlaten, abandonner qn; iets door het — beslissen, décider qc par le sort. ▼—**eling** conscrit m. ▼—**en** I on.w tirer au sort. II ov.w gagner (à la loterie). ▼—**erij** loterie v; in de — spelen, mettre à la loterie. ▼—**erijtrekking** tirage m. ▼—**genoot** compagnon m -, compagne v de fortune (of d'infortune), camarade v.

Lotharing/en la Lorraine. ▼—**er** Lorrain. ▼—**s** lorrain.

loting tirage m au sort; bij —, par la voie du sort.

lotion lotion v.
lotsbestemming destinée v.
▼**lotsverbetering** amélioration v de la condition.
lottospel loto m.
louter I bn 1 pur, fin; 2 rien que. II bw purement. ▼—en affiner; épurer, purifier. ▼—ing affinage m, purification v; épurement m.
loven louer; exalter, glorifier; — en bieden, marchander; het — en bieden, les marchandages (m mv).
lover feuillage m, verdure v. ▼—tje paillette v; met —s versieren, pailleter.
loyaal bn (& bw) loyal (-ement), fidèle (ment).
▼**loyaliteit** loyauté, fidélité v.
loz/en I lâcher; pousser (un soupir); évacuer; 2 (fig.) se défaire de; semer. ▼—ing décharge, évacuation v; déversement m.
L.P.G. gaz m de pétrole liquifié.
L.S.D. LSD m.
lucht 1 air; 2 (hemel) ciel m (mv ciels); 3 (dampkring) atmosphère; 4 (geur) odeur v, vent m; 5 (wolk) nuage m; in de open —, au grand air; — geven aan zijn gramschap, décharger sa bile; — krijgen van, avoir vent de; weer — krijgen, reprendre haleine; (vervoer) door de —, (transport) par la voie des airs; — maken, renouveler l'air, aérer; in de — laten springen, faire sauter; van de — leven, vivre de l'air du temps. ▼—aanval attaque v aérienne. ▼—afweer défense v contre avions. ▼—afweergeschut artillerie v antiaérienne. ▼—alarm alerte v (aérienne); — maken, donner l'alerte. ▼—bad bain m d'air. ▼—ballon ballon m. ▼—band chambre v à air, pneu m. ▼—basis base v aérienne. ▼—bed matelas m pneumatique. ▼—bel bulle v d'air. ▼—bescherming défense v passive. ▼—beschermingsdienst service m de la défense passive. ▼—bevochtiger humidostat m. ▼—bombardement bombardement m aérien. ▼—brug pont m aérien; (over spoor) passerelle v. ▼—bus airbus m. ▼—dicht bn (& bw) étanche, hermétique (ment). ▼—dienst service m (postal) aérien. ▼—doel-... antiaérien. ▼—doop baptême m de l'air. ▼—druk pression v de l'air, - atmosphérique. ▼—drukrem frein m à air comprimé, - à vide. ▼—drukverschil gradient m; zone met geringe —len, zone v à faible gradient.
luchten 1 aérer, renouveler l'air dans; faire prendre l'air; exposer à l'air; 2 sentir, souffrir; 3 (fig.) faire étalage de; iem. niet kunnen — of zien, ne pas pouvoir sentir qn.
luchter candélabre m; torchère v.
lucht/eskader escadrille v aérienne. ▼—filter filtre m à air. ▼—foto photo v aérienne. ▼—gat soupirail m; ventouse v; évent m. ▼—geest esprit aérien, sylphe m, sylphide v. ▼—gekoeld refroidi par air (moteur). ▼—gesteldheid climat m aérien. ▼—gevecht combat m aérien.
luchthart luron(ne) m (v). ▼—ig I bn léger, gai. II bw légèrement; gaiment. ▼—igheid légèreté, insouciance v.
lucht/haven aéroport m. ▼—ig aéré, frais, léger; — gekleed, légèrement vêtu. ▼—inlaatklep soupape v d'admission. ▼—je 1 souffle m; 2 odeur v; een — scheppen, prendre l'air; er is een — aan, cela sent mauvais; (fig.) il y a là qc de louche. ▼—kartering cartographie v aérienne. ▼—kasteel château m en Espagne. ▼—klep soupape v à air. ▼—koeling refroidissement m par air. ▼—koker appel m d'air; puits m d'aérage (dans une mine). ▼—kussen coussin m d'air. ▼—kussenboot aéroglisseur m. ▼—kussentrein aérotrain m. ▼—kuur cure v d'air. ▼—landingstroepen troupes v mv aéroportées. ▼—ledig vide (d'air); — maken, faire le vide dans; het —e, le vide. ▼—lijn ligne v aérienne. ▼—macht armée v de l'air, forces v mv aériennes. ▼—motor aéromoteur m.

▼—oorlog guerre v aérienne. ▼—perspomp compresseur (d'air). ▼—pijp trachée-artère v. ▼—pomp 1 machine pneumatique; 2 gonfleur m à air comprimé. ▼—post poste v aérienne; per —, par avion. ▼—postblad aérogramme m. ▼—postverbinding communication v postale par les airs. ▼—postzegel timbre- avion m. ▼—recht port m aéropostal. ▼—reis voyage m aérien. ▼—rooster grille v d'arrivée d'air frais. ▼—ruim espace m aérien, airs m mv. ▼—schip dirigeable m. ▼—schroef vis v à air. ▼—smoorklep papillon m des gaz. ▼—spiegeling mirage m. ▼—sprong saut m, cabriole v. ▼—stewardess hôtesse v de l'air. ▼—storing troubles m mv atmosphériques. ▼—streek 1 région atmosphérique, zone v; 2 climat m. ▼—strijdkrachten forces v mv aériennes. ▼—toevoer aération v. ▼—torpedo torpille v aérienne. ▼—trilling vibration v aérienne. ▼—vaart aviation v; ministerie van —, ministère m de l'Air. ▼—vaartmaatschappij compagnie v aérienne. ▼—verdediging défense v antiaérienne. ▼—verkeer trafic m aérien. ▼—verkeersleider contrôleur m d'aérodrome. ▼—verontreiniging pollution v de l'air. ▼—verserver désodorisant m. ▼—versing aération, ventilation v. ▼—vervuiling pollution v de l'air. ▼—verwarming chauffage m de l'air. ▼—vloot flotte v aérienne. ▼—verzekering assurance v des transports aériens. ▼—waardig capable de tenir l'air. ▼—waardigheid navigabilité v. ▼—wapen armée v de l'air. ▼—weerstand résistance v de l'air. ▼—weg 1 voie respiratoire; 2 voie aérienne v. ▼—ziekte mal m de l'air. ▼—zuivering assainissement m de l'air.
lucifer allumette v; Lucifer m. ▼—sdoosje boîte v d'allumettes.
lucratief lucratif.
lui I bn paresseux; liever — dan moe zijn, aimer ses aises. II bw paresseusement. III zn gens copains, gars m mv; hallo —, salut les copains. ▼—aard paresseux m.
luid I bn haut, perceptible. II bw fort, à haute voix; — spreken, parler haut. ▼—en I ov.w sonner; agiter (la sonnette). II on.w 1 sonner; 2 (uitgedrukt zijn) porter, être conçu en ces termes; zijn antwoord luidt ongunstig, sa réponse n'est pas favorable. III zn zie lieden. ▼—ens selon; suivant. ▼—keels à tue-tête; — lachen, rire à gorge déployée. ▼—klinkend sonore. ▼—ruchtig I bn bruyant. II bw bruyamment. ▼—ruchtigheid bruit m, joie v bruyante. ▼—spreker haut-parleur; (v. radiotoestel) amplificateur m. ▼—sprekerbox écran, baffle m; stel —en, enceinte v acoustique.
luier lange m, couche v; een schone — aandoen, changer. ▼—broekje couche-culotte v. ▼—en paresser, fainéanter. ▼—mand layette v.
luifel auvent m.
luiheid paresse v; indolence; fainéantise v.
Luik Liège v. ▼—enaar Liégeois m.
luik 1 (val—) trappe v; 2 (voor venster) contrevent; (binnen) volet m; 3 (dek—) écoutille v.
luiklok bourdon m.
luilak paresseux, fainéant. ▼—ken paresser.
luilekkerland pays m de cocagne.
luim 1 humeur; 2 saute v d'humeur, caprice m. ▼—ig I bn 1 capricieux; 2 comique, spirituel. II bw 1 capricieusement; 2 d'une façon comique. ▼—igheid 1 humeur capricieuse; 2 gaîté v spirituelle.
luipaard léopard m.
luis pou m (mv poux).
luister 1 éclat m, splendeur v; 2 lustre m.
luister/aar —aarster auditeur m, auditrice v; écouteur m, écouteuse v. ▼—apparaat détecteur m. ▼—bijdrage taxe v radiophonique. ▼—dichtheid: (pourcentage m d') écoute v; uur met grote —, heure v de

grande écoute. ▼—**en** 1 écouter, être attentif
à ; être à l'écoute ; *dat luistert nauw*, le
mécanisme en est très délicat ; (*fig.*) c'est très
délicat ; 2 obéir. ▼—**oefening** exercice *m*
d'écoute. ▼—**post** poste *m* d'écoute.
luisterrijk I *bn* éclatant, glorieux ; splendide,
magnifique. II *bw* splendidement,
glorieusement.
luister/spel scène *v* radiophonique.
▼—**vergunning** permis *m* d'écoute.
luit luth *m*.
luitenant lieutenant *m* = *eerste* —; *tweede*
—, sous-lieutenant ; — *ter zee 1e klasse*,
lieutenant de vaisseau ; — *ter zee 2e klasse*,
enseigne de vaisseau. ▼—**generaal** général
de division. ▼—**kolonel** lieutenant-colonel.
luiwagen balai- brosse *m*.
luizen épouiller. ▼—**kam** peigne *m* fin.
▼—**markt** marché *m* aux puces. ▼**luizig** I *bn*
pouilleux ; (*fig.*) misérable. II *bw*
misérablement.
lukken réussir ; *dat lukt*, cela prend. ▼**lukraak**
au petit bonheur.
lul (*plat*) 1 pénis ; 2 (*scheldw.*) con *m*. ▼**lullen**
déconner.
lumineus lumineux ; brillant.
lummel nigaud, lourdaud *m*. ▼—**achtig** I *bn*
niais, nigaud, lourd. II *bw* niaisement.
▼—**achtigheid** niaiserie *v*. ▼—**en** fainéanter,
traîner.
lunch déjeuner *m* léger. ▼—**en** déjeuner.
▼—**pakket** panier-repas *m* ; (*eenvoudig*)
casse-croûte *m*. ▼—**pauze** pause-déjeuner *v*.
▼—**room** crèmerie-restaurant *v*.
luns esse *v*.
lupine lupin *m*.
lupus lupus *m*. ▼—**lijder** lupique.
lurken téter ; sucer, suçoter.
lus ganse *v*, nœud *m* ; (*in tram*) poignée *v* (de
cuir).
lust 1 plaisir, délice, agrément *m* ; 2 envie *v*,
désir ; goût *m* ; 3 passion ; 4 joie *v* ; *zinnelijke
—en*, appétits *m mv* charnels ; *het is een —
om*, c'est un plaisir de ; — *hebben om te*, avoir
envie de ; *als je er — in hebt*, si le cœur vous
en dit ; *ik krijg — om*, l'envie me prend de, je
suis tenté de ; *de — is hem vergaan om*,
l'envie lui est passé de. ▼—**eloos** I *bn*
apathique, indolent. II *bw* indolemment, sans
envie. ▼—**eloosheid** apathie, indolence *v*.
▼—**en** avoir envie de ; aimer ; prendre goût à ;
hij zal er van —, il lui en cuira, il en verra de
dures.
luster lustre *m*.
lusthof jardin d'agrément. ▼**lustig** I *bn* gai,
enjoué. II *bw* joyeusement. ▼—**heid** gaîté,
joie *v*.
lustre I *zn* lustrine *v*. II *bn* en lustrine.
lustrum lustre *m*.
luther/aan Luthérien. ▼—**anisme**
luthéranisme *m*. ▼—**s** luthérien.
luw/en s'apaiser, tomber. ▼—**te** lieu *m* abrité.
luxe luxe *m*. ▼—**artikel** article *m* de luxe.
Luxemburg le Luxembourg. ▼— (*stad*)
Luxembourg *m*. ▼—**er** Luxembourgeois.
▼—**s** luxembourgeois.
lux/ewagen voiture *v* de luxe. ▼—**ueus** I *bn*
luxueux. II *bw* luxueusement.
lyceum lycée *m*.
lymf(e) lymphe *v*. ▼—**klier** ganglion *m*
lymphatique. ▼—**vaten** vaisseaux *m mv* l.
lynch/en écharper, lyncher. ▼—**wet** loi *v* de
Lynch.
lynx lynx *m*.
lyriek lyrisme *m*. ▼**lyrisch** lyrique.
lysine lysine *v*.
lysol lysol *m*.

M m m & v.
ma maman *v*.
maag 1 estomac *m* ; *zijn — is in de war*, il a
l'estomac dérangé ; *hij zit er mee in zijn* —, il
ne sait qu'en faire ; 2 parent(e) allié(e) *m* (*v*).
▼—**bloeding** gastrorragie *v*.
maagd vierge *v* ; *de H. M*—, la Sainte Vierge.
maagdarmcatarre gastro-entérite *v*.
maagd/elijk virginal ; vierge. ▼—**elijkheid**
virginité *v*. ▼—**enroof** rapt, enlèvement *m*.
maag/lijder gastropathe *m*. ▼—**operatie**
gastrotomie *v*. ▼—**pijn** douleur *v* d'estomac.
▼—**poeder** poudre *v* stomachique. ▼—**sap**
suc *m* gastrique. ▼—**zuur** acide *m* gastrique ;
het —„aigreurs *v mv*. ▼—**zweer** ulcère *m*
stomacal.
maai/dorser moissonneuse-batteuse *v*.
▼—**en** faucher ; (*fig.*) moissonner, récolter.
▼—**er** faucheur, moissonneur *m*. ▼—**land** pré
m à faucher. ▼—**machine** faucheuse,
moissonneuse *v*. ▼—**tijd** fauchaison *v*.
maak : *in de* —, en préparation, en réparation ;
hij heeft het in de —, il y travaille ; *in de —
geven*, faire faire. ▼—**baar** faisable, (*spel*) en
prise. ▼—**loon** façon, main *v* d'œuvre. ▼—**sel**
1 produit, ouvrage *m*, œuvre *v* ; 2 (*vorm*)
façon, forme *v*. ▼—**werk** ouvrage de
commande ; travail *m* à façon.
maal 1 repas ; (*feest*—) festin *m* ; 2 fois *v* ; *dit*
—, cette fois-ci ; 2 — *2 is 4*, deux fois deux
font quatre ; *twee* — *zo groot als*, deux fois
grand comme ; *twee* — *zo dik*, deux fois plus
gros ; *tot twee* — *toe*, à deux reprises.
▼—**machine** machine *v* à broyer.
▼—**stroom** tournant, tourbillon *m*. ▼—**teken**
signe *m* de multiplication. ▼—**tijd** repas ;
festin *m* ; *koude* —, repas *m* froid.
maan lune *v* ; *het is lichte* —, il fait clair de
lune ; *naar de* — *zijn*, être perdu, - abîmé ;
loop naar de —, allez vous promener.
maanbrief réclamation *v*.
maancirkel cycle *m* lunaire.
maand mois *m* ; *de* — *juni*, le mois de juin ; *in
de* — *juni*, au mois de juin, en juin.
maandag lundi *m* ; — *houden*, faire le lundi ;
hij is daar een blauwe — *geweest*, il n'a fait
qu'entrer et sortir. ▼—**s** I *bn* de (*of* du) lundi.
II *bw* le lundi.
maand/bericht bulletin *m* mensuel. ▼—**blad**
feuille (*of* revue) *v* mensuelle. ▼—**elijks** I *bn*
mensuel. II *bw* tous les mois, par mois.
▼—**geld** mois *m*. ▼—**lijst** état *m* mensuel.
▼—**loon** salaire *m* au mois. ▼—**rapport**
bulletin *m* mensuel. ▼—**staat** bordereau *m*
mensuel ; situation *v* mensuelle. ▼—**stonden**
règles *v mv*. ▼—**verband** serviettes *v mv*
hygiéniques.
maan/gestalte phase *v* de la lune. ▼—**jaar**
année *v* lunaire. ▼—**jeep** jeep *v* lunaire.
▼—**kop** pavot *m*. ▼—**krans** halo *m*.
▼—**landing** alunissage *m*. ▼—**landschap**
1 effet de lune ; 2 paysage *m* lunaire. ▼—**licht**
lumière *v* de la lune ; *bij* —, au clair de la lune.
▼—**maand** mois *m* lunaire. ▼—**pak**
scaphandre *m* lunaire. ▼—**raket** fusée *v*
lunaire. ▼—**stand** position *v* de la lune.
▼—**sverduistering** éclipse *v* de la lune.
▼—**ziek(e)** lunatique (*m & v*).

maar I *vw* mais, seulement (*begin v. zin*).
II *bw* seulement, ne… que; — *een gulden*, un seul florin; *als het* — *niet regent*, pourvu qu'il ne pleuve pas; *dan moet je* — *werken*, vous n'avez qu'à travailler; *zo* —, sans effort, comme ça; *pour rien*; sans se gêner. III *zn*: *een* —, un mais.
maarschalk maréchal. ▼—**sstaf** bâton *m* de m.
maart mars *m*. ▼—**s**: —*e bui*, giboulée *v* de mars.
Maas Meuse *v*.
maas maille *v*; *door de mazen kruipen*, passer à travers les mailles du filet. ▼—**bal** œuf *m* -, boule *v* à repriser. ▼—**naald** aiguille *v* à lacer;* — à repriser. ▼—**steek** maille *v* de lacis.
Maastricht Maestricht *m*.
maas/werk lacis, filet; tissu *m* à mailles. ▼—**wol** laine *v* à repriser.
1 maat camarade, copain; partenaire *m*.
2 maat 1 mesure *v*; — *houden*, garder la mesure; 2 (*v. (hand)schoen*) pointure; 3 (*v. boord*) encolure; 4 (*v. hoed, kous*) entrée; 5 (*v. pak*) taille *v*; *ik heb* — *42*, je chausse du 42; *ik heb* — *8* (*v. handschoen*), je gante du 8; *grote maten*, grandes tailles; *welke* — *hebt u?*, quelle taille (*of* pointure) faites-vous?; *de* — *hebben*, avoir la taille requise; — *houden*, observer la mesure; *de* — *nemen*, prendre la mesure (à qn); *de* — *overschrijden*, dépasser la mesure; *de* — *vol maken*, combler la mesure; *bij de* —, à la mesure; *naar de* — *van*, dans la mesure de; *onder de* — *zijn*, ne pas avoir la taille requise; *op de* — *van de muziek lopen*, marcher en mesure avec la musique; *tegen de* — *in*, à contre-temps; *uit de* — *raken*, perdre la mesure, sortir de la mesure; *maten en gewichten*, poids et mesures. ▼**maat/fles** bouteille *v* graduée. ▼—**gevoel** sens *m* de la mesure. ▼—**gezang** chant *m* cadencé, -rythmé. ▼—**glas** verre *m* gradué, éprouvette *v*. ▼—**je** 1 décilitre *m*; 2 moque *v*; 3 *ohère* maman *v*; 4 copain; *beste* —*s zijn met*, être très copain avec. ▼—**jesharing** hareng *m* vierge. ▼—**kostuum** costume *m* sur mesure. ▼—**lat** mètre *m*, jauge *v*. ▼—**regel** mesure *v*, *algemene* — *van inwendig bestuur*, règlement *m* d'administration publique; *zijn* —*en nemen*, prendre ses dispositions, s'arranger (pour). **maat/schap** 1 association; 2 camaraderie *v*. ▼—**pelijk** bn (& *bw*) social(ement); — *kapitaal*, capital *m* social; — *werk*, assistance *v* sociale; — *werkster*, assistante *v* sociale; —*e plichten*, devoirs *m mv* de société. ▼—**pij** 1 société; 2 (*hand*.) société, association, compagnie *v*; *de burgerlijke* —, la société civile; — *op aandelen*, société en commandite par actions. ▼—**pijcrisis** crise *v* de société. ▼—**pijleer** sociologie *v*. ▼—**pijverandering** transformation *v* de la société.
maat/staf mesure, échelle, norme *v*; *tot* — *nemen*, prendre pour norme. ▼—**stok** 1 (*muz.*) baguette; 2 mesure, règle *v*. ▼—**streep** barre *v* de mesure. ▼—**vast** qui observe la mesure. ▼—**werk** travail *m* fait sur mesure.
macadam/iseren macadamiser. ▼—**weg** route *v* macadamisée.
macaron/i macaroni *m*. ▼—**isch** macaronique.
mach mach *m*; 2 — *vliegen*, voler à mach 2.
Machiavell/i Machiavel *m*. ▼**m**—**isme** machiavélisme *m*. ▼**m**—**istisch** machiavélique.
machinaal bn (& *bw*) mécanique; (*fig.*) machinal(ement); à la mécanique.
machinatie machination *v*.
machine machine *v*; *met de* — *vervaardigd*, fabriqué à la machine. ▼—**bouw(kunde)** construction *v* mécanique. ▼—**delen** organes *m mv* de machine. ▼—**fabriek** usine *v* de construction mécanique. ▼—**fabrikant** constructeur de machines. ▼—**garen** fil *m* pour machine à coudre. ▼—**geweer**

mitrailleuse *v*. ▼—**geweerschutter** mitrailleur *m*. ▼—**kamer** chambre *v* des machines. ▼—**kamerpersoneel** personnel *m* mécanicien. ▼—**kolen** charbon *m* maigre. ▼—**monteur** ajusteur *m* mécanicien. ▼—**olie** huile *v* de graissage. ▼—**pistool** mitraillette *v*. ▼—**rie** machine, installation *v* mécanique; —*en*, appareils *m mv*, outillage *m*. ▼—**schrijven** 1 dactylographie *v*. II *on.w* écrire à la machine, taper. ▼—**zetter** lino-typiste *m*. ▼**machinist** mécanicien; (*mar.*) officier *m* mécanicien.
macht 1 puissance *v*, pouvoir *m*; 2 (*kracht*) force *v*; 3 multitude, foule; quantité *v*; *derde* —, cube *m*; *twee tot de vierde* —, deux puissance quatre; *tweede* —, carré *m*; — *over leven en dood*, droit *m* de vie et de mort; *de strijd om de* —, la lutte pour le pouvoir; — *hebben over*, avoir l'empire sur; *de* — *verliezen over*, perdre le contrôle de; *ne plus être maître de; zijn* — *te buiten gaan*, excéder ses pouvoirs; *aan de* — *komen*, arriver au pouvoir; *bij* —*e*, à même de; *niet bij* —*e om*, impuissant à; *dat ligt boven mijn* —, c'est au-dessus de mes forces; *dat staat niet in mijn* —, ce n'est pas en mon pouvoir; *uit alle* —, de toutes ses forces; *uit alle* — *slaan*, frapper à tour de bras. ▼**macht/eloos** impuissant; (*fig.*) désarmé. ▼—**eloosheid** impuissance, faiblesse *v*. ▼—**hebber** autorité *v*, homme en place; mandataire *m*. ▼—**ig** bn 1 puissant; maître (de) 2 (*v. eten*) lourd, gras; *een taal* — *zijn*, posséder une langue; — *worden*, s'emparer de la force; II *bw* puissamment, fort, énormément. ▼—**igen** donner (à qn) pouvoir (de); autoriser (qn à faire qc). ▼—**iging** autorisation *v*; (*formulier*) bon *m* pour pouvoir; — *tot betaling*, ordonnancement *m*. ▼—**sapparaat** appareil *m* de domination. ▼—**sevenwicht** équilibre *m* des forces. ▼—**smiddel** pouvoir *m*. ▼—**soverschrijding** excès *m* de pouvoir. ▼—**spolitiek** politique *v* de la force. ▼—**spreuk** argument *m* concluant. ▼—**sverheffing** élévation *v* à une puissance. ▼—**svertoon** déploiement *m* de forces.
macramé macramé *m*.
macrobiotisch macrobiotique.
Madagascar Madagascar *m*; *van* —, malgache.
made ver, asticot *m*, mite *v*.
madeliefje marguerite, pâquerette *v*.
Madera Madère *v*; (— *wijn*) madère *m*.
madonna Madone, Sainte-Vierge *v*.
Madrid Madrid *m*; *van* —, madrilène.
maëstro maestro, maître *m*.
maffen pioncer, roupiller; *gaan* —, se pieuter.
maffia maf(f)ia *v*.
magazijn magasin, dépôt *m*. ▼—**boek** livre *m* des entrées et des sorties. ▼—**meester** chef de magasin; (*mil.*) garde-magasin *m*.
mager 1 bn (& *bw*) maigre(ment), sec; 2 (*dun*) mince, grêle; 3 (*dor*) sec, aride; —*e melkpoeder*, lait *m* écrémé en poudre. ▼—**heid** maigreur *v*.
mag/iër mage *m*. ▼—**isch** magique.
magiruslladder grande échelle *v*.
magist/er maître *m*. ▼—**raal** bn (& *bw*) magistral(ement). ▼—**raat** magistrat *m*. ▼—**ratuur** magistrature *v*.
magma magma *m*.
magnaat magnat *m*.
magneet aimant *m*; (*v. motor*) magnéto *v*. ▼—**band** bande *v* (ruban *m*) magnétique (*v. bandrecorder*). ▼—**ijzer** fer *m* aimanté. ▼—**kracht** force *v* magnétique, magnétisme *m*. ▼—**naald** aiguille *v* aimantée *v*. ▼—**pool** pôle *m* magnétique.
magnesi/a magnésie *v*. ▼—**um** magnésium *m*. ▼—**umlicht** lumière *v* au magnésium.
magnet/isch bn (& *bw*) magnétique(ment); — *veld*, champ *m* magnétique; — *worden*, s'aimanter. ▼—**iseren** magnétiser; hypnotiser. ▼—**isering** magnétisation *v*. ▼—**isme** magnétisme *m*. ▼—**ofoon** magnétophone *m*.

magnifiek *bn (& bw)* magnifique(ment).
magnolia magnolier *m.*
Magyaar Magyare *m.* ▼—s magyare.
mahoniehout acajou *m.*
maiden-speech débuts *m mv* d'orateur.
mail courrier *m.* ▼—boot paquebot-poste, bateau-poste *m.* ▼—brief lettre *v.* ▼—dienst service *m* postal maritime. ▼—trein train-poste *m.* ▼—zak sac *m* postal.
maintenee femme entretenue, maîtresse.
mais mais, blé *m* de Turquie. ▼—brij bouillie *v* de maïs. ▼—kolf épi *m* de maïs.
maïzena farine *v* de maïs.
majesteit majesté *v.* ▼—sschennis crime *m* de lèse-majesté. ▼majestueus I *bn* majestueux. II *bw* majestueusement.
majeur majeur.
majolica majolique *v.*
majoor 1 chef de bataillon, - d'escadron ; commandant ; 2 sergent-major.
major majeure *v.*
majorette majorette *v.*
mak 1 doux, docile ; 2 *(tam)* apprivoisé, privé ; — *maken,* apprivoiser, mater.
makelaar 1 courtier, agent de change ; 2 *(arch.)* poinçon *m.* ▼—dij courtage *m.*
makelij façon *v.*
maken I *ov.w* 1 faire ; fabriquer, confectionner, composer ; 2 rendre *(met bn)* ; 3 créer, former ; construire ; *dat maakt 5 gulden,* ça fait cinq florins ; *hij heeft het er naar gemaakt,* il ne l'a pas volé ; *iets erger — dan het is,* voir tout en mal ; *het te erg —,* aller trop loin ; *het goed —,* être en bonne santé ; faire bien ses affaires ; *iets met iem. goed te — hebben,* avoir qc à réparer envers qn ; *groter —,* agrandir ; *hoe maakt u het,* comment allez-vous ; *dat maakt niets,* ça ne fait rien ; *hij kan me niets —,* il ne peut rien contre moi ; *je hebt hier niets te —,* vous n'avez rien à faire ici ; *te — hebben met,* avoir affaire à ; *jij hebt daar niets mee te —,* vous n'avez rien à voir là-dedans ; *dat heeft daarmee niets te —,* cela n'a aucun rapport ; c'est une question à côté ; *ik weet niet wat ik daarvan moet —,* je ne m'explique pas cela ; *wat heeft hij daarmee te —,* qu'est-ce que vous voulez que cela lui fasse ? ; *wat heeft dat ermee te —?,* je ne vois pas le rapport ; *we moeten ervan — wat ervan te — is,* il faut en tirer le meilleur parti ; *de eucharistievieringen zullen zijn wat wij ervan —,* les messes seront ce que nous les ferons ; *tot de mijne —,* faire mien. II *zich* — se faire ; se rendre *(met bn)* ; *zich bemind —,* se faire aimer ; *zich iem. tot vriend —,* faire de qn son ami ; *zich vrienden —,* se faire des amis ; *zich uit de voeten —,* se sauver ; *zich een voorstelling — van,* se faire une idée de. III *zn* façon ; fabrication, confection ; composition ; réparation *v.* ▼maker faiseur, fabricant, auteur, créateur.
make-up maquillage *m.*
makheid douceur, docilité *v.*
makkelijk *zie* gemakkelijk.
makker camarade, compagnon *m,* *(fam.)* copain *m,* copine *v.*
makreel maquereau *m.*
mal I *zn* 1 calibre ; 2 *(mar.)* gabari(t) ; 3 *(teken—)* pistolet *m.* II *bn* 1 fou, sot ; 2 trop bon ; 3 fâcheux ; *voor de — houden,* se moquer de ; *ben je —?,* tu n'es pas fou ?, à quoi penses-tu ? III *bw* sottement.
malaise malaise *m.* ; époque *v* de crise.
malaria malaria, fièvre *v* paludienne, paludisme *m* ; *van —,* malarique, impaludé.
Malei/er Malais *m.* ▼—s malais ; *een — e,* une Malaise ; *—e* Archipel, Malaisie *v.*
malen 1 moudre, broyer ; 2 *(water — uit)* tirer de l'eau de, épuiser ; 3 délirer, divaguer ; 4 rêver ; 5 *(zeuren)* importuner.
malie 1 maille *v* ; 2 *(veterbeslag)* ferret *m.* ▼—baan, —veld mail *m.*
maling rêvasserie, extravagance *v* ; *ik heb er — aan,* je ne m'en soucie pas ; *iem. in de — nemen,* se payer la tête de qn.
malle/jan triqueballe *m.* ▼—molen chevaux *m mv* de bois. ▼—praat bêtises, blagues *v*

mv. ▼malligheid badinage *m,* sottise, bêtise *v.*
mals I *bn* 1 *(v. vlees)* tendre ; 2 *(v. vrucht)* fondant, succulent ; 3 *(fig.)* doux, agréable ; *niet —,* dénué de bienveillance. II *bw* tendrement ; *het iem. lang niet — zeggen,* ne pas mâcher les mots à qn. ▼—heid tendreté, douceur *v.*
Malt/a Malte *v.* ▼—ezer I Maltais *m* ; chevalier de l'Ordre de Malte. II *bn* maltais ; *— kruis,* croix *v* de Malte.
malversatie malversation *v.*
mam 1 mamelle *v,* téton *m* ; 2 *= —a* maman *v.*
mammoet mammouth *m.*
mammon Mammon, Veau *m* d'Or.
man 1 homme ; *(pop.)* mec *m* ; 2 *(echtgenoot)* mari *m* ; *(aanspreking v. echtgenoot)* mon ami, *(aanspreking v. vriend)* mon vieux ; *een — van betekenis,* un homme d'importance ; *een — van de klok,* un homme exact ; *een — van zijn woord,* un homme de parole ; *als één —,* comme un seul homme ; *de vierde — zijn,* faire le quatrième ; *een groot —,* un grand homme ; *een grote —,* un homme grand ; *de kleine —,* le petit peuple ; *de rechte — op de rechte plaats,* l'homme de la situation ; *hij is er de — niet naar om,* il n'est pas homme à … ; *jij bent mijn —,* tu es mon homme ; *tu es l'homme qu'il me faut ; — en vrouw,* mari et femme ; *als — en vrouw leven,* vivre maritalement ; *een — krijgen,* trouver à se marier ; *— en paard noemen,* ne rien taire ; *zijn — staan,* ne céder à personne ; *aan de — brengen,* 1 trouver un acheteur ; 2 caser (une de ses filles) ; *met — en muis vergaan,* périr corps et biens ; *hij zegt het op de — af,* il ne vous l'envoie pas dire ; *per —,* par personne, par tête ; *strijd van — tegen —,* lutte *v* corps à corps ; *een — een —, een woord een woord,* un homme d'honneur n'a que sa parole.
management management *m.* ▼manager gérant, manager ; *(sp.)* soigneur *m.*
manbaar nubile, pubère.
manche *(kaartspel)* manche *v.*
manchester velours *m* à côtes, - de chasse.
manchet manchette *v* ; *(op bier)* faux-col *m.* ▼—knoop bouton *m* de manchette.
manco déficit, manque *m.*
mand corbeille *v,* panier *m* ; *(op de rug)* hotte *v* ; *door de — vallen,* faire des aveux.
mandaat 1 mandat *m* ; 2 ordonnance *v* de paiement ; *zijn — neerleggen,* se démettre de son mandat. ▼—gebied territoire *m* sous mandat.
mandarijn mandarin *m.* ▼—tje mandarine *v.*
mandat/aris mandataire. ▼—eren ordonnancer.
mandefles 1 bouteille clissée ; 2 *(v. zuren)* dame-jeanne *v.*
mandement mandement *m.*
mandenmaker vannier *m.* ▼—ij vannerie *v.*
mandoline mandoline *v.*
mandvol corbeille *v* pleine, panier *m.*
manege manège *m.*
manen I *zn* crinière *v.* II *ov.w* 1 exhorter, exciter (à) ; 2 sommer de payer.
maneschijn clair *m* de lune.
mangaan manganèse *m.* ▼—erts minerai *m* de manganèse.
mangat trou *m* d'homme ; bouche *v* d'accès.
mangel 1 *(tech.)* calandre, installation *v* de cylindrage ; 2 défaut, manque *m.* ▼—en 1 calandrer, cylindrer ; 2 *(ontbreken)* manquer (d'argent). ▼—goed linge *m* à calandrer. ▼—wortel betterave *v* fourragère.
mangrove manglier, palétuvier *m.*
manhaftig I *bn* viril ; vaillant, hardi ; énergique. II *bw* vaillamment ; résolument. ▼—heid virilité, vaillance, énergie *v.*
maniak maniaque *m.*
manicur/e manucure *m & v.* ▼—en manucurer.
manie manie *v.*
manier 1 manière, façon *v* ; 2 procédé *m* ; *dat is geen — van doen,* cela ne se fait pas ; *de — waarop,* la manière dont ; *goede —en,*

savoir-vivre m; geen —en hebben, ne pas avoir de façons, ne pas savoir se conduire; op die —, de cette façon (of manière).
manifest manifeste m. ▼—atie manifestation v. ▼—eren manifester.
manilla cigare de Manille, manille m.
maniok manioc m, cassave v. ▼—meel tapioca m.
manipel manipule m.
manipul/atie manipulation v; (hand.) tripotage m. ▼—eren manipuler.
mank boiteux; — gaan, boiter; die vergelijking gaat —, cette comparaison cloche. ▼—ement défaut m; infirmité v. ▼—eren manquer; wat mankeert je?, qu'avez-vous donc?; dat mankeert er nog maar aan, il ne manquait plus que cela; zonder —, je n'y manquerai pas!, sans faute!
manmoedig I bn viril, vaillant. II bw vaillamment. ▼—heid vaillance v.
manna manne v.
mannelijk I bn 1 mâle; 2 (gram.) masculin; 3 (fig.) viril, courageux. II bw virilement, courageusement. ▼—heid virilité v, âge m viril; vigueur v.
mannen/klooster couvent m de religieux. ▼—koor chœur m d'hommes, association v chorale. ▼—kracht force v virile; daarvoor is — nodig, il faut pour cela un homme à poigne.
mannequin mannequin m.
mannetje 1 petit homme, bout d'homme; 2 petit mari; 3 (dierk.) mâle; 4 (poppetje) bonhomme m; wel —!, eh bien, mon ami; zijn — staan, n'avoir pas froid aux yeux.
manoeuvr/e manœuvre v. ▼—eerbaarheid liberté v de m. ▼—eren manœuvrer.
manometer manomètre m.
mans: — genoeg zijn om, être de taille à; zij is heel wat —, c'est une maîtresse femme.
manschappen hommes, soldats m mv, troupes v mv.
man/shoog à hauteur d'homme. ▼—shoogte hauteur v d'homme. ▼—slag homicide m. ▼—slengte taille v d'un homme. ▼—spersoon homme, (fam.) mâle m.
mantel manteau m; (v. buis) enceinte; (v. machine) garniture v; met de — der liefde bedekken, couvrir du manteau de la charité, tirer le voile sur; iem. de — uitvegen, dire son fait à qn. ▼—japon robe v manteau. ▼—jas carrick m. ▼—kap capuchon m. ▼—meeuw (goéland à) manteau noir m. ▼—organisatie organisation v crypto- (communiste, fasciste enz.). ▼—pak (costume) tailleur m. ▼—stof étoffe v pour manteaux.
mantille mantille v.
mantisse mantisse v.
manuaal geste familier m; (muz.) clavier m.
manufactur/en nouveautés v mv, bonneterie v. ▼—ier marchand m de nouveautés. ▼manufactuurwinkel magasin m de nouveautés, bonneterie, mercerie v.
manuscript manuscrit m.
man/volk les hommes. ▼—wijf virago v. ▼—ziek nymphomane, érotomane.
map classeur, carton, dossier m, chemise, serviette v.
maraskijn marasquin m.
marathon marathon m.
marche zie mars. ▼—ren marcher.
marconist opérateur de T.S.F., (fam.) radio m.
mare nouvelle v, bruit m.
marechaussee 1 gendarmerie v; 2 gendarme m.
maretak gui m.
margarine margarine v. ▼—fabriek margarinerie v. ▼—fabrikant margarinier m.
marg/e marge v. ▼—inaal marginal. ▼—inaliën notes v mv marginales. ▼—ine (in —) en marge.
Maria/-Boodschap Annonciation v. ▼—-Hemelvaart Assomption v. ▼—-Lichtmis la Chandeleur. ▼—-Ontvangenis Conception v immaculée de la Vierge.

marihuana marijuana v.
marine marine v militaire, - nationale; minister van —, ministre m de la Marine. ▼—attaché attaché m naval. ▼—basis base v navale. ▼—blauw bleu marine. ▼—haven port m de guerre, - militaire. ▼—luchtvaartdienst forces v mv aéronavales. ▼—officier officier m de la marine. ▼—ren mariner. ▼—werf chantier m de constructions navales. ▼marinier fusilier m marin; korps —s, infanterie v de marine.
marionet marionnette v, fantoche m. ▼—tenspel théâtre m de marionnettes.
maritiem maritime.
marjolein marjolaine v.
mark mark m.
mark/ant imposant; marqué. ▼—eren marquer; de pas —, marquer le pas.
marketing marketing m.
mark/ies, —iezin marquis, -e.
markt 1 marché m; 2 (—plein) place du marché; gemeenschappelijke —, marché m commun; aan de — komen, paraître sur le marché; onder de —, au-dessous du prix; op de — gooien, lancer; uit de — nemen, retirer; van alle — en thuis zijn, s'entendre à tout. ▼—analyse analyse v des marchés. ▼—bericht mercuriale v, bulletin m des ventes. ▼—dag jour m de marché. ▼—en aller au marché. ▼—koopman marchand forain. ▼—meester inspecteur m du marché; placier m. ▼—plaats 1 ville v à marché; 2 = —plein marché m, place v. ▼—prijs cours -, prix m du marché, cote v. ▼—vrouw vendeuse au marché; dame de la Halle. ▼—waarde valeur v marchande.
marmelade confiture v d'orange.
marmer marbre m. ▼—achtig marbré. marmoréen. ▼—beeld statue v de marbre. ▼—blad plaque v de marbre. ▼—en I ov.w marbrer. II zn: het —, la marbrure. III bn de (of en) marbre. ▼—groeve marbrière, carrière v de marbre.
marmot 1 marmotte v; 2 cochon d'Inde, cobaye m.
marokijn, —leer maroquin m. ▼—en de (of en) maroquin. ▼Marokk/aan Marocain m. ▼—aans marocain. ▼Marokko le Maroc.
mars 1 panier m de colporteur; 2 (op de rug) hotte; 3 (voor het lichaam) éventaire m; 4 (mar.) hune v; heel wat in zijn — hebben, être très fort (of calé); hij heeft niet veel in zijn —, son bagage est mince; 5 marche v; op —, en marche; voorwaarts, en avant, marche!; 6 (planeet) Mars m. ▼—bewoner Martien.
marsepein massepain m.
mars/kramer colporteur m. ▼—lied chanson v de route. ▼—order feuille v de route; ordre m de transport. ▼—route itinéraire m; de — aangeven, jalonner les étapes. ▼—snelheid vitesse v de marche. ▼—tenue tenue v de campagne. ▼—vaardig prêt à marcher; - à partir.
martelaar martyr m; — worden, souffrir le martyre. ▼—schap martyre m. ▼martel/ares martyre v. ▼—dood martyre m. ▼—en martyriser; tourmenter; langzaam dood —, faire mourir à petit feu. ▼—ing martyre, supplice m; (fig.) torture v; tourment m. ▼—paal poteau m de tortures; pilori m. ▼—tuig instruments m mv de torture.
marter martre v. ▼—bont peau v de martre.
martiaal bn (& bw) martial (ement).
marx/isme marxisme m. ▼—ist(isch) marxiste (m).
mascotte mascotte v, poupée v fétiche.
masker masque m; het — afleggen, lever le masque; (fig.) agir ouvertement. ▼—ade mascarade v. ▼—en masquer.
masochisme masochisme m.
massa masse v; de grote —, la foule; de grauwe —, le commun; de — vormen, être le nombre; in —, en masse; met de — verbinden, brancher à la masse. ▼massaal

I *bn* en masse ; massif. II *bw* massivement.
▼**massa/-artikel** article *m* de série.
▼**—bijeenkomst** réunion *v* monstre.
▼**—communicatie** communication *v* de masses. ▼**—graf** charnier *m*. ▼**—jeugd** jeunesse *v* désorganisée. ▼**—media** médias *m mv*. ▼**—mens** homme des foules, homme-masse *m*. ▼**—moord** tuerie *v*.
▼**—moordenaar** tueur *m*. ▼**—produktie** production *v* en masse, - série. ▼**—psychose** psychose *v* collective. ▼**—staking** grève *v* générale. ▼**—toerisme** tourisme *m* des masses. ▼**—verbinding** mise *v* à la masse. ▼**—verniétiging** destruction *v* en masse. ▼**—vervoer** transport *m* en commun.
massage massage *m*. ▼**mass/eren** masser. ▼**—ering** massage *m*. ▼**—eur** masseur *m*.
massief massif ; *van — zilver*, d'argent plein.
mast 1 mât ; poteau *m* ; antenne *v* ; 2 sapin *m*. ▼**—bos** sapinière ; pinède *v*.
mastiek mastic, lut, ciment *m*.
mastklimmen grimper au mât de cocagne.
mastodont mastodonte *m*.
masturb/atie masturbation *v*. ▼**—eren** masturber.
mastworp demi-nœud *m*.
mat I *zn* (*vloer*—) paillasson *m* ; *ruige* —, tapis-brosse *m* ; *zijn —ten oprollen*, plier bagage. II *bn* 1 mat, sans éclat, terne ; 2 las, fatigué, faible ; *— zetten*, faire mat.
matador matador *m*.
match match *m*, rencontre *v*.
mate mesure *v* ; *in die* —, à ce point ; *in grote* (*hoge*) —, grandement, fort ; *in de hoogste* —, au plus haut degré ; *in gelijke* —, au même degré ; *in meerdere of mindere* —, plus ou moins ; *met* —, avec modération, modérément ; *naar* —, à proportion (de) ; à mesure que. ▼**—loos** sans mesure ; excessif. ▼**—loosheid** immensité *v*.
matelot canotier *m*.
maten en gewichten poids et mesures.
materi/aal matériel *m* ; matériaux *m mv* ; (*tech.*) matériau *m* ; sujets *m mv*. ▼**—alisme** matérialisme *m*. ▼**—alist(isch)** matérialiste (*m*). ▼**materie** matière ; (*etter*) matière *v* purulente. ▼**materieel** I *bn* (*& bw*) matériel(lement). II *zn* matériel *m*, matériaux *m mv*.
mat/glas verre *m* dépoli, - douci. ▼**—heid** 1 matité *v*, dépoli *m* ; 2 lassitude, fatigue, apathie ; (*v. stijl*) langueur *v*.
mathema/tica, mathesis mathématiques *v mv*. ▼**—ticus** mathématicien *m*. ▼**—tisch** *bn* (*& bw*) mathématique(ment).
matig I *bn* 1 (*v. spijs, drank*) sobre, frugal ; 2 (*v. prijs*) modique ; 3 (*v. warmte*) modéré, tempéré. II *bw* sobrement, frugalement ; *maar* —, médiocrement. ▼**—en** I *ov, w* modérer ; ralentir ; calmer ; diminuer. II *zich* — se modérer ; se calmer. ▼**—heid** 1 sobriété, frugalité ; (*in drinken*) tempérance ; modération ; 2 (*v. prijs*) modicité ; 3 (*fig.*) retenue *v*. ▼**—ing** modération, retenue *v*.
matineus matinal.
matje 1 petite natte *v* ; 2 dessous *m* (de plat).
matras matelas ; sommier *m*. ▼**—zak** taie *v*.
matriarchaat matriarcat *m*.
matrijs matrice *v*.
matroos matelot *m*. ▼**matrozen/kraag** col *m* marin. ▼**—muts** bonnet *m* de marin. ▼**—pak** costume *m* marin ; (*v. meisjes*) marinière *v*.
matteklopper tapette *v*, bat-tapis *m*.
matten I *ov.w* rempailler (une chaise) ; clisser (une bouteille). II *bn* canné. ▼**—maker**, **—maakster** nattier *m*, nattière *v*. ▼**matwerk** 1 sparterie *v* ; 2 ouvrage *m* mati.
mausoleum mausolée *m*.
mauwen miauler.
maxi-jurk maxi-robe *v*, of robe-maxi *v*.
maximaal I *bn* maximal ; maximum (*bij m*) ; maxima (*bij v & mv*) ; *maximale belasting*, maximum *m* de charge. II *bw* au maximum. ▼**maximum** maximum *m*. ▼**—prijs** prix *m* maximum. ▼**—snelheid** vitesse *v* maximum ; *toegestane* —, maximum de vitesse autorisé.

▼**—thermometer** thermomètre *m* à maxima.
mayonaise mayonnaise *v*.
mazelen rougeole *v*.
mazen 1 mailler ; 2 (*verstellen*) remmailler.
mazurka mazurka *v*.
mazzel un bon coup. ▼**—en** réussir un b. c.
me *zie* mij.
mecanicien mécanicien *m*. ▼**meccanodoos** meccano *m*.
mecenas Mécène *m*.
mechan/ica mécanique *v*. ▼**—iek** mécanisme *m*. ▼**—isch** *bn* (*& bw*) mécanique(ment). ▼**—iseren** mécaniser. ▼**—isering** mécanisation *v*. ▼**—isme** mécanisme *m*.
Mechelen Malines *v*.
medaille médaille *v*.
mede- *zie ook* mee-. ▼**—aanzitten** partager le repas de, se trouver aux côtés de. ▼**—afgevaardigde** codéputé *m*. ▼**—beslissingsrecht** droit *m* de participation aux décisions ; droit *m* de codécision. ▼**—besturen** gérer en commun, cogestion. ▼**—betalen** payer sa part de. ▼**—bewoner** colocataire ; cohabitant *m*. ▼**—burger** concitoyen *m*. ▼**—dader** complice *m*. ▼**—deelbaar** communicable.
mede/deelzaam 1 communicatif, expansif ; 2 (*vrijgevig*) libéral. ▼**—delen** communiquer. ▼**—deling** communication *v*.
mede/dinger concourir (à). ▼**—dinger** rival ; concurrent *m*. ▼**—dinging** concurrence *v* ; *buiten* —, hors concours. ▼**—dingster** rivale ; concurrente *v*.
mede/directeur codirecteur. ▼**—dogen** compassion, pitié *v*. ▼**—éigenaar**, **—éigenares** copropriétaire *m & v*. ▼**—éigendom** copropriété *v*. ▼**—érfgenaam** cohéritier *m*, -ière *v*. ▼**—gevangene** codétenu *m*. ▼**—gevoel** sympathie ; compassion *v*. ▼**—helper**, **—helpster** aide *m & v*. ▼**—huurder**, **—huurster** colocataire *m & v*. ▼**—ingezetene** concitoyen *m*. ▼**—klinker** consonne *v*. ▼**—leerling** condisciple *m*. ▼**—leven** être captivé ; compatir à (la douleur de qn). ▼**—lid** membre, confrère *m*.
medelijd/en compassion, pitié *v* ; *met iem.* — *hebben*, avoir pitié de qn ; *om* — *mee te hebben*, à faire pitié. ▼**—end** I *bn* compatissant ; (*med.*) sympathique. II *bw* avec compassion, plein de pitié. ▼**—enswaardig** digne de pitié.
mede/mens prochain, semblable *m*. ▼**—minnaar** rival *m*. ▼**—ondertekenaar** cosignataire *m*. ▼**—ondertekenen** contresigner. ▼**—oorzaak** cause *v* secondaire. ▼**—passagier** compagnon *m* -, compagne *v* de traversée. ▼**—piloot** copilote *m*.
mede/plichtig complice (de). ▼**—plichtige** complice *m & v*. ▼**—plichtigheid** complicité *v*.
mede/reiziger compagnon *m* de voyage. ▼**—schuldig(e)** complice *m & v*. ▼**—speler**, **—speelster** partenaire *m & v* ; (*sp.*) (co)équipier. ▼**—stander** partisan *m*. ▼**—strijden** prendre part au combat.
medewerk/en coopérer (à) ; collaborer (à). ▼**—er**, **—ster** collaborateur *m*, -trice *v*. ▼**—ing** collaboration *v* ; concours *v*.
mede/weten connaissance *v* ; *buiten zijn* —, à son insu ; *met zijn* (*mijn*) —, à bon escient. ▼**—zeggenschap** participation *v* ; — *hebben*, avoir voix délibérative. ▼**—zuster** consoeur *v*.
media média *m mv*. ▼**—miek** médiumnique.
medicijn médicament *m*, médecine *v* ; *in de* —*en studeren*, étudier la médecine. ▼**—drank** potion *v*. ▼**—fles** fiole *v*. ▼**—kastje** armoire *v* à pharmacie. ▼**—winkel** bureau *m* privé de renseignements sur médicaments. ▼**medic/inaal** médicinal ; médical. ▼**—ineren** 1 pratiquer ; 2 avoir recours à un médecin ; prendre des remèdes. ▼**—us** médecin ; étudiant en médecine.
medio : — *november*, à la mi-novembre, le

quinze novembre; *in* —, au milieu.
medisch *bn* (& *bw*) médical(ement); —*e
faculteit*, faculté *v* de médecine; — *attest*,
certificat *m* médical; — *adviseur*, médecin *m*
conseil.
medit/atie méditation *v*; (*rk*) carême *m*.
▼—**eren** méditer.
medium médium *m*; (*in schildersuitdr. ook*)
liant *m*; *circulerend* —, numéraire *m*.
mee aussi; *ga je* —?, viens-tu avec moi?; *hij
wil met ons* —, il veut nous accompagner.
▼**mee-** *zie ook* **mede-**. ▼—**brengen 1** (*v.
iets draagbaars*) apporter; **2** (*v. wat niet
draagbaar is*) amener; **3** entraîner, produire;
ten huwelijk —, apporter (en mariage).
▼—**delen I** *ov.w* communiquer, faire savoir
(qc à qn); *een beweging aan iets* —, imprimer
un mouvement à qc. **II** *on.w* — *in de winst*,
participer aux bénéfices. ▼—**doen** être dans
le coup; entrer dans le jeu (de qn); être de la
partie, s'associer à; *ik doe mee*, j'en suis; *zelf*
—, payer de sa personne; *eerlijk* —, jouer le
jeu.
mee/dogend compatissant; avec
compassion. ▼—**dogenloos** *bn* (& *bw*)
impitoyable(ment).
meeët/en *zie* **medeaanzitten**. —**er**
comédon *m*.
mee/gaan aller avec (qn); accompagner
(qn); (*fig.*) être d'accord avec; *ga je mee?*, tu
viens (avec moi)?; *met zijn tijd* —, marcher
avec (d'être de) son temps, être à la page.
▼—**gaand** accommodant, coulant, facile à
vivre. ▼—**gaandheid** caractère *m*
accommodant.
mee/geven I *ov. w* donner, confier; donner en
dot; faire accompagner (qn) de. **II** *on.w*
céder; rendre; *niet* —, résister. ▼—**helpen**
aider. ▼—**komen** venir, arriver; *hij kan niet*
—, il ne peut pas suivre (en classe).
meekrap garance *v*.
mee/krijgen recevoir; recevoir en dot; *iem.*
—, mettre qn dans le coup; *hij kon hem niet*
—, il ne voulait pas venir. ▼—**kunnen** pouvoir
suivre en classe.
meel farine *v*. ▼—**bloem** fleur *v* de farine.
▼—**fabriek** minoterie *v*. ▼—**fabrikant**
minotier *m*. ▼—**handel** commerce *m* des
farines.
mee/lokken attirer; entraîner avec soi.
▼—**lopen** accompagner; (*fig.*) réussir.
meel/pap bouillie *v* de farine. ▼—**produkt**
farineux *m*. ▼—**soep** soupe *v* à la farine.
▼—**spijs** farineux *m*.
meeluisterapparaat écouteur *m*.
mee/maken prendre part à; assister à; passer
par; *van alles* —, en voir de toutes les
couleurs; *hij heeft de oorlog meegemaakt*, il a
fait la guerre. ▼—**nemen 1** (*v. iets
draagbaars*) emporter; **2** (*v. wat niet
draagbaar is*) emmener; *dat is meegenomen*,
c'est autant de gagné. ▼—**praten** prendre
part à la conversation; *daar kan hij van* —, il
en sait qc.
meer I *zn* lac *m*. **II** *tlw* plus, davantage; *hij
leest* — *dan ik*, il lit plus que moi; — *dan 100
gulden*, plus de 100 florins; *10 gulden* —, 10
florins de plus; *des te* — (*omdat*), d'autant
plus que; — *en* —, de plus en plus; *dat
smaakt naar* —, cela a un goût de revenez-y;
niemand —?, personne n'en veut plus?; (*bij
verkoping*) niet me met au-dessus?; *dank u,
niet* —, c'est assez merci; *het is niet* — *dan
billijk*, ce n'est que juste (que); *zij zingt niet*
—, elle ne chante plus; *hij heeft niets* —, il n'a
plus rien; *wat wil je nog* —?, que veux-tu de
plus?
meerder I *bn* plus grand; supérieur. **II** *zn* —*e*,
supérieur(e) *m* (*v*); *het* —, le surplus,
l'excédent *m*. ▼—**en** augmenter. ▼—**heid
1** majorité; **2** (*overwicht*) supériorité *v*; *bij*
—, à la majorité; *numerieke* —,
primauté *v* du nombre; *zwijgende* —, majorité
v silencieuse. ▼—**ing** augmentation *v*.
▼—**jarig** majeur. ▼—**jarigheid** majorité *v*.
▼—**jarigverklaring** émancipation *v*.

mee/reizen accompagner. ▼—**rekenen
I** *ov.w* faire entrer en ligne de compte; *de
kinderen meegerekend*, y compris les enfants;
niet meegerekend, sans compter. **II** *on.w*
compter. ▼—**rijden** accompagner.
meer/maals, —**malen** plus d'une fois,
plusieurs fois.
meermin néréide, sirène *v*.
meerpaal poteau *m* d'amarrage.
meerpolig multipolaire.
meerschuim écume *v* de mer. ▼—**en**
d'écume.
meer/stemmig à plusieurs voix. ▼—**talig**
plurilingue.
meertouw amarre *v*. **meerval** silure *v*.
meervoud pluriel *m*; — *maken*, mettre au
pluriel. ▼—**ig** multiplié; plural; au pluriel.
▼—**svorming** pluralisation *v*.
meerwaard/e plus-value *v*. ▼—**ig
1** plurivalent; **2** supérieur (à).
mees mésange *v*.
mee/schreeuwen crier avec les autres, faire
chorus. ▼—**slepen**, —**sleuren** entraîner; *het
publiek* —, enlever le public.
meesmuilen rire dans sa barbe.
mee/spelen prendre part au jeu; se prêter au
jeu. ▼—**spreken** *zie* —**praten**.
meest I *bn* le plus, la plupart; *de* —*e mensen*,
la plupart (des hommes); *de* —*e stemmen
gelden*, la pluralité des voix décide. **II** *bw* le
plus souvent. **III** *zn*: *de* —*en zullen komen*, la
plupart viendront. ▼—**al** le plus souvent.
▼—**biedende** le plus offrant.
meester 1 maître; **2** chef, patron;
3 (—*knecht*) contre-maître; — *in de
rechten*, docteur en droit; *zich* — *maken van*,
s'emparer de, se rendre maître de; *iets* —
worden, avoir raison de qc; maîtriser (le feu);
zich zelf — *worden*, se maîtriser, se ressaisir;
iets — *zijn*, posséder qc; *het schip niet meer*
— *zijn*, ne plus avoir le vaisseau en main.
▼—**achtig** être le maître; **2** pédant. **II** *bw*
1 en maître *m*; **2** avec pédanterie. ▼—**es**
maîtresse *v*. ▼—**knecht** contre-maître.
▼—**lijk** *bn* (& *bw*) parfait(ement),
supérieur(ement), magistral(ement); —*e zet*,
coup *m* de maître. ▼—**schap** maîtrise;
supériorité, perfection *v*. ▼—**titel** grade *m* de
docteur en droit. ▼—**werk** chef-d'œuvre *m*.
meetbaar mesurable; (*wisk.*)
commensurable, (*v. getal*) rationnel. ▼—**heid**
mensurabilité; commensurabilité, rationalité
v.
meetellen compter; faire nombre; *de leeftijd
gaat* —, l'âge y fait; *telt dat mee?*, ça
comptera?
meeting meeting *m*, réunion *v*.
meetinstrument instrument *m* de mesure.
▼**meetkund/e** géométrie *v*; *beschrijvende*
—, g. descriptive; *hogere* —, g.
transcendante; *vlakke* —, g. plane. ▼—**ig** *bn*
(& *bw*) géométrique(ment). ▼—**ige**
géomètre *m*. ▼**meet/lat** règle *v* graduée.
▼—**stok** jalon *m*. ▼—**tafel** planchette *v*.
meeuw mouette *v*.
mee/vallen dépasser l'attente; être moins
difficile qu'on ne pense; (*bij nadere
kennismaking*) gagner à être connu.
▼—**valler** avantage *m* inespéré, (bonne)
aubaine *v*.
mee/voelen entrer dans la douleur de qn.
▼—**voeren** emmener, entraîner.
meewarig I *bn* compatissant; attendri. **II** *bw*
avec compassion. ▼—**heid** compassion;
douceur *v*.
mee/werken 1 coopérer (à), aider;
2 contribuer (à); collaborer (à); *het weer
heeft meegewerkt*, le temps s'est mis de la
partie. ▼—**zelen** trimbaler. .
mega/foon mégaphone *m*. ▼—**ton**
mégatonne *v*. ▼—**watt** mégawatt *m*.
mei (mois de) mai *m*; branche *v* fleurie.
meid 1 fille; **2** bonne, servante *v*; — *alleen*,
bonne à tout faire; — *voor dag en nacht*,
bonne à demeure.
mei/doorn aubépine *v*, épine *v* blanche.

▼—**kers** cerise v de mai. ▼—**kever** hanneton m. ▼—**maand** mois m de mai, - de Marie.
meinedig parjûre; — worden, se parjurer. —e parjure m & v. ▼—**heid** violation v de serment. ▼**meineed** parjure, faux serment m; een — doen, se parjurer.
meisje 1 jeune fille; (fam.) gamine, gosse; (pop.) nana v; 2 fiancée, future; 3 (dienst—) bonne v. ▼—**sachtig** de jeune fille; en jeune fille. ▼—**sgek** amateur du (beau) sexe. ▼—**sgezicht** air m de demoiselle. ▼—**snaam** nom m de jeune fille. ▼—**sschool** école v de (jeunes) filles.
meizoentje marguerite, pâquerette v.
mejuffrouw mademoiselle.
melaats lépreux. ▼—e lépreux m, -euse v. ▼—**heid** lèpre v.
melanchol/ie mélancolie v. ▼—**iek, —isch** bn (& bw) mélancolique(ment).
melasse mélasse v.
meld/en I ov. w 1 annoncer; faire savoir; 2 (ver—) mentionner; 3 (schriftelijk) mander, notifier; niets te —, rien à signaler. II zich — bij se présenter chez; zich ziek —, se porter malade. ▼—**ing** mention v.
melig farineux; (v. vrucht) cottonneux; (fig.) mal en train, raseur; insipide. ▼—**heid** richesse v farineuse; (fig.) apathie v.
melk lait m; ontroomde —, lait écrémé; volle —, lait complet. ▼—**achtig** laiteux. ▼—**afscheiding** lactation v. ▼—**boer** laitier. ▼—**brood** pain m au lait. ▼—**bus** bidon m. ▼—**chocola(de)** chocolat m au lait. ▼—**dieet** régime m lacté. ▼—**en** traire; duiven —, élever des pigeons. ▼—**er** trayeur m. ▼—**fles** bouteille v à lait; (v. baby) biberon m. ▼—**gebit** dentition v de lait. ▼—**glas** 1 verre à lait; 2 (soort glas) verre m opale. ▼—**inrichting** crèmerie, laiterie v. ▼—**kan** pot m à lait; —netje, crèmier m. ▼—**klier** glande v mammaire. ▼—**koe** vache v à lait. ▼—**koker** bouilloire v à lait. ▼—**man** laitier m. ▼—**ontromer** écrémeuse v. ▼—**pap** bouillie v au lait. ▼—**poeder** lait m en poudre. ▼—**produkt** produit m lacté. ▼—**salon** crèmerie v. ▼—**slijter** crèmier. ▼—**slijterij** crèmerie v. ▼—**suiker** lactose v. ▼—**tand** dent v de lait. ▼—**tijd** heure v de la traite. ▼—**vee** bêtes v mv à lait, bétail m laitier. ▼**—vrouw** laitière v. ▼—**weg** voie v lactée. ▼—**wei** petit lait m. ▼—**winkel** crèmerie v. ▼—**zuur** acide m lactique.
melod/ie mélodie v. ▼—**ieus, —isch** I bn 1 mélodieux; 2 mélodique. II bw mélodieusement.
melo/drama mélodrame m. ▼—**dramatisch** bn (& bw) mélodramatique(ment).
meloen melon m.
membraan membrane v.
memor/andum note v, mémoire m. ▼—**eren** remémorer. ▼—**iaal** mémorial m; (hand.) main-courante v. ▼—**ie** 1 (geheugen) mémoire v; 2 (geschrift) mémoire m; kort van — worden, perdre la mémoire; — van toelichting, exposé m des motifs; pro —, pour mémoire. ▼—**iseren** apprendre par cœur.
men on, l'on; de grote —, le grand inconnu.
menage ménage; (mil.) ordinaire m.
meneer monsieur.
menen 1 croire, penser; 2 compter, avoir l'intention; 3 vouloir, avoir en vue; ik meen hem, j'en ai à lui; hoe meen je dat, comment entendez-vous cela? ; het ernstig —, parler sérieusement; dat zou ik —!, et comment!; het goed met iem. —, vouloir du bien à qn; daar meen je geen woord van, vous n'en pensez pas un mot; het wordt —s, cela devient sérieux.
mengbaar miscible. ▼—**heid** miscibilité v.
mengel/dichten poésies v mv diverses, mélanges m mv poétiques. ▼—**en** mêler, mélanger. ▼—**ing** mélange m; letterkundige —en, mélanges m mv littéraires. ▼—**moes** méli-mélo m. ▼**meng/en** I ov. w 1 mêler, mélanger (de); 2 broyer -, faire le mélange des couleurs; 3 allier (des métaux); gif —,

préparer du poison. II zich — in se mêler de; se mêler à (la discussion); zich onder de menigte —, se mêler à la foule. ▼—**er** mélangeur m. ▼—**ing** mélange m; mixtion v (de drogues); alliage m (de métaux). ▼—**kraan** robinet m à voies, mélangeur m. ▼—**machine** malaxeur m. ▼—**sel** 1 zie —ing; 2 (fig.) composé m. ▼—**smering** : — voor 2-taktmotor, mélange m deux-temps.
men/ie minium m. ▼—**iën** enduire de minium.
menig bien (des), maint, plus d'un. ▼—**een** plus d'un, tel; — maait, die niet gezaaid heeft, tel moissonne qui n'a pas semé. ▼—**maal** plusieurs fois; hoe —, combien de fois. ▼—**te** foule, multitude v, grand nombre m; in —, en foule; in de — opgaan, se perdre dans la foule. ▼—**voudig, —vuldig** I bn divers, multiple. II bw diversement. ▼—**vuldigheid** multiplicité v; abondance v.
mening 1 avis m, opinion, pensée v; 2 (bedoeling) intention v; bij zijn — blijven, s'en tenir à son opinion; in de — verkeren, dat ..., croire que ...; naar mijn —, à mon avis; voor zijn — durven uitkomen, avoir le courage de son opinion; van — veranderen, changer d'avis of d'opinion; (bij opiniepeiling) geen —, ne se prononce pas. ▼—**suiting** vrijheid van —, liberté v d'expression. ▼—**sverschil** désaccord m.
meniscus menisque m.
menist mennonite v.
mennen conduire, mener. ▼**menner** conducteur; (fig.) meneur m.
mennoniet Mennonite m.
menopauze ménopause v.
mens homme m; personne v; — en dier, bêtes et gens; —en en dingen, les choses et les gens; —en, gens m mv, monde m; 7 —en, sept personnes; grote —en, grandes personnes v mv; ieder —, chacun, tout le monde; er waren heel wat —en, il y avait bien du monde; — worden, se faire homme; onder de —en komen, voir du monde; wat is toch een —!, ce que c'est que de nous; het — zijn, la condition humaine; de zoon des —en, le fils de l'homme.
mensa (academica) restaurant universitaire, (fam.) restau-U m.
mens/aap anthropoïde m. ▼—**dom** genre m humain, humanité v. ▼—**elijk** bn (& bw) humain(ement); algemeen —, humain; dwalen is —, tout le monde peut se tromper. ▼—**elijkerwijze** : — gesproken, humainement parlant. ▼—**elijkheid** humanité v; nature humaine; sensibilité v.
mensen/bloed sang m humain. ▼—**eten** cannibalisme m. ▼—**eter** anthropophage m & v. ▼—**gedaante** forme v humaine. ▼—**geslacht** 1 genre m humain; 2 génération v. ▼—**haat** misanthropie v. ▼—**hater** misanthrope m. ▼—**heugenis** : sedert —, de mémoire d'homme. ▼—**kenner** : hij is een —, il connaît les hommes. ▼—**kennis** connaissance v du cœur humain; - des hommes; savoir-vivre; expérience m. ▼—**leeftijd** âge m d'homme; génération v. ▼—**leven** vie -, existence v humaine; verlies van —s, perte v en vies humaines. ▼—**liefde** charité; philanthropie v. ▼—**massa** cohue v, les masses v mv. ▼—**materiaal** matériel m humain. ▼—**offer** sacrifice m humain. ▼—**paar** couple m humain. ▼—**ras** race (of espèce) v humaine. ▼—**rechten** droits m mv de l'homme. ▼—**roof** rapt m. ▼—**rover** ravisseur m. ▼—**schuw** sauvage, farouche. ▼—**verstand** entendement m humain; bon sens m. ▼—**werk** ouvrage m humain. ▼—**zoon** fils m de l'homme. ▼**mens/heid** humanité, nature v humaine; genre m humain. ▼—**lievend** bn (& bw) humain(ement), philanthropique, (en philantrope). ▼—**lievendheid** humanité, philanthropie v. ▼—**onterend** déshonorant pour l'humanité.
menstru/atie menstruation v. ▼—**eren** avoir ses règles.

mens/waardig digne d'une créature humaine. ▼—**wetenschappen** sciences v mv humaines. ▼—**wording** incarnation v.
ment/aal bn (& bw) mental(ement). ▼—**aliteit** mentalité v.
menthol menthol m; met — bereid, mentholé.
menu menu m; carte v; het — opmaken, dresser le menu. ▼—**et** menuet m.
mep taloche v. ▼—**pen** talocher.
merceriseren merceriser.
Mercurius Mercure. ▼—**staf** caducée m.
merel merle m.
meren amarrer.
merendeel plupart, plus grande partie v. ▼—**s** pour la plupart; le plus souvent.
merg moelle v; verlengde —, la moelle allongée; door — en been, jusqu'à la moelle des os.
mergel marne v. ▼—**en** marner. ▼—**groeve** marnière v.
merg/lepel tire-moelle m. ▼—**pijp** os m à moelle.
meridiaan méridien m. ▼—**cirkel** cercle m horaire. ▼—**shoogte** hauteur v méridienne.
merinos mérinos m. ▼—**wol** laine v mérinos.
merk marque v, signe, indice m; 2 (stempel) sceau, timbre; 3 (keur) poinçon m; de fijne —en, les grands crus (de vin); een fijn —, un joli monsieur. ▼—**baar** bn (& bw) perceptible(ment), sensible(ment); — worden, s'accuser; — worden door, se traduire par. ▼—**elijk** bn (& bw) sensiblement. ▼—**en** 1 marquer; 2 sentir, s'apercevoir; zonder iets te —, sans se douter de rien; men kan er niets meer van —, il n'y paraît plus; niets van laten —, faire semblant de rien; laten —, trahir; faire entendre. ▼—**garen** fil m à marquer. ▼—**ijzer** fer m à marquer. ▼—**inkt** encre v indélébile. ▼—**letter** marque v, chiffre m. ▼—**paal**, —**steen** borne v. ▼—**teken** marque v, indice, signe; repère m. ▼—**waardig** I bn remarquable; intéressant, curieux. II bw remarquablement. ▼—**waardigheid** curiosité, chose v intéressante.
merrie jument v. ▼—**veulen** pouliche v.
mes couteau m; zijn — snijdt aan twee kanten, il prend des deux mains; onder het — zitten, 1 se faire raser; 2 subir une opération; 3 (bij ondervraging) être sur la sellette; er het — inzetten, trancher dans le vif. ▼—**je**: (scheer—) lame v. ▼—**selegger** porte-couteau m. ▼—**senhandel** coutellerie v. ▼—**senla(de)** tiroir m aux couteaux. ▼—**senslijper** 1 rémouleur; 2 (werktuig) aiguiseur; aiguisoir m.
Messi/aans messianique. ▼—**as** Messie m.
messing 1 cuivre jaune, laiton m; 2 (tech.) languette v. ▼—**draad** fil m de laiton.
mes/snede tranchant; trait m au couteau. ▼—**steek** coup m de couteau.
mest 1 excréments m mv, crotte; fiente v; 2 (v. bemesting) fumier, engrais m. ▼—**aarde** terreau m. ▼—**dier** bête v à l'engrais. ▼—**en** I ov. w 1 (v. dier) engraisser; 2 (v. land) fumer. II zn: het —, zie —ing. ▼—**gier** purin m. ▼—**hoop** tas m de fumier. ▼—**ing** 1 (v. dier) engraissement; 2 (v. grond) fumage m. ▼—**kalf** veau m à l'engrais. ▼—**kar** tombereau m à fumier. ▼—**kuil** fosse v à fumier. ▼—**put** trou m à fumier. ▼—**vaalt** fumier m.
met avec; — of zonder, avec ou sans; (v. uiterlijke eigenschap) meisje — blauwe ogen, jeune fille aux yeux bleus; (middel) — potlood tekenen, dessiner au crayon; — de trein vertrekken, partir par le train (de 8 heures); betalen —, payer en; (tijd) — Pinksteren, à la Pentecôte; — de bedoeling om, dans l'intention de; — dit weer, par le temps qu'il fait; — eigen hand, de sa propre main; — tranen in de ogen, les larmes aux yeux; — zijn verjaardag, pour son anniversaire; — elkaar, ensemble; Janssen — dubbele s, J. par deux s; — deze woorden, en disant cela; — hun drieën, à eux trois; wij

waren — vieren, nous étions quatre; wat doet hij — dat boek ?, que fait-il de ce livre? (aan telefoon) — wie ? de la part de qui? qui est à l'appareil?
metaal métal m; edel —, métal précieux. ▼—**achtig** métallique. ▼—**arbeider**, —**bewerker** métallurgiste, métallo m. ▼—**bewerking** métallurgie, industrie v métallurgique. ▼—**borstel** brosse v métallique. ▼—**dekking** réserve v métallique. ▼—**detector** détecteur m de métaux. ▼—**draad** fil métallique; (in elektr. lamp) filament m de métal. ▼—**gaas** toile v métallique. ▼—**gieter** fondeur. ▼—**gieterij** fonderie v. ▼—**glans** éclat m métallique; lak met —, peinture v métallisée. ▼—**industrie** zie —bewerking. ▼—**kleurig**: —e lak, peinture v métallisée. ▼—**legering** alliage m. ▼—**slakken** scories v mv. ▼—**vooraad** 1 stock m en métal; 2 (hand.) encaisse v métallique. ▼—**waarden** valeurs v mv métallurgiques. ▼—**zaag** scie v à métaux. ▼—**zaagbeugel** monture v de scie à métaux.
metafoor métaphore v.
metafys/ica métaphysique v. ▼—**isch** bn (& bw) métaphysique(ment).
metal/en de métal, métallique. ▼—**loïde** métalloïde m.
metamorfose métamorphose v.
metathesis métathèse v.
meteen 1 tout de suite; 2 (tegelijk) en même temps.
meten I ov.w 1 mesurer; 2 (v. land) arpenter; 3 (v. schip) jauger. II ov.w mesurer, jauger; ruim —, donner bonne mesure. III zich — met se mesurer avec.
meteoor bolide, météore m. ▼—**steen** 1 aérolithe; 2 (vurige —) bolide m. ▼**meteor/isch** météorique. ▼—**ologisch** bn (& bw) météorologique(ment). ▼—**oloog** météorologue m.
meter 1 mètre; 2 mesureur; jaugeur; 3 (v. gas enz.) compteur m; 4 (v. dopeling) marraine v. ▼—**band** bande v. ▼—**stand** relevé m du compteur.
metgezel, —**lin** compagnon m, compagne v.
methaan méthane m.
methanol méthanol m.
method/e méthode v. ▼—**iek** méthodologie v. ▼—**isch** bn (& bw) méthodiquement. ▼—**ist** méthodiste m.
methyl méthyle m; —alcohol, alcool m méthylique.
meting 1 mesurage m; 2 arpentage m; 3 jaugeage m.
metr/iek métrique. ▼—**isch** bn (& bw) métrique(ment). ▼—**onoom** métronome m.
metropol/is métropole v. ▼—**iet** métropolite m. ▼—**itaan(s)** métropolitain.
metrum mètre, rythme m.
metsel/aar maçon m. ▼—**aarsbaas** maître-maçon. ▼—**aarsknecht** aide-maçon. ▼—**arij** maçonnerie v. ▼—**en** maçonner; iets — in, sceller qc dans. ▼—**kalk**, —**specie** mortier m. ▼—**werk** (travaux m mv de) maçonnerie v.
metten matines v mv; donkere —, ténèbres v mv; korte — maken (met iets), ne pas y aller par quatre chemins.
metter/daad effectivement. ▼—**tijd** 1 avec le temps, petit à petit; 2 un jour. ▼—**woon**: zich — vestigen te, établir son domicile à; — gevestigd te, domicilié à.
metworst saucisson m d'Arles.
Metz Metz m; inwoner van —, Messin m.
meubel 1 meuble m; 2 onnut —, (homme qui n'est) bon à rien; lastig —, faiseur d'embarras. ▼—**maker** ébéniste. ▼—**makerij** ébénisterie v. ▼—**plaat** (bois) contreplaqué m. ▼—**stof** tissu m d'ameublement. ▼—**was** encaustique v. ▼—**winkel** magasin m de meubles. ▼**meubil/air** mobilier m. ▼—**eren** meubler; op gemeubileerde kamers, en garni. ▼—**ering** ameublement m.
meug: ieder zijn —, à chacun ses goûts.

meute meute v.
mevrouw madame; dame; mijn —, ma maîtresse; de jonge (oude) —, la jeune (vieille) dame.
Mexicaan(s) Mexicain (m). ▼**Mexico** 1 (land) Mexique; 2 (stad) Mexico m.
mezzosopraan mezzo-soprano m.
mi (muz.) mi m.
miasma miasme m.
miauw miaou. ▼—en miauler; het —, le miaulement.
mica mica m.
micro/be microbe m. ▼—chemie microchimie v. ▼—cosmos microcosme m. ▼—film microfilm m; (fam.) micro m; verborgen —, micro miniaturisé, (pop.) punaise v. ▼—foto microphotographie v. ▼—golf micro-onde v; —oven, four m à micro-onde. ▼—processor microprocesseur m. ▼—scoop microscope m. ▼—scopisch bn (& bw) microscopique(ment).
middag 1 (12 uur) midi; 2 (na 12 uur) après-midi m; om 3 uur 's —s, à trois heures de l'après-midi, — de relevée; van—, cet après-midi. ▼—eten, —maal 1 déjeuner; 2 dîner m. ▼—slaapje méridienne v. ▼—voorstelling matinée v.
middel 1 milieu m du corps, taille, ceinture v; om het — vatten, (uit liefde) saisir par la taille; (vechtend) saisir à bras le corps; zij is 75 cm om het —, elle a 75 de tour de taille; 2 moyen; 3 (genees—) remède; 4 (handelwijze) procédé m; 5 (hulp—) ressource v; 6 (red—) expédient m; —en, moyens m mv, ressources v mv; door — van, au moyen de; voor zover mijn —en het toelaten, dans la mesure de mes moyens. ▼—aar médiateur m. ▼—aarschap médiation, intercession v. ▼—ares médiatrice v.
middelbaar moyen; — onderwijs, enseignement m du second degré; van middelbare leeftijd, entre deux âges; middelbare akte, brevet m (d'enseignement) du second degré.
middel/eeuwen moyen âge m. ▼—eeuws médiéval, (du) moyen âge.
middelen raccommoder.
middel/evenredige I bn faisant la moyenne entre deux nombres. II zn moyenne v proportionnelle. ▼—gewicht (sp.) poids m mv moyens.
Middellands —e Zee, Méditerranée v.
middel/lijk bn (& bw) indirect(ement); médiat. ▼—lijn diamètre; axe m; ligne v de centre. ▼—maat moyenne v, milieu m. ▼—matig bn (& bw) médiocre(ment), moyen(nement). ▼—matigheid médiocrité v.
middelpunt centre m. ▼—shoek angle m au centre. ▼—vliedend centrifuge. ▼—zoekend centripète.
middel/soort grandeur moyenne; qualité v ordinaire. ▼—vinger majeur m.
middelst du milieu, central.
midden I milieu; centre m; in het — van november, à la mi-novembre; iets in het — brengen, faire observer qc; in het — laten, passer sous silence, laisser de côté; de waarheid ligt in het —, la vérité est entre les deux; te — van, au milieu de, au sein de, parmi. II bw au milieu; gaan —door, traverser; — op de dag, en plein jour. ▼midden-we zee ook middel—. ▼—baan (v. weg) voie v du centre. ▼—berm terreplein m central. ▼—bermbeveiliging glissière v centrale. ▼—ding chose v intermédiaire, moyen terme m. ▼—door au milieu, en deux. ▼—en kleinbedrijf petites et moyennes entreprises v mv, P.M.E. ▼—Europa Europe v centrale. ▼—golf: op de —, sur les petites ondes. ▼—groot moyen; een — bedrijf, une moyenne entreprise. ▼—in au milieu; par le milieu. ▼—kleur couleur v intermédiaire. ▼—koers

cours m moyen. ▼—lang: vliegtuig voor —e afstanden, moyen courrier m. ▼—oorontsteking otite v moyenne. ▼M—-Oosten Moyen-Orient m. ▼—schip nef v principale. ▼—speler centre m.
middenstand classe v moyenne, bourgeoisie v. ▼—swoning logement m destiné à la classe moyenne.
midden/streep ligne v centrale; onderbroken —, ligne v discontinue centrale. ▼—strook bande v du milieu. ▼—stuk pièce v de milieu; surtout m (de table). ▼—term terme m moyen. ▼—terrein pelouse v. ▼—voor avant-centre m. ▼—weg route v du milieu; moyen terme m; de gulden —, le juste milieu.
middernacht minuit m. ▼—elijk de minuit; nocturne. ▼—szending œuvre v des rues.
midgetgolf golf m miniature; partijtje —, partie v de golf miniature.
midscheeps par le milieu du vaisseau.
mier fourmi v; zo arm als de —en, pauvre comme un rat. ▼—enhoop, —ennest fourmilière v. ▼—ezuur acide m formique.
mierikwortel raifort m.
miezerig triste, maussade; (v. weer) pluvieux.
migraine migraine v. ▼—stift crayon m antimigraine.
migratie migration v. ▼—overschot solde m migratoire.
mij me, (à) moi.
mijden I ov.w éviter, fuir; s'abstenir de; ménager. II zich — voor se garder de.
mijlpaal borne v kilométrique; (fig.) étape v.
mijmer/aar, —aarster rêveur m, rêveuse v. ▼—en rêver, méditer. ▼—ig rêveur. ▼—ij, —ing rêverie v.
mijn I vnw mon, ma, mes; — !, à moi !; de (of het) —e, le mien, la mienne; ik moet er het —e van hebben, je veux en avoir le cœur net. II zn mine v; op een — lopen, heurter une mine; —en leggen, poser des mines; van —en zuiveren, déminer (un terrain). ▼—aandeel action v minière. ▼—arbeid travail m des mines. ▼—bouw exploitation v des mines, - minière. ▼—bouwkundig minier; — ingenieur, ingénieur des mines. ▼—bouwschool école v des Mines. —enlegger poseur m de mine.
mijnent: ten —, chez moi. ▼—wege de ma part; quant à moi. ▼—wil: om —, pour (l'amour de) moi.
mijnen/veegdienst service m du dragage des mines. ▼—veger dragueur m de mines. ▼—veld champ m de mines.
mijnerzijds de mon côté, de ma part.
mijn/gang galerie v de mine. ▼—gas grisou m. ▼—gasontploffing coup m de grisou.
mijnheer monsieur.
mijn/hout bois m de mines. ▼—ingenieur ingénieur des mines. ▼—lamp lampe v de sûreté du mineur. ▼—opzichter porion m. ▼—pomp pompe v d'épuisement. ▼—ramp catastrophe v minière. ▼—schacht puits m. ▼—waarden valeurs v mv minières. ▼—werker mineur. ▼—werkerslamp lampe v de sûreté. —werper lance-mines m. ▼—wezen régime m des mines, industrie v minière.
mijt 1 mite v; 2 (hout—) bûcher m.
mijter mitre v; (fig.) épiscopat m. ▼—dragend mitré.
mijzelf moi-même.
mik 1 (brood) miche, (mil.) boule v de son; 2 fourche v. ▼—ken viser (à). ▼—punt point m de mire; (fig.) cible v, plastron m; iem. tot — nemen, prendre qn pour cible.
Milaan Milan m. ▼**Milanees** Milanais m.
mild I bn 1 généreux, large; 2 abondant; 3 (zacht) doux, indulgent; (v. straf) léger. II bw généreusement, largement. ▼—dadig zie —. ▼—dadigheid largesse, libéralité, charité v. ▼—heid 1 générosité, largesse; clémence, bienveillance v.
milicien conscrit; bleu m.
milieu milieu; cadre; climat; environnement m. ▼—beleid politique v de l'environnement.

▼—**bescherming** défense v de
l'environnement. ▼—**hygiëne** : *ministerie van*
—, ministère m de l'Environnement.
▼—**vervuilend** pollueur. ▼—**vervuiler**
pollueur m. ▼—**vervuiling** pollution v.
▼—**zuiverend** dépollueur. ▼—**zuivering**
dépollution v.
milit/air militaire (m) ; —-*industrieel
complex*, complexe m militaro-industriel.
▼—**ant** militant. ▼—**ariseren** militariser.
▼—**arisme** militarisme m. ▼—**arist(isch)**
militariste (m). ▼**militie 1** armée;
2 (*volksleger*) milice v. ▼—**plichtig** soumis
au service militaire.
miljard milliard m. ▼—**air** milliardaire m.
miljoen million m. ▼—**ennota** loi v de
finances. ▼—**enrede** exposé m des motifs du
projet de budget. ▼—**ste** millionième (m).
▼**miljonair** millionnaire m.
milli/bar millibar m. ▼.—**gram** milligramme m.
▼—**meter** millimètre m. ▼—**meteren** couper
ras.
milt rate; (hom) laitance v. ▼—**pijn** splénalgie
v. ▼—**vuur** charbon m.
Milva afat v.
mimi, —**tafel** table v gigogne.
mim/icry mimétisme m. ▼—**icus** mime m.
▼—**iek** mimique v. ▼—**isch** mimique.
mimosa mimosa v.
min I *zn* **1** amour m; **2** nourrice v. **II** *bn*
indigne; médiocre, mauvais; chétif. **III** *bw*
1 indignement, bassement; **2** peu, moins; —
of meer, plus ou moins; *zo — mogelijk*, le
moins possible, 5 – 3 = 2, cinq moins trois
font deux.
minacht/en dédaigner, mépriser. ▼—**end I** *bn*
dédaigneux. **II** *bw* dédaigneusement. ▼—**ing**
dédain, mépris m.
minaret minaret m.
minder I *bn* moindre, plus petit; inférieur; —
dan 100 gulden, moins de 100 florins; *3
gulden* —, 3 florins de moins; — *groot dan*,
moins grand que; — *worden*, diminuer,
baisser; *in* — *dan geen tijd*, en moins de rien;
voor — dan 10 gulden, à moins de 10 florins.
II *bw* moins; (*des*) *te* —, d'autant moins; *hoe
—...hoe meer...*, moins..., (et) plus...., *hoe
langer hoe* —, de moins en moins; *de* —
bedeelden, les moins munis. ▼—**broeder**
frère mineur. ▼—**en I** *on.w* diminuer; rétrécir.
II *ov.w* diminuer; vaart —, ralentir. ▼—**heid**
1 infériorité; **2** (v. *getal*) minorité v., *in de* —
zijn, être en minorité. ▼—**ing 1** diminution v.;
2 (*korting*) rabais m; *in — der rekening*, en
déduction de compte; *in — komen op*, être à
valoir sur.
minderjarig(e) mineur(e) m (v). ▼—**heid**
minorité v.
minderwaardig inférieur; bas. ▼—**heid**
infériorité, bassesse v. ▼—**heidscomplex**
complexe m d'infériorité.
mineraal minéral m. ▼—**water** eau v
minérale. ▼**mineraloog** minéralogiste m.
mineur mode m mineur; *in* —, en mineur.
miniatuur miniature v; *in* —, en miniature.
▼—**schilder** miniaturiste m.
mini/cassette minicassette v. ▼—**computer**
micro-ordinateur m. ▼**miniem, minimaal**
minime. ▼**minimaliseren** minimiser.
▼**minimode** mode v mini.
minimum minimum m. ▼—**lijder** petite
bourse v. ▼—**loon** *zie* loon; (*volgens C.A.O.*)
salaire m minimum conventionnel.
▼—**loontrekker** smicard m. ▼—**prijs** prix m
plancher. ▼—**salaris** traitement m minimum.
▼—**thermometer** thermomètre m à minima.
▼—**warmte** chaleur v minimum.
mini/racebaan mini-circuit m de voitures
téléguidées. ▼—**rok** mini-jupe v.
minister ministre m; *eerste* —, premier;
—-*president*, président du conseil;
gevolmachtigde —, ministre plénipotentiaire.
▼—**crisis** crise v ministérielle. ▼—**ie**
ministère, cabinet m; *openbaar* —, ministère
public. ▼—**ieel** ministériel; *op* — *niveau*, à

échelon ministériel. ▼—**raad** conseil m des
ministres.
minn/aar 1 amateur; **2** amoureux; **3** amant.
▼—**ares** amante, maîtresse v. ▼—**arij** intrigue
amoureuse; affaire v galante. ▼**minne**: *in der*
—, à l'amiable; *in der* — *schikken*, arranger
(qc), transiger. ▼—**briefje** billet doux, (*fam.*)
poulet m. ▼—**kozen** conter fleurette (à) ; filer
le parfait amour; caresser. ▼—**lijk I** *bn*
1 aimable, gracieux; **2** à l'amiable; —*e
schikking*, arrangement m à l'amiable. **II** *bw*
gracieusement. ▼—**n** aimer, chérir. ▼—**nd**
amoureux. ▼—**nijd** jalousie v. ▼—**pijn**
tourment m amoureux. ▼—**spel** jeu m
d'amour.
minst I *bn* le (*of* la) moindre. **II** *bw* le moins;
in het —, pas le moins du monde; *op zijn*
—, au moins; *ten* —*e*, (tout) au moins; *ten*
—*e als*, pourvu que (*met subj.*). ▼—**e**
inférieur(e) m (v) ; *niemand wil de* — *zijn*,
personne ne veut céder. ▼—**ens** au moins,
pour le moins.
minstreel ménestrel m.
min/teken moins m. ▼—**us** moins; *plus* —,
environ.
minuut minute v.
minvermogend nécessiteux, indigent;
économiquement faible.
minzaam I *bn* aimable, affable, gracieux.
II *bw* gracieusement. ▼—**heid** amabilité v.
miraculeus *bn* (& *bw*) miraculeux,
(-eusement). ▼**mirakel** miracle m; *voor* —
liggen, être tombé dans les pommes. ▼—**spel**
miracle m.
mirt(e) myrte m.
mis I messe v; *stille* —, messe basse;
gezongen —, messe chantée; *hoog*—,
grand'messe v; *de* — *doen*, — *lezen*, dire (*of*
célébrer) la messe; — *horen*, entendre la
messe. **II** *bn* manqué; *dat is* —, c'est manqué.
III *bw* à côté; *dat loopt* —, cela finira mal; *hij
heeft het* —, il est dans l'erreur; *dat is niet* —,
ce n'est pas banal; —*!*, erreur !
mis/baar 1 vacarme, tapage m; *groot* —
maken, jeter les hauts cris. **II** *bn* dont on peut
se passer. ▼—**bakken** manqué. ▼—**baksel**
chose v manqué; (*fig.*) avorton m.
misboek missel m.
misbruik abus m; — *van vertrouwen*, abus m
de confiance; — *van sterke drank*, alcoolisme
m; — *maken van*, abuser de; — *maken van
goed vertrouwen*, surprendre la bonne foi (de
qn). ▼—**en** abuser de.
mis/daad crime, forfait m. ▼—**dadig** *bn* (&
bw) criminel (lement). ▼—**dadiger** criminel
m. ▼—**dadigheid** criminalité v.
misdeeld dépourvu; —*e*, déshérité(e) m (v).
misdienaar enfant m de chœur.
mis/doen faire du mal, méfaire. ▼—**dragen**
(zich) se conduire mal, tourner mal. ▼—**drijf**
délit, méfait m. ▼—**drijven** *zie* —doen.
miserabel misérable, fâcheux; sale. ▼**misère**
détresse v.
misgewaad chasuble v; *misgewaden*,
ornements m mv sacerdotaux.
mis/gooien manquer son coup. ▼—**greep**
erreur, bévue v. ▼—**grijpen** manquer sa prise.
▼—**gunnen** envier (qc à qn). ▼—**hagen**
I *on.w* déplaire (à). **II** *zn* déplaisir m.
▼—**handelen** maltraiter, malmener.
▼—**handeling** mauvais traitement m,
brutalité v. ▼—**hebben**: *het* —, se
méprendre, être dans l'erreur.
miskelk calice m.
mis/kennen méconnaître. ▼—**kenning**
méconnaissance v. ▼—**kleunen** gaffer
lourdement.
miskraam fausse couche v; *een* — *krijgen*,
faire fausse couche.
misleid/en tromper, duper, induire en erreur.
▼—**er**, —**ster** trompeur m, -euse v;
imposteur m. ▼—**ing** imposture v.
mislopen I *on.w* **1** s'égarer; **2** échouer, tourner
mal; *dat loopt mis*, cela se gâte. **II** *ov.w*
manquer, échapper à; rater (un emploi).
mislukk/eling raté m. ▼—**en** ne pas réussir,

échouer, rater; *dat mislukt hem*, il n'y réussit pas; *de oogst is mislukt*, la récolte a manqué. ▼—**ing** échec, insuccès *m*, non-réussite *v*. ▼**mislukt** manqué, mal réussi, raté.
mismaakt mal fait; difforme, contrefait. ▼—**heid** difformité *v*.
mismaken défigurer, rendre difforme.
mismoedig I *bn* découragé, abattu. **II** *bw* avec abattement. ▼—**heid** abattement, découragement *m*.
mis/noegd I *bn* mécontent. **II** *bw* d'un air mécontent. ▼—**noegen** mécontentement *m*.
misoffer sacrifice *m* de la messe; *het heilig* —, le Saint Sacrifice.
misoogst mauvaise récolte *v*.
mispel nèfle *v*. ▼—**boom** néflier *m*.
mis/plaatst mal placé; (*fig.*) déplacé, hors de saison. ▼—**prijzen** désapprouver, blâmer, condamner. ▼—**punt** manque de touche; (*fig.*) sale type *m*, misérable *m*. ▼—**raden 1** ne pas deviner; **2** donner un mauvais conseil. ▼—**rekenen I** *on.w* mal calculer. **II** *zich* — se tromper. ▼—**rekening** mécompte *m*, erreur *v*.
miss miss *v*.
missaal 1 missel; **2** (*letter*) gros canon *m*.
misschien peut-être; *hebt u — een gulden?*, auriez-vous par hasard un florin? — *wel*, cela se peut bien, possible.
misschieten manquer son coup, - le but.
misselijk 1 pris de nausées; **2** (*onaangenaam*) dégoûtant, embêtant; *ik ben* —, j'ai mal au cœur; — *maken*, donner la nausée à. ▼—**heid** mal *m* de cœur, nausées *v mv*; *middel tegen* —, antinauséeux *m*.
missen I *ov.w* **1** manquer; rater; **2** regretter (qn); *zijn vulpen* —, ne plus trouver son stylo; *hij mist zijn vrouw*, sa femme lui manque; *ik kan dat niet* —, je ne saurais m'en passer; *hij moet een arm* —, il a un bras en moins; *ik heb geen woord gemist*, pas un mot ne m'a échappé; *daar heb je niet veel aan gemist*, vous n'y avez rien perdu; *je kunt best een gulden* —, vous n'en n'êtes pas à un florin près. **II** *on.w* manquer; manquer son coup.
missie mission *v*; *een — houden*, faire une mission. ▼—**bisschop** évêque *m* missionnaire. ▼—**week** semaine *v* des missions. ▼—**werk** œuvre *v* des missions. ▼**missionav**; missionnaire *m*.
mis/slaan manquer son coup; (*fig.*) se tromper. ▼—**slag** coup *m* manqué; (*fig.*) faute, erreur *v*; *iem. op een* — betrappen, prendre qn en faute à. ▼—**staan** aller mal; (*fig.*) ne pas convenir (à). ▼—**stand** abus, défaut *m*. ▼—**stap** faux pas; faute *v*. ▼—**stappen** faire un faux pas; manquer une marche.
mist brouillard *m*, brume *v* (en mer). ▼—**achterlicht** phare *m* anti-crash; feu *m* arrière anti-brouillard.
mistasten manquer sa prise; (*fig.*) se méprendre, faire fausse route.
misteltak branche *v* de gui.
mist/en faire du brouillard, - de la brume. ▼—**hoorn** trompe *v* de brume. ▼—**ig** brumeux; *het is* —, il fait du brouillard. ▼—**lamp** phare *m* anti-brouillard.
mistrappen faire un faux pas, trébucher; (*sp.*) manquer le ballon.
mistsein signal *m* de brume.
mis/vatten mal comprendre. ▼—**vatting** méprise *v*. ▼—**verstand 1** malentendu *m*; **2** mésintelligence *v*; *een — uit de weg ruimen*, dissiper un malentendu. ▼—**vormd** difforme. ▼—**vormen** défigurer, difformer. ▼—**vorming** déformation, défiguration *v*. ▼—**zeggen** dire mal à propos; *wat heb ik daaraan miszegd?*, en quoi ai-je mal parlé?
mitraill/eren mitrailler. ▼—**eur 1** (*wapen*) mitrailleuse *v*; **2** (*schutter*) mitrailleur *m*. ▼—**eurpistool** pistolet-mitrailleur *m*.
mits pourvu que, à condition que (*met subj.*).
mixen mixer. ▼**mixer** mélangeur, mixeur *m*. ▼**mixtuur** mixture *v*; mélange *m*.
mobiel mobile.
mobilis/atie mobilisation *v*. ▼—**eren**

mobiliser.
mobilofoon mobilophone *m*.
modaal modal; *modale werknemer*, employé - *of* travailleur marié qui a deux enfants et des revenus très modiques (juste au-dessous de la plus basse limite de prime de l'assurance sociale). ▼—**aliteit** modalité *v*.
modder boue, vase *v*, limon *m*. ▼—**en** barboter; (*fig.*) chercher à transiger. ▼—**ig** boueux, vaseux. ▼—**laarzen** bottes *v mv* de dragueur. ▼—**poel** fondrière *v*. ▼—**schuit** marie-salope *v*; *dat is als een vlag op een* —, cela va comme un tablier à une vache. ▼—**sloot** fossé *m* bourbeux. ▼—**vet** gras à lard.
mode mode *v*; *de — van toen*, la mode-rétro; *in de* —, à la mode, à la page, dans le vent; *dat is* —, c'est la mode; *het is — om*, il est de mode de; *in de — brengen*, mettre à la mode; *in de — komen*, entrer en vogue; *uit de — raken*, se démoder; *nieuwste* —, dernier cri *m*. ▼—**artikel** nouveauté *v*. ▼—**blad** journal *m* des modes. ▼—**kleur** couleur *v* à la mode.
model modèle, dessin, (*mar.*) gabari(t) *m*; maquette *v*; *buiten* —, hors modèle, de fantasie; *naar het naakt* —, d'après le nu. ▼**model-** (*in ss*) modèle, (*mil.*) d'ordonnance, réglementaire. ▼—**echtgenoot** mari *m* modèle. ▼—**flat** appartement-témoin *m*. ▼—**leren** modeler, façonner. ▼—**les** leçon-type *v*. ▼—**tekening** carton *m*.
mode/maakster modiste *v*. ▼—**magazijn** magasin *m* de modes. ▼—**plaat** gravure *v* de modes. ▼—**pop** élégante *v*, fat *m*.
modera/men conseil *m*. ▼—**tor** aumônier; modérateur *m*.
modern moderne; (*prot.*) libéral; actuel, d'aujourd'hui. ▼—**iseren** moderniser.
modeshow présentation *v* d'une collection de mode.
mode/vak mode *v*. ▼—**winkel** magasin *m* de modes. ▼**modieus** à la mode, du dernier goût; *zeer* —, très mode. ▼**modiste** couturière, modiste *v*.
modu/latie modulation *v*. ▼—**leren** moduler.
modus mode *m*; — *vivendi*, modus vivendi; accommodement *m*.
moe I *zn* maman. **II** *bn* fatigué, las (de).
moed courage, cœur *m*; *hij heeft de — niet om*, il n'a pas le courage de; — *vatten*, prendre courage; *weet je hoe ik te —e ben*, savez-vous dans quel état je suis? ▼—**eloos** découragé, abattu. ▼—**eloosheid** découragement *m*.
moeder 1 mère; **2** supérieure; directrice; *eerwaarde* —, (la) Révérende Mère. ▼—**dag** fête *v* des mères. ▼—**en** — *over*, materner; traiter de façon maternelle. ▼—**geluk** bonheur *m* d'être mère. ▼—**huis** maison *v* mère. ▼—**kerk** métropole *v*; notre sainte mère l'Église. ▼—**land** métropole, mère-patrie *v*. ▼—**lijk** *bn* (*& bw*) maternel(lement). ▼—**loog** eau-mère *v*. ▼—**loos** sans mère. ▼—**maagd** la Sainte Vierge. ▼—**melk** lait *m* maternel. ▼—**moord(enaar)** matricide *m*. ▼—**schap** maternité *v*. ▼—**schoot** giron, sein *m*. ▼—**skind** fils *m* à maman. ▼—**taal 1** langue maternelle; **2** (*tegenover dochtertaal*) langue-mère *v*. ▼—**vlek** envie *v*, grain *m* de beauté.
moedig I *bn* courageux, vaillant. **II** *bw* courageusement, vaillamment.
moedwil préméditation; méchanceté *v*; *uit* —, *met* —, exprès, par méchanceté. ▼—**lig I** *bn* méchant. **II** *bw* exprès, de propos délibéré.
moeheid fatigue, lassitude *v*.
moeien *tr.w* gêner, déranger; *zijn leven is er mee gemoeid*, il y va de sa vie. **II** *zich* — (*met*) se mêler (de).
moeilijk I *bn* difficile; pénible, laborieux; délicat; —*e toestand*, situation *v* critique. **II** *bw* difficilement; *het is — te zeggen*, c'est difficile à dire; — *kunnen geloven*, avoir de la peine à croire; *je kunt hem dat toch* —

zeggen, vous auriez mauvaise grâce à le lui dire. ▼—**heid** difficulté *v*; embarras *m*; (*tegenwerping*) objection *v*; *geldelijke moeilijkheden*, des embarras d'argent; *in moeilijkheden komen*, s'attirer des difficultés. ▼**moeite 1** peine *v*, mal *m*; **2** embarras *m*; *het is de — waard*, ça vaut la peine; *— doen*, s'efforcer (de); se déranger (pour); *doe geen —*, ne vous dérangez pas; n'en faites rien; *— kosten aan*, coûter de la peine à; *het kost haar — iem.* te straffen, il lui en coûte de punir qn; *dat is de — niet waard*, ce n'est pas la peine; je vous en prie; *men heeft niets zonder —*, nul bien sans peine. ▼—**vol** *bn* (& *bw*) pénible(ment). ▼**moeizaam I** *bn* laborieux. **II** *bw* laborieusement.

moer 1 (*grondsop*) lie *v*, marc *m*; **2** (*schroef—*) écrou *m*; **3** marais *m*
moeras (*marais*, marécage *m*. ▼—**gas** gaz *m* des marais. ▼—**koorts** fièvre *v* paludéenne. ▼—**sig** marécageux. ▼—**veen** marais *m* tourbeux.
moerbei mûre *v*. ▼—**boom** mûrier *m*.
moerbout boulon *m* à écrou. ▼—**en 1** voler, chiper; **2** abîmer. ▼—**plaatje** rondelle *v*. ▼—**schroef** écrou *m*. ▼—**sleutel** clé *v* à écrou.
moes 1 herbes potagères, plantes maraîchères *v mv*; **2** marmelade *v*; *tot — maken*, écrabouiller. ▼—**groente** légume *m*. ▼—**je 1** mouche; **2** petite mère *v*.
moesson mousson *v*.
moestuin jardin *m* potager.
moet 1 tache, marque, trace *v*; **2** nécessité *v*; *het is een —*, la chose est de rigueur. ▼**moeten** devoir, falloir; être obligé (de); *het moet*, il le faut; *men moet*, il faut; *ik -, hij moet wel*, il faut bien; *wel — ...*, ne pas manquer de ...; *wij — wel...*, force nous est bien de ...; *dat moet gezegd worden*, il convient de le dire; *hij moet weggaan*, il faut qu'il parte; *hij moet geld hebben*, il lui faut de l'argent; *je moet weten dat*, vous saurez que; *ik moest lachen, toen ...*, je n'ai pu m'empêcher de rire, lorsque ...; *ik moet naar huis*, je dois rentrer; *je had niet — weggaan*, tu as eu tort de t'en aller.
Moezel Moselle *v*. ▼—**wijn** vin *m* de la Moselle.
mof 1 manchon *m*; **2** (*pols—*) miton; **3** (*scheldnaam*) chleuh, Boche *m*.
moffel moufle *v*. ▼—**oven** four *m* à moufles.
moffelen moufler (une bicyclette). ▼—**oven** four *m* à moufles.
mogelijk I *bn* possible; *is het — om?*, y a-t-il moyen de?; *alle —e moeite doen*, faire tout son possible; *dat is —*, cela se peut; *het is — dat*, il est possible que (*met subj.*); *zo —*, si possible; *zo goed —*, le mieux possible; *zo spoedig —*, le plus tôt possible; *zij studeert zo goed —*, elle étudie de son mieux; *zoveel —*, autant que possible. **II** *bw* peut-être, éventuellement; —**erwijs**. ▼—**heid** possibilité, éventualité *v*; *geen — om*, pas moyen de.
mogen I *ov.w* **1** pouvoir, avoir la permission (*of le droit*); **2** aimer; *mag ik de boter?*, passez-moi le beurre, s'il vous plaît. **II** *on.w* être permis; *mag dat?*, on peut?; *mag ik?*, puis-je; je voudrais; *dat mag wel*, faites; *mag ik even?*, permettez!, vous permettez?; *mocht het gebeuren, dat*, au (*of en*) cas que; supposé que (*met subj.*); *mag ik u een vraag stellen?*, puis-je vous poser une question?
mogendheid puissance *v*.
mohammed/aan musulman *m*. ▼—**aans** musulman. ▼—**anisme** Islamisme *m*.
moireren moirer.
mok 1 (*mar.*) moque *v*; **2** eaux *v mv* aux jambes.
moker masse *v*, pilon *m*. ▼—**en** frapper à coups de masse; marteler.
mokka(koffie) moka *m*. ▼—**ijs** crème *v* glacée au café.
mokken bouder, faire la moue.
mol 1 (*dierk.*) taupe *v*; **2** (*muz.*) bémol *m*. ▼—**boon** féverole *v*.

moleculair moléculaire. ▼**molecule** molécule *v*.
molen moulin *m*; (*huishoudelijk apparaat*) batteur-broyeur *m*; *dat is koren op zijn —*, cela fait son affaire; *hij heeft een slag van de — beet*, il est toqué. ▼—**aar** meunier *m*. ▼—**baas** (*tech.*) maître bocardeur *m*. ▼—**beek** bief *m*. ▼—**spel** jeu *m* du moulin. ▼—**steen** meule *v*. ▼—**tje** moulinet *m*. ▼—**wiek** aile *v* de moulin.
molest risques *m mv* de guerre ou d'accidents. ▼—**eren** molester. ▼—**ering** molestation *v*. ▼—**risico** risques *m mv* (de guerre et) de troubles. ▼—**verzekering** assurance *v* contre les risques de guerre et d'accidents.
molière soulier *m* bas.
mollig I *bn* **1** moelleux, doux; **2** (*v. lichaam*) dodu, potelé, grassouillet; **3** (*kunst*) morbide. **II** *bw* moelleusement. ▼—**heid** moelleux *m*, tendresse; (*kunst*) morbidesse *v*.
molm 1 (*turf—*) tourbe *v* (pour) litière; **2** (*v. hout*) vermoulure *v*. ▼—**en** se vermouler.
moloch Moloch *m*.
molotofcocktail cocktail *m* Molotov.
mols/gat trou *m* à taupe. ▼—**hoop** taupinière *v*. ▼—**sla** salade *v* de pissenlit. **molteken** bémol *m*.
molton molleton *m*; *met — voeren*, molletonner. ▼—**nen** de molleton.
Molukken Moluques *v mv*; *bewoner van de —*, Moluquois *m*.
mom masque *m*. ▼—**bakkes**.
moment moment *m*; *op het —*, pour le moment; *op dit —*, à cette heure. ▼—**eel** *bn* (& *bw*) momentané(ment). ▼—**opname** instantané *m*. ▼—**sluiter** obturateur *m*.
mompelen marmotter.
monarch monarque *m*. ▼—**aal** *bn* (& *bw*) monarchique(ment). ▼—**ie** monarchie *v*. ▼—**ist(isch)** monarchiste *m*.
mond 1 bouche; **2** embouchure, entrée; gueule (de canon) *v*; (*med.*) orifice *m*; *zijn — houden*, se taire; *houd je —*, tais-toi; *ferme ça*; *geen — opendoen over iets*, ne pas souffler mot de qc; *met open — staan kijken*, regarder bouche bée; *tien —en openhouden*, pourvoir à l'entretien de dix bouches; *zijn — voorbijpraten*, en dire trop; *met de — vol tanden staan*, rester interdit; *van — tot —*, de bouche en bouche. ▼—**eling I** *bn* oral, verbal; *— gedeelte* (*v. examen*), l'oral *m*. **II** *bw* oralement, de vive voix. ▼—**en klauwzeer** stomatite *v* aphteuse. ▼—**en tandheelkunde** chirurgie *v* dentaire. ▼—**harmonika** harmonica *m*. ▼—**holte** cavité *v* orale.
mondig majeur; *— verklaren*, émanciper. ▼—**heid** majorité *v*. ▼—**igverklaring** émancipation *v*.
mond/ing bouche, embouchure *v*. ▼—**je** petite bouche *v*; *— dicht*, *— toe*, bouche close! pas un mot! *niet op zijn — gevallen zijn*, avoir la langue bien pendue. ▼—**jesmaat** tout juste assez; *met —*, avec parcimonie. ▼—**klem** trisme, tétanos *m* traumatique. ▼—**op—beademing *—* toepassen, faire du bouche-à-bouche. ▼—**prop** bâillon *m*. ▼—**stuk 1** (*v. pijp*) bout, bouquin *m*; **2** (*muz.*) embouchure, anche *v*; **3** (*bit*) mors *m*. ▼—**vol** bouchée *v*. ▼—**voorraad** provisions *v mv* de bouche. ▼—**water** eau *v* dentifrice. ▼—**zweertje** aphte *m*.
monetair monétaire.
Mong/olië la Mongolie. ▼—**ool** Mongol *m*. ▼—**ools** mongol, mongolique.
monierwerk construction *v* en ciment armé.
monitor moniteur *m*.
monnik moine, religieux *m*. ▼—**enklooster** monastère, couvent *m* d'hommes. ▼—**enleven** vie *v* monacale. ▼—**enorde** ordre *m* monastique. ▼—**enwerk** travail *m* de bénédictin. ▼—**spij** froc *m*.
mono/gram chiffre, monogramme *m*. ▼—**loog** monologue *m*. ▼—**polie** monopole *m*. ▼—**poliseren** monopoliser. ▼—**rail** à rail

unique. ▼—**syllabe** monosyllabe m.
▼—**theïsme** monothéisme m. ▼—**theïstisch**
monothéiste. ▼—**toon** bn (& bw)
monotone(ment).
monster 1 monstre; **2** (proef)échantillon;
3 modèle m; —s trekken, échantillonner; een
— nemen, prélever un échantillon; op —
kopen, acheter sur échantillon. ▼—**achtig**
I bn monstrueux. II bw monstrueusement.
▼—**achtigheid** monstruosité v. ▼—**blad**
carte v d'échantillons. ▼—**boek** cahier m
d'échantillons. ▼—**en 1** examiner, inspecter;
passer en revue; **2** enrôler. ▼—**flesje**
flacon-échantillon m. ▼—**ing** revue v;
enrôlement m. ▼—**kaart** carte d'échantillons.
▼—**lijk** zie —achtig. ▼—**meeting** réunion v
monstre. ▼—**rol** (mar.) rôle m d'équipage.
monstrans ostensoir m.
monstrum monstre m, monstruosité v.
montage ajustage, montage m. ▼—**foto**
photo-robot v. ▼—**hal** hall m de montage.
▼—**wagen** chariot-échelle m. ▼—**woning**
maison v préfabriquée.
monter I bn enjoué, gai. II bw gaîment.
monter/en 1 monter; **2** équiper. ▼—**ing**
1 montage; **2** équipement, uniforme m.
montessorischool école v montessorienne.
mont/eur ajusteur, monteur, mécanicien m.
▼—**uur** monture, châsse v; (v. bril) branches
v mv.
monument monument m. ▼—**aal**
monumental. ▼—**enzorg** commission v des
monuments historiques.
mooi I bn beau, joli, gentil, (pop.) chouette;
— zo!, très bien! bravo!, bon!; daar ben je —
mee, te voilà propre; dat is niet — van je, ce
n'est pas gentil à vous; — maken, embellir;
enjoliver; zich — maken, se parer; ik kan daar
lang — mee zijn, j'en ai encore pour
longtemps; het —ste van de zaak is, le plus
joli de l'affaire c'est que; wie — wil zijn, moet
pijn lijden, il faut souffrir pour être beau
(belle). II bw joliment; je hebt — praten,
vous avez beau dire; vous en parlez à votre
aise; hij zingt —, il chante bien; hij spreekt —
Frans, il parle un joli français; nu nog —er!, ça
alors. ▼**mooi/heid** beauté; gentillesse v.
▼—**praatster** enjôleuse v. ▼—**prater**
enjôleur. ▼—s belles choses v mv.
Moor I Maure; **2** nègre m; **3** (stof) moire v.
moord 1 meurtre; **2** (opzettelijk) assassinat m;
—!, à l'assassin! ▼—**aanslag** attentat m
(contre, à). ▼—**dadig** meurtrier; sanguinaire.
▼—**dadigheid** cruauté, férocité v. ▼—**en**
tuer, assassiner. ▼—**enaar** meurtrier,
assassin; de goede —, le Bon Larron.
▼—**enares** meurtrière v. ▼—**kuil**
coupe-gorge m; van zijn hart geen — maken,
ne pas mâcher ses mots. ▼—**partij** tuerie v.
▼—**wapen** arme v homicide. ▼—**ziek**
sanguinaire.
Moors maure; mauresque.
moot darne, tranche v.
mop 1 (koekje) gâteau; **2** pâté m (d'encre);
3 brique; **4** (geestigh.) blague, farce v;
5 morceau m; wat een —, elle est bonne; —
pen tappen, débiter des blagues. —je
(wijsje) petit air m. —**neus 1** nez de carlin;
2 (persoon) camard m. —**pentrommel** boîte
v à gâteaux; (fig.) les bons mots.
mopper/aar. —**aarster** grogneur(se),
mécontent(e) m (v). ▼—**en** grogner,
ronchonner; (fam.) rouspéter, râler.
moppig comique, drôle; (v. mens) farceur.
mops(hond) carlin, doguin m.
mora: in — stellen, mettre en demeure;
periculum in —, péril m en la demeure.
moraal morale v. ▼—**filosofie** philosophie v
morale. ▼**moral/ist** moraliste m. ▼—**iteit**
moralité v.
moratorium moratorium v.
moreel I bn (& bw) moral(ement). II zn: het
— der troepen, le moral.
morel griotte v. ▼—**leboom** griottier m.
morene moraine v.
mores: — leren, apprendre à vivre (à qn).

morfine morphine v. ▼—**spuitje** seringue v à
morphine. ▼—**vergiftiging** morphinisme m.
▼**morfinist** morphinomane m.
morfologie morphologie v.
morganatisch morganatique.
morgen 1 I zn matin m, matinée v; 's —s, in de
—, le matin; iem. goede — wensen, souhaiter
le bonjour à qn; de volgende —, le lendemain
matin; op zekere —, un beau matin. II bw
demain; — vroeg, demain matin; — over 14
dagen, de demain en quinze; — brengen!,
des nèfles!; **2** arpent m. ▼—**avond** demain
soir. ▼—**drank** apéritif m. ▼—**japon**
peignoir; négligé m. ▼**M—land** Orient,
Levant m. ▼—**licht** aube v, petit jour m.
▼—**lucht** fraîcheur v matinale. ▼—**middag**
demain après-midi. ▼—**ochtend** demain
matin. ▼—**rood** aurore v. ▼—**school(tijd)**
classe v du matin. ▼—**ster** étoile v du matin.
▼—**stond** —uur heure v matinale; — heeft
goud in de mond, à qui se lève matin Dieu
aide et prête la main. ▼—**zang** chant m
matutinal.
mormoon(s) Mormon (m).
morning-afterpil pilule v du lendemain
matin.
morrelen tâtonner; — aan, secouer; — in,
fouiller dans.
morren murmurer, gronder.
morsdood raide mort.
morsen salir, patouiller; répandre (par
malheur); verser tout; verser à côté.
morseleutel manipulateur m.
morsig bn (& bw) malpropre(ment), sale
(-ment). ▼—**heid** malpropreté, saleté v.
▼**mors/jurk** tablier-fourreau m. ▼—**kurk**
bouchon m verseur.
mortel 1 mortier; **2** déchet m de pierres.
▼—**en 1** ov.w réduire en morceaux. II on.w se
déliter. ▼—**molen** moulin m à mortier.
mortier mortier m. ▼—**stamper** pilon m.
mos 1 mousse v; met — begroeid, moussu;
2 usage m. ▼—**groen** vert mousse.
moskee mosquée v.
Moskou Moscou m. ▼**Mosk/oviet,**
—**ovisch** Moscovite (m).
moslem Musulman m.
mossel moule v. ▼—**kreek,** —**plaat,** —**put**
moulière m. ▼—**schelp** coquille v de moule.
▼—**teelt** mytiliculture v, élevage m des
moules.
most moût, vin m doux.
mosterd moutarde v. ▼—**fabrikant**
moutardier m. ▼—**gas** ypérite v. ▼—**lepeltje**
pelle v à moutarde. ▼—**olie** huile v de sénevé.
▼—**saus** sauce v à la moutarde. ▼—**vaatje**
moutardier m. ▼—**zuur** pickles m mv à la
moutarde.
mot 1 mite v; de — zit in mijn trui, mon
chandail est mangé par des mites; **2** querelle
v. ▼—**echt** résistant aux mites.
motel motel m.
motie motion v; ordre m du jour: — van
wantrouwen, motion de censure.
motief motif m. ▼**motivatie** motivation v.
▼**motiver/en** motiver. ▼—**ing** exposé m des
motifs.
motor 1 moteur; électromoteur m;
2 moto-cyclette v; — met zijspan, moto à
side-car; zware —, gros cube m.
▼—**afdeling** unité v mv motorisée.
▼—**agent** motard m. ▼—**blok** bloc-moteur
m. ▼—**boot** canot m à moteur.
▼—**brandstof** carburant m. ▼—**brigade**
brigade v motocycliste. ▼—**broek**
pantalonmoto m. ▼—**cross** moto-cross m.
▼—**fiets** motocyclette, moto v. —**iek**
motricité v. ▼—**isch** moteur, -trice;
gehandicapt, handicapé moteur. ▼—**iseren**
motoriser. ▼—**jas** vestonmoto m. ▼—**kap**
capot m. ▼—**koppel** couple m moteur.
▼—**pech** panne v (de moteur); — hebben,
être en panne. ▼—**pomp** pompe v à moteur.
▼—**rijder** motocycliste m.
▼—**rijtuigverzekeringsbewijs:**
internationaal —, carte v internationale

d'assurance automobile. ▼—**storing** panne
v. ▼—**voertuig** véhicule m à moteur.
▼—**wagen** motrice v.
motregen crachin m. —**en** crachiner.
mottenzak sac m anti-mites. ▼**mottig 1** (v.
weer) bruineux ; **2** mangé des teignes ;
3 marqué de la petite vérole.
motto devise v.
mousseline mousseline v.
mousserend mousseux.
mout malt m. ▼—**en** malter. ▼—**koffie** café m
de malt. ▼—**wijn 1** alcool d'industrie, esprit ;
2 vin m de moût.
mouw manche v ; iem. iets op de — spelden,.
en faire accroire à qn ; dat schudt men maar
niet uit de —, cela ne s'improvise pas ; een —
aan iets passen, trouver un biais ; de handen
uit de — steken, mettre la main à la pâte.
▼—**enplankje** jeannette v. ▼—**schort**
tablier-fourreau m. ▼—**strepen** chevrons m
mv. ▼—**vest** gilet m à manches.
mozaïek mosaïque v. ▼—**tegel** dalle v pour
mosaïque. ▼—**vloer** pavé m en mosaïque.
mud hectolitre m.
muf qui sent le relent (of le moisi). ▼—**heid**
odeur v de moisi (of de relent).
mug cousin, moustique m. ▼—**gebeet** piqûre
v de cousin. ▼—**gengaas, —genscherm**
moustiquaire v. ▼—**geziften** chicaner,
ergoter. ▼—**gezifter** chicaneur. —**gezifterij**
chicane v.
muil 1 gueule v ; **2** (snuit) museau m ;
3 (pantoffel) mule v. ▼—**band** muselière v,
▼—**banden** museler ; (fig.) bâillonner.
▼—**dier** mulet m, mule v. ▼—**dierdrijver**
muletier m. ▼—**ezel** bardot m. ▼—**korf,
—korven**, zie —**band(en).**
muis 1 souris v ; **2** (— v.d. hand) thénar m.
▼—**je 1** souriceau m ; **2** (aardappel) vitelotte
v ; —s, perles d'anis v mv, anis m mv de
Verdun. ▼—**stil** : — zijn, ne souffler mot.
muit/eling, —er mutin, séditieux, rebelle m.
▼—**en** se mutiner, s'insurger. ▼—**erij**
mutinerie, insurrection v. ▼—**ziek** mutin,
séditieux.
muiz/ekeutel crotte v de souris. —**en 1** faire
la chasse aux souris ; **2** (fig.) boulotter.
▼—**engif(t)** mort v aux rats. ▼—**enis** souci
m ; zich —sen in het hoofd halen, se mettre
martel en tête. ▼—**eval** souricière v.
mul : — zand, sable m fin.
mulat mulâtre m. ▼—**tin** mulâtresse v.
mulder meunier m.
mulheid incohérence v.
multi/nationaal : multinationale
onderneming, entreprise v multinationale.
▼—**plex** contreplaqué m de plus de trois
couches. ▼—**pliceren** multiplier.
mummelen 1 (sprekend) marmonner ;
2 (etend) mâchonner.
mummi/e momie v. ▼—**ficatie** momification
v. ▼—**ficeren** momifier.
München Munich v. ▼—**er bn** munichois ; —
bier, bière v de Munich.
munitie munitions v mv. ▼—**kist** caisse v à
munitions. ▼—**wagen** caisson m.
munt 1 monnaie v ; **2** (penning) médaille v ;
3 (v. telefoon, muntmeter enz.) jeton m ;
klinkende —, espèces v mv sonnantes ; kruis
of — spelen, jouer à pile ou face ; iem. met
gelijke — betalen, rendre la pareille à qn ; voor
goede — aannemen, prendre pour argent
comptant. ▼—**biljet** billet m de banque.
▼—**conventie** convention v monétaire.
▼—**en I** ov.w monnayer. **II** zn : het —, le
monnayage. ▼—**er** monnayeur m.
▼—**gasmeter** compteur à sous, —
automatique. ▼—**hervorming** réforme v
monétaire. ▼—**ing** monnayage m.
▼—**kabinet** cabinet m des médailles.
▼—**kenner** numismate m. ▼—**kennis,**
▼—**kunde** numismatique v. ▼—**meester**
directeur m de la Monnaie. ▼—**meter** zie
—**gasmeter.** ▼—**slag** frappe v. ▼—**specie**
espèces v mv. ▼—**standaard** étalon m.
▼—**stelsel** système m monétaire.

▼—**stempel** coin m. ▼—**stuk** pièce v de
monnaie. ▼—**teken** déférent m. ▼—**unie**
union v monétaire. ▼—**verhoging** élévation
v du cours des monnaies. ▼—**verlaging**
dévaluation v.
murmelen I on.w murmurer. **II** zn : het —, le
murmure.
murw tendre ; mou ; (fig.) qui n'a plus de
résistance. — maken, attendrir, amollir ; —
slaan, rosser de la belle façon.
mus moineau m.
museum 1 musée v ; **2** (v. nat. hist.) muséum m.
▼—**rondgang** conférence-promenade v.
music/al comédie v musicale. ▼—**eren** faire
de la musique. ▼—**us** musicien m.
muskaat 1 (wijn) muscat m ; **2** (noot)
muscade v. ▼—**wijn** muscat m.
musketonhaak mousqueton m.
muskiet moustique m. ▼—**engaas, —ennet**
moustiquaire m.
muskus musc m = —**dier.** ▼—**lucht** odeur v
de musc. ▼—**rat** rat m musqué.
mutant mutant m. ▼**mutatie** mutation v ; de
—s, le mouvement dans le personnel.
▼—**theorie** théorie v des mutations.
muts 1 bonnet, béret m ; (v. vrouw) coiffe v ;
2 (dierk.) bonnet m ; zijn — staat verkeerd, il a
le bonnet de travers ; er met de — naar
gooien, y aller au petit bonheur.
mutsaard, mutserd fagot m.
mutsenmaakster bonnetière v.
muur mur m, muraille v. ▼—**anker** ancre v.
▼—**antenne** cadre m. ▼—**bekleding**
revêtement m mural. ▼—**bloem 1** giroflée
jaune v ; **2** jeune fille qui fait tapisserie.
▼—**bord** assiette v décorative.
▼—**fonteintje** fontaine-lavabo v. ▼—**kalk**
crépi, plâtre m. ▼—**kast** placard m. ▼—**lamp**
applique v. ▼—**salpeter** salpêtre m terreux.
▼—**schildering** peinture murale, fresque v.
▼—**spleet** lézarde v. ▼—**tapijt** tapisserie v.
▼—**tegel** carreau m de revêtement. ▼—**tje**
(sp.) een — maken, faire le mur ; bétonner,
▼—**vak** case v. ▼—**vast** inébranlable.
▼—**versiering** décoration v murale.
muze muse v.
muzelman musulman m.
muziek musique v ; — maken, faire de la
musique ; met —, aux sons de la musique ;
lichte —, musiquette v. ▼—**avond** soirée v
musicale. ▼—**boek** cahier m de musique.
▼—**directeur** chef m d'orchestre. ▼—**doos**
boîte v à musique. ▼—**feest** festival m.
▼—**gezelschap** société v musicale.
▼—**handel** magasin m de musique.
▼—**instrument** instrument m de musique.
▼—**korps** musique v (militaire) ; orchestre m ;
société v de musique. ▼—**leer** théorie v de la
musique, - musicale. ▼—**les** leçon v de
musique. ▼—**leven** vie v musicale.
▼—**liefhebber** amateur m de musique, ami
de la musique. ▼—**onderwijs** enseignement
m musical. ▼—**papier** papier m à musique.
▼—**school** école v de musique ;
conservatoire m. ▼—**stander** casier m à
musique. ▼—**stuk** morceau m. ▼—**tent**
kiosque m à musique. ▼—**uitvoering**
concert m. ▼—**vereniging** société v
philharmonique. ▼—**wetenschap**
musicologie v. ▼—**zaal** salle v de concerts.
▼**muzik/aal bn** (& bw) musical(ement) ; zij
is —, elle est musicienne, elle a l'oreille
musicienne ; elle est doué musicalement ; niet
— zijn, manquer d'oreille. ▼—**aliteit** talent -,
tempérament m musical. ▼—**ant** musicien ;
exécutant m.
myst/erie mystère m. = —**eriespel.**
▼—**erieus I bn** mystérieux. **II bw**
mystérieusement. ▼—**icisme** mysticisme m.
▼—**icus** mystique m. ▼—**iek I bn** (& bw)
mystique(ment). **II** zn mystique v.
▼—**ificatie** mystification v. ▼—**ificeren**
mystifier.
myth/e mythe m. ▼—**isch** mythique.
▼—**ologie** mythologie v. ▼—**ologisch**
mythologique. ▼—**oloog** mythologiste m.

N n.m & v; *voor de nde maal*, pour la énième fois.

na I *vz* après, sur, au bout de; *de dag — dat ongeluk*, le lendemain de cet accident; *twee maal — elkaar*, deux fois de suite; *de ene dwaasheid — de andere begaan*, faire sottise sur sottise; — *afloop bal*, on dansera. II *bw* près; *op twee gulden —*, à deux florins près; *op een —*, un seul excepté; *er — aan toe zijn om*, être sur le point de; friser; *bij lange —*, à beaucoup près.

naad 1 couture; 2 *(dierk., med.)* suture *v*; 3 *(v. planken)* joint *m*; *losgetornde —*, décousure *v*; *zich uit de — lopen*, s'esquinter; *het — je van de kous willen weten*, vouloir savoir le fin mot (de l'affaire). ▼—*loos* sans couture; sans joints, sans soudure.

naaf moyeu *m*. ▼—*dop* chapeau *m* de moyeu. ▼—*ring* frette *v*.

naai/cursus cours *m* de couture. ▼—*doos* nécessaire *m*; boîte *v* à ouvrage. ▼—*en* coudre, tirer l'aiguille; s'esquinter. ▼—*garen* fil *m* à coudre. ▼—*gerei* trousse *v* à couture. ▼—*kistje* *zie* —*doos*. ▼—*kussen* pelote *v* (à épingles). ▼—*machine* machine *v* à coudre. ▼—*mandje* corbeille *v* à ouvrage. ▼—*meisje* cousette, midinette, petite main *v*. ▼—*ring* poucier *m*. ▼—*school* école *v* de couture. ▼—*ster* couturière *v*. ▼—*vak* couture *v*. ▼—*werk* ouvrage *m* de couture.

naakt I *bn* nu; tout nu; *(fam.)* à poil; *naar het —model*, d'après le nu. II *bw* à nu. III *zn*: *het —*, le nu. ▼—*cultuur* nudisme *m*. ▼—*heid* nudité *v*. ▼—*loper* adamite, nudiste.

naald aiguille *v*; *(v. pick up)* pointe *v* de lecture. ▼—*boom* conifère *m*. ▼—*enboekje* porte-aiguilles *m*. ▼—*druk* pression *v* de la pointe de lecture. ▼—*enkoker* étui *m* à aiguilles. ▼—*hak* talon *m* aiguille. ▼—*houder* porte-aiguille *m*. ▼—*hout* essences *v mv* résineuses. ▼—*werk* ouvrage *m* d'aiguille.

naam 1 nom *m*; 2 renommée, réputation *v*; *aangenomen —*, nom d'emprunt; *(v. schrijver)* nom de plume; *de namen afroepen*, faire l'appel nominal; *dat mag geen — hebben*, ce n'est rien; — *maken*, se faire un nom; *iem. bij zijn — noemen*, appeler qn par son nom; *iem. met de — van*, qn du nom de...; *met name*, notamment; *op — van*, au nom de; *op eigen —*, sous son nom; *aandeel op —*, titre *m* nominatif; *ten name van*, au nom de; *uit — van*, de la part de; *een man van —*, un homme connu; *een goede — is goud waard*, bonne renommée vaut ceinture dorée. ▼*naam/bordje* *(v. straat)* plaque *v* (indicatrice); écriteau *m*. ▼—*cijfer* monogramme *m*. ▼—*dag* fête *v*. ▼—*dicht* acrostiche *m*. ▼—*genoot* homonyme *m & v*. ▼—*gever* parrain *m*. ▼—*geving* baptême *m*, qualification *v*. ▼—*kaartje* carte *v* de visite. ▼—*lijst* liste nominative *v*, rôle, registre *m*. ▼—*loos* anonyme; sans nom. ▼—*loosheid* anonymat *m*. ▼—*plaatje* plaque *v* (indicateur). ▼—*stempel* griffe *v*. ▼—*sverwisseling* erreur *v* de nom. ▼—*val* cas *m*; *eerste —*, nominatif *m*; *tweede —*,

génitif *m*; *derde —*, datif *m*; *vierde —*, accusatif *m*. ▼—*valsuitgang* désinence *v* casuelle. ▼—*woord* nom *m*.

naäp/en singer; imiter servilement. ▼—*er* singe, imitateur *m*. ▼—*erij* singerie *v*.

naar I *vz* 1 à, pour (Paris); en (France); aux (Pays-Bas); chez (qn); vers (le ciel); 2 selon, suivant (vous), d'après (nature); 3 pour, quant à; — *de markt gaan*, aller au marché; — *de slager gaan*, aller chez le boucher, - à la boucherie; — *de winkels gaan*, aller dans les magasins; — *Italië vertrekken*, partir pour l'Italie; *(brief)* — *Nederland*, à destination des Pays-Bas; — *iem. toegaan*, aller trouver qn; *dorst — goud*, soif *v* de l'or; — *de datum*, par ordre de date; *het is er ook —*, c'est selon; il y paraît. II *vgw*: — *men zegt*, à ce que l'on dit; — *ik hoor*, d'après ce que j'apprends. III *bn* 1 triste, sombre; lugubre; 2 indisposé; 3 embêtant, affreux; *ik word er — van*, cela me donne mal au cœur. IV *bw* mal.

naargeestig morne, sombre. ▼—*heid* humeur *v* -, aspect *m* morne.

naarmate à mesure que.

naarstig I *bn* diligent, appliqué. II *bw* diligemment, avec application. ▼—*heid* diligence, application *v*.

naast I *vz* tout près de, à côté de; — *elkaar*, côte à côte; — *ons (huis)*, à côté de chez nous; — *God*, après Dieu. II *bn* le *(of* la) plus proche, prochain; *de — e prijs*, le dernier prix; *de — e weg*, le chemin le plus direct; *hier —*, à côté, tout près d'ici; *ten — e bij*, approximativement. ▼—*bestaande* le plus proche parent. ▼—*e prochain *m*. ▼—*en* exproprier; saisir; nationaliser. ▼—*enliefde* charité *v*, amour *m* du prochain. ▼—*ing* expropriation, saisie; nationalisation *v*.

nabehandeling traitement *m* post-opératoire, soins *m mv* consécutifs.

naberouw regret, remords *m*.

nabestaande proche parent(e) *m* (*v*).

nabestell/en renouveler la commande de (qc). ▼—*ing* nouvelle commande *v*.

nabetrachting 1 méditation *v*; 2 retour (sur) *m*.

nabeurs bourse *v* tenue après la clôture.

nabij (tout) près, proche. ▼—*gelegen* voisin, proche; attenant. ▼—*heid* proximité *v*; voisinage *m*; *in de — van*, à proximité de. ▼—*komend* se rapprochant de, ressemblant à.

nablijven rester en arrière; *(school)* être en retenue.

nabloei seconde floraison *v*. ▼—*en* refleurir.

naboots/en imiter; pasticher. ▼—*ing* imitation *v*; pastiche *m*.

naboren réaliser.

nabréngen porter après.

naburig voisin; attenant. ▼*nabuur* voisin *m*. ▼—*schap* voisinage *v*.

nacht nuit *v*; *des —s*, la nuit, (chasser) de nuit; *slapeloze —*, nuit blanche; *het is —*, il fait nuit; *het wordt —*, la nuit tombe; *gister—*, dans la nuit d'hier; *in de — van vrijdag (op zaterdag)*, dans la nuit du vendredi (au samedi); *de — brengt raad*, la nuit porte conseil. ▼—*asiel* asile *m* de nuit. ▼—*blind* héméralope. ▼—*blindheid* héméralopie *v*. ▼—*braken* faire de la nuit le jour; faire la fête. ▼—*braker* noceur *m*. ▼—*club* boîte *v* de nuit. ▼—*dienst* service *m* de nuit. ▼—*dier* animal *m* nocturne. ▼—*egaal* rossignol *m*. ▼—*elijk* nocturne, de (la) nuit. ▼—*evening* équinoxe *m*. ▼—*gelegenheid* maison (*of* boîte) *v* de nuit. ▼—*gewaad* vêtement *m* de nuit. ▼—*glas* horloge *m* de quart. ▼—*hemd* chemise *v* de nuit. ▼—*jager* chasseur *m* de nuit. ▼—*japon* chemise *v* de nuit. ▼—*kaars* 1 veilleuse *v*; 2 *(plk.)* bouillon *m* blanc; *als een — uitgaan*, s'éteindre doucement; finir en queue de poisson. ▼—*kastje* table *v* de nuit. ▼—*kroeg* cabaret *m* (*of* boîte *v* de nuit. ▼—*lampje* veilleuse *v*. ▼—*leger* gîte *m*, ▼—*lichtje* veilleuse *v*. ▼—*lucht* fraîcheur *v* de la nuit. ▼—*merrie* cauchemar *m*. ▼—*mis

messe *v* de nuit *of* de minuit. ▼—**pitje**
veilleuse *v*. ▼—**ploeg** équipe *v* de nuit.
▼—**pon** chemise *v* de nuit. ▼—**post**
1 courrier de nuit ; **2** (*mil.*) poste *m* de nuit.
▼—**rust** repos de nuit, sommeil *m*. ▼—**slot**
serrure *v* de sûreté ; *op het* — *doen*, fermer à
double tour. ▼—**spiegel** vase *m* de nuit.
▼—**tarief** tarif *m* de nuit. ▼—**trein** train *m* de
nuit. ▼—**uil** chouette *v*, hibou *m*.
▼—**veiligheidsdienst** surveillance *v* de nuit.
▼—**verblijf** gîte -, logis *m* pour la nuit.
▼—**vergadering** séance *v* de nuit.
▼—**verlichting** éclairage *m* de nuit.
▼—**vlucht** vol *m* de nuit. ▼—**vorst** gelée *v*
nocturne. ▼—**wacht** garde *v* de nuit ; *de N—*,
la Ronde de nuit. ▼—**wake** veillée *v*.
▼—**waker** veilleur *m* de nuit. ▼—**zoen** baiser
m du soir.
nadat après (que).
nadeel désavantage, préjudice, tort *m* ; —
berokkenen, faire tort à, nuire à ; — *hebben*
bij, perdre à ; *ten nadele van*, au détriment de.
▼**nadelig** I *bn* désavantageux (pour),
nuisible (à), préjudiciable (à) ; — *saldo*,
déficit *m* ; — *zijn voor*, nuire à, être mauvais
pour. II *bw* désavantageusement ; — *werken*,
avoir un effet nuisible.
nadenk/en I *on.w* réfléchir (sur *of* à qc). II *zn*
réflexion *v* ; *bij enig* —, à la réflexion ; *dat*
stemt tot —, cela donne à penser. ▼—**end**
serieux ; rêveur ; pensif.
nader I *bn* plus proche, plus voisin ; *voor* —*e*
inlichtingen wende men zich tot, pour plus
amples renseignements s'adresser à ; *tot* —
order, jusqu'à nouvel ordre ; — *bericht*,
communication *v* ultérieure ; *bij* — *inzien*, à la
réflexion ; *iets* —*s*, des renseignements plus
détaillés. II *bw* plus près ; — *kennis maken*,
faire plus ample connaissance. ▼—**bij** plus
près. ▼—**bijkomen** = **en** I *on.w*
(s')approcher (de) ; s'avancer (vers) ; *tot de*
sacramenten —, s'approcher des sacrements.
II *ov.w* approcher (de) ; s'approcher de.
III *zn* : het —, l'approche *v* ; *bij het* — *van*, à
l'approche de. ▼—**hand** après (coup) ; plus
tard. ▼—**ing** approche *v*.
nadien depuis, dès lors.
nadoen imiter, copier ; singer ; *dat zul je hem*
niet —, vous n'en ferez pas autant.
nadorst (avoir la) gueule *v* de bois.
nadruk 1 reproduction ; **2** énergie *v* ; **3** accent
m ; *de* — *leggen op*, accentuer ; faire ressortir ;
met —, énergiquement. ▼—**kelijk** I *bn*
exprès, énergique. II *bw* expressément ; avec
instance. ▼—**ken** contrefaire ; reproduire.
nafta naphte *m*.
nagaan 1 (*begrijpen*) comprendre, s'imaginer ;
2 (*volgen*) suivre ; épier ; **3** (*overdenken*)
réfléchir (sur), se rendre compte de ;
4 contrôler, vérifier.
nagalm résonance *v* ; écho *m*. ▼—**en 1** répéter
les sons ; **2** résonner, retentir.
nageboorte arrière-faix, placenta *m*.
nagedachtenis mémoire *v*, souvenir *m*.
nagel 1 ongle *m* ; **2** (*spijker*) clou *m* ; **3** cheville
v (de bois) ; *zijn* —*s knippen*, se faire - , se
tailler les ongles. ▼—**bed** lit *m* de l'ongle.
▼—**borstel** brosse *v* à ongles. ▼—**en clouer** ;
aan de grond —, clouer sur place.
▼—**garnituur** trousse *v* manucure ; onglier
m. ▼—**kaas** fromage *m* aux clous de girofle.
▼—**knipper** coupe-ongles *m*. ▼—**lak** vernis
m à ongles. ▼—**riem** matrice *v*. ▼—**schaar**
ongliers, ciseaux *m mv* à ongles. ▼—**schuier**
brosse *v* à ongles. ▼—**tangetje** pince *v* à
ongles. ▼—**vast** tenant à fer et à clou. ▼—**vijl**
lime *v* à ongles.
nagemaakt imité, en plaqué, en simili.
nagenoeg à peu (de chose) près.
nagerecht (*vóór dessert*) entremets ; dessert
m.
nageslacht postérité *v*.
nageven 1 imputer (qc à qn) ; **2** *men moet*
hem — *dat*, c'est une justice à lui rendre que.
nagooien jeter après qn ; jeter à la tête de qn.
naherfst arrière-saison *v*.

nahouden 1 mettre en retenue ; **2** *er op* —,
avoir (à sa disposition) ; posséder.
naïef I *bn* naïf. II *bw* naïvement. ▼**naïeveling**
naïf, (*pop.*) zozo *m*.
naijver 1 émulation ; **2** envie, jalousie *v*. ▼—**ig**
jaloux, envieux (de).
naïveteit naïveté *v*.
najaar automne *m*, arrière-saison *v*.
najagen poursuivre ; (*fig.*) rechercher,
ambitionner, aspirer à.
najouwen huer.
nakijken 1 suivre des yeux ; **2** contrôler,
vérifier ; **3** corriger ; **4** repasser (une leçon).
naklank résonance *v* ; (*fig.*) réminiscence *v* ;
écho *m*. ▼**naklinken** résonner ; faire écho.
nakomeling descendant(e) *m* (*v*). ▼—**schap**
postérité, descendance *v*. ▼**nakom/en** I *on.w*
suivre, venir après. II *ov.w* suivre ; (*fig.*)
observer (les commandements), exécuter un
ordre, s'acquitter d'(une obligation), faire
face à (ses engagements) ; remplir (son
devoir) ; *zijn woord niet* —, manquer à ses
engagements. ▼—**ertje** (*fam.*) tardillon *m*.
nakuur cure *v* secondaire.
nalaten 1 laisser, léguer ; **2** négliger, ne pas
faire ; cesser de faire ; manquer de, se faire
faute de ; *ik kon niet* — *te*, je n'ai pas pu
m'empêcher de. ▼—**schap** succession *v*,
héritage *m*. ▼**nalatig** négligent, nonchalant.
▼—**heid** négligence, nonchalance *v*.
naleven observer, suivre.
naleveren livrer en supplément, faire suivre.
naleving observation *v*.
nalopen courir après, suivre ; (*fig.*) s'occuper
de, surveiller.
namaak(sel) contrefaçon, imitation *v* ; (*fam.*)
dat is —, c'est du toc. ▼**namaken** imiter,
copier, contrefaire.
name/lijk c'est-à-dire, savoir ; *er is* — *iets*
gebeurd, c'est qu'il s'est passé qc. ▼—**loos**
indicible, inexprimable, sans nom.
Namen Namur *m*.
namens au nom de, de la part de.
namet/en vérifier, remesurer. ▼—**ing**
remesurage *m*, vérification *v*.
namiddag après-midi ; *2 uur 's* —*s*, à deux
heures de l'après-midi.
nanacht fin *v* de la nuit.
naoorlogs d'après-guerre.
nap écuelle, jatte *v*.
napalmbom bombe *v* au napalm.
Napels Naples *v*.
napluizen contrôler minutieusement.
napraten I *ov.w* répéter ; faire écho à ; imiter.
II *on.w* rester à causer.
nar bouffon, fou *m*.
narcis narcisse *m*.
narco/se narcose *v*. ▼—**tica** stupéfiants *m*
mv ; la drogue ; *verslaafd aan* —, drogué.
▼—**tisch** narcotique. ▼—**tiseren**
anesthésier.
narede postface *v* ; épilogue *m* ; (*v.toespraak*)
péroraison *v*.
nareken/en vérifier les comptes de, contrôler.
▼—**ing** vérification *v* des comptes.
narennen courir après.
narigheid misère ; mauvaise nouvelle *v* ;
ennuis *m mv*.
narijden suivre (en voiture etc.) ; talonner.
naroepen crier après.
narrenkap bonnet *m* de fou, marotte *v*.
naschilderen copier.
nascholing : —*scursus*, cours *m* de recyclage.
naschrift post-scriptum *m* ; postface *v*.
naslaan chercher ; vérifier, consulter.
▼**naslagwerk** ouvrage *m* de référence.
nasleep suite *v*, train *m* ; *met al de* — *van dien*,
avec tout ce qui s'ensuit.
nasluipen suivre à pas de loup.
nasmaak arrière-goût *m* ; *bittere* —, déboire
m.
naspel postlude ; finale *m* ; sortie *v*. ▼—**en** : *een*
kleur —, suivre l'invite ; *op het gehoor* —,
jouer d'oreille.
naspeur/en, naspor/en rechercher, scruter.
▼—**ing** recherche, investigation *v*.

nastaren suivre des yeux.
nastreven marcher sur les traces de; *een doel* —, poursuivre un but.
nasturen faire suivre; réexpédier.
nasynchronis/atie postsynchronisation *v*.
▼—**eren** postsynchroniser.
nat I *bn* mouillé; trempé; humide; pluvieux; — *!*, frais *!*, peinture *v* fraîche *!*; — *maken*, mouiller; humecter; — *worden, zich* — *maken*, se mouiller; *zo* — *als een kat*, mouillé comme un canard; — *te cel*, salle *v* d'eau.
II *zn* liquide; jus *m*; eau; humidité *v*.
natafelen s'attarder à table.
natekenen dessiner (d'après modèle).
natellen recompter, vérifier le compte de.
natheid humidité *v*.
natie nation *v*, peuple *m*. ▼**nationaal** national. ▼—**socialisme** national-socialisme *m*. ▼—**socialist(isch)** national-socialiste *m*. ▼—**natio/lisatie** nationalisation *v*. ▼—**liseren** nationaliser.
▼—**lisme** nationalisme *m*. ▼—**listisch** nationaliste. ▼—**liteit** nationalité *v*.
▼—**liteitsbeginsel** principe *m* des nationalités. ▼—**liteitsbewijs 1** (*v. persoon*) certificat *m* de nationalité; **2** (*v. voorwerp*) certificat *m* d'origine.
natmaking mouillage *m*; humectation *v*.
NATO, NAVO Organisation *v* du Traité de l'Atlantique Nord, OTAN.
natrium sodium *m*. ▼—**lamp** lampe *v* à vapeur de sodium. ▼**natron** soude *v* caustique.
nattig humide. ▼—**heid** humidité *v*; — *voelen*, s'apercevoir que cela se gâte.
natur/a: *in* —, en nature. ▼—**ist** naturiste.
▼**natural/isatie** naturalisation *v*. ▼—**iseren** naturaliser. ▼—**isme** naturalisme *m*.
▼—**ist(isch)** naturaliste (*m*).
natuur 1 nature *v*; **2** (*karakter*) naturel, tempérament *m*; *de* — *is sterker dan de leer*, chassez le naturel, il revient au galop; *in de vrije* —, à la campagne, au grand air; *naar de* —, d'après nature; naturel, naturellement, de son naturel. ▼—**arts** naturiste *m*.
▼—**bescherming** conservation *v* de la n.
▼—**boter** beurre *m* nature. ▼—**dienst** culte *m* de la nature. ▼—**drift** instinct, appétit *m* animal. ▼—**filosofie** philosophie *v* naturelle.
▼—**geneeskunde** thérapeutique *v* naturiste.
▼—**geneeswijze** traitement *m* naturiste.
▼—**getrouw** nature, pris sur le vif.
▼—**godsdienst** religion *v* naturelle.
▼—**historie** histoire *v* naturelle. ▼—**kenner** naturaliste *m*. ▼—**kennis 1** science *v* de la nature; **2** histoire *v* naturelle. ▼—**kracht** force *v* de la nature. ▼—**kunde** physique *v*.
▼—**kundig** *bn* (*& bw*) physique(ment); —*e wetenschappen*, sciences *v mv* physiques.
▼—**kundige** physicien *m*. ▼—**lijk I** *bn* **1** naturel; **2** simple, ingénu; —*e historie*, histoire *v* naturelle; *een* —*e dood sterven*, mourir de sa belle mort; *op* —*e grootte*, grandeur nature; —*e persoon*, personne *v* physique. **II** *bw* naturellement; — *!*, bien entendu; bien sûr, évidemment. ▼—**lijkheid** (*caractère*) naturel *m*; simplicité, naïveté *v*.
▼—**mens** homme *m* de la nature, - primitif.
▼—**monument** site *v* classé.
▼—**onderzoeker** naturaliste *m*. ▼—**park** parc *m* naturel. ▼—**ramp** calamité *v*.
▼—**recht** droit *m* naturel. ▼—**schoon** beautés *v mv* de la nature. ▼—**verschijnsel** phénomène *m*. ▼—**volk** peuple *m* primitif.
▼—**vorser** naturaliste *m*. ▼—**wet** loi *v* de la nature. ▼**2** loi *v* naturelle.
▼—**wetenschappen** sciences *v mv* naturelles, - physiques. ▼—**zijde** soie *v* écrue.
nautisch *bn* (*& bw*) nautique(ment).
nauw I *bn* étroit, serré; *te* —*e schoenen hebben*, être chaussé trop juste; —*er maken*, rétrécir; —*er worden*, se rétrécir; — *van geweten zijn*, avoir la conscience étroite.
II *bw* étroitement, à l'étroit; — *behuisd*, logé à l'étroit; *hij neemt het niet zo* —, il n'y regarde pas de si près; — *zitten*, être serré,

être à l'étroit. **III** *zn* **1** détroit *m*; *het N*— *van Calais*, le Pas de Calais; **2** (*fig.*) embarras *m*, peine *v*; *iem. in het* — *drijven*, mettre qn au pied du mur; acculer qn; *in het* — *gedreven*, pris de court; *in het* — *zitten*, être dans l'embarras. ▼—**elijks** à peine; — *of* ..., à peine .. que. ▼—**gezet I** *bn* exact;
scrupuleux. **II** *bw* exactement;
scrupuleusement. ▼—**gezetheid** exactitude; conscience *v*. ▼—**heid** étroitesse *v*.
▼—**keurig** *bn* (*& bw*) exact(ement);
précis(ément); (*fig.*) de près. ▼—**keurigheid** exactitude, précision *v*. ▼—**lettend I** *bn* attentif. **II** *bw* attentivement; — *toezien*, surveiller de près. ▼—**lettendheid** exactitude, précision *v*. ▼—**sluitend** bien juste, collant.
navel nombril, ombilic *m*; *op zijn* — *staren*, se regarder le nombril. ▼—**band** bandage *m* ombilical. ▼—**breuk** hernie *v* ombilicale.
▼—**streng** cordon *m* ombilical.
naverbranding post-combustion *v*.
navertellen redire; *hij zal het niet* —, il n'en portera pas la nouvelle.
navigat/tie navigation *v*. ▼—**ielicht** feu *m* de position. ▼—**or** navigateur *m*.
navolg/en 1 suivre; poursuivre; **2** imiter, suivre (un exemple). ▼—**end** suivant; (*jur.*) subséquent. ▼—**enswaardig** digne d'être imité. ▼—**er, —ster** imitateur *m*, imitatrice *v*.
▼—**ing** imitation; *in* — *van*, à l'instar de.
navorder/en réclamer. ▼—**ing** perception *v* supplémentaire.
navors/en rechercher, explorer; enquêter sur.
▼—**er** chercheur, scrutateur *m*. ▼—**ing** recherches *v mv*, exploration; enquête *v*.
navraag information, demande; enquête *v*; — *doen naar*, s'informer de.
navulbaar rechargeable.
naweeën ressentiment *m*; suites *v mv* (d'une maladie); (*na bevalling*) douleurs *v mv*.
nawegen vérifier le poids de.
nawerk/en se faire sentir. ▼—**ing** effet *m*, suite *v*; contrecoup *m*; *de* — *ondervinden van*, se ressentir de.
nawijzen montrer (*qn* du doigt).
nazaat descendant *m*; *de nazaten*, la postérité *v*.
nazeggen redire, répéter.
nazend/en faire suivre; (*opschrift*) prière de faire suivre. ▼—**ing** expédition *v* ultérieure.
nazetten poursuivre, donner la chasse à.
nazi nazi.
nazien I *ov.w* **1** suivre des yeux;
2 (*verbeteren*) corriger; **3** revoir; réviser;
vérifier (un calcul); repasser (une leçon);
(*auto*) *laten* —, faire passer au réglage. **II** *zn* correction *v*; révision; vérification *v*; réglage *m*.
nazitten 1 *zie* **nazetten**; **2** contrôler.
nazoeken fouiller (dans), faire des recherches.
nazomer été *v* de la Saint-Martin.
necessaire nécessaire *m*; trousse *v*.
necrologie nécrologie *v*.
neder à bas, en bas, *zie ook* neer. ▼**N**—**duits** bas-allemand. ▼—**ig** *bn* (*& bw*) humble(ment), modeste(ment). ▼—**igheid** humilité, modestie *v*. ▼—**laag** échec *m*; défaite *v*; *de* — *lijden*, essuyer une défaite (*of* un échec); *een* — *toebrengen aan*, défaire.
Nederland les Pays-Bas *m mv*, la Néerlande; *de Verenigde* —*en*, les Provinces-Unies *v mv*.
▼—**er** Néerlandais. ▼—**erschap** nationalité *v* néerlandaise. ▼—**s** néerlandais; *het* —, le néerlandais.
nederzetting établissement *m*; colonie *v*.
nee non; *zie ook* neen.
neef 1 (*zoon v. broer of zus*) neveu *m*; **2** (*zoon v. oom of tante*) cousin; *volle* —, cousin germain.
neen non; *hij zegt van* —, il dit que non; *wel* — *!*, mais non *!*, que non (pas) *!*; — *maar !*, oh là là *!*, ça alors *!*, croyez-vous *!*, par exemple *!*; *zo* —, dans la négative.
neer I *zn* remous *m*. **II** *bw* à bas, en bas; *par terre*, à terre; *zie ook* neder, ▼—**bliksemen**

foudroyer.
neerbuig/en I ov.w courber, baisser. **II zich**
— se baisser, se prosterner. **III** on.w fléchir, se
courber. **▼—end I** bn condescendant. **II** bw
avec condescendance.
neerdal/en descendre, atterrir. **▼—ing**
descente v.
neerdrukk/en enfoncer, baisser; (fig.)
accabler, abattre. **▼—ing** dépression v; (fig.)
abattement m.
neer/duwen enfoncer, baisser. **▼—gaan**
descendre. **▼—gang** descente v. **▼—gooien**
jeter par terre; de boel er bij —, envoyer tout
promener. **▼—halen** baisser; amener (le
pavillon); descendre (un avion), démolir,
abattre (une maison); (fig.) démolir.
▼—hurken s'accroupir. **▼—kijken** regarder
de haut en bas. **▼—klapbaar** rabattable.
▼—klappen rabattre. **▼—knielen**
s'agenouiller. **▼—komen** descendre;
s'abattre; dat komt op hetzelfde neer, cela
revient au même; alles komt op haar neer, tout
retombe sur elle; het — van een parachutist,
la réception. **▼—laten I** ov.w baisser;
descendre; larguer (parachutisten, voorraad).
II zich — se laisser glisser en bas, descendre.
▼—leggen I ov.w déposer, poser, mettre,
coucher; zijn ambt —, donner sa démission;
iem. —, 1 tomber qn; 2 (schieten) tuer qn.
II zich — se coucher; zich — bij, s'incliner
devant, prendre son parti de. **▼—liggen** être
couché. **▼—ploffen I** ov.w flanquer par terre.
II on.w tomber lourdement. **▼—schieten**
I ov.w tuer, abattre, descendre. **II** on.w fondre
(sur). **▼—schrijven** mettre par écrit, tracer.
▼—slaan I ov.w abattre; baisser (les yeux);
assommer. **II** on.w s'abattre, tomber; (v.
koek, beslag) retomber; (chem.) déposer, se
précipiter; (v. rook) se rabattre.
neerslachtig abattu, découragé. **▼—heid**
abattement m, découragement m.
neerslag 1 (regen) précipitation v; 2 (chem.)
dépôt, précipité m; radioactieve —,
retombées v mv radioactives; 3 (muz.) frappé
m.
neer/storten I ov.w précipiter, jeter en.bas.
II on.w se précipiter; (v. paard) s'abattre.
▼—strijken I ov.w rabattre; abaisser. **II** on.w
s'abattre; (v. vliegt.) venir se poser; (op zee)
amerrir; (op land) atterrir. **▼—tellen** compter.
▼—vallen tomber; op een stoel —, s'affaisser
sur une chaise; op de knieën —, se prosterner.
▼—vellen abattre; terrasser. **▼—vlijen I** ov.w
ranger, coucher doucement. **II zich** —
s'étendre, s'installer commodément.
▼—waarts zie nederwaarts. **▼—werpen**
I ov.w renverser, jeter par terre; terrasser.
II zich — se prosterner. **▼—zetten I** ov.w
(dé)poser; asseoir. **II zich** — 1 s'établir, se
fixer; 2 s'asseoir. **▼—zien** regarder de haut en
bas; jeter les yeux (sur); laag — op, mépriser;
uit de hoogte — op, traiter de haut en bas.
▼—zitten être assis; s'asseoir.
neet 1 lente v; 2 (tech.) rivet m.
negatief I bn négatif. **II** bw négativement.
III zn négatif m.
negen I tel w neuf. **II** zn neuf m; drie —s, trois
neuf; bij —en, près de neuf heures; met —en
zijn, être neuf. **▼—de** neuvième; de — maart,
le neuf mars; ten —, neuvièmement.
▼—hoek(ig) ennéagone m (bn). **▼—jarig**
(âgé) de neuf ans. **▼—oog** anthrax m.
▼—tien dix-neuf. **▼—tiende** dix-neuvième.
▼—tig quatre-vingt-dix. **▼—tiger**
nonagénaire m. **▼—tigste**
quatre-vingt-dixième. **▼—voud** nonuple m;
neuf fois plus.
neger noir m; het — -zijn, la négritude.
▼—cultuur culture v. **▼—dans** danse v
nègre.
negèren nier; ignorer; faire semblant de ne
pas connaître (qn). **nègeren** vexer; brimer.
neger/hut case v. **▼—in** noire v.
negerij, negorij trou, (fam.) bled m.
negotie petit commerce m. **▼—penning**
monnaie v de compte.

neig/en pencher, s'incliner; baisser; men is
geneigd te geloven, on est porté à croire.
▼—ing penchant m (à), inclination v (pour).
nek nuque v; cou m; zijn — breken, se casser
le cou; de — omdraaien, tordre le cou (à); in
de — zien, mettre (qn) dedans; stijve —,
torticolis m. **▼—aan---race** dead-heat m.
▼—holte nuque v. **▼—ken** tuer, casser le cou
à; (fig.) ruiner, casser (qn). **▼—kramp**
méningite v (cérébro-spinale). **▼—slag** coup
m sur la nuque; (fig.) coup m de grâce; dat
heeft hem de — gegeven, cela a été pour lui le
coup de grâce, cela l'a achevé. **▼—steun**
appuie-tête m.
nemen 1 prendre; accepter; 2 ôter; voler; de
moeite —, se donner la peine; op zich —, se
charger de, assumer; uit de kast —, prendre
dans l'armoire; het is eens goed van — s'en
donner; een taxi (of een kamer) —, arrêter un
taxi (une chambre); men moet het maar —,
zoals het valt, il faut prendre le temps comme
il vient; ik laat me niet —, je ne marche pas;
bij zich (in huis) —, recueillir. **▼nemer**
preneur m.
neomist prêtre m récemment ordonné.
neon néon m. **▼—buis** tube m de néon.
neoplatonisch néo-platonicien.
nep bidon m.
nepotisme népotisme m.
nerf 1 (v. blad) nervure v; 2 (v. leer) grain m;
fleur v (d'une peau).
nergens nulle part.
nering métier; commerce m; de tering naar de
— zetten, gouverner sa bouche selon sa
bourse. **▼—doende** boutiquier, (marchand)
détaillant m.
nerts vison m.
nerveus I bn nerveux. **II** bw nerveusement.
▼nervositeit nervosité v.
nest 1 nid; 2 (fig.) nid, gîte, (v. rovers) repaire;
(kleine plaats) patelin, trou; (bed) pieu m;
2 (meisje): ondeugend —, petite peste v; hij
is uit een goed —, il a de la race. **▼—ei** nichet
m. **▼—el I** (veter) lacet m; 2 (versiersel)
aiguillette v; 3 (beslag) ferret m. **▼—elen**,
zich — faire son nid, (se) nicher. **▼—elgat**
œillet m. **▼—haar** duvet m. **▼—kastje** nichoir
m. **▼—veren** duvet m. **▼—vol** nichée v.
1 net I bn 1 propre; 2 joli; élégant;
3 (fatsoenlijk) convenable, poli, comme il
faut, décent; — te manieren, de belles
manières. **II** bw 1 proprement;
2 élégamment; 2 précisément, justement;
3 bien convenablement; — als, tout comme;
hij is — gek, on dirait un fou; — iets voor
hem, cela lui va, cela lui ressemble bien; maar
—, tout juste, de justesse; kan je — denken !,
tu penses ! vous pensez ! wij hebben — nog
tijd om te, nous n'avons que le temps de; hij is
— weg, il vient de sortir; — of, comme si; —
klein genoeg, juste assez petit; hij doet — zo,
il en fait autant; — zo groot als, tout aussi
grand que; — zo goed, tout autant (que moi).
III zn: in het — schrijven, mettre au net.
2 net 1 filet; 2 réseau m (téléphonique etc.);
3 (tv) chaîne; antenne v; achter het —
vissen, manquer son coup; in het — schieten,
shooter dans les filets.
netel ortie v. **▼—doek** mousseline v. **▼—ig**
épineux, critique; op —e toon, d'un ton
acerbe. **▼—igheid** difficulté; humeur v
difficile. **▼—roos** urticaire v.
netenkam peigne fin m.
net/heid 1 propreté; 2 honnêteté v. **▼—hemd**
gilet m en filet. **▼—jes I** bn propre, poli; dat is
niet —, cela ne se fait pas; het is niet — van je
te …, ce n'est pas élégant à vous de … **II** bw
proprement, bien, convenablement;
gekleed, bien habillé; is zij altijd even — ?,
est-elle toujours bien tenue? **▼—schrift** copie v
mise au net; cahier m de corrigés.
netto net. **▼—gewicht** poids m net. **▼—loon**
salaire m net.
net/vlies rétine v; van het —, rétinien.
▼—werk réseau; treillis m; filets m mv.

neuken (*plat*) baiser, niquer.
neuralg/ie névralgie v. ▼—**isch** névralgique.
neuriën I ov.w fredonner. II zn : het —, le fredonnement.
neuro/loog neurologue m. ▼—**se** névrose v. ▼—**ticus** névrosé. ▼—**tisch** névrotique.
neus 1 nez ; 2 (v. schoen) bout ; 3 (v. schip) avant m ; een fijne — hebben, avoir du nez ; de — voor iets ophalen, faire fi de qc ; de — snuiten, se moucher ; iem. bij de — hebben, mystifier qn ; door de — spreken, parler du nez ; zo langs zijn — weg zeggen, dire (qc) sans en avoir l'air ; uit zijn — bloeden, saigner du nez ; iem. iets voor zijn — wegnemen, souffler qc au nez à qn ; het staat voor je —, cela se trouve sous ton nez ; dat gaat zijn — voorbij, ce n'est pas pour son nez ; niet verder zien dan zijn — lang is, ne pas voir plus loin que (le bout de) son nez ; een lange — maken, faire un pied de nez. ▼**neus/been os** m nasal. ▼—**bloeding** saignement m du nez. ▼—**doek** mouchoir m de poche. ▼—**drup** roupie v. ▼—**gat** narine v ; (v. dier) naseau m. ▼—**geluid** son nasal, nasillement m. ▼—**holte** fosse v nasale. ▼—**hoorn** rhinocéros m. ▼—**je** petit nez m ; het — van de zalm, la crème de la crème. ▼—**keelholte** rhino-pharynx m. ▼—**klank** nasale v ; son m nasal. ▼—**ontsteking** rhinite v. ▼—**stem** voix v nasillarde. ▼—**verkoudheid** coryza, rhume m de cerveau. ▼—**vleugel** aile v du nez. ▼—**warmertje** brûle-gueule m. ▼—**wijs** 1 indiscret ; 2 suffisant. ▼—**wijsheid** indiscrétion ; suffisance v.
neutje : een — drinken, boire la goutte ; boire un petit coup de fort.
neutr/aal neutre ; neutrale school, école v laïque ; neutrale zone, zone v tampon. ▼—**aliseren** I ov.w neutraliser. II zn : het —, la neutralisation v. ▼—**aliteit** neutralité v.
neutron neutron m. ▼—**enbom** bombe v à neutrons.
neuzen flairer ; fureter ; fourrer le nez dans.
nevel brouillard m, vapeur ; (dik) brume v ; (fig.) nuage, voile m. ▼—**achtig** nébuleux, brumeux. ▼—**achtigheid** nébulosité v. ▼—**en** faire du brouillard. ▼—**gordijn** vapeur v fumigène. ▼—**ig, —igheid** zie —achtig(heid).
neven/bedoeling arrière-pensée v. ▼—**geschikt** coordonné. ▼—**hoek** angle m contigu. ▼—**man** voisin m. ▼—**reactie** réaction v secondaire. ▼—**s** à côté de. ▼—**schikkend** coordonné. ▼—**schikking** coordination v. ▼—**staand** ci-contre.
New-Foundland Terre-Neuve v. ▼—**er** 1 (persoon) Terre-neuvien m ; 2 (hond) terreneuve m.
nicht 1 (dochter v. broer of zuster) nièce ; 2 (dochter v. oom of tante) cousine v.
nicotine nicotine v. ▼—**vergiftiging** nicotinisme m. ▼—**vrij** dénicotiné.
niemand ne... personne, (als onderw.) personne ne ; (zonder ww) personne ; — anders, personne d'autre ; het is — anders dan mijn zus, ce n'est autre que ma sœur ; — thuis vinden, trouver visage de bois ; is hier —?, holà, quelqu'un ! ; nog —?, personne encore ? ▼—**sland** no man's land m ; (fig.) terrain v neutre.
niemendal 1 rien, rien du tout ; 2 (met ww) ne rien. ▼—**letje** petit rien m.
nier 1 rein ; 2 (als gerecht) rognon m ; losse —, wandelende — rein mobile. ▼**nier-** des reins, rénal. ▼—**lijder** néphrétique m. ▼—**pijn** douleurs v mv des reins. ▼—**steen** 1 calcul m rénal ; 2 (geol.) néphrite v. ▼—**streek** région v rénale. ▼—**stuk** morceau m d'aloyau enroulé autour d'un rognon. ▼—**transplantatie** greffe v de rein. ▼—**ziekte** maladie v des reins, néphrite v.
niespoeder sternutatoire m.
niet I bw ne... pas ; — point ; non, non pas ; komt hij ?, ik... — vient-il ? moi, pas ; — alleen (...maar ook), non seulement (...mais aussi) ; hij drinkt — meer, il ne boit plus ; dat —, pas cela ; ook —, ne... pas non plus, ni... non plus ; hij wil — eten of drinken, il ne veut ni boire ni manger. II zn 1 billet blanc ; 2 rivet m ; agrafe v ; 3 néant m ; te — doen, anéantir, annihiler ; te — gaan, disparaître ; om —, voor —, gratis, gratuitement.
▼—**aanvalsverdrag** pacte m de non-agression. ▼—**automatisch** : — telefoneren, téléphoner en manuel. ▼—**begrijpen** incompréhension v. ▼—**bestaand** inexistant. ▼—**betaling** non-paiement m.
nieten agrafer, riveter.
niet-gebonden (v. staat) non-aligné.
niethamer cloueur, rivoir m.
nietig sans effet ; vain ; nul ; — verklaren, annuler ; infirmer. ▼—**heid** nullité, futilité v ; rien m. ▼—**verklaring** annulation v.
niet/-inmenging non-ingérence v. ▼—**katholiek** non-catholique. ▼—**lid** non-adhérent m.
nietmachine agrafeuse ; épingleuse, cloueuse v.
niet/-nakoming défaillance, inobservation v. ▼—**ontvankelijk** non recevable ; — verklaren, opposer une fin de non-recevoir.
niets I vnw (ne...) rien ; — anders, rien d'autre ; — goeds, rien de bon ; — meer en — minder dan, rien de plus, rien de moins que ; hij doet — meer, il ne fait pas plus rien ; dat is —, ça ne fait rien ; daar is — van aan, il n'en est rien ; dat is — voor mij, ce n'est pas mon affaire ; — doen, se tourner les pouces. II zn rien, néant, vide m. ▼—**betekenend** insignifiant ; négligeable. ▼—**doen** fainéantise ; inaction v. ▼—**doener** fainéant m. ▼—**nut** propre à rien.
niet-strijder non-combattant m.
niets/waardig 1 de nulle valeur, de rien ; 2 frivole ; 3 (slecht) abject. ▼—**zeggend** vide de sens, banal.
niettang pince v à agrafer, - à riveter.
niettemin toutefois ; het is — onaangenaam, ce n'en est pas moins désagréable.
nieuw I bn nouveau (nouvel, nouvelle) ; 2 (ongebruikt) neuf ; 3 moderne ; —e hoed, 1 (andere) nouveau chapeau ; 2 (—modisch) chapeau nouveau ; 3 (niet gedragen) chapeau neuf ; de —e Wereld, le Nouveau monde ; een —e wereld, un monde nouveau. II bw nouvellement, fraîchement ; — gebouwd, nouvellement bâti. III zn : het —e, le nouveau, le moderne, le neuf ; in het — steken, habiller de neuf ; de —e, le nouveau (venu), la nouvelle (venue).
▼**nieuw/aangekomene** nouveau venu, nouvel arrivant. ▼—**bakken** frais émoulu ; de fraîche date. ▼—**eling** nouveau ; (op school) bizuth ; (in leger) bleu ; novice, débutant(e) m (& v). ▼—**erwets** I bn moderne. II bw d'après la dernière mode. ▼—**heid** nouveauté, fraîcheur v. ▼—**igheid** innovation v. ▼—**jaar** nouvel an m ; — wensen, souhaiter la bonne année. ▼—**jaarsdag** jour m de l'an. ▼—**jaarsfooi, —jaarsgeschenk** étrennes v mv. ▼—**lichter** moderniste, novateur m. ▼—**lichterij** modernisme. ▼—**modisch** à la mode ; moderne.
nieuws nouvelle ; nouveauté v ; gemengd —, faits divers m mv ; iets — qc de nouveau ; invoering v, iets —, innovation v ; dat is oud —, c'est de l'histoire ancienne.
▼—**agentschap** agence v d'information. ▼—**bericht** nouvelle v ; — berichten informations v mv. ▼—**blad** journal m ; de —en, la presse d'information. ▼—**gierig** curieux, avec curiosité ; — maken, intriguer ; ik ben — of, je suis curieux de savoir si. ▼—**gierigheid** curiosité v. ▼**nieuwtje** nouvelle ; nouveauté v ; het — is er af, cela a perdu le charme de la nouveauté.
nieuwwaardegarantie garantie v valeur neuf.
Nieuw-Zeeland la Nouvelle-Zélande. ▼—**er, —s** Néo-Zélandais (m).
niezen I on.w éternuer. II zn : het —,

l'éternûment *m.*

nihil zéro, rien du tout. ▼—**isme** nihilisme *m.*
▼—**ist(isch)** nihiliste (*m*).

nijd envie, jalousie *v.* ▼—**as** grincheux *m.*
▼—**ig** 1 fâché, en colère ; 2 jaloux ; zo — *zijn
als een spin,* être d'une humeur massacrante ;
— *zijn op,* être fâché contre (qn). ▼—**igheid**
1 colère ; 2 envie *v.* ▼—**nagel** envie *v.*

nijgen s'incliner, faire la révérence. ▼**nijging**
révérence *v.*

nijlpaard hippopotame *m.*

Nijmegen Nimègue *v.*

nijp/en I *ov.w* pincer, serrer. II *on.w* gêner,
presser. III *zn : het* —, le pincement ; ▼—**end**
cuisant, perçant ; —*e koude,* froid *m*
pénétrant ; —*e armoede,* misère *v* noire.
▼—**er** pince(tte) *v* ; tenailles *v mv.* ▼—**tang**
tenailles *v mv* ; (*klein*) pincette *v.*

nijver I *bn* 1 industrieux ; 2 diligent, laborieux.
II *bw* industrieusement ; diligemment.
▼—**heid** 1 application, diligence ; 2 industrie
v.

nikkel nickel *m.* ▼—**en** de -, en nickel.
▼—**staal** ferro-nickel *m.*

niks *zie* niets.

nimbus auréole, *v* nimbe *m.*

nimf nymphe *v.*

nimmer ne … jamais. ▼—**meer** ne … jamais
plus.

nippel raccord *m* à vis, douille *v.*

nippen buvoter, siroter.

nippertje : *op het* —, de justesse ; au dernier
moment.

nirwana nirvâna *m.*

nis niche *v.*

nitr/aat nitrate *m.* ▼—**oglycerine**
nitroglycérine *v.*

niveau niveau *m* ; *op departementaal* —, à
l'échelon des ministères. ▼**niveller/en**
niveler. ▼—**ing** nivellement *m* ; (*v. salarissen*)
péréquation *v.*

nobel I *bn* noble, généreux. II *bw* noblement,
généreusement. N—**prijs** prix *m* Nobel.

noch ni ; *hij heeft broer — zus,* il n'a ni frère ni
sœur. ▼—**tans** toutefois, cependant.

node à contre-cœur, à regret ; *iets van —
hebben,* avoir besoin de qc ; *van — zijn,* être
nécessaire. ▼—**loos** *bn* (& *bw*) inutile(ment).
▼—**loosheid** inutilité *v.*

noden inviter, prier.

nodig *bn* (& *bw*) nécessaire(ment) ; —
moeten, éprouver (*of avoir*) un besoin
pressant (*W.C.*) ; (*erg*) —*hebben,* avoir
(grandement) besoin de ; *2 uur — hebben
om,* mettre deux heures à ; *hoog* —, urgent ;
— *maken,* nécessiter ; *het — vinden om,*
trouver nécessaire de ; *daar heb je niet mee —
cela ne te regarde pas ; zo* —, à la rigueur, au
besoin ; *hij heeft het — om te stoken,* il a de
quoi chauffer.

nodigen inviter -, convier -, prier (à).

noedels nouilles *v mv.*

noem/en I *ov.w* 1 nommer, appeler ; 2 (*naam
geven*) dénommer ; qualifier de ; *men noemt
hem onder de kandidaten,* on le cite parmi les
candidats ; *bij zijn naam* —, nommer par son
nom ; *zijn naam* —, décliner son nom ; —
naar, nommer du nom de. II *zich* — se
nommer ; *zich beschermer — van,* se dire le
protecteur de. III *zn : bij het* — *van,* en disant,
à l'énoncé de. ▼—**enswaard(ig)** important ;
niet —, insignifiant, de peu d'importance.
▼—**er** dénominateur *m.*

noen dîner *m.* ▼—**maal** déjeuner *m.*

nog encore ; — *altijd,* toujours ; — *eens,*
encore ; *hij zal — ziek worden,* il finira par
tomber malade ; *als hij het — maar gezegd
had,* encore s'il l'avait dit ; (*in winkel*) — *iets
anders (van uw dienst, gewenst*) ?, et avec
ça ? ; — *niet,* (ne) pas encore ; *vandaag* —,
aujourd'hui même ; *vanavond* —, pas plus
tard que ce soir ; — *een sigaar ?,* un autre
cigare ? ; *al is men ook — zo voorzichtig,* on a
beau être prudent ; *tot — toe,* jusqu'à présent,
jusqu'ici.

noga nougat *m.*

nogal assez bien, passablement.

nogmaals encore une fois, de nouveau.

nok 1 faîte (d'un toit) ; 2 (*mar.*) bout *m* de
vergue ; 3 (*tech.*) butée *v.* ▼—**kenas** arbre *m* à
cames ; *met bovenliggende* —, à arbre à
cames en tête.

nomadenvolk peuple *m* nomade.

nomin/aal *bn* (& *bw*) nominal (ement) ; *groot*
—, d'une valeur nominale de. ▼—**atie**
nomination *v* ; *op de — staan,* être proposé.
▼—**atief** nominatif *m.*

non religieuse *v* ; — *worden,* prendre le voile.

non/-actief en non-activité, en disponibilité.
▼—**activiteit** non-activité, disponibilité *v.*
▼—**agressiepact** pacte *m* de
non-agression. ▼—**belligerent**
non-belligérant.

nonchalant I *bn* nonchalant. II *bw*
nonchalamment.

non-combattant non-combattant.

non-conform/isme non-conformisme *m.*
▼—**ist(isch)** non-conformiste *v.*

none 1 none ; 2 (*muz.*) neuvième *v.*

nonius vernier *m.*

nonnen/kleed habit *m* de religieuse.
▼—**klooster** couvent *m* de femmes.

nonsens non-sens *m,* absurdité *v.*

non-stopvlucht vol *m* sans escale.

nood nécessité *v* ; besoin, danger *m,* détresse
v ; (*gebrek*) pénurie, disette *v* ; *in geval van* —,
en cas de nécessité ; *een schip in* —, un
vaisseau en détresse ; *in de — leert men zijn
vrienden kennen,* on connaît le véritable ami
dans le besoin ; *iem. uit de — helpen,* tirer qn
d'affaire. ▼—**adres** besoin *m.* ▼—**anker**
ancre *v* de miséricorde. ▼—**bede** prière *v* de
secours. ▼—**brug** pont *m* provisoire.
▼—**deur** porte *v* de secours. ▼—**doop**
ondoiement *m* ; *de — geven,* ondoyer (un
enfant). ▼—**druft** 1 indigence ; 2 nécessité *v.*
▼—**druftig** indigent, nécessiteux.
▼—**gedwongen** par la force des choses.
▼—**geval** cas *m* d'urgence. ▼—**hulp** aide *m*
& *v* intérimaire ; extra *m.* ▼—**inrichting**
installation *v* de fortune. ▼—**jaar** année *v* de
détresse. ▼—**kapel** chapelle *v* de secours.
▼—**klok** tocsin *m.* ▼—**kreet** cri *m* de
détresse. ▼—**lamp** lampe *v* de secours.
▼—**landing** atterrissage *m* forcé. ▼—**lijdend**
indigent ; (*hand.*) en souffrance. ▼—**lot**
destin *m,* fatalité, destinée *v.* ▼—**lottig** *bn* (&
bw) fatale(ment) ; funeste. ▼—**mast** mât *m*
de fortune. ▼—**rantsoen** ration *v* de réserve.
▼—**rem** 1 frein de sûreté ; 2 signal *m* d'alarme.
▼—**sein** signal *m* de détresse. ▼—**stop** arrêt
m d'urgence. ▼—**toestand** 1 état *m*
d'urgence ; *de — afkondigen,* déclarer l'état
d'urgence ; 2 situation *v* désespérée.
▼—**uitgang** sortie *v* de secours. ▼—**verband**
pansement *m* d'urgence. ▼—**verlichting**
éclairage *m* de secours. ▼—**voorruit**
pare-brise *m* de secours. ▼—**voorziening**
mesure *v* d'urgence.

noodweer 1 tourmente, tempête *v* ; 2 légitime
défense *v.*

nood/wet loi *v* provisoire. ▼—**woning**
baraque *v.* ▼—**zaak** contrainte, nécessité *v.*
▼—**zakelijk** *bn* (& *bw*) nécessaire(ment) ; —
maken, nécessiter ; *dringend — zijn,* être
urgent, - de toute nécessité. ▼—**zakelijkheid**
nécessité, urgence *v.* ▼—**zaken** obliger,
forcer (à).

nooit (*ne* …) jamais ; — *iets,* jamais rien ; —
meer, plus jamais.

Noor Norvégien *m.*

noord I *bw* du nord, septentrional ; *de wind is*
—, le vent est au nord. II *zn* nord *m.*
▼N—**Afrika** l'Afrique *v* du Nord.
▼N—**afrikaan(s)** Nord-Africain.
▼N—**Amerika** l'Amérique *v* du Nord.
▼N—**amerikaan(s)** Nord-Américain.
▼N—**Brabant** le Brabant septentrional.
▼—**einde** extrémité *v* nord. ▼—**elijk** I *bn* du
nord ; septentrional ; 2 (*de* —*IJszee,* Océan *m*
Glacial du Nord. II *bw* vers le nord. ▼—**en**
nord *m* ; *het hoge* —, les régions *v mv*

arctiques; *op het — liggen*, être exposu au nord; *ten — van*, au nord de. ▼**—enwind** vent *m* du nord. ▼**—erbreedte** latitude *v* nord. ▼**—erkeerkring** tropique *m* du Cancer ▼**—erlicht** aurore *v* boréale. ▼**—erstation** gare *v* du Nord. ▼**—erzon**: *met de — vertrekken*, mettre la clef sous la porte.
▼**N—Holland** la Hollande septentrionale.
▼**—noordoost** nord-nord-est.
▼**—noordwest** nord-nord-ouest.
▼**—oost(elijk)** nord-est. ▼**—oostenwind** vent *m* du nord-est; bise *v*. ▼**—oost-ten oosten** nord-est-quart-est.
noordpool pôle *m* nord. ▼**—reiziger** explorateur *m* du pôle nord.
noords du nord; nordique.
noordwest(elijk) nord-ouest. ▼**—enwind** vent *m* du nord-ouest. ▼**—-ten-noorden** nord-oust-quart-nord.
Noordzee mer *v* du Nord. ▼**noordzijde** côté *m* nord.
Noor/s norvégien. ▼**—wegen** la Norvège.
noot 1 (*vrucht*) noix; **2** note *v*; *achtste —*, croche *v*; *halve —*, blanche *v*; *hele —*, ronde *v*; *kwart —*, noire *v*; *veel noten op zijn zang hebben*, être fort exigeant; *noten kraken*, casser des noix; *verklarende —*, note *v* explicative. ▼**—muskaat** noix muscade *v*.
▼**—olie** huile *v* de noix.
nop nœud, flocon *m*, loque *v*.
nopen pousser (à); contraindre, obliger (à).
nopje: *in zijn —s zijn*, être de bonne humeur.
nopjesgoed grain *m* d'orge. **noplaken** ratine *v*. **noppen** énouer; ratiner.
nor violon, (*mil.*) bloc *m*; *in de — zetten*, conduire au dépôt, fourrer au bloc.
no return: *point of —*, point *m* de non-retour.
norm norme *v*. ▼**normaal** *bn* (& *bw*) normal(ement). ▼**—school** école *v* normale primaire. ▼**—spoor** voie *v* normale.
▼**norma/lisatie, —lisering** normalisation *v*. ▼**—lisatiewerken** travaux *m mv* de correction (d'un fleuve *bijv.*). ▼**—liseren** régulariser, corriger. ▼**—liter** normalement.
Normand/ië la Normandie. ▼**—iër, —isch** Normand (*m*).
nors I *bn* brusque, bourru, maussade. **II** *bw* brusquement, maussadement. ▼**—heid** brusquerie *v*, air *m* rébarbatif.
nortonpomp pompe *v* Norton.
nota note *v*; mémoire *m*; *— van iets nemen*, prendre bonne note de qc, prendre acte de qc; *— bene*, notez bien cela; (*spot*) par exemple. ▼**—belen** notables *m mv*.
notar/iaat notariat *m*. ▼**—ieel I** *bn* notarial; *notariële akte*, acte *m* notarié. **II** *bw* par acte notarié. ▼**notaris** notaire *m*. ▼**—ambt** notariat *m*. ▼**—kantoor** étude *v*. ▼**—klerk** clerc *m* de notaire. ▼**—vrouw** notairesse.
note/bolster brou *m* de noix. ▼**—boom** noyer *m*. ▼**—dop** coquille *v* de noix; *in een —*, en raccourci. ▼**—hout** noyer *m*.
▼**—houten de** (*of en*) noyer. ▼**—kraker** casse-noisettes *m*. ▼**noten de** (*of en*) noyer.
noten/balk portée *v*. ▼**—druk** notation *v* musicale ▼**—schrift**; ▼**—papier** papier *m* à musique.
noter/en 1 noter, marquer; **2** (*hand.*) coter; **3** (*op rekening*) porter en compte. ▼**—ing 1** notation; **2** (*hand.*) cote *v*, cours *m*; *in de — opnemen*, admettre à la cote; *waarvan geen — is*, incoté.
notie notion *v*; *geen — van iets hebben*, ne pas savoir le premier mot de qc.
▼**notificeren** notifier. ▼**notitie 1** note *v*; **2** (*hand.*) cours *m*; *— nemen van*, prendre note de; *geen — nemen van*, paraître ignorer; *—s maken*, prendre des notes. ▼**—boekje** carnet, calepin *m*. ▼**notoir** notoire.
notul/en procès-verbal *m*; *— maken*, faire le procès-verbal; *in de — opnemen*, consigner au procès-verbal. ▼**—enboek** registre *m* des procès-verbaux. ▼**—eren** inscrire au p.-v; rédiger le p.-v.
novell/e 1 nouvelle *v*; **2** loi *v* dérogatoire. ▼**—enschrijver, —ist** nouvelliste *m*.

november novembre *m*.
novene neuvaine *v*.
novic/e novice *m & v*. ▼**—iaat** noviciat *m*.
novum fait *m* nouveau.
nozem blouson-noir *m*.
nu I *bw* **1** maintenant, à présent; **2** (*toen*) alors; **3** (*dus*) donc; *— en dan*, de temps en temps; *— eens, dan weer*, tantôt... tantôt; *is — eerst aangekomen*, elle vient d'arriver seulement; *tot — toe*, jusqu'ici; *van — af aan*, désormais; *wat — weer?*, qu'est-ce encore?; *en wat — nog?*, et avec ça? **II** *vgw* maintenant que; puisque. **III** *tw* eh bien?, allons!
nuance nuance *v*. ▼**—ren** nuancer. ▼**—ring** nuancement *m*.
nuchter 1 à jeun; **2** (*niet dronken*) sobre; **3** (*bezadigd*) modéré, calme, flegmatique; **4** (*laf*) fade, insipide; **5** (*onnozel*) simple, naïf; *het —e feit*, le fait actuel; *de —e waarheid*, la vérité toute nue. ▼**—heid 1** jeûne; sobriété *v*; **2** modération, froideur d'esprit; **3** fadeur *v* (de style).
nucleair nucléaire.
nudist nudiste *m & v*.
nuf mijaurée, petite sotte *v*. ▼**—fig I** *bn* prude; qui se donne des airs. **II** *bw* prudemment.
▼**—figheid** pruderie *v*.
nuk caprice, boutade *m*, lubie *v*. ▼**—kig** capricieux. ▼**—kigheid** humeur *v* capricieuse.
nul zéro *m*; *hij is een grote —*, il est d'une parfaite nullité; *van — en gener waarde*, d'aucune valeur; *— op het rekest krijgen*, essuyer un refus; essuyer une fin de non-recevoir; *twee tegen — staan*, avoir deux buts à zéro; *— graden*, zéro degré.
▼**—groei** croissance *v* zéro. ▼**—lijn** ligne *v* de zéro. ▼**—liteit** nullité *v*. ▼**—punt** (point) zéro *m*.
numer/iek *bn* (& *bw*) numérique(ment).
▼**—o** numéro *m*. ▼**—us clausus** clause *v* numérique.
numismatiek numismatique *v*.
nummer 1 numéro *m*; **2** (*maat*) pointure *v*; *iem. op zijn — zetten*, remettre qn à sa place; *als — één slagen*, être reçu premier. ▼**—aar** numéroteur *m*. ▼**—bewijs** certificat *m* d'immatriculation. ▼**—boek** registre *m* numéroté. ▼**—bord** plaque *v* minéralogique.
▼**—briefje** billet *m* numéroté. ▼**—en I** *ov.w* numéroter; coter (des papiers). **II** *on.w* (*mil.*) se numéroter; *—!*, numérotez-vous! ▼**—ing** numérotage *m*; cotation *v*. ▼**—lijst** bordereau *m*. ▼**—plaat(je)** plaque *v* à numéro, (*v. auto*) plaque *v* d'immatriculation. ▼**—schijf** cadran *m* numérique.
nunti/atuur nonciature *v*. ▼**—us** nonce *m*.
nurks grincheux, maussade. ▼**—heid** humeur *v* chagrine.
nurse bonne d'enfant, nurse; infirmière *v*.
nut 1 utilité *v*; **2** (*voordeel*) avantage; profit, bénéfice *m*; *zich ten —te maken*, profiter de, faire son profit de; *ten algemenen —te*, pour cause d'utilité publique; *van — zijn*, être utile.
▼**nutteloos** *bn* (& *bw*) inutile(ment).
▼**—heid** inutilité *v*. ▼**nuttig I** *bn* utile, avantageux, profitable; *— zijn voor*, servir à; *het —e met het aangename verenigen*, joindre l'utile à l'agréable. **II** *bw* utilement; *— besteden*, mettre à profit. ▼**—en** manger, prendre. ▼**—heid** *zie* nut. ▼**—ing 1** ingestion, consommation (de nourriture); **2** (*rk*) communion *v*.
nylonkous bas *m* nylon.

O (*letter*) o *m*; *tw* oh !, ah !, tiens ! ; — *ja*, à propos ; — *jee*, oh, là là.
oase oasis *v*.
obelisk obélisque *m*.
o-benen jambes *v mv* en parenthèses ; *hij heeft* —, il est bancal.
ober(kelner) maître *m* d'hôtel.
object 1 objet ; **2** (*gram.*) régime, complément *m*. ▼—**ie** objection *v*. ▼—**ief I** *bn* objectif. **II** *bw* objectivement. **III** *zn* objectif *m*. ▼—**iviteit** objectivité *v*.
oblaat oblat *m*.
oblie oublie *v*, plaisir, cornet *m*.
obligaat obligé, contraint.
obligatie obligation *v*. ▼—**handel** commerce *m* des valeurs (mobilières). ▼—**houder** obligataire *m*. ▼—**lening** emprunt *m* d'obligations. ▼**obligo** engagements *m mv* ; *zijn* — *geven*, se porter garant.
obsceen obscène. ▼**obsceniteit** obscénité *v*.
observ/antie observance *v*. ▼—**atie** observation *v* ; *in* —, en observation. ▼—**atorium** observatoire *m*.
obsessie obsession *v* ; *dat wordt een* —, cela tourne à l'obsession.
obstakel obstacle *m*.
obstetr/ie obstétrique *v*. ▼—**isch** *bn* (*& bw*) obstétrical(e)(ment).
obstinaat obstiné ; — *worden*, s'obstiner.
obstructie obstruction *v* ; — *voeren*, faire de l'obstruction.
oceaan océan *m* ; *de Grote* —, *Stille* —, le Pacifique. ▼—**onderzoek** recherches *v mv* océanographiques. ▼—**stomer** transatlantique *m*. ▼—**vlucht** vol *m* transocéanique. ▼**Oceanië** l'Océanie *v*. ▼**oceanisch** océanique.
och ah ! ma foi ! ; — *wat !*, bah ! allons donc !
ochtend matin *m* ; *des* —*s*, le matin. ▼—**blad** journal *m* du matin. ▼—**humeur** mauvaise humeur ; *hij heeft een* —, il est mal luné. ▼—**japon** négligé ; déshabillé *m*. ▼—**krieken** aube, pointe *v* du jour.
octaaf, octaafdag octave *v*. ▼**octavo I** *bn* en octave. **II** *zn* in-octavo *m*.
octaan/gehalte, —**getal** indice *m* d'octane.
octrooi octroi *m* ; (*voor uitvinding*) brevet *m* d'invention ; — *aanvragen*, présenter la demande d'un brevet d'invention. ▼—**bewijs** brevet *m* d'invention. ▼—**eren** breveter. ▼—**houder** détenteur d'un brevet d'invention.
ocul/air oculaire *m*. ▼—**atie** greffe *v* en écusson *v* ; *in* —, en observation. ▼—**eermes** greffoir *m*. ▼—**eren** greffer en écusson.
odeur odeur *v*, parfum *m*.
oecumenisch œcuménique ; —*e Raad v. Kerken*, Conseil *m* œcuménique des Eglises.
oedeem œdème *m*.
oef ouf.
oefen/en I *ov.w* exercer ; entraîner ; *geduld* —, prendre patience ; *wraak* —, tirer vengeance (de). **II zich** — (**in**) s'exercer (à) ; se perfectionner (dans). ▼—**ing** exercice *m*, pratique *v* ; *vrije* —*en*, exercices sans appareils. ▼—**kamp** camp *m* d'entraînement. ▼—**plaats** place *v* d'armes. ▼—**reis** voyage *m* d'essais. ▼—**school** école *v* d'application ; (*fig.*) école *v*. ▼—**tijd** temps *m* d'exercice ;

(*mil.*) période *v* d'instruction. ▼—**vlucht** vol *m* d'entraînement.
Oeganda l'Uganda *m*.
oehoe grand duc *m* d'Europe.
oekaze oukase *m*.
Oekraï/ener, —**ens** Ukrainien (*m*). ▼—**ne** Ukraine *v*.
oen imbécile.
oer limonite *v*.
Oeral Oural *m*, Monts *m mv* Ouraliens.
oer/dier protozoaire *m*. ▼—**mens** primitif *m*. ▼—**oud** plusieurs fois séculaire ; préhistorique. ▼—**stof** matière *v* fondamentale. ▼—**taal** langue *v* mère. ▼—**tekst** texte *m* primitif. ▼—**tijd** les premiers temps du monde. ▼—**uitgave** édition *v* princeps. ▼—**volk** peuple *m* primitif. ▼—**woud** forêt *v* vierge.
OESO Organisation *v* de coopération et de développement économique, OCDE *v*.
oester huître *v*. ▼—**mand** bourriche *v*. ▼—**mes** ouvre-huîtres *m*. ▼—**park,** —**put** clayère *v*, parc *m* à huîtres. ▼—**teelt** ostréiculture *v*. ▼—**teler** ostréiculteur *m*. ▼—**verkoper** écailler *m*. ▼—**visser** pêcheur d'huîtres.
oever bord *m* ; (*rivier*—) rive *v* ; (*zee*—) rivage *m* ; *buiten zijn* —*s treden*, sortir de son lit ; *oplopende* —, berge *v*. ▼—**bewoner** riverain *m*. ▼—**licht** fanal *m*. ▼—**loos** infini. ▼—**staat** pays *m* riverain. ▼—**stad** ville *v* du littoral. ▼—**val** affouillement *m*. ▼—**verdediging** défense *v* du littoral. ▼—**zoom** littoral *m*.
of 1 ou, ou bien ; **2** (*onderschikkend*) sinon ; si ; que ; **3** (*als*—) comme ; *hij* — *ik*, lui ou moi ; — *je wilt* — *niet*, que vous vouliez ou non ; *een stuk* — *twintig*, une vingtaine ; *een gulden* — *zes*, environ six florins ; *er uit !* —, sortez ! sinon ; *weet je* — *hij komt ?*, savez-vous s'il viendra ? ; *houd je daarvan ? ik !*, aimez-vous cela ? si je l'aime (je le crois bien) ! ; — *hij al werkt, hij slaagt niet*, il a beau travailler, il ne réussit pas.
offensief I *bn* offensif. **II** *bw* offensivement. **III** *zn* offensive *v* ; *het* — *beginnen*, prendre l'o. ; *een* — *inzetten*, déclencher une o.
offer 1 sacrifice *m* ; **2** (*gave*) offrande *v* ; **3** (*slacht*—) victime *v* ; —*s brengen*, faire des sacrifices (pour qn), sacrifier (à qn) ; *ten* — *vallen aan* ..., être victime de ... ▼—**altaar** autel *m* des sacrifices. ▼—**ande** offrande *v* ; (—*gebed*) offertoire *m*. ▼—**blok** tronc *m*. ▼—**en I** *ov.w.w* **1** sacrifier ; (*slachten*) immoler ; **2** (*fam.*) payer ; *een gulden* —, se fendre d'un florin. **II** *on.w* sacrifier (à). ▼—**gave** offrande, oblation *v*. ▼—**gebed** offertoire *m*.
offerte offre *v* ; *bemonsterde* (*vaste, vrijblijvende*) —, offre échantillonnée (ferme, sans engagement).
offer/torium offertoire *m*. ▼—**vaardig** généreux ; — *zijn*, avoir l'esprit de sacrifice. ▼—**vaardigheid** esprit *m* de sacrifice. ▼—**wijn** vin *m* d'oblation.
offic/ial officiel *m*. ▼—**ie** office, emploi *m* ; *het heilig* —, le Saint-Office. ▼—**ieel** *bn* (*& bw*) officiel(lement).
officier officier *m* ; *eerste* —, (*mar.*) capitaine en second ; — *van justitie*, procureur de la République, - de la Reine. ▼—**sboekje** annuaire *m* militaire. ▼—**srang** grade *m* d'officier. ▼—**stafel** mess *m* (des officiers).
officieus I *bn* officieux. **II** *bw* officieusement. ▼**officio** : *ex* —, d'office.
offreren offrir.
offset procédé *m* offset.
off side hors-jeu.
ofschoon quoique, bienque (*met subj.*) ; — *erg vriendelijk, toch* ..., tout aimable qu'il est, il ...
ogenblik moment, instant *m* ; *een* — *!*, un moment je vous prie ; *ieder* —, à tout moment ; *hij kan ieder* — *komen*, il peut arriver d'un moment à l'autre ; *bij* —*ken*, par instants ; *in een* —, en un clin d'œil ; *in een onbewaakt* —, dans un moment de défaillance ; *op dit* —, en ce moment ; *op dat* —, à ce moment ; *op het*

— *dat*, au moment où ; *van het* —, de l'heure actuelle ; *van het eerste* — (*af aan*), dès le premier abord ; *voor het* —, pour le moment ; *het gewichtige* —, le moment suprême. ▼—**kelijk** *bn* (& *bw*) immédiat(ement) ; subit(ement). ▼**ogen/schijnlijk I** *bn* apparent. **II** *bw* apparemment, en apparence. ▼—**schouw** examen *m* ; *in* — *nemen*, examiner, faire l'inspection de.

ogief ogive ; doucine *v*. ▼—**boog** arcade *v* en ogive. ▼—**vormig** ogival.

ohm ohm *m*.

oker ocre *v*. ▼—**achtig** ocreux. ▼—**geel** jaune d'ocre.

okkernoot noix *v* ; (*boom*) noyer *m*.

oksaal jubé *m*.

oksel aisselle *v*. ▼—**holte** creux *m* de l'aisselle.

okshoofd barrique, pièce *v* (de 220 litres).

oktober octobre *m*.

oleander oléandre, laurier-rose *m*.

olie huile *v* ; pétrole ; carburant *m* ; (*stook—*) mazout *m* ; *ruwe* —, pétrole *m* brut ; (*diesel*) —, gas-oil *of* gasoil *m* ; *heilige* —, les saintes huiles ; — *in het vuur gieten*, jeter de l'huile sur le feu ; (*pop.*) *in de* — *zijn*, avoir une cuite ; *vluchtige* —, essence *v* ; — *aftappen*, faire la vidange (d'huile) ; — *verversen*, faire la vidange de l'huile. ▼**olie...** (*in niet opgenomen ss*) d'huile, pétrolifère, de carburant. ▼—**achtig** huileux, oléagineux. ▼—**achtigheid** onctuosité *v*. ▼—**bol** beignet *m* à l'huile. ▼—**boring** forage *m* pétrolier ; *in zee*, forage *m* en mer, - marin ; ▼—**carter** carter *m* d'huile. ▼—**crisis** crise *v* du pétrole. ▼—**dom** bête comme chou. ▼—**drukrem** frein *m* à l'huile. ▼—**en-azijnstel** huilier *m*. ▼—**fabriek** huilerie *v*. ▼—**fles** huilier *m*. ▼—**gat** trou *m* de graissage. ▼—**handel** commerce *m* des huiles. ▼—**houdend** oléagineux. ▼—**houder** godet *m* graisseur. ▼—**jas** ciré *m*. ▼—**kachel** poêle *v* à mazout, - à pétrole. ▼—**kan** bidon *m*. ▼—**kruik** *zie* —**kan** ; —*je*, burette *v*. ▼—**lamp** lampe *v* à l'huile. ▼—**leiding** oléoduc ; pipeline *m*. ▼—**man** 1 graisseur ; 2 marchand *m* d'huile. ▼**oliën I** *ov.w* huiler, graisser. **II** *zn* : *het* —, l'huilage *m*, le graissage. ▼**olie/naald** porte-huile *m*. ▼—**noot** arachide *v*. ▼—**pak** ciré *m*, combinaison *v* cirée. ▼—**peil** niveau *m* d'huile. ▼—**pijpleiding** pipeline *m*. ▼—**pot** pot à l'huile ; graisseur *m*. ▼—**producerend** : — *land*, pays *m* producteur de pétrole ; *niet—land*, pays non-producteur de pétrole. ▼—**produktie** production *v* pétrolière. ▼—**raffinaderij** raffinerie *v* de pétrole. ▼—**sel** : *laatste* —, extrême onction *v* ; *iem. het laatste* — *toedienen*, administrer l'extrême onction à qn. ▼—**spuitje** burette *v*. ▼—**stel** huilier *m*. ▼—**stookverwarming** chauffage *m* à mazout. ▼—**stookinrichting** chaudière *v* à mazout. ▼—**tank** réservoir *m* d'huile, - de mazout. ▼—**tanker** pétrolier *m*. ▼—**vat** tonneau *m* à huile. ▼—**verbruikend** : — *land*, pays *m* consommateur de pétrole. ▼—**verf** couleur *v* à l'huile. ▼—**verfschilderij** peinture *v* à l'huile. ▼—**waarden** valeurs *v mv* pétrolières.

olifant éléphant *m*. ▼—**ejacht** chasse *v* à l'éléphant. ▼—**sleider** cornac *m*. ▼—**ssnuit** trompe *v*.

oligarch/ie oligarchie *v*. ▼—**isch** oligarchique.

olijf olive *v* ; (*boom*) olivier *m*. ▼**O—berg** mont *m* des Oliviers. ▼—**boom** olivier *m*. ▼—**bruin** olivâtre. ▼—**groen** vert olive, olivâtre. ▼—**olie** huile *v* d'olive.

olijk I *bn* espiègle, malicieux. **II** *bw* malicieusement. ▼—**erd** malin ; espiègle *m*. ▼—**heid** malice, espièglerie *v*.

olm orme *m*, bois ormaie *v*. ▼—**heg** ormille *v*.

Olymp/isch olympique ; *de* —*e spelen*, les jeux olympiques. ▼—**us** Olympe *m*.

om I *vz* 1 (*om...heen*) autour de ; 2 (*omstreeks*) vers, aux environs de ; 3 à (quatre heures) ; 4 (*doel*) pour (vivre) ; 5 tous

les (huit jours) ; 6 (*in ruil voor*) pour, contre ; à ; — *de beurt*, l'un après l'autre, à tour de rôle ; — *het hardst lopen*, lutter de vitesse ; — *die reden*, pour cette raison. **II** *bw* : *de week is* —, la semaine est passée ; *de Kamer is* —, la majorité s'est déplacée ; *deze weg is een half uur* —, ce chemin fait un détour d'une demi-heure v.

oma bonne maman, mémé *v*.

omarm/en embrasser ; donner l'accolade à. ▼—**ing** embrassement *m*, accolade *v*.

ombinden lier -, nouer autour (de) ; *zich iets* —, se ceindre de qc. **omblad** sous-cape *v*. ▼**ombladeren** feuilleter. **omblazen** renverser (d'un souffle). **omboeken** faire virer. ▼**omboeking** virement *m*.

omboorden border, galonner, entourer. ▼**omboordsel** bordure *v*, bordé, galon *m*.

ombouwen *zie* **verbouwen**. **ombrengen** 1 distribuer ; colporter ; 2 tuer, égorger.

ombudsman ombudsman, médiateur *m*.

ombuig/en I *ov.w* courber ; infléchir (la politique). **II** *on.w* (se) (re)plier, (se) courber. ▼—**ing** recourbement *m*.

omdat parce que ; (*als reden bekend is*) puisque ; pour (*met onbep. wijs*) ; *dat komt* —, c'est que ; *vooral* —, d'autant que ; *hij is ziek* — *hij te weinig gegeten heeft*, il est malade pour avoir trop peu mangé.

omdijk/en endiguer. ▼—**ing** endiguement *m*.

omdoen mettre ; envelopper de.

omdopen rebaptiser.

omdraai 1 (*v. rad*) tour ; 2 (*v. weg*) tournant, coude *m*. ▼—**en I** *ov.w* tourner, retourner ; *iem. de nek* —, tordre le cou à qn ; *de sleutel tweemaal* —, donner deux tours de clef. **II** *on.w* tourner ; (*fig.*) virer de bord ; *het hart draait me in het lijf om*, le cœur me tourne. **III** *zich* — (se (re)tourner. ▼—**ing** tour, mouvement *m* circulaire, rotation ; pirouette *v*.

om/dracht procession *v*. ▼—**dragen** porter ; porter en procession. **omduwen** renverser.

omelet omelette *v*.

omen augure *m*.

omfloersen couvrir d'un crêpe ; *omfloerste trommel*, tambour *m* drapé ; (*fig.*) voiler.

omgaan 1 se passer ; arriver ; 2 (*omweg maken*) faire un détour ; *er is veel omgegaan*, (*hand.*) il y a eu un vif courant d'affaires ; *dat is buiten mij omgegaan*, je n'y suis pour rien ; *met iem.* —, fréquenter qn ; *met mensen weten om te gaan*, savoir vivre ; avoir de l'entregent ; *met de pen* —, manier la plume ; *met een plan* —, nourrir un projet ; *slecht* — *met*, en user mal avec ; *de hoek* —, tourner le coin. ▼—*de* : *per* —, par retour du courrier. ▼**omgang 1** commerce *m*, conversation, fréquentation ; 2 procession ; 3 galerie *v* ; 4 (*om as*) tour *m*, révolution *v* ; *de* — *afbreken met*, rompre avec ; — *hebben met*, fréquenter ; *aangenaam in de* —, d'un commerce facile, agréable à vivre. ▼—**staal** langue *v* de tous les jours, le (français) parlé. ▼—**svormen** savoir-vivre *m*.

omgekeerd I *bn* renversé ; inverse ; contraire ; *de* — *e wereld*, le monde renversé, (ce sont) les rôles renversés ; *in* — *e orde*, à rebours ; en sens inverse ; *in* — *e reden met*, en raison inverse de. **II** *bw* inversement, réciproquement ; — *evenredig*, inversement proportionnel (à) ; *iets* — *aanhebben*, porter son ...à l'envers. **III** *zn* : *het* —*e*, le contraire, l'inverse *m*, la réciproque. **omgekocht** vendu. **omgelegen** environnant. **omgeschreven** circonscrit.

omgev/en I *ov.w* entourer ; environner ; — *met iets*, entourer de qc. **II** *zich* — *met* s'entourer de. ▼—**ing 1** (*de*) environs *m mv* entourage, milieu *m* ; ambiance *v* ; 2 (*v. streek*) environs, alentours *m mv*.

omgooien I *ov.w* 1 renverser, jeter bas ; 2 faire sauter (les crêpes) ; 3 (*v. kleren*) mettre à la hâte, jeter sur les épaules ; *het roer* —, virer de bord. **II** *on.w* — changer de flanc (dans son lit). **III** *zn* : *het* —, le renversement.

omgrenz/en limiter, borner. ▼—**ing** limitation

v.

omhaal 1 trait; **2** embarras *m*; — *maken,* faire des façons; — *van woorden,* ambages *m mv.*
omhakken abattre. **omhalen 1** renverser; **2** remuer (la terre); **3** (*v. lade enz.*) retourner.
omhangen mettre, se couvrir de; changer de place. **omhàngen:** — *met,* revêtir de; chamarrer de (galons etc.). **omhebben** porter, être couvert de; (*fam.*) *hem* —, avoir une cuite.
omheen autour; *er* — *draaien,* tourner autour du pot; *er* — *staan,* être (planté) tout autour; faire cercle autour de (qn); — *lopen,* faire le tour de, contourner (la table); *om zich heen kijken,* regarder autour de soi.
omhein/en entourer d'une haie, - d'une enceinte. ▼—**ing** enceinte, clôture *v.*
omhelz/en embrasser. ▼—**ing** embrassade *m,* embrassade, accolade, étreinte *v.*
omhoog en haut, en l'air, vers le ciel; *naar* —, en haut; *van* —, d'en haut. ▼—**gaan** monter; augmenter. ▼—**heffen, —houden.** —**steken** lever; (*v. iets zwaars*) soulever.
▼—**vallen** monter faute de poids; monter malgré le manque de capacités.
omhul/len envelopper; voiler; couvrir. ▼—**sel** enveloppe *v; stoffelijk* —, dépouille *v* mortelle.
omkantelen I *ov.w* tourner, chavirer. **II** *on.w* se renverser, chavirer. **omkappen** abattre.
om(me)keer révolution *v,* bouleversement; retour, revirement *m* (politique); *een* — *teweegbrengen,* causer un changement.
▼—**baar** réversible; convertible.
▼—**baarheid** réversibilité; convertibilité *v.*
omkegelen abattre, renverser.
omker/en I *ov.w* **1** retourner; renverser; bouleverser; **2** (*verwisselen*) intervertir; renverser (l'électricité). **II** *on.w* (s'en) retourner; (*fig.*) changer d'avis; — *als een blad aan een boom,* changer entièrement de conduite. **III** *zich* — se retourner; changer de flanc (dans son lit). ▼—**ing** retournement; renversement *m;* intervension *v.*
omkijken tourner la tête, regarder derrière soi; *naar iem.* (*of iets*) —, s'intéresser à qn (*of* qc).
omkleden I *ov.w* changer la toilette à. **II zich** — changer de toilette. **omklèden I** *ov.w* revêtir de; envelopper de. **II** *zich* — revêtir; *met redenen* —, motiver.
omklemm/en embrasser, serrer, étreindre. ▼—**ing** étreinte *v.* **omknellen** étreindre, serrer étroitement. **omknopen** attacher (autour du cou). **omkomen 1** tourner (un coin); **2** périr, succomber; *hoe zal die tijd* —, comment passer ce temps.
omkoopbaar corruptible, vénal. ▼—**heid** corruptibilité, vénalité *v.* ▼**omkopen** corrompre, gagner; *zich laten* —, se vendre.
▼**omkoper** corrupteur. ▼—**ij** corruption *v.*
omkransen couronner, auréoler. **omkrijgen 1** réussir à mettre; **2** faire tourner; **3** renverser; *hoe krijgen we die tijd om?,* comment passer ce temps. **omkruipen** se traîner autour de; passer lentement. **omkrullen I** *ov.w* boucler; friser. **II** *on.w* se friser, se recroqueviller.
omlaag en bas; *met het hoofd* —, la tête basse; la tête la première; — *doen,* baisser.
omlegg/en mettre (qc) autour de; (*mar.*) abattre en carène; dévier (la circulation).
▼—**ing** déviation *v* (de route) = **omleiding.** **omleidingsroute** itinéraire *m* de délestage; - bis; - émeraude.
omligg/en être renversé. ▼—**end** circonvoisin, des environs.
omlijn/en contourner; (*fig.*) délimiter, préciser. ▼—**ing** contour *m;* (*fig.*) délimitation *v.* **omlijsten** encadrer.
omloop 1 tour *m,* rotation; **2** (*v. bloed, geld*) circulation; **3** (*v. zon*) révolution; **4** galerie *v,* pourtour *m;* **5** (*med.*) tourniole *v; aan de* — *onttrekken,* retirer de la circulation; *in* — *brengen,* mettre en circulation; sortir (un livre); faire circuler (un bruit). ▼—**(s)tijd** période d'une révolution, période *v.*
▼**omlopen I** *ov.w* renverser, bousculer (en

courant). **II** *on.w* **1** faire une promenade; **2** (*omweg maken*) faire un détour; *mijn hoofd loopt om,* la tête me tourne; *de wind loopt om,* le vent tourne.
omme/gaand *zie* **omgaande.** ▼—**keer** *zie* **omkeer.** ▼—**landen** banlieue *v;* environs *m mv.* ▼—**zien:** *in een* —, en un clin d'œil. ▼—**zijde** la page suivante; *zie* —, voir au verso, tournez la page, tournez s'il vous plaît.
ommur/en murer. ▼—**ing** enceinte *v.*
omnaaien ourler. **omnevelen** envelopper d'un brouillard.
omnibus omnibus *m.*
omploegen labourer; *voor het eerst* —, défricher. **ompraten** faire changer d'avis.
omranden border, encadrer.
omraster/en enclore; grillager. ▼—**ing** clôture *v,* grillage *m.*
omreken/en convertir(en); réduire. ▼—**ing** conversion; réduction *v.* ▼—**ingskoers** taux *m* de conversion.
omrijden I *on.w* faire un détour (en voiture etc.). **II** *ov.w* **1** faire le tour de (qc); **2** renverser.
omringen I *ov.w* environner, entourer; faire cercle autour de. **II zich** — met s'entourer de.
▼—**end** environnant; (*nat. & fig.*) ambiant.
omroep radiodiffusion *v,* ▼—**bijdrage** redevance *v* d'usage sur le poste de radio.
▼—**en** crier; (*per radio*) diffuser; *laten* —, faire crier (une valise perdue etc.). ▼—**er** tambour de ville; (*radio*—) speaker, annonceur *m.* ▼—**station** station *v* de radiodiffusion; studio *m.* ▼—**ster** speakerine, présentatrice *v.* ▼—**vereniging** société *v* de radiodiffusion.
omroeren remuer, agiter; fatiguer (la salade); brasser (des liquides). **omrollen I** *on.w* rouler. **II** *ov.w* faire rouler.
omruil/en échanger. ▼—**ing** échange *m.*
omschakel/en inverser; *zich* —, s'adapter.
▼—**ing** inversion, adaptation; reconversion *v.*
omschol/en recycler. ▼—**ing** recyclage *m;* reconversion *v.* ▼—**ingsuitkering** allocation *v* de conversion. **omschoppen** renverser d'un coup de pied.
omschrijv/en I (*wisk.*) circonscrire; **2** définir, préciser; décrire; **3** paraphraser. ▼—**end** périphrastique. ▼—**ing 1** circonscription; **2** définition; description; périphrase *v.*
omschudden remuer, secouer; vider.
omsingel/en entourer, cerner; (*mil.*) investir.
▼—**ing** investissement; encerclement *m.*
omslaan I *ov.w* **1** abattre, renverser; **2** (*v. kleren*) mettre, jeter sur les épaules; **3** (*omvouwen*) rabattre; **4** (*mouw enz.*) retrousser; **5** tourner (une page, le coin); **6** (*verdelen*) répartir, faire la répartition de (— *over,* sur). **II** *on.w* **1** se renverser, tomber à la renverse; **2** (*v. rijtuig*) verser; **3** (*v. auto, boot, vliegt.*) capoter; **4** (*v. weer*) changer brusquement; **5** (*v. wind*) sauter (à l'ouest).
omslachtig I *bn* long, prolixe, verbeux. **II** *bw* longuement, d'une façon compliquée.
▼—**heid** longueur, prolixité, complication *v.*
omslag 1 enveloppe; chemise; dossier *m;* **2** (*omgeslagen rand*) revers, rebord *m;* **3** (*verdeling*) répartition; cotisation *v; hoofdelijke* —, cote *v* personnelle; **4** (*omhaal*) embarras *m,* façons *v mv; natte* —, compresse *v; veel* — *maken,* faire des façons. ▼—**boor** vilebrequin *m.* ▼—**doek** châle, fichu *m.*
omsluieren voiler. **omsluiten** cerner; enfermer; enlacer. **omsmelt/en** refondre.
▼—**ing** refonte *v.* **omspannen 1** embrasser; **2** atteler autrement. **omspitten** bêcher, retourner à la bêche. **omspoelen 1** rincer, laver à grande eau; **2** baigner, arroser.
omspringen: — *met,* manier, se conduire avec, en agir avec; *met iets weten om te springen,* savoir s'y prendre à qc. **omstaan:** *om iets* —, se retourner pour faire décider le hasard. **omstaand 1** présent; **2** ce qui se trouve au verso. **omstander** assistant *m.*
omstandig I *bn* circonstancié, détaillé. **II** *bw*

en détail, tout au long. ▼—**heid 1** détail *m*;
2 circonstance; *toevallige* —, contingence *v*;
3 situation, condition *v*; *door
omstandigheden*, par suite de certaines
circonstances; *onder alle omstandigheden*,
en tout état de cause.

omstoten renverser.

omstreeks environ, à peu près, aux environs
de. **omstreken** environs *m mv*.

omstrengel/en enlacer, entortiller; embrasser
(qn). ▼—**ing** enlacement *m*; étreinte *v*.

omstrepen entourer d'un trait. **omstuwen**
entourer, se presser autour de. **omtoveren**
changer comme par enchantement.

omtrek 1 contour *m*; **2** (*wisk.*) circonférence,
périphérie *v*; périmètre *m*; **3** environs *m mv*;
een uur in de —, une lieue à la ronde; **4** (*v.
een stad b.v.*) circuit *m*, étendue *v*. ▼—**ken
1** renverser (à force de tirer); **2** ébaucher;
3 faire le tour de; **4** (*mil.*) tourner, envelopper.
▼—**king** mouvement tournant,
enveloppement *m*. ▼—**shoek** angle *m* inscrit.

omtrent I *bw* environ, presque. **II** *vz
1** environ, à peu près; **2** près de; **3** (*t.o.v.*)
touchant, à l'égard de, sur, quant à.

omturnen faire virer de bord; faire tourner
casaque. **omvademen** comprendre,
embrasser. **omvallen** tomber à la renverse,
tomber par terre; — *v.d. slaap*, dormir debout.

omvang 1 volume *m*; **2** circonférence;
3 (*uitgestrektheid*) étendue; **4** (*dikte*)
grosseur; **5** (*v. handel*) importance *v*; *in de
volle* —, dans toute son ampleur. ▼—**en
1** entourer, couvrir; **2** (*fig.*) renfermer;
embrasser. ▼—**rijk** étendu, considérable,
volumineux; (*v. werk*) de longue haleine.

omvaren 1 faire le tour de; doubler (un cap);
2 faire un détour.

omvatt/en 1 empoigner, saisir (de la main);
2 (*met armen*) embrasser; **3** entourer;
4 (*insluiten*) embrasser; comprendre;
englober. ▼—**end** qui renferme; *veel* —,
vaste.

omver à la renverse, à terre, par terre.
▼—**blazen** *enz. zie* **omblazen** *enz.*
▼—**werpen** renverser. ▼—**werping**
renversement *m*, subversion *v*.

omvliegen I *ov.w* **1** renverser dans son vol;
2 voler autour de. **II** *on.w* (*fig.*) s'envoler,
passer vite.

omvorm/en transformer. ▼—**ing**
transformation *v*. **omvouwen** (re)plier;
corner (une carte); rabattre (le bord de).

omwall/en entourer de remparts. ▼—**ing**
rempart *m*. **omwassen** nettoyer, laver, rincer.

omweg détour; chemin *m* détourné; *—en
zoeken*, chercher un biais, tergiverser; *zonder
—en*, franchement.

omwenden *on.w* (re)tourner; (*mar.*) virer
(de bord). **II** *ov.w* tourner; *het hoofd* —,
tourner la tête, se retourner.

omwentel/en *I* *ov.w* (faire) tourner. **II** *on.w*
tourner. **III** *zich* — **1** tourner; **2** se retourner.
▼—**ing 1** tour *m*, rotation *v*; **2** révolution *v*; —
van de aarde om haar as, rotation de la terre
autour de son axe. ▼—**ingslichaam** solide *m*
de révolution. ▼—**ingstijd** durée *v* de
révolution. ▼—**ingsvlak** surface *v* de
révolution.

omwerk/en refondre, (*gedeeltelijk*) remanier
(un livre); labourer (la terre). ▼—**ing** refonte
v, remaniement *m*.

omwerpen renverser; verser. **omwikkelen**
envelopper.

omwind/en lier autour (de), envelopper.
▼—**sel** enveloppe *v*, bandage *m*.

omwissel/baar convertible. ▼—**baarheid**
convertibilité *v*. ▼—**en I** *ov.w* changer;
échanger (contre); *geld tegen papier* —,
échanger des espèces contre du papier.
II *on.w* changer de place; permuter (avec un
collègue). ▼—**ing 1** changement; **2** (*ruil*)
échange *m*; **3** permutation; **4** conversion *v*.

ómwoelen *I* *ov.w* fouiller, remuer. **II** *on.w*
's agiter, se remuer. ▼**omwóelen 1** fourrer,
envelopper (un câble); **2** (*met vlechtwerk*)
clisser.

omwonend circonvoisin, limitrophe.
omzeggen annoncer de porte en porte.
omzeilen I *ov.w* **1** doubler (un cap); (*fig.*)
éviter, tourner (un écueil). **II** *on.w* faire un
détour.

omzendbrief circulaire *v*; mandement *m*
(pastoral).

omzet transactions, opérations *v mv*, volume
m d'affaires; *een jaarlijkse* —, un chiffre
d'affaires annuel. ▼—**belasting** taxe *v* sur le
chiffre d'affaires; taxe sur la prestation de
services. ▼—**ten I** *ov.w* **1** (*veranderen*)
changer (de place); permuter (des lettres);
transformer; **2** remuer (le blé); **3** (*hand.*)
échanger, vendre; **2** *miljoen* —, faire pour
deux millions d'affaires; *in daden* —, traduire
par des actes; *in geld* —, convertir en argent,
réaliser. **II** *zich* — se transformer en. ▼—**ting**
changement *m*; transformation *v*; échange;
convertissement *m*.

omzichtig I *bn* prudent, circonspect. **II** *bw*
prudemment, avec circonspection. ▼—**heid**
prudence, circonspection *v*; *met* — *te werk
gaan*, user de circonspection.

omzien I *on.w* tourner la tête; *naar iets* —,
avoir soin de qc, s'intéresser à qc; chercher un
emploi; *naar hulp* —, chercher de
l'assistance. **II** *in een* —, en un clin d'œil.

omzomen ourler; (*fig.*) border.

omzwaai virement *m*; (*fig.*) revirement *m*. ▼—**en
I** *ov.w* faire tourner. **II** *on.w* tourner, virer;
(*fig.*) changer d'opinion.

omzwachtelen bander, entourer de linges.

omzwenken faire demi-tour; (*fig.*) exécuter
une volte-face. **omzwermen** *I* *on.w* voler en
essaim. **II** *ov.w* rôder autour de.

omzwerv/en vagabonder, rôder, errer.
▼—**ing** pérégrination *v*; vagabondage *m*.

omzwikken se démettre (le pied); *mijn voet
is omgezwikt*, je me suis foulé le pied.

onaandoenlijk *bn* (& *bw*) impassible (ment),
stoïque (ment). ▼—**heid** impassibilité *v*;
stoïcisme *m*. ▼**onaangedaan** impassible.

onaangenaam *bn* (& *bw*)
désagréable (ment). ▼—**heid** désagrément,
inconvénient *m*; *onaangenaamheden met
iem. hebben*, avoir des histoires avec qn.

onaan/geraakt —**geroerd** intact; — *laten*,
ne pas toucher à. ▼—**nemelijk** inacceptable;
inadmissible.

onaantastbaar inviolable, sacré;
inattaquable. ▼—**heid** inviolabilité *v*.

onaanvaardbaar irrecevable, inacceptable.

onaanzienlijk *I* *bn* chétif, petit, pauvre, peu
important; *niet* —, assez considérable. **II** *bw*
peu; *niet* —, assez considérablement.

onaardig *I* *bn* peu aimable, désobligeant; *niet*
—, pas mal; *het is* — *van je om*, vous avez
mauvaise grâce à. **II** *bw* d'une manière peu
aimable; *niet* —, assez bien; pas mal.
▼—**heid** manque *m* de grâce; impolitesse *v*.

onachtzaam *I* *bn* négligent, inattentif,
nonchalant. **II** *bw* négligemment,
nonchalamment. ▼—**heid** négligence;
inattention *v*.

onafgebroken *I* *bn* continuel, ininterrompu,
continu. **II** *bw* continuellement, sans
interruption; *4 uur* — *werken*, travailler
quatre heures sans relâche.

onafhankelijk *I* *bn* indépendant. **II** *bw* dans
l'indépendance; *zich* — *maken van*,
s'émanciper de. ▼—**heid** indépendance *v*; *die
naar* — *streeft*, indépendantiste.
▼—**heidszin** esprit *m* d'indépendance.

onaflosbaar non amortissable; (*v. lening*)
consolidé, perpétuel. ▼—**heid** perpétuité *v*.

onafscheid/baar, —**elijk I** *bn* inséparable;
— *van*, inhérent à. **II** *bw* inséparablement.
▼—**baarheid,** —**elijkheid** inséparabilité *v*.

onaf/wendbaar inévitable, fatal. —**wijsbaar**
incontestable; (*v. eis*) impérieux; qu'on ne
saurait refuser. —**zetbaar** inamovible.

onafzienbaar I *bn* immense, (qui s'étend) à
perte de vue. **II** *bw* à perte de vue. ▼—**heid**
immensité *v*.

onager onagre *m*.

onanie onanisme *m*.
onbaatzuchtig I *bn* désintéressé. **II** *bw* avec désintéressement. ▼—**heid** désintéressement *m*.
onbarmhartig I *bn* impitoyable, inhumain. **II** *bw* impitoyablement. ▼—**heid** dureté *v*.
onbeantwoord resté sans réponse.
  onbebouwd 1 non-bâti; vague; **2** inculte.
  onbedaarlijk qui ne peut être apaisé; — *gelach*, fou rire *m*.
onbedacht I *bn* étourdi, inconsidéré; *een — ogenblik*, moment *m* d'irréflexion. **II** *bw* étourdiment, à la légère. ▼—**zaam I** *bn* inconsidéré; irréfléchi. **II** *bw* sans réfléchir. ▼—**zaamheid** irréflexion, étourderie *v*.
onbedekt I *bn* découvert, nu; sincère. **II** *bw* à découvert; franchement.
onbederf/baar, —**elijk** imputrescible; (*fig.*) incorruptible. ▼**onbedorven 1** de bonne qualité, bien conservé; sain; **2** pur, intègre, innocent. ▼—**heid** santé morale, pureté, intégrité *v*.
onbedreven inexpérimenté, inhabile. ▼—**heid** inexpérience *v*, manque *m* d'expérience.
onbeduidend insignifiant, de peu d'importance. ▼—**heid** insignifiance *v*.
onbedwingbaar *bn* (*& bw*) .indomptable(ment). ▼—**heid** caractère *m* indomptable.
onbegaanbaar impraticable. ▼—**heid** impraticabîlité *v*.
onbegonnen non commencé; *dat is — werk*, c'est la mer à boire.
onbegrensd 1 illimité, immense; **2** vague, mal défini. ▼—**heid** immensité *v*.
onbe/grepen incompris. ▼—**grijpelijk** incompréhensible; inconcevable; *het is mij* —, je ne m'explique pas (que); je m'y perds. ▼—**grijpelijkheid 1** incompréhensibilité; **2** dureté *v* de compréhension.
onbehaaglijk désagréable; — *gevoel*, malaise *m*. ▼—**heid** désagrément, malaise *m*.
onbehaard sans poil, glabre, imberbe; chauve.
onbeheerd sans maître, abandonné; (*v. nalatenschap*) en déshérence.
onbeholpen *bn* (*& bw*) maladroit(ement), gauche(ment). ▼—**heid** maladresse, gaucherie *v*.
onbehoorlijk I *bn* inconvenant, indécent. **II** *bw* indécemment. ▼—**heid** inconvenance *v*.
onbehouwen I *bn* **1** mal tourné, non dégrossi; **2** grossier, impoli. **II** *bw* impoliment.
onbekend inconnu, obscur; *dat is mij —*, j'ignore cela; *zij is mij —*, je ne la connais pas; — *zijn met*, ignorer, être peu au fait. ▼—**e** inconnu(e), étranger (-ère) *m* (*v*); (*wisk.*) inconnue *v*; *de — zoeken*, dégager l'inconnue; *het —*, l'inconnu *m*. ▼—**heid** obscurité *v*; — *met*, ignorance de.
onbekommerd I *bn* insouciant; — *zijn*, ne pas se mettre en peine (de). **II** *bw* sans souci. ▼—**heid** insouciance *v*.
onbekookt *bn* (*& bw*) étourdi (ment). ▼—**heid** étourderie *v*.
onbekrompen I *bn* libre; abondant; large. **II** *bw* largement; — *leven*, vivre dans l'aisance. ▼—**heid** largeur; liberalité; abondance *v*.
onbekwaam incapable (de). ▼—**heid** incapacité *v*.
onbelangrijk peu important, négligeable. ▼—**heid** insignifiance *v*.
onbelast libre; sans charge. ▼—**baar** non imposable, exempt d'impôts.
onbeleefd *bn* (*& bw*) impoli (ment). ▼—**heid** impolitesse *v*.
onbelemmerd I *bn* libre, dégagé. **II** *bw* librement, sans entraves. **onbemand** sans équipage. **onbemerkt** inaperçu. **onbemiddeld** sans ressources, - moyens. **onbemind** peu aimé, impopulaire.
onbenullig *bn* (*& bw*) bête(ment). ▼—**heid** bêtise, médiocrité *v*.

onbepaal/baar indéfinissable. ▼—**d 1** indéfini, indéterminé; **2** (*onbeperkt*) illimité; **3** incertain; vague; — *voornaamwoord*, pronom *m* indéfini; —*e wijs*, infinitif *m*. ▼—**dheid** indétermination *v*; manque de précision, vague *m*; *lidwoord van* —, article *m* indéfini.
onbeperkt I *bn* **1** illimité; **2** absolu. **II** *bw* sans limites. ▼—**heid** illimité *v*.
onbeproefd qui n'a pas été tenté; *hij heeft niets — gelaten om…*, il n'a rien négligé pour… . **onberaden** *bn* (*& bw*) inconsidéré (ment); *een — stap doen*, agir à l'étourdie. **onberedeneerd I** *bn* irréfléchi. **II** *bw* sans réfléchir. **onbereikbaar** hors d'atteinte; irréalisable; inaccessible. **onberekenbaar I** *bn* incalculable; (*v. karakter*) imprévisible. **II** *bw* extrêmement. ▼**onberekend 1** désintéressé; **2** — *voor*, inférieur à.
onberijdbaar impraticable.
onberispelijk *bn* (*& bw*) irréprochable (ment), impeccable(ment). ▼—**heid** irréprochabilité *v*.
onbeschaafd I *bn* **1** sans culture, incivilisé; **2** grossier, impoli. **II** *bw* grossièrement. ▼—**heid** manque *m* de civilisation; **2** grossièreté, impolitesse *v*.
onbeschaamd I *bn* impertinent, effronté, impudent. **II** *bw* impudemment. ▼—**heid** impertinence, insolence *v*.
onbeschadigd non endommagé, intact.
onbescheiden arrogant, indiscret; *als het niet — is*, s'il n'y a pas d'indiscrétion. ▼—**heid** indiscrétion, arrogance *v*.
onbeschermd non protégé; abandonné.
onbeschilderd vierge; nu.
onbeschoft I *bn* insolent, grossier. **II** *bw* insolemment, brutalement. ▼—**heid** impertinence, brutalité *v*.
onbe/schreven blanc, vierge; — *laten*, laisser en blanc. ▼—**schrijflijk I** *bn* indescriptible, indicible. **II** *bw* indiciblement, extrêmement.
onbeschroomd sans crainte, avec assurance.
onbeschut sans abri, exposé de tous les côtés. **onbeslagen** non ferré; (*fig.*) non préparé. **onbeslapen** inoccupé; qui n'a pas été défait. **onbeslecht** pendant, en litige.
onbeslist 1 indécis; **2** incertain. ▼—**heid** indécision *v*.
onbesneden incirconcis. **onbespoten** non traité. **onbesproken 1** non discuté; **2** (*v. plaats*) libre; **3** irréprochable.
onbestaanbaar impossible; — *met*, incompatible avec. **onbestelbaar** tombé en rebut, resté en souffrance.
onbestemd vague, indéfini. ▼—**heid** vague *m*.
onbestendig inconstant; variable. ▼—**heid** inconstance, variabilité *v*.
onbestreden incontesté. **onbestuurbaar** ingouvernable.
onbesuisd *bn* (*& bw*) étourdi (ment). ▼—**heid** étourderie *v*.
onbetaalbaar impayable. ▼**onbetaald** non acquitté, en souffrance.
onbetamelijk I *bn* indécent, inconvenant. **II** *bw* inconvenablement. ▼—**heid** inconvenance, indécence *v*. **onbetekenend** insignifiant.
onbetrouwbaar peu sûr; sujet à caution, suspect. ▼—**heid** caractère *m* peu sûr.
onbetuigd: *zich niet — laten*, faire de son mieux, payer de sa personne.
onbetwist incontesté; légitime. ▼—**baar** *bn* (*& bw*) incontestable(ment). ▼—**baarheid** incontestabilité *v*.
onbevaarbaar innavigable. ▼—**heid** innavigabilité *v*.
onbevangen I *bn* sans préjugé, impartial; ingénu. **II** *bw* sans parti pris. ▼—**heid** liberté d'esprit; impartialité *v*.
onbevlekt sans tache, immaculé; *de — ontvangenis*, l'Immaculée Conception *v*. ▼—**heid** pureté; virginité *v*.

onbevoegd I *bn* incompétent, non autorisé ;
de —en, les non-diplômés ; — *uitoefenen der
geneeskunde,* exercice illégal de la médecine.
II *bw* incompétemment. ▼**—heid**
incompétence (à), inhabilité (à).
onbevolkt inhabité, peu peuplé ; désert.
onbevooroordeeld sans préjugés.
onbevredig/d peu satisfait, inapaisé. ▼**—end**
peu satisfaisant.
onbevreesd sans crainte. ▼**—heid** hardiesse,
résolution *v.*
onbevrucht non fécondé. **onbewaakt** non
surveillé ; — *ogenblik,* moment *m*
d'inattention ; *—e overweg,* passage *m* non
gardé.
onbeweeglijk immobile ; (*fig.*) inflexible.
▼**—heid** immobilité *v.* **onbewimpeld** *bn* (&
bw) franc(hement), ouvert(ement).
onbewogen immobile ; (*fig.*) impassible.
▼**—heid** immobilité *v.* (*fig.*) impassibilité *v.*
onbewolkt sans nuages, serein, clair.
onbewoonbaar inhabitable. ▼**—verklaring**
désaffectation *v.* **onbewoond** inhabité ;
désert.
onbewust I *bn* **1** inconscient ; **2** involontaire ;
3 instinctif ; *zich iets — zijn,* ne pas avoir
conscience de qc. **II** *bw* inconsciemment.
▼**—heid** inconscience *v.*
onbezet 1 inoccupé ; **2** vacant ; **3** non-occupé.
onbezield inanimé, sans âme. **onbezoldigd**
non rémunéré ; bénévole. **onbezonnen** *zie*
onbesuisd.
onbezorgd I *bn* **1** (*post*) en souffrance ;
2 insouciant (de). **II** *bw* dans l'insouciance.
▼**—heid** insouciance *v.*
onbezwaard exempt (de dettes ; - de soucis ;
(*v. geweten*) net, tranquille.
onbillijk *bn* (& *bw*) inéquitable(ment),
injuste(ment). ▼**—heid** injustice *v.*
onbloedig sans effusion de sang, non
sanglant. **onblusbaar** inextinguible.
onbrandbaar incombustible ; — *maken,*
ignifuger. ▼**—heid** incombustibilité *v.*
onbreekbaar incassable ; (*verre*) de sécurité ;
(*fig.*) infrangible.
onbruik désuétude *v,* oubli *m* ; *in — raken,*
tomber en désuétude ; *in — geraakt,* périmé,
suranné. ▼**—baar** inutilisable, hors de
service. ▼**—baarheid** inutilité *v,* mauvais état
m ; incapacité *v* (de).
onbuigbaar inflexible. ▼**—heid** raideur ; (*fig.*)
inflexibilité *v.*
onchristelijk indigne d'un chrétien, peu
chrétien. ▼**—heid** manque *m* d'esprit
chrétien ; conduite *v* peu chrétienne.
ondank ingratitude *v* ; *mijns —s,* malgré moi.
▼**—baar I** *bn* ingrat ; (*fig.*) ingrat, stérile.
II *bw* avec ingratitude. ▼**—baarheid**
ingratitude *v.* ▼**—bare** ingrat(e) *m* (*v*).
ondanks malgré, en dépit de ; — *dat alles,*
avec tout cela.
ondeelbaar *bn* (& *bw*) indivisible(ment) ;
(*nat.*) insécable ; — *getal,* nombre *m* premier.
▼**—heid** indivisibilité ; (*nat.*) insécabilité *v.*
ondenkbaar I *bn* inimaginable. **II** *bw*
extrêmement.
onder I *vz* **1** sous, au-dessous de ; **2** parmi,
entre, au milieu de ; **3** pendant, durant ; —
anderen, entre autres ; — *iem. staan,* être
inférieur à qn, dépendre de qn ; — *de les,*
pendant la leçon ; — *ons,* entre nous ; *geld —
zich hebben,* avoir de l'argent en dépôt ; —
een auto komen, passer sous une voiture.
II *bw* en bas, dessous ; — *aan de berg,* au pied
de la montagne ; *kopje — gaan,* tomber à
l'eau ; *het is erop of er —,* c'est risquer le tout
pour le tout. ▼**—aan** au bas ; *regel acht —,*
ligne huit d'en bas ; — *de tafel,* au bas bout de
la table.
onder/aannemer sous-traitant *m.* **—aards**
souterrain ; — *gewelf,* souterrain ; caveau *m.*
—af : *van —,* d'en bas ; de bas en haut.
—afdeling subdivision *v.* **—arm** avant-bras
m. **—baas** chef d'équipe, contre-maître *m.*
—belichten sous-exposer. ▼**—belichting**
sous-exposition *v.* **—betaald** sous-payé.

—bevelhebber sous-chef *m.*
—bevrachten sous-affréter.
onderbewust subconscient, subliminal ; *het
—e,* le subconscient. ▼**—zijn** subconscient
m.
onder/bezetting insuffisance *v* de personnel.
onder/bieden offrir trop peu. ▼**—binden**
mettre, attacher ; (*med.*) ligaturer. **—blijven**
rester en bas, - sous l'eau.
onderbouw infrastructure *v* ; (*school*) tronc *m*
commun ; classes *v mv* d'initiation ; études *v
mv* du premier cycle.
onder/breken interrompre ; couper.
▼**—breker** rupteur *m* (*in automotor*).
▼**—brekerpuntjes** jeu *m* de contacts.
▼**—breking** interruption *v.*
onder/brengen mettre à l'abri, loger ; faire
rentrer (dans une rubrique).
onderbroek caleçon (court ; long) ; slip *m.*
onderbroken discontinu.
onderbuik bas-ventre *m.*
onderdaan sujet, ressortissant *m.*
onderdak abri ; hébergement *m* ; — *bij
particulieren vinden,* trouver hébergement
chez l'habitant ; — *brengen,* loger ; — *komen,*
trouver à se loger ; — *verlenen,* abriter ;
héberger.
onderdanig I *bn* soumis (à) ; humble,
obéissant. **II** *bw* avec soumission,
humblement. ▼**—heid** sujétion ; soumission ;
humilité *v.*
onderdeel 1 partie *v* inférieure, dessous *m* ;
2 (*afdeling*) subdivision *v* ; **3** détail,
accessoire *m* ; **4** pièce, partie *v* ; **5** (*mil.*) unité
v.
onderdekken border.
onder/deur contre-hus *m,* porte *v* du bas.
—directeur sous-directeur *m.*
onderdoen I *ov.w* mettre. **II** *on.w : voor iem.
—,* ne pas valoir qn, avoir le dessous ;
geenszins — voor, ne le céder en rien à.
onderdompel/en plonger, immerger. ▼**—ing**
plongeon *m* ; immersion *v.*
onderdoor par-dessous ; — *gaan,* passer
(par-dessous) ; (*fig.*) s'écrouler. ▼**—gang**
passage *m* souterrain.
onderdrukk/en 1 opprimer ; **2** (*v. opstand*)
réprimer, étouffer. ▼**—end** oppresseur. ▼**—er**
oppresseur, tyran *m.* ▼**—ing** oppression ;
répression *v.*
onderduik/adres planque *v.* ▼**—en** plonger ;
(*fig.*) changer d'air, se planquer, prendre le
maquis. ▼**—er** réfractaire ; planqué *m.*
onder/duwen pousser sous l'eau, faire boire
un coup. **—een** pêle-mêle.
onder/einde bas bout *m* ; extrémité *v*
inférieure. ▼**—en :** *naar —,* vers le bas ; *van —,*
d'en bas, de dessous ; *regel vijf van —,* ligne
cinq du bas.
onder/gaan I *on.w* **1** descendre, se coucher ;
2 (*zinken*) couler, aller au fond ; **3** (*fig.*) périr.
II *ov.w* subir, souffrir ; (*chem.*) *een ontleding
ondergaan,* éprouver une analyse. ▼**—gaand**
couchant ; en décadence. ▼**—gang 1** coucher
m ; **2** perte, chute, décadence *v* ; *zijn —
tegemoet gaan,* courir à sa perte.
ondergeschikt I *bn* inférieur (à), subalterne ;
accessoire ; *—e zin,* proposition *v*
subordonnée ; *— zijn aan,* relever de ; *van —
belang,* d'importance secondaire. **II** *zn : —e,*
inférieur(e), subordonné(e) *m* (*v*). ▼**—heid**
1 subordination ; **2** infériorité *v.*
ondergetekende soussigné(e) *m* (*v*).
ondergoed sous-vêtements, dessous *m mv*
(de femme).
ondergraven saper ; (*fig.*) miner.
ondergronder mineur *m* de fond.
ondergronds 1 souterrain ; (*spoor*)
métro(politain) ; **2** résistant ; maquisard ;
clandestin.
onderhandel/aar négociateur ; (*mil.*)
parlementaire *m.* ▼**—en** négocier,
parlementer, traiter de. ▼**—ing** négociation *v* ;
inleidende —, conversation *v.*
onder/hands (*v. akte*) sous seing privé ; à
l'amiable. **—havig** en question ; *in het —e*

geval, en l'espèce, en l'occurrence. **—hevig** sujet (à), exposé (à), passible (de). **—horig** dépendant (de) ; ressortissant (à).
onderhoud entretien m ; in eigen — voorzien, se suffire ; in iem. — voorzien, pourvoir aux besoins de qn ; — hebben met, s'entretenir avec. **▼—en l** ov.w 1 maintenir sous soi, - sous l'eau ; 2 entretenir ; 3 observer (les commandements) ; 4 nourrir, alimenter ; 5 amuser, distraire ; 6 tenir en bon état. **ll zich — met** s'entretenir avec (qn). **▼—end l** bn intéressant, charmant ; amusant. **ll** bw d'une façon intéressante. **▼—plichtig** tenu de participer à l'entretien. **▼—skosten** frais m mv d'entretien ; pension v alimentaire. **▼—smiddel** produit m d'entretien. **▼—smonteur** mécanicien m d'entretien.
onder/huid 1 derme m ; 2 (mar.) bordage m intérieur. **▼—huids** sous-cutané.
onderhuren sous-louer. **▼—huur** sous-location v. **▼—huurder** sous-locataire m.
onderin au fond, en bas.
onder/jurk fond m de robe ; combinaison v. **—kaak** mâchoire v inférieure. **—kant** dessous m, côté m inférieur.
onderkennen reconnaître (d'entre), distinguer (parmi) ; (med.) spécifier.
onder/kin double menton m. **—kleding** zie **—goed.**
onderkoel/en surfondre ; onderkoelde regen, de la pluie en surfusion. **▼—ing** surfusion v.
onder/komen l on.w trouver à se loger. **ll** zn abri, gîte m ; geen — hebben, être sans domicile, - sans abri. **—krijgen** terrasser ; mettre dessous.
onderkruip/en supplanter. **▼—er 1** gâte-métier ; 2 (bij staking) jaune, faux frère m. **▼—erij** supplantation v.
onder/laag couche v inférieure ; fond m. **—laken** drap m de dessous. **—langs** par en bas, en contrebas. **—legd** préparé (à) ; goed —, très fort (en) ; qui a reçu une instruction solide. **—legger** sous-main ; transparent ; (v. bed) protège-matelas m.
onderliggen être dessous ; (fig.) avoir le dessous.
onder/lijf bas-ventre ; bas m du corps. **▼—lijfje** cache-corset m.
onderling bn (& bw) mutuel(lement), réciproque(ment) ; iets — afspreken, convenir d'une chose entre soi ; zij zijn — verdeeld, ils sont divisés entre eux ; —e verzekering, assurance v mutuelle.
onderlip lèvre v inférieure.
onderlopen être inondé.
onder/maans l bn sublunaire, terrestre. **ll** zn : dit —e, ce bas monde ; in dit —e, ici-bas. **—matras** sommier m. **—melk** lait m écrémé.
ondermijn/en miner, saper. **▼—ing** mine, sape v.
ondernemen entreprendre ; 2 se charger de ; 3 s'engager dans. **▼—end** entreprenant. **▼—er** entrepreneur ; chef m d'entreprise. **▼—ing** entreprise v. **▼—ingsgeest.** **—ingslust** esprit m d'initiative. **▼—ingsraad** comité m d'entreprise.
onder/officier sous-officier m. **—onsje** réunion v intime ; petit comité m. **—ontwikkeld** sous-développé. **—pand 1** gage m ; 2 garantie v ; tot — geven, engager. **—pastoor** vicaire. **—rand** bord m inférieur. **—regenen** être inondé par les pluies.
onderricht enseignement m, instruction v. **▼—en 1** enseigner, instruire ; 2 (kennis geven) informer (qn de qc). **▼—ing** instruction v, enseignement m, information v.
onderrok jupon m.
onderschat/ten sous-estimer ; (fig.) mésestimer. **▼—ting** sous-estimation ; (fig.) mésestime v.
onderscheid 1 différence, distinction v ; 2 discernement m ; fijn —, nuance v subtile ; zonder —, indistinctement, sans acception de personne ; met dit —, à cette différence près ; de jaren des —s, l'âge de discernement, - de

raison. **▼—en l** ov.w distinguer, discerner. **ll zich — (van)** se distinguer (de). **lll** bn distinct, différent. **▼—enheid** différence v. **▼—enlijk** distinctement. **▼—ing** distinction v. **▼—ingsteken** marque distinctive ; décoration v. **▼—ingsvermogen** discernement m.
onderschep/pen intercepter ; couper. **▼—ping** interception v. **▼—pingsvliegtuig** intercepteur m.
onderschikken subordonner. **▼—schikkend** de subordination.
onder/schrift souscription, signature ; (bijschrift) légende v ; (v. film) sous-titre m ; (film) van — voorzien, sous-titrer. **▼—schrijven** souscrire (à). **▼—schrijving** souscription v.
onder/schuifbed deux-en-un, lit m gigogne. **▼—schuiven** glisser sous ; (fig.) substituer, supposer.
ondershands sous main, à l'amiable.
onder/sneeuwen se couvrir de neige. **—spannen** sous-tendre.
onderspit het — delven, avoir le dessous.
onderspuiten noyer.
onderst inférieur, le plus bas.
onder/staan être inondé. **—staand** ci-après, ci-dessous.
onderste partie v inférieure ; fond ; dessous m ; het — boven, sens dessus dessous ; — boven werpen, bouleverser ; —boven zetten, renverser.
ondersteek bassin m hygiénique. **—steken** mettre sous ; (fig.) substituer.
onderstel base v, pied ; (v. wagen) châssis ; (v. vliegt.) train m d'atterrissage. **—len** supposer ; ik mag —, j'aime à croire ; alles doet —, tout porte à croire. **—ling** supposition ; hypothèse v.
ondersteun/en appuyer, soutenir ; (fig.) secourir, assister ; een voorstel —, appuyer une proposition. **▼—end** d'appui, auxiliaire. **▼—ing** soutien, appui m ; (fig.) assistance v, secours m. **▼—ingsfonds** caisse v de soutien. **▼—ingstroep** corps m d'appui.
onderstoppen couvrir ; (in bed) border.
onder/strepen souligner. **▼—streping** soulignement m.
onder/stroom courant m inférieur. **—stuk** partie v inférieure, dessous m, base v. **—stuur** sous-vireur ; —de wagen, voiture v sous-vireuse.
onder/tekenaar signataire m. **▼—tekenen** signer ; parapher. **▼—tekening** signature ; souscription v.
ondertitel sous-titre m. **▼—en** sous-titrer.
▼—ing sous-titrage m.
ondertrouw publication v des bans. **▼—en** faire publier les bans.
ondertussen en attendant.
onderuit par en bas ; er niet — kunnen, 1 être coincé ; 2 (fatsoenshalve) être tenu (de). **▼—gaan 1** glisser ; 2 (struikelen) trébucher ; 3 (flauwvallen) s'évanouir.
ondervangen 1 (opvangen) saisir ; 2 (voorkomen) parer à (un inconvénient), prévenir.
onder/verdelen subdiviser ; onderverdeeld worden, se subdiviser. **▼—verdeling** subdivision v.
onder/verdieping rez-de-chaussée, étage m d'en bas. **—verhuren** sous-louer.
ondervind/en éprouver, faire l'expérience de ; ressentir ; rencontrer (de l'amitié). **▼—ing** expérience v ; — hebben van, avoir l'expérience de ; bij — weten, savoir d'expérience ; — is de beste leermeesteres, expérience passe science. **▼—ings...** empirique.
ondervlak dessous m, face v inférieure.
ondervoed sous-alimenté. **▼—ing** sous-alimentation v ; (med.) dénutrition v.
ondervoorzitter vice-président.
ondervraagster interrogatrice, examinatrice v. **▼ondervrag/en** interroger, questionner. **▼—end** interrogateur, scrutateur. **▼—ing**

interrogation *v*; (*jur.*) interrogatoire *m*.
onderwaarderen sous-évaluer.
▼**onderwater/sport** plongée *v*
sous-marine. ▼—**zetting** inondation *v*.
onderweg I *zn* chemin *m* en contrebas. **II** *bw*
en route, chemin faisant, en cours de route;
lang — blijven om, mettre beaucoup de
temps à.
onderwereld 1 enfers; **2** bas fonds *m mv*.
onderwerp *n* sujet *m*. ▼—en **I** *ov.w* soumettre.
II *zich —* se soumettre (à), se résigner (à).
▼—*ing* **1** soumission; **2** résignation *v*.
▼—**s** *zin* proposition *v* subjective.
onderwicht déchet; manque *m* de poids.
onderwijs enseignement *m*, instruction *v*;
schriftelijk —, enseignement *m* par
correspondance; *bij het — zijn*, être dans
l'enseignement; — *geven*, enseigner;
ministerie v. —, ministère *m* de l'éducation
publique. ▼—**bevoegdheid** licence *v*
d'enseignement. ▼—**inrichting**
établissement *m* d'enseignement.
▼—**middelen** matériel *m* scolaire.
▼—**vraagstuk** question *v* de l'enseignement.
▼**onderwijz/en** enseigner (qc à qn),
apprendre (à faire qc). ▼—end didactique;
(corps) enseignant. ▼—er instituteur; (*v.
dans, muziek*) professeur (de). ▼—eres
institutrice *v*; professeur *m* (de). ▼—ersakte
brevet *m* d'instituteur.
onderworpen 1 sujet (à), soumis (à);
passible (de); **2** humble, résigné. ▼—heid
soumission; humilité; résignation *v*.
onder/zeeboot, —zeeër sous-marin *m*; —
met kernaandrijving en bewapening,
sous-marin *m* nucléaire lanceur d'engins.
▼—**zeedienst** service *m* sous-marin.
▼—**zees** sous-marin.
onder/zetten 1 inonder; **2** (*stutten*) étayer.
—**zetter** dessous *m*. —**zijde** *zie* —**kant**.
onderzoek 1 examen *m*; recherche *v*;
2 (*officieel*) enquête; **3** (*gerecht*)
information, instruction *v*; *geneeskundig* —,
visite *v* médicale; *geneeskundig — bij in
dienst treden*, visite *v* d'embauchage;
deskundig —, expertise *v*; — *doen*, enquêter
(sur); *gerechtelijk — instellen*, procéder à
une information; *de politie doet* —, la police
informe; — *naar het vaderschap*, recherche *v*
de la paternité; *tot nader* —, jusqu'à plus
ample informé. ▼—**en 1** examiner;
2 (*nasporen*) explorer, faire des recherches;
3 (*juistheid*) vérifier; **4** (*doorzoeken*) visiter;
5 (*recht*) s'informer (de); **6** (*deskundig*)
expertiser; *nauwkeurig* —, scruter à fond.
▼—**end I** *bn* scrutateur. **II** *bw* d'un regard
scrutateur. ▼—**er** examinateur; explorateur
m. ▼—**ingsmethode** méthode *v*
d'investigation. ▼—**ingsreis** voyage *m*
d'exploration. ▼—**tafel** table *v* d'examen.
ondeug/d 1 vice *m*; **2** (*guitigheid*) malice *v*;
3 mauvais garnement *m*. —**delijk I** *bn*
imparfait, défectueux; (*waar*) avarié. **II** *bw*
peu solidement. —**end I** *bn* **1** méchant;
turbulent; **2** (*guitig*) malicieux. **II** *bw*
malicieusement. ▼—**endheid 1** méchanceté;
2 malice *v*.
ondienst mauvais service *m*; *iem. een —
bewijzen*, desservir qn. ▼—**ig** inutile, mal à
propos; inopportun; *het zou niet — zijn*, il
conviendrait.
ondiep peu profond. ▼—**te 1** manque *m* de
profondeur; **2** (*plaats*) bas-fond *m*.
ondier monstre *m*. **onding** absurdité *v*; rien *m*.
ondoeltreffend inefficace. ▼—**heid**
inefficacité *v*.
ondoenlijk impossible à faire. ▼—**heid**
impossibilité *v*.
ondoordacht *bn* (& *bw*) inconsidéré(ment).
▼—**heid** inconsidération *v*.
ondoordringbaar 1 impénétrable (à); **2** (*v.
water*) imperméable (à); **3** (*v. lucht*)
hermétique; **4** (*v. duisternis*) épais; —
maken, imperméabiliser. ▼—**heid**
impénétrabilité, imperméabilité *v*.
ondoorgrondelijk impénétrable (à),

insondable. ▼—**heid** impénétrabilité *v*.
ondoor/schijnend opaque, non transparent
= —**zichtig**.
ondraaglijk *bn* (& *bw*) insupportable(ment),
intolérable(ment). **ondrinkbaar** non
buvable; (eau) non potable.
ondubbelzinnig I *bn* clair, évident. **II** *bw*
clairement, sans équivoque. ▼—**heid** clarté,
netteté *v*.
onduidelijk *bn* (& *bw*) **1** peu lisible(ment);
2 indistinct(ement), vague(ment). ▼—**heid**
manque *m* de clarté, - de précision, vague *m*.
ondul/atie ondulation *v*. ▼—**eren** onduler.
onecht 1 faux; **2** (*v. akte*) non authentique; —
kind, enfant naturel. ▼—**heid** fausseté;
illégitimité *v*.
oneconomisch inéconomique. **onedel** *bn* (&
bw) bas(sement), ignoble(ment). **oneens**
divisé, brouillé.
oneer déshonneur *m*; — *aandoen*, faire honte
(à). ▼—**baar** indécent. ▼—**baarheid**
indécence *v*. ▼—**biedig I** *bn* irrévérencieux.
II *bw* irrévérencieusement; — *behandelen*,
manquer de respect à. ▼—**biedigheid**
manque *m* de respect. ▼—**lijk** *bn* (& *bw*)
malhonnête(ment). ▼—**lijkheid**
malhonnêteté *v*. ▼—**vol** sans honneur; —
ontslaan, révoquer.
oneetbaar immangeable, incomestible.
oneffen inégal, raboteux. ▼—**heid** inégalité *v*.
oneigenlijk I *bn* **1** impropre; **2** (*fig.*) figuré.
II *bw* au figuré.
oneindig I *bn* infini, immense; *het —e*, l'infini
m; *tot in het —e*, à l'infini. **II** *bw* infiniment.
▼—**heid** infinité, immensité *v*.
onenig désuni, divisé; — *worden*, se brouiller
(avec); — *maken*, désunir. ▼—**heid**
désunion, division *v*; différend *m*; *in — leven*,
vivre en mauvaise intelligence; *politieke
onenigheden*, dissensions *v mv* politiques.
onereus onéreux; incommode.
onervaren inexpérimenté (dans); sans
expérience. ▼—**heid** inexpérience *v*.
onesthetisch inesthétique.
oneven impair. ▼—**heid** imparité *v*. ▼—**redig**
disproportionné (à), hors de proportion.
▼—**redigheid** disproportion *v*. ▼—**wichtig**
déséquilibré; de tempérament inégal.
onfatsoenlijk I *bn* **1** inconvenant; indécent;
2 grossier. **II** *bw* indécemment, d'une façon
peu convenante. ▼—**heid** inconvenance;
indécence *v*.
onfeilbaar *bn* (& *bw*) infaillible(ment).
▼—**heid** infaillibilité *v*.
onfris 1 malpropre; **2** peu appétissant; (livre)
défraîchi; **3** pas bien; — *ruiken*, avoir des
odeurs. ▼—**heid** malpropreté *v*, manque *m* de
fraîcheur.
ongaar pas assez cuit. **ongaarne** à
contre-cœur, à regret. **ongeacht I** *bn* peu
estimé. **II** *vz* malgré, sans préjudice de.
ongebaand non frayé. **ongebleekt** écru.
ongebonden I *bn* **1** (*niet ingebonden*) non
relié; **2** (*losbandig*) dissolu, licencieux; **3** qui
n'est pas lié. **II** *bw* licencieusement. ▼—**heid**
licence, dissolution, débauche *v*.
ongebouwd non bâti. **ongebreideld** effréné,
sans frein.
on/gebruikelijk inusité, insolite; non
conforme aux usages. ▼—**gebruikt** qui n'a
pas encore servi, neuf; inoccupé; *niet —
laten*, mettre à profit.
ongedaan non avenu; *iets — laten*, ne pas
faire qc; *iets — maken*, remédier aux suites de
qc; *een koop — maken*, annuler un marché;
niets — laten, ne rien négliger (pour).
ongedeerd indemne. **ongedekt**: —*e
cheque*, chèque *m* sans provision.
ongedesemd azyme.
ongedierte vermine *v*.
ongeduld impatience *v*. ▼—**ig I** *bn* impatient;
— *maken*, impatienter; — *worden*,
s'impatienter. **II** *bw* impatiemment.
ongedurig inconstant; agité. ▼—**heid**
inconstance *v*.
ongedwongen I *bn* **1** libre; **2** non affecté,

naturel ; **3** (*v. houding*) dégagé, désinvolte.
II *bw* sans contrainte, sans être gêné.
▼—**heid** naturel *m* ; désinvolture, aisance *v*.
ongeëvenaard sans égal, sans pareil.
ongefrankeerd non affranchi.
ongegeneerd I *bn* sans gêne, sans façons.
II *bw* sans se gêner. ▼—**heid** sans-gêne *m* ;
désinvolture *v*.
ongegrond mal fondé, sans raison. ▼—**heid**
mal fondé *m*, manque *m* de fondement.
ongehinderd I *bn* libre. **II** *bw* sans
empêchement, en toute liberté. **ongehoord**
inoui ; (*v. prijs*) exorbitant ; *dat is* —, ça n'a
pas de nom.
ongehoorzaam désobéissant ; indocile.
▼—**heid** désobéissance, indocilité *v*.
ongehuwd non marié, célibataire, libre; —*e*
moeder, mère *v* célibataire ; —*e staat*, célibat
m ; — *blijven*, (*v. meisje*) coiffer
sainte-Catherine ; (*v. jongen*) rester garçon.
ongekend inconnu, sans précédent.
ongekookt cru ; nature.
ongekunsteld I *bn* naturel, naïf. **II** *bw* sans
art, sans recherche. ▼—**heid** naturel *m*,
naïveté *v*.
ongel suif *m*, graisse *v*.
ongeladen sans charge.
ongeldig non valable ; — *maken*, —
verklaren, invalider, annuler. ▼—**heid** nullité
v. ▼—**making** annulation *v*. ▼—**verklaring**
invalidation *v*.
ongelegen I *bn* inopportun. **II** *bw* mal à
propos, à contre-temps ; — *komen*,
1 déranger (qn) ; **2** venir mal à propos.
▼—**heid** inopportunité *v*, embarras *m* ; *iem. in*
— *brengen*, causer de l'embarras à qn.
ongeletterd illettré.
ongelijk I *bn* **1** inégal ; accidenté ;
2 (*verschillend*) différent, dissemblable ; **3** (*v.
paar*) disparate ; **4** (*onregelmatig*) irrégulier.
II *bw* inégalement. **III** *zn* tort *m* ; —
bekennen, avouer ses torts ; (*met excuus*)
faire amende honorable ; *in het* — *stellen*,
mettre dans son tort ; — *hebben*, avoir tort.
▼—**benig** scalène, inéquilatéral. ▼—**heid**
inégalité ; différence ; dissemblance *v*,
disparité *v* (*de salaires*) ; *strijd tegen* —, lutte *v*
contre les inégalités. ▼—**matig I** *bn* irrégulier,
disproportionné ; — *van humeur*, d'humeur
inégale. **II** *bw* inégalement. ▼—**namig** de
nom différent ; (*wisk.*) non équinome.
▼—**slachtig** hétérogène. ▼—**soortig**
dissemblable, hétérogène. ▼—**soortigheid**
dissemblance, hétérogénéité *v*. ▼—**vormig**
dissemblable. ▼—**waardig** non équivalent.
▼—**zijdig** scalène.
ongelijmd sans colle ; non collé.
ongelinieerd non réglé. **ongelofelijk** *bn* (*&*
bw) incroyable(ment). **ongelogen I** *bn* vrai.
II *bw* sans mentir.
ongeloof incrédulité ; incroyance *v*.
▼—**waardig** peu digne de foi, sujet à
caution. ▼—**waardigheid** invraisemblance
v. ▼**ongelovig I** *bn* incrédule, incroyant ;
infidèle. **II** *bw* d'un air incrédule. ▼—**e**
incroyant ; infidèle *m & v*. ▼—**heid** incrédulité
v.
ongeluk 1 malheur *v* **2** (*ongeval*) accident ;
3 (*ramp*) désastre *m* ; **4** (*tegenspoed*)
mauvaise fortune ; **5** (*in spel*) déveine *v* ;
persoonlijke —*ken*, des accidents de
personne ; — *aanbrengen*, porter malheur ;
een — *krijgen*, avoir un accident ; *bij een* —
omgekomen, tué accidentellement ; *bij* —, par
malheur. ▼—*je* (petit) malheur *m*; *zij heeft*
een — *gehad*, elle a fauté ; *het kind heeft een*
— *gehad*, l'enfant s'est oublié. ▼—**kig**
malheureux, infortuné ; (*v. zaak*) malheureux,
fatal, fâcheux ; *die* —*e* (= *akelige*) *hond*, ce
chien de malheur ; — *getrouwd*, mal marié ;
hij zal — *aan zijn eind komen*, il finira mal ; —
spelen, jouer de malheur. ▼—**kige**
malheureux *m*, malheureuse *v*, infortuné(e)
m(*v*). ▼—**kigerwijs** malheureusement.
▼—**sbode** messager *m* de malheur. ▼—**sdag**
jour *m* de malheur. ▼—**svogel** oiseau de

mauvais augure ; (*fig.*) déveinard *m*.
ongemak inconvénient, mal *m* ; infirmité *v* ;
een — *aan zijn been hebben*, avoir mal à la
jambe. ▼—**kelijk I** *bn* **1** incommode,
incomfortable ; **2** (*in omgang*) difficile ; **3** (*v.
taak, weg*) malaisé ; *een* — *pak slaag*, une
râclée soignée. **II** *bw* incommodément ;
difficilement, avec peine. ▼—**kelijkheid**
incommodité ; difficulté ; humeur *v*
difficile.
ongemanierd I *bn* mal élevé, grossier. **II** *bw*
grossièrement ; excessivement. ▼—**heid**
défaut *m* d'éducation ; grossièreté *v*.
ongemeen I *bn* peu commun, extraordinaire.
II *bw* singulièrement. **ongemeend** faux.
ongemeenheid singularité *v*. **ongemerkt**
I *bn* **1** inaperçu ; **2** non marqué. **II** *bw*
imperceptiblement, sans être aperçu ; peu à
peu ; — *weggaan*, partir en douce.
ongemoeid tranquille, en paix. **ongemunt**
en barres.
ongenaakbaar inaccessible (à) ; inabordable
(à). ▼—**heid** inaccessibilité ; (*fig.*) humeur *v*
inaccessible.
ongenad/e disgrâce *v* ; *in* — *vallen*, tomber en
disgrâce ; *in* — *gevallene*, disgrâcié. ▼—**ig**
I *bn* inhumain, impitoyable ; (*fam.*)
formidable ; — *pak slaag*, bonne râclée *v*.
II *bw* impitoyablement ; fort, excessivement ;
— *afranselen*, rosser d'importance.
ongeneeslijk incurable, inguérissable ; *voor*
— *verklaren*, condamner. ▼—**heid**
incurabilité *v*.
ongenietbaar 1 (*v. mens*) insupportable ;
assommant ; **2** indigeste ; (*v. boek*) insipide.
ongenoegen 1 déplaisir *m* ; **2** querelle *v* ; —
krijgen, se créer des ennuis. **ongenood** non
invité.
ongeoefend peu exercé, inexpérimenté.
▼—**heid** inexpérience *v*, manque *m*
d'exercice.
ongeoorloofd défendu, non permis ; illicite.
▼—**heid** caractère *m* illicite.
ongeordend désordonné, sans ordre.
ongeorganiseerd inorganisé ; (*v. arbeider*)
non syndiqué.
ongepast I *bn* **1** inconvenant, incongru ;
2 (*misplaatst*) déplacé. **II** *bw*
inconvenablement, incongrûment. ▼—**heid**
incongruité *v*.
ongepermitteerd qui dépasse les bornes, - la
mesure. **ongepolijst** mat, non poli.
ongeraden peu prudent. **ongerechtigheid**
iniquité, injustice *v*. **ongered** : *in het* —
raken, **1** s'égarer ; **2** se détraquer.
ongeregeld I *bn* irrégulier, déréglé ; —*e*
goederen, soldes *pl mv*. **II** *bw* irrégulièrement.
▼—**heid** irrégularité *v* ; désordre *m*.
ongerekend sans compter, non compris.
ongerept intact, vierge, pur.
ongerief inconvénient ; embarras *m*.
▼—(**e**)**lijk I** *bn* incommode, peu confortable.
II *bn* incommodément. ▼—(**e**)**lijkheid**
incommodité *v*, inconfort *m*.
ongerijmd 1 en prose ; **2** absurde ; *bewijs uit*
het —*e*, démonstration *v* par l'absurde.
▼—**heid** absurdité *v*.
ongerust inquiet (de) ; — *maken*, donner des
inquiétudes ; — *worden*, s'inquiéter, se faire
du mauvais sang ; *zich* — *maken over*,
s'inquiéter de, être en peine de. ▼—**heid**
inquiétude *v*.
ongeschikt 1 peu propre (à) ; inapte (à) ;
2 peu traitable, peu accommodant. ▼—**heid**
incapacité, inaptitude *v*.
ongeschoeid déchaussé. **ongeschokt**
inébranlé.
ongeschonden entier, intact, inviolé.
▼—**heid** intégrité *v*.
ongeschoold illettré, (*v. stem*) inculte ;
(*arbeidskracht*) non qualifié ; *baan voor* —*e*,
emploi *m* de manœuvre.
ongestadig I *bn* inconstant, versatile ; —
weer, temps *m* variable. **II** *bw* sans assiduité,
légèrement. ▼—**heid** inconstance, variabilité
v.

ongesteld souffrant; (*spec. v. vrouw*) indisposé. ▼—**heid** indisposition *v*.
ongestoffeerd non garni. **ongestoord I** *bn* tranquille. **II** *bw* tranquillement, sans être troublé. **ongestraft I** *bn* impuni. **II** *bw* impunément. **ongetekend** non signé; anonyme. **ongetemd** indompté.
ongetemperd non mitigé, non tamisé.
ongetrouwd *zie* **ongehuwd**. **ongevaarlijk** inoffensif, peu dangereux.
ongeval accident *m*; mésaventure *v*; — *met dodelijke afloop*, accident *m* mortel.
▼—**lenrisico** risque *m* d'accidents.
▼—**lenverzekering** assurance *v* contre les accidents. ▼—**lenwet** loi *v* sur les accidents de travail.
ongevallig désagréable; *het zou mij niet — zijn, dat*, je ne serais pas fâché que (*met subj.*).
ongeveer environ, à peu (de chose) près.
ongeveinsd I *bn* sincère, franc. **II** *bw* sincèrement, franchement.
ongevoelig I *bn* insensible (à); impassible (devant); — *maken*, insensibiliser, anesthésier. **II** *bw* insensiblement. ▼—**heid** insensibilité (à), impassibilité *v* (devant).
ongewenst indésirable. **ongewerveld** invertébré. **ongewild** peu recherché; involontaire.
ongewoon inaccoutumé (à); étrange, singulier. ▼—**heid** caractère *m* insolite, singularité *v*. ▼—**te** manque *m* d'habitude.
ongezegeld non timbré, libre.
ongezeglijk indocile, récalcitrant. ▼—**heid** indocilité, insoumission *v*.
ongezellig 1 (*v. persoon*) insociable, peu aimable; **2** (*v. ding, plaats*) peu attrayant, froid, peu intime. ▼—**heid** humeur *v* peu sociable; manque *m* de confort, - d'intimité.
ongezocht 1 sans recherche, naturel; spontané; **2** tout trouvé, qui se présente de lui-même.
ongezond 1 maladif; **2** (*schadelijk*) malsain, nuisible; **3** (*v. lucht enz.*) insalubre. ▼—**heid 1** mauvaise santé; **2** insalubrité *v*.
ongezouten I *bn* non salé; fade. **II** *bw* rudement, tout net.
ongodsdienstig I *bn* irréligieux, impie. **II** *bw* irréligieusement. ▼—**heid** irréligion, irréligiosité *v*.
ongrondwettig *bn* (& *bw*) inconstitutionnel(lement). **ongunstig I** *bn* **1** défavorable; **2** peu avantageux, mauvais; *er — uitzien*, marquer mal; *—e uitslag*, résultat *m* négatif. **II** *bw* défavorablement; désavantageusement; — *bekend staan*, être mal famé. **onguur 1** sinistre, affreux; **2** rude, inclément.
onhandelbaar intraitable.
onhandig 1 (*v. persoon*) maladroit, gauche; **2** (*v. ding*) incommode, peu maniable. ▼—**heid 1** maladresse; **2** incommodité *v*.
onhebbelijk I *bn* grossier; incongru. **II** grossièrement. ▼—**heid** grossièreté, incongruité *v*.
onheil catastrophe *v*, désastre *m*. ▼—**ig** profane, impie. ▼—**spellend** sinistre, funeste, de mauvais augure.
onherbergzaam inhospitalier. ▼—**heid** inhospitalité *v*.
onher/kenbaar méconnaissable. —**leidbaar** irréductible. —**roepelijk** *bn* (& *bw*) irrévocable(ment). —**stelbaar** *bn* (& *bw*) irréparable(ment), irrémédiable.
onheus inélégant, discourtois; — *bejegenen*, brusquer. ▼—**heid** impolitesse *v*.
onhoffelijk *bn* (& *bw*) peu courtois(ement).
onhoorbaar *bn* (& *bw*) imperceptible(ment). **onhoudbaar** intenable; (*fig.*) insoutenable; *onhoudbare toestand*, situation *v* qui ne saurait durer.
oninbaar irrécouvrable. **oningevuld** laissé en blanc. **oninteressant** inintéressant.
oninvorderbaar irrécouvrable.
oninwisselbaar inconvertible.
onjuist I *bn* erroné, inexact, incorrect. **II** *bw*

inexactement, incorrectement. ▼—**heid** erreur, inexactitude *v*.
onkenbaar inconnaissable; méconnaissable.
onkerkelijk profane, laïque; non-pratiquant.
onkies I *bn* peu délicat, indélicat. **II** *bw* indélicatement. ▼—**heid** indélicatesse *v*.
onklaar 1 trouble; **2** détraqué; engagé; — *raken*, se détraquer, ne plus fonctionner. ▼—**heid** manque *m* de clarté, obscurité *v*.
onkosten frais *m mv*; *zijn* — *goedmaken*, faire ses frais; *bijkomende* —, faux frais. ▼—**berekening** devis *m* estimatif. ▼—**rekening** compte *m* des frais.
onkreukbaar intègre; (*v. stof*) infroissable. ▼—**heid** intégrité *v*.
onkruid mauvaises herbes *v mv*, ivraie *v*; — *vergaat niet*, mauvaise herbe croît toujours.
onkuis *bn* (& *bw*) impudique(ment). ▼—**heid** impudeur *v*.
onkunde ignorance *v*; *uit* —, par ignorance.
▼**onkundig** ignorant; — *zijn van*, ignorer.
onkwetsbaar invulnérable. ▼—**heid** invulnérabilité *v*.
onlangs l'autre jour, dernièrement.
onledig inoccupé; *zich* — *houden met*, s'occuper à. **onleefbaar** invivable.
onleesbaar *bn* (& *bw*) illisible(ment).
onlesbaar inextinguible. **onlichamelijk** incorporel. **onlogisch** *bn* (& *bw*) illogique(ment). **onloochenbaar** évident.
onlust dégoût *m*, aversion, malaise *v*; —*en*, troubles, désordres *m mv*.
onmaatschappelijk asocial.
onmacht 1 impuissance, faiblesse; **2** (*flauwte*) faiblesse, défaillance *v*; *in* — *vallen*, s'évanouir. ▼—**ig** impuissant; — *tot betalen*, insolvable.
onmatig I *bn* immodéré, intempérant. **II** *bw* immodérément. ▼—**heid** intempérance *v*; excès *m*.
onmeedogend *bn* (& *bw*) impitoyable(ment). ▼—**heid** manque *m* de pitié.
onmeetbaar incommensurable; irrationnel.
onmens monstre, barbare *m*, brute *v*. ▼—**elijk** *bn* (& *bw*) inhumain(ement), cruel(lement). ▼—**elijkheid** inhumanité, cruauté *v*.
onmerkbaar *bn* (& *bw*) imperceptible(ment), insensible(ment).
onmetelijk I *bn* immense. **II** *bw* immensément. ▼—**heid** immensité *v*.
onmiddellijk I *bn* immédiat, direct. **II** *bw* immédiatement.
onmin dissensions *v mv*; *in* — *leven*, ne pas s'entendre; être brouillé.
onmisbaar indispensable; *dit boek is voor mij* —, je ne puis me passer de ce livre. ▼—**heid** nécessité *v* impérieuse, besoin *m* absolu.
onmiskenbaar I *bn* évident. **II** *bw* évidemment. ▼—**heid** évidence *v*.
onmogelijk I *bn* impossible; *het is* — *om*..., il n'y a pas moyen de...; *het is* — *slechter bediend te worden*, on ne saurait être plus mal servi. **II** *bw*: *dat kan ik* — *doen*, il m'est impossible de faire cela. ▼—**heid** impossibilité *v*.
onmondig mineur. ▼—**heid** minorité *v*.
onmuzikaal 1 (*v. geluid*) discordant; **2** (*v. mens*) peu musicien.
onnadenkend I *bn* inconsidéré, étourdi. **II** *bw* sans réflechir, étourdiment. ▼—**heid** légèreté, étourderie *v*. **onnaspeurlijk** impénétrable.
onnatuurlijk *bn* **1** contre nature; **2** (*gedwongen*) contraint; **3** (*gemaakt*) affecté; sophistiqué; **4** (*ontaard*) dénaturé. **II** d'une façon qui n'est pas naturelle. ▼—**heid** manque *m* de naturel.
onnauwkeurig *bn* (& *bw*) inexact (ement). ▼—**heid** inexactitude *v*.
onnodig *bn* inutile; — *om*..., pas (n'est) besoin de... **II** *bw* inutilement.
onnozel I *bn* simple, niais, bête; *enkele* —*e guldens*, quelques pauvres florins; *een* — *stukje*, un petit morceau de rien du tout; — *staan kijken*, avoir l'air de tomber des nues. **II** *bw* simplement, niaisement.

▼**O—e-kinderen(dag)** (le Jour des) Saints Innocents *m mv*. ▼**—heid** naïveté ; niaiserie *v*.
onnuttig inutile. **onomkoopbaar** incorruptible. **onomstotelijk** *bn* (& *bw*) incontestable(ment), irréfutable(ment).
onomwonden *bn* (& *bw*) franc(hement), sans détours.
onont/beerlijk indispensable. **—bindbaar** indissoluble. **—brandbaar** ininflammable ; ignifugé. **—gonnen** en friche, inexploité. **—koombaar** inéluctable. **—vankelijk** irrecevable, non susceptible. **—vlambaar** ininflammable. **—warbaar** inextricable. **—wikkeld** peu développé, ignorant ; rudimentaire ; *economisch —*, insuffisamment développé.
onooglijk repoussant, sordide, laid. **onoordeelkundig** I *bn* peu judicieux. II *bw* peu judicieusement. **onopgelost** non dissous ; (*vraag*) ouvert. **onopgemerkt** I *bn* inaperçu. II *bw* sans être aperçu.
onophoudelijk I *bn* incessant, continuel. II *bw* continuellement, sans cesse.
onoplettend I *bn* inattentif. II *bw* inattentivement. ▼**—heid** inattention *v*.
onoplosbaar insoluble. ▼**—heid** insolubilité *v*.
onoprecht I *bn* dissimulé, faux. II *bw* d'une manière peu sincère. ▼**—heid** insincérité *v*.
onopvallend discret.
onopzettelijk I *bn* involontaire. II *bw* involontairement, sans préméditation.
onordelijk I *bn* 1 (*v. persoon*) désordonné ; 2 (*v. zaken*) en désordre = II *bw* sans ordre.
onover/gankelijk I *bn* intransitif. II *bw* intransitivement. **—komelijk** insurmontable. **—win(ne)lijk** invincible ; (*v. bezwaar*) insurmontable. **—zichtelijk** compliqué ; *—e bocht*, virage *m* sans visibilité. ▼**—zienbaar** à perte de vue.
onpartijdig *bn* (& *bw*) impartial (ement). ▼**—heid** impartialité *v*. **onpas** : *te —*, mal à propos.
onpasselijk indisposé ; *— worden*, se sentir mal ; *— zijn*, avoir mal au cœur. ▼**—heid** indisposition ; nausée *v*. **onpeilbaar** insondable.
onpersoonlijk *bn* (& *bw*) impersonnel(lement). ▼**—heid** impersonnalité *v*.
onplezierig désagréable. **onpraktisch** *bn* (& *bw*) peu pratique(ment).
onraad danger *m* ; *—!*, alerte !
onrecht injustice *v*, tort *m*. ▼**—matig** *bn* (& *bw*) injuste(ment), illégitime(ment). ▼**—vaardig** *bn* (& *bw*) injuste(ment). ▼**—vaardigheid** injustice *v*.
onredelijk *bn* (& *bw*) 1 déraisonnable(ment) ; 2 injuste(ment). ▼**—heid** déraison ; injustice *v*.
onregelmatig I *bn* irrégulier ; (*v. maandstonden*) mal réglé. II *bw* irrégulièrement. ▼**—heid** irrégularité, anomalie *v*.
onrein 1 impur ; 2 impudique. ▼**—heid** 1 impureté, immondice ; 2 impudicité *v*.
onrijp vert ; qui n'est pas mûr ; prématuré.
onroerend immeuble ; *— goed*, bien-fonds *m* ; *mv* biens-fonds ; *—goedmaatschappij*, société *v* immobilière.
onrust 1 inquiétude ; agitation *v* ; 2 (*v. uurwerk*) balancier *m* ; 3 personne *v* remuante. ▼**—barend** I *bn* inquiétant, alarmant. II *bw* d'une façon alarmante. ▼**—ig** I *bn* 1 inquiet ; 2 agité ; 3 séditieux ; *—e nacht*, nuit *v* agitée. II *bw* d'une manière agitée ; *— slapen*, dormir d'un sommeil inquiet. ▼**—stoker** agitateur, fauteur *m* de troubles.
ons I *zn* hectogramme *m*. II *vnw* nous ; notre, nos ; *de onze*, le (*of* la) nôtre ; *bij — thuis*, chez nous ; *onder — gezegd*, soit dit entre nous.
onsamenhangend I *bn* incohérent, décousu ; *het —e*, le décousu. II d'une façon décousue, sans cohérence. **onschadelijk** innocent, anodin, inoffensif ; *— maken*, mettre hors d'état de nuire. **onschatbaar** inestimable.

onscheidbaar *bn* (& *bw*) inséparable(ment). **onschendbaar** inviolable. **onscherp** (*v. foto*) flou.
onschuld innocence ; ingénuité *v* ; *zijn — bewaren*, conserver son innocence ; *in alle —*, sans penser à mal. ▼**—ig** I *bn* innocent (de) ; ingénu ; inoffensif. II *bw* innocemment.
onsmakelijk I *bn* 1 fade, insipide ; 2 peu appétissant. II *bw* sans goût. ▼**—heid** 1 insipidité, fadeur *v* ; 2 mauvais goût. **onsportief** anti-sportif.
onstandvastig I *bn* inconstant, instable, variable. II *bw* inconstamment. ▼**—heid** inconstance *v*.
onsterfelijk *bn* (& *bw*) immortel(lement). ▼**—heid** immortalité *v*.
onsterk peu solide. **onstoffelijk** immatériel.
onstuimig I *bn* impétueux, violent, fougueux ; *—e zee*, mer *v* houleuse. II *bw* impétueusement, orageusement. **onsympathiek** *bn* (& *bw*) (d'une manière) peu sympathique.
ontaard dénaturé, dégénéré. ▼**—en** dégénérer ; se corrompre. ▼**—ing** dégénérescence *v*.
ontastbaar impalpable, insaisissable.
ont/beren manquer de. ▼**—bering** privation *v* ; *— v. moeder (vader)*, carence *v* maternelle (paternelle).
ontbieden mander, faire venir.
ontbijt petit déjeuner *m* ; *het — gebruiken*, prendre le petit déjeuner. ▼**—en** déjeuner. ▼**—koek** pain *m* d'épice. ▼**—servies** déjeuner *m*.
ontbind/baar dissoluble. ▼**—baarheid** dissolubilité *v*. ▼**—en** 1 délier, détacher, défaire ; 2 (*kracht, stof, formule*) décomposer ; 3 (*huwelijk, kamer, koop*) dissoudre. ▼**—end** dissolvant. ▼**—ing** 1 détachement *m* ; 2 décomposition ; 3 dissolution *v* ; *tot — overgaan*, entrer en décomposition.
ont/bloot dénudé ; *— van*, dénudé de (*bon sens*) ; dépourvu de (*moyens*). ▼**—bloten** dénuder, mettre à nu ; priver (de), dégarnir ; *het hoofd —*, se découvrir. ▼**—bloting** mise *v* à nu, dénûment *m*.
ontboezem/en épancher. ▼**—ing** épanchement *m*.
ont/bossen déboiser. ▼**—bossing** déboisement *m*.
ontbrand/baar inflammable. ▼**—en** prendre feu, s'enflammer ; (*fig.*) brûler (d'amour). ▼**—ing** inflammation ; (*fig.*) déflagration *v*.
ontbrek/en I *on.w* manquer (à qn, de qc), faire défaut ; *er — verscheidene brieven*, il manque plusieurs lettres ; *het ontbreekt hem aan geld*, il manque d'argent ; *het zich aan niets laten —*, ne se priver de rien ; II *zn* : *het —*, le manque ; (*mil.*) le manque (à l'appel). ▼**—end** manquant ; *het —e*, ce qui manque ; le déficit.
ont/cijferen déchiffrer. ▼**—cijfering** déchiffrement *m*. ▼**—daan** défait, décomposé ; *— van*, débarrassé de, libre de.
ontdekk/en découvrir. ▼**—er** découvreur ; inventeur *m*. ▼**—ing** découverte *v*. ▼**—ingsreis** voyage *m* d'exploration ; *een — maken in*, explorer. ▼**—ingsreiziger** explorateur *m*.
ont/doen I *ov.w* défaire. II *zich — van** ôter, se défaire de, se débarrasser de. **—dooien** dégeler ; se fondre. **—duiken** éviter (en se baissant) ; (*fig.*) éviter, tourner (la loi), éluder (une question) ; *belasting —*, frauder (sur le fisc). ▼**—duiking** fraude *v*.
ontegenzeglijk *bn* (& *bw*) incontestable(ment), sans contredit.
ont/eigenen exproprier (de) ; nationaliser. ▼**—eigening** dépossession *v* ; nationalisation *v* ; *— ten algemenen nutte*, expropriation *v* pour cause d'utilité publique.
ontelbaar *bn* (& *bw*) innombrable(ment). **ontembaar** indomptable.
ont/eren 1 déshonorer, violer ; 2 (*lasteren*) diffamer ; 3 profaner. ▼**—ering** diffamation ; violation *v*. ▼**—erven** déshériter.

ontevreden mécontent (de); — maken,
mécontenter. ▼—heid mécontentement m.
ont/fermen: zich — over, 1 avoir pitié de;
2 recueillir. ▼—ferming miséricorde, pitié v.
ont/futselen escamoter. —gaan échapper
(à); éviter. —gelden payer pour, porter la
peine de; iem. iets laten —, s'en prendre à qn
de qc. —ginnen défricher. ▼—ginning
défrichement m; exploitation v. —glippen
échapper (à), glisser entre les mains.
—gloeien s'allumer, s'enflammer.
—goochelen désabuser, désillusionner.
ont/groenen brimer; déniaiser, bizut(h)er.
▼—groening brimade v.
ont/haal accueil m; festin m; een gunstig —
vinden, être favorablement accueilli.
▼—halen 1 accueillir; 2 régaler (de glaces).
ont/haren (d)épiler. ▼—haring épilation v;
—smiddel, dépilatoire m.
onthecht/en renoncer. ▼—ing renoncement
m; een leven van —, une vie d'ascèse v.
ontheemde personne v déplacée.
ont/heffen 1 (v. verplichting) libérer,
délivrer; 2 (vrijstellen) exempter (de),
dispenser (de); iem. van zijn ambt —, relever
qn de ses fonctions; van zijn geloften —,
délier de ses voeux. ▼—heffing 1 (v. last)
décharge; 2 (vrijstelling) dispensation;
exonération v.
ontheilig/en profaner. ▼—ing profanation v.
onthoofden décapiter.
onthoud/en I ov.w 1 priver (qn de qc);
2 (inhouden) retenir; 3 retenir, se rappeler; ik
zal het —, j'en prends note; iem. iets helpen
—, faire souvenir qn de qc. II zich iets —, se
priver de qc; zich — (van), s'abstenir (de).
▼—ing 1 abstinence; 2 (afzien van)
abstention; 3 (seksuele) continence v.
▼—ingsdag jour m d'abstinence.
ont/hullen 1 inaugurer (une statue);
2 découvrir; révéler. ▼—hulling
1 inauguration; 2 révélation v.
ont/hutsen déconcerter. ▼—hutst ébahi,
interdit.
ontij: bij nacht en —, à des heures indues.
▼—dig I bn inopportun; (accouchement)
avant terme. II bw inopportunément.
ontkenn/en nier; men kan niet —, on ne
saurait nier. ▼—end I bn négatif. II bw
négativement; — antwoorden, répondre par
la négative. ▼—ing négation; dénégation v.
ontketenen déchaîner; (fig.) déclencher.
ontkiem/en germer. ▼—ing germination v.
ont/kleden (zich) (se) déshabiller.
▼—kleding déshabillage m.
ontkleur/en décolorer. ▼—ing décoloration
v. ▼—ingsmiddel décolorant m.
ont/knopen dénouer. ▼—knoping
dénouement m, solution v. —komen
échapper (à). —koppelen débrayer.
▼—koppeling débrayage m. —kurken
déboucher.
ontlaadtang excitateur m. ▼ontlad/en
décharger. ▼—er excitateur m. ▼—ing
déchargement; (elektr.) décharge v.
▼—ings— (zie onder).
ontlast/en I ov.w décharger; soulager (qn);
(een weg v. verkeer) délester. II zich — se
décharger (de). ▼—end (med.) purgatif;
(jur.) à décharge. ▼—ing 1 décharge v;
soulagement; dégrèvement m; 2 selles v mv;
— hebben, aller à la selle.
ontled/en analyser; disséquer (un cadavre).
▼—ing analyse; dissection v.
▼ontleed/kamer amphithéâtre m de
dissection. ▼—kunde anatomie v.
▼—kundig bn (& bw) anatomique(ment).
▼—kundige anatomiste m. ▼—mes scalpel
m. ▼—tafel table v de dissection.
ont/lenen emprunter (qc à qn). ▼—lening
emprunt m. —lokken tirer (qc de qn),
arracher (qc à qn). —lopen échapper (à),
fuir; (fig.) différer. —luiken s'épanouir, (fig.)
naître. —luizen épouiller. ▼—luizing
épouillage m. —maagden déflorer.
—mannen châtrer. —mantelen démanteler.

▼—manteling démantèlement m.
—maskeren démasquer. —menselijking
déshumanisation v. —moedigen
décourager. ▼—moediging découragement
m.
ontmoet/en rencontrer. ▼—ing rencontre v.
▼—ingscentrum centre m d'accueil.
ontmythologiseren démythifier.
ontnemen enlever, prendre, ôter; iem. het
bevel —, retirer le commandement à qn.
ontnuchter/en dégriser; (fig.)
désillusionner. ▼—ing dégrisement m;
désillusion v.
ontoegankelijk inaccessible. ▼—heid
inaccessibilité v.
ontoelaatbaar inadmissible. ontoereikend
I bn insuffisant. II bw insuffisamment.
ontoerekenbaar irresponsable.
ontoonbaar déplorable.
ontpitten dénoyauter.
ontplof/baar explosif. ▼—fen exploser,
éclater. ▼—fend explosif. ▼—fing explosion,
détonation v. ▼—fingsmiddel explosif,
détonant m.
ont/plooien I ov.w déplier (un mouchoir);
déployer (ses ailes). II zich — se déployer.
—poppen (zich): — als, se révéler
(comme). —rafelen effiler, érailler.
—ratten dératiser.
ont/reddert délabré. ▼—reddering
délabrement, désarroi m.
ontrieven priver (de), incommoder; als ik u
niet ontrief, si cela ne vous gêne pas.
ontroer/d I bn ému. II bw d'une voix altérée.
▼—en I ov.w émouvoir. II on.w s'émouvoir.
▼—end I bn émouvant. II bw d'une façon
émouvante. ▼—ing émotion v.
ontrollen 1 dérouler; 2 (stelen) escamoter.
ontromen écrémer.
ontroostbaar inconsolable (de). ▼—heid
désolation v.
ontrouw I bn infidèle; — worden, tromper,
manquer à, trahir. II zn infidélité, trahison v.
ont/roven dérober, enlever. —ruimen
évacuer, vider, désencombrer; quitter.
▼—ruiming évacuation v. —rukken
arracher (à qn, de qc). —schepen débarquer.
▼—scheping débarquement m. —schieten
échapper (à); dat is mij ontschoten, cela m'a
passé par la tête. —sieren déparer; défigurer.
ontslaan 1 (uit betrekking) congédier;
renvoyer; licencier; destituer (un
fonctionnaire) de sa charge; 2 (uit
gevangenis) relâcher, élargir; iem. van zijn
belofte —, délier qn de sa promesse; van
rechtsvervolging —, rendre un non-lieu.
▼ontslag 1 licenciement, renvoi m;
destitution, démission v; 2 (uit
gevangenschap) élargissement m; zijn —
nemen, — indienen, donner sa démission; —
vragen, offrir sa démission. ▼—aanvrage
démission v. ▼—brief lettre v de démission.
▼—en débarrassé (de).
ontsluieren dévoiler.
ontsluiten I ov.w ouvrir. II zich — s'ouvrir.
ontsmett/en désinfecter. ▼—ing
désinfection v. ▼—ingsmiddel désinfectant
m.
ontsnapp/en (s')échapper; s'évader. ▼—ing
fuite, évasion v. ▼—ingsweg filière v
d'évasion.
ontspann/en I ov.w détendre, relâcher,
relaxer; (fig.) distraire, récréer. II zich — se
détendre, se décontracter. III bn décontracté.
▼—ing détente v; relâchement m; relaxation,
récréation v. ▼—ingslokaal salle v de
récréation.
ontspiegeld traité antireflet.
ont/spinnen (zich) s'engager. —sporen
dérailler; (fig.) se dévoyer. ▼—sporing
déraillement m. —spruiten pousser, germer;
(fig.) naître; être issu (de).
ontstaan I on.w naître, s'élever; se faire, se
former; er ontstond een stilte, il se fit un
silence; de brand is — in, le feu a pris (of s'est
déclaré) dans; doen —, faire naître. II zn

naissance, origine ; formation ; genèse v.
ontstek/en I ov.w allumer, enflammer.
II on.w prendre feu ; in liefde —, s'enflammer
(pour). **▼—ing** inflammation v ; (motor)
allumage m. **▼—ingsbuis** fusée v.
ont/steld consterné, alarmé. **—stelen** voler,
dérober. **—stellen I** ov.w consterner,
déconcerter. **II** on.w se déconcerter,
s'alarmer. **▼—steltenis** consternation v.
ontstem/d 1 (muz.) désaccordé ; **2** (fig.) de
mauvaise humeur. **▼—dheid** mauvaise
humeur v. **▼—men 1** désaccorder ; **2** (fig.)
indisposer (contre). **—ming 1** désaccord
m ; **2** mauvaise humeur ; **3** (hand.) gêne v.
ontstentenis : bij — van, à défaut de.
ont/stichten scandaliser, choquer. **—storen**
antiparasiter. **—takelen** dégarnir ; démonter.
onttrekk/en I ov.w **1** retirer, soustraire ;
2 (ontnemen) enlever ; soutirer (de la
chaleur). **II zich — (aan)** se soustraire (à), se
dérober (aux regards). **▼—ing** soustraction v.
—tronen détrôner.
ontucht impudicité, débauche v. **▼—ig** bn (&
bw) impudique(ment).
ontuig 1 rebut m ; **2** canaille v.
ontvallen glisser de la main, échapper (à) ;
zijn moeder is hem vroeg —, sa mère lui a été
enlevée dans son enfance.
ontvang/bewijs récépissé, reçu m. **▼—dag**
jour m. **▼—en I** ov.w **1** recevoir : **2** (gast)
accueillir ; **3** (belasting) percevoir ;
4 concevoir (un enfant) ; geld —, toucher de
l'argent. **II** on.w recevoir. **▼—enis** : de
Onbevlekte O—, l'Immaculée Conception v.
▼—er 1 receveur ; percepteur ; **2** (bak)
récipient m ; **3** (radio) récepteur m ; **4** (v. brief)
destinataire m. **▼—kamer** salon m (de
réception). **▼—kantoor** recette ; perception
v. **▼—schérm** écran m récepteur. **▼—st
1** réception ; **2** accueil m ; **3** (geld) recette v ;
bij de — van deze, au reçu de la présente ; in
— nemen, accepter ; prendre livraison de ;
voor —, pour acquit. **▼—station** poste m
récepteur. **▼—stbericht** accusé m de
réception. **▼—toestel** récepteur m.
▼ontvankelijk 1 (jur.) recevable ;
2 susceptible ; réceptif ; voor een ziekte —
maken, prédisposer à une maladie. **▼—heid
1** (jur.) recevabilité ; **2** susceptibilité ;
ouverture v d'esprit.
ont/veinzen dissimuler. **—vellen** écorcher.
▼—velling écorchure v. **—vetten**
dégraisser, dessuinter. **▼—vettingskuur**
régime m amaigrissant. **—vlambaar**
inflammable. **▼—vlammen I** ov.w
enflammer. **II** on.w s'enflammer. **—vlekken**
détacher, dégraisser. **▼—vlekkingsmiddel**
détachant m. **—vlezen** décharner.
ontvlucht/en I on.w s'enfuir, se sauver.
II ov.w fuir, éviter. **▼—ing** fuite, évasion v.
ontvoer/der ravisseur m. **▼—en** enlever, ravir.
▼—ing enlèvement, rapt m ; — van
minderjarige, détournement m de mineur.
ontvolk/en dépeupler. **▼—ing** dépeuplement
m.
ontvoogden émanciper.
ontvouw/en déplier, déployer ; (fig.) exposer,
développer m. **▼—ing** déploiement m ; (fig.)
exposition, explication v.
ontvreemd/en dérober. **▼—ing** vol m.
ontwaken on.w s'éveiller, se réveiller ; doen
—, (r)éveiller. **II** zn : het —, le réveil m.
ontwapen/en désarmer. **▼—ing**
désarmement m.
ont/warren débrouiller, démêler. **—wassen** :
de kinderschoenen —, sorti de l'enfance.
ontwater/en drainer. **▼—ing** drainage m.
ontwenn/en I ov.w déshabituer de,
désintoxiquer. **II** on.w se déshabituer de.
▼—ingskuur cure v de désintoxication.
ontwerp 1 projet m ; **2** (schets) ébauche v ;
3 (sbeek) devis m. **▼—en 1** projeter ;
2 ébaucher, tracer le plan de. **▼—er** auteur
(du projet).
ontwijd/en profaner. **▼—er** profanateur m.
▼—ing profanation v.

ontwijfelbaar bn (& bw) indubitable(ment).
ontwijk/en bn éviter ; éluder (la difficulté) ;
esquiver. **▼—end I** bn évasif. **II** bw
évasivement. **▼—ing** esquive v.
ontwikkel/aar révélateur m. **▼—en I** ov.w
développer ; déployer (ses forces) ; instruire,
cultiver (l'esprit) ; produire, dégager (de la
chaleur). **II zich —** se développer ; se faire ;
s'instruire ; se former ; se dégager. **▼—ing**
développement m ; instruction, culture v ;
évolution v ; dégagement m. **▼—ingscursus**
cours m d'enseignement général.
▼—ingsgang évolution v. **▼—ingsfonds**
fonds m de développement. **▼—ingshulp**
coopération, aide v au développement.
▼—ingsland pays m en voie de
développement.
ont/worstelen I ov.w arracher. **II zich — aan**
s'arracher de. **—wortelen** déraciner.
—wrichten déboîter, disloquer ; (fig.)
désorganiser. **▼—wrichting** (fig.)
désorganisation v. **—wringen** arracher à.
ontzag respect ; prestige m. **▼—lijk I** bn
imposant ; redoutable ; énorme, immense.
II bw énormément ; prodigieusement.
▼—lijkheid immensité v. **▼—wekkend** zie
—lijk.
ont/zegelen décacheter ; (jur.) lever les
scellés de. **—zeggen 1** refuser ; **2** (verbieden)
interdire ; zich iets —, se refuser qc, se priver
de qc. **—zenuwen** énerver ; réfuter (un
argument) ; neutraliser (une influence).
▼—zenuwing énervement m ; réfutation v.
ontzet I délivrance, levée v d'un siège. **II** bn
épouvanté. **▼—ten I** ov.w **1** (v. stenen) se
disjoindre ; **2** (v. machinedeel) se fausser.
II ov.w **1** (ontwrichten) fausser ; **2** (uit bezit)
déposséder (qn) de ; **3** (uit ambt) destituer ;
4 délivrer, dégager, faire lever le siège ;
5 (ontstellen) alarmer, épouvanter ; uit de
ouderlijke macht ontzet, déchu de la
puissance parentale. **▼—tend I** bn affreux,
terrible, épouvantable ; énorme. **II** bw
affreusement, terriblement ; énormément,
prodigieusement. **▼—ting 1** dépossession ;
2 destitution ; **3** délivrance ; **4** épouvante v ; —
uit de ouderlijke macht, déchéance v de la
puissance parentale. **▼—tingsleger** armée v
de secours.
ontzield inanimé.
ontzien 1 respecter, **2** redouter, craindre ;
3 ménager, épargner ; geen kosten —, ne pas
regarder à la dépense.
ontzilt/en dessaler. **▼—ing** dessalement m.
ontzind insensé.
ontzinken échapper (à), abandonner ; de
moed ontzinkt hem, il se décourage.
onuit/blusbaar inextinguible. **—gegeven**
inédit. **—puttelijk** bn (& bw)
inépuisable(ment) ; — zijn over, ne pas tarir
sur. **—roeibaar** inextirpable ; indestructible.
—sprekelijk bn (& bw) inexprimable(ment),
indicible(ment). **—staanbaar I** bn
insupportable ; exaspérant. **II** bw
insupportablement ; — vervelend,
assommant.
onuitvoerbaar irréalisable, impraticable.
▼—voerbaarheid impossibilité v.
onuitwisbaar bn (& bw) ineffaçable(ment).
onvaderlandslievend antipatriotique.
onvast I bn peu ferme ; peu solide ; hésitant,
incertain ; — e schreden, des pas mal assurés ;
—e slaap, sommeil m léger. **II** bw peu
solidement ; (marcher) d'un pas mal assuré.
▼—heid instabilité ; inconstance v.
onvatbaar insaisissable ; — voor, insensible
à ; immunisé contre ; — maken, immuniser.
▼—heid immunité v.
onveilig peu sûr, dangereux ; door een — sein
heenrijden, brûler un disque d'arrêt ; het sein
staat op —, le disque est à l'arrêt. **▼—heid**
insécurité v, péril m.
onverander/d inchangé ; dans le même état.
▼—lijk bn (& bw) invariable(ment),
inaltérable(ment). **▼—lijkheid** invariabilité v.
onverantwoord injustifié. **▼—elijk**

1 irresponsable; **2** impardonnable. ▼**—elijkheid** irresponsabilité v.
onverbeterlijk I bn **1** incorrigible; **2** impeccable; **3** irréparable. **II** bw dans la perfection.
onverbiddelijk bn (& bw) inexorable(ment). ▼**—heid** inexorabilité v.
onverbloemd I bn simple, sincère. **II** bw franchement.
onver/breekbaar, —**brekelijk** bn (& bw) inviolable(ment); indissoluble(ment). ▼**—breekbaarheid** inviolabilité; indissolubilité v.
onver/buigbaar indéclinable. —**dacht 1** insoupçonné; **2** digne de foi.
onver/dedigbaar indéfendable, insoutenable. ▼**—dedigd** sans défense.
onverdeeld I bn entier; indivisé; —**e** aandacht, attention v soutenue. **II** bw en entier; (recht) sans intérêts; sans partage. ▼**—heid** indivision v; in —, par indivis.
onver/diend I bn immérité. **II** bw sans l'avoir mérité. ▼**—dienstelijk** sans mérite.
onverdraag/lijk bn (& bw) insupportable (-ment). ▼**—zaam I** bn intolérant. **II** bw avec tolérance. ▼**—zaamheid** intolérance v.
onverenigbaar incompatible (avec), inconciliable. ▼**—heid** incompatibilité v.
onvergankelijk impérissable, immortel. ▼**—heid** caractère m impérissable, immortalité v.
onver/geeflijk impardonnable. —**gelijkelijk** bn (& bw) incomparable(ment). —**getelijk** inoubliable.
onver/hoeds I bn inattendu, imprévu. **II** bw à l'improviste, au dépourvu. —**holen I** bn manifeste, ouvert. **II** bw manifestement, à découvert. —**hoopt I** bn inespéré; inopiné. **II** bw contre toute attente. —**jaarbaar** imprescriptible. —**kiesbaar** inéligible.
onverklaarbaar bn (& bw) inexplicable(ment). ▼**—heid** inexplicabilité v.
onverkoopbaar 1 (v. artikel) invendable; **2** (v. effecten) innégociable. —**kort** en entier intégral; intact. —**krijgbaar** introuvable. —**kwikkelijk** fâcheux, désagréable. —**laat** scélérat m. —**meld** — laten, passer sous silence. —**mengd** sans mélange. —**mijdelijk** bn (& bw) inévitable(ment), fatal(ement); zich in het — e schikken, se faire une raison. —**minderd I** bn entier, sans diminution. **II** vz sauf, sans préjudice de.
onvermoeibaar bn (& bw) infatigable(ment). ▼**—moeibaarheid** infatigabilité v. ▼**—moeid I** bn non fatigué. **II** bw sans se lasser.
onvermogen impuissance v; — om te betalen, insolvabilité v; bewijs van —, certificat m d'indigence. ▼**—d I** bn **1** impuissant; **2** indigent; school voor —en, école v gratuite.
onvermurwbaar inexorable, inflexible. ▼**—heid** inexorabilité v.
onverricht inexécuté; —er zake, sans résultat; —er zake weggaan, s'en aller comme on est venu.
onversaagd intrépide. ▼**—heid** intrépidité v.
onverschillig I bn indifférent; dat is mij —, ce m'est égal; geef me een boek, — welk, donnez-moi un livre quelconque; — wie, n'importe qui; — laten, laisser froid. **II** bw indifféremment. ▼**—heid** indifférence v.
onverschrokken bn (& bw) intrépide(ment), hardi(ment). ▼**—heid** intrépidité v.
onverslijtbaar inusable.
onversneden pur, non coupé.
onverstaanbaar bn (& bw) inintelligible(ment). ▼**—heid** inintelligibilité v.
onverstand inintelligence; bêtise v. ▼**—ig I** bn inintelligent; imprudent. **II** bw inintelligemment, peu prudemment. ▼**—igheid** inintelligence; imprudence, bêtise v.
onver/stoorbaar bn (& bw)

imperturbable(ment). —**taalbaar** intraduisible. —**teerbaar** indigeste. —**togen** indécent, offensant. —**vaard** zie —schrokken. —**valst** authentique; pur. —**voerbaar** intransportable. —**vreemdbaar** inaliénable. —**vulbaar** irréalisable.
onver/wacht inattendu, inopiné, imprévu. ▼**—wachts** inopinément, à l'improviste.
onver/wijld I bn immédiat. **II** bw sans délai. —**woestbaar** indestructible. —**zadelijk** insatiable. ▼**—zadelijkheid** insatiabilité v. ▼**—zadigd** inassouvi; insaturé. —**zettelijk** bn (& bw) inébranlable(ment). ▼**—zettelijkheid** ténacité; intransigeance v. —**zoenlijk** bn (& bw) irréconciliable(ment). —**zorgd 1** sans ressources, sans moyens de subsistance; **2** mal soigné. —**zwakt** dans toute sa force; avec la même vigueur.
onvindbaar introuvable. **onvoegzaam** zie **onbetamelijk**.
onvol/daan peu satisfait, mécontent. —**doende I** bn insuffisant. **II** bw insuffisamment. **III** zn note v insuffisante. —**dragen** né avant terme; (fig.) inachevé. —**komen** bn (& bw) imparfait (ement). ▼**—komenheid** imperfection v. —**ledig I** bn incomplet. **II** bw incomplètement. —**maakt** zie —komen. —**prezen** au-dessus de tout éloge. —**tallig** incomplet; de vergadering is —, l'assemblée n'est pas en nombre. —**tooid 1** inachevé; **2** (gram.) imparfait; — tegenwoordige tijd, présent m; — toekomende tijd, futur m simple; — verleden tijd, imparfait m.
onvoor/bereid sans préparation; — samenstellen, improviser. —**delig I** bn peu avantageux, peu profitable. **II** bw peu profitablement. —**waardelijk I** bn inconditionné. **II** bw sans réserve, sans conditions.
onvoorzichtig I bn imprudent. **II** bw imprudemment. ▼**—heid** imprudence v.
onvoorzien imprévu; behoudens —e omstandigheden, sauf imprévu.
onvriendelijk bn (& bw) peu aimable(ment), inamical(ement). ▼**—heid** mauvaise grâce, désobligeance v.
onvrij I bn forcé, gêné; dangereux; où l'on est exposé à tous les regards. **II** zn: —e, serf, esclave m. ▼**—willig I** bn involontaire, forcé; instinctif. **II** bw involontairement, de force; instinctivement.
onvrouwelijk peu féminin, (d'une manière) peu digne d'une femme. **onvruchtbaar** stérile, infertile. ▼**—heid** stérilité, infertilité v. ▼**—making** stérilisation v.
onwaar I bn faux, mensonger. **II** bw contrairement à la vérité. ▼**—achtig I** bn faux, controuvé. **II** bw faussement. ▼**—achtigheid** duplicité v. —**de: van —** verklaren, déclarer nul; van — zijn, être nul. ▼**—deerbaar** inappréciable, inestimable. ▼**—dig** bn (& bw) indigne(ment). ▼**—digheid** indignité v. —**heid** fausseté, inexactitude v; mensonge m. —**neembaar** bn (& bw) imperceptible(ment). —**schijnlijk** bn (& bw) invraisemblable(ment). ▼**—schijnlijkheid** invraisemblance v.
onwankelbaar bn (& bw) inébranlable(ment). ▼**—heid** fermeté, stabilité v.
onweer orage m. ▼**—achtig** orageux; het ziet er — uit, le temps est à l'orage. —**legbaar** bn (& bw) irréfutable(ment); sans réplique. —**sbui** pluie v d'orage, orage m. ▼**—slucht** ciel m orageux. —**staanbaar** bn (& bw) irrésistible(ment). ▼**—staanbaarheid** irrésistibilité v. —**swolk** cirrus m à panaches; nuage m noir.
onwel indisposé, incommodé, pas bien. —**kom** importun, fâcheux, qui arrive mal à propos. —**levend I** bn (& bw) impoli(ment). ▼**—levendheid** impolitesse v. —**luidend I** bn peu harmonieux; peu mélodieux. **II** bw peu harmonieusement. —**voeglijk I** bn

inconvenant, indécent. **II** *bw* indécemment.
▼—**voeglijkheid** inconvenance, indécence
v. —**willend I** *bn* malveillant. **II** *bw* sans
bienveillance.

onwennig désorienté, dépaysé ; mal à l'aise.
onweren faire un orage ; *het onweert*, il fait de
l'orage. **onwerkelijk** irréel.
onwet/end *bn* ignorant. ▼—**dheid** ignorance *v.*
▼—**s** sans le savoir, à son insu.
▼—**schappelijk** *bn* (& *bw*) peu
scientifique(ment).
onwett/elijk illégitime. ▼—**elijkheid**
illégitimité *v.* ▼—**ig** *bn* (& *bw*)
illégal(ement) ; illicite(ment) ; — *kind*, enfant
naturel. ▼—**igheid** illégalité *v.*
onwezenlijk irréel, imaginaire ; non essentiel.
▼—**heid** inexistence ; irréalité *v.*
onwijs I *bn* insensé ; sot, bête ; imprudent.
II *bw* sottement ; imprudemment.
onwil mauvaise volonté, obstination *v.*
▼—**lekeurig** *bn* (& *bw*) involontairement,
automatique(ment). ▼—**lens**
involontairement, malgré soi ; *willens of* —,
bon gré mal gré. ▼—**lig I** *bn* indocile, rétif ;
peu disposé (à). **II** *bw* à contrecœur, de
mauvaise grâce.
onwrikbaar *bn* (& *bw*) inébranlable(ment),
ferme(ment) ; *een* — *geloof*, une foi robuste.
▼—**heid** fermeté *v* inébranlable.
onyx onyx *m.*
onzacht *bn* (& *bw*) rude(ment), dur(ement).
onzalig funeste, fatal ; *op de* —*e gedachte
komen om*, avoir la fâcheuse idée de.
onze notre ; *de* —, *het* —, le (la) nôtre.
onzedelijk *bn* (& *bw*) immoral(ement) ;
impudique(ment). ▼—**heid** immoralité ;
impudicité *v.* ▼**onzedig** *bn* (& *bw*)
immodeste(ment) ; indécent. ▼—**heid**
immodestie *v.*
onzeewaardig innavigable.
onzegbaar *bn* (& *bw*) indicible(ment).
onzeker I *bn* incertain ; précaire ; (*onvast*) mal
assuré. **II** *bw* incertainement. ▼—**held**
incertitude *v* ; état *m* précaire ; *iem. in de*
laten, laisser qn en suspens.
onzelfstandig I *bn* dépendant. **II** *bw* sans
initiative personnelle. ▼—**heid** dépendance *v*,
manque *m* d'initiative.
onzelfzuchtig désintéressé ; généreux.
▼—**heid** désintéressement *m* ; générosité *v.*
Onze-Lieve-/Heer le Bon Dieu. ▼—**Vrouw**
Notre Dame ; la (Sainte) Vierge ; — *van*
altijd-durende bijstand, Notre Dame de bon
Secours.
onzent : *te*(*n*) —, chez nous. ▼—**wege** : *van*
—, 1 quant à nous ; 2 de notre part. ▼—**wil** :
om —, pour nous. ▼**onzerzijds** de notre côté,
- part. ▼**onzevader** (*rk*) Pater *m* ; (*prot.*)
oraison *v* dominicale.
onzichtbaar *bn* (& *bw*) invisible(ment).
▼—**heid** invisibilité *v.*
onzijdig *bn* (& *bw*) neutre, impartial(ement).
▼—**heid** neutralité, impartialité *v.*
onzin nonsens *m*, absurdité *m* ; — *praten*, —
uitslaan, déraisonner, divaguer ; *dat zou* —
zijn, ce serait absurde. —**delijk** *bn* (& *bw*)
malpropre(ment). —**delijkheid**
malpropreté *v.* —**nig I** *bn* insensé, absurde,
inepte. **II** *bw* absurdement. ▼—**nigheid** folie,
extravagance, absurdité *v.*
onzuiver impur, malpropre ; faux ; (*v. gewicht*)
brut ; impudique. ▼—**heid** impureté ;
fausseté ; impudeur *v.*
ooft fruits *m mv.* ▼—**boom** arbre *m* fruitier.
▼—**bouw** culture *v* de fruits.
oog 1 œil *m* (*mv yeux*) ; 2 (*blik*) regard *m*, vue
v ; 3 (*v. naald*) trou *m* ; (*v. haak*) porte *v*
d'agrafe ; *zijn ogen bederven*, se gâter la vue ;
zijn ogen niet kunnen geloven, ne pas en
croire ses yeux ; *blauwe ogen hebben*, avoir
les yeux bleus ; *de ogen neerslaan*, baisser les
yeux ; *de ogen sluiten voor*, fermer les yeux
sur ; *iem. de ogen uitsteken*, faire crever qn de
jalousie ; *hem in het* — *houden*, le garder à
vue ; *in het* — *lopen*, — *vallen*, sauter aux
yeux ; se faire remarquer ; *in het* — *vallend*,

apparent ; *met het* — *op*, en vue de, en
considération de ; *iem. onder de ogen komen*,
se présenter devant qn ; *de dood onder de*
ogen zien, regarder la mort en face ; *op het* —
schatten, juger de l'œil ; *goed uit zijn ogen*
kijken, savoir tenir les yeux ouverts ; *uit het* —,
uit het hart, loin des yeux, loin du cœur ; *uit*
het — *verliezen*, perdre de vue ; *voor ogen*
houden, avoir présent à l'esprit ; *zover het* —
reikt, à perte de vue. ▼**oog/appel** prunelle *v.*
▼—**arts** médecin *m* ophtalmologiste. ▼—**bad**
œillère *v.* ▼—**druppels** collyre *m.*
▼—**getuige** témoin oculaire *m* ; — *zijn van*,
voir de ses propres yeux. ▼—**glas** oculaire ;
monocle ; lorgnon *m.* ▼—**haar** cil *m.*
▼—**heelkunde** ophtalmologie *v.*
▼—**heelkundig** ophtalmologique. ▼—**hoek**
coin *m* de l'œil. ▼—**holte** orbite *v.* ▼—**je**
1 petit œil ; 2 (*veter*—) œillet *m* ; 3 (*lonkje*)
œillade ; *een* — *op iem. hebben*, avoir des
vues sur qn ; —*s geven*, lancer des œillades,
faire les yeux doux (à qn) ; *een* — *dicht doen*,
fermer l'œil (sur). ▼—**jesgoed** toile *v* à œil de
perdrix. ▼—**kas** orbite *v.* ▼—**klep** œillère *v.*
▼—**lid** paupière *v.* ▼—**lijder** malade *m* des
yeux. ▼—**lijk** joli, appétissant. ▼—**luikend** en
faisant semblant de ne rien voir ; — *toelaten*,
fermer les yeux (sur qc). ▼—**opslag** 1 coup
d'œil ; 2 œil, regard *m* ; *bij de eerste* — , au
premier abord. ▼—**punt** point *m* de vue ; *uit*
dat —, de ce point de vue ; *sous ce biais* ; *uit*
het — *van*, au point de vue de. ▼—**schaduw**
ombra̲w à paupières.
oogst 1 récolte ; 2 (*v. koren*) moisson ;
3 (*wijn*—) vendange ; 4 (*pluk*) cueillette *v.*
▼—**en I** *ov.w* récolter, moissonner ; (*fig.*)
recueillir. **II** *on.w* faire la récolte. ▼—**er**
moissonneur *m.* ▼—**maand** août *m.* ▼—**ster**
moissonneuse *v.* ▼—**tijd** (temps *m* de la)
récolte, moisson *v.*
oog/verblindend éblouissant. ▼—**wenk** clin
m d'œil. ▼—**wimper** cil *m.*
ooi brebis *v.* ▼—**evaar** cigogne *v.*
ooit jamais ; *zo* —, *dan moet men nu*, c'est le
cas ou jamais de ...
ook aussi ; — *al* (*deed hij*), encore que (*met*
subj.) ; *zij* — *al*, elle aussi ; — *niet*, pas non
plus ; (*eveneens*) ne pas aussi ; *het is* — *wat !*,
la belle affaire ! ; *hoe heet hij* — *weer ?*,
comment s'appelle-t-il donc ? ; *hij heeft het* —
gedaan, il en a fait autant ; (*met anderen*) il l'a
fait aussi ; *dat is waar* —, c'est pourtant vrai,
en effet ; *o ja, dat is waar* —, j'y songe ; *dat is*
— *zo*, c'est cela, c'est vrai ; *hij is altijd*
opgeruimd, zij houdt dan — *veel van hem*, il
est toujours gai, aussi l'aime-t-elle beaucoup.
oom oncle *m* ; (*aanspreking*) mon oncle ; *de*
hoge omes, les gros bonnets ; *de grosses*
légumes.
oor 1 oreille ; 2 (*v. kopje enz.*) anse ; 3 (*in*
boek) corne *v* ; *geheel* — *zijn*, être tout
oreilles ; *zijn oren niet geloven*, ne pas en
croire ses oreilles ; *hij heeft wel oren naar*, il ne
dit pas non ; *een open* — *hebben voor*,
accueillir favorablement ; *haar iets in het* —
fluisteren, lui souffler qc à l'oreille ; *iets in zijn*
oren knopen, prendre bonne note de qc ; *het is*
op een — *na gevild*, autant vaut fait ; *ter ore*
komen, arriver aux oreilles de (qn) ; *tot over*
de oren, (rougir) jusqu'aux cheveux ;
éperdûment (amoureux) ; *tot over de oren in*
de schulden steken, être criblé de dettes.
▼**oor/arts** auriste *m.* ▼—**bel** pendant *m* -,
boucle *v* d'oreille.
oord lieu, endroit, site ; climat *m* ; région *v.*
oordeel 1 (*verstand*) jugement,
discernement ; 2 (*vonnis*) jugement *m*,
sentence ; 3 (*mening*) opinion *v*, avis *m* ; *het*
laatste —, le jugement dernier ; *een* —
uitspreken, porter un jugement ; — *vellen*,
juger (de) ; *naar mijn* —, à mon avis ; *naar het*
— *van*, au dire de ; *ik ben van* —, je suis d'avis
(que). ▼—**kundig** *bn* judicieux. **II** *bw*
judicieusement. ▼—**dag** jour *m* du
jugement. ▼**oordelen** 1 juger ; 2 penser ; *te* —
naar, à en juger d'après ; *naar zijn woorden te*

—, à l'en croire; *over iets* —, juger de qc.

oor/getuige témoin m auriculaire.
▼—**hanger** pendant m d'oreille.
▼—**heelkundig** otologique.
▼—**heelkundige** auriste, otologiste m.
▼—**ijzer** casque m. ▼—**knop** dormeuse v, boucle v d'oreille.

oorkonde document, acte, titre m; charte v.
▼—**nkenner** chartiste m.

oorlam goutte v, petit verre m.

oorlog guerre v; *het is* —, nous sommes en guerre; c'est la guerre; *van voor de* —, d'avant-guerre; —*je spelen*, jouer à la guerre. ▼—*en faire la guerre.* ▼**oorlogs/bedrijf**
1 fait d'armes; **2** métier m des armes.
▼—**begroting** budget m de guerre.
▼—**bodem** navire m de guerre.
▼—**correspondent** correspondant m de guerre. ▼—**daad** fait d'armes, fait m de guerre. ▼—**doeleinden** fins v mv de guerre.
▼—**getroffene** sinistré m de guerre.
▼—**gevaar** danger m de guerre. ▼—**haven** port m de guerre. ▼—**hitser** belliciste m.
▼—**invalide** invalide m de guerre.
▼—**misdaad** crime m de guerre.
▼—**misdadiger** criminel m de guerre.
▼—**psychose** psychose v de la guerre.
▼—**recht** droit m de la guerre; - militaire.
▼—**schade** dommages m mv de g. ▼—**schip** vaisseau m de guerre. ▼—**schuld** dette v de guerre. ▼—**slachtoffer** victime v de (la) guerre; sinistré m. ▼—**sterkte** effectif m de guerre. ▼—**terrein** théâtre m de la guerre.
▼—**tijd** temps m de guerre; *in* —, en temps de guerre. ▼—**toestand** état m de guerre.
▼—**tuig** engins m mv de guerre.
▼—**verklaring** déclaration v de guerre.
▼—**verminkte** (grand) mutilé m de g.
▼—**vloot** marine v de g. ▼—**winstbelasting** impôt m sur les bénéfices de guerre.
▼—**winstmaker** profiteur m de (la) guerre.
▼—**zuchtig** belliqueux. ▼**oorlog/voeren** faire la guerre; guerroyer. ▼—**voerend** belligérant.

oor/ontsteking otite v. ▼—**pijn** otalgie v; —*hebben*, avoir mal aux oreilles. ▼—**ring** boucle v d'oreille. ▼—**smeer** cérumen m.

oorsprong source, origine, cause v; commencement, principe m; *zijn* — *vinden in*, avoir son origine dans. ▼**oorspronkelijk**
I bn **1** original; primitif, primordial;
2 originaire (de); **3** originel, qui remonte à l'origine. **II** zn; *het* —, l'original m. **III** bw dans l'origine, - le principe, primitivement.
▼—**heid** originalité v.

oor/suizen tintements m mv d'oreille.
▼—**veeg** gifle v; *een* — *geven*, gifler.
▼—**verdovend** assourdissant.
▼—**verscheurend** qui déchire l'oreille.
▼—**vlies** tympan m. ▼—**worm** perce-oreille, forficule m.

oorzaak 1 cause, raison v; **2** (*aanleiding*) lieu m; *kleine oorzaken hebben dikwijls grote gevolgen*, petites causes, grands effets.
▼**oorzakelijk** causal; — *verband*, rapport m de cause à effet. ▼—**heid** causalité v.

oost I zn est; orient, levant m. **II** bn est, oriental. ▼**O**—-**Azië** l'Extrême-Orient m.
▼**O**—**blok** bloc m des pays de l'Est.
▼**O**—**duits** est-allemand. ▼**O**—**Duitsland** Allemagne v de l'Est. ▼—**einde** extrémité v est. ▼—**elijk** d'est, vers l'est, à l'est; oriental.
▼—**en** est, orient m; *het Nabije O*—, le Proche-Orient; *het Midden-O*—, le Moyen-Orient; *het Verre O*—, l'Extrême-Orient.

Oostenrijk l'Autriche v. ▼—**er** Autrichien m.
▼—**s** autrichien; *een* —*e*, une Autrichienne.

oostenwind vent m d'est. ▼**ooster/lengte** longitude v est. ▼—**ling** Oriental m.
▼**oosters** d'Orient, oriental.

Oostindisch des Indes (Orientales); — *doof zijn*, faire la sourde oreille; —*e inkt*, encre v de Chine; —*e kers*, capucine v.

oost/kant côté m de (l')est. ▼—**kust** côte v orientale. ▼—**noordoost** est-nord-est.

▼—**waarts** vers l'est. ▼**O**—**zee** Baltique v.
▼—**zijde** côté m de (l') est. ▼—**zuidoost** est-sud-est.

ootje petit o; petit cercle m; *iem. in het* — *nemen*, mettre qn dedans.

ootmoed humilité v. ▼—*ig* bn (& bw) humble(-ment). ▼—**igheid** humilité v.

op I vz sur; à, dans, en; — *een avond*, un soir; — *die dag*, ce jour-là; *op zondag, 19 juni*, le dimanche, 19 juin; — *zijn Frans*, à la française; — *zijn kamer*, dans sa chambre; — *het land*, à la campagne; — *een morgen*, un matin; *het niet* — *iem. hebben*, ne pas se fier à qn; — *zee*, sur mer; — *de Noordzee*, dans la mer du Nord; — *deze wijze*, de cette manière; — *het zuiden*, exposé au sud. **II** bw: *hij heeft het* —, il a fini de manger; *we moeten de trap* —, il faut monter l'escalier; — *zijn*, **1** (*uit bed*) être debout; **2** (*vermoeid*) être épuisé (fourbu, à bout de forces); *zijn geld is* —, il n'a plus d'argent; *het gaat* — *en af*, il y a des hauts et des bas; — *en neer*, de long en large; — *en top*, accompli, jusqu'au bout des ongles; *er* —, dessus; *er* — *of er onder*, vaincre ou mourir. **III** tw debout; —*!*, alerte!

opa grand-père, bon-papa.

opaal opale v. ▼—**achtig** opalin.

opbaggeren retirer. **opbakken** faire cuire (*of* frire) de nouveau. **opbellen** appeler, téléphoner, donner un coup de fil.

opberg/en serrer, ranger; remiser.
▼—**meubel** meuble m de rangement.
▼—**ruimte** rangement m.

opbeur/en soulever; lever; (*fig.*) ranimer, réconforter. ▼—**ing** soulèvement m; (*fig.*) consolation v; encouragement m.

opbiechten confesser, dire tout.

opbied/en enchérir; *tegen iem.* —, enchérir sur qn. ▼—**er** renchérisseur m. ▼—**ing** enchère v.

opbinden attacher, relever (les cheveux); accoler (les espaliers); retrousser.

opblaas/baar pneumatique. ▼—**boot** canot m pneumatique. ▼**opblazen I** *ov.w* enfler, gonfler; *een brug* —, faire sauter un pont; (*fig.*) *iets* —, envenimer qc. **II** *zich* — s'enfler, se gonfler.

opblijven ne pas se coucher, veiller (tard).

opbloei nouvelle éclosion v. ▼—**en** s'épanouir.

opbobbelen se boursoufler.

opbod enchère, surenchère v; *bij* —, par voie d'enchères, à l'encan.

opbollen I *ov.w* gonfler, faire bomber. **II** *on.w* se gonfler. **opborrelen** jaillir, bouillonner. ▼**opborreling** bouillonnement m.

opborstelen brosser, donner un coup de brosse à.

opbouw construction; (*fig.*) édification v.
▼—**en** construire; (*fig.*) édifier. ▼—**end** constructif; (*fig.*) édifiant. ▼—**werk** travail m socio-éducatif. ▼—**werker** animateur m socio-éducatif.

opbranden I *on.w* se consumer, être consumé par le feu. **II** *ov.w* consumer, brûler.

opbreken I *ov.w* rompre; dépaver (une rue); lever (le camp). **II** *on.w* **1** (*vertrekken*) décamper, partir; **2** *dat zal je* —, il vous en cuira, vous vous en repentirez.

opbreng/en I monter; **2** servir (un dîner);
3 élever (un enfant); nourrir (des bêtes);
4 (*door politie*) conduire au poste; **5** amener (un navire); **6** (*boeken*) porter en compte;
7 (*opleveren*) rapporter, rendre; **8** payer (des impôts); *dat kan ik niet* —, c'est au-dessus de mes moyens; *beginnen op te brengen*, entrer en rapport; *veel* (*weinig*) —, être de bon (faible) rapport. ▼—**st 1** produit, rendement, rapport m; **2** (*oogst*) récolte v; **3** rendement m; *zuivere* —, produit m net.

opcent centime m additionnel.

opdagen paraître, se montrer.

opdat pour que, afin que (*met subj.*); pour, afin de (*met inf.*).

opdelv/en déterrer, exhumer. ▼—**ing** fouille v.

opdienen servir; *er is opgediend*, c'est servi,

Madame est servie. **opdiepen** déterrer, trouver. **opdirken** I *ov.w* attifer, affubler. **II zich** — se pomponner. **opdissen** servir ; débiter (des bons mots). **opdoeken** I *ov.w* se défaire de. **II** *on.w* fermer boutique ; *kunnen* —, n'avoir qu'à filer. **opdoemen** se montrer au lointain, surgir (à l'horizon). **opdoen** 1 servir ; 2 (*krijgen*) attraper, prendre (un rhume) ; acquérir ; 3 apprendre (une nouvelle) ; 4 (*inslaan*) se pourvoir de, s'approvisionner en ; se fournir en. **opdoffen** (*mil.*) astiquer. **opdonderen** ficher le champ.

opdooi dégel *m* ; *wegafsluiting wegens* —, barrière v de dégel.

opdraaien I *ov.w* remonter ; relever (sa moustache). **II** *on.w* : *voor iets* —, faire les frais de qc.

opdracht 1 dédicace *v* ; 2 (*last*) charge *v* ; ordre, mandat *m* ; 3 acte *m* de consécration (à la Vierge) ; *de* — *hebben om,* avoir mandat de … ; *de* — *krijgen om,* recevoir mission de … **▼—gever** client ; maître m de l'ouvrage. **▼opdragen** 1 (*verslijten*) user ; 2 dédier (un livre) ; 3 charger de, donner mandat à ; 4 servir (à dîner) ; 5 célébrer, dire (la Messe).

opdraven monter quatre à quatre ; remonter. **opdreunen** ânonner ; psalmodier. **opdrijven** 1 faire monter ; 2 augmenter, pousser, hausser (le prix).

opdring/en I *ov.w* pousser ; *iem. iets* —, presser qn d'accepter qc ; imposer qc à qn. **II** *on.w* se bousculer. **III zich** — s'imposer (à *of* auprès de qn). **▼—erig** importun, collant.

opdrinken finir, (achever de) boire, vider.

opdrog/en I *ov.w* sécher. **II** *on.w* 1 se dessécher ; 2 (*v. bron enz.*) s'épuiser, se tarir. **▼—end** siccatif. **▼—ing** 1 dessèchement *m* ; dessication *v* ; 2 tarissement *m*.

opdruk surcharge *v*. **▼—ken** appliquer, imprimer sur ; apposer (un sceau).

opduikelen dénicher. **opduiken** émerger. (*v. onderzeeeër*) faire surface ; (*fig.*) paraître, surgir. **opduwen** pousser. **opdweilen** nettoyer, essuyer.

opeen ensemble, l'un sur l'autre. **▼—hopen** entasser, amonceler. **▼—hoping** 1 encombrement ; 2 cumul *m* (d'emplois). **▼—pakken** serrer, tasser. **▼—stapelen** I *ov.w* entasser, amasser. **II zich** — s'amasser, s'accumuler. **▼—stapeling** entassement *m* ; (*fig.*) accumulation *v*.

opeenvolg/en se succéder, se suivre. **▼—end** successif ; qui se suivent. **▼—ing** succession, suite, série *v*.

opeis/baar exigible ; *dagelijks* —, payable à vue. **▼—en** réclamer (son argent) ; revendiquer (ses droits) ; demander. **▼—ing** réclamation ; revendication *v*.

open I *bn* 1 ouvert ; 2 (*onbedekt*) découvert ; (*v. autodak*) ouvrant ; décapotable ; 3 (*onbezet*) libre, vacant ; 4 (*fig.*) ouvert, franc ; *de vraag* — *laten,* laisser la question en suspens ; — *haard,* cheminée v, foyer *m* ; — *krediet,* crédit *m* en blanc ; *de* — *lucht,* l'air libre ; *in de* — *lucht,* en plein air ; — *plaats,* place v libre ; lacune v, (espace) vide *m* ; (*in bos*) clairière *v* ; — *wond,* plaie v vive ; — *zee,* haute mer v ; — *riool,* égout m à ciel ouvert ; — *dag,* opération v à portes ouvertes. **II** *bw* ouvertement.

openbaar I *bn* public, manifeste ; *openbare mening,* opinion v publique ; — *maken,* proclamer, divulguer ; publier ; *in het* —, en public ; (*verkopen*) à l'encan. **II** *bw* publiquement. **▼—heid** publicité v ; caractère *m* public. **▼—making** publication v. **▼openbar/en** I *ov.w* manifester ; révéler. **II zich** — se manifester, se révéler. **▼—ing** révélation ; manifestation v ; *de O—* (*van Johannes*), l'Apocalypse v.

open/barsten crever, s'ouvrir. **▼—beuken** enfoncer à grands coups. **▼—breken** I *ov.w* forcer ; fracturer ; déparer (une rue) ; ouvrir ; *breek me de mond niet open,* ne me faites point parler. **II** *on.w* s'ouvrir ; crever.

▼—draaien tourner, ouvrir. **▼—duwen** pousser. **▼—en** I *ov.w* ouvrir ; inaugurer (une exposition) ; déboucher (une bouteille). **II zich** — s'ouvrir ; s'épanouir. **▼—er** décapsuleur *m*. **▼—gaan** s'ouvrir ; s'épanouir ; crever. **▼—gevallen** vacant. **▼—gewerkt** ajouré, à jour. **▼—gooien** ouvrir brusquement. **▼—hakken** ouvrir à coups de hache ; éventrer.

openhartig *bn* (*& bw*) franc(hement), sincère(ment). **▼—heid** franchise v. **▼openheid** ouverture v.

openhouden 1 tenir ouvert ; 2 garder, réserver (une place) ; 3 laisser vacant.

opening 1 ouverture v ; 2 trou, orifice *m* ; 3 dissection v (d'un cadavre) ; 4 inauguration v. **▼—skoers** prix d'ouverture, premier cours *m*.

open/komen devenir vacant. **▼—krabben** ouvrir en grattant. **▼—krijgen** réussir à ouvrir. **▼—leggen** mettre à découvert, exposer, expliquer. **▼—legging** : — *van achtergebleven gebieden,* mise v en valeur. **▼—lijk** I *bn* ouvert, public. **II** *bw* ouvertement, publiquement, hautement. **▼—luchtbijeenkomst** réunion v en plein air. **▼—maken** *zie* openen. **▼—rijten** déchirer. **▼—rukken** ouvrir brusquement ; (*fig.*) rouvrir. **▼—scheuren** déchirer. **▼—schuiven** pousser, ouvrir ; écarter (un rideau). **▼—slaand** s'ouvrant au dehors (- en dedans ; - à deux battants). **▼—snijden** ouvrir ; couper (un livre) ; éventrer ; (*med.*) inciser. **▼—sperren** écarquiller (les yeux). **▼—springen** s'ouvrir brusquement ; (*v. de huid*) se gercer. **▼—staan** être ouvert ; - vacant ; (*v. rekening*) - en souffrance ; s'ouvrir. **▼—steken** percer ; crocheter (une serrure). **▼—stellen** ouvrir ; offrir (l'occasion de). **▼—stelling** ouverture v. **▼—trekken** tirer, ouvrir ; déboucher (une bouteille). **▼—vallen** s'ouvrir ; 2 devenir vacant. **▼—vouwen** déplier, déployer. **▼—waaien** s'ouvrir par le vent. **▼—zetten** ouvrir ; lâcher (un robinet etc.).

opera 1 opéra *m* ; — *buffa,* opéra *m* bouffe ; 2 œuvres *v mv*. **▼—tekst** livret *m*.

operat/eur opérateur *m*. **▼—ie** opération v ; *een* — *doen,* pratiquer une opération. **▼—iebasis** base v d'opérations. **▼—ief** I *bn* chirurgical, opératoire. **II** *bw* par une intervention chirurgicale. **▼operatiekamer** salle v d'opération. **▼—plan** plan *m* d'opération. **▼—tafel** table v d'opération. **▼—veld** théâtre *m* d'opérations. **▼—zaal** salle v d'opérations. **▼operationeel** prêt à fonctionner ; opérationnel.

operazanger, **—es** chanteur - *m*, cantatrice v d'opéra.

opereren opérer ; *iem.* — *aan,* opérer qn de.

operette opérette v.

opeten manger, croquer ; finir ; *een kind om op te eten,* un enfant joli à croquer. **opfleuren** I *on.w* se remettre, se ranimer. **II** *ov.w* ranimer. **opflikken** réparer, rafistoler ; (*fig.*) attifer.

opflikker/en flamber ; (*fam.*) ficher le camp. **▼—ing** flambée v ; (*fig.*) sursaut *m* de vie (trompeur).

op/fokken nourrir, élever.

opfrissen I *ov.w* rafraîchir, réconforter ; (*fig.*) renouveler (ses souvenirs). **II** *ov.w* (se) rafraîchir ; *daar zal je van* —*!,* quelle douche tu vas recevoir ! **▼—ing** rafraîchissement *m*.

opgaaf *zie* opgave.

opgaan I *on.w* 1 monter ; 2 (*v. zon*) se lever ; 3 se consommer, s'épuiser ; *dezelfde weg* —, prendre le même chemin ; *er gaan klachten op,* il s'élève des plaintes ; *die deling gaat op,* cette division ne laisse pas de reste ; *die redenering gaat niet op,* ce raisonnement ne tient pas debout ; *in iets* —, être absorbé par qc ; (*fig.*) s'absorber ; être tout à ; *voor een examen* —, se présenter à un examen. **II** *zn* : *het* —, le lever (du soleil etc.). **▼opgaand** : —*e bomen,* arbres *m mv* de haute futaie ; —*e*

deling, division *v* sans reste ; —*e lijn*, ligne *v* ascendante ; —*e zon*, soleil *m* levant.
▼**opgang 1** montée *v* ; **2** escalier *m* d'accès ; **3** (*fig.*) succès *m*, vogue *v* ; *veel — maken*, être en vogue.
opgave 1 déclaration *v* ; **2** problème *m*, question ; **3** tâche, épreuve *v*, devoir *m* ; — *voor een opstel*, thème *m* d'une rédaction.
opgeblazen gonflé. ▼—**heid 1** bouffissure ; **2** présomption *v*.
opgebruikt usé. **opgeprikt** guindé.
opgepropt bondé (*de*).
opgeroepene (*tel.*) demandé *m*.
opgeruimd I *bn* enjoué, gai. Il d'une manière enjouée. ▼—**heid** enjouement *m*, gaieté *v*, adolescent (e). **opgeschroefd** guindé, emphatique. **opgesloten** enfermé, (*fig.*) *daarin ligt —*, cela implique. **opgesmukt** attifé, (*v. verhaal*) apprêté.
opgetogen ravi, transporté (de joie) ; *— zijn over*, s'extasier sur. ▼—**heid** ravissement *m*.
opgeven I *ov.w* **1** lever ; **2** (*afzien van*) abandonner, renoncer à, (*fam.*) laisser tomber ; **3** (*opdragen*) imposer, charger de ; donner ; **4** proposer (un problème) ; **5** rendre, cracher (du sang) ; **6** citer, dire ; indiquer ; décliner (son nom) ; *de moed —*, perdre courage ; *een zieke —*, condamner un malade. Il *on.w* (*v. vloeren enz.*) suinter ; *hoog van iets —*, se vanter de qc. Ill **zich** — se faire inscrire.
opgewassen : *— zijn tegen*, être de force à se mesurer avec ; être à la hauteur (de sa tâche) ; *tegen elkaar — zijn*, se valoir.
opgewekt I *bn* éveillé, vif, de bonne humeur. Il *bw* d'une façon éveillé. ▼—**heid** enjouement *m*, vivacité *v*, entrain *m*.
opgewonden I *bn* monté, surexcité. Il *bw* d'une manière agitée. ▼—**heid** agitation, surexcitation *v*.
opgezet enflé ; bouffi. ▼—**heid** enflure *v*.
opgezwollen (*verse*) zie **opgezet(heid)**.
opgieten verser sur ; faire infuser. **opgloeien** s'embraser de nouveau. **opgooien** jeter en l'air ; *een balletje — (van)*, lancer un ballon d'essai. **opgraven** déterrer ; fouiller.
▼**opgraving** déterrement *m*, fouille *v*.
opgroeien pousser, grandir, croître.
ophaal délié *m*. ▼—**brug** pont-levis *m*.
▼—**dienst** service *m* de remorquage.
▼—**gordijn** store *m*. ▼**ophalen** I *ov. w* **1** monter, hisser ; (re)lever ; **2** (*v. vis*) amener, retirer de l'eau ; **3** (*verbeteren*) redresser (une note) ; **4** (*inzamelen*) ramasser, quêter ; **5** (*opsnuiven*) renifler ; **6** (*v. kleuren*) rafraîchir ; **7** (*v. herinnering*) évoquer ; **8** (*afhalen*) chercher, prendre ; *het schriftelijk werk —*, relever les feuilles (de l'épreuve) ; *geld —*, quêter ; *ladders (in kous) —*, remmailler (un bas) ; *zijn hart aan iets —*, s'en donner à cœur joie ; *het van de dood —*, revenir de bien loin ; *het weer —*, **1** se remettre ; **2** (*fig.*) se rattraper ; *een oude kwestie —*, reprendre une question. Il *zn* montage ; rétablissement *m*.
▼**ophaler** ramasseur ; receveur *m*.
ophanden proche, prochain ; — *zijn*, être en perspective, (s')approcher.
ophang/en I *ov. w* **1** suspendre ; **2** (*aan haak enz.*) accrocher ; (*na telefoongesprek*) raccrocher ; **3** pendre (qn) ; **4** poser (les rideaux etc.) ; **5** (*v. was*) étendre sur la corde ; *een vreselijk tafereel — van*, peindre qc des plus sombres couleurs. Il **zich** — se pendre.
▼—**ing 1** suspension *v*, accrochage *m* ; **2** (*aan strop*) pendaison *v*. ▼—**punt** point *m* de suspension.
opharken râteler ; ramasser.
ophebben 1 avoir fini de manger (*of de boire*) ; avoir dépensé ; **2** avoir mis, porter (un chapeau) ; *veel — met*, faire grand cas de.
ophef louange *v* emphatique, bruit *m* ; *met veel —*, à grand bruit. ▼—**fen 1** lever, soulever ; **2** (*v. d. grond*) relever ; **3** (*doen ophouden*) lever, faire cesser ; **4** (*afschaffen*)

supprimer ; fermer ; *elkaar —*, se neutraliser ; *de zitting —*, lever la séance. ▼—**fing 1** élévation *v*, soulèvement *m* ; **2** suppression, levée ; fermeture *v* ; *— van beslag*, mainlevée *v* ; *verkoop wegens —*, vente *v* pour cessation de commerce.
ophelder/en I *ov. w* éclaircir, expliquer ; *de zaak is opgehelderd*, l'affaire est tirée au clair. Il *on. w* **1** (*v. lucht*) s'éclaircir ; **2** (*v. gezicht*) se rasséréner. ▼—**ing** éclaircissement ; — *geven*, donner l'explication (de qc).
ophelpen aider (qn) à se relever ; (*fig.*) relever.
ophemelen élever jusqu'aux nues, exalter.
ophijsen I *ov.w* hisser, lever. Il **zich** — se hisser.
ophitsen exciter, agacer ; ameuter (une bande). ▼—**er** instigateur, provocateur. ▼—**ing** excitation *v*.
ophoepelen décamper.
ophog/en 1 rehausser, remblayer (le terrain) ; **2** (*v. bod*) renchérir sur. ▼—**ing 1** rehaussement *m* ; **2** (*opbod*) enchère *v*.
ophouden I *ov.w* **1** soutenir, élever ; **2** tenir levé ; relever (sa robe) ; **3** (*tegenhouden*) retenir (son urine) ; **4** garder (son chapeau) ; **5** tenir (son rang) ; *ik houd u maar op*, j'abuse de vos instants ; *ik zal u niet langer —*, je ne vous retiendrai plus. Il *on.w* **1** cesser, finir ; s'arrêter (de) ; *houdt op!*, arrêtez !, finissez ! ; (*fam.*) la barbe ! Ill **zich** — s'arrêter à ; *zich — met*, s'occuper de, s'amuser à ; *zich — met iem.*, fréquenter qn. IV *zn* : *het —*, la cessation (du feu) ; la rétention (de l'urine) ; *zonder —*, sans cesse.
opinie opinion *v* ; *van — veranderen*, changer de bord. ▼—**blad** périodique *m* d'opinion. ▼—**onderzoek** sondage *m* de l'opinion publique.
opium opium *m* ; *— schuiven*, fumer de l'opium. ▼—**houdend** opiacé. ▼—**kit** fumerie *v* d'opium. ▼—**pijp** pipe *v* à l'o. ▼—**schuiver** fumeur *m* d'o. ▼—**sigaret** cigarette *v* opiacée.
opjagen I *ov.w* **1** chasser ; **2** (*v. wild*) traquer ; **3** (*v. stof*) soulever ; **4** (*bij verkoping*) pousser le prix de. Il *on.w* pousser le prix.
opkammen peigner, relever avec le peigne ; *even —*, donner un coup de peigne à ; (*fig.*) *iem. —*, encenser qn. **opkijken** lever les yeux ; *vreemd —*, être fort surpris ; *— van zijn werk*, lever les yeux de dessus son ouvrage.
opkikkeren I *ov.w* réconforter, remonter le moral à ; (*fam.*) ravigoter. Il *on.w* se refaire.
opklap/bed escamotable. ▼—**bed** meuble-lit ; lit-cage *m*.
opklar/en I *ov.w* éclaircir ; clarifier (du vin) ; tirer (une affaire) au clair. Il *on.w* **1** (*v. weer*) s'éclaircir ; **2** (*v. gezicht*) se rasséréner. ▼—**ing** éclaircissement *m* ; clarification *v*.
opklimm/en monter (sur), gravir ; (*fig.*) monter en grade, obtenir de l'avancement ; *tegen iem. —*, grimper aux genoux de qn. ▼—**end** ascendant. ▼—**ing** ascension *v*, avancement *m* ; gradation *v*.
opknappen I *ov.w* **1** arranger, réparer ; retaper ; **2** réconforter ; restaurer ; *iem. met iets —*, se débarrasser de qc sur qn. Il *on.w* **1** (*v. weer*) se remettre au beau ; **2** (*v. persoon*) se refaire ; devenir plus joli. Ill **zich** — se refaire une beauté ; faire un brin de toilette.
opkoken faire bouillir de nouveau, recuire.
opkom/en I *ov.w* **1** se lever, monter ; (*v. pokje*) prendre ; **2** (*v. kiem*) germer, pousser ; (*v. deeg*) lever ; (*gedijen*) croître, prospérer ; **3** (*na ziekte*) se remettre, se relever ; **4** (*ontstaan*) s'élever ; naître, s'établir, se présenter ; **5** (*verschijnen*) paraître, se présenter ; (*mil.*) rejoindre son unité ; **6** (*v. onweer*) s'annoncer, survenir ; **7** (*v. toneel*) entrer en scène ; *laat ze eens —*, il vous y viennent ! ; *de gedachte kwam bij haar op*, l'idée lui vint ; *dat komt niet bij hem op*, il n'y songe pas ; *tegen iets —*, s'opposer à, protester contre ; (*mil.*) *voor —*, défendre qc. Il *zn* : *het —*, **1** le lever (du soleil) ; **2** l'entrée *v* en scène. ▼—**end** levant ; naissant ; *het —*

geslacht, la génération nouvelle. ▼**opkomst**
1 (*v. zon*) lever *m*; (*v. graan*) levée *v*; **2** (*na
ziekte*) rétablissement; **3** (*vooruitgang*)
développement, progrès (des sciences);
4 (*mensen*) assistance *v*; *stad in* —, ville *v*
naissante; *flinke* — *verwacht*, tous les
membres sont priés d'être présents; présence
de rigueur.
opkop/en acheter; ramasser; (*alles*)
accaparer. ▼**—er** marchand d'occasions,
accapareur *m*.
opkrabbelen 1 se remettre sur ses pieds;
2 (*fig.*) se remettre lentement. **opkrijgen**
1 venir à bout de, finir; **2** (*v. werk*) avoir à
faire; **3** mettre. **opkroppen** avaler, refouler;
opgekropte woede, fureur *v* rentrée.
opkruipen monter; (*v. kleed*) remonter.
opkunnen I *ov.w* **1** finir, venir à bout de; **2** *hij
kan zijn plezier wel op*, il n'en mène pas large.
II *on.w* **1** pouvoir se lever; **2** *het kan niet op*, il
y en a trop; *ik kan niet tegen hem op*, je ne
puis me mesurer avec lui; *niets kan tegen de
natuur op*, rien ne vaut la nature. **opkweken**
élever, nourrir; cultiver.
oplaag tirage *m*, édition *v*; *een — hebben van*,
tirer à.
oplaaien faire rage; (*fig.*) éclater; *het* —, la
flambée. **opladen** recharger. **oplappen**
rafistoler. **oplaten 1** garder sur la tête;
2 laisser veiller; **3** (*v. vlieger*) lancer.
opleg/en 1 poser, mettre sur; (*na
telefoongesprek*) raccrocher; **2** (*met hout*)
plaquer; **3** (*taak*) imposer (qc à qn), charger
(qn de qc); **4** (*straf*) infliger; **5** faire provision
de; économiser; **6** (*v. schepen*) désarmer; *het
zwijgen* —, imposer le silence; *het er dik* —,
exagérer. ▼**—ger 1** plaqueur *m*;
2 semi-remorque *v*. ▼**—ging 1** application;
2 imposition; **3** infliction; **4** provision *v*;
5 désarmement *m*. ▼**—hout** bois *m* de
placage. ▼**—sel 1** (*op hout*) applique; **2** (*op
kleding*) garniture *v*.
opleid/en conduire, mener; (*fig.*) former (des
étudiants); — *voor*, préparer à. ▼**—er**
préparateur (à). ▼**—ing** éducation;
formation, préparation *v*. ▼**—ingscursus**
cours *m* préparatoire. ▼**—ingsschip**
vaisseau-école *m*. ▼**—ingsschool** école *v*
d'application. ▼**—ingsvliegtuig** avion *m*
d'entraînement.
opletten faire attention, être attentif; (*pop.*)
faire gaffe; *opgelet!*, attention! ▼**—d** *bn*
attentif. **II** *bw* attentivement. ▼**—dheid**
attention *v*; *kleine oplettendheden*, petits
soins *m mv*, prévenances *v mv*.
opleven renaître, revivre, se ranimer; *weer
doen* —, ranimer; relancer.
oplever/en 1 produire, rapporter; **2** livrer (un
travail); **3** procurer, valoir. ▼**—ingstermijn**
délai *m* d'exécution.
opleving regain *m* (d'actualité); reprise *v* (des
affaires); recrudescence *v*.
oplicht/en I *on.w* **1** s'éclaircir. **II** *ov.w*
1 soulever; lever; **2** (*schaken*) enlever;
3 (*bedriegen*) duper, escroquer. ▼**—er** escroc
m. ▼**—erij** escroquerie *v*. ▼**—ing**
1 soulèvement *v*; **2** escroquerie *v*.
oplop/en I *on.w* **1** monter; (*trapsgewijs*)
monter en gradins; **2** s'élever; **3** augmenter,
accroître; **4** (*zwellen*) s'enfler; —*de
zitbanken*, gradins *m mv*; *een eindje met iem.*
—, faire un bout de route avec qn; *dat loopt
op*, ça monte; ça chiffre. **II** *ov.w* encourir (des
avaries); attraper, gagner (une maladie); *een
pak slaag* —, attraper une bonne raclée; *hij
heeft een verkoudheid opgelopen*, il a attrapé
un rhume. ▼**—end 1** montant, en hausse;
2 (*driftig*) emporté; **3** en gradins.
oplos/baar soluble. ▼**—baarheid** solubilité *v*.
▼**—middel** solvant *m*. ▼**—sen I** *ov.w*
1 (*chem.*) dissoudre; **2** (*vraagstuk*) résoudre;
(*geschil*) vider. **II** *on.w* zich —, se
dissoudre, se résoudre. ▼**—send** dissolvant.
▼**—sing 1** dissolution; **2** solution *v*.
oplucht/en I *ov.w* rafraîchir (l'air). (*fig.*)
soulager. **II** *on.w*: *dat lucht op*, (c'est un) bon

débarras. ▼**—ing** soulagement, débarras *m*.
opluister/en donner de l'éclat à; rendre
illustre. ▼**—ing** éclat *m*, illustration *v*; *ter* —
van, pour rehausser l'éclat de.
opmaak 1 présentation *v*; montage *m*; *in grote*
—, à grandes manchettes; **2** (*v. vrouw*)
maquillage *m*. ▼**opmak/en I** *ov.w* **1** faire (le
lit); arranger (les cheveux); mettre en pages;
2 (*opstellen*) dresser (un procès-verbal);
établir (une liste); (*in juiste termen*) libeller;
3 (*optellen*) faire (la caisse, ses comptes);
établir (document); **4** (*verkwisten*) dissiper,
dépenser, manger; **5** (*afleiden*) conclure
(de); **6** finir. **II** *zich* —**1** se mettre en route
(pour); **2** se mettre du rouge, se maquiller;
(*even gauw*) faire un raccord. **III** *zn*: *het* —, la
passation (d'un acte); le dressement (des
listes); la mise en pages. ▼**—er 1** metteur en
page; monteur; **2** (*verkwister*) dissipateur *m*.
opmars avance *v*.
opmerk/elijk *bn* (& *bw*) peu commun;
remarquable(ment). ▼**—elijkheid** chose *v*
remarquable. ▼**—en 1** (*zien*) remarquer,
observer; **2** (*doen zien*) faire observer, faire
remarquer (à qn). ▼**—enswaard(ig)**
remarquable, digne de remarque. ▼**—er**
observateur *m*. ▼**—ing** observation, remarque *v*.
▼**—ingsgave** don *m* de l'observation.
▼**—zaamheid** attention *v*.
opmet/en 1 mesurer; **2** (*land*) arpenter. ▼**—er**
arpenteur *m*. ▼**—ing** mesurage *m*.
opmonteren ragaillardir, remonter le moral à.
▼**opmontering** réconfort *m*.
opname 1 vue, photographie; (*film*) prise *v* de
vue; (*geluidsband*) enregistrement (sur
bande) magnétique, levé *m* topographique;
2 (*verificatie*) relevé *v* (de la caisse); **3** prise *v*
(de sténogramme); **4** réception *v*; —*n doen*,
1 (*foto*) prendre des vues; **2** (*grammofoon*)
faire des enregistrements; *een — maken van*,
tirer; *verscheidene —n maken*, prendre
plusieurs clichés. ▼**—kop** tête *v*
d'enregistrement; *opname-afspeelkop*, tête *v*
d'enregistrement-lecture. ▼**opneem/baar**
assimilable. ▼**—doek** torchon *m*. ▼**opnemen**
I *ov.w* **1** (*oprapen*) ramasser; enlever;
(*telefoonhoorn*) décrocher; **2** (*ter hand
nemen*) prendre; retrousser (sa jupe);
3 recueillir; admettre; incorporer;
4 (*ontvangen*) recevoir, accueillir; (*in
ziekenh.*) hospitaliser; **5** (*een plaats geven*)
mettre, insérer (dans un journal); **6** emprunter
(de l'argent); **7** recueillir (les voix);
8 (*opmeten*) lever le plan de, relever; prendre
(la température d'un malade); **9** (*inladen*)
prendre; **10** (*bekijken*) examiner, mesurer
(qn) du regard; **11** prendre (une photo, un
sténogramme); ; (*v. film*) enregistrer, tourner;
(*grammofoon, geluidsband*) enregistrer; *in
zich* —, assimiler; *het tegen iem.* —, prendre
qn à partie; *het — voor*, prendre fait et cause
pour; prendre, prendre en bonne part; *ernstig*
—, prendre au sérieux; *de vloer* —,
1 (*opbreken*) lever le plancher;
2 (*schoonmaken*) nettoyer le plancher; *de
gasmeter* —, relever le compte du gaz; *weer*
—, reprendre. **II** *on.w* réussir, être demandé.
▼**opneming 1** enlèvement *v*;
2 (*schoonmaken*) nettoyage; **3** (*ontvangst*)
accueil *m*, admission *v*; **4** (*meting*)
levé, lever (d'un plan), mesurage *m*; **5** (*in
krant*) insertion *v*; **6** emprunt; **7** (*stem*—)
recueillement; dépouillement *m* du scrutin;
8 (*nazien*) examen *m*; relève *v* (de la caisse).
opnieuw de nouveau.
opnoemen nommer, énumérer.
opoffer/en I *ov.w* **1** sacrifier; **2** (*wijden*)
vouer (à). **II** *zich* — se sacrifier, se dévouer.
▼**—ing 1** sacrifice; **2** (*zelf*—) dévouement *m*,
abnégation *v*.
oponthoud 1 arrêt; **2** (*vertraging*) retard;
3 (*verblijf*) séjour *m*.
oppakken 1 (*inpakken*) emballer;
2 (*oprapen*) ramasser; **3** arrêter, saisir.
oppas 1 soins *m mv*; **2** garde-enfant *m*.
▼**—sen I** *ov.w* **1** servir; **2** (*verzorgen*) soigner,

garder ; **3** essayer (un chapeau). **II** on.w faire
attention ; se méfier ; prendre garder ; *pas op*
voor het stoepje, méfiez-vous de la marche ;
(*pop.*) *pas op !*, fais gaffe ! (*goed*) —, se
conduire bien ; *slecht* —, se débaucher.
▼—**send 1** (*v. kind*) appliqué, sage,
obéissant ; **2** (*v. mensen*) rangé, sobre.
▼—**ser 1** domestique ; **2** (*v. officier*) planton ;
3 (*v. zieke*) infirmier *m*.
opper 1 meulon ; **2** (*mil.*) marchef *m*.
▼—**bevel** haut commandement *m*.
▼—**bevelhebber** commandant en chef,
généralissime *m*. ▼—**ceremoniemeester**
grand maître des cérémonies ; chef *m* du
protocol.
opperen proposer ; soulever (des difficultés).
opper/gezag —**heerschappij** souveraineté
v. ▼—**hoofd** chef *m*. ▼—**huid** épiderme *m*.
▼—**jagermeester** grand veneur *m*.
▼—**machtig** *bn* (& *bw*) souverain(ement).
▼—**man** manœuvre *m*. ▼—**officier** officier
général. ▼—**priester** grand-prêtre ;
(souverain) pontif *m*. ▼—**priesterlijk** *bn* (&
bw) pontifical(ement). ▼—**rabbijn** grand
rabbin *m*.
oppersen repasser, donner un coup de fer à.
opperste I *bn* premier, supérieur, principal.
II *zn* supérieur, chef, premier.
oppervlak surface *v*. ▼—**vlak I** *bn* superficiel,
de surface. **II** *bw* superficiellement ; —
behandelen, effleurer. ▼—**kigheid** caractère
superficiel ; manque *m* de profondeur. ▼—**te**
1 surface ; **2** (*grootte*) superficie *v* ; *aan de*
—*komen*, faire surface. ▼—**tespanning** tension
v superficielle.
opper/wachtmeester maréchal des logis
chef. ▼O—**wezen** Être suprême *m*.
oppiepen appeler par bip, - par sémaphore.
oppoetsen astiquer.**oppoken** attiser (le
feu). **oppompen I** *ov.w* pomper (de l'eau) ;
gonfler (un pneu). **II** *zn: het* —, l'élévation *v*
(de l'eau) ; le gonflement. **opponent**
opposant ; adversaire *m*. ▼**opponeren**
s'opposer à, faire des objections. **opporren**
attiser (le feu) ; (*fig.*) réveiller ; talonner.
opportunis/me opportunisme *m*. ▼—**tisch**
opportuniste.
oppositie opposition *v* ; — *voeren*, faire de
l'opposition.
opraken s'épuiser, se consommer. **oprapen**
1 ramasser ; **2** (*steek*) relever, reprendre.
oprecht *bn* (& *bw*) sincère(ment),
franc(hement). ▼—**heid** sincérité, franchise
v.
oprekken étirer ; ouvrir (des gants).
opricht/en I *ov.w* **1** (*recht zetten*) relever,
redresser ; ériger ; **2** élever ; ériger (une
statue) ; **3** (*stichten*) établir, fonder. **II zich** —
se (re)lever, se dresser ; (*in bed*) se dresser sur
son séant. ▼—**er** fondateur *m*.
▼—**ersaandeel** part *v* de fondateur. ▼—**ing**
élévation ; (*fig.*) érection *v* ; établissement *m*,
fondation *v*. ▼—**ingsvergadering**
assemblée *v* constitutive.
oprij/den *de straat* —, s'engager dans une
rue ; *met zijn wagen de weg* —, engager sa
voiture dans (*of* sur) un chemin. ▼—**laan**
avenue *v*.
oprijzen se lever, surgir. **oprispen** avoir des
renvois. ▼**oprisping** renvoi *m*, éructation *v*.
oprit montée, rampe *v* ; (*naar autoweg*) voie *v*
d'accès, bretelle *v*.
oproep appel *m* ; convocation *v* ; *betaalde* —,
appel payable chez vous ; *gesprek voeren na*
betaalde —, parler en P.C.V. ; *telefonische* —
sturen, envoyer par téléphone un avis d'appel.
▼—**bericht** avis *m* d'appel. ▼—**code** code *m*
d'appel. ▼—**en 1** appeler (sous les armes) ;
2 convoquer ; **3** éveiller. ▼—**ing 1** appel *m* ;
2 convocation *v* ; *een* — *doen voor een*
vacante betrekking, mettre une place au
concours. ▼—**signaal** signal *m* d'appel.
oproer sédition, révolte, rébellion *v* ; *in* —
komen, se révolter. ▼—*ig* **I** *bn* séditieux. **II** *bw*
séditieusement. ▼—**igheid** esprit *m* de
révolte, tumulte *m*. ▼—**ling** révolté, rebelle.

insurgé m. ▼—**maker** perturbateur, émeutier
m.
oprol/automaat enrouleur *m* automatique.
▼—**len I** *ov.w* **1** rouler, enrouler ; **2** liquider.
II *on.w en zich* —, se mettre en boule.
oprotten se tirer, se barrer.
oprui/en ameuter ; — *tot*, provoquer à.
▼—**end** séditieux, subversif. ▼—**er**
provocateur, émeutier *m*. ▼—**ing** excitation,
instigation *v* (à).
opruim/en I *ov.w* **1** (*ar*)ranger, mettre en
ordre, débarrasser ; **2** (*hand.*) liquider (au
rabais), solder ; brader ; **3** faire disparaître,
enlever. **II** *on.w* ranger. ▼—**ing 1** rangement
m ; **2** liquidation (au rabais), mise *v* en vente
de soldes de saison ; soldes *v mv* ; braderie *v* ;
in de —, en solde ; **3** déblaiement, enlèvement
m.
oprukken I *on.w* pousser en avant ; marcher
(sur). **II** *zn: het* —, l'avancement *m*.
opscharrelen déterrer, dénicher.
opschenken 1 verser (sur) ; **2** vider.
opschepen *iem. met iets* —, mettre qc sur
les bras à qn.
opschep/pen I *ov.w* **1** ramasser à la pelle ;
2 servir ; **3** enlever avec une cuiller. **II** *on.w*
1 servir (à table) ; **2** se vanter ; *voor het* —
hebben, remuer à la pelle. ▼—**per**
1 distributeur *m* ; **2** vantard *m*. ▼—**perij**
vantardise *v* ; bluff *m*.
opschieten I *ov.w* faire monter, lancer.
II *on.w* **1** pousser, grandir ; **2** (*naderen*)
s'avancer ; **3** (*vorderen*) avancer, faire des
progrès ; *schiet op !*, allez ! et que ça saute ;
met iem. kunnen —, pouvoir s'entendre avec
qn.
opschik parure, toilette *v*. ▼—**ken I** *ov.w*
orner, affubler. **II** *on.w* faire place.
opschilderen repeindre.
opschort/en I (*kleren*) retrousser, relever ;
2 (*uitstellen*) différer, remettre ; *zijn oordeel*
—, réserver son jugement. ▼—**ing**
1 retroussement *m* ; **2** (*v. betaling*) surséance
v.
opschrift 1 titre *m* ; **2** adresse *v* ; **3** (*bordje*)
écriteau *m* ; **4** inscription ; **5** (*v. munt*) légende
v ; *met het* —..., portant la suscription...
▼**opschrijfboekje** carnet, aide-mémoire *m*.
▼**opschrijven** écrire ; dresser une liste de.
opschrikken sursauter.
opschroeven 1 visser ; relever ; **2** (*fig.*) exalter.
opschudd/en secouer, remuer. ▼—**ing**
1 remue-ménage, tumulte *m* ; **2** agitation *v*,
émoi *m* ; *in* — *brengen*, mettre en émoi ; —
verwekken, causer des troubles.
opschuiv/en I *ov.w* **1** pousser (en haut, de
côté) ; ouvrir ; **2** remettre. **II** *on.w* se ranger,
faire place. ▼—**ing** mouvement *m* ; *bij* —, par
roulement.
opsier/en parer, embellir ; (*fig.*) broder.
▼—**ing** embellissement *m*.
opslaan I *ov.w* **1** lancer (un ballon) ; **2** lever
(les yeux) ; **3** (*mouwen*) retrousser, relever ;
4 ouvrir (un livre) ; **5** (*oprichten*) monter ;
6 stocker ; **7** (*verhogen*) augmenter (qn de).
II *on.w* augmenter de prix. ▼**opslag 1** (*muz.*)
levé *m* ; **2** augmentation *v* (de prix *of* de
salaire) ; **3** stockage *m* (d'énergie *bijv.*) ; **4** (*v.*
kledingstuk) parement ; revers *m* ; *iem.* —
geven, augmenter qn ; *bij* — *verkopen*,
vendre aux enchères. ▼—**plaats** dépôt *m*.
opslepen remorquer.
opsluit/en I *ov.w* enfermer, emprisonner ;
(*fam.*) boucler ; — *in*, enclaver, confiner dans.
II *on.w* serrer les rangs. **III zich** —
s'enfermer ; *zich in huis* —, se cloîtrer. ▼—**ing**
emprisonnement *m*, réclusion *v*.
opsnijd/en I *ov.w* entamer, couper. **II** *on.w*
blaguer, se vanter. ▼—**er** blagueur.
opsnuiv/en renifler, aspirer. ▼—**ing**
reniflement *m*.
opsom/men énumérer. ▼—**ming**
énumération *v*.
opsparen économiser, mettre de côté.
opspatten rejaillir, gicler. **opspelden**
épingler. **opspelen I** *ov.w* jouer (une carte).

II *on.w* tempêter, rager. **opspoelen** rincer.
opspor/en détecter; dépister; (*mil.*) repérer.
▼—**ing** recherche *v*, dépistage *m* (de
maladies).
opspraak blâme *m*; *in — brengen*,
compromettre.
opspringen 1 (*v. bal*) bondir; **2** (*v. persoon*)
sursauter; *mijn hart springt op van*, mon cœur
tressaille de. **opstaan 1** se lever; se dresser;
2 être sur le feu; **3** (*in opstand komen*)
s'insurger, se révolter (contre).
opstal bâtisse *v*; bâtiment *m*; *recht van —*,
droit *m* de superficie.
opstand 1 (*tekening*) élévation *v*;
2 (*geboomte*) futaie *v*; **3** (*fig.*) révolte,
insurrection; *in — komen tegen*, se révolter
contre. ▼—**eling** insurgé, révolté *m*. ▼—**ig**
révolté. ▼—**ing** résurrection *v*.
opstap marchepied *m*; *een —je*, quelques
marches.
opstapel/en *ov.w* empiler, entasser. **II zich
—** s'empiler. ▼—**ing** entassement *m*,
accumulation *v*.
opstappen 1 monter; **2** s'en aller; partir.
opsteken I *ov.w* **1** lever (la main); **2** allumer
(un cigare); **3** (*v. vat*) mettre en perce; *op
school wat —*, s'enrichir l'esprit à l'école.
II *on.w* s'élever.
opstel 1 (*school*) rédaction, composition;
2 essai; article *m*. ▼—**len I** *ov.w* **1** placer,
disposer, former; **2** (*ontwerpen*) ébaucher;
3 (*schrijven*) rédiger; libeller. **II zich —** se
former; *zich verdekt —*, s'embusquer. ▼—**ler**
auteur, rédacteur *m*. ▼—**ling 1** placement *m*,
(*mil.*) formation *v*; **2** ébauche; **3** rédaction *v*.
opstijg/en 1 monter; **2** prendre l'air, décoller;
3 se mettre en selle. ▼—**ing** ascension *v*;
décollage *m*.
opstok/en 1 attiser (le feu); **2** (*fig.*) exciter
(qn) à. ▼—**er** instigateur, provocateur *m*.
opstootje bagarre *v*.
opstop/pen bourrer, rembourrer; (*verkeer*)
embouteiller. ▼—**per** pain, gnon *m*. ▼—**ping**
obstruction *v*; (*verkeer*) bouchon *m*.
opstrijken 1 repasser; **2** rebrousser;
3 ramasser (de l'argent). **opstropen**
retrousser. **opstuiven** s'élever; (*fig.*)
s'emporter; *doen —*, soulever. **opsturen**
1 expédier; **2** (*nazenden*) faire suivre.
opstuw/en refouler. ▼—**ing** refoulement *m*.
optakelen hisser à l'aide d'un palan.
optekenen noter, prendre note de.
optel/len I additionner; **2** énumérer. ▼—**ling
1** addition; **2** énumération *v*.
opteren 1 dépenser; **2** — *voor*, opter pour.
optica optique *v*. ▼**opticien** opticien *m*.
optie option *v*.
optillen soulever.
optimaliser/en optimiser, optimaliser.
▼—**ing** optimisation, optimalisation *v*.
optimis/me optimisme *m*. ▼—**t** optimiste *m*.
▼—**tisch I** *bn* optimiste. **II** *bw* en optimiste.
optisch optique.
optocht cortège *m*; procession; (*te paard*)
cavalcade *v*.
optornen I *ov.w* découdre. **II** *on.w*: — *tegen*,
heurter; lutter contre.
optreden I *on.w* **1** paraître sur (la) scène; **2** se
produire, avoir lieu; (*v. ziekte*) se déclarer; —
als, jouer le rôle de; *als candidaat —*, se porter
candidat; *tegen iem. —*, prendre parti contre
qn; *brutaal —*, payer d'audace; *flink —*, se
faire valoir. **II** *zn*: *het —*, l'apparition (de qn)
sur la scène; la conduite, l'intervention *v*; *het
eerste —*, le début; *vrijheid v van —*, liberté *v*
d'allures.
optrek/je pied-à-terre *m*. ▼—**ken I** *ov.w*
1 lever; tirer (*kousen bijv.*); **2** élever,
construire; **3** cabrer (un avion); **4** (*doen
verdwijnen*) dissiper; **5** (*optillen*)
additionner; *hoger —*, surélever (une
maison). **II** *on.w* **1** (*v. nevel*) monter, se
dissiper; **2** se mettre en marche; marcher sur;
3 (*v. auto*) accélérer le mouvement; *deze
wagen trekt vlug* (*weer*) *op*, cette voiture a de
bonnes reprises; *met een kind —*, s'occuper

d'un enfant; *de vloer trekt op*, le carreau est
humide. **III** *zich —* se hisser.
optuigen I *ov.w* **1** harnacher (un cheval);
2 gréer (un navire). **II** *zich —* se harnacher.
optutten pomponner.
opus œuvre *v*.
opvall/en se faire remarquer; surprendre,
frapper. ▼—**end I** *bn* surprenant, frappant, vif;
niet —, discret. **II** *bw* ostensiblement.
opvangen 1 prendre, saisir au vol; **2** recevoir,
recueillir; **3** intercepter (une lettre); (*v.
gerucht*) surprendre; (*radio*) capter; **4** (*stoot*)
amortir.
opvaren (re)monter.
opvatt/en 1 (*begrijpen*) concevoir,
comprendre; interpréter; **2** (*haat enz.*)
concevoir, se prendre de; **3** prendre,
ramasser; **4** (*beginnen*) commencer,
entreprendre; *als men het zo opvat*, vu sous
ce jour. ▼—**ing 1** conception; interprétation,
idée *v*; **2** commencement *m*.
opvegen enlever, balayer. **opverven**
repeindre. **opvijzelen** lever (avec des
vérins); (*fig.*) exalter. **opvissen** pêcher;
(*fig.*) dénicher, déterrer. **opvlammen**
flamber; flamboyer; (*fig.*) s'allumer.
opvlieg/en I *on.w* **1** prendre son vol,
s'envoler; **2** se lever brusquement;
3 s'emporter; (*de trap —*, monter l'escalier
quatre à quatre. **II** *zn*: *het —*, l'envol *m*.
▼—**end** emporté, irascible. ▼—**endheid**
emportement *m*, vivacité *v*.
opvoed/baar éducable; *moeilijk —*, inadapté.
▼—**en 1** nourrir, élever; **2** faire l'éducation de.
▼—**end** éducatif. ▼—**er** éducateur *m*. ▼—**ing**
éducation *v*; *lichamelijke —*, éducation *v*
physique. ▼—**ingsgesticht** maison *v*
d'éducation. ▼—**kunde** pédagogie, science *v*
de l'éducation. ▼—**kundig** *bn* (& *bw*)
pédagogique(ment). ▼—**kundige** éducateur,
pédagogue *m*. ▼—**ster** éducatrice *v*.
opvoer/en 1 faire monter (l'eau); augmenter
(les prix); intensifier (la production);
2 représenter, jouer, donner (un drame).
▼—**ing 1** augmentation; **2** représentation *v*.
opvolg/en 1 succéder (à qn); **2** suivre (un
conseil); obéir à, se conformer à (un désir).
▼—**er** successeur. ▼—**ing** succession *v*.
opvorder/baar exigible; *dadelijk —*, exigible
sans préavis. ▼—**en** réclamer, revendiquer.
▼—**ing** réclamation, revendication *v*.
opvouw/baar pliant, qui se plie
complètement; démontable. ▼—**en** plier.
opvragen réclamer; retirer (de l'argent).
opvreten ronger; dévorer; (*fig.*) ruiner.
opvrolijken égayer, réconforter.
opvul/len 1 remplir; **2** (*kussen*) rembourrer;
3 (*vlees*) farcir. ▼—**ling** remplissage *v*;
farcissage *m*. ▼—**sel** remplissage *m*; farce *v*.
opwaaien être soulevé par le vent; *doen —*,
soulever.
opwaarts I *bn* ascendant; *—e druk*, portance
v. **II** *bw* en haut, vers le haut.
opwacht/en attendre; recevoir. ▼—**ing**
attente, visite *v*; *zijn — bij iem. maken*,
présenter ses civilités à qn.
opwarmen réchauffer; *opgewarmd eten*, du
réchauffé. **opwegen**: *tegen iets —*, valoir -,
égaler -, compenser qc.
opwekk/en 1 (r)éveiller; **2** (*uit de dood*)
ressusciter; **3** provoquer (la soif etc.);
4 exciter, encourager; **5** (*elektr.*) générer.
▼—**end** réconfortant; — *middel*, stimulant,
tonique *m*. ▼—**ing 1** réveil *m*; **2** résurrection;
3 excitation; **4** génération *v*.
opwellen jaillir, sourdre; (*fig.*) s'élever.
▼—**ing** jaillissement *v*; (*fig.*) impulsion *v*,
élan, mouvement *m*.
opwerk/en I *ov.w* monter péniblement;
2 rehausser; **3** (*v. splijtstof*) retraiter. **II** *on.w*
monter; *tegen iem. —*, rivaliser avec qn;
tegen de stroom —, remonter le courant.
III *zich —* s'élever; *hij heeft zich opgewerkt*,
il est le fils de ses œuvres. ▼—**ing** retraitement
m.
opwerp/en I *ov.w* **1** lancer, jeter en haut;

2 élever (une barricade, des obstacles);
3 soulever, mettre sur le tapis. **II zich — als**
s'ériger en; *zich — tegen*, s'élever contre.
▼**—ing 1** construction, élévation;
2 proposition; objection *v*.
opwind/en I *ov.w* **1** remonter (une montre);
2 (*draad*) pelotonner; **3** (*fig.*) exciter (à).
II zich — s'exciter, se monter la tête. ▼**—ing**
excitation *v*.
opwippen I *ov.w* soulever, faire sauter.
II *on.w* se lever en sursaut; *de trap —,·*monter
l'escalier d'un pas léger.
opwrijven polir, frotter.
opzegbaar révocable; résiliable; (*v. lening*)
amortissable. ▼**—heid** révocabilité *v*.
▼**opzegg/en 1** dire, réciter; **2** donner congé à
(un domestique); (*koop*) rompre; résilier (un
contrat); dénoncer (un traité); demander le
remboursement; **3** démissionner; **4** annuler
(un abonnement *bijv.*). ▼**—ing** résiliation *v*
(d'un contrat); congé *m*; démission *v*; *met 6*
maanden —, à six mois de préavis; *zonder*
voorafgaande —, sans avis préalable.
opzenden *zie* **opsturen**.
opzet 1 dessein *m*; *met —,* à dessein, de
propos délibéré; *met — tartend,*
volontairement provocant; *hij heeft het niet*
met — gedaan, il n'a pas mis de malice;
zonder —, sans le vouloir; **2** plan, projet; (*v.*
roman) cadre *m*; **3** (*mil.*) hausse; **4** économie
v. ▼**—telijk** *bn* (& *bw*) intentionnel(lement),
de propos délibéré. ▼**—ten I** *ov.w* **1** mettre
debout; (*v. opvouwbare caravan*) déplier;
relever; **2** (*op het hoofd*) mettre; **3** mettre sur
le feu; **4** servir; **5** empailler (une bête morte);
6 (*beginnen*) monter (un tricotage);
commencer; **7** (*fig.*) monter, exciter (qn);
8 majorer (le prix). **II** *on.w* s'enfler; *komen*
—, s'approcher, arriver; se préparer. **III** *zn*: *het*
—, **1** enflement *m*, dilatation; **2** (*ophitsing*)
excitation *v*; **3** naturalisation; taxidermie *v*.
opzicht 1 (*toezicht*) surveillance *v*; contrôle
m; **2** (*oogpunt*) rapport, égard *m*; *menselijk*
—, humain; *in ieder —,* à tous les
points de vue; *in dit —,* à cet égard, sous ce
rapport; *ten —e van,* à l'égard de. ▼**—er**
surveillant *m*; *— van de waterstaat,*
conducteur *m* des ponts et chaussées. ▼**—ig**
I *bn* voyant, tapageur. **II** *bw* d'une façon
voyante. ▼**—igheid** caractère *m* voyant.
▼**—zending** envoi *m* à condition.
opzien I *on.w* lever les yeux, regarder en haut;
vreemd — van iets, ouvrir de grands yeux
devant qc; *tegen iem. —,* respecter qn; *tegen*
iets —, avoir peur d'entreprendre qc; *er niet*
tegen — om, ne pas regarder à, ne pas être en
peine de. **II** regard *m*; *— baren,* faire
sensation; *— barend* retentissant,
sensationnel; *op —e wijze,* avec éclat. ▼**—er**
zie **opzichter**.
opzij de côté; *zie* **zijde**: *— gaan,* s'effacer
(devant qn); se ranger (de côté).
opzitten 1 être levé; rester levé, veiller; **2** (*in*
bed) se tenir sur son séant; **3** (*v. hond*) faire le
beau; *— en pootjes geven,* faire des
courbettes. **opzoeken** (re)chercher; aller
trouver (qn), aller voir (qn). **opzouten** saler;
(*fig.*) conserver; *dat kun je wel —,* tu peux
garder cela pour toi. **opzuigen** absorber,
sucer, aspirer (la poussière); (*v. grond,*
papier) boire.
opzwell/en (se) gonfler, (s')enfler. ▼**—ing**
enflure, tuméfaction *v*. **opzwepen** exciter.
orakel oracle *m*. ▼**—achtig 1** *bn* énigmatique,
sibyllin. **II** *bw* comme un oracle.
orang-oetan(g) orang-outang *m*.
oranje I *zn* **1** (*vrucht*) orange *v*; **2** (*kleur*)
orange *m*, couleur *v* d'orange. **II** *bn* orange,
orangé. ▼**—bitter** bitter *m* orangé.
▼**—bloesem** fleur *v* d'oranger. ▼**—huis**
maison *v* d'Orange. ▼**—lint** ruban *m* orange.
▼**—rood** rouge orangé.
oratie discours *m*; (*rk*) oraison *v*; *een —*
houden, prononcer un discours.
▼**oratorisch I** *bn* oratoire. **II** *bw* dans le style
oratoire. ▼**oratorium 1** oratoire; **2** (*muz.*)

oratorio *m*.
orchidee orchidée *v*.
orde 1 ordre *m*; **2** discipline *v*; *de —*
herstellen, rétablir l'ordre; *— houden,*
maintenir la discipline; *— stellen op,* mettre
bon ordre à; *aan de — zijn,* être actuel; *-*
d'actualité; aan de — stellen, mettre à l'ordre
du jour; *niets meer aan de — zijnde,* l'ordre
du jour étant épuisé; *in —,* bien, en règle; *in*
— brengen, arranger, mettre en ordre; *in —*
komen, s'arranger; *het is nog niet helemaal in*
—, ce n'est pas encore ça; *het is in —,* ça y
est; *tot de — roepen,* rappeler à l'ordre; *in de*
— van grootte van, dans l'ordre de. ▼**—kleed**
habit *m* religieux. ▼**—kruis** croix *v*.
▼**—lievend** ordonné; méthodique; (*v. leven*)
rangé, décent. **II** *bw* avec ordre,
régulièrement. ▼**—lijkheid** ordre *m*;
régularité *v*. ▼**—lint** ruban, cordon *m*.
▼**—loos** le dérangé, désordonné. **II** *bw*
sans ordre. ▼**—loosheid** désordre *m*,
confusion *v*. ▼**—nen** ranger, régler, classer.
▼**—ning** arrangement, classement; (*econ.*)
planisme *m*; *ruimtelijke —,* aménagement *m*
du territoire. ▼**—ntelijk I** *bn* convenable,
décent. **II** *bw* convenablement, comme il
faut. ▼**—ntelijkheid** convenance, civilité *v*.
order ordre *m*; *op — van,* sur l'ordre de; *per*
—, par ordre, P.O.; *aan de Heer X op —,* à
l'ordre de M. X. ▼**—boek** livre *m* de
commandes. ▼**—briefje** billet *m* à ordre.
orde/ster étoile, plaque *v*. ▼**—teken**
décoration *v*.
ordinaat (*wisk.*) ordonnée *v*.
ordinair I *bn* **1** ordinaire; **2** bas, commun;
peuple. **II** *bw* vulgairement.
ordner classeur *m*.
ordonnans planton *m*, ordonnance *v* (*in leger*
m). ▼**—officier** officier *m* d'ordonnance.
▼**ordonnantie** ordonnance *v*.
orgaan organe; organisme *m*.
▼**—transplantatie** transplantation *v*
d'organe.
organdie organdi *m*.
organ/iek organique. ▼**—igram**
organigramme *m*. ▼**—isatie** organisation *v*.
▼**—isatietalent** esprit *m* d'organisation.
▼**—isator** organisateur *m*; (*v. gebeuren in*
groep) animateur *m*. ▼**—isch** *bn* (& *bw*)
organique(ment). ▼**—iseren** organiser.
▼**—isme** organisme *m*.
organist organiste *m*.
orgasme orgasme *m*.
orgel 1 orgue *m*; orgues *v mv*; **2** (*draai—*)
orgue *m* de Barbarie; *op het — spelen,* jouer
de l'orgue. ▼**—concert** concerto *m* pour
orgue. ▼**—draaier** joueur *m* d'orgue de
Barbarie. ▼**—fabrikant** facteur *m* d'orgues.
▼**—register** jeu *m*. ▼**—spel** jeu *m* d'orgue.
▼**—speler** organiste *m*.
orgie orgie *v*.
oriënt orient *m*. ▼**—eren (zich)** s'orienter.
▼**—ering** orientation *v*. ▼**—eringspunt**
point *m* de repère. ▼**—eringsvermogen**
sens *m* de la direction.
origin/aliteit originalité *v*. ▼**—eel I** *bn* (&
bw) original(ement). **II** *zn* **1** original; **2** texte;
3 autographe *m*; **4** minute *v*; **5** homme
bizarre.
orkaan ouragan *m*.
orkest orchestre *m*. ▼**—bak** fosse *v* (de
l'orchestre). ▼**—leider** chef *m* d'orchestre.
▼**—meester** second chef d'orchestre.
▼**—partij** partie *v* d'o. ▼**—ratie** orchestration
v. ▼**—stuk** morceau *m* d'ensemble.
ornaat habits *m mv* sacerdotaux; *in vol —,*
revêtu de ses habits de cérémonie. **ornament**
ornement *m*. ▼**—iek** ornementation *v*.
ortho/dox *bn* (& *bw*) orthodoxe(ment).
▼**—grafie** orthographe *v*. ▼**—grafisch** *bn*
(& *bw*) orthographique(ment). ▼**—pedie**
orthopédie *v*. ▼**—pedisch** orthopédique; *—*
chirurg, chirurgien *m* orthopédiste *m*.
os bœuf *m*; (*fig.*) imbécile, butor *m*.
osmo/se osmose *v*. ▼**—tisch** osmotique.
osse/drijver bouvier *m*. ▼**—gebraad** rôti *m*

de bœuf. ▼—**haas** filet *m* de bœuf. ▼—**lapje**
tranche *v* de bœuf. ▼—**vlees** du bœuf.
▼—**wagen** chariot *m* à bœufs.
otium loisirs *m mv* ; — *cum dignitate*, de
nobles loisirs.
otter. —**bont** loutre *v*.
oud 1 âgé (de 16 ans) ; **2** vieux ; **3** (*v. vroeger*)
ancien ; **4** antique, classique ; — *en afgeleefd*,
vieux et usé ; *hoe — is hij ?*, quel âge a-t-il ? ;
— *brood*, du pain rassis ; — *en jong*, jeunes et
vieux ; —*e jongen !*, mon vieux ! —*e kaas*, du
fromage fait ; — *maken*, — *worden*, vieillir ;
hij zal niet — worden, il ne fera pas de vieux
os ; — *genoeg zijn om*, être en âge de ; *hij is
19 jaar —*, il a 19 ans, il est âgé de 19 ans.
▼**oud/-** ancien, ex-. ▼—**bakken** rassis ; (*fig.*)
suranné ; défraîchi. ▼**oude** vieux, vieillard *m* ;
vieille *v* ; *het —*, ce qui est vieux ; *alles blijft bij
't —*, il n'y aura rien de changé ; *bij 't — laten*,
laisser les choses en l'état. ▼—**jaar(savond)**
la Saint-Sylvestre. ▼—**mannenhuis** hospice
m.
ouder I *bn* plus âgé ; plus vieux ; *hij is 3 jaar —
dan ik*, il a trois ans de plus que moi, il est mon
aîné de trois ans. **II** *zn* père, mère ; —*s*,
parents *m mv*. ▼—**dom 1** âge *m* ; **2** (*hoge —*)
vieillesse *v*, âge avancé *m*. ▼—**doms- en
ziekteverzekering** assurance *v* vieillesse et
maladie. ▼—**domskwaal** infirmité *v* de
vieillesse. ▼—**dompensioen** allocation *v* à
la vieillesse. ▼—**domspensioen** pension de
vieillesse, allocation *v* d'assistance aux
vieillards. ▼—**domsverzekering**
assurance-vieillesse *v*. ▼—**liefde 1** (*voor
kind*) amour *m* paternel, - maternel ; **2** (*van
kind*) amour *m* filial. ▼—**lijk** parental, des
parents ; — *gezag*, autorité *v* parentale.
▼—**ling** ancien *m*. ▼—**loos** orphelin.
▼—**schap** *gewenst* —, procréation *v*
volontaire. ▼—**wets I** *bn* périmé ; vieux jeu ;
rétrograde ; *je bent —*, tu retardes. **II** *bw* à
l'ancienne mode.
oudevrouwenhuis hospice *m* de femmes.
oudgediende vétéran *m*.
oudheid 1 antiquité ; **2** vieillesse ; **3** (*y. rang*)
ancienneté *v* ; *uit de —*, antique. ▼—**kenner**
archéologue *m*. ▼—**kunde** archéologie *v*.
▼—**kundig** *bn* (& *bw*) archéologique(ment).
oud/-katholiek vieux-catholique (*m*).
▼—**leerling** ancien élève *m*. ▼—**oom**
grand-oncle.
ouds *van —*, depuis longtemps. ▼—**her** *van
—*, depuis toujours, dès les temps les plus
reculés. ▼**oudste 1** le plus âgé, le plus vieux ;
2 (*eerstgeborene*) aîné ; *de — in jaren*, le
doyen d'âge.
oud/-strijder ancien combattant. ▼—**tante**
grand-tante *v*.
oudtijds jadis, anciennement.
outil/age outillage *m*. ▼—**eren** outiller.
output output ; rendement *m*. **outsider**
outsider *m*.
ouwel 1 (*v. brieven*) pain *m* à cacheter ; **2** (*v.
taart*) pain *m* à chanter ; **3** (*med.*) cachet *m*.
ouwelijk vieillot.
ovaal I *bn* (& *zn*) ovale (*m*). **II** *bw* en ovale.
ovatie ovation *v* ; *een — brengen*, faire une
ovation à.
oven four, fourneau *m* ; *in de — doen*,
enfourner. ▼—**kachel** cuisinière *v*. ▼—**plaat**
plaque *v* à four.
over I *vz* **1** au-dessus de, sur ; **2** (*—heen*)
par-dessus (son costume) ; en travers de (ce
fossé) ; **3** (*via*) par ; **4** (*aan gene zijde van*) de
l'autre côté ; au-delà de ; **5** (*tegen—*) en face
de ; vis-à-vis ; **6** (*meer dan*) plus de (dix) ;
7 (*betreffende*) sur, à propos de ;
8 (*gedurende*) pendant (la journée) ; **9** (*na*)
dans, après ; *het is — achten*, il est huit heures
passées ; — *enige weken*, d'ici quelques
semaines. **II** *bw* **1** passé ; **2** de reste ; *hij had
niets —*, il ne lui restait rien ; — *de pijn is —*, la
douleur est passée ; — *en weer*, de part et
d'autre ; *te —*, en abondance, à profusion.
overal partout ; *van —*, de toutes parts.
overal(l) (*kledingstuk*) combinaison *v*, bleu

m.
overbelast/en surcharger. ▼—**ing** surcharge
v.
overbeleefd trop poli, obséquieux. ▼—**heid**
obséquiosité *v*.
overbelicht/en surexposer. ▼—**ing**
surexposition *v*.
over/beschaafd survicilisé, raffiné.
▼—**beschaving** civilisation *v* trop raffiné.
over/bevolking surpopulation *v*. ▼—**bevolkt**
surpeuplé ; (*v. huis*) surhabité.
over/blijfsel 1 reste *m* ; reliefs *m mv* ; relique
v ; **2** (*bouwval*) débris *m* ; **3** (*spoor*) trace,
survivance *v*. ▼—**blijven 1** rester ; survivre ;
2 passer la nuit ; *een trein —*, rester entre deux
trains ; *er blijft ons niets over dan ...*, il ne nous
reste qu'à. ▼—**blijvend** survivant (*m*) ; —*e
planten*, plantes *v mv* vivaces. ▼—**blijver**
demi-pensionnaire *m*.
over/bluffen en imposer à, déconcerter.
▼—**bluffing** bluff *m*. ▼—**bluft** pantois.
overbodig superflu, de trop ; — *zijn*, faire
double emploi. ▼—**heid** superfluité, inutilité
v.
overboek/en transcrire ; virer. ▼—**ing**
transcription *v* ; virement *m*.
overboord par-dessus bord ; *zie* **boord**.
overbreng/en 1 transporter ; transmettre ;
beweging — op, entraîner ; **2** faire (une
commission) ; **3** (*hand.*) reporter (à nouveau
= *op de nieuwe rekening*) ; **4** (*verklikken*)
rapporter ; **5** (*vertalen*) traduire. ▼—**er**
1 porteur ; **2** rapporteur ; **3** (*med.*) agent
vecteur *m*. ▼—**ing 1** (*vervoer*) transport ; (*v.
gevangene*) transfert *m* ; (*v. hjken*)
translation ; **2** (*tech.*) transmission ;
3 (*vertaling*) traduction *v*.
overbrieven rapporter, répéter.
overbrugg/en en jeter un pont sur ; (*fig.*) faire le
pont (la soudure) entre. ▼—**ing** passerelle *v* ;
viaduc ; construction *v* d'un pont ; (*fig.*)
soudure *v*. ▼—**ingsgeld** allocation *v*
d'attente. ▼—**ingsperiode** période *v* de
soudure. ▼—**ingstoeslage** salaire *m*
d'appoint.
overbuigen I *ov. w* faire pencher. **II zich —** se
pencher.
over/buur 1 voisin d'en face ; **2** (*aan tafel*)
vis-à-vis *m*. ▼—**compleet** de trop,
surnuméraire. ▼—**consumptie**
surconsommation *v*.
over/daad excès *m* ; abondance *v* ; *in —
leven*, vivre dans l'opulence. ▼—**dadig I** *bn*
excessif. **II** *bw* excessivement.
overdag (pendant) le jour, dans la journée.
over/dekken (re)couvrir ; *overdekt perron*,
quai *m* couvert. ▼—**denken** réfléchir sur,
méditer (sur). ▼—**denking** réflexion,
méditation *v*. ▼—**doen 1** refaire recommencer ;
2 vendre, céder. ▼—**donderen** esbrouffer.
overdraagbaar cessible, transférable,
transmissible. ▼—**heid** cessibilité ;
transmissibilité *v*. ▼**overdracht**
transmission ; cession *v* ; transfert *m* ; *bij —*,
par délégation. ▼—**elijk I** *bn* figuré. **II** *bw* au
figuré. ▼**overdrag/en 1** transporter ;
transférer ; **2** (*afstaan*) céder ; transférer ;
3 transmettre (la responsabilité) ;
4 (*overboeken*) transcrire, reporter, virer.
▼—**er** cessionnaire ; endosseur *m*.
overdreven I *bn* exagéré ; extravagant. **II** *bw* à
l'excès. ▼—**heid** exagération *v* ; excès *m* =
overdrijving. ▼**overdrijven** exagérer.
overdrijven passer.
overdrive surmultiplication *v*.
overdruk 1 tirage *m* à part ; (*op postzegel*)
surcharge *v*. ▼—**ken 1** tirer à part ;
2 (*postzegel*) surcharger ; **3** réimprimer.
over/duidelijk manifeste. ▼—**dwars I** *bn*
transversal. **II** *bw* de -. en travers.
overeen de même, — *uitkomen*, revenir au
même. ▼—**brengen** concilier (avec) ;
accorder (à). ▼—**komen 1** s'accorder (avec),
être conforme (à), correspondre (à) ; **2** (*eens
worden*) tomber d'accord (pour), convenir
(de) ; *tegen de overeengekomen prijs*, au prix

convenu. ▼—**komend** conforme (à), bien
assorti. ▼—**komst 1** conformité, analogie;
2 (*vergelijk*) convention v; accord, contrat m;
bij —, contractuellement. ▼—**komstig I** bn
conforme (à); analogue (*wisk.*)
correspondant. **II** bw conformément.
▼—**komstigheid** conformité, analogie v
(avec). ▼—**stemmen 1** être d'accord;
2 (*gram.*) s'accorder; *met iets* —,
correspondre à qc. ▼—**stemming**
concordance; harmonie, entente v;
consensus m; (*gram.*) accord m; *in* —
brengen, harmoniser, concilier; *in* — *brengen*
met, faire accorder avec, mettre en harmonie
avec; *in* — *met*, conformément à; d'accord
avec (qn); in rapport avec (qc); *tot* —
komen, s'entendre.
overeind debout; — *komen*, se dresser; —
gaan zitten, se mettre sur son séant.
over/erfelijk héréditaire. ▼—**erven 1** (*v.*
goed) passer (à); **2** (*v. ziekte*) se transmettre.
▼—**erving** transmission v.
over/gaaf zie —**gave**.
overgaan 1 passer; traverser (la rue); **2** (*v.*
schel) sonner; **3** (*tech.*) marcher, jouer;
retentir; **4** (*ophouden*) passer; **5** (*school*)
passer dans une classe supérieure; **6** passer (à
= *tot*); *plotseling* —, sauter (d'un sujet à
l'autre); **7** se résoudre à faire qc; *tot iets*
anders —, procéder à autre chose; *tot het*
katholicisme —, se convertir au catholicisme.
▼**overgang** passage m, transition v;
changement m; (*jur.*) mutation v; — *tot het*
katholicisme, conversion v au catholicisme.
▼—**sbepaling** disposition v transitoire;
article m additionnel. ▼—**sexamen** examen ·
m de passage, - de fin d'année. ▼—**sklimaat**
climat m intermédiaire. ▼—**smaatregel**
mesure v de transition. ▼**overgankelijk I** bn
transitif. **II** bw transitivement.
overgave 1 capitulation, reddition;
2 (*overhandigen*) remise, livraison;
3 transmission v (des pouvoirs); **4** abandon m
(à Dieu).
over/gedienstig I bn obséquieux.
II obséquieusement. ▼—**gedienstigheid**
obséquiosité v. —**gelukkig** ivre de bonheur,
aux anges; *u maakt me* —, vous me comblez.
overgeven I ov.w **1** remettre, passer; **2** livrer;
3 (*mil.*) rendre; **4** vomir, rendre. **II** on.w
vomir. **III** zich — rendre; *zich* — *aan*,
s'abandonner à, se livrer à (la passion). **IV** zn:
het —, le vomissement.
overgevoelig I bn trop sensible,
hypersensible. ▼—**heid** trop grande sensibilité,
sentimentalité v.
over/gieten 1 transvaser, transfuser;
2 (*morsen*) répandre; **3** arroser; *met licht* —
baigner de lumière; *met hetzelfde sop*
overgoten, de même farine. —**gooien** jeter de
l'autre côté. —**gordijn** double rideau m.
—**groeien** couvrir.
overgroot énorme, colossal; *overgrote*
meerderheid, immense majorité v.
▼—**moeder** bisaïeule v. ▼—**ouders** bisaïeuls
m mv. ▼—**vader** bisaïeul m.
overhaast précipitamment. ▼—**en I** ov. w
précipiter. **II** zich — se presser trop. ▼—**ig**
I bn précipité, trop pressé. **II** bw trop vite.
▼—**ing** précipitation v.
overhalen 1 passer, faire traverser (; v.
trekker) faire jouer; (*haan* —) armer le fusil;
faire fonctionner (le frein); **3** faire pencher;
4 (*fig.*) persuader (qn de faire qc); **5** distiller.
overhand dessus m; *de* — *hebben* (*krijgen*),
avoir (prendre) le dessus, l'emporter (sur).
▼—**igen** remettre. ▼—**iging** remise v.
overhands de surjet.
overhangen 1 pencher sur; **2** surplomber.
overheadprojector rétroprojecteur m.
overhebben avoir de reste; *ik heb niets meer*
over, il ne me reste plus rien; *veel voor iem.*
—, s'imposer des sacrifices pour qn; *er veel*
voor — *om*, donner gros pour.
overheen par-dessus; — *stappen*, passer

par-dessus; enjamber; *zich ergens* — *zetten*,
se consoler de; prendre son parti de qc.
overheerlijk bn (& bw) exquis (ement).
overheers/en dominer. ▼—**ing** domination v.
overheid administration v; pouvoir m public.
▼—**sambt** fonction v dans l'Administration.
▼—**sdienst** Administration v; service m
administratif. ▼—**sinstelling** organisme m
public. ▼—**spersoon** autorité v; magistrat m.
▼—**spersoneel** personnel m des services
publics; fonctionnaires m mv. ▼—**swege**
(*van* —) de la part des autorités.
overhell/en 1 pencher, s'incliner; **2** (*fig.*)
incliner (à), être porté (à); donner dans (les
idées nouvelles). ▼—**end** penchant, incliné;
en surplomb. ▼—**ing** inclinaison; (*fig.*)
penchant m.
overhemd chemise v (de jour). ▼—**blouse**
chemisier m. ▼—**kraag** col m chemisier.
overhoeks en diagonale, de biais.
overhoop sens dessus dessous; —*halen*,
mettre sens dessus dessous; —*liggen*, être en
désordre; être brouillé.
overhoren faire réciter (la leçon) à qn.
overhouden 1 garder, conserver; **2** réserver,
économiser; *het houdt niet over*, ce n'est pas
brillant.
overig I bn restant; autre. **II** zn: *de* —*en*, les
autres; *het* —*e*, le reste; *voor het* —*e*, pour le
reste. ▼—**ens** au reste, d'ailleurs.
overijld enz. zie **overhaast** enz.
over/jarig de plus d'un an. —**jas** pardessus m,
manteau m. —**kant** autre côte, autre bord,
côté m opposé; *aan de* —, de l'autre côté; *van*
de —, d'en face. —**kapitalisatie**
surcapitalisation v.
overkapp/en couvrir. ▼—**ing** hall, vitrage m;
glazen —, verrière v.
over/kijken 1 repasser (sa leçon). **2** regarder
par-dessus. —**klimmen 1** grimper
par-dessus, franchir; **2** (*met ladders*)
escalader. —**klimming** escalade v.
—**kluizen** voûter. —**koepelen** coiffer;
joindre. ▼—**koepeling** jonction v. —**koken**
se répandre, s'enfuir (en bouillant), déborder.
over/komelijk surmontable. ▼—**komen I** ov.
w traverser; (*contact krijgen*) passer. **II** on.w
1 venir voir qn; **2** arriver; *wat is u* —, que vous
est-il arrivé? ▼—**komst** arrivée v.
over/krijgen faire passer; *wij krijgen mensen*
over, nous aurons du monde. —**kruipen**
passer en rampant. —**kruisen** faire une croix
sur.
over/laadstation gare v de transbordement.
overlaat déversoir m, vanne v.
overlad/en 1 (*v. schip, wagon*) transborder,
transporter; **2** (*te zwaar beladen*) surcharger;
3 (*fig.*) surcharger (de); combler (de
bienfaits); accabler (d'injures); *met werk* —,
être débordé (d'ouvrage). ▼—**ing**
1 transbordement m; **2** surcharge v,
encombrement m; — *der maag*, indigestion
v.
overland par voie de terre. —**vlucht** vol m
transcontinental.
overlangs I bn longitudinal. **II** bw en
longueur.
overlappen chevaucher; *elkaar* —, se
chevaucher.
overlast 1 importunité, gêne v; **2** molestation
v; — *aandoen*, importuner; molester.
overlaten 1 laisser, abandonner; **2** garder;
laat dat aan mij over, je m'en charge; *ik laat*
dat aan u over, je m'en remets à vous.
over/leden défunt, décédé; *haar* — *man*, feu
son mari. ▼—**ledene** mort(e), décédé(e) m
(v).
overleg réflexion v, délibération v; concertation
v; *in* — *met*, de concert avec; *georganiseerd*
—, commission v paritaire; —*plegen*, se
concerter, s'entendre; *in* — *treden met*,
consulter (qn sur qc). ▼—**gen I** ov.w **1** mettre
de côté, économiser; **2** (*vertonen*) montrer,
produire; **3** (*overleggen*) examiner, peser; *hij*
zich zelf —, tenir conseil avec soi-même; *wel*
overlegd plan, projet m bien concerté; *iets*

met iem. —, consulter qn sur qc. II on.w faire des économies. ▼—**ging**: *tegen — van*, sur production de. ▼—**instantie** instance v de concertation.

over/**leven** survivre à. ▼—**levende** survivant(e); (*v. ramp*) rescapé m (v).

overlever/**en** livrer (au juge); transmettre (un usage). ▼—**ing** 1 livraison, transmission v; 2 tradition v.

overleving survivance, survie v.

overlijden I on. w décéder, trépasser, mourir. II décès, trépas m, mort v; *wegens* —, pour cause de décès. ▼—**sakte** acte m de décès. ▼—**sbericht** faire-part m de décès. ▼—**sverzekering** assurance v décès.

over/**loop** 1 passage; 2 (*portaal*) palier; 3 (*v. vloeistof*) déversoir; 4 (*het overlopen*) débordement m. ▼—**lopen** I on. w 1 traverser (la rue); 2 (*over de rand*) déborder; se répandre; 3 (*bij koken*) s'enfuir; 4 (*mil.*) déserter, passer à l'ennemi; *het loopt hier over van…*, les… surabondent ici. II ov.w 1 renverser; 2 importuner par ses visites; *die dokter overloopt je niet*, ce médecin ne pousse pas à la visite. ▼—**loper** transfuge, déserteur m.

overluid tout haut, à haute voix.

overmaat 1 excédent, surplus; comble; 2 (*fig.*) excès; *tot — van ramp*, pour comble de misère.

overmacht 1 supériorité v; nombre m; 2 (*noodzaak*): *geval van —*, cas m de force majeure; *voor de — zwichten*, céder devant le nombre. ▼—**ig** supérieur (en nombre, en forces).

over/**maken** 1 refaire; —!, à refaire!; 2 envoyer, faire parvenir; remettre (de l'argent). ▼—**making** envoi m, remise v.

overmannen vaincre, accabler; *door slaap overmand worden*, céder au sommeil.

overmatig I bn démesuré, excessif. II bw démesurément, à l'excès.

overmeester/**en** vaincre, maîtriser. ▼—**ing** conquête, prise v.

overmoed 1 présomption v; *uit —*, par bravade. ▼—**ig** bn (& bw) téméraire(ment).

overmorgen après-demain.

overnaad surjet m. ▼—**naads** à clin.

overnachten passer la nuit; (*niet thuis*) découcher.

over/**name** 1 reprise v; 2 achat m; *ter — aangeboden*, à céder. ▼—**nemen** 1 prendre (qc à qn); 2 (*op zich nemen*) prendre (le commandement), assumer (une tâche); 3 emprunter; reproduire; 4 acheter; *een zaak over te nemen*, fonds de commerce à céder. ▼—**neming** prise v en charge; 2 prise v de possession; 3 emprunt; 4 achat m.

overpakken remballer.

overpeinz/**en** méditer sur, réfléchir sur. ▼—**ing** méditation, réflexion v.

overplaats/**en** 1 déplacer; muter; 2 faire changer de garnison. ▼—**ing** déplacement, changement m de poste.

over/**plakken** coller sur. —**planten** transplanter. —**poten** repiquer. —**potten** rempoter.

overprikkel/**en** surexciter. ▼—**ing** surexcitation v.

overproduktie surproduction v.

overred/**en** persuader (qc à qn), porter qn à. ▼—**end** persuasif. ▼—**ing** persuasion v. ▼—**ingskracht** force persuasive, persuasion v.

over/**reiken** passer, remettre. —**rekenen** vérifier. —**rijden** I ov.w 1 écraser, renverser; passer dessus (à qn); 2 harasser (un cheval). II on.w traverser (en voiture, en auto).

over/**rijp** trop mûr, passé.

overrompel/**en** prendre par surprise, - au dépourvu. ▼—**ing** surprise v, coup m de main.

over/**schaduwen** 1 ombrager; 2 (*fig.*) protéger; 3 effacer, éclipser.

overschakel/**en** 1 changer de vitesse; 2 commuter; — *op*, brancher sur; 3 (*v. oorlogs- op vredesproduktie bijv.*)

reconvertir. ▼—**ing** 1 changement m de vitesse; 2 commutation; 3 reconversion v.

overschatt/**en** surfaire (*fig.*) trop présumer de (qc); avoir une trop haute opinion de (qn), s'exagérer. ▼—**ing** 1 surestimation; 2 exagération v.

over/**schenken**, —**scheppen** transvader, verser. —**schieten** rester, être de reste; *schiet zij er over?*, va-t-elle coiffer sainte Catherine? —**schijnen** inonder de clarté, luire sur. —**schilderen** 1 repeindre; 2 retoucher.

overschoen caoutchouc m.

overschot 1 reste m; 2 (*v. leger*) débris m mv; 3 (*teveel*) excédent, surplus; 4 (*rekening*) solde; 5 (*chem.*) résidu m; *stoffelijk —*, dépouille v mortelle; *die een — aanwijst*, en excédant.

overschreeuwen I ov.w 1 crier plus fort que qn; couvrir la voix de qn; 2 (*ruimte*) remplir de sa voix. II zich — s'égosiller.

overschrijd/**en** enjamber, franchir; (*fig.*) dépasser, excéder (le budget). ▼—**ing** franchissement; (*fig.*) dépassement m; infraction v (à qc).

overschrijv/**en** 1 transcrire, copier (sur = *uit of van*); mettre au net; 2 (*post*) reporter; transférer; 3 virer. ▼—**ing** 1 copie, transcription v; 2 virement m.

overseinen transmettre; câbler; *de overgeseinde berichten*, les transmissions v mv.

over/**slaan** I ov.w 1 omettre; sauter; manquer. II on.w 1 (*hellen*) se pencher; 2 (*v. brand*) gagner; (*v. golf*) embarquer; (*v. ziekte*) se communiquer (à), se gagner; 3 (*v. drukwerk*) maculer; 4 (*v. stem*) se casser; 5 transborder. ▼—**slag** 1 estimation; (*v. belasting*) répartition v; 2 (*aan kledingstuk*) revers; rebord, 3 transbordement m.

oversmokkelen passer en fraude.

overspann/**en** I ov.w 1 tendre sur, - au-dessus de; 2 couvrir (d'un pont); 3 tendre trop fort; (*fig.*) surexciter. II zich — se surmener. III bn surexcité, surmené, énervé. ▼—**ing** 1 (*v. brug*) portée; 2 (*fig.*) surexcitation v, surmenage; énervement m.

oversparen économiser, mettre de côté.

overspel adultère m; — *plegen*, être adultère. ▼—**ig** adultère.

overspringen I ov.w sauter (par-dessus), franchir. II on.w sauter; (*elektr.*) jaillir.

over/**staan**: *ten — van*, (par) devant (notaire), en présence de. —**staand** (*meetk.*) opposé par le sommet.

overstap/**halte** station v de correspondance. ▼—**(kaart)je** correspondance v. ▼—**pen** I ov.w 1 enjamber; 2 passer (sous silence). II on.w changer de train, - de ligne etc., prendre la correspondance; *mijn ik — naar Arnhem?*, ce train est direct pour A.?; III zn: *het —*, le changement de train. ▼—**station** gare v de correspondance.

overste 1 chef, supérieur; 2 (*mil.*) lieutenant-colonel m.

over/**steek** traversée v. ▼—**steekplaats** passage m clouté, - zébré. ▼—**steken** I ov.w 1 donner, passer; 2 traverser., II on.w 1 traverser, changer de trottoir; passer, faire la traversée; 2 (*uitsteken*) saillir, avancer; 3 met iem. —, échanger avec qn; *gelijk —*, donnant donnant; —*d vee*, passage m éventuel d'animaux.

overstelp/**en** 1 couvrir; 2 (*fig.*) accabler (de); *met werk overstelpt*, débordé de travail. ▼—**ing** accablement m.

over/**stemmen** 1 voter de nouveau; 2 couvrir la voix de, dominer; *overstemd worden*, être en minorité. —**stralen** 1 inonder de (de); 2 éclipser.

overstrom/**en** I on.w déborder, sortir de son lit. II ov.w inonder. ▼—**ing** 1 (*v. rivier*) débordement; 2 (*v. land*) inondation v.

oversturen *zie* —**zenden**.

overstuur (*fig.*) déconcerté, défait; *zijn maag is —*, il a l'estomac dérangé; — *hebben*, survirer.

over/tekenen I *ov.w* **1** copier ; dessiner de nouveau ; **2** (*lening*) dépasser le montant. **II** *on.w* se rengager. **—tellen** recompter.
overtocht passage *m* ; (*zee*) traversée *v*. **▼—biljet** billet *m* de passage.
overtollig superflu, surabondant, de trop. **▼—heid** superflu *m*.
overtre/den transgresser, contrevenir à. **▼—er** contrevenant, transgresseur *m*. **▼—ing** transgression, contravention *v* ; *in —*, en faute.
overtreff/en I *ov.w* surpasser, l'emporter sur. **II zichzelf** — se surpasser ; *verre —*, l'emporter de beaucoup sur. **▼—end** superlatif ; *—e trap*, superlatif *m*.
overtrek housse, couverture *v* ; *met losse —*, déhoussable. **▼—ken I** *ov.w* **1** revêtir, recouvrir ; **2** tirer sur ; **3** calquer ; passer au crayon, - à l'encre. **II** *on.w* **1** passer sur ; traverser ; **2** (*in woning*) s'emménager (dans).
overtroeven surcouper ; *elkaar trachten te —*, renchérir l'un sur l'autre.
overtuig/d convaincu ; *hij is —*, sa conviction est faite. **▼—en I** *ov.w* convaincre (qn de qc). **II zich** — (*van*) se convaincre (de). **▼—end** **I** *bn* convaincant, persuasif. **II** *bw* d'une façon convaincante. **▼—ing** conviction ; (*daad*) persuasion *v* ; *in de — dat*, avec la conviction que. **▼—ingsstuk** pièce *v* à conviction.
overuur heure *v* supplémentaire.
overvaart traversée *v* ; trajet, passage *m*.
overval attaque imprévue, surprise *v*, hold-up *m*. **▼—len** surprendre, attaquer brusquement, envahir ; prendre au dépourvu ; (*arg.*) braquer. **▼—ler** *gewapende —*, (*arg.*) braqueur *m*. **▼—wagen** camion de descente, car *m* de police.
ververbruik surconsommation *v*.
oververhitt/en surchauffer. **▼—ing** surchauffage *m* ; (*toestand*) surchauffe *v*.
oververmoeid fourbu, éreinté.
oververtellen rapporter, répéter, redire.
oververzadig/en I gorger de mets ; **2** (*chem.*) sursaturer. **▼—ing** sursaturation *v*.
overvleugelen I déborder ; **2** (*fig.*) surpasser, éclipser. **▼—ing** débordement *m* ; (*fig.*) supériorité *v*.
overvliegen I *ov.w* traverser -, franchir en volant ; voler par-dessus, survoler. **II** *zn* : *het —*, le survol.
overvloed 1 abondance ; profusion ; **2** (*weelde*) opulence *v* ; *— hebben van*, avoir... en abondance ; *in —*, en abondance, à profusion ; *ten —e*, au surplus ; en outre. **▼—ig I** *bn* abondant, copieux ; *— zijn*, abonder. **II** *bw* abondamment ; copieusement.
overvloei/en déborder ; *— van*, abonder de *of* en. **▼—er** (*film*) fondu *m* enchaîné.
overvoeren 1 transporter ; **2** gorger de nourriture ; *de markt is overvoerd*, le marché est engorgé.
overvol plein à déborder, comble.
overvracht excédent *m* de bagages.
over/vragen (*hand.*) surfaire. **—waaien** être porté par le vent ; passer ; *komen —*, arriver à l'improviste. **—waarde** plus-value *v*. **—waarderen** surestimer. **—wandelen** traverser en se promenant, se promener sur.
overweg I passage *m* à niveau. **II** *bw* : *— kunnen met*, savoir manier (qc), s'entendre à (qc), - avec (qn), s'accorder avec (qn).
overweg/en 1 repeser ; (*fig.*) prévaloir ; **2** considérer, réfléchir sur ; *alles wel overwogen*, tout bien considéré, (toute) réflexion *v* faite. **▼—end** prépondérant, d'une importance capitale. **▼—ing** considération, réflexion ; *in — geven*, soumettre (une idée à qn).
overwegwachter garde-barrière *m*.
overweldig/en 1 terrasser ; usurper ; envahir ; dompter ; **2** (*v. slaap*) accabler. **▼—end** écrasant ; imposant, saisissant ; (*v. succes*) foudroyant. **▼—ing** usurpation *v* ; envahissement *m*.
overwelven voûter.

overwerk travail *m* supplémentaire ; surtravail *m*. **▼—en I** *on.w* faire des heures supplémentaires. **II zich** — se surmener. **▼—t** surmené. **▼—theid** surmenage *m*.
overwicht 1 surpoids, excédent *m* de poids ; **2** (*fig.*) ascendant, prestige *m*, supériorité *v* ; *het — hebben*, prévaloir ; *— hebben op*, avoir de l'ascendant sur.
overwinn/aar vainqueur *m*. **▼—en** vaincre, triompher de ; surmonter (une difficulté) ; maîtriser (ses passions). **▼—end** victorieux, triomphant ; vainqueur. **▼—ing** victoire *v*, triomphe *m*.
overwinst bénéfice *m* net ; profits *m mv* extraordinaires.
overwinter/en passer l'hiver ; hiverner. **▼—ing** hivernage *m*.
over/wippen sauter par-dessus ; *komen —*, passer chez qn. **—woekeren** envahir.
over/zees d'outre-mer ; *—e gebiedsdelen* territoires *m mv* d'outre-mer. **▼—zee-trustmaatschappij** société *v* de surveillance économique.
over/zenden expédier. **▼—zending** expédition *v*.
overzet/boot bac *m*. **▼—ten 1** passer ; **2** déplacer ; transporter ; **3** traduire (de = *uit*). **▼—ting 1** passage ; **2** déplacement *m* ; **3** traduction, version *v*. **▼—veer** bac ; passage *m*.
overzicht aperçu *m* ; vue *v* générale, - d'ensemble, tour *m* d'horizon ; *kort —*, (*aan begin*) sommaire ; (*aan eind*) résumé *m* ; *tabellarisch —*, tableau *m* synoptique. **▼—elijk I** *bn* bien ordonné ; que l'œil peut embrasser. **II** *bw* clairement. **▼—elijkheid** ordonnance *v* claire et simple. **▼—skaart** carte *v* d'ensemble. **▼overzien 1** parcourir (du regard) ; **2** (*omvatten*) embrasser d'un coup d'œil ; dominer ; **3** repasser (sa leçon). **▼—baar** que l'œil peut embrasser.
overzijde autre côté, autre bord *m* ; *aan de —*, en face ; de l'autre côté ; *aan de — van*, de l'autre côté de ; au-delà de.
overzwemmen traverser à la nage.
oxyd/atie oxydation *v*. **▼—e** oxyde *m*. **▼—eren** s'oxyder.
ozon ozone *m*. **▼—iseren** ozoniser.

P p *m; de —in hebben*, bisquer.
pa papa; (*fam.*) pépère *m*.
paaien bercer, contenter; *met mooie beloften —*, payer de belles promesses.
paal 1 poteau, pieu; 2 (*met punt*) piquet; 3 (*hei —*) pilotis; 4 (*pilaar*) pilier *m*; 5 (*grens—*) borne v, lijzeren —, pylône *m; —en perk stellen aan*, mettre fin à, enrayer. ▼—**brug** pont *m* sur pilotis. ▼—**fundering** fondation v sur pilotis. ▼—**vast** *bn* (& *bw*) inébranlable(ment). ▼—**werk** palissade v, pilotis *m*. ▼—**woning** habitation v lacustre; *—en*, cité v lacustre. ▼—**worm** taret *m*.
paap papiste v, calotin *m*. ▼—**s(gezind)** papiste. ▼—**sheid** papisme *m*.
paar I *zn* 1 paire v (de bas); 2 (*twee*) couple v; 3 (*bij elkaar horende wezens*) couple *m; een gelukkig —*, un couple heureux; *bij paren*, par couples, deux par deux; *een —boeken*, quelques livres. II *bn* pair.
paard 1 cheval; 2 (*gymn.*) cheval de bois; 3 (*spel*) cavalier *m; de —en achter de wagen spannen*, mettre la charrue devant les bœufs; *iem. over het —tillen*, surfaire qn; *te —stijgen*, monter à cheval; *een —berijden*, monter un cheval; *het beste paard struikelt wel eens*, il n'y a si bon cheval qui ne bronche; *werken als een —*, travailler comme un nègre; *op het verkeerde —wedden*, miser sur le mauvais cheval. ▼**paarde/bit** mors *m*. ▼—**borst** poitrail *m*. ▼—**dek** couverture v; caparaçon *m*. ▼—**deken** couverture v. ▼—**haar** crin *m*. ▼—**haren** de crin, en crin. ▼—**kracht** cheval-vapeur *m; van 100 —en*, de 100 chevaux. ▼—**mest** crottin *m*. ▼—**middel** remède *m* de cheval; (*fig.*) remède *m* héroïque. ▼**paarden/arts** vétérinaire *m*. ▼—**fokkerij** élevage *m* des chevaux; haras *m*. ▼—**kenner** connaisseur *m* en chevaux. ▼—**spel** cirque, hippodrome *m*. ▼—**stamboek** stud-book *m*. ▼—**stoet** cavalcade v. ▼—**stoeterij** haras *m*. ▼**paarde/ras** race v chevaline. ▼—**sport** sport hippique, hippisme *m*. ▼—**sportvereniging** club *m* hippique. ▼—**staart** queue v de cheval. ▼—**stal** écurie v. ▼—**toom** bride v de cheval. ▼—**tuig** harnais *m; (du) cheval *m*. ▼—**vlees** viande v de cheval. ▼—**vlieg** taon *m*. ▼—**voet** pied *m* bot. ▼**paard/je** petit cheval, bidet *m; —spelen*, jouer au cheval, - aux guides; *op zijn —komen*, monter sur ses grands chevaux. ▼—**jerijden** sauter sur le genou de qn; *—op de hond*, monter à cheval sur le dos du chien. ▼—**mens** centaure *m*. ▼—**rijden** I *ww* faire du cheval; *graag —*, aimer le cheval. II *zn* équitation v. ▼—**rijder**, —**rijdster** 1 cavalier *m*, amazone v; 2 (*circus*) écuyer *m*, écuyère v.
paarlemoer nacre v. ▼—**achtig** nacré. ▼—**en** en -, de nacre. ▼—**glans** éclat *m* de nacre; *—geven*, nacrer; iriser. ▼—**werker** nacrier *m*.
paars *bn* (& *zn*) violet (*m*). ▼—**achtig** violacé.
paar/sgewijs deux par deux, par couples, par paires. ▼—**tijd** rut *m*; pariade v.
paas/best: *op zijn —zijn*, être sur son trente et

un. ▼—**biecht** confession v pascale.
▼—**bloem** pâquerette v. ▼—**dag** jour *m* de Pâques; *tweede —*, lundi *m* de Pâques. ▼—**ei** œuf *m* de Pâques. ▼—**feest** fête v de Pâques. ▼—**kaars** cierge *m* pascal. ▼**P—maandag** lundi *m* de Pâques. ▼—**os** bœuf *m* gras. ▼—**plicht** devoirs *m mv* pascaux; *zijn —en vervullen*, faire ses Pâques. ▼—**tijd** temps *m* de Pâques. ▼—**vakantie** vacances v *mv* de Pâques. ▼—**viering** célébration v de la fête de Pâques; (*Isr.*) - de la Pâque. ▼**P—zaterdag** samedi *m* saint.
pacemaker stimulateur *m* cardiaque.
pacht 1 ferme v, bail, contrat *m* d'affermage; 2 (*—geld*) fermage *m*. ▼—**geven**, donner à ferme; *leen- en —wet*, prêt-bail *m; in —hebben*, tenir à ferme; avoir loué. ▼—**akte**, —**brief**, —**ceel**, —**contract** bail *m* (*mv* baux). ▼—**en** prendre à bail (*of* à ferme), affermer. ▼—**er** fermier, tenancier *m* (d'un buffet). ▼—**ersvrouw** fermière v. ▼—**geld** fermage *m*. ▼—**hoeve** 1 ferme; 2 (*kleine*) métairie v. ▼—**jaar** an *m* de bail. ▼—**som** fermage *m*. ▼—**waarde** valeur v locative du sol.
pacif/icatie pacification v. ▼—**iceren** pacifier. ▼—**isme** pacifisme *m*. ▼—**Ist(isch)** pacifiste (*m*).
pact pacte *m*.
pad 1 sentier *m; een verkeerd —inslaan*, se tromper de sentier; *het verkeerde —opgaan*, mal tourner; *s'écarter du droit chemin; op —gaan*, se mettre en route; *altijd op —zijn*, être toujours par voies et par chemins; 2 (*dierk.*) crapaud *m*. ▼—**destoel** 1 champignon *m*; 2 borne v d'angle.
paddock enceinte v réservée; paddock *m*.
padvind/er éclaireur, boy-scout, scout (de France). ▼—**erij** scoutisme v. ▼—**erskamp** camp *m* de scoutisme. ▼—**ersleid(st)er** chef-taine v (*v*). ▼—**erswelp** louveteau *m*. ▼—**erswet** loi v scoute. ▼—**ster** éclaireuse; guide v.
paf I *tw* pan! II *zn* coup, soufflet *m*. III *bn* 1 (*gezwollen*) bouffi; 2 (*loom*) lourd, énervé; *—staan*, rester pantois. ▼—**fen** 1 souffler; 2 tirer. ▼—**f(er)ig** bouffi.
pagaai pagaie v. ▼—**en** pagayer. ▼—**vaartuig** périssoire v.
paganist incroyant *m*.
page page *m*. ▼—**kopje** coiffure v à la Jeanne d'Arc.
pagin/a page v. ▼—**atuur** pagination v. ▼—**eren** paginer. ▼—**ering** pagination v.
pair pair *m*. ▼**au pair** au pair *m*. ▼—**schap** pairie v.
pais paix v; *—en vree ademen*, respirer la paix.
pak 1 paquet; 2 (*groot*) ballot; 3 (*fig.*) fardeau; 4 (*kleren*) costume, complet *m; — met twee rijen knopen*, complet *m* croisé; *—slaag*, volée de coups, raclée v; *— voor de broek*, fessée v; *dat is me een —van het hart*, cela me soulage; *iem. een —voor de broek geven*, fesser qn; *bij de —ken neerzitten*, ne pas réagir; perdre courage. ▼—**ezel** bardot *m*. ▼—**garen** fil *m* d'emballage. ▼—**huis** magasin, entrepôt *m*. ▼—**huismeester** magasinier *m*. ▼—**ijs** banquise v. ▼—**jesdrager** commissionnaire, facteur *m*. ▼—**kage** bagage *m*.
pakk/en I *ov.w* 1 emballer; envelopper; 2 saisir, prendre; arrêter (un voleur); 3 (*omhelzen*) embrasser; 4 (*krijgen*) prendre, attraper; *zijn koffer —*, faire sa malle; *het te —hebben*, avoir un gros rhume; être malade; (*verliefd zijn*) en tenir pour; *iem. te —nemen*, mettre qn dedans; *zich te —laten nemen*, se laisser avoir; *als haringen in een ton gepakt*, serrés comme des harengs en caque; *op elkaar —*, entasser. II *on.w* 1 faire sa malle; 2 prendre; coller. ▼—**end** passionnant, poignant, prenant. ▼**pakker** emballeur *m*. ▼—**ij** atelier *m* d'emballage.
pakket paquet; colis *m* (postal). ▼—**boot**

paquebot *m*. ▼—**post** service *m* des colis postaux. ▼—**postkaart** bulletin *m* d'expédition (d'un colis postal). ▼—**vaart** messageries maritimes *v mv*.

pakking garniture *v*; rembourrage, joint *m*. ▼—**ring** rondelle *v* de garniture.

pak/**kist** caisse *v* d'emballage. ▼—**kistenfabriek** layeterie *v*. ▼—**knecht** emballeur. ▼—**loon** frais *m mv* d'emballage. ▼—**naald** aiguille *v* d'emballeur. ▼—**papier** papier *m* d'emballage, - kraft. ▼—**touw** ficelle *v* d'emb.

pal I *zn* arrêt, cliquet *m*; butée *v*. **II** *bn* (*& bw*) ferme(ment) ; — *staan*, tenir ferme, - bon; — *oost*, plein est.

paladijn paladin *m*.

paleis palais *m*; *ten paleize*, au palais.

Palest/**ina** le Palestine. ▼—**ijns** palestinien.

palet 1 palette *v*; **2** raquette *v*, battoir *m*. ▼—**mes** couteau *m* palette. ▼—**stok** appui-main *m*.

palfrenier valet *m* de pied.

paling anguille *v*; *een — in zijn kous hebben*, avoir un bas en tirebouchon, - qui tirebouchonne. ▼—**fuik** nasse *v* aux anguilles. ▼—**soep** soupe *v* à l'anguille.

palissander(hout) palissandre *m*. ▼—**houten** en bois de palissandre.

paljas paillasse, pitre *m*.

palm 1 (*hand*) paume *v*; **2** (*plant*) buis *m*; **3** (*boom*) palmier *m*; **4** (*tak*) palme *v*; *de—wegdragen*, remporter la palme. ▼—**blad** feuille *v* de palmier. ▼—**boom** palmier *m*. ▼—**boter** beurre *m* de palme. ▼—**hof** palmeraie *v*. ▼—**hout** buis *m*. ▼—**houten** de buis. ▼—**olie** huile *v* de palme. ▼**P**—**paas** *zie* P—**zondag**. ▼—**struik** buis *m*. ▼—**tak** palme *v*, rameau *m* de buis. ▼—**wijn** vin *m* de palme. ▼**P**—**zondag** dimanche des Rameaux, Pâques *v mv* fleuries.

pal/**rad** rochet *m*. ▼—**veer** ressort *m* à cliquet; (*mil*.) - de poussoir. ▼—**werk** encliquetage *m*.

pamflet pamphlet *m*. ▼—**schrijver** pamphlétaire *m*.

pan 1 poêle, casserole *v*; (*ijzeren —met deksel*) cocotte *v*; *hogedruk —*, autocuiseur *m*; **2** (*dak —*) tuile; **3** (*v. gewricht*) boîte *v*; **4** (*herrie*) chahut, boucan *m*; *de hele —*, toute la sainte boutique; *het is hier een leuke —*, on ne s'embête pas ici.

pan- (*in ss*) pan-.

pand 1 gage, nantissement; **2** immeuble *m*, maison *v*; **3** (*v. jas*) pan; **4** (*v. kanaal*) bief *m*; *—en der liefde*, gages de l'amour; *onze duurste —*, ce que nous avons de plus cher au monde; *op—lenen*, prêter sur gage. ▼—**brief** lettre *v* de gage, obligation *v* hypothécaire. ▼—**houder** détenteur de gage. ▼—**huis** maison *v* de prêts sur gages. ▼—**jesjas** jaquette *v*. ▼—**recht** droit *m* de nantissement. ▼—**verbeuren I** *on.w* jouer au gage touché. **II** *zn*: *het —*, le jeu du gage touché.

paneel 1 panneau *v*; **2** (*v. spiegel*) fond *m*. ▼—**schilderij** tableau *m* sur bois. ▼—**werk** lambrissage *v*. ▼—**zoldering** plafond *m* à caissons.

paneermeel chapelure, panure *v*. ▼**paneren** paner.

panharing hareng *m* frais.

paniek panique *v*; *in —*, alarmé. ▼**panisch** panique.

panklaar prêt à être cuisiné. **panlat** latte *v* carrée. **pannekoek** crêpe *v*.

pannen/**bakkerij** tuilerie *v*. ▼—**dak** toit *m* en tuiles.

panopticum musée *m* de cire.

panoram/**a** panorama *m*. ▼—**isch** panoramique. *—e voorruit*, pare-brise *m* panoramique.

pantalon pantalon *m*.

panter panthère *v*.

pantoffel pantoufle *v*; *onder de—zitten*, être sous la loi de sa femme. ▼—**held** mari *m*

soumis.

pantomime pantomime *v*. ▼—**speler** mime *m*.

pantser cuirasse *v*, blindage *m*. ▼—**affuit** affût *m* cuirassé. ▼—**afweerkanon** canon *m* antichar. ▼—**auto** blindé *m*. ▼—**dek** pont *m* de protection. ▼—**divisie** division *v* blindée. ▼—**en I** *ov.w* cuirasser, blinder. **II** *zich* —*se cuirasser (contre). ▼—**fort** fort *m* blindé. ▼—**glas** verre *m* armé. ▼—**gordel** ceinture *v* cuirassée. ▼—**granaat** obus *m* de rupture. ▼—**ing** cuirassement, blindage *m*. ▼—**koepel** tourelle *v*. ▼—**kreeft** langouste *v*. ▼—**plaat** plaque *v* de blindage, - de cuirasse. ▼—**schild** bouclier *m*. ▼—**schip** cuirassé *m*. ▼—**trein** train *m* blindé. ▼—**wagen** char *m* d'assaut, - blindé.

panty collant *m*.

panvis poisson *m* à frire, friture *v*. ▼**panvol** poêlée *v*.

pap 1 bouillie *v*; **2** (*stijfsel*) colle *v*; **3** (*v. stoffen*) apprêt; **4** (*med.*) cataplasme *m*.

papa papa *m*.

papaver 1 pavot; **2** (*klaproos*) coquelicot *m*.

papegaai perroquet; papegai *m*. ▼—**eziekte** psittacose *v*.

papenvreter mangeur *m* de curés.

paperassen paperasse(s) *v* (*mv*).

papier papier *m*; *gerecycleerd ontinkt —*, papier récupéré désencré; *—en*, pièces *v mv*, (*effecten*) titres, fonds, effets *m mv* publics; *op—brengen*, coucher par écrit; *alleen nog maar op—bestaan*, n'exister qu'à l'état de projet; *in de—en lopen*, coûter gros. ▼—**bloem** immortelle *v*. ▼—**clip** attache *v*. ▼—**doek** papier-toile *m*. ▼—**en de papier**; *— geld*, papier-monnaie; *— zakje*, cornet *m*; *— servet*, serviette *v* en papier. ▼—**fabriek** papeterie *v*. ▼—**fabrikant** papetier *m*. ▼—**geld** papier-monnaie *v*. ▼—**handel** papeterie *v*. ▼—**industrie** industrie *v*. ▼—**mand** panier *m*, corbeille *v* à papier. ▼—**merk** filigrane *m*. ▼—**mes** coupe-papier *m*. ▼—**molen** moulin *m* à papier. ▼—**snipper** rognure *v* de papier. ▼—**strook** bande *v*.

papil papille *v*. **papillot** papillotte *v*.

Papiniaans: *—e pot*, marmite *v* de Papin.

paplepel cuiller *v* à bouillie; (*hoeveelheid*) cuillerée *v*; *met de—ingegeven*, sucé avec le lait.

Papoe/**a**, —**aas** Papou (*m*).

papp/**en** apprêter; encoller. ▼—**(er)ig** pâteux.

paprika paprika *m*.

papyrusrol rouleau *m* de papyrus.

papzak gros poussah, patapouf *m*.

paraaf paraphe *m*.

paraat 1 prêt; **2** en état de défense; prêt au combat; *parate executie*, exécution *v* sommaire; *parate kennis*, notions -, connaissances *v mv* actuelles. ▼—**heid** état *m* de préparation, - d'alerte préventive.

parabel parabole *v*. ▼**parabolisch** parabolique. ▼—**ool** parabole *v*.

parachut/**e** parachute *m*. ▼—**eren** parachuter. ▼—**etroepen** troupes *v mv* parachutées. ▼—**ist** parachutiste *m*.

parade prise d'armes; revue *v*; défilé *m* militaire; *de—afnemen van*, passer en revue. ▼—**bed** lit *m* de parade. ▼—**mars** marche *v* de défilé. ▼—**pas** pas *m* de défilé. ▼—**plaats** place *v* d'armes. ▼—**ren** parader; être passé en revue; faire montre de, s'étaler.

paradijs paradis *m*; *aards —*, paradis terrestre. ▼—**achtig** paradisiaque. ▼—**appel** pomme de paradis; tomate *v*. ▼—**vogel** paradisier *m*.

paradox I *zn* paradoxe *m*. **II** *bn* (*& bw*) paradoxal(ement) = —**aal**.

paraferen parapher. **paraffine** paraffine *v*.

paragraaf paragraphe *v*.

parallel I *bn* (*& bw*) parallèle(ment) (à). **II** *zn* **1** (*lijn*) parallèle *v*; **2** (*vergelijking, cirkel*) parallèle *m*; *een—trekken tussen*, tracer (*of* établir) un parallèle entre. ▼—**cirkel** parallèle *m*. ▼—**klas(se)** classe *v* parallèle.

▼—lepipedum parallélépipède *m*. ▼—lijn parallèle *v*. ▼—logram parallélogramme *m*. ▼—plaats parallèle *m*. ▼—weg chemin *m* parallèle.
parameter paramètre *m*.
paramilitair paramilitaire.
paranimf paranymphe; parrain *m*; *vrouwelijke* —, marraine *v*.
paranoot noix *v* du Brésil.
paraplu parapluie *m*. ▼—bak, —standaard porte-parapluies *m*.
parapsychologie parapsychologie *v*.
para/siet parasite *m*. ▼—siteren vivre en parasite; (*fig.*) faire le parasite.
parasol ombrelle *v* (de dame); parasol *m*.
paratyfus paratyphoïde *v*.
pardoes subitement; tout droit.
pardon pardon *m*; — !, (je vous demande) pardon !, pardonnez-moi (mais . . .).
parel perle *v*; *echte* —, perle fine. ▼—achtig perlé. ▼—duiker pêcheur *m* de perles. ▼—en perler. ▼—end perlé. ▼—gerst orge *m* perlé. ▼—glans orient *m*. ▼—grijs gris perle. ▼—hoen pintade *v*. ▼—moer *zie* **paarlemoer**. ▼—mossel moule *v* perlière. ▼—oester huître *v* perlière. ▼—schelp coquille *v* perlière. ▼—snoer collier -, fil *m* de perles. ▼—visser pêcheur *m* de perles. ▼—vormig perlé. ▼—ziekte tuberculose *v* bovine.
paren I *ov.w* accoupler; appareiller (des gants); joindre (la sagesse à l'inspiration). **II** *on.w* s'unir, s'accoupler; (*fig.*) s'allier (à).
pareren parer.
parfum/eren parfumer. ▼—erie 1 parfum *v*; 2 (*winkel*) parfumerie *v*.
pari: — *staan*, être au pair; *boven* (*beneden*) —, au dessus (au dessous) du pair.
paria paria *m*.
Parijs I *zn* Paris *m*. **II** *bn* parisien, de Paris; *een P—e*, une Parisienne. ▼**Parijzenaar** Parisien *m*.
paring accouplement *m*; copulation *v*.
pariteit parité *v*.
park parc *m*; *nationaal* —, parc *m* national. ▼**parkeer/baan** orbite *v* d'attente. ▼—bon papillon *m*. ▼—garage parc *m* de stationnement; *ondergrondse* —, p. de s. souterrain. ▼—licht feu *m* de stationnement. ▼—meter parc(o)mètre *m*. ▼—plaats (*langs autoweg*) aire *v* de stationnement. ▼—schijf disque *m* de contrôle de stationnement. ▼—terrein parc *m* (de stationnement). ▼—verbod interdiction *v* de parcage. ▼—zone zone *v* à stationnement réglementé. ▼**parkeren I** *on.w* stationner; *dubbel* —, stationner en double file. **II** *ov.w* garer; parquer; — *verboden*, (*toegestaan*), parcage interdit (autorisé).
parket parquet *m*; *in een moeilijk* —, dans une situation critique. ▼—vloer parquet *m*.
parkiet perruche *v*.
parlement parlement *m*. ▼—air **I** *bn* (*& bw*) parlementaire(ment). **II** *zn* parlementaire *m*. ▼—slid membre du parlement.
parmant(ig) I *bn* fier, assuré. **II** *bw* avec assurance. ▼—heid air *m* d'assurance.
paroch/iaal paroissial. ▼—iaan paroissien *m*. ▼—ie paroisse *v*. ▼—iekerk église *v* paroissiale. ▼—iepriester prêtre *m* de paroisse.
parod/ie parodie *v*. ▼—iëren parodier.
parool mot d'ordre, mot *m* (de passe).
part 1 part, portion *v*; quartier *m* (d'orange); *ik heb er—noch deel aan*, je n'y suis pour rien; *voor mijn* —, quant à moi, pour moi; 2 tour *m*; *iem.* —*en spelen*, jouer un mauvais tour à qn; trahir qn.
parterre 1 parterre *m*; 2 (*in huis*) rez-de-chaussée *m*.
participatie participation *v*.
particulier I *bn* particulier, privé; —*e school*, école *v* libre, - privée; *in de* —*e sector*, au secteur privé; — *secretaris*, secrétaire particulier; — *leven*, vie *v* privée. **II** *zn* particulier *m*; *als* —, en simple particulier.

III *bw* dans le privé.
partieel *bn* (*& bw*) partiel(lement).
partij 1 partie *v*; 2 (*groep*) parti *m*; *zij is een goede* —, elle est un bon parti; *een passende* —, un parti sortable; *de wijste*—*kiezen door*, prendre le bon parti de; *de* —*en staan niet gelijk*, la partie n'est pas égale; *iem.'s* —*kiezen*, prendre le parti de qn; *zich* —*stellen*, se constituer partie; — *trekken van*, tirer parti de, profiter de; *tussen de* —*en doorzeilen*, nager entre deux partis; *ook van de* —*zijn*, être de la partie; *onverschillig tot welke* —*ze behoren*, quel que soit leur bord. ▼—belang intérêt *m* de parti. ▼—bestuur comité *m* directeur du parti. ▼—bons (*pop.*) huile *v* du parti. ▼—dag assises *v mv*. ▼—dig bn (*& bw*) partial(ement). ▼—digheid partialité *v*. ▼—ganger partisan *m*. ▼—genoot adhérent, membre du parti, camarade *m*. ▼—leider chef de parti *m*. ▼—loos sans parti. ▼—man homme *m* du parti. ▼—schap faction, division; intrigue *v*.
partikel particule *v*.
partituur partition *v*.
partizaan partisan *m*.
partner partenaire *m & v*.
part-time/baan poste *m* à mi-temps. ▼—werk activité *v* à temps partiel. ▼—werken travailler à temps partiel.
partus parturition *v*.
parvenu parvenu *m*.
pas I *zn* 1 pas; 2 (*berg*—) pas, col, défilé; 3 passeport; 4 (*v. dameshemd*) empiècement *m*; *uit de* —(*marcheren*) !, sans cadence . . ., marche ! ; *uit de* —*raken*, perdre le pas; — *op de plaats maken*, *de* —*markeren*, piétiner, marquer le pas; *bij iem. in de* —*komen*, gagner les bonnes grâces de qn; 5 moment *m*; 6 (*maat*) mesure *v*; *te* — *brengen*, placer en temps utile, servir; *te* —*komen*, pouvoir servir; *niet te* —*komen*, ne pas convenir; *juist van* —*komen*, tomber bien; venir juste à propos (pour); *van* —*maken*, ajuster. **II** *bw* justement, à peine; nouvellement, récemment; — *geverfd*, peinture fraîche; *hij is* — *aangekomen*, il vient d'arriver; *zij komt* — *om 6 uur*, elle n'arrive qu'à six heures.
Pasen 1 (*christelijk*) Pâques *m mv*; 2 (*Isr.*) Pâque *v*; — *houden*, faire ses Pâques.
pas/foto photo *v* d'identité. ▼—geboren nouveau-né; — *kind*, nouveau-né *m*. ▼—getrouwd nouveau-marié. ▼—kamer salon *m* d'essayage. ▼—klaar prêt pour l'essayage; (*fig.*) — *gemaakt*, tout fait.
paskwil 1 libelle *m*; 2 farce *v*.
pas/lood niveau, plomb *m*. ▼—munt monnaie *v* d'appoint. ▼—poort passeport; (*fig.*) congé *m*; *geldig* —, passeport en cours de validité. ▼—porteren libérer, congédier.
pass (*sp.*) passe *v*.
passaat(wind) (vent) alizé *m*.
passage passage *m*; — *bespreken*, retenir une place à bord (de). ▼—biljet billet *m* de passage. ▼—bureau agence *v* de voyages. ▼—geld droit *m* de passage. ▼**passagier 1** (*in trein, bus*) voyageur; 2 (*scheep-, luchtv*.) passager *m*. ▼—en descendre à terre; aller en permission. ▼—sboot paquebot, navire *m*. ▼—sgoed bagages *m mv* accompagnés. ▼—sruimte habitacle *m*.
passant passant *m*, hôte *m* de passage; patte *v* (d'uniforme).
passement passement *m*.
passen I *on.w* 1 (*v. kleren*) être juste, aller (bien); 2 (*sluiten*) s'adapter; (*v. betamen*) convenir, être convenable; (*v. zaken*) être de mise; 4 (*kaartspel*) passer; 5 (*bij betalen*) faire l'appoint; *gelieve met gepast geld te betalen*, on ne rend pas la monnaie; *bij elkaar* —, cadrer bien, aller bien ensemble; *in elkaar* —, s'emboîter; raccorder; *de plaats schijnt er niet bij te passen*, la clé n'a pas l'air d'aller avec; *op zijn woorden* —, se surveiller; *je moet op je broertje* —, tu dois garder ton petit frère; *ik pas er voor*, je n'entends pas de cette oreille-là; grand merci ! **II** *ov.w* 1 (*aan*—)

essayer ; 2 (*in elkaar —*) ajuster, adapter.
passencontrole contrôle *m* des passeports.
passend I *bn* 1 juste ; adapté ; 2 (*bijbehorend*)
assorti (à) ; 3 (*behoorlijk*) convenable ; *—e
betrekking*, situation *v* en rapport (avec) ; —
maken, ajuster. II *bw* convenablement.
passe-partout passe-partout *m*.
passer compas *m*. ▼ **—doos** étui *m* de
compas.
passeren I *ov.w* passer (par, devant), franchir ;
croiser (qn) ; 2 (*voorbijgaan*) dépasser ; (*fig.*)
faire un passe-droit à qn ; *een akte —,* passer
un acte. II *on.w* se passer, arriver.
passie passion *v*.
passief I *bn* passif. II *zn : het —,* le passif.
III *bw* passivement.
passie/spel (jeu *m* de la) Passion *v*.
▼ **—week** semaine *v* sainte.
passim passim, un peu partout.
passpiegel miroir *m* d'essayage.
pasta pâte *v*.
pastei pâté *m*. ▼ **—bakker** pâtissier *m*.
▼ **—bakkerij** pâtisserie *v*. ▼ **—deeg** pâte *v* à
pâté. ▼ **—tje** petit pâté *m*, bouchée *v*.
pastel 1 (*krijt*) pastel *m* ; 2 (*plk.*) guède *v*.
▼ **—schilder** pastelliste *m*. ▼ **—tekening**
pastel *m*.
pasteuriser/en pasteuriser. ▼ **—ing**
pasteurisation *v*.
pastille pastille *v*, comprimé *m* ; gélule *v*.
pastoor curé *m*. ▼ **—splaats** cure, charge *v* de
curé. ▼**pastor** pasteur *m*. ▼ **—aal** I *zn*
pastorale *v*. II *bn* pastoral. ▼ **—ie** cure *v*,
presbytère *m*.
pasvorm façon *v* ; coupe *v*.
pat (*op jas*) patte *v* ; (*in schaakspel*) pat *m*.
pateen patène *v*.
patent I *zn* 1 (*belasting*) patente *v* ; 2 (*octrooi*)
brevet *m* d'invention. II *bn* excellent. III *bw* à
merveille. ▼ **—belasting** patente *v*. ▼ **—eren**
breveter. ▼ **—recht** patente *v*. ▼ **—sluiting**
fermeture *v* brevetée, - éclair.
pater 1 (*réverend*) père, religieux ;
2 (*aanspreking*) mon père. ▼ **—nalisme**
paternalisme *m*. ▼ **—noster** 1 Pater ;
2 chapelet *m*. ▼ **—stuk** entrecôte *v*.
path/etisch pathétique. ▼ **—ologisch** *bn*
(& *bw*) pathologique(ment). ▼ **—oloog**
pathologiste *m*. ▼ **—oloog-anatoom**
médecin *m* légiste. ▼ **—os** pathétique *m*,
émotion ; emphase *v*.
patiencespel patience ; réussite *v*.
patiënt 1 malade *m* & *v* ; 2 (*bij operatie en
tegenover dokter*) patient(e) *m* (*v*).
patina patine *v*.
patriarch patriarche *m*. ▼ **—aal** *bn* (& *bw*)
patriarcal(ement). ▼ **—aat** patriarcat *m*.
patric/iaat patriciat *m*. ▼ **—iër, —isch**
patricien (*m*).
patrijs perdrix *v*. ▼ **—hond** épagneul *m*.
▼ **—poort** hublot *m*.
patron/aat patronat *m* ; 2 (*rk*) patronage *m*.
▼ **—es** 1 patronne ; 2 dame patronesse *v*.
▼**patroon** 1 patron *m* ; 2 modèle, dessin,
patron *m* ; 3 (*geweer —*) cartouche *v* ; *losse
(scherpe)* —, cartouche à blanc, (à balle).
▼ **—gordel** cartouchière *v*. ▼ **—houder**
chargeur *m*. ▼ **—huls** douille *v*. ▼ **—papier**
carte *v* de moulage. ▼ **—tas** cartouchière *v*.
▼ **—trekker** extracteur *m*.
patrouille 1 patrouille *v* ; 2 commando *m*.
▼ **—leider** chef *m* de patrouille. ▼ **—ren**
patrouiller. ▼ **—vaartuig** patrouilleur *m*.
pats I *tw* vlan ! pan ! II *zn* gifle, calotte *v*.
pauk timbale *v*. ▼ **—enist, —eslager**
timbalier *m*.
paulinisch paulinien.
pauper miséreux *m*. ▼ **—isme** paupérisme *m*.
paus pape, souverain pontife *m*. ▼ **—elijk**
papal, pontifical. ▼ **—schap** 1 (*tijd*)
pontificat *m* ; 2 (*waardt*) papauté *v* pontificale.
pauw paon *m*.
pauze 1 pause *v* ; 2 (*recht*) suspension de
séance ; 3 (*school*) récréation *v* ; (*bij
voorstelling*) entr'acte *m* ; (*onderbreking in
voorstelling bijv.*) temps *m* mort. ▼ **—ren** faire

une pause, — la pause.
paviljoen pavillon *m*.
pech malchance *v* ; (*fam.*) déveine ; (*motor —*)
panne *v* ; (*fig.*) — hebben, jouer de malheur.
▼ **—vogel** malchanceux *m*.
pecuniair pécuniaire.
pedaal pédale *v* ; *zachte* —, pédale
d'étouffement. ▼ **—emmer** poubelle *v* à
pédale. ▼ **—harp** harpe *v* à pédale.
pedag/ogie(k) pédagogie *v*. ▼ **—ogisch** *bn*
(& *bw*) pédagogique(ment) ; *—e academie*,
école *v* normale. ▼ **—oog** pédagogue *m*.
pedant I *zn* & *bn* pédant, présomptueux. II *bw*
présomptueusement. ▼ **—erie** pédanterie,
présomption *v*.
pedel appariteur ; massier *m* de la faculté.
pedicure pédicure *m* & *v*.
pedol/ogie pédologie *v*. ▼ **—oog** pédologue
m.
pee : *de — in hebben*, avoir le cafard.
▼ **—koffie** chicorée- café *m*.
peen carotte *v*. ▼ **—haar** poil *m* de carotte.
peer 1 poire *v* ; 2 (*elektr.*) ampoule *v* ;
3 (*boom*) poirier *m*. ▼ **—drups** bonbons *m*
mv acidulés. ▼ **—vormig** en poire, piriforme.
pees 1 tendon *m* ; 2 (*v. boog*) corde *v*.
peet/oom, —vader parrain *m*. ▼ **—schap**
parrainage *m*. ▼ **—tante** marraine *v*.
peil 1 niveau *m* ; 2 *Amsterdams* —, niveau *m*
d'Amsterdam ; *waarop geen* — *te trekken is*,
incalculable, imprévisible ; *er is geen* — *op te
trekken*, on ne sait pas à quoi s'en tenir.
▼ **—baar** sondable. ▼ **—en** sonder ; (*in vat*)
jauger ; mesurer. ▼ **—glas** jauge *v*. ▼ **—ing**
1 sondage ; 2 jaugeage ; 3 (*diepgang*) tirant *m*
d'eau. ▼ **—lood** plomb *m*, sonde *v*. ▼ **—loos**
sans fond, insondable. ▼ **—schaal** échelle *v*
d'eau, - d'étiage. ▼ **—stok** jauge *v*.
▼ **—toestel** sondeur *m*.
peinz/en I *on.w* réfléchir (sur), méditer (sur),
rêver (à) ; *op middelen* —, aviser aux moyens
(de). II *zn* : *het* —, la méditation. ▼ **—end**
pensif, rêveur, absorbé.
pek poix *v* ; *met* — *bestrijken*, poisser.
▼ **—achtig** poisseux. ▼ **—draad** ligneul *m*.
pekel saumure *v*. ▼ **—achtig** saumâtre.
▼ **—en** saumurer. ▼ **—haring** hareng *m* pec.
▼ **—vlees** viande *v* salée. ▼ **—zonde**
peccadille *v*.
pekinees pékinois (*m*). ▼**Peking** Pékin *m*.
pekken poisser. ▼**pekton** tonneau *m* à poix.
pelerine pèlerine *v*.
pelgrim pèlerin *m*. ▼ **—age, —stocht**
pèlerinage *m*.
pelikaan pélican *m*.
pellen 1 (*boon*) écosser ; 2 (*gerst*) monder ;
3 (*rijst*) décortiquer ; 4 (*vrucht*) peler ;
5 (*apenoot, garnaal*) éplucher ; *ei* —, enlever
la coquille d'un œuf. **pellengoed** toile *v*
ouvrée. **pelmachine** décortiqueur *m*.
peloton peloton *m*. ▼ **—sgewijze** par
pelotons.
pels peau ; 2 (*bont*) fourrure, pelisse *v*.
▼ **—dier** animal *m* à fourrure. ▼ **—jager**
chasseur *m* de fourrures. ▼ **—jas** pelisse,
fourrure *v*. ▼ **—kraag** collet *m* de fourrure.
▼ **—laars** botte *v* fourrée. ▼ **—muts** bonnet
m de fourrure, *zie ook* **bont** *enz*.
▼**pelterijhandel** pelleterie *v*.
peluw traversin *m* ; *losse* —, traversin *m*
mobile.
pen 1 plume *v* ; 2 (*v. egel*) piquant *m* ; 3 (*stift*)
clavette *v* ; *zie ook* **pin** ; *de* — *voeren*, tenir la
plume ; *een welversneden* — *hebben*, avoir
une plume bien taillée ; *het is in de* —, c'est en
voie de préparation ; *met de* — *getekend*,
dessiné à la plume.
penalty (*sp.*) coup *m* de 'pénalty' ; - de
réparation.
penant, —spiegel trumeau *m*. ▼ **—kast**
bahut ; meuble *d* entre-deux = **—tafel**.
penarie misère *v* ; *in de* —*zitten*, être dans ses
petits souliers.
penaten pénates *m mv*.
pendant pendant *m* ; *een* —*vormen met*, faire
pendant à.

pendel (lampe v à) suspension v. ▼—**aar** travailleur m qui fait la navette (entre A. et N.). ▼—**dienst** service m en navette. ▼—**en** faire la navette (entre A. et N.). ▼—**ruimtevaartuig** navette v spatiale.
pendule pendule v.
penhouder porte-plume m.
penibel bn (& bw) pénible(ment).
penicilline pénicilline v.
penis pénis m.
penitent pénitent m. ▼—**ie** pénitence; (fig.) torture v.
penne/likker plumitif, gratte-papier m. ▼—**mes** canif m. ▼—n écrire. ▼—**nbak** plumier m. ▼—**streep** trait m de plume. ▼—**strijd** guerre v de plume. ▼—**vrucht** production v littéraire.
penning 1 monnaie v, dénier m; 2 médaille v; 3 (speel—) jeton m; op de—zijn, être dur à la détente, savoir le prix du beurre. ▼—**kabinet** collection v de médailles. ▼—**kunde** numismatique v. ▼—**kundige** numismate m. ▼—**meester** trésorier m. ▼—**ske**: — der weduwe, obole v de la veuve.
pens 1 pense v; 2 (als voedsel) tripes v mv.
penseel pinceau m, brosse v. ▼—**streek**, —**trek** coup m de pinceau, touche v. ▼**penselen** brosser, peindre; (aanstippen) titiller.
pensioen (pension de retraite v; (— krijgen), être mis à la retraite; met—gaan, prendre (of demander) sa retraite; vervroegd —, préretraite v; het met vervroegd — laten gaan, la mise en préretraite); aanspraak maken op —, faire valoir ses droits à la retraite. ▼—**aanvraag**, —**aanvrage** demande de liquidation de retraite. ▼—**bijdrage** cotisation v retraite, versement m à la retraite. ▼—**fonds** fonds m retraite. ▼—**gerechtigd**: — e leeftijd, âge m de la retraite. ▼—**korting** retenue v pour la retraite. ▼—**regeling** régime m des pensions. ▼—**verzekering** assurance v de retraite. ▼—**wet** loi v sur les retraites. ▼—**zegel** timbre-retraite m.
pension pension v (de famille); — nemen bij, aller en pension chez; in—zijn bij, prendre pension chez. ▼—**aat** pensionnat m. ▼—**aire** pensionnaire. ▼—**eren** mettre à la retraite; gepensioneerd, en retraite. ▼—**ering** mise v à la retraite. ▼—**gast** pensionnaire m & v. ▼—**houd(st)er** maître(sse) m(v) de pension. ▼—**prijs** prix m de la pension.
pentekening dessin m à la plume.
penvriend correspondant m (v).
peper poivre v; Spaanse —, piment, poivre m rouge. ▼—**achtig** poivré. ▼—**bus** poivrier m; ▼—**duur** hors de prix, salé. ▼—**en** poivrer; (fig.) épicer. ▼—**en-zoutvat** salière v double. ▼—**koek** pain m d'épice. ▼—**molen** moulin m à poivre. ▼—**munt** menthe v (poivrée). ▼—**muntje** pastille v de menthe. ▼—**muntolie** essence v de menthe. ▼—**noot** dé m de pain d'épice. ▼—**vaatje** poivrière v.
peppel peuplier m.
peppil stimulant m.
pepsine pepsine v. ▼**pepton** peptone v.
per par; — auto, en auto; produktie — uur, production v à l'heure; — hoofd, par tête; 2 gulden — stuk, 2 florins pièce; — post, par la poste; — postwissel, par mandat-poste; een gulden — ons, (per bos), un florin l'hecto (la botte); — spoor, par chemin de fer.
perceel 1 lot m (de terrain); 2 parcelle v cadastrale; 3 immeuble m. ▼—**sgewijs** l bn parcellaire. **ll** bw par lots.
percent pour cent; tegen 4 —, à quatre pour cent. ▼—**age** pourcentage m. ▼—**rekening** calcul m des intérêts. ▼—**sgewijs** au prorata (de).
père/bloesem fleur v de poirier. ▼—**boom** poirier m. ▼—**hout** bois m de poirier.
perfect l bn parfait, excellent. **ll** bw parfaitement. ▼—**ie** perfection v.
perfor/eermachine perforeuse v. ▼—**eren**

perforer.
pergola pergola v.
perikel péril; souci m; aventure v.
period/e période v. ▼—**iek** l bn (& bw) périodique(ment); met—e verhogingen, à échelons. **ll** zn périodique m.
periscoop périscope m.
peristyle péristyle m.
perk 1 (gras—) pelouse v; (bloem—) parterre m; 2 (strijd—) lice v; 3 (grens) borne v; binnen de—en der wet, dans les termes de la loi; de—en te buiten gaan, passer les bornes.
perkament parchemin m. ▼—**achtig** parcheminé. ▼—**en**, en-, de parchemin.
permanent l bn permanent; zich—verklaren, se déclarer en permanence. **ll** zn permanente v. ▼—**en** permanenter.
permiss/ie 1 permission v; 2 (mil.) congé m; — vragen om, demander la permission de. ▼—**ive society** (Am.) société v permissive. ▼**permitteren** permettre (qc à qn).
perplex perplexe.
perron 1 quai; 2 (voor gebouw) perron m. ▼—**kaartje** billet (of ticket) m de quai.
pers 1 presse v; 2 (wijn—) pressoir m; ter—e, sous presse. ▼—**agentschap** agence v. ▼—**berichten** informations v mv. ▼—**bureau** agence v. ▼—**conferentie** conférence v de presse. ▼—**dienst** informations v mv. ▼—**en** 1 presser; 2 (samen—) comprimer; 3 (fig.) forcer, contraindre (à); olie —, extraire de l'huile. ▼—**fotograaf** reporter m photographe. ▼—**gas** gaz m sous pression. ▼—**kaart** carte v de presse; coupe-file m. ▼—**klaar** prêt pour l'impression; bon à tirer.
person/age personnage m. ▼—**alia** détails m mv biographiques. ▼—**eel** l bn (& bw) personnel(lement); personele belasting, impôt m personnel. **ll** zn personnel m; employés m mv, service m; mijn —, mes gens. ▼—**enauto** voiture v de tourisme. ▼—**entrein** train m de voyageurs. ▼—**ificatie** personnification v. ▼—**ifiëren** personnifier.
persoon 1 personne v; 2 personnage m; van—kennen, connaître personnellement, - de vue; natuurlijke —, personne v physique. ▼—**lijk** l bn personnel; —e vrijheid, liberté v individuelle; zonder—e ongelukken, sans accident de personnes; om—e redenen, pour des raisons de convenance personnelle; — worden, devenir agressif. **ll** bw personnellement, en personne. ▼—**lijkheid** personnalité; individualité v. ▼—**sbeschrijving** signalement m. ▼—**sbewijs** carte v d'identité. ▼—**snaam** nom m de personne. ▼—**sverheerlijking** culte m de la personne. ▼—**tje**: een aardig —, elle est bien faite de sa personne.
persoverzicht revue v de la presse.
perspect/ief perspective v. ▼—**ivisch** l bn perspectif. **ll** bw en perspective.
pers/pomp pompe v foulante. ▼—**vrijheid** liberté v de la presse.
pertinent l bn pertinent; catégorique, formel. **ll** bw formellement; — liegen, mentir effrontément; — volhouden, s'opiniâtrer à, - sur.
perzik 1 pêche v; 2 (boom) pêcher m.
pessarium pessaire m.
pessimis/me pessimisme m. ▼—**t(isch)** l zn (& bn) pessimiste (m). **ll** bw en pessimiste.
pest peste v; (fig.) cafard m. ▼—**achtig** pestilentiel. ▼—**buil** bubon m. ▼—**en** vexer, chahuter. ▼—**erij** vexation v, chahut m. ▼—**kop** mauvaise gale v. ▼—**rat** rat m pesteux. ▼—**verwekkend** pestilentiel, pestifère v—**werend** anti-pesteux. ▼—**zieke** pestiféré m.
pet 1 casquette v; 2 képi m; dat gaat boven mijn —, cela me passe; met de—gooien naar, bâcler.
pete/kind filleul(e) m (v). ▼—**moei** marraine

v. ▼peter parrain m. ▼—schap parrainage
m.
peterselie persil m. ▼—saus sauce v au
persil.
petit/ie pétition v. ▼—ierecht droit m de
pétition. ▼—ionnement pétitionnement v.
petroche/mie pétrochimie v. ▼—misch
pétrochimique.
petroleum pétrole m. ▼—bidon bidon m à
pétrole. ▼—gas gaz m à pétrole.
▼—houdend pétrolifère. ▼—industrie
industrie v pétrolière. ▼—kachel poêle m à
pétrole. ▼—kan zie —blik. ▼—komfoor
réchaud m à pétrole. ▼—lamp lampe v à
pétrole. ▼—maatschappij société v
pétrolière. ▼—motor moteur m à pétrole.
▼—raffinaderij raffinerie v de pétrole.
▼—stel fourneau (of réchaud) m à pétrole.
▼—vergasser réchaud m à pétrole gazéifié.
▼—veld gisement m pétrolier. ▼—waarden
valeurs v mv pétrolières.
petto: in —, in petto.
peukje mégot m.
peul 1 cosse, gousse v; 2 pois mange-tout m.
▼—gewas légumineuse v. ▼—(e)schil
cosse, gousse; (fig.) bagatelle, paille v.
▼—vrucht légumineuse m.
peuter 1 (v. pijp) cure-pipe m; 2 (kind)
mioche m & v; de —s, la marmaille. ▼—en
1 fouiller (dans), fourgonner; 2 curer
(l'oreille); 3 fignoler. ▼—ig I bn pointilleux;
fouillé. II bw pointilleusement; —afwerken,
fignoler. ▼—igheid minutie v. ▼—leidster
jardinière v d'enfants. ▼—speelzaal jardin m
d'enfants. ▼—werk fignolage; ouvrage v
fignolé.
peuzelen grignoter; goûter.
pezig tendineux.
piama zie pyjama.
pianist/(e) pianiste m & v. ▼—isch bn (&
bw) pianistique(ment). ▼piano I zn piano m;
— spelen, jouer du piano; aan de —, le piano
sera tenu par. II bw doucement, piano.
▼—concert concerto m pour piano.
▼—kruk tabouret m à vis. ▼—kwartet
quatuor m pour piano et cordes. ▼—la
pianola v. ▼—leraar, —lerares professeur
m de piano. ▼—les leçon m de piano.
▼—stemmer accordeur m de pianos.
piccolo 1 (muz.) octavin m; petite flûte v;
2 chasseur m (de restaurant).
picknick pique-nique m. ▼—en
pique-niquer. ▼—koffer mallette -, valise v
pique-nique.
pick-up électrophone m, pick-up m;
aansluiting aan de —, prise v de pick-up.
▼—naald pointe v de lecture.
pièce de milieu surtout m (de table).
piëdestal piédestal m.
piek 1 pique v; 2 (v. berg) pic m; 3 (v. haar)
mèche v folle; 4 pointe v.
piekeren se torturer l'esprit au sujet de),
ruminer; ik pieker er niet over, il n'y a pas de
danger; il n'en sera rien.
piekfijn I bn chic. II bw tiré à quatre épingles.
piekuur heure v de pointe.
pienter I bn avisé, ingénieux. II bw
ingénieusement. ▼—heid intelligence v.
piep piou!, cuic! ▼—en 1 (v. vogels) pépier,
piailler; 2 (v. muizen) guiorer; 3 (v. deuren
enz.) grincer, gémir; 4 (v. de borst) crépiter;
5 (slapen) pioncer, roupiller; —de stem, voix
v grêle. ▼—er 1 (fluitje) pipeau;
2 (aardappel) patate v; 3 (vogel) pipit m;
4 (oproepapparaatje) bip m. ▼—jong tout
jeune, naif. ▼—kuiken poussin m.
▼—schuim mousse v de polystyrène.
▼—zak: in de —zitten, avoir la frousse.
pier 1 (worm) ver m de terre; (aas) asticot m;
2 (mar.) jetée v, môle m. ▼—enbak boîte v
aux vers; (fig.) grenouillère v.
pies urine, (fam.) pisse v. ▼—en pisser, faire
pipi. ▼—pot pot m de chambre, vase m de
nuit.
piëteit piété v; vol —, pieux, pieusement.
pieterman vive v commune.

pietlut vétillard m. ▼—tig I bn vétilleux,
mesquin. II bw d'une façon mesquine.
pigment pigment m. ▼—atie pigmentation v.
pij 1 (stof) bure v; 2 (monniks —) froc m.
pijl flèche v, trait; dard m; (op kous) baguette
v; — voor voorsorteren, flèche v de sélection.
▼—bundel faisceau m.
pijler pilier m; pile (d'un pont); colonne v.
pijl/koker carquois m. ▼—kruid sagittaire,
flèche v d'eau. ▼—-kruissignaal feux m mv
d'exploitation par voie. ▼—snel I bn rapide
comme un trait. II bw avec la rapidité d'un
trait. ▼—vormig en forme de flèche, sagittal.
pijn 1 douleur v, mal m; souffrance v;
(kindertaal) bobo m; iem. —doen, faire mal à
qn; (fig.) blesser qn; — hebben in de tanden,
avoir mal aux dents; stekende —, point m; —
lijden, souffrir; 2 (boom) pin m. ▼—bank
torture, question v; iem. op de —leggen,
mettre qn à la torture. ▼—boom pin m.
▼—bos pinède, pinière v. ▼—igen torturer;
(fig.) tourmenter. ▼—iger tortionnaire m.
▼—iging torture v; (fig.) tourment m.
▼—lijk I bn pénible, douloureux. II bw
péniblement; douloureusement. ▼—lijkheid
1 douleur; 2 peine v, embarras m. ▼—loos
indolore, sans douleur; — maken,
insensibiliser. ▼—stillend calmant, sédatif,
analgésique; — middel, lénitif, analgésique
m.
pijp 1 (buis) tuyau, tube m; 2 (leiding) conduit
m; 2 (tabaks —) pipe; 3 (broeks—) jambe v;
4 (— kaneel enz.) bâton m; 5 (schoorsteen-)
cheminée v; — roken, fumer la pipe; een
lelijke —roken, passer un mauvais quart
d'heure; zijn—stoppen, bourrer sa pipe;
zijn—uitkloppen, débourrer sa pipe; naar
iem. —en dansen, se laisser mener par qn.
▼—doorsteker cure-pipe m. ▼—ekop
godet, fourneau m de pipe. ▼—en I on.w
1 jouer de la flûte; 2 fumer la pipe. II ov.w
tuyauter. ▼—enla(de) 1 tiroir m à pipes;
2 pièce v en boyau. ▼—enrek râtelier à pipes,
porte-pipes m. ▼—er (joueur de) fifre m.
▼—ereiniger nettoie-pipe m. ▼—esteel
tuyau m de pipe. ▼—ewroeter
débourre-pipe m. ▼—eleiding 1 (v. mach.)
tuyauterie v; 2 canalisation v; oléoduc,
pipeline m. ▼—sleutel clé v à pipe.
▼—verbinding canalisation v. ▼—zweer
fistule v.
pik 1 zie pek; 2 coup m de bec, - de
fourchette; 3 bitte v; 4 de —hebben op, avoir
une dent contre; het is (een) fijne —, c'est du
huppé.
pikant I bn 1 piquant; (soms) malsain;
2 (schuin) croustillant; 3 (hatelijk) mordant;
— maken, donner du montant à. II bw d'une
manière piquante. III zn: het —, le piquant;
het —e van een geschiedenis, ce qu'il y a de
ragoûtant. ▼—erie trait piquant; sarcasme
m; rancune v.
pik/blende pechblende v. ▼—broek
marsouin, cul m goudronné. ▼—donker tout
noir, noir comme dans un four. ▼—draad
ligneul m.
piket piquet m; — paal. ▼—ten jouer au
piquet.
pikeur piqueur m; (grap) coureur m.
pik/haak crochet m. ▼—houweel pic m.
▼—ken I ov.w becqueter, donner des coups
de bec à. II on.w piquer; (naaien) coudre.
▼—zwart noir comme jais.
pil 1 pilule v; 2 quignon m de pain; een bittere
—, une dragée amère.
pilaar pilier m; (fig.) soutien m. ▼—bijter faux
dévot, cagot m.
pillen/doos boîte v à pilules. ▼—draaier
potard m. ▼pilletje pilule, perle v.
pilo drap m pilou.
piloot pilote m.
pils(ener) bière v de Pilsen, - blonde.
pimpel/aar buveur, biberon m. ▼—en chopiner.
pimper/nel pimprenelle v; rode—, mouron m
rouge. ▼—noot pistache v sauvage.
pin 1 cheville v; 2 (scharnier—) clavette v;

3 (*houten* —) tenon *m*.
pinas pinasse; vedette *v*.
pincet pincette *v*.
pinda, **—noot** cacahuète *v*. ▼**—kaas** beurre *m* de cacahuètes.
pingel/aar marchandeur, chicaneur *m*. ▼**—en** marchander, chipoter (sur).
pingpong ping-pong, tennis *m* de table. ▼**—en** jouer au ping-pong. ▼**—er**, **—speler** pongiste *m/v*.
pinguin pingouin *m*.
pink **1** petit doigt *m*; — *op de naad van de broek*, le petit doigt sur la couture du pantalon; *bij de —en zijn*, ne pas avoir froid aux yeux; **2** veau *m* d'un an; **3** barque *v* de pêche. **—en** cligner des yeux.
Pinkster Pentecôte *v*. ▼**—beweging** pentecôtisme *m*. ▼**—en**, **—feest** Pentecôte *v*. ▼**—gemeenschap** communauté *v* pentecôtiste = *ook* **—gemeente**. ▼**—vakantie** congé *m* de la Pentecôte.
pinnen cheviller.
pinnig radin.
pint 1 (*oud*) pinte *v*; **2** (*nu*) demi-litre *m*.
pin-up-girl (*Eng.*) pin up *v*.
pioen(roos) pivoine *v*.
pion pion *m*.
pionier pionnier *m*. ▼**—en** faire des travaux de terrassement.
piot troupier, pioupiou, tourlourou *m*.
pip pépie *v*.
pipet pipette *v*.
pips qui a la pépie; (*fig.*) palôt, languissant. ▼**—heid** pâleur, langueur *v*.
piraat pirate *m*.
piramide pyramide *v*.
piratenzender émetteur *m* pirate.
pis *zie* **pies**. ▼**—afdrijvend** diurétique. ▼**—bak** urinoir *m*, vespasienne *v*. ▼**—blaas** vessie *v*. ▼**—buis** urètre *m*. ▼**—fles**, **—glas** urinal *m*.
pistache 1 pistache *v*; **2** (*knalbonbon*) diablotin *m*. ▼**—boom** pistachier *m*.
piste piste *v*.
piston piston *m*. ▼**—blazer** cornettiste *m*.
pistool pistolet *m*. ▼**—holster** étui *m* de pistolet, ▼**—schot** coup *m* de pistolet.
pit 1 (*v. appel enz.*) pépin; **2** (*v. kersen enz.*) noyau; **3** (*v. noot*) cerneau *m*; **4** (*v. lamp*) mèche *v*; **5** (*gas—*) bec *m*; **6** (*fig.*) moelle, énergie *v*; *er zit—in hem*, il a du cran.
pitch-pine pitch-pin *m*.
pitriet moelle *v* de rotin.
pitten 1 (*ont-* -) épépiner; **2** (*slapen*) roupiller.
pittig I *bn* **1** qui a du corps, corsé, savoureux; **2** vif, piquant; nerveux, mâle. **II** *bw* d'une manière piquante. ▼**—heid** corps *m*, saveur *v*; piquant, nerf *m*.
pitvrucht fruit *m* à pépins.
plaag 1 fléau *m*, calamité *v*, peine *v*; **3** démon *m*, diablesse *v*, taquin(e) *m* (*v*) = **—geest**. ▼**—ziek** taquin, tracassier. ▼**—zucht** esprit *m* taquin.
plaat 1 plaque, tablette; (*dun*) lame *v*; (*plank*) madrier *m*; **2** (*prent*) image, planche, estampe, gravure; **3** (*slot* —) platine *v*; **4** (*grammofoon—*) disque *m*; *16-toeren—*, disque 16 tours; *een —opzetten*, mettre un disque; *gevoelige —*, plaque *v* sensible; *de —poetsen*, déguerpir, décamper. ▼**—druk** impression *v* en taille douce. ▼**—etser** aquafortiste *m*. ▼**—ijzer** tôle *v*. ▼**—koper** cuivre *m* en feuilles. ▼**—papier** papier *m* couché.
plaats 1 lieu, (*plek*) endroit *m*, place; **2** localité, ville *v*, village *m*; **3** (*ruimte*) espace *m*, place *v*; **4** (*terrein*) emplacement *m*; **5** (*betrekking*) emploi *m*, place, position, situation, charge; **6** (*binnen—*) cour; **7** (*buiten—*) villa, propriété *v*; **8** (*in boek*) passage *m*; (*in trein*) —*waarop men achteruit* (*vooruit*) *rijdt*, place de dos (face); —*vooruit in de hoek aan de gangzijde* (*het raam*), place de face côté couloir (fenêtre); *de —van de misdaad*, les lieux du crime; *meetkundige —*,

lieu *m* géométrique; *zekere —*, les lieux; (*aller*) *quelque part*; —*hebben*, avoir lieu; —*inruimen aan*, faire une large part à; *voor iem.—maken*, faire place à qn; —*nemen*, prendre place; *die weinig—inneemt*, de faible encombrement; *in—van*, au lieu de; *in de eerste —*, en premier lieu; *d'abord*; *in de —stellen voor*, substituer à; *op de —rust!* en place, repos!; *dat is de juiste man op de juiste —*, c'est l'homme de la situation; *op zijn —zijn*, être de mise; *te bestemder —*, en son lieu et place; *ter —e*, sur place. ▼**plaats/aanwijsster** ouvreuse *v*. ▼**—bekleder** remplaçant; titulaire *m*. ▼**—bepaling** localisation *v*. ▼**—bespreking** location *v*. ▼**—bewijs** billet, ticket *m*; (*in trein bijv.*) titre *m* de transport. ▼**—bureau** bureau *m* de location. ▼**—elijk I** *bn* **1** local; d'intérêt local, communal, municipal; **2** sur place; **3** par places; (*med.*) topique; —*commandant*, commandant de place, - d'armes; —*e tijd*, heure *v* locale. **II** *bw* **1** sur place; **2** par endroits; (*med.*) topiquement. ▼**—en I** *ov.w* **1** placer, mettre, poser; **2** poster (une sentinelle); **3** insérer (un article); **4** placer; *op elkaar —*, superposer. **II** *zich* —se placer; (*sp.*) se qualifier (pour). ▼**—gebrek** manque *m* de place; *wegens —*, faute de place. ▼**—grijpen**, —*hebben* avoir lieu, se passer. ▼**—ing 1** placement *m*; **2** (*in krant*) insertion *v*; —*zoeken*, chercher à se placer; —*van de bedieningsknoppen*, position *v* des commandes. ▼**—ingsbureau** bureau *m* de placement. ▼**—kaartje** billet, ticket *m*. ▼**—ruimte** espace *m*. ▼**plaatsvervang/end** suppléant; intérimaire; (*middel*) succédané; —*lijden*, réversibilité *v* (*des mérites*). ▼**—er** remplaçant, suppléant *m*. ▼**—ing** remplacement *m*.
plaatwerk ouvrage *m* illustré.
place-mat dessous *m* de plat, d'assiette.
plafon(d) plafond *m*; *een —bereiken* (*v. loon bijv.*) plafonner. ▼**—licht** plafonnier *m*.
plag/en 1 (*kwellen*) tourmenter; —*met*, taquiner à propos de; *mag ik u even —?*, est-il permis de vous déranger? ▼**—er** taquin *m*. ▼**—erig I** *bn* taquin, agaçant. **II** *bw* par taquinerie. ▼**—erij** taquinerie *v*.
plagge plaque de gazon; motte *v* de bruyère; —*n steken*, lever des mottes.
plegi/aat plagiat *m*. ▼**—aris** plagiaire *m*.
plaid couverture *v* de voyage, plaid *m*.
plak 1 tranche, rouelle; **2** (*school*) férule *v*. ▼**—band** ruban *m* adhésif; scotch *m*. ▼**—boek** album *m* de découpures. ▼**—brief(je)** affiche, étiquette *v*. ▼**—kaat** placard *m*, affiche *v*. ▼**—ken I** *ov.w* **1** coller; **2** (*aan—*) afficher. **II** *on.w* coller; (*fig.*) ne pas s'en aller, prendre racine. ▼**—kend** adhésif. ▼**—ker 1** colleur, afficheur; **2** (*fig.*) cul-de-plomp; *het is een —*, il est collant. ▼**—kerig** collant, gluant. ▼**—pleister** emplâtre *m*. ▼**—zegel** timbre *m*.
plam/uren apprêter, abreuver. ▼**—uur(sel)** apprêt *m*. ▼**—uurmes** couteau *m* palette.
plan 1 plan; **2** (*voornemen*) projet; dessein *m*; intention; *van —veranderen*, se raviser; *iem. van —doen veranderen omtrent*, dissuader qn de; *van—zijn om*, avoir l'intention de; *dienst van het Nationale P—*, (*planbureau*) commissariat *m* du plan. ▼**—economie** économie *v* planifiée.
planeet planète *v*. ▼**planet/arium** planétarium *m*. ▼**—enstelsel** système *m* planétaire.
planhuishouding planisme *m*.
planimetrie planimétrie, géométrie *v* plane.
plank planche *v*; (*dik*) madrier; (*kast—*) rayon *m*. ▼**—enkoorts** trac; —*hebben*, avoir le trac. ▼**—envloer** plancher *m*. ▼**—gas**; —*geven*, mettre le pied au plancher; —*rijden*, garder le pied au plancher. ▼**—ier** plateforme *v*. ▼**—zeilen** faire de la planche à voile.
plan/matig d'après un plan prévu; dirigé.

▼—**nen** planifier. ▼—**ning** planification v,
programme m. ▼—**ologische dienst** service
m (gouvernemental) de l'aménagement du
territoire.
plant 1 plante v; 2 (ter overplanting) plant m.
▼—**aarde** terreau m. ▼—**aardig** végétal ;
-voedsel, aliments m mv végétaux. ▼—**age**
plantation, exploitation v. ▼—**en** planter ;
arborer (le drapeau). ▼—**engroei** végétation
v. ▼—**entuin** jardin m des plantes.
▼—**esoort** espèce v végétale. ▼—**evezel**
fibre v végétale. ▼—**eziektekunde**
phytopathologie. ▼—**eziektenkundig**
phytopathologique (v). ▼—**er** planteur m.
▼—**ing** plantation v. ▼—**kunde**, —**kundig**
botanique (v). ▼—**kundige** botaniste m.
▼—**soen 1** jardin v public ; 2 (jong gewas)
plant m ; (beplante plek) plantation v.
▼—**endienst** service m des plantations.
plas 1 mare ; 2 (regen—) flaque v ; 3 (meer)
lac, étang m ; —je doen, faire pipi.
plasma plasme m.
plas/pauze pause-pipi v. ▼—**regen** averse,
pluie v battante. ▼—**regenen** pleuvoir à
verse. ▼—**sen** barboter (dans l'eau) ; faire
pipi. ▼—**sertje** fait pipi m.
plast/ic 1 (springstof) plastic m; 2 plastique
m; van —, en plastique; gelaagd —,
plastiques stratifiés m mv. ▼—**ificeren**
plastifier.
plast/iek plastique v. ▼—**isch** bn (& bw)
plastique(ment).
plat I bn 1 plat, plan, aplati ; 2 (fig.) vulgaire,
trivial, bas ; —te naad, couture v abattue ;
—te neus, nez m écrasé ; —maken, aplatir ;
—worden, s'aplatir. **II bw** à plat ;
vulgairement ; — op zijn buik, à plat ventre ;
—neerleggen, poser à plat ; — spreken, avoir
un accent vulgaire. **III zn 1** terrasse,
plate-forme v ; 2 (zijde) plat m ; continentaal
—, plateau m continental ; plate-forme v
littorale.
plataan(boom) platane m.
plat/bodem à fond plat. ▼—**bol**
plan-convexe. ▼—**boomd** (à fond) plat.
▼—**drukken** aplatir, écraser.
plateel faïence v. ▼—**bakker** faïencier m.
▼—**bakkerij** faïencerie v.
platen/atlas album m. ▼—**bon** chèque m
disque. ▼—**koffertje** porte-disques m.
▼—**speler** tourne-disques m ; — (met
versterker enz.) électrophone m.
▼—**wisselaar** changeur m de disques.
plat/form plate-forme, terrasse v. ▼—**heid**
forme plate ; (fig.) platitude v. ▼—**hol**
plan-concave. ▼—**hoofdig** à tête plate.
platin/a platine m. ▼—**akleurig** platiné.
▼—**eren** platiner.
plat/liggend gisant. ▼—**lopen** : de deur bij
iem. —, importuner qn.
platonisch bn (& bw) (liefde enz.)
platonique(ment) ; (v. denkbeeld)
platonicien.
plat/schieten pilonner, démolir. ▼—**slaan**
aplatir. ▼—**strijken** coucher (le poil d'une
étoffe).
plattegrond plan m.
platteland campagne ; province v. ▼—**er**,
—**sbewoner** campagnard m.
plat/trappen—**treden** aplatir ; fouler,
écraser ; platgetreden pad, chemin m battu.
▼—**vis** pleuronecte m. ▼—**voet** pied m plat ;
(mar.) premier quart m. ▼—**weg** carrément.
▼—**zak** fauché. (fam.) — zijn, être à sec.
plavei/en paver ; carreler. ▼—**er** m paveur.
▼—**sel** pavé m. ▼**plavuis** carreau m.
playback (pop.) surjeu m, présonorisation v.
plebaan pléban m.
pleb/ejer, —**ejisch** plébéien (m). ▼—**isciet**
plébiscite m. ▼—**s** plèbe, populace v.
plecht plancher m, tille v.
plecht/ig I bn solennel ; cérémonieux ; grave.
II bw solennellement ; cérémonieusement.
▼—**igheid 1** solennité ; 2 cérémonie v.
▼—**statig** bn (& bw) solennel(lement).
▼—**statigheid** solennité v.

plectrum plectre m.
pleeg/- adoptif. ▼—**broeder 1** frère adoptif ;
2 infirmier. ▼—**dochter** fille adoptive.
▼—**kind** enfant m adoptif. ▼—**ouders**
parents m mv adoptifs. ▼—**zuster 1** sœur v ;
adoptive ; 2 infirmière v.
pleet plaqué, doublé.
plegen I ov.w commettre (un crime). **II** on.w
avoir coutume de, être habitué à.
pleidooi plaidoyer m, plaidoirie v.
plein place v ; (met bomen) square m.
pleister 1 emplâtre ; sparadrap m ; — op de
wond, fiche v de consolation ; 2 zie gips.
▼—**en I** ov.w plâtrer, crépir. **II** on.w faire
halte. ▼—**kalk** plâtre, crépi m. ▼—**plaats**
relais m ; halte, station v ; ravitaillement m.
▼—**werk** ouvrage m en plâtre ; stuc m.
pleit procès m, cause v ; het —beslissen,
décider l'affaire. ▼—**bezorger** avocat ; (in
burgerlijke zaken) avoué m. ▼—**dag** jour m
d'audience. ▼—**en** (voor) plaider (pour qn).
▼—**er** plaideur m. ▼—**ster** plaideuse v.
▼—**rede** plaidoyer m. ▼—**zaak** cause v.
plek 1 endroit, site m; 2 (vlek) tache v;
pijnlijke —, point m; —je grond, coin m de
terre ; ter —, sur place.
pleng/en faire une libation de ; répandre,
verser. ▼—**ing**, —**offer** libation v.
plens flaquée v; —regen, pluie v battante.
▼**plenzen I** ov.w verser à flots. **II** on.w
pleuvoir à verse.
pleonas/me pléonasme m. ▼—**tisch**
pléonastique.
plet/hamer aplatissoir m. ▼—**machine**,
—**rol** laminoir. ▼—**ten I** ov.w aplatir ;
laminer ; (v. fluweel) mâchurer ; geplette plek,
mâchure v m. **II** zn: het —, le laminage.
▼—**ter** : te —slaan, écraser ; te —vallen,
s'écraser. ▼—**terij** laminerie v. ▼—**ting**
laminage m ; mâchure v.
pleuris pleurésie v. ▼—**lijder** pleurétique m.
plexiglas plexiglas m.
plezier plaisir, divertissement m ; — hebben,
s'amuser, (fam.) rigoler ; — beleven aan,
éprouver de la satisfaction de ; — hebben in,
prendre plaisir à ; niet voor zijn—uit zijn, ne
pas être à la noce. ▼—**boot** bateau m
d'excursion. ▼—**ig** bn (& bw)
agréable(ment), amusant ; werk — !, bon
travail alors ! ▼—**maker** bon vivant m.
▼—**reis** voyage m d'agrément, excursion v.
▼—**trein** train m de plaisir. ▼—**vaart**
croisière v ; navigation v de plaisance ;
nautisme m.
plicht 1 devoir m ; 2 (verplichting) obligation
v ; het is zijn—te, il est de son devoir de ;
zijn—verzuimen, manquer à son devoir.
▼—**(s)besef**, —**(s)gevoel** sentiment m du
devoir ; uit —, par (esprit de) devoir.
▼—**(s)getrouw** loyal. ▼—**matig I** bn
obligé, obligatoire. **II** bw dûment, selon son
devoir. ▼—**pleging** compliment m,
cérémonie v ; —en maken, faire des façons.
▼—**shalve** par devoir. ▼—**svervulling**
accomplissement m du devoir. ▼—**sverzuim**
manquement m au devoir, faute grave ;
prévarication v. ▼—**vergeten** déloyal.
plint plinthe v.
plisseren plisser.
ploeg 1 charrue ; 2 équipe v. ▼—**baas** chef m
d'équipe. ▼—**en I** ov.w labourer. **II** on.w
labourer. **III** zn: het —, le labourage, le
labour. ▼—**ijzer**, —**kouter** coutre m.
▼—**land** labours m mv. ▼—**machine**
charrue v mécanique. ▼—**mes 1** coutre ; 2 (v.
boekbinder) rognoir m. ▼—**schaar** soc m.
ploert 1 canaille v; 2 (jong geest) philistin,
bourgeois ; 3 (stud.) logeur, bourgeois m.
▼—**endoder** casse-tête m; matraque v.
▼—**enstreek** muflerie v. ▼—**erij 1** muflerie
v ; 2 (stud.) logeur m, logeuse v (et leur
famille). ▼—**ig I** bn 1 libertin ; 2 rustre,
vulgaire. **II** bw en mufle. ▼—**in** logeuse,
bourgeoise v.
ploeter/aar barboteur ; (fig.) trimeur. ▼—**en
1** barboter ; 2 (fig.) trimer, suer.

plof I *tw* pouf! **II** *zn* **1** bruit *m* sourd; **2** chute *v*. ▼**—fen I** *on.w* **1** tomber lourdement; **2** (*fig.*) tomber de son haut; **3** éclater. **II** *ov.w* flanquer par terre; plonger (qc dans).

plomber/en plomber; obturer (une dent). ▼**—ing** plombage *m*; obturation *v*.

plomp I *tw* plouf!, ploc! **II** *zn* **1** bruit *m* sourd; lourde chute *v*; **2** nénuphar *m*. **III** *bn* grossier, lourd; gauche. **IV** *bw* grossièrement, lourdement, gauchement. ▼**—heid** lourdeur *v*. ▼**—verloren** à l'improviste.

plonzen I *ov.w* jeter à l'eau. **II** *on.w* tomber à l'eau; barboter.

plooi pli *m*; *in — en vallen*, faire des plis; *in de — zetten*, composer (son visage); *uit de — komen*, se déplier; (*fig.*) sortir du pli, se dégeler; *hij komt nooit uit de —*, il est toujours compassé. ▼**—baar** pliable; souple, accommodant. ▼**—baarheid** souplesse *v*. ▼**—en I** *ov.w* **1** plier; (*in — en leggen*) plisser; froncer, tuyauter; **2** (*fig.*) arranger, accommoder. **II zich** — se plisser; *zich — naar*, se plier à. **III** *zn : het —*, le plissage. ▼**—houdend** indéplissable. ▼**—rok** jupe *v* plissée. ▼**—werk** ruches *v mv*; draperie *v*.

plotseling I *bn* soudain, imprévu, brusque, subit. **II** *bw* soudainement, subitement, tout à coup; *—e dood*, mort *v* subite; *— wakker worden*, se réveiller en sursaut.

pluche peluche *v*. ▼**—n** de peluche.

plug 1 (*stop*) bondon, bouchon *m*; **2** tampon *m*, cheville *v*; (*mar.*) épite *v*. ▼**—gen 1** tamponner; **2** (*gram. platen*) promouvoir, rendre populaire. ▼**—ijzer** épitoir *m*.

pluim 1 plume *v*; **2** (*—bos*) panache, plumet *m*; **3** (*jacht*) queue *v*. ▼**—age** plumage *m*; *van diverse —*, de toutes les couleurs. ▼**—pje 1** petit panache; **2** compliment *m*, parole *v* aimable; *iem. een—geven*, louer qn, faire un compliment à qn. ▼**—strijker** flagorneur *m*. ▼**—strijkerij** flatterie *v*. ▼**—vee** volaille *v*, animaux *m mv* de basse-cour. ▼**—veetentoonstelling** exposition *v* d'aviculture. ▼**—vormig** en panache.

pluis I *zn* flocon, poil *m*. **II** *bn : het is daar niet —*, il ne fait pas bon là; *dat is niet —*, ce n'est pas en règle, il y a du louche dans cette affaire. ▼**pluiz/en I** *ov.w* **1** éplucher; **2** ronger. **II** *on.w* **1** fouiller; **2** se cotonner, pelucher. ▼**—(er)ig** pelucheux, peluché.

pluk 1 cueillette *v*; **2** touffe, poignée; **3** (*fig.*) peine *v*; *hij heeft er een hele —aan gehad*, cela lui a coûté beaucoup de travail. ▼**—ken I** *ov.w* cueillir (*sur = van*); **2** plumer (une poule); **3** éplucher (la salade); **4** (*fig.*) plumer (qn); recueillir (des lauriers). **II** *on.w* faire la cueillette; *aan zijn kleren —*, tirailler ses habits. **III** *zn : het —*, la cueillette. ▼**—ker** cueilleur *m*. ▼**—korf** cueilloir *m*. ▼**—loon** paye *v* de la cueillette. ▼**—sel** charpie *v*. ▼**—ster** cueilleuse *v*. ▼**—tijd** cueillaison *v*.

plumeau plumeau *m*.

plunder/aar pillard *m*. ▼**—en** piller; dévaliser; ravager. ▼**—ing** pillage *m*. ▼**—ziek** pillard.

plunje vêtements *m mv*, hardes *v mv*. ▼**—zak** sac *m* de marin.

pluralis pluriel *m*. ▼**plus** plus, au-dessus de, avec... en sus; *zes — six fort. ▼**—minus** environ, à peu près. ▼**—punt** : *dat is een—voor*, cela plaide pour. ▼**—teken** plus *m*.

plutocr/aat ploutocrate *m*. ▼**—atie** ploutocratie *v*. ▼**—atisch** ploutocratique.

pluvier pluvier *m*.

pneumatisch pneumatique; *—e hamer*, marteau *m* piqueur.

po pot *m* de chambre.

poch/en : *op iets —*, se vanter de qc. ▼**—er** vantard *m*. ▼**—erij** vantardise *v*.

pocheren pocher.

pocketuitgave : *hebt u deze titel in — ?*, avez-vous ce titre en livre de poche?

podium podium *m*, estrade, *v*.

poedel 1 barbet, caniche; **2** coup *m* manqué. ▼**—naakt** nu comme un ver.

poeder 1 poudre *v*; **2** (*med.*) cachet *m*; *tot — maken*, pulvériser, réduire en poudre. ▼**—bus** boîte *v* à poudre. ▼**—chocola(de)** chocolat *m* en poudre. ▼**—donsje** houppe(tte) *v*. ▼**—doos** poudrier *m*. ▼**—en I** *ov.w* poudrer. **II zich** —mettre de la poudre. ▼**—vorm**: *in —*, en poudre.

poef pouf *m*.

poeha embarras *m*; *zie ook* : **drukte**.

poeier *zie* **poeder**.

poel mare *v*, marais *m*; (*fig.*) abime, *m*.

poelet morceaux *m mv* de veau.

poelier marchand *m* de volaille et de gibier.

poen (*geld*) galette *v*; fat *m*. ▼**—ig** fat, rustre.

poep 1 vent, pet; **2** caca *m*, merde *v*. ▼**—en 1** faire des vents, péter; **2** faire caca; *in zijn broek —*, faire dans sa culotte.

poes 1 chat *m*, minet(te) *m* (*v*); **2** (*bont*) fourrure *v*; **3** (*liefje*) chat(te), chéri(e) *m* (*v*); *hij is voor de —*, il est flambé; *dat is niet voor de —*, ce n'est pas un jeu d'enfant. ▼**—lief I** *bn* doucereux. **II** *bw* doucereusement.

poesta puszta *v*, steppe hongrois *m*.

poëtisch *bn* (*& bw*) poétique(ment).

poets tour *m*, niche *v*; *iem. een—bakken*, jouer un tour à qn. ▼**—borstel** brosse *v* à polir. ▼**—doek** linge, chiffon *m*. ▼**—en 1** *ov.w* nettoyer, frotter; **2** (*v. schoenen*) décrotter; (*met schoensmeer*) cirer; (*glimmend*) polir; **3** (*v. wapens*) fourbir; (*leger*) astiquer; *de plaat —*, décamper. **II** *on.w* faire le ménage. ▼**—er** cireur; polisseur *m*. ▼**—gerei** articles *m mv* d'entretien. ▼**—goed** tripoli, cirage *m*. ▼**—katoen** coton *m* de dégraissage, bourre *v* de coton. ▼**—middel** produit *m* d'entretien. ▼**—zak** trousse *v* à astiquage.

poezelig potelé, dodu. ▼**—heid** potelé *m*.

poëzie poésie *v*. ▼**—album** album *m* de poésies.

pof I *tw* pouf! **II** *zn* **1** bruit *m* sourd; **2** crédit *m*; *op de —*, à crédit; **3** bouffant *m*. ▼**—broek** culotte *v* bouffante. ▼**—fen I** *ov.w* **1** rosser, cogner sur; **2** acheter à crédit; **3** (*geven*) faire crédit; **4** rôtir dans les cendres. **II** *on.w* **1** tomber lourdement; **2** souffler. ▼**—fertje** beignet *m*. ▼**—fertjeskraam** baraque *v* à beignets. ▼**—mouw** manche *v* bouffante.

pog/en I *ov.w* tenter de, essayer de; faire des efforts pour. **II** *zn* = **—ing** effort *m*, tentative *v* (de).

pogrom pogrome(e) *m*.

point of no return point *m* de non-retour.

pok 1 pustule *v*, bouton *m* (de vaccine); **2** *de —ken*, la petite vérole, la variole; *van de —ken geschonden*, marqué de la petite vérole; *inenten tegen de —ken*, vacciner; *inenting tegen—ken*, vaccination *v* antivariolique. ▼**—dalig** marqué de la petite vérole, grêlé.

poken attiser le feu, tisonner.

poker poker *m*. ▼**—en** jouer au poker.

pok/inenting vaccination *v*. ▼**—kenbriefje** certificat *m* de vaccination. ▼**—kenepidemie** épidémie *v* variolique. ▼**—kenstof** vaccin; virus *m* variolique.

pol/air polaire; polaire. ▼**—arisatie 1** polarisation; **2** (*in pol. en dagelijks leven*) bipolarisation *v*. ▼**—ariseren** polariser. ▼**—ariteit** polarité *v*.

polaroid camera appareil *m* (photographique) polaroid.

polder polder *m*. ▼**—gast**, **—jongen** terrassier *m*. ▼**—gemaal** installation *v* de pompage.

polem/iek, **—isch** polémique (*v*). ▼**—iseren** polémiser. ▼**—ist** polémiste *m*.

Polen la Pologne.

poleren aléser.

polichinel polichinelle *m*.

poliep polype *m*. ▼**—achtig** polypeux.

polijst/en polir, brunir, (*v. wapen*) fourbir; (*fig.*) civiliser, polir. ▼**—er** polisseur; brunisseur *m*. ▼**—glas** verre *m* poli. ▼**—ing**

polissage, fourbissage *m*. ▼—**papier** papier *m* verre. ▼—**poeder** tripoli, émeri *m*.

polikliniek dispensaire *m*, polyclinique *v*.

polio(myelitis) polio(myélite) *v*.

polis police *v* (d'assurance) ; *een —afsluiten,* passer une police d'assurance ; *doorlopende* —, police générale ; *contract—,* police d'abonnement. ▼—**boekje** livret-police *m*. ▼—**houder** détenteur *m* de police. ▼—**wijziging** avenant *m*.

politicus homme politique ; *(in slechte betekenis)* politicien *m*.

politie police *v* ; *bereden* —, police montée. ▼—**agent** agent *m* de police, sergent de ville, gardien *m* de la paix. ▼—**beambte** policier *m*. ▼—**bureau** bureau de police, commissariat, poste *m*. ▼—**dienst** service *m* policier ; *—verrichten,* faire la police. ▼**politieel** policier, de police. ▼**politiehond** chien *m* policier.

politiek I *zn* politique *v*. II *bn* 1 politique ; 2 diplomate ; fin, rusé. III *bw* 1 politiquement ; — *geëngageerd,* politiquement engagé ; 2 adroit.

politie/kamer salle *v* de police. ▼—**man** policier *m*. ▼—**post** poste *m* de police. ▼—**rechtbank** tribunal *m* de simple police. ▼—**rechter** juge *m* d'un tribunal de simple police. ▼—**spion** indicateur ; mouchard *m*. ▼—**verordening** ordonnance *v* (*of* règlement *m*) de police. ▼—**wezen** régime *m* policier.

politiseren faire de la politique, politiser.

politoer poli ; vernis *m*. ▼—**en** I *ww* vernir, encaustiquer. II *zn* : *het —,* vernissage *m*.

polka polka *v*. ▼—**haar** cheveux *m mv* coupés à la Jeanne d'Arc.

pollepel louche *v*.

polohemd louche polo *m*.

pols 1 (—*slag*) pouls ; 2 (—*gewricht*) poignet *m* ; 3 (—*stok*) perche *v* ; *langzame* (*snelle*) —, pouls rare (fréquent) ; *iem. de —voelen,* tâter le pouls à qn ; —**en** 1 ; 2 (*fig.*) pressentir —, tâter (qn sur). ▼—**horloge** montre-bracelet *m*. ▼—**mofje** miton *m*. ▼—**slag** pulsation *v* ; —*opnemen,* prendre le pouls. ▼—**stok** perche *v*. ▼—**stokspringen** sauter à la perche. ▼—**tas** pochette *v* d'homme.

poly/chroom polychrome. —**ester** polyester *m* ; *van* —, en polyester. —**foon** polyphone. —**gaam** polygame. —**glot** polyglotte (*m*). —**goon** polygone *m*.

Polynes/ië la Polynésie. —**iër** Polynésien. ▼—**isch** polynésien.

polytechnisch polytechnique.

poly/theisme polythéisme *m*. ▼—**theist(isch)** polythéiste *m*.

pommade pommade *v*. ▼—**ren** pommader.

pomp pompe *v*. ▼—**bediende** pompiste *m/v*.

pompelmoes pamplemousse *v*.

pompen 1 pomper ; 2 (*studeren*) bûcher.

pomp/oen citrouille, courge *v*. ▼—**on** pompon *m*.

pomp/put, —**schacht** puits *m*. ▼—**station** station *v* hydraulique. ▼—**water** eau *v* de pompe. ▼—**zuiger** piston *m*. ▼—**zwengel** balancier *m*.

pond livre *v* ; — *sterling,* livre sterling ; *het volle—willen,* réclamer son dû ; *iem. het volle—geven,* faire la part belle à qn. ▼—**sgewijs** à la livre. ▼—**s—sgewijs** au marc le franc, au prorata de (la mise).

poneren poser ; avancer (une opinion).

pons/en perforer. ▼—**kaart** carte *v* perforée. ▼—**machine** perforatrice *v*. ▼—**typist(e)** perforateur *m*, perforatrice *v*, perfo.

pont bac ; *Ferry-boat m* ; —*je,* bachot *m*. ▼—**brug** tablier *m*. ▼—**geld** passage *m*.

pontifex pontife *m*. ▼**pontificaal** I *bn* (& *bw*) pontifical(ement). II habits *m mv* pontificaux ; *in* —, en gala. ▼—**aat** pontificat *m*. ▼—**eren** pontifier.

pont/lading tablier *m*. ▼—**man** passeur *m*.

ponton bateau *m*. ▼—**brug** pont flottant *m*.

pontonnier pontonnier *m*.

pontveer bac *m*.

pony poney *m*. ▼—**haar** frange *v* de cheveux ; *cheveux m mv* à la chien.

pook 1 tisonnier. 2 levier *m* (de vitesse *bijv.*).

pool 1 pôle *m* ; *tot de—behorend,* polaire ; 2 (*indust.*) pool *m* ; 3 poils *m mv.* 4 Polonais *m*. ▼—**expeditie** expédition *v* polaire. ▼—**ijs** banquise *v*. ▼—**licht** aurore *v* polaire, - boréale. ▼—**onderzoek** exploration *v* polaire.

Pools I *bn* polonais. II *zn* : — e, Polonaise *v* ; *het* —, le polonais.

pool/schip navire *m* d'exploration polaire. ▼—**shoogte** élévation -, hauteur *v* du pôle ; — *nemen,* sonder le terrain. ▼—**ster** étoile *v* polaire. ▼—**wisselaar** inverseur *m*. ▼—**zee** mer *v* polaire ; (*zuid.*) noord. —, océan *m* glacial (ant)arctique.

poort 1 porte *v* ; 2 (*fig.*) cité *v*. ▼—**je** petite porte *v* ; guichet *m*.

poos intervalle *m* ; *een hele* —, un bon moment ; *bij pozen,* de temps en temps.

poot 1 pied *m* ; 2 (*met nagels* ; *v. insekten*) patte *v* ; *op zijn —spelen,* tempêter, faire le diable à quatre ; *brief die op poten staat,* lettre *v* à cheval ; *op zijn achterste poten gaan staan,* monter sur ses ergots ; *op poten staan,* être bien fait ; — *aan spelen,* faire tous ses efforts. ▼—**aardappel** pomme *v* de terre de semence. ▼—**goed** jeunes plants *m mv* ; *zie ook* : —**vis.** —**je** 1 petite patte ; 2 (*med.*) podagre *v* ; *haar —s,* 1 ses petons ; 2 (*handen*) ses menottes ; *een —geven,* donner la patte ; *met hangende —s,* l'oreille basse ; *op zijn —s terechtkomen,* retomber sur ses pieds ; (*v. zaak*) s'arranger. ▼—**jebaden** barboter, faire trempette. —**vis** alevin *m*.

pop 1 poupée ; 2 marionnette ; 3 (*spel*) figure ; 4 (*dierk.*) femelle ; serine ; 5 (*insekte*—) nymphe, chrysalide *v* ; 6 (*kind*) mignon (-ne) *m* (*v*) ; 7 florin *m* ; *daar heb je de —pen aan het dansen,* voilà le feu aux étoupes.

popel/en palpiter, battre ; trembler ; (*fig.*) brûler. —**ing** palpitation *v*.

popeline popeline *v*.

popfestival festival *m* (de musique) pop.

poppe/kleren vêtements *m mv* de poupée. ▼—**ndokter** clinique *v* des poupées. ▼—**nkast** marionnettes *v mv,* guignol *m*. ▼—**nspel** 1 marionnettes *v mv* ; 2 jeu *m* d'enfants. ▼—**rig** poupin ; mignon ; mièvre.

popul/air I *bn* populaire ; (*zich*) —*maken,* (se) rendre populaire ; — *worden,* se populariser. II *bw* d'une manière populaire. ▼—**airwetenschappelijk** de vulgarisation. ▼—**ariseren** vulgariser. ▼—**arisering** vulgarisation *v*. ▼—**ariteit** popularité *v*.

populier peuplier *m*.

por coup *m* (de poing etc.). ▼—**der** réveilleur *m*.

poreus poreux ; *half* —, semi-perméable. ▼—**heid** porosité *v*.

porfier porphyre *m*.

porie pore *m* ; (*plk.*) stomate *m*.

porno: —*film,* film *m* porno. ▼—**grafisch** pornographique.

porren 1 attiser (le feu) ; 2 réveiller ; 3 pousser, bourrer (qn).

porselein porcelaine *v*. ▼—**en** de porcelaine ; —*schaaltje,* capsule *v*. ▼—**goed** porcelaines *v mv*. ▼—**schilder** peintre *m* sur porcelaine. ▼—**winkel** magasin *m* de porcelaine.

port 1 (*post*) port, affranchissement ; 2 (*wijn*) porto *m* ; *witte* —, porto doré.

portaal 1 vestibule ; 2 (*kerk*—) porche, portail ; 3 (*trap*—) palier, carré *m*. ▼—**kraan** grue-portique *v*.

portable (*Eng*) : —*radio,* poste *m* de radio portatif.

porte-brisée porte *v* à coulisses, - à deux battants.

portefeuille 1 portefeuille *m* ; 2 (*grote*) serviette *v* ; *kapitaal in* —, capital *m* réservé à la souche *v*. ▼—**kwestie** : *de—stellen,* demander le vote d'un ordre du jour de confiance. ▼**portemonnaie** porte-monnaie

m.
portglas verre *m* à porto.
portie 1 portion, part ; **2** (*mil.*) ration *v* ; **3** (*fig.*) provision, dose *v* ; —*ijs*, glace *v* ; *legitieme* —, réserve *v* ; *iem.'s legitieme* —, part réservataire de qn.
portiek 1 (*zuilen*) portique ; **2** porche *m.*
portier 1 concierge ; portier *m* ; **2** (*deur*) portière *v.* ▼ —**ster** concierge *m.*
▼ —**swoning** loge *v* de concierge.
portikosten frais *m mv* de port.
portlandcement ciment-Portland *m.*
porto *zie* port.
portret portrait *m* ; **2** photographie *v* ; *een lastig* —, une personne difficile. ▼ —**lens** objectif *m* à portrait. ▼ —**schilder** portraitiste *m.* ▼ —**schilderen** l'art *m* du portrait.
▼ —**stander** porte-photographie, chevalet *m.* ▼ —**teren** faire le portret (de) ; photographier.
Portug/al le Portugal. ▼ —**ees l** Portugais(e) *m*(*v*) ; *het* —, le portugais. **ll** *bn* portugais.
portuur 1 (*tegenpartij*) partie *v* ; **2** (*bon*) parti *m* ; *dat is geen* —, il n'est pas de force.
port/vrij franc de port, franco. ▼ —**vrijdom** franchise *v* postale. ▼ —**zegel** timbre-taxe *m.*
poseren poser ; (*fig.*) prendre des poses.
positie position, situation *v* ; *in* —*zijn*, être dans une position intéressante, être enceinte.
posit/ief l *bn* positif. **ll** *bw* positivement.
▼ —**ieven** ; (*niet*) *bij zijn*—*zijn*, (ne pas) jouir de la plénitude de ses facultés ; *weer bij zijn* —*komen*, reprendre ses esprits.
▼ —**ivisme** positivisme *m.* ▼ —**ivist(isch)** positiviste (*m*).
post 1 (*v. rekening*) article ; *die* —*staat nog open*, cet article n'est pas encore payé ; *een* —*boeken*, passer un article ; **2** (*v. deur*) montant, jambage ; **3** (*mil.*) poste ; **4** (*ambt*) office, poste, emploi *m* ; place, fonction *v* ; **5** (*bode*) facteur *m* ; *op* —, en faction, à son poste ; *op* —*zetten*, poster ; **6** (*brieven*) poste *v* ; (*gezamenlijke brieven*) courrier *m* ; *is er* —*voor mij*?, avez-vous du courrier pour moi ? ; (*bezorging*) distribution *v* ; **7** bureau *m* de poste ; *met de* —, *over de* —, *per* —, par la poste ; *op de* —*doen*, mettre à la poste ; **8** piquet *m* de grève ; **9** papier *m* à lettres.
▼ —**abonnement** abonnement-poste *m.*
postacademiaal post-universitaire ; *postacademiale cursus*, cours *m* de recyclage.
post/ambtenaar —**beambte** postier *m*, postière *v.* ▼ —**auto** automobile *v* postale.
▼ —**bewijs** bon *m* de poste. ▼ —**blad** carte-lettre *v.* ▼ —**bode** facteur *m.* ▼ —**boot** bateau-poste *m.* ▼ —**bus** boîte *v* aux lettres.
▼ —**cheque** chèque *m* postal. ▼ —**cheque-en girodienst** service *m* des chèques postaux. ▼ —**code** code *m* postal ; indicatif *m* postal. ▼ —**dag** jour *m* de courrier.
▼ —**dienst** service *m* des postes.
▼ —**directeur** receveur *m* des postes.
▼ —**duif** pigeon *m* voyageur.
▼ —**duivenhoudersvereniging** société *v* colombophile.
postelein portulac *m.*
posten l *ov.w* **1** poster ; **2** assurer le piquet de grève (devant). **ll** *zn* : *het* —, **1** postage *m* ; **2** picketing *m*, surveillance *v* de l'atelier boycotté.
post- en telegraafkantoor bureau *m* des P.T.
poster 1 affiche *v*, poster *m* ; **2** homme du piquet de grève. ▼ —**en** poster, placer ; aposter (*met slechte bedoeling*).
post/e restante poste *v* restante. ▼ —**erijen** postes *v mv.*
postgiro virement *m* postal. ▼ —**biljet** mandat-carte *m* de versement. ▼ —**cheque** chèque *m* de virement postal. ▼ —**rekening** compte *m* courant postal. ▼ —**verkeer** virements *m mv* postaux.
post/hoorn cor *m* de postillon. ▼ —**iljon** postillon *m.* ▼ —**kantoor** bureau *m* de postes ; poste *v* ; (*hoofd*—) bureau de poste central, -principal. ▼ —**kwitantie** mandat *m*

de recouvrement postal. ▼ —**merk** cachet *m* de la poste ; *datum* —, date *v* de la poste.
▼ —**orderverkoop** vente *v* par correspondance, V.P.C. ▼ —**overeenkomst** convention *v* postale. ▼ —**pakket** colis *m* postal. ▼ —**pakketdienst** service *m* des colis postaux. ▼ —**pakketformulier** bulletin *m* de colis postal. ▼ —**papier** papier *m* à lettres.
▼ —**rekening** compte *m* postal. ▼ —**rijtuig** wagon-poste *m.* ▼ —**scriptum** postscriptum *m.* ▼ —**spaarbank** caisse *v* d'épargne postale. ▼ —**spaarbankboekje** livret *m* de caisse d'épargne. ▼ —**stempel** timbre *m.*
▼ —**stuk** objet *m* de correspondance.
▼ —**tarief** tarif *m* postal. ▼ —**tijd** heure *v* du courrier. ▼ —**trein** train-poste *m.*
postu/laat postulat *m.* ▼ —**ant** postulant *m.*
postunie union *v* postale.
postuur taille *v* ; port *m*, (*fig.*) attitude *v* ; *een flink* —, une belle prestance ; *een mooi* —, une taille bien prise.
post/verbinding communication *v* postale.
▼ —**verkeer** trafic *m* postal. ▼ —**vliegtuig** avion *m* postal. ▼ —**vlucht** transport *m* aérien. ▼ —**wagen** *zie* —**rijtuig.** ▼ —**weg** route *v* postale. ▼ —**wissel** mandat-carte *m* ; *internationale* —, mandat *m* de poste international ; *telegrafische* —, mandat *m* télégraphique. ▼ —**zak** sac *m* postal.
postzegel timbre-poste *m.* ▼ —**album** album *m* pour timbres-poste. ▼ —**automaat** distributeur *m* de timbres-poste.
▼ —**bevochtiger** mouilleur *m.*
▼ —**verzamelaar** philatéliste *m.*
▼ **postzending** envoi *m* postal.
pot 1 pot *m* ; **2** (*v. ijzer*) marmite *v* ; **3** pot à fleurs ; **4** pot de chambre ; **5** (*kachel*—) foyer *m* ; **6** (*spaar*—) tirelire ; **7** (*speel*—) cagnotte *v* ; **8** (*v. spel*) enjeu *m*, poule *v* ; *de gewone* —, l'ordinaire *m* ; *eten wat de* —*schaft*, dîner à la fortune du pot. ▼ —**aarde** argile, terre *v* glaise. —**as** potasse *v.* ▼ —**dicht** fermé hermétiquement ; *de luchthaven zat* —, l'aéroport était bouché.
poten planter ; *vis* —, aleviner.
potent capable. ▼ —**aat** potentat *m* ; *een rare* —, un drôle de corps. ▼ —**iaal** *bn* (*& zn*) potentiel (*m*). ▼ —**ie** puissance *v.* ▼ —**ieel l** *bn* en puissance. **ll** *zn* puissance *v.*
potig robuste, fort.
potje 1 petit pot ; **2** (*verf* —) godet *m* ; *hij mag wel een* —*breken*, on lui passe qc ; *zijn eigen* —*koken*, faire la popote ; *kleine* —*s hebben grote oren*, petit chaudron, grandes oreilles. ▼ —**slatijn** latin *m* de cuisine.
potlood 1 mine *v* de plomb, graphite ; **2** crayon *m* ; *met* —*schrijven*, écrire au crayon.
▼ —**houder** porte-crayon *m.* ▼ —**slijper** taille-crayon *m.* ▼ —**tekening** dessin *m* au crayon.
potplant plante *v* en pot.
potpourri pot *m* pourri ; (*muz.*) sélection *v.*
potscherf tesson *m.*
potsierlijk *bn* (*& bw*) drôle(ment).
pottekijker 1 lumière *v* de cheminée ; **2** tâte-au-pot *m.*
potten l *on.w* économiser, mettre de côté.
ll *ov.w* empoter, mettre en pot. **lll** *zn* : *het* —, la thésaurisation. ▼ **pottenbakker** potier, céramiste *m.* ▼ —**ij** (*atelier m de*) poterie *v.*
potverteren manger la cagnotte.
potvis cachalot *m.*
pousse/-café verre *m* de liqueur, -d'alcool.
▼ —**ren** pousser ; pistonner (qn).
pover *bn* (*& bw*) pauvre(ment), mesquin(ement) = —**tjes.** ▼ —**heid** pauvreté *v.*
praaien héler.
praal magnificence, parade *v*, faste, apparat *m* ; *met grote* —, pompeusement. ▼ —**bed** lit *m* de parade. ▼ —**graf** mausolée *m.*
▼ —**wagen** char *m.* ▼ —**ziek** fastueux, ostentateur.
praat propos *m*, causerie *v* ; —*s hebben*, avoir le verbe haut ; *aan de* —*houden*, retenir ; (*fig.*) amuser, repaître de vaines promesses. ▼ —**je**

1 bout *m* de causette, causerie *v*; **2** (*klets—*) bavardage, racontar; **3** (*uitvlucht*) prétexte *m*, feinte *v*; *het gewone* —, le cliché; *en geen* —*s*, et pas de discussions. ▼—**jesmaker 1** phraseur; beau parleur; **2** faiseur *m* d'embarras; **3** beau parleur; **2** faiseur *m* secours. ▼—**ziek** loquace; indiscret.

pracht pompe; magnificence; somptuosité *v*. ▼—**band** reliure *v* de luxe. ▼—**exemplaar** exemplaire *m* de luxe; *een* —*van een man*, un mari modèle. ▼—**ig I** *bn* **1** magnifique, admirable, somptueux; **2** splendide; **3** délicieux. **II** *bw* magnifiquement, admirablement, à merveille. ▼—**lievend** magnifique, fastueux. ▼—**lievendheid** magnificence *v*. ▼—**uitgave** édition *v* de luxe.

practic/a travaux *m mv* pratiques. ▼—**um** séminaire; laboratoire *m*; exercices *m mv*. ▼—**us** praticien, homme pratique.

praeses président.

pragmat/iek, —**isch** pragmatique (*v*). ▼—**isme** pragmatisme *m*.

prairie prairie *v*. ▼—**brand** feu *m* de prairie. ▼—**ruimte** cabinet *m*. ▼**praktizer/en** pratiquer; exercer (ses fonctions). ▼—**end** pratiquant; —*geneesheer*, praticien *m*.

praktijk 1 pratique; *dat leert men in de praktijk*, ça s'apprend sur le tas; **2** clientèle *v*; cabinet *m* (de médecin, d'avocat); *kwade* —*en*, menées (sourdes), machinations *v mv*. ▼—**ruimte** cabinet *m*. ▼**praktizer/en** pratiquer; exercer (ses fonctions). ▼—**end** pratiquant; —*geneesheer*, praticien *m*.

pral/en 1 briller; **2** —*met*, se vanter de, faire étalage de. ▼—**er** vantard, poseur *m*.

prat fier (de); —*gaan op*, se targuer de.

prat/en 1 parler, causer; **2** bavarder; *met iem.* —, parler à qn; *maar laten* —, laisser dire; *langs elkaar heen* —, ne pas s'entendre. ▼—**er** causeur *m*.

prauw prao *m*, pirogue *v*.

pré avantage *m*; *een* —*hebben*, être avantagé, avoir le pas sur.

pre/advies rapport *m*. ▼—**alabel** préalable.

precair, precaire précaire; *in precario*, en possession précaire.

precedent précédent; antécédent *m*.

precies I *bn* précis, exact. **II** *bw* exactement, *om 6 uur* —, à six heures précises; à six heures pile; —*zijn*, être très exact; *akelig* —, minutieux; —*5 jaar geleden*, il y a juste 5 ans; —*op tijd*, à point; *niet* —*weten*, ne pas savoir au juste. ▼—**heid** précision *v*.

precieus I *bn* précieux. **II** *bw* précieusement. ▼—**heid** préciosité *v*.

precis/eren préciser, mettre au point. ▼—**ie** précision, exactitude *v*.

precoderen précoder.

predestin/atie prédestination *v*. ▼—**eren** prédestiner.

predikaat 1 (*gram.*) prédicat, attribut; **2** titre *m*; *met het* —*'cum laude'*, avec la mention 'éloge'.

predik/ambt ministère *m*. ▼—**ant** (*prot.*) ministre, pasteur; (*rk*) prédicateur. ▼—**antsplaats** poste *m* de pasteur. ▼—**antswoning** presbytère *m*. ▼—**atie 1** (*het preken*) prédication *v*; **2** *zie* **preek**. ▼—**beurt**: *een* —*vervullen*, faire un tour de prêche. ▼—**beurtenblad** bulletin, horaire *m* des cultes. ▼—**er** prédicateur; (*Bijbel*) de *P*—, l'Ecclésiaste *m*. ▼—**heer** dominicain *m*. ▼—**ing** prédication *v*.

predispo/neren prédisposer (à). ▼—**sitie** prédisposition *v*.

preek 1 sermon; **2** (*prot. ook*) prêche (*rk ook*) prône *m*. ▼—**stijl** style *m* de la chaire. ▼—**stoel** chaire *v*; *op de* —, en chaire. ▼—**toon** ton *m* d'homélie; onction *v*.

prefab préfabriqué. **prefatie** préface *v*.

prefect préfet *m*. ▼—**uur** préfecture *v*.

prefer/ent préférable; —*e aandelen*, actions *v mv* privilégiées. ▼—**ie** préférence *v*; droit *m* de priorité.

prehistor/ie préhistoire *v*. ▼—**isch** préhistorique.

prei poireau *m*.

prek/en prêcher. —**er** prédicateur; (*fig.*) sermonneur *m*.

prelaat prélat *m*.

preliminair *bn* (*& zn*) préliminaire (*m*).

prelud/e, —**ium** prélude *m*. ▼—**eren** préluder (à).

prematuur *bn* (*& bw*) prématuré (ment).

premie 1 prime *v*; **2** prix *m*. ▼—**aflossing** amortissement *m* des lots. ▼—**betaling** versement *m* de la prime. ▼—**boek** livre-prime *m*. ▼—**coupon** coupon *m* de lot à primes. ▼—**lening** emprunt *m* à lots. ▼—**lot** valeur *v* à lots.

premier premier ministre, président du Conseil. ▼**première** première *v*.

premie/reserve réserve *v* mathématique. ▼—**trekking** tirage *m* au sort de lots.

premisse prémisse *v*.

prent 1 image; estampe, gravure *v*; **2** (*jachtterm*) pied *m*, trace *v*. ▼—**briefkaart** carte *v* postale illustrée. ▼—**en** graver. ▼—**enbijbel** bible *v* illustrée. ▼—**enboek** livre *m* d'images. ▼—**enkabinet** cabinet *m* des estampes.

prepar/aat préparation *v*; *anatomisch* —, préparation *v* anatomique; *chemisch* —, préparation *v* chimique. ▼—**eren I** *ov.w* préparer. **II** *zn: het* —, la préparation.

presbyteriaan(s) presbytérien (*m*).

present 1 cadeau; *iets* —*geven*, faire cadeau de qc; *iets* —*krijgen*, recevoir qc en cadeau; *het niet* —*krijgen*, l'emporter de haute lutte. **II** *bn* présent. ▼—**ator** présentateur *m*. ▼—**atrice** présentatrice *v*. ▼—**eerblad** plateau *m*. ▼—**eren I** *ov.w* présenter; *wat mag ik u* —? que puis-je vous offrir? ; *het geweer* —, être au port d'armes; *presenteert 't geweer!* présentez armes! **II** *zn: het* —, la présentation. ▼—**exemplaar** spécimen *m*. ▼—**iegeld** jetons *m mv* de présence. ▼—**ielijst** feuille *v* des présences.

president(e) président(e) *m* (*v*). ▼—**commissaris** président *m* du conseil de surveillance; (*in Fr. ook wel*) président du conseil d'administration. ▼—**directeur** président-directeur *m* général, P.-D.G. ▼—**ieel** présidentiel. ▼—**schap** présidence *v*. ▼—**sverkiezing** élection *v* présidentielle. ▼**presid/eren** présider; occuper le fauteuil de la présidence. ▼—**ium** présidence *v*.

press/en presser. ▼—**e-papier** presse-papier(s) *m*. ▼—**ie** pression *v*. ▼—**iegroep** groupe *m* de pression. ▼**pressure cooker** autocuiseur *m*.

prestatie 1 prestation *v*; (*fig.*) exploit *m*; (*sp.*) performance *v*; **2** rendement *m*. ▼—**loon**, —**toeslag** prime *v* au rendement. ▼—**meting** évaluation *v* des résultats. ▼—**vlucht** vol *m* de performance. ▼**presteren** s'acquitter de, produire; *niet veel* —, se montrer inférieur.

prestige prestige *m*.

pret plaisir, divertissement *m*, joie *v*; — *hebben*, — *maken*, s'amuser, se divertir; *we zullen* —*hebben*, nous allons rire. ▼—**bederver** trouble-fête *m*.

pret/je: *het je plaisir m*; partie *v* de plaisir. ▼—**maker** joyeux compère, rigoleur. ▼—**tig I** *bn* agréable, gai, divertissant; — *vinden*, aimer (à); *ik vind het* —*dat*, je me réjouis que; *het* —*hebben met iem.*, s'entendre parfaitement. **II** *bw* agréablement.

preuts *bn* (*& bw*) prude (ment); — *doen*, faire la prude. ▼—**heid** pruderie *v*.

preval/ent prépondérant. ▼—**eren** prévaloir.

prevelen marmotter.

prevent/ie prévention *v*. ▼—**ief I** *bn* préventif. **II** *bw* préventivement.

prieel tonnelle, gloriette *v*.

priem pinçon *m*, alène *v*; poignard *m*. ▼—**en** piquer, percer. —**getal** nombre *m* premier.

priester prêtre *m*; —*worden*, entrer dans les

ordres; *tot — wijden*, ordonner prêtre;
▼ **—arbeider** prêtre-ouvrier *m*. ▼ **—es**
prêtresse. ▼ **—koor** haut chœur *m*. ▼ **—lijk**
sacerdotal. ▼ **—schap 1** (*sacrament*) prêtrise
v; (*waardigh. functie*) sacerdoce *m*;
2 (*geestelijkh.*) = **—stand** clergé *m*.
▼ **—wijding** ordination, prêtrise *v*.
prijken briller; — *met*, être orné de.
prijs 1 prix *m*; condition *v*; **2** (*beloning*) prix
m, récompense; **3** (—*briefje*) étiquette *v*; *in*
de — inbegrepen, compris dans le prix;
kostende —, prix de revient;
overeengekomen —, prix fait; *nader overeen*
te komen —, prix à débattre; *minimum —*,
prix plancher; *maximum —*, prix plafond;
door de overheid vastgestelde —, prix
imposé; *de — behalen*, remporter le prix; —
stellen op iets, apprécier qc, tenir à qc;
beneden de —, à vil prix; *tegen de — van*, au
prix de; *tegen vaste prijzen*, à prix fixe; *tegen*
verlaagde —, à prix réduit; *onder*
de — verkopen, brader; *tot elke —*, à tout prix,
coûte que coûte; **4** prise, capture *v*; —
maken, capturer. ▼ **—aanpassing**
peréquation *v* des prix. ▼ **—beheersing**
comité *m* des prix; taxation *v*. ▼ **—beleid**
politique *v* des prix. ▼ **—bepaling** estimation,
taxation *v*. ▼ **—beschikking** fixation *v* des
prix, blocage *m* des prix. ▼ **—bewust** —
zijn, savoir acheter. ▼ **—bewustheid** savoir
m acheter. ▼ **—briefje** étiquette *v*.
▼ **—controle** contrôle des p. ▼ **—garantie**
garantie *v* de prix. ▼ **—geven** (*ov.w* livrer,
abandonner, renoncer (à). **II zich** —se livrer
(à). ▼ **—houdend** invariable, soutenu; —
zijn, avoir bonne tenue. ▼ **—index** indice *m*
des p. ▼ **—lijst** prix *m* courant. ▼ **—notering**
cote *v*, cours *m*. ▼ **—opdrijving** hausse *v*
illicite. ▼ **—opgave** prix courant, relevé *m* des
prix. ▼ **—peil** palier *m* des prix. ▼ **—politiek**
politique *v* de prix. ▼ **—regeling** régime *m* de
prix. ▼ **—schieten** concours *m* de tir.
▼ **—stijging** hausse *v* des prix. ▼ **—stop**
blocage *m* des p. ▼ **—uitdeling** distribution *v*
des prix. ▼ **—uitloving** mise *v* au concours.
▼ **—verhoging** augmentation *v* des prix.
▼ **—verlaging** abaissement des prix, rabais
m. ▼ **—vermindering** baisse *v*. ▼ **—verschil**
différence *v*, écart *m*. ▼ **—voorschrift**
prescription *v* fixant les prix. ▼ **—vorming**
formation *v* des p. ▼ **—vraag** question *v* mise
au concours; *een — uitschrijven over*, mettre
(qc) au concours. ▼ **—winnaar** gagnant;
lauréat *m*.
prijz/en I *ov.w* **1** louer; **2** (*hand.*) étiquetter,
coter; marquer; *gelukkig —*, estimer heureux.
II zich —se louer; *zich gelukkig —*, se
féliciter (de), se louer (de). ▼ **—end** élogieux.
▼ **—enswaard(ig)** digne d'éloges, louable.
prijzig cher.
prik 1 piqûre *v*; coup *m* (d'aiguille etc.); *water*
zonder —, de l'eau plate; **2** pointe *v* de fer,
aiguillon *m*; **3** (*vis*) lamproie *v*; *voor een — je*,
pour rien. ▼ **—actie** grève *v* perlée. ▼ **—bord**
tableau *m*.
prikkel 1 aiguillon *m*; pointe; épine *v*, piquant
m; **2** (*fig.*) excitation, irritation *v*, stimulant *m*.
▼ **—baar 1** sensible; **2** irritable, irascible,
susceptible. ▼ **—baarheid 1** sensibilité;
2 irascibilité; susceptibilité *v*. ▼ **—draad** fil *m*
de fer barbelé. ▼ **—draadversperring**
barrage *m* de fils de fer barbelé, les barbelés *m*
mv. ▼ **—en** I *ov.w* **1** piquer; **2** irriter (les
nerfs); picoter (le nez); **3** (*fig.*) exciter,
stimuler. **II** *on.w* picoter, (*fig.*) exciter; *in de*
neus —, monter au nez; *in de keel —*,
prendre à la gorge. ▼ **—end** piquant, irritant,
excitant, stimulant; émoustillant; *hij heeft iets*
—s, elle a du montant. ▼ **—ing 1** picotement
m, piqûre; **2** irritation, stimulation; **2** (*fig.*)
excitation *v*. ▼ **—lectuur** publications *v mv*
malsaines; pornographie *v*. ▼ **prik/ken**
piquer, donner une piqûre à; (*v. kou*) picoter.
▼ **—sle(d)e** luge *v*. ▼ **—staking** grève *v* de
harcèlement. ▼ **—stok** aiguillon. ▼ **—tol**
toupie *v* (à queue).

pril: *de — le jeugd*, la prime jeunesse.
prim/a premier, première; de premier choix;
de qualité supérieure; *dat is —*, c'est
excellent. ▼ **—aat** primat *m*. ▼ **—aatschap**
primatie *v*. ▼ **—air** primair; premier; (*med.*)
au premier degré; — *e sector*, secteur *m*
primaire. — **e** (*rk*) prime; (*muz.*) tonique *v*.
▼ **—eur** primeur *m*. ▼ **—eren** primer.
primitief I *bn* primitif. **II** *bw* primitivement.
primo I *bn* en premier lieu, premièrement.
II premier *m* du mois.
primula primevère *v*.
primus 1 premier *m*; **2** (*brander*) réchaud *m* à
alcool.
princi/paal principal, chef, patron *m*. ▼ **—pe**
principe *m*; *uit —*, par principe. ▼ **—pieel**
I *bn* fondamental, essentiel. **II** *bw* en principe,
de, — par -; *principiële dienstweigeraar*,
objecteur *m* de conscience.
prins prince *m*; — *van den bloede*, prince du
sang; *van de — geen kwaad weten*, n'y être
pour rien. ▼ **—bisschop** prince-évêque.
▼ **—dom** principauté *v*. ▼ **—elijk** I *bn*
princier. **II** *bw* princièrement. ▼ **—es**
princesse. ▼ **—essenboon** haricot *m* vert.
▼ **—jesdag** ouverture *v* de l'année
parlementaire.
prior prieur *m*. ▼ **—ij** prieuré *m*. ▼ **—in** prieure
v. ▼ **—iteit** priorité *v*.
prisma prisme *m*. ▼ **—beeld** spectre *m* solaire.
▼ **—kijker** jumelles *v mv* à prismes. ▼ **—tisch**
prismatique.
privaat I cabinet *m*; *openbaar —*, toilettes *v*
mv. **II** *bn* privé, particulier; — *burger*, homme
privé, particulier. ▼ **—bezit** propriété *v* privée.
▼ **—college** cours *m* libre. ▼ **—docent**
professeur libre. ▼ **—gebruik** usage *m*
personnel. ▼ **—les** répétition; leçon *v*
particulière. ▼ **—onderwijs** enseignement *m*
libre, - à domicile. ▼ **—recht** droit *m* privé.
▼ **—rechtelijk** de droit privé.
▼ **—vermogen** fortune *v* personnelle.
▼ **privat/im** à titre privé, en privé.
▼ **—issimum** cours *m* privé, leçon *v* fermée.
▼ **privé I** cabinet *m*; *in —*, à titre privé. **II** *bn*
particulier, privé, intime; — *onderhoud*,
entretien *m* particulier; — */es*, leçon *v*
particulière; — *-leven*, vie *v* privée. - intime.
▼ **—kantoor** bureau *m* personnel.
▼ **—secretaresse** secrétaire *v* personnelle.
▼ **—secretaris** secrétaire *m* personnel.
privileg(i)e privilège *m*; (*fig.*) prérogative *v*.
pro pour; *het — en contra*, le pour et le contre.
probaat excellent, efficace.
prob/eersel essai *m*. ▼ **—eren** essayer,
tenter; mettre à l'épreuve; *hij probeert alleen*
maar te ..., il ne cherche qu'à ...
probleem problème *m*. ▼ **—kind** enfant *m*
problème. ▼ **—stelling** manière *v* de poser un
problème. ▼ **problema/tiek** problématique
v. ▼ **—tisch** problématique.
procédé procédé *m*. ▼ **proceduren** procéder,
plaider, faire un procès à.
procent pour cent; *zie* **percent**.
proces 1 (*jur.*) procès; **2** (*chem.*) procédé *m*;
chemisch —, processus *m* chimique, réaction
v chimique; *in — liggen*, être en procès;
in —liggende grond, terrain *m* en litige.
▼ **—recht** droit *m* de procédure.
processie procession *v*.
proces/stukken dossier *m*. ▼ **—verbaal**
procès-verbal *m*; — *opmaken tegen*,
verbaliser; *een — krijgen*, attraper un P.-V.
▼ **—zaak** affaire *v*; procès *m*.
proclam/atie proclamation *v*. ▼ **—eren**
proclamer.
procuratie procuration *v*; *per —*, par
procuration. ▼ **—houder** chargé de
procuration, fondé *m* de pouvoirs.
▼ **procureur** avoué *m*. ▼ **—generaal**
procureur-général *m*.
pro Deo à titre gratuit; bénévole.
produc/ent producteur *m*. ▼ **—er** producteur
m (de cinéma). ▼ **—eren** produire.
produkt produit *m*; *gedurig —*, produit de
plusieurs facteurs; *merkwaardig —*, produit

remarquable; *geestes* —, production *v* de l'esprit; *bruto nationaal* —, produit *m* national brut. ▼—**ie** production *v*. ▼—**ief** productif; producteur; — *maken*, faire valoir, mettre en valeur; — *zijn*, rapporter. ▼—**iekracht** intensité de travail, force *v* productive. ▼—**ieleider** chef de production. ▼—**ieprijs** prix *m* à la production. ▼—**ietoeslag** prime *v* au rendement. ▼—**iviteit** productivité *v*.
proef 1 épreuve *v*; essai *m*; **2** (*wetensch.*) expérience *v*, test *m*; **3** (*rekenk.; bewijs*) preuve *v*; **4** (*monster*) échantillon, spécimen *m*; *een — doen*, faire une expérience (sur); *een — nemen*, expérimenter, faire un essai, faire l'essai (de); *de — op de som nemen*, faire la preuve de; (*fig.*) mettre la chose à l'épreuve; *op —*, à l'essai, à titre d'essai; *op de — stellen*, mettre à l'épreuve. ▼**proef**... **1** d'essai; **2** -témoin. ▼—**abonnement** abonnement *m* à l'essai. ▼—**balans** bilan *m* de vérification. ▼—**ballon** ballon *m* d'essai. ▼—**boring** forage *m* d'exploration. ▼—**dier** animal *m* (*of d'*)expérience. ▼—**draaien** I essais *m mv*. II faire des essais. ▼—**druk** 1 épreuve; **2** épreuve *v* avant la lettre. ▼—**flesje** bouteille-échantillon *v*; flacon *m* d'essai. ▼—**glas** éprouvette *v*; verre *m* à expériences. ▼—**houdend 1** éprouvé; de bon aloi; **2** (*fig.*) efficace. ▼—**huwelijk** mariage *m* à l'essai. ▼—**jaar** stage d'un an; (*rk*) noviciat *m*. ▼—**je** échantillon *m*; prise *v* d'essai. ▼—**kistje** boîte-échantillon *v*. ▼—**konijn** sujet d'expérience, cobaye *m*. ▼—**les** leçon *v* d'essai. ▼—**lokaal** salle *v* de dégustation, bar *m*. ▼—**neming** essai *m*; (*wetensch.*) expérience, expérimentation *v*. ▼—**nummer** numéro spécimen *m*. ▼—**ondervindelijk** *bn* (& *bw*) expérimental(ement). ▼—**pakket** paquet-échantillon *m*. ▼—**persoon** sujet *m* (d'expérience). ▼—**rit** essais *m mv*, course *v* d'essai, parcours *m* de garantie. ▼—**schot** coup *m* d'essai. ▼—**schrift** thèse *v* de doctorat; *een — verdedigen*, soutenir une thèse. ▼—**station** station *v* d'essais, - de recherches. ▼—**stomen** I *on.w* faire des essais. II *zn: het* —, les essais de machine. ▼—**stuk** coup d'essai, spécimen; (*v. gilde*) chef-d'œuvre *m*. ▼—**tijd** stage; noviciat *m*; période *v* d'essai. ▼—**tocht** essai *m mv*. ▼—**veld** champ *m* d'essais. ▼—**vliegen** essais *m mv* en vol. ▼—**vlucht** vol *m* d'essai, - expérimental. ▼—**werk** épreuve (écrite), composition *v*; — *maken voor het Engels*, composer en anglais. ▼—**zending** échantillon *m*.
proev/en I *ov.w* **1** goûter, déguster (du vin); **2** (*genieten*) savourer; **3** (*fig.*) faire l'essai de, sentir. II *zn: het* —, la dégustation. ▼—**er** dégustateur *m*.
prof/aan *bn* (& *zn*) profane (*m*). ▼—**anatie** profanation *v*. ▼—**aneren** profaner; —*d*, profanateur.
profeet prophète *m*; *geen — is in zijn land geëerd*, nul n'est prophète en son pays.
profess/ie profession *v*. ▼—**ional** professionnel *m*. = —**ioneel**.
professor professeur (de faculté). ▼—**aal** professoral. ▼—**aat** professorat *m*.
profet/eren prophétiser, prédire. ▼—**es** prophétesse *v*. ▼—**ie** prophétie *v*. ▼—**isch** *bn* (& *bw*) prophétique.
profiel profil *m*; *in* —, de profil. ▼—**ijzer** (fer) profilé *m*.
profijt profit, avantage, bénéfice *m*; — *trekken van*, tirer profit de. ▼—**elijk** I *bn* avantageux. II *bw* avantageusement.
profileren profiler.
profiteren profiter (de qc).
profy/lactisch prophylactique. ▼—**laxis** prophylaxie *v*.
pro forma pour la forme.
prognos/e pronostic *m*. ▼—**ticeren** pronostiquer.
program(ma) programme *m*. ▼—**college**

bourgmestre et adjoints qui, appuyés par la majorité d'un groupe ou de plusieurs groupes politiques coopérants, se sont engagés à réaliser le programme de cette majorité. ▼—**muziek** musique *v* descriptive. ▼—**meren** programmer. ▼—**mering** programmation *v*. ▼—**meur** programmeur *m*.
progres/sie progression *v*. ▼—**ief** I *bn* progressif. II *bw* progressivement. ▼—**ist(isch)** progressiste (*m*).
project projet *m*. ▼—**eren** projeter. ▼—**ie** projection *v*. ▼—**iedoek**, —**iescherm** écran *m*. ▼—**iel** projectile (*m*); *geleid* —, engin *m* téléguidé, missile *m*. ▼—**ielantaarn** lanterne *v* à projections. ▼—**ietekening** projection *v*. ▼—**ievlak** plan *m* de projection. ▼—**or** projecteur *m*.
proleet salaud; goujat *m*. ▼**proletar/iaat** prolétariat *m*. ▼—**iër**, —**isch** prolétaire (*m*).
prolong/atie 1 report *m*; *op — zetten*, placer en report; **2** (*v. wissel*) prorogation *v*, renouvellement *m*. ▼—**eren** prolonger; proroger.
proloog prologue *m*.
pro memorie pour mémoire.
promenade/dek pont -promenade *m*.
promesse billet *m* à ordre.
prominent de classe; en vue.
promo/tie 1 promotion *v*; avancement; **2** doctorat *m*; soutenance *v* de thèse. ▼—**tor** 1 président de thèse; 2 promoteur. ▼—**veren** I *ov.w* conférer le grade de docteur à, recevoir (qn) docteur. II *on.w* passer -, soutenir sa thèse pour le doctorat, être reçu docteur.
prompt *bn* (& *bw*) **1** (*snel*) prompt(ement); **2** (*precies*) exact(ement); — *e bediening*, service *m* soigné; — *betalen*, payer rubis sur l'ongle; — *zes uur*, à six heures précises; — *zes uur vijf*, à six heures cinq minutes juste. ▼—**heid 1** promptitude; **2** exactitude *v*.
pronk 1 parure; **2** ostentation *v*, faste *m*; *te — staan*, être exposé à tous les regards. ▼—**en**: — *met*, faire parade de, - étalage de; se parer de. ▼—**juweel** joyau *m*; (*fig.*) perle *v*. ▼—**kast** vitrine *v*. ▼—**sieraad** parure *v*. ▼—**stuk** pièce *v* d'ornement; (*fig.*) modèle *m*. ▼—**ziek** fastueux, qui aime à paraître. ▼—**zucht** ostentation, envie *v* de paraître.
prooi proie *v*; *ten — aan*, en proie à.
proost prévôt *m*. ▼—**schap** prévôté *v*.
prop 1 tampon, bouchon, (*in mond*) bâillon *m*; **2** (*mil.*) bourre *v*; **3** (*papier* —) boulette *v*; **4** (*deeg* —) pâton *m*; **5** (*dikkerd*) boulot(te) *m* (*v*); *een — in de keel hebben*, avoir une boule dans la gorge; avoir le gosier serré; *op de — pen komen*, se montrer, paraître; *met iets op de — pen komen*, sortir qc; mettre qc sur le tapis.
propaan propane *m*.
propaedeu/se préparation; propédeutique *v*. ▼—**tisch** préparatoire.
propagand/a propagande *v*. ▼—**ist** propagandiste *m*. ▼—**istisch** de propagande. ▼**propageren** répandre; propager.
propeller propulseur *m*; hélice *v*.
proper *bn* (& *bw*) propre(ment). ▼—**heid** propreté *v*.
proport/ie proportion *v*; *in — met*, au prorata de; *naar* —, relativement. ▼—**ioneel** proportionnel.
prop/pen 1 bourrer (de qc); **2** (*v. vogel*) empâter, gaver. ▼—**vol** bondé, comble; — *zijn met*, regorger de.
prosit à votre santé, à la vôtre.
prospect vue, perspective *v*. ▼—**us** prospectus *m*.
prostaat prostate *v*.
prostitu/ée prostituée *v*. ▼—**tie** prostitution *v*.
protect/ie protection *v*; (*fig.*) piston *m*. ▼—**ionisme** protectionnisme *m*. ▼—**ionist(isch)** protectionniste (*m*). ▼—**or** protecteur *m*. ▼—**oraat** protectorat *m*. ▼**protegeren** protéger.
proteïne protéine *v*.

protest 1 protestation v; **2** (hand.) protêt m;
— van non-acceptatie, protêt faute
d'acceptation; — van non-betaling, protêt
faute de paiement; — aantekenen tegen,
s'inscrire en faux contre; — betekenen, faire
protester un billet. ▼—**akte** acte m de protêt.
▼—**ant(s)** protestant (m). ▼—**antisme**
protestantisme m. ▼—**eren** l on.w protester
(contre); réclamer. ll o.v.w: een wissel laten
—, faire protester une lettre de change.
▼—**erend** protestataire (m). ▼—**meeting**
meeting m de protestation. ▼—**staking**
grève v de protestation.
prothese prothèse v.
protocol protocole v; procès-verbal m. ▼—**lair**
protocollaire.
proton proton m.
protonotarius protonotaire m.
protoplasma protoplasme m.
prototype prototype m.
protozoën protozoaires m mv.
Provençaal Provençal m. ▼—**s** provençal.
▼**Provence** Provence v.
proviand provisions v mv de bouche.
▼—**eren** approvisionner (de), ravitailler.
▼—**ering** approvisionnement, ravitaillement
m. ▼—**wagen** fourgon m à vivres.
provident/ie providence v. ▼—**ieel** bn (&
bw) providentiel(lement).
provinc/iaal provincial (m). ▼—**ie** province
v; de Verenigde P—ën, les Provinces Unies.
▼—**iehuis** hôtel m de l'administration
provinciale. ▼—**iestad** ville v de province.
provisie 1 provision; **2** (loon) commission v;
courtage m. ▼—**kamer** dépense v;
garde-manger m = —**kast**. ▼—**kelder** cave
v à provisions; cellier m.
provoc/atie provocation v. ▼—**eren**
provoquer.
provoost 1 prévôt m; **2** prison, cellule v.
proza prose v; in —, en prose. ▼—**isch** bn (&
bw) prosaïque(ment). ▼—**ist**, —**schrijver**
prosateur m. ▼—**mens** homme terre-à-terre.
prudentie prudence v; aan iem.—overlaten,
s'en remettre à la discrétion de qn.
pruik 1 perruque v; **2** (fig.) tignasse v.
▼—**enstijl** rococo m. ▼—**entijd** époque v
du rococo.
pruil/en bouder, faire la moue. ▼—**end**
boudeur. ▼—**erij** bouderie v.
pruim 1 prune v; gele —, mirabelle; groene
—, reine-claude; blauwe —, prune v de
Monsieur; gedroogde —, pruneau m;
2 (tabaks —) chique v. ▼—**eboom** prunier
m. ▼—**emondje** bouche v en cœur. ▼—**en
1** chiquer; **2** (fig.) boulotter. ▼—**entaart**
tarte v aux prunes. ▼—**tabak** tabac m à
chiquer. ▼—**vormig** pruniforme.
Pruis(isch) Prussien (m). ▼—**en** la Prusse.
prul 1 chiffon m; **2** navet; (persoon) (pop.)
tocard m. ▼—**lenmand** panier m. ▼—**lig**
sans valeur, misérable. ▼—**werk** bousillage
m.
pruts/en l on.w bousiller. ll o.v.w (in elkaar
—) bricoler. ▼—**er** bricoleur. ▼—**werk**
bousillage m, bricole v.
pruttel/aar grondeur. ▼—**aarster**
grondeuse v. ▼—**en 1** (op vuur) mitonner,
mijoter; **2** (v. personen) gronder, grommeler.
psalm psaume m. ▼—**berijming** paraphrase
v en vers de psaumes. ▼—**boek** livre de
psaumes, psautier m. ▼—**dichter**, —**ist**
psalmiste m. ▼—**zang** psalmodie v, chant m
psalmodique. ▼—**odiëren** psalmodier.
pseudo faux, pseudo-. ▼—**niem**
pseudonyme, nom m de plume.
psoriasis psoriasis m.
psych/e psyché v. ▼—**edelisch**
psychédélique. ▼—**iater** psychiatre m.
▼—**iatrisch** psychiatrique. ▼—**isch**
psychique. ▼**psycho/analyse** psychanalyse
v. ▼—**logisch** bn (& bw)
psychologique(ment). ▼—**loog**
psychologue m. ▼—**motorisch**
psychomoteur, -motrice. ▼—**paat**
psychopathe m. ▼—**se** maladie psychique.

psychose v. ▼—**techniek**, —**technisch**
psychotechnique (v). ▼—**therapie**
psychothérapie v. ▼—**tisch** psychotique.
P.T.T. Postes et Télécommunication v mv.
puber bn pubère. ▼—**teit** puberté v.
public/eren publier, rendre public. ▼—**iteit**
publicité v. ▼—**iteitsmedia** médias m mv
publicitaires.
public relations relations v mv publiques.
publiek l bn public (v -ique); — maken,
rendre public. ll bw publiquement. lll zn
public m; salle, assistance v; het grote —, le
(grand) public; in het —, en public.
▼—**rechtelijk** de droit publique.
▼**publikatie** publication v.
pudding pouding m. ▼—**vorm** moule m.
puf envie v. ▼—**fen** souffler; (v. warmte)
étouffer.
pui façade, devanture v; perron m.
puik l bn exquis, excellent. ll bw on ne peut
mieux. lll zn fleur, élite v; het —je, la perle, la
fine fleur.
puilen sortir (de), se gonfler.
puimsteen pierre v ponce; met —schuren,
poncer. ▼—**achtig** ponceux.
puin décombres m mv; ruines v mv;
in—vallen, tomber en ruine. ▼—**hoop** tas m
de décombres, ruine v.
puist bouton m. ▼—**achtig** pustuleux. ▼—**ig**
bourgeonné. ▼—**je** pustule v.
puk petit bout m d'homme. ▼—**kel(ig)** zie
puist enz.
pul cruche v, pot, vase m; potiche v.
pulken fouiller (dans).
pullmanwagen pullman m.
pullover pull-over m.
pulp pulpe v.
pulver poudre v; tot—slaan, réduire en
poudre, pulvériser.
punaise punaise v. ▼—**n** punaiser.
punch punch m.
punct/eren ponctionner. ▼—**ie** ponction v.
▼—**ualiteit** ponctualité v. ▼—**uatie**
ponctuation v. ▼—**ueel** bn (& bw)
ponctuel(lement).
punt 1 pointe v; bout; coin m (de serviette);
2 point m; — van aanklacht, chef m
d'accusation; op het — zijn om, être sur le
point de, aller; dubbele —, deux points; —
slijpen aan, tailler (un crayon); overwinning
op — en, victoire v aux points. ▼—**baard**
barbe v en pointe. ▼—**beitel** biseau m.
▼—**beschermer** protège-pointe m.
▼—**buik** ventre m pointu. ▼—**dicht**
épigramme v. ▼—**dichter** épigrammatiste m.
▼—**eerder** pointeur m. ▼—**eerkunst**
gravure v pointillée. ▼—**en** tailler (un
crayon); aiguiser; rafraîchir (les cheveux);
— er barque v. ▼—**en** pointer; pointiller.
▼—**eslijper** taille-crayon m. ▼—**gevel**
pignon m. ▼—**ig l** bn pointu, en pointe; (fig.)
piquant, spirituel, ingénieux. ll bw d'une
manière piquante. ▼—**igheid** forme v
pointu; (fig.) piquant m, pointe v; concision
v. ▼—**je** petite pointe v; petit point m; —s,
points de suspension; als —, (soigné) mis
dans les détails, irréprochable; als — bij
paaltje komt, au moment décisif.
▼—**sgewijs** point par point, article par
article.
pupil 1 pupille m & v; **2** (v. oog) pupille v.
puree coulis m (de pois); purée v (de pommes
de terre).
purgatief purgatif m. ▼**purgeerpil** pillule v
purgative. ▼**purger/en l** ov.w purger.
ll on.w se purger. lll zn: het —, la purgation,
la purge. ▼—**end** purgatif, laxatif.
Purimfeest Pourim m mv.
purist(isch) puriste (m). ▼**puritein** puritain
m. ▼—**s** bn (& bw) puritain(ement).
purper l bn pourpre, pourpré. ll zn **1** (kleur)
pourpre m; **2** (waardigheid; verfstof) pourpre
v. ▼—**achtig** pourpré, purpurin. ▼—**en l** bn
de pourpre. ll ov.w teindre en pourpre.
▼—**gloed** éclat m de pourpre. ▼—**rood**
pourpre. ▼—**slak** pourprier m. ▼—**verf**

pourpre *v*.
pus pus *m*.
put 1 puits *m*; **2** fosse(tte), marque *v*; creux,
trou *m*. ▼—**boring** fonçage, forage *m*.
▼—**emmer** seau *m* de puits. ▼—**haak** croc
m; over de — getrouwd, marié de la main
gauche. ▼—**jesschepper** boueur, vidangeur
m. ▼—**s** seau *m*.
putsch soulèvement, putsch *m*.
put/steen margelle *v*. ▼—**ten** puiser (dans);
water —, tirer de l'eau (de). ▼—**water** eau *v*
de puits. ▼—**zwengel** volant, bras *m*.
puur l bn pur, sans mélange, nature. **ll**-bw
purement, tout à fait. ▼—**heid** pureté *v*.
puzzel casse-tête, puzzle *m*. ▼—**aar** amateur
m de puzzles.
pygmee pygmée *m*.
pyjama pyjama *m*; in —, en pyjama.
Pyrenee/ën Pyrénées *v mv*. ▼—**s** pyrénéen.
pyriet pyrite *v*.
pyrotechnisch pyrotechnique.
python python *m*.

Q q *m*.
quadragesima quadragésime *v*.
quadrille quadrille *m*.
quadrofon/ie tétraphonie *v*. ▼—**isch**
tétraphonique.
quaest/or questeur *m*. ▼—**uur** questure *v*.
quantum quantité *v*, montant, quantum *m*.
▼—**theorie** théorie *v* des quanta.
quarantaine quarantaine *v*.
quasi quasiment, censément; — iets doen,
faire semblant de. ▼**quasi**... pseudo-,
prétendu. ▼—**contract** contrat *m* simulé.
quatertemper quatre-temps *m mv*.
quatre-mains morceau *m* à quatre mains.
querulant revendicateur, persécuté *m*
revendicant.
queue: — maken, faire la queue.
quitte quitte; — zijn, être quittes.
qui-vive qui vive *m*; op zijn — zijn, être sur le
qui vive.
quiz quiz, jeu-concours *m*. ▼—**master**
animateur *m*.
quorum quorum *m*; het — is bereikt, le
quorum est atteint.
quota, quotum quote-part *v*. ▼**quoteren**
1 répartir; **2** (merken) coter.
quotiënt quotient *m*.
quotis/atie cotisation *v*. ▼—**eren** cotiser.

**Voor woorden niet opgenomen onder qu,
zie ook kw**

R

R r m.
ra vergue v.
raad 1 conseil, avis; 2 (*vergadering*) conseil m; 3 (*zitting*) séance, délibération v; 4 (*persoon*) conseiller; 5 (*uitkomst*) moyen, remède, expédient m; *de nacht brengt* —, la nuit porte conseil; *de Hoge R*—, la Cour de cassation; *R*— *van State*, Conseil d'État; — *van commissarissen*, conseil m de surveillance; — *van beheer*, — *van toezicht*, conseil d'administration; — *schaffen* (*voor*), trouver remède (à), remédier (à); — *vragen*, *te rade gaan* (*bij*), consulter (qn); se concerter (avec qn); *geen* — *weten met*, ne savoir que faire de; ne pas venir à bout de; *ten einde* —, en désespoir de cause; *komt tijd, komt* —, qui vivra verra. ▼—**gevend** (*advocaat*) consultant; (*stem*) consultatif; — *ingenieur*, ingénieur-conseil m. ▼—**gever** conseiller m. ▼—**geving** avis, conseil m; *op* — *van*, sur le conseil de. ▼—**huis** mairie v, hôtel m de ville. ▼—**kamer** chambre de conseil; (*recht*) chambre v. ▼—**plegen I** *ov.w* consulter, demander conseil à. **II** *on.w* conférer, délibérer (avec). ▼—**pleging** consultation; délibération v. ▼—**sbesluit** arrêt m du conseil municipal.
raadsel énigme m, problème m. ▼—**achtig** *bn* (*& bw*) énigmatique(ment). ▼—**achtigheid** caractère m énigmatique.
raad/sheer 1 conseiller, membre du conseil, - de la Cour; 2 (*schaakspel*) fou m. ▼—**slid** conseiller m municipal. ▼—**sman** conseiller, (*recht*) avocat-conseil m. ▼—**svergadering**, —**szitting** réunion (*of* séance) v du conseil (municipal). ▼—**sverslag** compte-rendu m d'une séance du c.m. ▼—**szaal** salle v du conseil. ▼—**zaam** opportun, utile; — *achten*, juger de propos. ▼—**zaamheid** opportunité v.
raaf corbeau m; (*fig.*) *witte* —, merle m blanc.
raagbol tête de loup, hure; (*fig.*) tignasse v.
raak touché; *die was* —, c'était tapé, - envoyé; *dat schot is* —, ce coup porte. ▼—**cirkel** cercle m tangent. ▼—**gooien** atteindre (le but). ▼—**lijn** tangente v. ▼—**punt** point m de contact, - de tangence. ▼—**schieten** toucher; atteindre. ▼—**vlak** plan m tangent.
raam 1 (*v. venster*) châssis m; 2 (*venster*) fenêtre, croisée v; 3 (*lijst*) cadre m; *dubbel* —, contre-châssis m. ▼—**antenne** cadre m. ▼—**kozijn** bâti m de croisée. ▼—**wet** loi-cadre v. ▼—**pje** 1 petite fenêtre; 2 (*v. wagon*) glace v; 3 (*kijk*—) vasistas m.
raap navet m; rutabaga m. ▼—**koek** tourteau m de navette. ▼—**olie** huile v de navette. ▼—**stelen** *mv* de navets.
raar I *bn* bizarre, étrange; *een rare vent*, un drôle de type; *ik voel me zo* —, je me sens tout chose. **II** *bw* étrangement.
raas/donders pois gris m mv. ▼—**kallen** délirer, extravaguer. ▼—**kallend** en délire.
raat rayon m. ▼—**honi(n)g** miel m en gâteau.
rabarber rhubarbe v.
rabat 1 (*hand.*) rabais m, remise v; 2 tour m de lit, draperie v; 3 rainure v. ▼—**rekening** calcul m des remises.
rabauw chemineau; voyou m.

rabbijn rabbin, rabbi m. ▼—**s** rabbinique.
race course v. ▼—**baan** piste v. ▼—**n** courir, faire de la vitesse; se dépêcher. ▼—**paard** cheval m de course. ▼—**terrein** champ m de course. ▼—**wagen** voiture v de course.
racket raquette v (de tennis).
rad I *zn* roue v; *de* —*eren*, le(s) rouage(s); — *van avontuur*, roue v de loterie. **II** *bn* prompt, agile; —*de tong*, langue v bien pendue; — *van tong zijn*, avoir du bagout. **III** *bw* vite, rapidement.
radar radar m. ▼—**controle** contrôle m radar. ▼—**koepel** radome m. ▼—**station** station v de radar. ▼—**technicus** radariste m.
rad/braken rouer; (*fig.*) écorcher (une langue), estropier (un nom). ▼—**draaier** meneur, instigateur m.
radeer/gummi gomme v. ▼—**mesje** grattoir m. ▼—**naald** burin m.
radeloos désespéré, éperdu, au désespoir. ▼—**heid** désespoir, affolement m.
raden I *ov.w* 1 deviner, conjecturer, trouver le mot de; 2 conseiller (qn); *als ik u* — *mag*, si vous m'en croyez; *het zal je ge*— *zijn*, vous ferez bien de; *je kunt het nooit* —, je vous le donne en cent. **II** *on.w* deviner, faire des conjectures; *ge*—*!*, vous y êtes!
rader/baar brancard m roulant. ▼—**boot** bateau m à aubes.
rader/en 1 gratter; 2 graver. ▼—**ing** grattage m.
rader/tje rouage m. ▼—**werk** mécanisme, engrenage m.
radheid promptitude, agilité v; — *van tong*, volubilité v, bagout m.
radiaalband pneu m radial.
radia/tie radiation v. ▼—**tor** radiateur m. ▼—**tordop** bouchon m de radiateur. ▼—**torthermostaat** robinet v thermostatique.
radicaal I *bn* (*& bw*) radical(ement). **II** *zn* (*chem.*) radical m.
radijs radis m.
radio radio v; poste, transistor m; *voor de* — *zingen*, chanter devant le micro; *de* — *afzetten*, fermer l'appareil. ▼—**actief** radioactif; *het* — *maken*, la radioactivation; *radioactieve neerslag* retombées v mv radioactives. ▼—**activiteit** radio-activité v. ▼—**amateur** radio-amateur m. ▼—**baken** radiophare m. ▼—**bericht** message m radiophonique, information v. ▼—**concert** concert m à la radio. ▼—**contact** contact radio m. ▼—**grafisch** *bn* (*& bw*) radiographique(ment). ▼—**gram** radiogramme m, radio v. ▼—**isotoop** radio-isotope m. ▼—**loog** radiologue, radiologiste m. ▼—**luisteraar** auditeur m; (*in Frankrijk*) - de Radio-France v. ▼—**mast** pylône m. ▼—**omroep** radiodiffusion v. ▼—**omroeper** annonceur, présentateur; speaker m. ▼—**omroepster** speakerine; présentatrice v. ▼—**peilstation** poste m de repérage. ▼—**reclame** publicité v par la radio. ▼—**rede** discours m radio-diffusé. ▼—**reportage** radioreportage m. ▼—**reporter** radioreporter m. ▼—**station** station v émettrice. ▼—**storingen** troubles m mv parasitaires, perturbations v mv. ▼—**techniek** radiotechnique v. ▼—**technisch** radiotechnique. ▼—**telegrafist** radio m. ▼—**therapie** radiothérapie v. ▼—**toestel** radio v, poste m. ▼—**uitzending** émission v. ▼—**verbinding** radiocommunication v. ▼—**zender** émetteur m.
radium radium m. ▼—**houdend** radifère.
radius rayon; (*med.*) radius m.
radja rajah m.
rafel effiloche v. ▼—**draad** fil m effilé. ▼—**en** *ov.w* (*& on.w*) (s')effiler, (s')érailler. ▼—**ig** éraillé, élimé. ▼—**ing** effilure, éraillure v.
raffia raphia m.
raffin/aderij raffinerie v. ▼—**adeur** raffineur m. ▼—**eren** raffiner.
rag toile v d'araignée.

rage manie, rage v ; engouement m.
ragebol zie **raagbol. ▼ragen** enlever les toiles d'araignée à la tête de loup.
rail rail m. **▼—wijdte** écartement m.
rakelen fourgonner ; racler.
rakelings tout contre, - près ; — langs iets gaan, effleurer, frôler qc.
raken I ov.w 1 toucher, atteindre ; **2** (aangaan) regarder, concerner ; **3** (behoren) appartenir à ; **4** (ontroeren) émouvoir, toucher ; **5** (wisk.) être tangent à ; even —, effleurer, frôler ; wat raakt mij dat ?, qu'est-ce que cela peut bien me faire ? **II** on.w arriver, tomber ; uit de mode —, passer de mode ; uit het spoor —, dérailler ; van zijn stuk —, perdre contenance.
raket 1 (plk.) roquette v ; **2** missile m ; (vuurpijl) fusée v. **▼—aandrijving** propulsion v par fusées. **▼—bom** bombe-fusée v. **▼—motor** moteur-fusée m. **▼—vliegtuig** avion-fusée m.
rakingshoek angle m de contingence.
rakker garnement m ; —tje, petite peste v.
rally rallye m.
ram bélier m.
ramen estimer, évaluer.
raming estimation, évaluation v ; (arch.) devis m.
rammel/aar 1 (speelg.) hochet ; **2** (dierk.) bouquin ; rouquet ; **3** (fig.) clabaudeur m. **▼—en** I on. w faire du bruit, faire sonner ; (v. kunst) être mal composé ; — van honger, avoir une faim de loup ; het rammelt, ça sonne la casse. **II** ov. w : iem. door elkaar —, secouer les puces à qn. **▼—ing** 1 bruit, son m ; **2** (slaag) raclée v. **▼—kast** (auto) tacot ; (piano) sabot, chaudron m.
rammen 1 enfoncer à coups de bélier ; **2** (mar.) éperonner ; **3** (auto) prendre en écharpe.
rammenas radis noir m.
ramp catastrophe, calamité v ; désastre, sinistre m ; tot overmaat van —, pour comble d'infortune. **▼—jaar** année v désastreuse. **▼—spoed** adversité, infortune v. **▼—spoedig** I bn funeste, désastreux. II bw d'une façon funeste, désastreusement. **▼—zalig** I bn malheureux, misérable, funeste. II bw misérablement, fatalement.
rand 1 bord, rebord m ; **2** (omlijsting) bordure ; **3** (v. bladz.) marge ; **4** (v. bos) lisière ; **5** (v. put) margelle ; **6** (scherpe —) arête ; **7** (v. wond) lèvre v ; op de — schrijven, écrire en marge ; over de — lopen, déborder. **rand . . .** (in ss) marginal ; secondaire. **▼—gebergte** bordure v de montagnes. **▼—gebied** marge v. **▼—gemeente** commune v de la banlieue ; de —n, la banlieue. **▼—schrift** 1 note marginale ; **2** (v. munt) légende v. **▼—staat** état m limitrophe. **▼—stad** conurbation v ; — Holland, randstad Holland v. **▼—versiering** 1 encadrement ; **2** (v. munt) cordon, crénelage m ; (tekening) vignette v.
rang 1 rang, ordre ; **2** (stand) classe, condition v ; grade m ; van vergelijkbare —, homologue. **▼—cijfer** numéro m d'ordre. **—eerder** wagonnier m. **▼—eerspoor** voie v de garage. **▼—eerterrein** gare v de triage. **▼—eren** I ov.w 1 ranger ; **2** manœuvrer (un train). II on.w se garer. III zn : het —, 1 le rangement ; **2** la manœuvre. **—genoot** homologue. **▼—lijst** tableau m ; (school) liste v par ordre de mérite. **▼—nummer** numéro m d'ordre ; (school) place v. **—orde** ordre m, hiérarchie v. **▼—schikken** ranger, placer, classer ; — onder, mettre au nombre de. **▼—schikking** rangement, classement, ordre m, disposition ; hiérarchie v. **▼—telwoord** nombre m ordinal.
ranja orangeade v.
rank 1 1 tige v ; **2** (v. wijnstok) sarment m ; **3** (hecht—) vrille v. II bn frêle ; (v. gestalte) élancé, svelte. **▼—heid** gracilité ; sveltesse v.
ranonkel renoncule v. **▼—achtig** renonculacé.
ransel 1 sac m ; **2** (slaag) raclée v. **▼—en** rosser. **—ing** raclée v.

rans/heid rancidité, rancisure v. **▼—ig** rance ; — worden, rancir ; — ruiken, sentir le rance.
rantsoen ration v ; op — stellen, mettre à la ration. **▼—bon** ticket m de rationnement. **▼—eren** mettre à la ration, rationner. **▼—ering** rationnement m.
rap bn (& bw) agile(ment), leste(ment).
rapalje canaille, racaille v.
rapen ramasser, recueillir.
rapheid agilité, vivacité v.
rapport 1 rapport ; **2** (school) bulletin m, notes v mv de classe ; — maken van, rapporter ; — uitbrengen over, faire un rapport sur ; op — komen, aller au rapport. **▼—eren** rapporter ; signaler ; rendre compte.
rariteit curiosité v.
ras I zn race v ; van edel —, de race. **II** bn prompt, rapide. **III** bw vite, promptement. **▼—echt** de race, racé ; pur sang.
rasp râpe v. **▼—en** râper. **▼—vijl** râpe anglaise.
rasse/haat haine raciale. **▼—ntheorie** théorie v raciale.
raster latte v. **▼—ing**, **—werk** treillis, grillage m.
rat rat m ; een ouwe —, un vieux routier ;
ratel 1 crécelle v ; **2** (v. molen) claquet ; **3** (babbelkous) moulin m à paroles. **▼—en** 1 sonner sa crécelle ; **2** bavarder comme une pie. **▼—populier** tremble m. **▼—slag** coup de tonnerre violent, fracas m. **▼—slang** serpent m à sonnette, crotale m.
ratific/atie ratification v. **▼—eren** ratifier.
ratiné (drap) ratiné m ; ratine v.
ratio raison v. **▼—nalisme** rationalisme m. **▼—nalistisch** I bn rationaliste. II bw d'après la méthode rationaliste. **▼—neel** bn (& bw) rationnel(lement).
rato: naar — van, au prorata de, à raison de.
rats 1 (leger) ratatouille v, rata m ; **2** in de — zitten, avoir chaud, avoir le trac.
ratte/kruid arsenic m, mort-aux-rats v. **▼—nvanger** (chien) ratier m. **▼—val** ratière v.
rauw I bn 1 cru ; **2** (v. groente enz.) vert ; gerecht van —e groente of vruchten, crudités v mv ; **3** (med.) écorché, à vif ; **4** (v. stem) rauque, enroué, éraillé ; (v. gil) perçant. **II** bw crûment. **▼—heid** crudité, verdeur v. **▼—kost** crudités v mv ; cuisine v naturelle.
ravijn ravin m.
ravitailleren ravitailler.
ravotten s'ébattre, batifoler.
rayon 1 rayon v ; **2** (stof) rayonne v. **▼—vezel** fibranne v.
razen faire rage, se démener, tempêter ; (water) mugir. **▼—d I** bn furieux, enragé ; violent, excessif. **II** bw furieusement ; — verliefd zijn op, aimer éperdument, - à la folie. **▼—de** enragé(e), forcené(e) m (v). **▼razernij** frénésie, rage, fureur v, délire m.
razzia rafle ; razzia v ; een — houden onder, faire une rafle parmi.
react/ie réaction v ; de — ondervinden van, subir le contre-coup de. **▼—ie-. . .** à réaction. **▼—ionair** réactionnaire (m). **▼—or** réacteur m. **▼—orvat** cuve v de réacteur.
▼reageer/buis éprouvette v, tube m à essais ; —baby, bébé m éprouvette. **▼—middel** réactif m. **▼reageren** réagir (à of sur ; contre).
real/ia faits m mv concrets ; connaissances v mv pratiques. **▼—isme** réalisme m. **▼—ist** réaliste m. **▼—istisch** I bn réaliste. II bw avec réalisme. **▼—iteit** réalité v.
rebel rebelle, insurgé m. **▼—leren** se rebeller, se révolter. **▼—lie** rébellion v. **▼—s** rebelle, récalcitrant.
recapitul/atie récapitulation v. **▼—eren** récapituler ; résumer.
recens/ent critique m. **▼—eren** rendre compte de ; critiquer. **▼—ie** compte-rendu m, critique v ; ter —, pour compte-rendu.
recepis 1 récépissé v ; **2** warrant m.
recept 1 (v. keuken) recette v ; **2** (v. arts) ordonnance ; **3** (fig.) formule, recette v ; een

— *klaarmaken*, exécuter une ordonnance.
▼—**enboek** pharmacopée *v*, codex *m*.
▼—**eren 1** ordonner; **2** préparer.
recept/ie réception *v*; — *houden*, recevoir.
▼—**ief** réceptif. ▼—**ionist** réceptionniste.
reces vacances *v mv* parlementaires; —
gaan, se proroger. ▼—**sie** récession *v*.
recherch/e police *v* judiciaire; sûreté. ▼—**eur**
agent *m* de la P.J.; - de la Sûreté.
recht I *bn* 1 droit; **2** juste; véritable, vrai; —
staan, — *zitten*, se tenir droit. **II** *bw* droit;
bien, justement; — *op het doel af gaan*, aller
droit au but; *ze komt* — *op ons af*, elle nous
vient droit dessus; — *voor zijn raap*, tout
droit; sans ambages. **III** *zn* droit; titre *m*;
justice *v*; *budget*—, prérogative *v*
parlementaire, priorité *v* budgétaire; — *doen*,
faire justice; *verworven* —*en*, droits *m mv*
acquis; *(fig.)* iem. — *doen wedervaren*,
rendre justice à qn; — *spreken*, rendre la
justice; *zich* — *verschaffen*, se faire justice; *in*
—*en*, en justice, juridiquement; *in de* —*en
studeren*, faire son droit; *met het volste* —, en
droit et en raison; *met welk* — ?, de quel
droit?; *tot zijn* — *komen*, réussir, percer;
opdat het — *zijn loop hebbe*, afin que force
reste à la loi. ▼—**aan** tout droit, droit devant
soi. ▼—**bank 1** tribunal; **2** *(in keuken)*
dressoir *m*; *voor de* — *brengen*, déférer (qn)
à la justice; porter (qc) devant les tribunaux;
voor de — *dagen*, traduire en justice.
▼—**buigen** redresser. ▼—**door** tout droit.
▼—**eloos** sans droits; ▼—**eloosheid**
suspension *v* de l'appareil judiciaire. ▼—**ens**
de droit.
rechter juge *m*; — *zijn in eigen zaak*, être juge
et partie; — *van instructie*, juge d'instruction.
rechter . . . *(in ss)* droit(e), de droite.
▼—**baan** *(rijstrook)* voie *v* de droite. —-**commissaris**
juge-commissaire *m*. ▼—**hand 1** droite;
2 *(muz.)* première partie *v*; **3** *(fig.)* bras *m*
droit. —**lijk** *bn (& bw)* judiciaire(ment); —*e
macht*, —*e stand*, magistrature *v*.
▼—-**plaatsvervanger** juge *m* suppléant.
▼—**sambt** fonctions *v mv* judiciaires.
▼—**stoel** tribunal *m*. —**zijde** côté *m* droit;
(pol.) droite *v*.
recht/geaard vrai, véritable;
honnête. ▼—**gelovig(e)** orthodoxe *(m & v)*.
▼—**gelovigheid** orthodoxie *v*.
▼—**hebbende 1** ayant droit; **2** titulaire *m*.
rechthoek rectangle *m*. ▼—**ig I** *bn* rectangle,
rectangulaire. **II** *bw* à angle(s) droit(s).
rechtigen autoriser (qn à).
recht/lijnig rectiligne; — *tekenen*, dessin *m*
linéaire, — graphique. ▼—**maken** redresser.
rechtmatig *bn (& bw)* légal (ement),
légitime(ment). ▼—**heid** légitimité, équité *v*.
rechtop droit; debout; *zit* —, tenez-vous
droit(e). ▼—**staand** dressé debout, vertical,
d'aplomb; *met* —*e haren*, les cheveux
hérissés.
rechts I *bn* droit; de droite; (—*handig*)
droitier. **II** *bw* à droite; — *richten !*, à droite,
alignement !; *een steek* — *(breien)*, une
maille à l'endroit; — *houden*, tenir la *(of* sa)
droite; — *houden !*, serrez à droite !; —
aanhouden, appuyer à droite; *het is* —, c'est
sur votre droite; — *inhalen*, doubler à droite;
— *rijden*, rouler à droite; — *zijn*, être à droite;
— *stemmen*, voter à droite. **III** *zn*: *nieuw* —,
nouvelle droite *v*. ▼—**achterspeler** arrière *m*
droit. ▼—**af**: — *gaan*, tourner à droite.
rechts/bedeling administration *v* de la
justice. ▼—**begrip** idée *v* de droit.
▼—**bijstand** assistance *v* judiciaire.
rechts/binnen intérieur *m* droit. ▼—**buiten**
ailier *m* droit.
rechtschapen *bn (& bw)* honnête(ment),
droit, loyal, intègre. ▼—**heid** honnêteté,
intégrité *v*.
rechts/college juridiction *v*. ▼—**dwang**
contrainte *v* par corps. ▼—**feit** fait *m*
juridique. ▼—**filosofie** philosophie *v* du
droit. ▼—**gebied** ressort *m*, juridiction *v*.
▼—**geldig** valide, valable en droit; — *zijn*,

faire foi. ▼—**geldigheid** validité, force *v* de
loi. ▼—**geleerd I** *bn* juridique. **II** *zn*: —*e*,
juriste, jurisconsulte, légiste.
▼—**geleerdheid** jurisprudence *v*; droit *m*.
▼—**gevoel** sentiment *m* de la justice.
▼—**grond** titre *m*.
rechts/half demi droit *m*.
rechtshandig droitier.
rechts/herstel réhabilitation; restauration *v*
du droit. ▼—**ingang**: — *verlenen*, introduire
une instance. ▼—**kracht** force *v* de loi.
▼—**kundig I** *bn* juridique; —*e adviseur*, expert
m judiciaire. **II** *bw* juridiquement. ▼—**macht**
pouvoir *m* judiciaire; - juridictionnel.
▼—**middel** recours *m* légal; *alle* —*en*
beproeven, épuiser tous les moyens légaux;
een — *aanwenden*, interjeter appel.
rechtsom à droite; — *keert !*, demi-tour à
droite; — *keert maken*, faire demi-tour.
rechts/orde ordre *m* légal. ▼—**persoon**
personne *v* civile, - morale, - juridique.
▼—**persoonlijkheid** personnalité *v* civile;
die — *bezit*, investi de la personnalité *v* civile.
▼**recht/spleging** justice *v*, procédure,
jurisprudence *v*. ▼—**spraak 1** jurisprudence,
justice; **2** *(uitspraak)* sentence *v*, arrêt *m*.
▼—**spreken** rendre la justice; prononcer un
arrêt. ▼—**sstaat** état *m* libéral; démocratie *v*.
▼—**staal** style *m* du palais.
rechtstandig I *bn* perpendiculaire, vertical.
II *bw* verticalement; à plomb.
rechts/term terme *m* de palais, - de pratique.
▼—**toestand** situation *v* juridique; statut *m*
personnel (d'un fonctionnaire).
rechtstreeks *bn (& bw)* direct(ement); —
uit Parijs, venu tout droit de Paris.
rechts/veiligheid garanties *v mv* légales.
▼—**vermoeden** présomption *v* juridique
▼—**vervolging** poursuite *v* (judiciaire); *van*
— *ontslaan*, *zie* **ontslaan**. ▼—**verzuim**
défaut *m*, contumace *v*. ▼—**vorderaar**
plaignant; demandeur *m*. ▼—**vordering**
action, demande; instance *v*; *wetboek van*
burgerlijke —, code *m* de procédure civile.
▼—**wege**: *van* —'*s de droit*. ▼—**wetenschap**
science *v* du droit, jurisprudence *v*. ▼—**wezen**
justice *v*. ▼—**winkel** bureau *m* privé de
renseignements juridiques. ▼—**zaak** cause,
affaire *v* judiciaire. ▼—**zekerheid** garantie *v*
de la personne individuelle, garanties *v mv*
légales. ▼—**zitting** audience *v*.
rechtuit tout droit, *(fig.)* franchement.
rechtvaardig *bn (& bw)* juste(ment);
équitable(ment); —*e*, juste *m*. ▼—**en I** *ov.w*
justifier. **II** *zich* — se justifier. ▼—**end**
justificatif. ▼—**heid** justice, équité *v*. ▼—**ing**,
—**making** justification *v*.
rechtverkrijgende ayant-cause *m*.
rechtzett/en rajuster, remettre droit; *(fig.)*
rectifier; mettre au point. ▼—**ing** rectificatif
m.
rechtzinnig I *bn* orthodoxe. **II** *bw* d'une
façon orthodoxe. ▼—**heid** orthodoxie *v*. ▼—**e**
orthodoxe *m & v*.
recidiv/eren faire une rechute. ▼—**ist**
récidiviste, repris de justice.
recipiëren recevoir.
recit/al récital *m*. ▼—**atief** récitatif *m*.
▼—**eren** réciter, dire.
reclame 1 *(jur.)* réclamation; **2** *(hand.)*
publicité; réclame *v*. ▼—**artikel 1** article-
réclame; **2** objet-réclame *m (glas bijv.)*.
▼—**bord** panneau *m* publicitaire. ▼—**bureau**
agence *v* publicitaire. ▼—**controlebureau**
bureau *m* de vérification de la publicité.
▼—**plaat** affiche *v* publicitaire. ▼—**ren**
réclamer. ▼—**verkoop** vente-réclame *v*.
▼—**zender** poste *m* publicitaire. ▼—**zuil**
colonne-affiches *v*
reclasser/en réadapter. ▼—**ing** réinsertion *v*
sociale; aide *v* postpénitentiaire.
▼—**ingswerk** service *m* social auprès des
tribunaux.
recognitie 1 *(jur.)* recognition; **2** taxe *v* des
prestations. ▼—**gelden.**
recombineren recombiner.

reconstrueren reconstruire.
record record *m*; — *houden*, détenir un record; — *maken* (*slaan*), faire (battre) un record. ▼—**breker** briseur *m* de record. ▼—**houder** recordman, détenteur *m* d'un record. ▼—**houdster** détentrice *v* de record. ▼—**tijd**: *in* —, en un temps record.
recover-kamer salle *v* de réveil; - réanimation.
recrea/tie récréation *v*; loisirs *m mv.* ▼—**tief** récréatif.
rectific/atie rectification *v*. ▼—**eren** rectifier; mettre au point.
rector 1 recteur; 2 proviseur (de lycée), principal, directeur *m*; — *magnificus*, recteur de l'Université. ▼—**aat** rectorat *m*; fonctions de proviseur.
reçu 1 récépissé, reçu; 2 bulletin *m* de bagages.
recycleren récupérer, recycler.
redact/eur rédacteur *m*. ▼—**ie**, —**ieburo(o)** rédaction *v*. ▼—**ioneel** de la rédaction; — *hoofdartikel*, éditorial *m*. ▼—**rice** rédactrice *v*.
reddeloos I *bn* désespéré, irréparable, sans remède. II *bw* irréparablement. ▼—**heid** état *m* désespéré. ▼**redd**(en I *ov.w* sauver; *met dat geld kan hij het* —, cet argent lui suffira. II **zich** — se sauver; *zich eruit* —, se tirer d'affaire; *zich* — *met Frans*, savoir se faire comprendre en français; *zich maar zien te* —, se débrouiller. ▼—**end**: *zwemmen*, natation *v* de sauvetage. ▼—**er** 1 (*uit gevaar*) sauveteur; 2 (*zedelijk*) sauveur *m*. ▼—**eren** ranger, arranger. ▼—**ering** arrangement *m*. ▼**redding** 1 sauvetage; 2 salut *m*; 3 délivrance, secours *m*. ▼—(**s**)**boei** bouée *v* de sauvetage. ▼—(**s**)**boot** canot (*of bateau*) *m* de s. ▼—(**s**)**gordel** ceinture *v* de s. ▼—(**s**)**koker**, —(**s**)**slurf** chaussette *v* de secours. ▼—(**s**)**lijn** amarre *v*. ▼—(**s**)**maatschappij** société *v* de sauvetage. ▼—(**s**)**ploeg** équipe *v* de sauvetage. ▼—(**s**)**toestel** appareil *m* de s. ▼—(**s**)**vest** gilet *m* de s. ▼—(**s**)**werk** sauvetage *m*. ▼—(**s**)**wezen** œuvres *v mv* de mer.
rede 1 rade *v*; *op de* — *van*, en rade de; 2 raison *v*; 3 (—*voering*) discours *m*; *naar* — *luisteren*, entendre raison; *in de* — *vallen*, interrompre, couper la parole à; *tot* — *brengen*, ramener (qn) à la raison. ▼—**deel** partie *v* du discours. ▼—**kundig** I *bn* de rhétorique; —*e ontleding*, analyse *v* logique. II *bw*: — *ontleden*, faire l'a. log. ▼**redelijk** I *bn* 1 doué de raison, raisonnable; 2 (*billijk*) raisonnable; 3 (*vrij goed*) assez bon, passable. II *bw* 1 raisonnablement; 2 assez bien, passablement. ▼—**erwijze** raisonnablement, logiquement. ▼—**heid** raison, équité *v*, bon sens *m*. ▼**redeloos** sans raison, privé de raison, irraisonnable; — *wezen*, brute *v*. ▼—**heid** manque *m* de raison, extravagance *v*.
reden 1 raison, cause *v*, motif *m*; 2 (*wisk.*) raison *v*, rapport *m*; — *te meer*, raison de plus; — *hebben om*, avoir lieu de; *er is* — *om*, il y a lieu de; *dat is de* —, *waarom*, voilà pourquoi; *met* —*en omschreven*, motivé; *om* — *van*, en raison de; *er is alle* — *om te geloven*, tout porte à croire; *in omgekeerde* (*rechte*) — *met*, en raison inverse (directe) de.
reden/aar orateur *m*. ▼—**aarstalent** don *m* de la parole, éloquence *v*. ▼—**atie** raisonnement *m*. ▼—**eerkunde** logique, dialectique *m*. ▼—**eren** raisonner; argumenter. ▼—**ering** raisonnement *m*. ▼—**gevend** causal, causatif.
reder armateur *m*. ▼—**ij** maison *v* d'armement.
rederijker rhétoricien *m*.
rede/twist dispute, controverse *v*; débat *m*. ▼—**twisten** disputer (de); se quereller. ▼—**voering** discours *m*; (*kort*) allocution *v*; *een* — *houden*, faire -, prononcer un discours.
redmiddel expédient *m*, ressource *v*.

redres redressement *m*; réparation *v*. ▼—**seren** redresser; réparer.
reduc/eren réduire (à). ▼—**erend** réducteur. ▼—**ering**, —**tie** réduction *v*; — *geven*, faire une réduction.
ree 1 (*bok*) chevreuil *m*; 2 (*wijfje*) chevrette *v*. ▼—**bout** cuissot *m* de chevreuil, gigue *v*. ▼—**bruin** chamois.
reeds déjà; *die nacht* —, dès cette nuit-là; — *bij het eerste woord*, dès le premier mot; — *nu*, dès l'instant.
reëel *bn* (& *bw*) réel(lement); loyal.
reeks série, suite, gamme *v*; *rekenkundige* —, progression *v* arithmétique.
reep 1 bande; 2 grosse corde *v*; 3 (*streng*) trait *m*; 4 (*v. chocolade*) bâton *m*.
reet fente, fissure *v*; (*tussen planken, - spieren*) interstice *m*.
refactie réfaction *v*.
refer/aat compte-rendu; exposé *m*; conférence *v*. ▼—**endaris** directeur *m*. ▼—**endum** référendum *m*. ▼—**ent** rédacteur *m* de compte-rendu; conférencier *m*. ▼—**entie** référence *v*. ▼—**eren** rendre compte de; *zich* — *aan*, s'en référer à. ▼—**te**: *onder* — *aan*, se référant à.
reflect/ant intéressé *m*. ▼—**eren** réfléchir; — *op*, s'intéresser à; répondre à (une annonce); postuler (une place). ▼—**erend**: *kleding met* —*e stroken*, vêtements *m mv* équipés d'éléments rétroréfléchissants; *zie ook* **retroflecterend**. ▼—**ie** réflexion *v*; intérêt *m*. ▼—**or** réflecteur; (*op fiets*) cataphote *v*. ▼**reflex** 1 réflexion *v*; 2 (*mouvement*) réflexe *m* = —**beweging**. ▼—**camera** appareil *m* reflex. ▼—**ief** réfléchi.
reform/atie Réforme *v*. ▼—**eren** réformer. ▼—**huis** maison *v* de régime. ▼—**kleding** vêtements *m mv* réforme.
refrein refrain *m*.
refter réfectoire *m*.
regel 1 ligne; 2 règle *v*; principe *m*; *in de* —, ordinairement, généralement; *nieuwe* —!, à la ligne!; *op een nieuwe* — *beginnen*, passer à la ligne; *als* — *gelden*, avoir force de loi; —*s van het verkeer*, code *m* de la route. ▼—**aar** régulateur; (*persoon*) organisateur *m*. ▼—**baar** réglable. ▼—**en** 1 régler (sur); 2 (*schikken*) arranger; 3 (*door reglement*) réglementer; 4 (*het verkeerde*) régulariser; 5 (*vaststellen*) fixer; *als alles geregeld is*, quand nous serons organisés. ▼—**ing** règlement, arrangement *m*, organisation *v*. ▼—**knop** bouton *m* de réglage. ▼—**maat** régularité *v*. ▼—**matig** I *bn* régulier, réglé, dans les règles; (*v. stap*) cadencé. II *bw* régulièrement. ▼—**matigheid** régularité *v*. ▼—**recht** tout droit; en ligne droite, directement.
regen 1 pluie *v*; *fijne* —, crachin *m*; *er zit* — *in de lucht*, le temps est à la pluie; 2 *blauwe* —, glycine *v*; *gouden* —, cytise *m*. ▼—**achtig** pluvieux; *zie ook* **regen**. ▼—**arm** brûlé, aride. ▼—**bak** citerne *v*. ▼—**boog** arc-en-ciel *m*. ▼—**boogvlies** iris *m*. ▼—**bui** (*zacht*) ondée; (*hevig*) pluie battante, averse *v*; —*en*, pluies intermittentes. ▼—**dicht** imperméable (à la pluie). ▼—**en** pleuvoir; (*pop.*) flotter; *het regent* (*dat het giet*), il pleut (à verse); *het regende scherven*, il pleuvait des éclats (d'obus). ▼—**gordel** zone *v* pluvieuse. ▼—**hoek** côté *m* des pluies. ▼—**jaar** année *v* pluvieuse. ▼—**jas** imperméable *m*. ▼—**kap** capuchon *m*. ▼—**mantel** imperméable *m*. ▼—**meter** pluviomètre *m*. ▼—**put** citerne *v*. ▼—**seizoen** saison *m* des pluies.
regent régent; directeur; administrateur *m*. ▼—**enstuk** tableau de régents, - d'une commission administrative. ▼—**es** régente; directrice *v*; *koningin*- —, reine-régente *v*. ▼—**schap** régence *v*.
regen/ton citerne *v*. ▼—**val** précipitation *v* pluviale. ▼—**verzekering** assurance *v* contre le mauvais temps. ▼—**vlaag** ondée *v*. ▼—**weer** temps *m* pluvieux. ▼—**wolk** nuage *m* chargé de pluie. ▼—**worm** ver *m* de terre.

regeren I *ov.w* **1** gouverner; conduire; **2** manier (un cheval); **3** (*gram.*) régir. **II** *on.w* régner; gouverner; (*v. paus*) siéger.
▼**regering 1** gouvernement; **2** (*tijd v. vorst*) règne *m*; présidence *v*; (*v. paus*) pontificat *m*; *aan de — komen*, **1** (*v. vorst*) monter sur le trône; **2** (*v. ministerie*) arriver au pouvoir; *aan het hoofd der — staan*, être à la tête des affaires. ▼**—loos** sans gouvernement; anarchique. ▼**—loosheid** anarchie *v*. ▼**—sambt** fonction *v* publique. ▼**—scommissaris** commissaire *m* du gouvernement. ▼**—scrisis** crise *v* gouvernementale. ▼**—sinstantie** bureau *m* officiel; *—s*, pouvoirs *m mv* publics. ▼**—spersoon** membre *m* du gouvernement. ▼**—sverklaring** déclaration *v* ministérielle. ▼**—svorm** (forme *v* de) gouvernement, régime *m*. ▼**—swege**: *van —*, de la part du gouvernement.
regie régie; (*toneel*) mise *v* en scène.
regime régime *m*.
regiment régiment *m*. ▼**—scommandant** commandant de régiment. ▼**—sdokter** médecin-major.
regio région *v*.
regiss/eren mettre en scène. ▼**—eur** metteur en scène; réalisateur (d'un film).
register 1 registre; **2** (*inhoudsopgave*) index *m*, table *v*. ▼**—kas** caisse *v* enregistreuse. ▼**—knop** bouton *m* de jeu. ▼**—ton** tonneau *m*. ▼**registratie** enregistrement *m*. ▼**—kantoor** bureau *m* d'enregistrement. ▼**—letters** lettres *v mv* d'immatriculation; indicatif *m*. ▼**—rechten** droits *m mv* d'enregistrement. ▼**registreren** I *ov.w* enregistrer. **II** *zn*: *het —*, l'enregistrement *m*.
reglementeren règlement *m*. ▼**—air** *bn* (& *bw*) réglementaire(ment). ▼**—eren** réglementer. ▼**—ering** réglementation *v*.
regres recours *m*. ▼**—sie** régression *v*. ▼**—sief** régressif; rétroactif.
regul/ariseren régulariser. ▼**—ateur**, **—ator** régulateur *m*. ▼**—eren** régler. ▼**—ier** régulier.
rehabilit/atie réhabilitation *v*. ▼**—eren** réhabiliter.
rei chœur *m*; danse *v*. ▼**—dans** chœur *m* dansant. ▼**—en** chanter -, danser en chœur.
reiger héron *m*.
reik/en I *ov.w* donner, passer, présenter. **II** *on.w* **1** aller -, s'élever -, s'étendre (jusqu') à; (*v. stem, gezicht*) porter; **2** atteindre (à), tendre la main (vers); *het water reikte hem tot het middel*, l'eau lui venait jusqu'à la ceinture; *zover het oog reikt*, à perte de vue; (*fig.*) aspirer à, soupirer après. ▼**—halzen** tendre le cou (vers); (*fig.*) aspirer à, soupirer après.
rein 1 pur, propre; **2** innocent, chaste; **3** (*muz.*) juste; *in het —e brengen*, tirer au clair. ▼**—heid 1** pureté, propreté; **2** innocence, chasteté *v*. ▼**—igen** nettoyer, purifier; *dat moet je laten — (het is te riskant het zelf te doen)*, il faut donner cela à nettoyer. ▼**—igend** (*med.*) dépuratif, détersif. ▼**—iging** nettoiement *m*; (*fig.*) purification; épuration *v*. ▼**—igingsdienst** service *m* de nettoiement. ▼**—igingsmiddel** (*med.*) abstergent, détersif *m*.
reis voyage; trajet *m*; tournée *v*; *een — maken naar P.*, faire le voyage de P; *enkele —*, simple parcours; (*fam.*) aller, simple *m*; *een enkele — P*, un aller (pour) P; *op een —*, dans un voyage; *op — gaan*, aller (*of* partir) en voyage. ▼**reis**... de voyage. ▼**—apotheek** pharmacie *v* portative. ▼**—benodigdheden** articles *m mv* de voyage. ▼**—beschrijving** itinéraire *m*. ▼**—brief** obédience *v*. ▼**—bureau** agence *v* de voyages. ▼**—cheque** chèque *m* de voyage. ▼**—dompelaar** chauffe-liquides *m* de voyage. ▼**—kredietbrief** lettre *v* de crédit circulaire. ▼**—declaratie** déclaration *v* de frais de déplacement. ▼**—en verblijfkosten** indemnités *v mv* de route et de séjour, frais *m mv* de voyage et d'entretien. ▼**—gelegenheid** moyen *m* de transport.

▼**—genoot**, **—gezel** compagnon *m* de voyage. ▼**—gezellin** compagne *v* de voyage. ▼**—gezelschap** groupe *v* touristique. ▼**—gids** guide *m*. ▼**—leider** responsable, chef *m* d'excursion. ▼**—necessaire** trousse *v* de voyage. ▼**—mandje** panier-valise *m*. ▼**—order** ordre *m* de route. ▼**—pas** passeport *m*; (*mil.*) feuille *v* de route. ▼**—plan** itinéraire; projet *m* de voyage; circuit *m* organisé. ▼**—route** itinéraire; parcours *m*. ▼**—seizoen** saison *v* des voyages. ▼**—tas** sac *m* de voyage. ▼**—vaardig** prêt à partir; *zich — maken*, faire ses malles. ▼**—vereniging** association *v* touristique. ▼**—wekker** réveil *m* de voyage.
▼**rei/zen** voyager; faire un voyage; *— naar P*, aller à P, faire le voyage de P; *over Antwerpen —*, passer par Anvers; *het — en trekken*, les déplacements *m mv* (continuels); *vrij — hebben*, avoir la gratuité sur le réseau; (*op één lijn*) avoir le parcours gratuit. ▼**—zend** en voyage; ambulant; *—de tentoonstelling*, exposition *v* itinérante. ▼**—ziger**, **—zigster** voyageur *m*, voyageuse *v*; touriste *m en v*. ▼**—zigerkilometerprijs** coût *m* du voyageur par kilomètre. ▼**—zigersverkeer** mouvement *m* des voyageurs; - touristique.
rek 1 (*droog—*) séchoir; **2** porte-vaisselle *m*; **3** étagère *v*; **4** distance *v*, trajet *m*; *het is een hele —*, c'est tout un voyage. ▼**—baar** extensible; élastique. ▼**—baarheid** élasticité *v*.
rekel 1 chien mâle; **2** (*fig.*) rustre; polisson *m*.
reken/aar calculateur *m*. ▼**—boek** livre *m* d'arithmétique. ▼**—eenheid** unité *v* de compte, ▼**—en** I *ov.w* **1** compter; calculer; **2** (*schatten*) évaluer (à), estimer (à); **3** (*geloven*) estimer, croire; *wat rekent u voor die groente?*, combien demandez-vous pour ces légumes?; *wat rekent u voor 2 nachten?*, quelles sont vos conditions pour 2 nuits? **II** *zich — onder* se compter parmi. **III** *on.w* calculer; compter; *— vanaf maandag*, compter à partir de lundi; *— op*, compter sur; *uit het hoofd —*, calculer de tête. **IV** *zn* le calcul. ▼**—fout** erreur *v* de calcul.
rekening 1 calcul, compte; **2** (*te betalen —*) compte; mémoire *m*, note; facture; addition *v*; *gesloten —*, compte arrêté; *lopende —*, compte ouvert; *— en verantwoording*, reddition *v* des comptes; *— en verantwoording doen*, rendre ses comptes; *— houden met*, tenir compte de, compter avec; *in — brengen*, mettre en ligne de compte; (*doorberekenen*) intégrer; (*verminderen met*) décompter; *op — kopen*, acheter à crédit; *op mijn —*, à mon compte; *voor eigen —*, à son compte, à ses risques et périls; *voor gemeenschappelijke —*, de compte à demi; *voor zijn — nemen*, se charger de.
▼**rekening-courant** compte *m* courant. ▼**—houder 1** titulaire *m* de compte; **2** titulaire *m* d'un compte courant postal.
reken/kamer Cour *v* des comptes. ▼**—kunde**, **—kunst** arithmétique *v*. ▼**—kundig**, **—kunstig** *bn* (& *bw*) arithmétique(ment). ▼**—kundige** arithméticien *m*. ▼**—les** leçon *v* d'arithmétique. ▼**—liniaal** règle *v* à calcul. ▼**—machine** machine *v* à calculer; *elektronische —*, calculateur *m* électronique. ▼**—schap** compte *m*; (*zich*) *— geven van*, (se) rendre compte de; *— moeten afleggen*, avoir à rendre des comptes. ▼**—tafel** table *v* de Pythagore.
rekest requête, pétition *v*; *een — indienen*, présenter une requête.
rekje clayette *v*; *zie ook* **rek.**
rekken 1 *ov.w* allonger, étirer; (*fig.*) tirer en longueur. **II** *zich — s'étirer. **III** *on.w* s'étendre, s'allonger. ▼**rekking** étirage, allongement *m*; extension *v*.
rekruteren recruter. ▼**—ing** recrutement *m*.
▼**rekruut** jeune soldat *m*, recrue *v*.
rekstok barre *v* fixe. ▼**rekverband** appareil *m*

d'extension.
rekwireren requérir; réquisitionner.
▼**rekwisieten** accessoires *m mv* (de théâtre).
rel échauffourée; bagarre, rixe *v*; *(fig.) een hele* — maken van, faire toute une histoire de.
relaas exposé, récit *m*, relation *v*.
relat/ie relation *v*, rapport *m*; *in* — brengen met, mettre en relation d'affaires avec.
▼—**iegeschenk** cadeau *m* d'entreprise.
▼—**ief** I *bn* relatif. II *bw* relativement.
▼—**iviteit** relativité *v*.
relayeren relayer, retransmettre.
relev/ant d'importance; pertinent. ▼—**antie** pertinence; importance *v*. ▼—**eren** relever, noter; mettre en relief.
reliëf relief *m*; *in* —, en relief. ▼—**kaart** plan-relief *m*.
reliek, relikwie relique *v*. ▼—**schrijn** châsse *v*.
religie religion *v*. ▼—**ieus** religieux.
reling rambarde *v*.
rem 1 frein *m*; *op de —men gaan 'staan'*, piler sur les freins; 2 *(med.)* inhibition *v* psychique.
rem (ad) I *bn* approprié. II *bw* à point.
remafstand distance *v* d'arrêt.
▼—**bekrachtiging** assistance *v* de freinage.
▼—**blok** sabot, patin *m*.
rembours remboursement *m*; *onder* —, contre remboursement.
remcircuit: *met gescheiden* —, à double circuit de freinage.
remedie remède *m*.
reminrichting système *m* de freinage.
remise 1 remise *v*; — *spelen*, faire partie nulle; 2 dépôt *m*.
rem/ketting chaîne *v* d'enrayage. ▼—**klep** volet *m* d'atterrissage. ▼—**krachtbegrenzer** limiteur *m* de pression de freinage.
▼—**krachtverdeler** répartiteur *m* de pression. ▼—**kruk** manivelle *v* de frein. ▼—**leiding** circuit *m* de freinage. ▼—**licht** stop *m*. ▼—**men** I *ov.w* freiner enrayer; *(psych.)* inhiber. II *on.w* freiner, serrer le frein; *even* —, donner un coup de frein. III *zn*: *het* —, le freinage; *(psych.)* l'inhibition *v* psychique. ▼—**mer** freinateur; *(psych.)* inhibitif(-ve). ▼—**mer** garde-frein *m*.
▼—**ming** *zie* —**men III**.
remonstrant(s) remontrant *(m)*.
rem/raket rétrofusée *v*. ▼—**spoor** trace *v* de freinage. ▼—**vloeistof** liquide *m* de freins. ▼—**voering** garniture *v* de frein. ▼—**weg** parcours *m* de freinage.
ren 1 course *v*, grand galop *m*; 2 *(kippen)* promenoir *m*.
renaissance renaissance *v*. ▼—**kasteel** château *m* Renaissance.
renbaan piste *v*, champ *m* de course.
rend/abel profitable, rentable. ▼—**eren** être productif, rapporter (des bénéfices).
▼—**erend** d'un bon rendement, rémunérateur(-trice).
rendez-vous rendez-vous *m*; *iem.* — *geven*, prendre rendez-vous avec qn.
rendier renne *m*.
rennen courir (un prix = *om een prijs*).
▼**renner** coureur *m*.
renov/atie rénovation; réhabilitation *v*.
▼—**eren** rénover; réhabiliter.
renpaard cheval *m* de course. ▼**renstal** écurie *v* de courses.
rentabiliteit rentabilité *v*. ▼**rente** rente *v*; intérêt *m*; *gekweekte* —, intérêts *m mv*; *à échoir; op* — *zetten*, placer à intérêt; — *opbrengen*, porter intérêt; — *op* —, à intérêts composés. ▼—**bewijs**, —**brief** titre *m* de rente. ▼—**gevend** de rapport, qui rapporte. ▼—**loos** improductif; — *voorschot*, avance *v* gratuite. ▼—**nier** rentier *m*. ▼—**nieren** vivre de ses rentes. ▼—**vergoeding** bonification d'intérêts. ▼—**verzekering** assurance *v* de rentes viagères. ▼—**voet** taux *m* d'intérêt. ▼—**zegel** timbre *m* d'assurance sociale.
▼**rentmeester** administrateur, intendant *m*.
▼—**schap** intendance *v*.

reorganis/atie réorganisation *v*. ▼—**eren** réorganiser.
rep: *in* — *en roer*, en émoi, en alarme; *in* — *en roer brengen*, jeter l'alarme dans.
repar/ateur réparateur *m*. ▼—**atie** réparation *v*, raccommodage *m*. ▼—**atiewagen** voiture *v* dépanneuse. ▼—**eren** réparer, raccommoder.
repatriër/en rapatrier. ▼—**ing** rapatriement *m*.
repet/ent période *v*. ▼—**eren** répéter; — *de breuk*, fraction *v*. périodique. ▼—**itie** 1 répétition; 2 *(school)* récapitulation, épreuve, composition *v*. ▼—**itiehorloge** montre *v* à répétition. ▼—**itor** répétiteur *m*.
repliceren répliquer. ▼**repliek** réplique *v*.
report/age reportage *m*. ▼—**er** reporter *m*.
reppen: *zich* —, se dépêcher; — *van*, faire mention de, mentionner.
representat/ie représentation *v*. ▼—**ief** représentatif.
repressief répressif.
reproduc/eren reproduire. ▼—**tie** reproduction *v*.
reprograf/eren reprographier. ▼—**ie** reprographie *v*.
reptiel reptile *m*.
republ/iek république *v*. ▼—**ikein(s)** républicain *m*.
reputatie renommée, réputation *v*.
requiem messe *v* des morts, requiem *m*.
requisitoir réquisitoire *m*.
research recherches *v mv* scientifiques.
reseda réséda *m* = —**kleurig**.
reservaat réserve *v*. ▼**reserve** réserve *v*.
▼**reserve...** 1 de réserve; 2 *(ter vervanging)* de rechange; de secours. ▼—**lamp** ampoule *v* de rechange. ▼—**onderdeel** pièce *v* de rechange. ▼—**ren** réserver; mettre à part. ▼—**ring** réservation *v*. ▼—**vulling** recharge *v*. ▼—**wiel** roue *v* de secours. ▼**reservist** réserviste *m*.
resid/entie(stad) (ville -) résidence *v*.
▼—**eren** résider.
resistent résistant. ▼—**ie** résistance *v*.
resol/utie résolution *v*. ▼—**uut** *bn* (& *bw*) résolu(ment).
resor/beren résorber. ▼—**ptie** résorption *v*.
respect respect *m*; *met alle* —, sauf votre respect. ▼—**abel** respectable. ▼—**eren** respecter. ▼—**ievelijk** respectivement.
responsiecollege conférence *v* d'interrogation.
ressort ressort *m*. ▼—**eren**: — *onder*, ressortir à; être du ressort de; relever de.
rest reste *m*. ▼—**ant** 1 restant; 2 *(v. geld)* reliquat, arriéré; 3 *(v. goederen)* solde *m*; fin *v* de pièce, - de série.
restaur/ant restaurant *m*; *(fam.)* resto; *klein* —, bistro *m*. ▼—**ateur** 1 restaurateur; 2 traiteur *m*. ▼—**atie** 1 *(herstel)* restauration *v*; 2 *(eethuis)* restaurant; *(spoorweg—)* buffet *m*. ▼—**atiehouder** restaurateur. ▼—**atiewagen** voiture-restaurant *v*. ▼—**eren** remettre à neuf, restaurer.
rest/en, —eren rester.
restitu/eren restituer; *(handel)* rembourser. ▼—**tie** restitution *v*; remboursement *m*.
restrictie restriction *v*.
result/aat résultat *m*, effet *m*; *het* — *zijn van*, résulter de. ▼—**ante** résultante *v*.
resum/é résumé *m*. ▼—**eren** résumer.
▼—**(p)tie** résumé *m*.
retirade cabinet *m*, toilette, garde-robe *v*.
retor/iek rhétorique *v*. ▼—**isch** oratoire.
Reto-romaan(s) Rhéto-roman *(m)*.
retort cornue *v*.
retoucheren I *ov.w* retoucher. II *zn*: *het* —, la retouche.
retour(biljet) (billet *m* d')aller et retour; *een* — *Dijon*, un aller-retour pour Dijon.
▼—**vracht** fret *m* de retour. ▼—**wedstrijd** match-retour *m*.
retraite retraite *v*; *een* — *houden van 8 dagen*, faire huit jours de retraite.
retroflecterend: —*e kentekenplaat*, plaque *v*

d'immatriculation réflectorisée.
reuk 1 (*zintuig*) odorat *m*; **2** (*lucht*) parfum *m*,
odeur *v*; *de* — *van iets hebben*, avoir vent de
qc; *in een goede* (*kwade*) — *staan*, jouir
d'une bonne (avoir une mauvaise) réputation.
▼—**(e)loos** sans odeur, inodore. ▼—**gevend**
odorant. ▼—**kussentje** sachet *m*.
▼—**orgaan** organe *m* olfactif. ▼—**water** eau
v de senteur. ▼—**zenuw** nerf *m* olfactif.
▼—**zin** odorat *m*.
reuma/patiënt rhumatisant(e) *m* (*v*).
▼—**tiek** rhumatisme *m*. ▼—**tisch**
rhumatismal.
reün/ie réunion *v*. ▼—**ist** ancien étudiant *m*.
reus géant, colosse, (*in sprookjes*) ogre *m*.
▼—**achtig I** *bn* énorme. **II** *bw* énormément.
reutel râle, râlement *m*. ▼—**en 1** râler.
2 (*kletsen*) bavarder, jaser.
reuzel 1 panne *v*; **2** (*gesmolten*) saindoux *m*.
reuze(n) (-*in'ss*) gigantesque, de géant.
▼—**zwaai** grand soleil *m*. ▼**reuzin** géante *v*.
revaccinatie revaccination *v*.
revalid/atie rééducation *v*, réadaptation *v*
fonctionnelle. ▼—**eren** rééduquer, réadapter.
revaloris/atie revalorisation *v*. ▼—**eren**
revaloriser.
revalu/atie réévaluation *v*. ▼—**eren**
réévaluer.
reveil réveil, renouveau *m* religieux. ▼—**le**: —
blazen (*slaan*), sonner le réveil, (battre la
diane).
revis/eren réviser. ▼—**ie** révision *v*. ▼—**or**
réviseur, correcteur, contrôleur *m*.
revolut/ie révolution *v*. ▼—**iebouw**
construction *v* faite de boue et de crachats.
▼—**ionair** révolutionnaire *v*.
revolver revolver *m*. ▼—**draaibank** tour
revolver *m*. ▼—**kanon** canon *m* revolver.
▼—**tas** fonte *v*; porte-revolver *m*. ▼—**schot**
coup *m* de revolver.
revue revue *v*; *de* — *laten passeren*, passer en
revue.
rib(be) 1 côte *v*; **2** (*met vlees*) côtelette;
3 (*wisk*.) arête; **4** (*v. boek*) nervure; **5** (*arch*.)
solive *v*; *hij heeft enkele* —*ben gebroken*, il a
plusieurs côtes enfoncées; *stoot in de ribben*,
bourrade *v*. ▼—**beltje** cannelure, nervure *v*.
▼—**benkast** poitrine *v*, thorax *m*.
▼—**fluweel** velours *m* à côtes, - côtelé.
richel rebord, bord *m*; **2** latte, tringle *v*.
richt/en I *ov.w* **1** diriger (vers), tourner (sur;
vers); **2** (*brief, woord*) adresser (à); **3** (*kijker,
wapen*) braquer, pointer (contre, sur);
4 (*leven enz*.) conformer (à), proportionner
(à); **5** porter (les yeux sur). **II zich** — 1 se
diriger (vers, sur); **2** s'adresser (à); **3** (*fig*.) se
conformer (à), se régler (sur); **4** (*mil*.)
s'aligner; *zie* **rechts**. **III** *zn*: *het* —, le
pointage; *het* — *v. het* —, l'alignement *m*,
l'orientation *v*.
▼—**er** pointeur; (*Bijbel*) juge *m*.
richting 1 direction; **2** (*strekking*) tendance *v*;
3 (*het richten*) pointage *m*; *de* — *uitgaan*
van, s'orienter vers; *in die* —, dans ce sens;
van — *veranderen*, se rabattre, déboîter; *voor*
alle —*en*, tous azimuts. ▼—**(aan)wijzer**
1 indicateur *m* de direction; **2** (*knipperlicht*)
clignotant *m*. ▼—**bord** signal *m* de direction.
▼—**roer** gouvernail *m* de direction.
▼—**verandering** rabattement *m*.
richt/lijn 1 ligne *v* de mire; **2** directive *v*.
▼—**middel** appareil *m* de pointage.
▼—**snoer 1** cordeau *m*; **2** (*fig*.) règle, norme
v.

ridder chevalier *m*; *tot* — *slaan*, armer
chevalier; donner l'accolade à. ▼**ridder-** . . .
(*in ss*) de chevalier(s), chevaleresque. ▼—**en**
créer (nommer) chevalier; décorer. ▼—**goed**
domaine *m*. ▼—**kruis** croix *v* (de chevalier).
▼—**kus** accolade *v*. ▼—**lijk I** *bn*
chevaleresque, généreux. **II** *bw* en chevalier,
généreusement. ▼—**lijkheid** courtoisie - ;
valeur *v* chevaleresque. ▼—**orde 1** ordre de
chevalerie; **2** décoration, plaque *v*.
▼—**schap** —**wezen** chevalerie *v*. ▼—**slag**
accolade *v*. ▼—**zaal** grand'salle, salle *v*
d'honneur; - des chevaliers.

riek fourche *v* à fumier.
riem 1 courroie; lanière; **2** ceinture; **3** (*roei*—)
rame *v*, aviron *m*; — *papier*, rame *v* de papier;
— *zonder eind*, courroie sans fin; *de* —
aanhalen, serrer la courroie; (*fig*.) serrer la
ceinture d'un cran; *iem. een hart onder de* —
steken, remettre du cœur au ventre à qn.
▼—**overbrenging** renvoi *m* à courroie.
riet 1 roseau, jonc; **2** (*op dak*) chaume *m*;
3 canne *v* (à sucre). ▼—**bos** jonchaie *v*.
▼—**dekker** couvreur *m* en chaume. ▼—**en** de
roseau; de chaume; (*v. stoel*) canné. ▼—**je**
chalumeau *m*, paille *v*. ▼—**mat** natte *v* de
jonc, paillasson *m*. ▼—**suiker** sucre *m* de
canne. ▼—**veld** jonchaie *v*.
rif 1 récif; **2** squelette *m*.
rij rang *m*, rangée, file, série, suite *v*; *in* —*en*
van zes, (défiler) en colonnes par six; *in de*
—, (*naast elkaar*) de front; (*achter elk*.) à la
file; *de gegevens op een* — *zetten*, mettre au
point les données; *zich bij de* — *aansluiten*,
prendre la file; *se mettre à la queue*; *op een* —
gaan staan, s'aligner; *in de* — *staan*, faire
queue; *op de* — *af*, à tour de rôle; (*jas*) *met*
twee —*en knopen*, (veston) croisé; *met één*
— *knopen*, droit.
rijbaan 1 chaussée *v*; **2** manège *m*; **3** (*op ijs*)
patinoire, piste *v*. ▼**rijbewijs** permis *m* (de
conduire); *het* — *halen* (*examen*), passer le
permis de conduire; *in het bezit van het* —,
titulaire du permis de conduire. ▼**rijbroek**
culotte *v* de cheval. ▼**rijden I** *ov.w*
1 conduire; **2** transporter; *onderstebovn* —,
renverser. **II** *on.w* aller (en auto etc.); *de*
wagen rijdt prettig, la voiture est agréable à
conduire; *100* —, marcher à 100 km à l'heure;
die bus rijdt op W, cet autobus dessert W; *te*
paard —, être monté à cheval; *paard* —, faire
du cheval; *Sinterklaas heeft goed gereden*,
Saint Nicolas a été généreux; *hij kan niet*
tegen —, il supporte mal la voiture (les
voyages en chemin de fer). ▼**rijdend** monté,
à cheval. ▼**rijdier** monture *v*. ▼**rijexamen**:
— *afleggen*, passer son permis.
▼**rijinstructeur** moniteur d'auto-école.
rijg/draad faufil *m*. ▼—**en 1** enfiler (des
perles); **2** (*naaien*) faufiler; **3** (*vast*—) lacer.
▼—**laars** brodequin *m*, bottine *v* à lacets.
▼—**naad** faufilure *v*. ▼—**naald** passe-lacet
m. ▼—**schoen** soulier *m* à lacets. ▼—**steek**
bâti *m*. ▼—**veter** lacet *m*.
rijinstructeur moniteur *m* d'auto-école.
rijk I *bn* (& *bw*) riche(ment); — *aan*, riche en;
— *maken*, enrichir; — *worden*, s'enrichir.
II *zn* **1** empire; **2** état; **3** royaume; **4** règne,
domaine *m*; *zijn* — *is uit*, son règne a pris fin;
het — *alleen hebben*, être seul. ▼—**aard**
richard, crésus *m*. ▼—**dom** richesse;
abondance *v*. ▼**rijke** riche *m & v*. ▼—**lijk I** *bn*
abondant, copieux; large, ample. **II** *bw*
abondamment, largement, amplement.
rijkleed costume *m* -, robe *v* de cheval,
amazone *v*. ▼**rijknecht** piqueur, groom *m*.
rijks/ambt fonction *v* publique.
▼—**ambtenaar** fonctionnaire *m* public.
▼—**appel** globe *m*. ▼—**archivaris** directeur
des archives nationales. ▼—**belasting**
contribution *v* de l'Etat. ▼—**betaalmeester**
trésorier-payeur. ▼—**bijdrage** subvention *v*
étatique. ▼—**bureau** bureau *m* de l'Etat.
▼—**daalder** rixdale *v*. ▼—**dag** diète *v*.
▼—**grond** domaine *m* national.
▼—**hogereburgerschool** école *v* du second
degré de l'Etat. ▼—**kanselier** chancelier *m*
d'Etat. ▼—**munt** monnaie *v*. ▼—**politie**
gendarmerie *v*. ▼—**postspaarbank** caisse *v*
nationale d'épargne postale. ▼—**staf** sceptre
m. ▼—**telefoon** téléphone intercommunal,
l'inter *m*. ▼—**verzekeringsbank** caisse *v*
nationale d'assurances contre les accidents
de travail. ▼—**weg** route *v* nationale.
▼—**wege**: *van* —, de par l'autorité. ▼—**werf**
arsenal *m* maritime. ▼—**werkinrichting**
dépôt *m* de mendicité. ▼—**zegel** sceaux *m*
mv.
rijkunst équitation *v*; *hogere* —, haute école

v. ▼**rijlaars** botte v de cavalier. ▼**rijles**
1 leçon v d'équitation ; 2 (v. auto) - de
conduire, - de conduite.
rijm 1 zie **rijp** ; 2 rime v ; op —, en vers, rimé ; in
— overbrengen, mettre en vers. ▼—**en** I on.w
1 rimer, faire des vers ; 2 (fig.) correspondre à,
s'accorder avec. II ov.w 1 rimer, mettre en
vers ; faire rimer à ; 2 (fig.) (faire) accorder
avec. ▼—**woordenboek** dictionnaire m des
rimes.
Rijn Rhin m. ▼—**aak** péniche v. ▼—**forel**
truite v saumonée. ▼—**land** la Rhénanie.
▼—**lander**, —**lands** Rhénan (m).
▼—**schipper** batelier du Rhin. ▼—**wijn** vin
m du Rhin.
rij-op rij-af transportschip cargo-roulier m.
rijp I zn gelée v blanche, givre m. II bn (& bw)
mûr(ement) ; (v. kaas) fait ; —(er) worden, se
faire ; —ere jeugd, adolescence v.
rijpaard cheval m de selle, monture v. ▼**rijpad**
piste v cavalière.
rijp/elijk mûrement. ▼—**en** I on. w 1 geler à
blanc ; 2 mûrir ; 3 (med.) aboutir. II ov. w
mûrir. III zn : het —, la maturation. ▼—**heid**
maturité v. ▼—**ing** 1 maturation ; 2 maturité
intellectuelle ; 3 puberté v.
rijrichting sens m de la marche.
rijs brindille v ; osier m. ▼—**bezem** balai m de
bouleau. ▼—**bos** oseraie v.
rijschool manège m, école d'équitation ; (v.
auto) école v de conduite.
rijs/dam levée v de fascines. ▼—**hout** osier m.
Rijssel Lille v.
rijst riz m ; ongebuilde —, riz m complet ;
ongepelde —, rizon m. ▼—**ebrij** riz m au lait.
▼—**epap** bouillie v de riz. ▼—**etaart** tarte v
au riz. ▼—**korrel** grain m de riz. ▼—**papier**
papier m de riz.
rijstrook bande v ; couloir m ; op de rechter —,
dans le couloir de droite ; van — veranderen,
changer de couloir ; déboîter ; naar de rechter
— teruggaan, revenir dans le couloir de
droite ; rijweg met 6 —en, chaussée v à 6
bandes.
rijst/tafel repas m au riz. ▼—**veld** rizière v.
▼—**vlokken** flocons m mv de riz. ▼—**water**
eau v de riz.
rijswerk clayonnage m. **Rijswijk** Ryswick m.
rijtijd 1 époque v du frai ; 2 temps m de
parcours. ▼**rijtijdenboekje** livret m
individuel de contrôle. ▼**rijtoer** promenade v
(en auto etc.). ▼**rijtuig** voiture v.
▼**rijtuigfabriek** carrosserie v. ▼**rijverkeer**
trafic m ; circulation v routière. ▼**rijvlak** (v.
autobaan) bande v de roulement. ▼**rijweg**
route carrossable, chaussée v ; afgesloten —,
rue v barrée.
rijwiel bicyclette, bécane v, vélo m ; zie ook
fiets enz. ▼—**belasting** impôt m sur les
bicyclettes. ▼—**bergplaats** garage m.
▼—**hersteller** réparateur de bicyclettes.
▼—**plaatje** plaque v. ▼—**slot** cadenas m
antivol de bicyclette.
rijz/en I on.w 1 monter, s'élever, croître ; 2 (v.
prijs) hausser, monter ; 3 (ontstaan) naître ; de
thee rijst, le thé est en hausse. II zn : het —, (v.
water) la crue ; (v. deeg) le levage ; (v. prijs) la
hausse. ▼—**ig** de haute taille, élancé.
▼—**igheid** taille v élancée.
rijzweep cravache v.
rill/en frissonner, grelotter. ▼—**ing** frisson m ;
een — bezorgen, donner le frisson.
rimboe jungle, brousse v.
rimpel 1 ride v ; 2 (in stof) faux pli m ; —s
krijgen, se rider ; de —s verdrijven van,
dérider. ▼—**band** galon m fronceur. ▼—**en**
I on.w 1 se rider ; 2 (v. kous) grimacer ;
2 (verschrompelen) se ratatiner. II ov. w rider,
froncer. ▼—**ig** ridé, sillonné de rides ;
rugueux ; — worden, zie **rimpels krijgen**.
▼—**ing** froncement ; frisson m sur l'eau.
▼—**tje** ridule v.
ring 1 anneau m, bague ; (trouw—) alliance v ;
(oor—) boucle v ; 2 (sp.) ring m. ▼—**baard**
barbe v en collier. ▼—**band** classeur m.
▼—**dijk** digue v de ceinture. ▼—**eloren** : zich

laten — door, se laisser mener en laisse par.
▼—**etje** petite bague ; er uitzien om door een
— te halen, être tiré à quatre épingles.
▼—**muur** enceinte v de murailles, mur m
d'enceinte. ▼—**rijden** courir la bague ; het —,
la course de bagues. ▼—**schroef** piton m à
vis. ▼—**slang** couleuvre v à collier.
▼—**spieren** muscles m mv orbiculaires.
▼—**steken** zie — **rijden**. ▼—**vaart** canal m
de ceinture. ▼—**vinger** (doigt) annulaire m.
rinkel/bel hochet m. ▼—**en** sonner, tinter ; de
glazen doen —, faire trembler les vitres.
rins aigrelet, suret. ▼—**heid** acidité v.
rioler/en pourvoir d'égouts. ▼—**ing** système
m d'égouts ; construction v des égouts.
▼**riool** égout m. ▼—**buis** conduit m d'é.
▼—**deksel** bouche v d'é. ▼—**werker**
égoutier m.
rips étoffe v à côtes, reps m.
ris série v ; zie ook **rist**.
risico risque m ; aléa m ; het — lopen van, risquer
de ; voor — van, aux risques de ; ondernemen
op eigen —, entreprendre (qc) à ses risques et
périls ; — dekken, couvrir le(s) risque(s) ;
eigen —, franchise v d'assurance ; —'s
nemen, travailler sans filet. ▼—**dragend** —
kapitaal, capital-risque m. ▼—**premie** prime
v de risques. ▼**risk/ant** risqué, dangereux.
▼—**eren** risquer.
rist 1 (plk.) rafle m ; grappe v ; 2 (reeks)
rangée, kyrielle ; (fig.) série, suite v.
rit tour m ; promenade (à cheval, en auto) ;
course v ; parcours m ; 50 frank per —, 50
francs la course. ▼—**meester** chef
d'escadron, capitaine m.
ritme rythme m. ▼**ritmisch** rythmique.
rits I tw crac ! II zn 1 déchirure v ; 2 traceret m.
▼—**en** frémir, murmurer ; (v. stof) faire
frou-frou. ▼—**eling** frémissement, murmure ;
frou-frou m. ▼—**en** marquer. ▼—**sluiting**
fermeture-éclair, - à glissière v ; zip v
(merknaam) ; met —, zippé.
ritu/aal rituel m. ▼—**eel** I zn rite m. II bn (&
bw) rituel(lement). ▼**ritus** rite m.
rivier rivière v ; (die in zee uitmondt) fleuve m ;
aan de —, sur la rivière.
Riviera la Rivière (de Gênes) ; Franse —, Côte
v d'Azur.
rivier/arm bras m de rivière. ▼—**bed(ding)** lit
m de rivière. ▼—**forel** truite v saumonée.
▼—**klei** argile v fluviale. ▼—**kreeft** écrevisse
v. ▼—**mond** embouchure v. ▼—**politie**
brigade v fluviale. ▼—**schipper** batelier, marinier m
v fluviale. ▼—**scheepvaart** batellerie
v fluviale. ▼—**stand** niveau m des rivières.
rob 1 phoque v ; 2 rob ; 3 estomac m.
robbe/doezen enfant bruyant(e) m (v).
▼—**doezen** faire du tapage ; s'ébattre.
robber rob, robre m.
robijn rubis m. ▼—**en** de rubis.
robot robot m.
robuust bn (& bw) robuste(ment).
rochel 1 crachat, flegme ; 2 (reutel) râle m.
▼—**en** I on.w 1 cracher ; 2 râler. II zn : het —,
le crachement ; le râlement.
rock-muziek rock m.
rococostijl (style) rococo m.
roddel/aar mauvaise langue v. ▼—**en** médire ;
faire des ragots.
rode 1 (v. haar) roux m ; rousse v ; 2 (fig.)
rouge m. ▼—**hond** rubéole v. ▼—**kruis**
Croix-Rouge v. ▼—**loop** dysenterie v.
rodel/baan piste v pour luges. ▼—**en** (se)
luger.
rododendron rhododendron m.
roebel rouble m.
roe(de) 1 verge ; 2 baguette v ; 3 (gesel—)
verges v mv, fouet m ; 4 (zorgdijn—) tringle v ;
5 (maat) décamètre m ; vierkante —, are m.
roedel : een — herten, une harde de cerfs.
roei/boot canot m. ▼—**en** I on.w ramer, aller à
la rame ; (sp.) faire de l'aviron. II ov.w
transporter à la rame. III zn : het —, le
canotage ; aan — doen, faire de l'aviron.
▼—**er** rameur ; (sp.) canotier m. ▼—**riem**,
—**spaan** rame v, aviron m. ▼—**sport** (sport m

de) l'aviron. ▼—**vereniging** cercle *m* nautique. ▼—**wedstrijd** régates *v* (*mv*) à l'aviron.

roek freux *m*, graille *v*.

roekeloos *bn* (*& bw*) inconsidéré(ment), téméraire(ment). ▼—**heid** témérité *v*.

roekoe/ën, —ken roucouler.

roem 1 gloire; **2** (*kaartspel*) séquence *v*.

Roemeen(s) Roumain (*m*).

roemen I *ov. w* louer, vanter; célébrer. II *on. w* déclarer sa séquence.

Roemenië la Roumanie.

roem/rijk, —vol I *bn* glorieux. II *bw* glorieusement.

roep 1 appel, cri; **2** (*gerucht*) bruit *m*; **3** réputation, renommée *v*; *er is maar één —over*, il n'y a qu'une voix sur. ▼—**en I** *on.w* crier, appeler; *tot God —*, invoquer Dieu. II *ov.w* appeler; *bij zijn naam —*, appeler par son nom; *komen of men geroepen was*, arriver à propos. ▼—**ing** vocation, mission *v*; *— gevoelen tot*, se sentir la vocation de. ▼—**ingcrisis** crise *v* de vocations. ▼—**letter(s)** indicatif *m*. ▼—**stem** voix *v* (intérieure).

roer 1 gouvernail *m*, barre *v*; (*fig.*) timon; **2** (*buis*) tuyau *m*, tige *v*, canon *m*; *aan het — zijn* (*zitten*), être à la barre (au pouvoir); avoir la direction; *het — omgooien*, donner un coup de barre; prendre une nouvelle orientation; **3** (*aardr.*) la Ruhr. ▼—**eieren** des œufs *m mv* brouillés.

roer/en I *ov.w* **1** (*aandoen*) émouvoir, toucher; **2** (*om—*) remuer, agiter; *de* (*grote*) *trom —*, battre (la caisse) le tambour. II *zich —* bouger, remuer. III *on.w: aan iets —*, toucher qc; *in iets —*, remuer qc. ▼—**end I** meuble, mobilier; (*fig.*) touchant, émouvant. II *bw* d'une façon touchante.

roerganger homme de barre, timonier.

Roergebied la Ruhr.

roerig vif; remuant, agité, turbulent. ▼—**heid** turbulence, agitation *v*.

roerloos 1 immobile; **2** désemparé. ▼—**heid** immobilité *v*.

Roermond Ruremonde *v*.

roër/om tôt-fait *m*. ▼—**pen** timon *m*, barre *v*. ▼—**sel** mouvement *m*; (*fig.*) - de l'âme; passion *v*. ▼—**spaan** spatule *v*. ▼—**toestel** agitateur *m*.

roes 1 griserie *v*; **2** (*fig.*) enivrement *v*; *zijn — uitslapen*, cuver son vin.

roest 1 rouille *v*; **2** perchoir *m*. ▼—**en I** *on.w* **1** (se) rouiller; **2** percher. II *zn: het —*, la rouillure, l'oxydation *v*. ▼—**ig** rouillé. ▼—**igheid** rouillure *v*. ▼—**kleur(ig)** couleur *v* de rouille (rubigineux). ▼—**vlek** tache *v* de rouille. ▼—**vrij** inoxydable; *— staal*, acier *m* inox. ▼—**werend** anti-rouille.

roet suie *v*; *— in het eten gooien*, gâter le plaisir. ▼—**aanslag** couche *v* de suie. ▼—**achtig** fuligineux. ▼—**lucht** odeur *v* de suie.

roetsjbaan montagnes *v mv* russes.

roeze/moes désordre, tohu-bohu *m*. ▼—**moezen** faire du tapage. ▼—**moezig 1** bruyant; **2** orageux.

roezig entre deux vins.

roffel 1 (*schaaf*) riflard; **2** roulement *m* de tambour; **3** (*fig.*) réprimande *v*, savon *m*; (*met de vingers*) *een — slaan*, tambouriner. ▼—**en I** *ov.w* **1** rifler; **2** bâcler. II *on.w* battre un roulement. ▼—**vuur** tir *m* de pilonnage; feu *m* roulant.

rog raie *v*.

rogge seigle *m*. ▼—**brood** pain *m* noir. ▼—**veld** champ *m* de seigle.

rok 1 habit *m* (noir); **2** (*vrouwen—*) jupe *v*; **3** (*rijjupon —*) jupon *m*; **4** (*plk.*) tunique *v*; *in —*, en habit. ▼—**beschermer** garde-jupe *m*.

rok/en fumer; *hindert het — u niet?*, la fumée ne vous gêne pas? ▼—**end** fumant, fumeux. ▼—**er** fumeur. ▼—**erij** fumoir *m*.

rokeren roquer.

rok/hemd chemise *v* d'habit. ▼—**je**: *zijn — omkeren*, tourner casaque.

rol 1 cylindre, rouleau; **2** rôle *m*, liste *v*; *de —len zijn omgekeerd*, les rôles sont renversés; *in zijn — blijven*, ne pas sortir de son rôle; **3** *aan de — zijn*, faire la noce. ▼—**beugel** arceau *m* de sécurité. ▼—**brug** pont *m* roulant. ▼—**film** pellicule *v*, rouleau *m* de pellicule. ▼—**gordijn** store *m*. ▼—**ham** jambon *m* de Paris. ▼—**houder** dérouleur *m*. ▼—**lade** roulade *v*. ▼—**lager** palier *m* à rouleaux. ▼—**len I** *on. w* rouler; **2** (*vallen*) tomber; *hij zal er wel goed door —*, il se tirera bien d'affaire; *van de trap —*, rouler en bas de l'escalier. II *ov. w* **1** rouler; mettre en rouleau; lisser; **2** subtiliser (la bourse à qn). III *zn: het —*, le roulement; (*mar.*) le roulis. ▼—**lend** roulant. ▼—**lenspel** jeu *m* de rôles. ▼—**ler 1** rouleur *m*; **2** (*golf*) lame *v*; **3** (*haar—*) bigoudi; rouleau *m*; *met de —s* (*nog*) *in*, en bigoudis. ▼—**luik** store *m* métallique, volet *m* roulant. ▼—**mops** rollmops *m*. ▼—**plank** planche *v* à roulettes. ▼—**prent** film *m*. ▼—**roer** aileron *m*. ▼—**rond** cylindrique. ▼—**schaats** patin *m* à roulettes. ▼—**schaatsen** faire du patin à roulettes. ▼—**schaatsenbaan** skating *m*. ▼—**stoel** fauteuil *m* à roulettes, chaise *v* roulante. ▼—**trap** escalator, escalier *m* mécanique. ▼—**wagen** chariot *m* à roulettes.

Romaans roman; *— Zwitserland*, la Suisse romande.

roman roman *m*. ▼—**ce** romance *v*. ▼—**esk** *bn* (*& bw*) romanesque(ment). ▼—**iseren** romaniser. ▼—**ist** romaniste *m*. ▼—**schrijver, —schrijfster** auteur de romans, romancier *m*, -ière *v*. ▼—**tiek** romantisme *m*, école *v* romantique. ▼—**tisch** *bn* (*& bw*) **1** romantique(ment); **2** romanesque(ment). ▼—**vorm**: *levensbeschrijving in —*, vie *v* romancée.

Rom/e Rome *v*. ▼—**ein(s)** Romain (*m*).

romen I *ov.w* écrémer. II *on.w* crémer.

rommel gâchis, bric-à-brac; chaos *m*; *de hele —*, tout le bazar. ▼—**en I** *on.w* **1** gronder; **2** (*v. buik*) gargouiller; **3** (*rommel maken*) jeter tout sens dessus dessous; farfouiller (dans). II *zn: het —*, le grondement, le gargouillement. ▼—**ig** en désordre; (*v. boek*) mal composé. ▼—**kamer, —kast** débarras, cabinet *m* de décharge. ▼—**zo** fatras; ramassis *m*.

romp tronc, torse, buste *m*; **2** (*arch.*) charpente; **3** (*v. schip, vliegt.*) coque *v*; (*v. vliegt.*) fuselage *m*. ▼—**platen** carrosserie *v*. ▼—**slomp** fatras, attirail *m*; (*v. woorden*) longueurs *v mv*, prolixité *v*.

rond I *bn* **1** rond; **2** (*bol—*) sphérique; **3** (*cirkelvormig*) circulaire; **4** (*rol—*) cylindrique; **5** rond, franc; *— maken*, arrondir; *— worden*, s'arrondir. II *bw* à la ronde, (*fig.*) rondement; *— voor iets uitkomen*, parler à cœur ouvert. III *zn* rond, cercle; *in het —*, à la ronde; *in het — dansen*, danser en rond; *blik in het —*, regard *m* circulaire. ▼**rond/bazuinen** crier sur les toits. ▼—**boog** arc *m* en plein cintre. ▼—**borstig** *bn* (*& bw*) franc(hement), rond(ement). ▼—**borstigheid** sincérité, franchise *v*. ▼—**brengen** distribuer, porter (à domicile). ▼—**brieven** colporter; répandre. ▼—**dansen** danser en rond; tourner. ▼—**delen** distribuer. ▼—**draaien** tourner (en rond); (*om as*) pivoter; pirouetter. ▼—**draaiend** tournant; (mouvement) de rotation, rotatoire; giratoire. ▼—**dwalen** errer; rôder; *zijn ogen laten —*, promener ses regards autour de soi.

ronde 1 ronde, patrouille *v*; **2** (*sp.*) tour; round *m*; passe *v*. ▼—**dans** ronde *v*. ▼—**tafelconferentie** conférence *v* de la table ronde.

rond/gaan faire le tour de; faire la ronde, circuler. ▼—**geven** faire circuler, distribuer. ▼—**hangen** traîner, flâner. ▼—**heid** rondeur; rotondité; (*fig.*) franchise *v*. ▼—**hout** rondin *m*. ▼—**ing 1** (*daad*) arrondissement; **2** (*v. lichaam enz.*) galbe *m*. ▼—**je** (*in café*)

tournée; **2** (*bij spel*) reprise *v*. ▼—**kijken** regarder autour de soi; ▼—**komen** faire le tour (de qc); servir; quêter; (*fig.*) se tirer d'affaire (avec qc); *kunnen* —, joindre les deux bouts. ▼—**leiden** mener, conduire; piloter. ▼—**leiding** visite *v* commentée. ▼—**lopen** faire le tour de; se promener; circuler. ▼—**lopend** circulant; **2** (*v. balkon enz.*) circulaire. ▼—**maken** arrondir. ▼—**om** I *vz* autour de; — *het huis gaan*, faire le tour de la maison. II *bw* tout autour, alentour, de tous les côtés.
rondreis voyage *m* circulaire. ▼—**biljet** billet *m* de voyage circulaire. ▼**rondreizen** **1** parcourir en tous sens; **2** faire le voyage (de).
rond/rit tour; circuit *m*. ▼—**schenken** verser à la ronde, servir. ▼—**schrift** ronde *v*. ▼—**schriften** plume *v* de ronde. ▼—**schrijven** lettre-circulaire *v*. ▼—**sluipen** rôder (autour de). ▼—**strooien** semer; (*fig.*) colporter. ▼—**sturen** envoyer, faire circuler. ▼—**te rond** *m*; rondeur, rotondité *v*; *in de* —, (*plaats*) à la ronde; (*beweging*) en rond; le cercle. ▼—**trekkend** ambulant. ▼—**uit** franchement, à cœur ouvert; — *gezegd*, à parler franchement. ▼—**vaart** promenade *v* -, tour *m* en bateau. ▼—**varen** *ov*. (*& on.*) w (se) promener en bateau; faire le tour de (qc) en bateau. ▼—**vertellen** répandre, colporter. ▼—**vliegen** tourner; voler çà et là, - autour de. ▼—**vlucht** tour *m* en avion. ▼—**vraag 1** propositions individuelles, questions *v mv* diverses; **2** enquête *v*. ▼—**wandelen** I *on.w* se promener. II *ov.w* faire le tour de. ▼—**waren** hanter, rôder. ▼—**weg** autoroute *v* de contournement. ▼—**wentelen** tourner (en tous sens). ▼—**zeggen** annoncer (de porte en porte). ▼—**zwerven** vagabonder, errer, rôder. ▼**zwervend** rôdeur, ambulant, nomade.
ronken I *on.w* ronfler; (*v. motor*) vrombir. II *zn* le ronflement; le vrombissement.
ronsel/aar racoleur; embaucheur *m*. ▼—**ing** racolage *m*.
röntgen/en radiographier. ▼—**foto** radio *v*; — *maken van*, radiographier. ▼—**oloog** radiologue *m*. ▼—**stralen** rayons *m mv* X, - Roentgen.
rood I *bn* **1** rouge; **2** (*her.*) de gueules; — *staan*, avoir un déficit de compte; *rode cijfers*, nombres *m mv* rouges; *ze heeft* — *haar*, elle a les cheveux roux; — *verven*, teindre en rouge; — *worden*, rougir; — *worden van boosheid*, se fâcher tout rouge; *tot achter de oren* — *worden*, rougir jusqu'à la racine des cheveux; *door* — *licht heen rijden*, brûler un stop; passer au rouge; *het* (*stoplicht*) *is* —, c'est au rouge. II *zn* **1** rouge *m*, couleur *v* rouge; **2** gueules *m mv*. ▼—**achtig** rougeâtre, roussâtre. ▼—**bont** pie-rouge. ▼—**borstje** rouge-gorge *m*. ▼—**bruin** rouge brun; (*v. paard*) bai. ▼—**gloeiend** (chauffé au) rouge. ▼—**gloeihitte** ignition *v*. ▼—**harig** roux (*v* rousse), rouquin. ▼—**huid** Peau-Rouge *m*. ▼—**kapje** petit Chaperon *m* Rouge. ▼—**kleurig** rouge. ▼—**krijt** sanguine *v*. ▼—**maken 1** rougir, peindre en rouge; **2** (*stoffen*) teindre en rouge. ▼—**vonk** (*fièvre*) scarlatine *v*.
roof 1 rapine *v*; brigandage; (*schaking*) rapt, enlèvement *m*; **2** (*op wond*) croûte, escarre *v*. ▼—**achtig** rapace. ▼—**bouw** culture *v* épuisante. ▼—**dier** carnassier, bête *v* féroce. ▼—**gierig** avide de proie, rapace. ▼—**gierigheid** rapacité *v*. ▼—**mier** fourmi *v* légionnaire. ▼—**nest** repaire *m*. ▼—**overval** agression *v* à main armée; (*arg.*) braquage *m*; *een* — *plegen*, braquer. ▼—**schip** pirate, corsaire *m*. ▼—**vogel** rapace *m*. ▼—**ziek** rapace. ▼—**zucht** rapacité *v*.
rooi/en I *ov.w* **1** (*mikken*) viser (à); **2** ranger, aligner; régler; **3** (*meten*) mesurer; **4** (*uitgraven*) déraciner; arracher (des pommes de terre); défricher (un bois); *het niet kunnen* —, ne pas arriver à joindre les deux bouts; *zal hij het* — *?*, en viendra-t-il à

bout?; *we kunnen het met hem niet* —, nous ne pouvons vivre avec lui. II *zn* alignement; mesurage *m*; extraction *v*. ▼—**lijn** alignement *m*; *ontworpen* —, tracé *m* d'alignement; *achter de* —, en retrait. ▼—**machine** arracheuse *v*. ▼—**paal** jalon *m*.
rook 1 fumée *v*; *in* — *opgaan*, s'en aller en fumée; **2** meulon *m* (de foin). ▼—**artikelen** articles *m mv* pour fumeurs. ▼—**bom** grenade *v* fumigène. ▼—**coupé** (compartiment *m* pour) fumeurs. ▼—**gat** trou *m* à fumée, issue *v*. ▼—**gordijn** écran *m* de fumée. ▼—**granaat** *zie* —**bom**. ▼—**lucht** odeur *v* de fumée. ▼—**masker** masque *m* à gaz. ▼—**salon** fumoir *m*. ▼—**scherm** écran *m* de fumée. ▼—**spek** lard *m* fumé. ▼—**stel** service *m* fumeur. ▼—**stoel** chaise *v* fumeuse. ▼—**tabak** tabac *m* à fumer. ▼—**vang** hotte *v* de cheminée. ▼—**verdrijver** fumiste, fumivore *m*. ▼—**vlees** viande *v* fumée. ▼—**vrij** sans fumée. ▼—**worst** saucisse *v* fumée.
room crème *v*; *geslagen* —, crème fouettée; *de* — *afscheppen van*, écrémer; *zure* —, crème *v* fraîche. ▼—**achtig** crémeux. ▼—**afscheider** écrémeuse *v*. ▼—**boter** beurre *m* de crème. ▼—**hoorn** cornet *m* à la crème. ▼—**ijs** glace *v* à la crème. ▼—**kaas** fromage *m* à la crème. ▼—**kannetje** crémier *m*. ▼—**kleur** couleur *v* de crème. ▼—**kleurig** crème.
rooms catholique (romain). ▼—**katholiek** *bn* (*& zn*) catholique romain (*m*).
room/saus sauce *v* à la crème. ▼—**soes** chou *m* à la crème. ▼—**stel** service *m* à crème. ▼—**taart** gâteau *m* (tarte *v*) à la crème.
roos 1 rose; **2** (*arch.*) rose, rosace *v*; **3** (*med.*) pellicules *v mv*, érysipèle *m*; *slapen als een* —, dormir comme un ange, - à poings fermés; *onder de* —, sous le sceau du secret; *in de* — *treffen*, faire mouche. ▼—**kleurig** rose, couleur de rose; *alles* — *inzien*, voir tout en rose; — *voorstellen*, colorer.
rooster 1 (*braad*—) gril *m*; **2** (*kachel*—) grille *v*; **3** (*afsluiting*) grillage *m*; **4** (— *v. aftreden*) tableau *m* de roulement; **5** (*werk*—) horaire, emploi *m* du temps; *volgens* — *aftreden*, sortir par roulement. ▼—**en** I *ov.w* griller, rôtir; *geroosterd brood*, rôtie *v*. II *zn*: *het* —, le grillage. ▼—**werk** grillage *m*.
roos/venster rosace *v*. ▼—**vormig** rosacé.
ros I *zn* **1** coursier *m*; **2** volée *v* de coups; *krijgen*, être rossé. II *bn* roux (*v* rousse).
rosarium 1 (*rk*) rosaire *m*; **2** (*tuin*) roseraie *v*.
rosbief rosbif *m*.
roskam étrille *v*; (*fig.*) critique *v* sévère. ▼—**men** étriller. ▼**rossen** *ov.w* étriller. II *on.w* rouler à tombeau ouvert.
rossig roussâtre. ▼—**heid** rousseur *v*.
rot I *zn* **1** rat *m*; *een ouwe* —, un vieux routier; **2** escouade; (*gelid*) file *v*; *de geweren aan* —*ten zetten*, mettre les armes en faisceaux. II *bn* pourri; (*plat*) sale; —*baantje*, sale métier *m*.
rotan rotin *m*.
rotatie/motor moteur *m* à piston rotatif. ▼—**pers** (presse) rotative *v*. ▼**roteren** tourner, pivoter. ▼**roterend** rotatoire.
rotheid pourriture *v*; (*fig.*) corruption *v*. **rotje** pétard *m*. **rotlucht** odeur *v* de putrifaction.
rotonde rond-point *m*.
rots rocher, roc *m*, roche *v*. ▼—**achtig** rocheux, rocailleux. ▼—**achtigheid** nature *v* rocheuse. ▼—**been** rocher *m*. ▼—**grond** sol rocheux, roc *m*. ▼—**ig** *zie* —**achtig**. ▼—**kloof** crevasse *v*. ▼—**kristal** cristal *m* de roche. ▼—**pad** sentier *m* creusé dans le rocher. ▼—**spleet** *zie* —**kloof**. ▼—**trap** marches *v mv* taillées dans le rocher. ▼—**tuin** jardin *m* de rocaille. ▼—**vast** inébranlable. ▼—**wand** paroi *v* rocheuse. ▼—**zout** sel *m* gemme.
rott/en 1 pourrir, se putrifier; **2** (*v. fruit*) se gâter. ▼—**ig(heid)** *zie* **rot(heid)**. ▼—**ing 1** pourriture, putréfaction *v*; **2** (*v. lompen*) pourrissage *m*; **3** rotin *m*; canne *v*.

▼—**ingwerend** antiputride. ▼**rot/zak** canaille v; salaud m. ▼—**zooi** gâchis m; de hele —, tout le fourbi.

rouge rouge m; — gebruiken, se mettre du rouge.

roul/atie roulement m; in — brengen, mettre en circulation. ▼—**eren** être en circulation. ▼—**ette** roulette v.

route route v; itinéraire m; alternatieve —, (in Frankrijk) itinéraire m bis, route v émeraude. ▼**routine** routine v. ▼—**mens** être m routinier.

rouw deuil m; — dragen, porter le deuil; in de — gaan (zijn) over, prendre (porter) le deuil de. ▼—**band** brassard; crêpe m de. ▼—**beklag** condoléances v mv; verzoeke van — verschoond te blijven, on est prié de ne pas offrir de condoléances. ▼—**brief** faire-part m. ▼—**en** être en deuil; porter le deuil (de); het zal je —, vous vous en repentirez. ▼—**floers** crêpe m. ▼—**ig** affligé; hij is er niet — om, il n'en est pas fâché. ▼—**jaar** année v de deuil. ▼—**kamer**, —**kapel** chambre -, chapelle v ardente. ▼—**kleed** habit m (of robe v) de deuil; in rouwkleren, en deuil. ▼—**koets** 1 corbillard m; 2 (volgkoets) voiture v de deuil. ▼—**maal** repas m funèbre. ▼—**mis** messe v de requiem. ▼—**papier** papier m de deuil. ▼—**rand** bordure v noire; met een —, à liséré noir, bordé de deuil; — en om de nagels hebben, avoir les ongles en deuil. ▼—**tijd** deuil m.

rov/en ravir, enlever; voler. ▼—**er** brigand, bandit; pirate m; —tje spelen, jouer aux brigands. ▼—**erij** brigandage m, rapine v.

roy/aal bn (& bw) large(ment) libéral(ement); généreux; — leven, mener grand train; — zijn, faire les belles choses. ▼—**alist** (-isch) royaliste (m). ▼—**aliteit** libéralité, largeur v.

royalty tantième m; redevance v.

royer en rayer, radier. ▼—**ing** radiation v.

roze rose (m). ▼—**blad** feuille v de rose. ▼—**boom** rosier m. ▼—**knop** bouton m de rose. ▼—**geur** parfum m de roses; het is niet alles — en maneschijn, la vie n'est pas tout rose. ▼—**hout(en)** (en) bois m de rose. ▼—**mond** bouche v vermeille. ▼—**hoedje** chapelet m. ▼—**nkrans** rosaire m; zijn — bidden, dire son chapelet. ▼—**nkweker** rosiériste m. ▼—**nolie** huile v rosat. ▼—**schaar** sécateur m. ▼—**struik** rosier m. ▼**rozet** 1 rosette; 2 (arch.) rosace v. ▼**rozig** 1 rose, vermeil, frais comme une rose; 2 (med.) érysipélateux.

rozijn raisin m sec. ▼—**ebaard** impétigo m.

rubber caoutchouc m. ▼—**maatschappij** société v caoutchoutière. ▼—**plantage** plantation v de caoutchouc. ▼—**waarden** valeurs v mv caoutchoutières. ▼—**zool** semelle v (de caoutchouc) crêpe.

rubriceren classer sous telle rubrique. ▼**rubriek** rubrique, série, catégorie v.

ruchtbaar public, connu; — worden, s'ébruiter. ▼—**heid** publicité v; — geven aan, divulguer, ébruiter. ▼—**making** divulgation v.

rug 1 dos; 2 (v. stoel) dossier m; 3 (berg—) croupe, arête v; 4 (mil.) derrières m mv, arrière, dos m; de — toekeren aan, tourner le dos à; een hoge — zetten, faire le gros dos; dat is achter de —, voilà qui est fait; een examen achter de — hebben, être débarrassé d'un examen; 45 km achter de — hebben, avoir 45 km sur les jambes; achter zijn —, à son insu, en son absence; een brede — hebben, avoir bon dos; met de — leunen tegen, s'adosser à; — van hoge luchtdruk, dorsale v.

rugby rugby m. ▼—**ploeg** quinze m.

rugge/graat épine dorsale, colonne v vertébrale; — hebben, ne pas fléchir. ▼—**krabber** gratte-dos m. ▼—**lings** en arrière; (vallen) à la renverse; dos à dos. ▼—**merg** moelle v épinière. ▼—**mergstering** tabès m (dorsal); lijder aan —, tabétique m. ▼—**spraak** — houden met,

conférer avec; prendre l'avis de. ▼—**steun** 1 appui-reins m; 2 (fig.) appui, piston m. ▼—**wervel** vertèbre v dorsale. ▼**rug/korf** hotte v. ▼—**leuning** dossier, dos m. ▼—**spier** muscle m dorsal. ▼—**steunen** appuyer; (fam.) pistonner. ▼—**stuk** selle v; râble m; pièce v du dos. ▼—**waarts** I bn rétrograde. II bw en arrière. ▼—**wervel** vertèbre v dorsale. ▼—**zak** sac m à dos, sac d'alpiniste, sac à portage. ▼—**zijde** dos, verso m. ▼—**zwemmen** nager en dos; het —, la nage sur le dos.

rui mue v; in de —, en mue. ▼—**en** muer. ▼**ruif** râtelier m.

ruig 1 poilu, velu, couvert de poil; 2 (ruw) rude, raboteux; 3 (plk.) hispide, duveté; het vriest —, il gèle à blanc. ▼—**harig** velu, hirsute. ▼—**heid** peluché m; rudesse; grossièreté v. ▼—**te** peluché m; broussailles v mv.

ruik/baar perceptible à l'odorat. ▼—**en** I on. w 1 sentir; 2 (aan iets) flairer (qc); lekker —, sentir bon; naar tabak —, sentir le tabac; uit de mond —, sentir l'haleine mauvaise. II ov. w 1 sentir; 2 flairer; 3 (fig.) pressentir; kon ik dat —?, comment pouvais-je le deviner? ▼—**end** odorant. ▼—**er** bouquet m.

ruil échange, troc m; een goede — doen, gagner au change; in — voor, en échange de, en retour de. ▼—**baar** échangeable. ▼—**beurs** bourse v d'échanges. ▼—**en** I ov. w échanger (contre), changer; faire un échange de. II ov. w changer (de); permuter; zou je met hem willen —?, voudriez-vous être à sa place?; laten we samen —, faisons un échange. ▼—**er**, —**ster** troqueur m, -euse v. ▼—**handel** troc, (commerce d') échange m. ▼—**ing** échange, troc m; permutation v. ▼—**middel** instrument m d'é. ▼—**object** objet m d'é. ▼—**overeenkomst**, —**verdrag** contrat m d'é, v. ▼—**verkaveling** remembrement m parcellaire. ▼—**verkeer** échanges m mv; het vrije —, le libre-échange. ▼—**voet** taux m de change. ▼—**waarde** valeur v d'échange.

ruim I bn spacieux, vaste, large, ample; —e beurs, bourse v bien garnie; het (niet) — hebben, être au large (dans la gêne); — wonen, vivre au large; — zitten, 1 avoir de la place; 2 (v. jas) être ample. II bw largement, libéralement; — ademhalen, respirer librement; het is — elf uur, il est onze heures passées; — 4 weken, plus de quatre semaines. III zn 1 espace m; 2 (mar.) cale; 3 nef v (d'église). ▼**ruim/en** 1 vider; 2 évacuer, quitter; 3 (v. wind) tourner (par le sud à l'ouest bijv.); uit de weg —, 1 enlever (qc); 2 faire disparaître (qn); het veld —, céder la place (à). ▼—**heid** ampleur, largeur v, espace m. ▼—**ing** évacuation v; curage m. ▼—**schoots** largement.

ruimte 1 espace m; place, étendue; 2 (inhoud) capacité v; (in auto) habitabilité v; 3 (die door iets wordt ingenomen) encombrement m; dat weinig — inneemt, de faible encombrement; 4 grand air; (mar.) large m; 5 (fig.) abondance v; ergens — maken, faire place. ▼**ruimte...** spatial. ▼—**begrip** spatialité v, sens m de l'espace. ▼—**cabine** cabine v spatiale. ▼—**eenheid** unité v de volume. ▼—**laboratorium** laboratoire m orbital. ▼—**lijk** spatial; —e ordening, aménagement m du territoire; — inzicht, intelligence v spatiale; — waarneming, perception v spatiale. ▼—**maat** mesure v de capacité. ▼—**onderzoek** recherche v spatiale. ▼—**ontmoeting** rendez-vous m spatial. ▼—**pak** tenue v spatiale. ▼—**pendel** navette v spatiale. ▼—**station** station v orbitale. ▼—**vaarder** cosmonaute m. ▼—**vaart** navigation v aérospatiale. ▼—**vaartuig** spationef m. ▼—**veer(boot)** navette v spatiale. ▼—**verdeling** spatiale. ▼—**vlucht** vol m spatial. ▼—**vluchtcentrum** centre m de vols spatiaux. ▼—**voertuig** véhicule m spatial.

▼—**vrees** agoraphobie v. ▼—**wandeling-** sortie v dans l'espace.

ruïne ruine v. ▼—**ren** ruiner. ▼—**us** ruineux.

ruis souffle m. ▼—**en** frémir, murmurer; (v. zee) mugir, bruire; (v. zijde) froufrouter.

ruit 1 carreau m, vitre v; **2** (v. dambord) case v; **3** (wisk.) losange, rhombe m. ▼—**l** zn carreau. **II** ov.w quadriller. ▼—**en**... quadrillé. ▼—**enaas** as m de carreau.

ruiter cavalier m; Friese —, cheval m de Frise. ▼—**hoed** bombe v d'équitation. ▼—**ij** cavalerie v. ▼—**lijk I** bn cavalier, franc. **II** bw cavalièrement, franchement. ▼—**pad** allée -, piste v cavalière. ▼—**sport** sport m hippique. ▼—**standbeeld** statue v équestre. ▼—**wacht** vedette v.

ruit/esproeier lave-glace m. ▼—**ewisser** essuie-glace m. ▼—**jesgoed** étoffe v à carreaux. ▼—**jespapier** papier m quadrillé. ▼—**vormig** en forme de losange; — geslepen, taillé à facettes; — verdelen, losanger.

ruk mouvement m brusque, à-coup m; met één —, d'un seul coup; — aan het stuur, coup m de volant. ▼—**ken I** on. w **1** secouer, tirer (la sonnette); **2** marcher (sur). **II** ov. w arracher. ▼—**wind** rafale v.

rul I zn débit m extraordinaire. **II** bn meuble. ▼—**heid** inégalité v. ▼—**ijs** glace v raboteuse.

rum rhum m. ▼—**boon** bonbon m au rhum.

rumoer vacarme, tapage, tumulte m. ▼—**en** faire du tapage. ▼—**ig** bruyant, tapageur, tumultueux; —e stemming, agitation v.

run 1 course v; **2** afflux m, ruée v; **3** tan m.

rund bœuf m; — eren, race v bovine, bovins m mv. ▼—**erhaas** filet m de bœuf. ▼—**erlapjes** tranches v mv de bœuf. ▼—**veestamboek** herd-book m. ▼—**vlees** bœuf m.

rune rune v.

rups chenille v. ▼—**auto** auto-chenille v; kleine —, chenillette v. ▼—**band** chenille v. ▼—**ennest** chenillère v.

Rus, —sin Russe m & v. ▼—**land** la Russie, U.R.S.S. v. ▼—**sisch** russe; soviétique.

rust 1 repos m; quiétude, paix v; sommeil m; **2** (sp.) mi-temps; **3** (muz. korte —) pause; **4** (dichtk.) césure v; **5** (v. geweer) cran m de sûreté; (muz.) achtste maat —, demi-soupir m; kwart maat —, soupir m; halve maat —, demi-pause v; — noch duur hebben, n'avoir ni trêve ni repos; met — laten, laisser en repos; (fam.) laat me met —, fiche-moi la paix; op de plaats —!, en place, repos !; zich te — begeven, se coucher; tot — komen, s'apaiser; (v. geest) se détendre. ▼—**altaar** reposoir m. ▼—**bank** divan m. ▼—**dag** jour m férié, - de repos; — houden, chômer; faire relâche. ▼—**eloos** sans repos, - relâche; (v. kind) turbulent, remuant; — leven, vie v agitée; rusteloze geest, tempérament m nerveux. ▼—**eloosheid** agitation, nervosité v. ▼—**en I** on.w (se) reposer, être en repos; chômer; hier rust, ici repose, ci gît; deze taak rust op hem, cette tâche lui incombe; heel de last der zaken rust op haar, tout le poids des affaires pèse sur elle. **II** zich ten strijde —, se préparer au combat. ▼—**end** en retraite; ancien, émérite; au repos. ▼—**gevend** reposant. ▼—**huis** maison v de repos, - de retraite. ▼—**ig** bn (& bw) (avec) calme, tranquille(ment), paisible(ment); (fam.) pépère. ▼—**igheid** calme m, tranquillité v. ▼—**kuur** cure v de repos. ▼—**oord, —plaats** lieu m de repos, retraite v; halte, station v; (mil.) étape v; iem. naar zijn laatste — geleiden, conduire qn à sa dernière demeure. ▼—**punt** point m de repos, - d'arrêt; (nat.) nœud; (tech.) point m d'appui. ▼—**teken** repos m. ▼—**tijd** temps m de repos; pause v. ▼—**veer** cran m de sûreté. ▼—**verstoorder** perturbateur, fauteur de troubles. ▼—**verstoring** perturbation v; désordre m.

rut: — zijn, être à sec.

ruw I bn **1** (v. stof) rugueux; (v. weg) raboteux; **2** (niet bewerkt) brut, cru; **3** (fig.) rude, âpre; grossier, impoli. **II** bw rudement,

grossièrement, impoliment. ▼—**en** (v. stof) lainer. ▼—**heid** rugosité v; état m brut; rudesse, grossièreté, impolitesse v. ▼—**ijzer** fonte v.

ruzie dispute, querelle v; — krijgen, se prendre de querelle; — hebben, se quereller; met iem. — zoeken, chercher querelle à qn. ▼—**achtig** querelleur. ▼—**ma(a)k(st)er** querelleur, mauvais coucheur (querelleuse v).

S s *m & v.*

saai I *bn* ennuyeux, fade, monotone. **II** *bw* ennuyeusement, avec fadeur. ▼**—heid** monotonie *v*, ennui *m*.

saamhorig solidaire. ▼**—heid** solidarité *v*. ▼**—heidsgevoel** esprit *m* d'équipe.

Saar (*rivier*) Sarre *v*. ▼**—gebied** la Sarre. ▼**—lander, —lands** Sarrois (*m*).

sabbat, —(s)dag sabbat *m*. ▼**—(s)jaar** année *v* sabbatique.

sabbelen suçoter.

sabel 1 sabre *m*; *zijn — trekken*, dégainer ; **2** (*—dier*) zibeline *v*; **3** (*bont*) zibeline *v*; **4** (*zwart*) sable *m*. ▼**—bajonet** sabre-baionette *m*. ▼**—en** sabrer. ▼**—houw 1** coup *m* de sabre; **2** (*wond*) balafre *v*. ▼**—kwast** dragonne *v*. ▼**—tas** sabretache *v*.

sabot/age sabotage *m*. ▼**—eren** saboter. ▼**—eur** saboteur *m*.

sacharine saccharine *v*.

sacr/aal sacré. ▼**—ament** sacrement *m*; *de laatste —en toedienen aan iem.*, administrer qn ; *van de heilige —en voorzien*, muni des sacrements de l'Eglise ; *de laatste —en ontvangen*, recevoir les derniers sacrements. ▼**—amenteel** sacramentel (lement). ▼**—amentsdag** Fête-Dieu *v*. ▼**—istie, —istij** sacristie *v*.

sadis/me sadisme *m*. ▼**—t(isch)** sadique (*m*).

safari safari *m*.

safe I *bn* dépourvu de risques. **II = —deposit 1** dépôt *m* de valeurs ; **2** coffre-fort *m* à location. ▼**—loket** compartiment *m* de coffre-fort.

saffiaan(leer) maroquin *m*. ▼**—tje** sèche *v*.

saffier saphir *m*. ▼**—blauw** bleu de saphir. ▼**—en** de -, en saphir.

saffraan safran *m*. ▼**—geel, —kleurig** safrané.

sage, saga légende *v*, mythe *m*.

sago sagou *m*.

Sahara Sahara *m*.

sajet estame *v*. ▼**—ten** d'estame.

Saks/en la Saxe. ▼**—er** Saxon *m*. ▼**—isch** saxon ; de Saxe.

salade 1 salade ; **2** (*plk.*) laitue *v*; — *aanmaken*, assaisonner la salade ; — *roeren*, fatiguer la salade. ▼**—bak, —kom** saladier *m*.

salamander salamandre *v*.

salariëren rétribuer, appointer. ▼**salaris** traitement *m*. ▼**—grondslag** traitement *m* de base. ▼**—schaal** échelle *v* de traitements. ▼**—verhoging** relèvement *m* des t. ▼**—verlaging** réduction *v* des t.

salderen arrêter ; solder (un compte). ▼**saldo** solde *m* (de compte) ; *slotie —*, solde créditeur, - actif; *met een batig —*, bénéficiaire; *nadelig —*, solde débiteur, - passif; *met een nadelig —*, déficitaire; *een voordelig — aanwijzen*, se solder en excédent; *sluiten met een — van*, se solder par; *per —*, solde ; (*fig.*) en fin de compte. ▼**—betaling** acquittement *m*.

salicylzuur acide *m* salicylique.

Salisch salique.

salmiak sel *m* ammoniac ; *geest van —*, alcali *m* volatil.

salon salon *m*. ▼**—ameublement** ameublement *m* de salon. ▼**—boot** bateau-salon *m*. ▼**—rijtuig, —wagen** voiture-salon *v*.

salpeter salpêtre *m*. ▼**—achtig** nitreux, salpêtreux. ▼**—fabriek** salpêtrière *v*. ▼**—zuur** acide *m* azotique. ▼**—zuurzout** nitrate *m*.

salto mortale saut *m* périlleux.

salueren saluer ; faire le salut militaire devant. ▼**salu(ut)** salut *m*; (*fig.*) *een — brengen aan*, s'incliner devant. ▼**—schot** coup *m* de canon (pour saluer) ; *21 —en lossen*, tirer 21 coups; *met 21 —en ontvangen*, saluer de 21 coups de canon.

salvo salve *v*.

Samaritaan : *de barmhartige —*, le bon Samaritain. ▼**—s** samaritain.

samen ensemble, de concert, conjointement ; *zij —*, à eux deux ; *zij nemen — met hem een biljet*, ils s'associent avec lui pour prendre un billet ; — *iets doen*, faire qc de moitié avec qn. ▼**—binden** (re)lier (ensemble). ▼**—brengen** réunir ; rassembler ; mettre en présence ; confronter ; *zie ook* **bijeen**... ▼**—doen I** *ov.w* mettre ensemble. **II** *on.w* s'associer ; agir de concert ; *met iem. iets —*, faire qc de compte à demi avec qn.

samendruk/baar compressible. ▼**—baarheid** compressibilité *v*. ▼**—ken** comprimer. ▼**—king** compression *v*.

samenflansen faire de pièces et de morceaux ; (*lit.*) bâcler, cuisiner.

samengesteld 1 composé ; (*v. getal*) complexe ; **2** (*ingewikkeld*) compliqué, complexe. ▼**—heid 1** composition ; **2** complication, complexité *v*.

samengezworenen conjurés *m mv*.

samenhang liaison, connexion, cohérence *v*; (*nat.*) cohésion *v*; *gebrek aan —*, décousu *m*, incohérence *v*. ▼**—en** être lié ; se tenir ; être en rapport avec. ▼**—end** lié, en rapport ; (*fig.*) suivi, cohérent ; connexe.

samen/klank unisson, harmonie *v*. ▼**—klappen** replier. ▼**—klinken** être à l'unisson, s'accorder. ▼**—knijpen** comprimer ; serrer ; froisser. ▼**—knopen** nouer ensemble.

samen/leven vivre ensemble ; vivre en commun. ▼**—leving** vie *v* commune ; société, vie *v* sociale.

samen/loop 1 concours *m*; **2** (*v. mensen*) affluence *v*; **3** (*v. water*) confluent *m*; — *van omstandigheden*, concours de circonstances ; coincidence *v* fortuite. ▼**—lopen 1** concourir ; **2** affluer ; **3** converger.

samen/nemen mettre ensemble ; réunir. ▼**—pakken I** *ov.w* emballer, faire un paquet de. **II** *zich —* s'amonceler, s'entasser. ▼**—persen** comprimer. ▼**—raapsel** ramassis, amas ; tissu *m* (de mensonges). ▼**—rapen** ramasser. ▼**—roepen** convoquer, rassembler. ▼**—scholen** s'attrouper. ▼**—scholing** attroupement *m*. ▼**—schrapen** amasser sou par sou. ▼**—smelten I** *ov.w* fondre ensemble, fusionner. **II** *on.w* se fondre, se fusionner. ▼**—smelting** fusion *v*, fusionnement *m*. ▼**—snoeren** serrer ; ficeler. ▼**—snoering** étranglement ; (*med.*) rétrécissement *m*.

samen/spannen conspirer, conjurer. ▼**—spanning** conspiration, conjuration *v*. ▼**—spel** jeu *m* d'ensemble *m*. ▼**—spraak** dialogue, entretien *m*. ▼**—spreken** dialoguer.

samenstel 1 composition *v*; **2** composé, tout ; **3** système *m*. ▼**—len 1** composer ; constituer ; **2** construire, préparer ; **3** rédiger, écrire. ▼**—lend** composant, constitutif ; — *deel*, élément *m*. ▼**—ler** auteur ; rédacteur *m*. ▼**—ling** *zie* **samenstel**.

samen/stromen confluer. ▼**—tellen** additionner. ▼**—telling** addition *v*. ▼**—treffen I** *on.w* coincider ; se rencontrer. **II** *zn het —*, la rencontre, la coincidence *v*.

samentrek/baar contractile. ▼**—baarheid** contractilité *v*. ▼**—ken I** *ov.w* **1** contracter (les muscles) ; **2** (*mil.*) concentrer ; **3** froncer (les sourcils). **II** *zich —* **1** se contracter, se

resserrer ; **2** se concentrer. ▼**—kend 1** (med.)
constringent ; styptique ; **2** contractif ; **3** (v.
spier) constricteur. ▼**—king 1** contraction ;
2 concentration v.
samen/vallen se rencontrer ; coincider.
▼**—vallend** coincident.
samenvatt/en 1 réunir ; **2** résumer,
récapituler ; **3** synthétiser. ▼**—end I** bn
récapitulatif. **II** bw en résumé. ▼**—ing** résumé
m, synthèse v.
samenvloei/en se joindre ; se confondre ; (v.
rivieren) confluer. ▼**—ing** confluent m.
samen/voegen I ov.w **1** joindre, réunir ;
2 (tech.) assembler. **II zich** — se joindre (à of
avec). ▼**—voeging 1** jonction, réunion v ;
2 assemblage m.
samen/werken coopérer, concourir ;
collaborer (à) ; (fig.) agir de concert.
▼**—werking** coopération ; collaboration v.
samen/wonen 1 demeurer ensemble ;
2 (echtelijk) cohabiter. ▼**—wonenden**
cohabitants m mv. ▼**—woning** cohabitation
v.
samenzijn réunion v ; gezellig —, réunion
intime.
samen/zweerder conspirateur, conjuré m.
▼**—zweren** conspirer, comploter.
▼**—zwering** conspiration v, complot m.
sanatorium sanatorium m.
sanct/ie sanction v (à). ▼**—ioneren**
sanctionner.
sandaal sandale v.
sandelhout santal m.
sandwich sandwich m. ▼**—man**
homme-affiche.
saner/en assainir. ▼**—ing** assainissement m.
sanguinisch sanguin.
sanitair I bn sanitaire. **II** zn sanitaire m.
santé à votre santé, à la vôtre ; (bij niezen)
grand bien vous fasse.
sap 1 (plk.) sève v ; **2** (v. vlees enz.) jus, suc m ;
kwade —pen, mauvaises humeurs v mv.
sapfisch saphique.
sapje jus m de fruits.
sappig juteux, succulent ; fondant ; (fig.)
savoureux. ▼**—heid** succulence v ; (fig.)
saveur v.
sarcas/me sarcasme m. ▼**—tisch** bn (& bw)
sarcastique(ment).
sarcofaag sarcophage m.
sardien sardine v. ▼**—enblikje** boîte v de (à)
sardines.
Sardin/ië la Sardaigne ; van —, sarde. ▼**—iër**
Sarde m.
sardonisch bn (& bw) sardonique(ment).
sarong sarong m.
sarr/en agacer, irriter, provoquer. ▼**—ing**
irritation, provocation v.
sas 1 (sluis) sas m ; **2** in zijn — zijn, être
content, boire du lait. ▼**—sen** sasser.
▼**—sluis** écluse v à sas.
satan Satan m. ▼**—isch** satanique,
démoniaque. ▼**satans** satané.
satelliet satellite m.
sater satyre m.
satijn satin m. ▼**—achtig** satiné. ▼**—en** de
satin. ▼**satin/eren** satiner. ▼**—et** satinette v.
satir/e satire v. ▼**—icus** satirique m. ▼**—isch**
bn (& bw) satirique(ment).
saucijs saucisse v ; saucisson m.
▼**saucijzebroodje** friand m.
sauna sauna m (of v).
saus 1 sauce v ; **2** (v. muur) badigeon m.
▼**—en I** ov.w **1** saucer, assaisonner ; **2** (muur)
badigeonner. **II** on.w : het saust, la pluie
tombe à torrents ; het gaat —, il y aura de la
flotte. ▼**—kom** saucière v. ▼**—lepel** cuiller v à
sauce.
saut/eerpan sauteuse v. ▼**—eren** faire sauter.
savooi(e)kool chou m de Milan.
Savoy/aard Savoisien, Savoyard. ▼**—e** la
Savoie.
sawa rizière v humide.
saxofoon saxophone m.
S-bocht virage m à droite, puis à gauche ; - à
gauche, puis à droite.

scabies gale v.
scala échelle, gamme v ; la Scale.
scalp scalpe m, chevelure v. ▼**—eren I** ov.w
scalper. **II** zn : het —, la scalpation.
scanderen I ov.w scander. **II** zn : het —, la
scansion.
Scandinav/ië la Scandinavie. ▼**—iër, —isch**
Scandinave (m).
scapulier scapulaire m.
scenario scénario m. ▼**—schrijver** scénariste
m.
scepter sceptre m.
scept/icisme scepticisme m. ▼**—icus, —isch**
sceptique (m).
schaaf rabot m. ▼**—bank** établi m. ▼**—krul**
copeau m. ▼**—machine** raboteuse v. ▼**—sel**
raclures v mv.
schaak échec m ; koning — !, échec au roi ! ;
— zetten, faire échec à ; — staan, être échec ; —
spelen, jouer aux échecs. ▼**—bord** échiquier
m. ▼**—club** cercle m d'échecs. ▼**—mat** échec
et mat ; iem. — zetten, faire échec à qn.
▼**—partij** partie v d'échecs. ▼**—spel** échecs
m mv, jeu m d'échecs. ▼**—speler** joueur m
d'échecs. ▼**—stuk** pièce v du jeu d'échecs.
▼**—wedstrijd** tournoi m d'échecs. ▼**—zet**
coup m d'échecs.
schaal 1 échelle ; **2** (toonladder) gamme ;
3 (eier—) coque ; (schelp) écaille v ; (v.
kreeft) carapace v ; **4** plat m, coupe v ; **5** (v.
weeg—) plateau, bassin v ; **6** (weeg—)
balance v ; **7** (loon—) échelle v de salaire ; op
een — van 1 op 100, sur l'échelle d'un
centième ; met de — rondgaan, quêter ; op
grote —, sur une grande échelle. ▼**—collecte**
collecte v au bassin. ▼**—loon** salaire m
mobile. ▼**—verdeling** graduation v ; met een
—, gradué. ▼**—vergroting** agrandissement
m d'échelle.
schaam/achtig timide, honteux ; pudique.
▼**—achtigheid** timidité ; pudeur v. ▼**—been**
pubis m. ▼**—delen** parties v mv génitales.
▼**—rood I** bn rouge de honte, qui rougit de
pudeur. **II** zn rougeur v de honte, - pudique.
▼**—schort** pagne m. ▼**schaamte 1** honte v ;
2 pudeur ; **3** nudité v. ▼**—blos** rougeur v.
▼**—gevoel** sentiment m de pudeur. ▼**—loos**
I bn sans honte, éhonté ; impudent, effronté.
II bw sans honte, impudemment,
effrontément. ▼**—loosheid** impudence,
effronterie v.
schaap mouton m, brebis v ; arm — !, pauvre
innocent, pauvret(te) m (v) ; het zwarte —, la
bête noire. ▼**—achtig** moutonnier, niais.
▼**—achtigheid** moutonnerie v. ▼**—herder**
berger m. ▼**—skooi** bergerie v ; (fig.) bercail
m. ▼**—skop** bêta m.
schaar 1 (troep) multitude, foule ; **2** (knip—)
paire v de ciseaux, ciseaux m mv ; (metaal—)
cisailles v mv ; **3** (v. kreeft) pince, serre v ;
(ploeg—) soc m.
schaard(e) brèche, dent v. ▼**—en** ébrécher.
schaars I bn rare ; sobre. **II** bw rarement, à
peine. ▼**—heid** rareté v. ▼**—te** disette ;
pénurie v. ▼**—te-economie** économie v de
pénurie.
schaats patin m ; — en rijden, patiner.
▼**—(e)band** cordon m de patin. ▼**—enbaan**
skating m, patinoire v. ▼**—en(rijden)** patiner,
faire du patinage. ▼**—enrijd(st)er** patineur
m (-euse v). ▼**—plank** planche v à roulettes.
schabl/oon, —one zie **sjabloon.**
schacht 1 tige ; **2** (stok) perche, verge v, bois ;
3 (kolom) fût ; **4** puits m de mine.
schade 1 dommage m ; **2** (beschadiging)
dégât(s) m (v) ; (mar.) avarie v ; **3** (nadeel)
désavantage, détriment m, perte v ; — doen,
porter préjudice à, nuire à ; — lijden, subir une
perte ; door — en schande wordt men wijs,
dommage rend sage. ▼**—formulier** constat
m d'accident. ▼**—lijk 1** nocif, nuisible ;
2 pernicieux ; **3** peu économique, -
avantageux. ▼**—lijkheid** caractère m
nuisible ; (med.) nocuité v ; (v. milieu)
nuisance v. ▼**schadeloosstell/en**
dédommager, indemniser (de). ▼**—ing**

dédommagement m. ▼**schaden** nuire (à) ; porter préjudice à. ▼**schade/post** perte v. ▼—**regeling** règlement du sinistre. ▼—**vergoeding** indemnité v ; als —, à titre de dommages-intérêts ; eis tot —, demande v en dommages-intérêts. ▼—**verhaal** recours m. ▼—**verzekering** assurance-indemnité v.

schaduw 1 ombre v ; **2** (v. bomen) ombrage m ; in de — van, à l'ombre de ; in de — stellen, effacer, éclipser. ▼—**beeld** silhouette v. ▼—**en** I ov.w 1 ombrer, estomper ; **2** suivre, filer, prendre en filature. II zn : het —, la filature. ▼—**kabinet** cabinet m fantôme. ▼—**rijk** ombragé, ombreux. ▼—**zijde** côté de l'ombre ; (fig.) revers, inconvénient m.

schaft/en casser la croûte. ▼—**tijd** casse-croûte m.

schakel 1 chaînon, anneau m ; **2** (fig.) enchaînement m. ▼—**aar** commutateur, interrupteur m ; (autom.) disjoncteur m. ▼—**armband** gourmette m. ▼—**bord** tableau m de distribution. ▼—**en 1** enchaîner ; **2** (elektr.) coupler ; **3** (auto) passer la seconde (la troisième) vitesse ; changer de vitesse. ▼—**ing** enchaînement ; couplage, montage m. ▼—**kast** boîte v de distribution. ▼—**meubel** meuble m à éléments. ▼—**schema** diagramme m. ▼—**tafel** standard m. ▼—**toestel** commutateur m.

schak/en I ov.w enlever, ravir. II on.w jouer aux échecs. ▼—**er 1** ravisseur ; **2** joueur m aux échecs. ▼—**ing** ravissement m.

schaker/en nuancer. ▼—**ing** nuance v.

schalk espiègle, fripon m. ▼**schalks** I bn malicieux, espiègle. II bw malicieusement. ▼—**heid** malice, espièglerie v.

schall/en (ré)sonner, retentir. ▼—**end** retentissant, sonore.

schalm chaînon ; maillon m.

schalmei chalumeau, pipeau m.

schamel bn (& bw) pauvre(ment), misérable(ment). ▼—**heid** pauvreté v.

schamen (zich) avoir honte, rougir (de qc) (devant qn) ; zich de ogen uit het hoofd —, mourir de honte ; wij behoeven ons daarover niet te —, il n'y a pas honte à faire cela.

schamp/en effleurer, érafler. ▼—**er** I bn arrogant, aigre, railleur. II bw avec arrogance, aigrement, dédaigneusement. ▼—**eren** parler avec dédain. ▼—**schot** éraflure v, coup m qui effleure.

schand/aal scandale m ; honte v ; — maken, faire de l'esclandre. ▼—**aleus**, —**alig** I bn scandaleux, honteux. II bw scandaleusement, honteusement. ▼—**aliseren** I ov.w scandaliser. II zich — se compromettre. ▼—**daad** infamie, turpitude v. ▼**schand/e** I honte v ; déshonneur m ; **2** (—daad) infamie, ignominie v ; het is —, c'est une honte ; iem. — aandoen, faire honte à qn. ▼—**ekoop** à vil prix. ▼—**elijk** I bn 1 affreux ; **2** honteux ; indigne, infâme. II bw 1 affreusement ; **2** honteusement. ▼—**merk** stigmate m de l'infamie. ▼—**schrift** libelle m. ▼—**vlek** opprobre, stigmate m, tare v. ▼—**vlekken** flétrir, déshonorer.

schans redoute v, rempart m. ▼—**arbeid** travaux m mv de terrassement. ▼—**paal** pieu m de palissade.

schap rayon m ; étagère v.

schape/bout gigot m de mouton. ▼—**kaas** fromage m de brebis. ▼—**le(d)er** peau de mouton, basane v. ▼—**nfokker** éleveur m de moutons. ▼—**ras** race v ovine. ▼—**stal** bergerie v. ▼—**vacht** toison v. ▼—**vlees** mouton m. ▼—**wolkjes** moutons, nuages m mv moutonnés ; hemel met —, ciel m moutonné.

schappelijk I bn **1** (v. persoon) accommodant ; **2** passable ; **3** (v. prijs) abordable, raisonnable. II bw passablement ; het — met iem. maken, faire un prix à qn ; er — uitzien, être assez bien. ▼—**heid** humeur accommodante ; modicité v.

schar limande v.

scharen I ov.w ranger. II on.w (verkeer) se mettre en travers de la route. III zich — aan de zijde van se ranger du côté de.

scharen/sliep, —**slijper** rémouleur, gagne-petit m.

scharlaken, —**rood** écarlate (v.)

scharnier charnière v. ▼—**en** pivoter (sur).

scharrel 1 flirt ; **2** flirteur ; aan de — zijn, flirter. ▼—**aar 1** tripoteur ; **2** patineur novice ; **3** coureur m. ▼—**en 1** tripoter, fourgonner (dans) ; remuer ; **2** patiner gauchement ; **3** flirter ; **4** faire tous les métiers ; door het huis —, se traîner par la maison.

scharretong limande-sole v.

schat trésor m ; mijn — (je), mon trésor, amour, - loulou, ma mignonne ; — van een man, mari en or ; wat een —je van een …, quel amour de … ; —ten verdienen, faire des affaires d'or. ▼—**bewaarder** trésorier m.

schat/graver chercheur m de trésors. ▼—**kamer** trésor m. ▼—**kist** trésor ; fisc m. ▼—**kistbiljet** billet m du Trésor. ▼—**kistpromesse** obligation v du Trésor. ▼—**plichtig** tributaire (de). ▼—**rijk** opulent, prodigieusement riche. ▼—**tebout** chouchou(te) m (v).

schat/ten estimer, évaluer, taxer ; **2** croire, estimer ; hoe oud schat je hem ?, quel âge lui donnez-vous ? ; te hoog —, surévaluer ; te laag —, rabaisser ; iem. naar waarde — juger qn à sa valeur. ▼—**ter** expert m.

schattig I bn joli, gentil, mignon. II bw exquisement.

schatting 1 estimation, appréciation v ; **2** (belasting) tribut m.

schaven 1 raboter ; **2** écorcher, s'érafler ; **3** (fig.) limer, polir ; civiliser (qn).

schavot échafaud m.

schavuit fripon, gredin, truand m. ▼—**enstreek** canaillerie v.

schede 1 gaine v, fourreau, étui m ; **2** (anat.) vagin m ; weer in de — steken, remettre au fourreau, rengainer ; uit de — trekken, tirer du fourreau, dégainer.

schedel crâne m. ▼—**basisfractuur** fracture v de la base du c. ▼—**been** os m du crâne. ▼—**boor** trépan m. ▼—**breuk** fracture v du crâne.

scheef bn (& bw) oblique(ment), penché, incliné ; de travers ; (fig.) faux, bizarre ; een — gezicht zetten, faire la grimace ; — hangen, — staan, — zijn, pencher (de côté) ; een ladder — zetten tegen een muur, appuyer une échelle contre un mur ; de tafel staat —, la table est de travers ; zijn schoenen — lopen, éculer, tourner ses chaussures ; — slijten, s'user en biais ; de zaak loopt —, l'affaire tourne mal ; — trekken, gauchir, se déjeter. ▼—**heid 1** obliquité, pente ; **2** (v. lichaam) déviation v (du torse) ; **3** (fig.) fausseté, bizarrerie v. ▼—**hoekig** obliquangle.

scheel strabique, louche ; — kijken, être atteint de strabisme, loucher ; met schele ogen aanzien, loucher sur ; schele ogen maken, faire loucher ; schele hoofdpijn, migraine v.

scheen tibia, devant m de la jambe ; zijn schenen stoten, manquer son coup ; iem. het vuur na aan de schenen leggen, mettre qn au pied du mur. ▼—**been** tibia m. ▼—**plaat** jambière v.

scheep: — gaan, s'embarquer. ▼**scheeps/aandeel** part v de navire. ▼—**aangelegenheid** affaire v maritime. ▼—**agentuur** agence v maritime. ▼—**behoeften** provisions -, fournitures v mv de bord. ▼—**bericht** nouvelle v maritime. ▼—**beschuit** biscuit m de mer, galette v. ▼—**bevrachter** chargeur ; affréteur m. ▼—**bevrachting** affrètement m. ▼—**bewijs** charte-partie v. ▼—**bouw** construction v navale. ▼—**bouwer** constructeur m maritime, - de navires. ▼—**bouwkunde** construction v maritime. ▼—**bouwkundig**: — ingenieur, ingénieur des constructions navales. ▼—**dokter** médecin m de bord.

▼—**gelegenheid**: met de eerste —, par le premier bateau; per —, par eau. ▼—**helling** cale v de carénage. ▼—**jongen** mousse m. ▼—**journaal** journal m de bord. ▼—**kapitein** capitaine m. ▼—**kok** cuisinier de vaisseau, coq m. ▼—**kompas** compas m, boussole v de mer. ▼—**kost** ordinaire m. ▼—**lading** chargement m, cargaison v. ▼—**lantaarn** fanal m. ▼—**last** chargement m; tonnes v mv. ▼—**luik** écoutille v. ▼—**makelaar** courtier m maritime. ▼—**officier** officier de marine. ▼—**papieren** papiers m mv de bord. ▼—**raad** conseil m de bord. ▼—**recht** droit m maritime; driemaal is —, jamais deux sans trois. ▼—**roeper** porte-voix, mégaphone m. ▼—**rol** rôle m de l'équipage. ▼—**ruim** cale v. ▼—**ruimte** tonnage m. ▼—**term** terme m de marine. ▼—**tijding** nouvelle v maritime. ▼—**timmerman** charpentier m de marine. ▼—**ton** tonneau m. ▼—**verzekering** assurances v mv maritimes. ▼—**vlag** pavillon m. ▼—**volk** équipage m. ▼—**vracht** 1 (lading) chargement; 2 (huur) fret; 3 (prix de) passage, - transport m. ▼—**vrachtbrief** manifeste m. - **wacht** 1 vigie v; 2 (tijd) quart m. ▼—**werf** chantier m naval.

scheepvaart navigation v; vrijheid van —, liberté v des mers. ▼—**beweging** mouvement m maritime. ▼—**kunde** art m de la navigation. ▼—**kundig** nautique. ▼—**kundige** navigateur m. ▼—**verbinding** communication v maritime.

scheer/apparaat rasoir m mécanique. ▼—**bakje** bol m à barbe. ▼—**doos** trousse v à rasoir. ▼—**gerei** tout ce qu'il faut pour la barbe. ▼—**kwast** blaireau m. ▼—**lijn** corde v. ▼—**mes** rasoir m; het — aanzetten, repasser le rasoir; —je (voor apparaat), lame v (de rasoir). ▼—**riem** cuir m à repasser. ▼—**spiegel** miroir m à barbe. ▼—**stoel** chaise m de barbier. ▼—**vlucht**: in —, en rase-mottes. ▼—**zeep** savon m à barbe.

scheg guibre v. ▼—**beeld** figure v de la prou.

scheid/baar séparable. ▼—**baarheid** séparabilité v. ▼—**en** I ov.w 1 séparer; 2 (verdelen) diviser, partager; 3 (chem.) décomposer, éliminer. II on.w 1 se quitter, se séparer; 2 (v. echtgenoten) divorcer (d'avec); se séparer (de corps et de biens); het —de jaar, l'année qui touche à sa fin; uit het leven —, quitter ce monde; zich laten —, demander le divorce. ▼**scheiding** 1 séparation v, 2 (echt—) divorce m; 3 (chem.) élimination, décomposition v; 4 (matig) adieux m mv; 5 ligne v de démarcation; 6 (in het haar) raie v; — van tafel en bed, séparation v de corps et de biens. ▼—**slijn** ligne v de démarcation. ▼**scheids/gerecht** tribunal m d'arbitrage. ▼—**muur** mur m mitoyen; (binnen—) mur m de refend; (fig.) barrière v. ▼—**rechter** arbitre m. ▼—**rechterlijk** bn (& bw) arbitral (ement).

scheikund/e chimie v. ▼—**ig** bn (& bw) chimique (ment). ▼—**ige** chimiste m & v.

schel I zn sonnette v, timbre m; de —len zullen hem van de ogen vallen, les écailles lui tomberont des yeux. II bn 1 (v. geluid) aigu, perçant; 2 (v. licht) cru, intense; 3 (v. kleur) criard, voyant. III bw d'une manière perçante; — klinken, produire un son aigu; — verlichten, éclairer d'un jour cru.

Schelde Escaut m.

scheld/en I ov.w injurier. II on.w pester, tempêter (contre). ▼—**naam** nom injurieux, sobriquet m. ▼—**woord** injure v; gros mot m.

schelen 1 (verschillen) différer; 2 (ontbreken) manquer; het kan me niet —, peu m'importe, je ne m'en soucie pas; het scheelt niet veel pas; wat scheelt je?, qu'avez-vous?; een paar uur —, différer de quelques heures; het scheelt nogal, il s'en faut de beaucoup; het scheelt veel wie het zegt, cela dépend de qui le dit; het scheelde weinig of hij viel, il a failli tomber, un peu plus il tombait.

schelf tas (de foin), meule v.

schel/heid 1 (v. geluid) acuité; 2 (v. licht) crudité, intensité; 3 (v. kleur) violence v. ▼—**klinkend** aigu, perçant, strident. ▼—**len** sonner; tweemaal —, deux coups. ▼—**lenboom** chapeau m chinois.

schellinkje paradis, poulailler m.

schelm 1 fourbe; 2 espiègle m. ▼—**achtig** I bn 1 fourbe, fripon; 2 (guitig) espiègle, malicieux. II bw en fourbe. ▼—**achtigheid** 1 fourberie; 2 malice v. ▼—**enstreek** 1 fourberie; 2 malice, espièglerie v. ▼—**s** zie —achtig. ▼—**stuk** 1 fourberie; 2 espièglerie v.

schelp 1 coquille; 2 (halve—) valve v; 3 (oor—) pavillon m. ▼—**dier** coquillage m. ▼—**enpad** sentier m pavé de coquillages. ▼—**visser** pêcheur m de coquillages. ▼—**kalk** 1 (aard.) calcaire m conchylien; 2 chaux v de coquilles.

schelvis églefin m.

schema schéma m. ▼—**tisch** bn (& bw) schématique (ment). ▼—**tiseren** schématiser.

schemel escabeau m.

schemer demi-jour; crépuscule m; in de —, entre chien et loup. ▼—**achtig** crépusculaire; (fig.) vague, brumeux. ▼—**avond** crépuscule m. ▼—**donker** zie schemer. ▼—**en** 1 commencer à poindre, faire petit jour; 2 commencer à faire nuit; 3 répandre une faible lueur; (fig.) luire; 4 rester -, causer à la brune; er schemert me iets van voor de geest, j'en ai un vague souvenir; het schemert me voor de ogen, j'ai comme un voile devant les yeux. ▼—**ig** zie —achtig. ▼—**ing** 1 demi-jour, crépuscule m; 2 (avond—) brune; 3 (ochtend—) aube v; 4 (fig.) voile m. ▼—**lamp** lampadaire m. ▼—**licht** lumière v crépusculaire. ▼—**ochtend** aube v.

schend/blad feuille v à scandale. ▼—**brief** lettre v diffamatoire. ▼—**en** 1 mutiler, tronquer, gâter; 2 violer; 3 (belasteren) diffamer, calomnier; 4 profaner; 5 (v. wet) enfreindre, transgresser. ▼—**er, -ster** profanateur, violateur m, -trice v. ▼—**ing** 1 mutilation, endommagement; 2 viol m; 3 diffamation, profanation; transgression, infraction v.

schenkblad plateau, cabaret m.

schenkel cuisse v, gigot m. ▼—**vlees** jarret m de bœuf.

schenk/en 1 (in—) verser; 2 faire présent de, donner, accorder (qc à qn); 3 (vergeven) remettre, faire grâce de (qc à qn); hij schenkt je de rest, il te tient quitte du reste m. ▼—**er** donateur m. ▼—**ing** don m; donation v; — onder levenden, donation entre vifs. ▼—**kan** broc m, verseuse v. ▼—**kurk** bouchon m verseur. ▼—**ster** donatrice v. ▼—**tuit** goulot m verseur.

schennis profanation, violation v; outrage m (à la pudeur).

schep pelle; (—vol) pelletée v; (fig.) tas m.

schepeling homme de l'équipage; de —en, l'équipage m.

schepen échevin m.

scheper berger m.

schep/net épuisette, truble v. ▼—**pen** 1 puiser (dans); 2 (maken) créer; leeg —, 1 retirer l'eau de; 2 vider; vol —, remplir. ▼—**pend** créateur. ▼—**per** 1 puiser; 2 (maker) créateur m. ▼—**ping** 1 création v; 2 univers m. ▼—**pingsboek** Genèse v. ▼—**pingsvermogen** faculté v créatrice. ▼—**rad** roue v à aubes. ▼—**sel** créature v.

scheren I ov.w 1 tondre; raser, faire la barbe à; 2 (tech.) ourdir; 3 (strijken langs) raser; pas geschoren, rasé de frais; schoon —, raser de près. II zich — se faire la barbe. III on.w 1 — of knippen?, la barbe ou les cheveux? ; — 50 fr, barbe 50 frs; 2 — langs, raser, effleurer.

scherf tesson (de pot cassé); éclat (d'obus); débris m; aan scherven vallen, tomber en morceaux. ▼—**vrij** à l'épreuve des éclats.

schering 1 chaîne v; 2 tondage m; tonsure v; dat is — en inslag, cela ne manque jamais.

scherm 1 écran, paravent m; **2** (v. toneel)
coulisse v; rideau m, toile v; achter de —en,
dans la coulisse.
scherm/degen fleuret m. ▼—**en I** on.w faire
des armes, - de l'escrime; met woorden —,
faire des phrases. **II** zn: het —, l'escrime v.
▼—**er** escrimeur, tireur m. ▼—**handschoen**
gant m d'escrime. ▼—**kunst** escrime v.
▼—**meester** maître d'armes. ▼—**utselen**
escarmoucher. ▼—**utseling** escarmouche,
échauffourée v. ▼—**vereniging** société v
d'escrime. ▼—**zaal** salle v d'armes.
scherp I bn **1** tranchant, coupant; (geslepen)
bien affilé; **2** (puntig) aigu, pointu; **3** (v.
smaak) âcre, âpre, fort, piquant; **4** (v. geluid)
aigu, perçant; **5** (bijtend) corrosif; (v. pijn
bijv.) cuisant, violent; **6** (bits) tranchant; **7** (v.
woord) acerbe, caustique, mordant, vif;
8 (precies) net, bien accusé; **9** (fig.) subtil,
fin, perçant; **10** (mil.) à balle; —e
gelaatstrekken, des traits m mv nettement
accusés; —e hoek, angle m aigu. **II** bw
âprement; vivement; nettement; — aanzien,
regarder fixement; - entre deux yeux; zich —
aftekenen, s'accuser nettement; — bewaken,
surveiller de près; — horen, avoir l'oreille
délicate; — toeluisteren, écouter
attentivement; — zetten, ferrer à glace. **III** zn
1 tranchant m; **2** balles v mv, plomb m; met —
schieten, tirer à balle. ▼**scherp/en** aiguiser,
affiler; (fig.) aiguiser (l'esprit); ▼—**en** affiner
(l'Intelligence). ▼—**heid 1** tranchant m;
acuité; **2** âpreté, âcreté; **3** netteté, précision;
4 acerbité v, mordant m. ▼—**hoekig**
acutangle. ▼—**schutter** tireur m d'élite, - de
précision. ▼—**te 1** tranchant, fil m; **2** netteté
v. ▼—**ziend** qui a le regard perçant, (fig.)
pénétrant. ▼—**zinnig I** bn ingénieux,
pénétrant, perspicace; subtil. **II** bw
ingénieusement, avec perspicacité,
subtilement. ▼—**zinnigheid** pénétration,
sagacité v.
scherts badinage m, plaisanterie v; — kunnen
verdragen, entendre raillerie. ▼—**en** badiner,
plaisanter. ▼—**end I** bn badin, railleur. **II** bw
en raillant, d'un ton railleur. ▼—**er** railleur m.
scherzo scherzo m.
schets croquis m; esquisse, ébauche v; (fig.)
projet; aperçu; een — maken van, prendre
un croquis de. ▼—**boek** album m à dessin.
▼—**en** croquer, esquisser, ébaucher; (fig.)
projeter; dépeindre. ▼—**kaart** levé m de
terrain, carte-croquis v. ▼—**matig** esquissé, à
l'état d'ébauche.
scheur 1 déchirure v; **2** (winkelhaak) accroc
m; **3** (barst) crevasse; (in hout) fente; (in
glas enz.) fêlure; (in muur) lézarde v.
▼—**buik** scorbut m. ▼—**en I** ov.w **1** déchirer;
2 (losrukken) arracher; **3** (barsten) fêler,
fendre, lézarder. **II** on.w **1** se déchirer; **2** se
fendre; se lézarder. ▼—**ing 1** déchirement;
2 (fig. in kerk) schisme m; (in partij) scission
v. ▼—**kalender** calendrier m à effeuiller,
éphéméride(s) v (mv). ▼—**maker**
schismatique m.
scheut 1 (loot) pousse v, rejeton m; **2** (v. pijn)
élancement m; (in buik) tranchée v; **3** (water
enz.) coup m; een —je melk, un soupçon de
lait. ▼—**ig I** bn **1** (slank) élancé, haut;
2 (mild) généreux, libéral. **II** bw
généreusement.
Scheveningen Schéveningue v.
schicht 1 flèche v; dard m; **2** équipe v.
schichtig (v. paard) ombrageux; (v. mens)
farouche; effaré, nerveux; — worden voor,
prendre ombrage de. ▼—**heid** caractère m
ombrageux, - farouche, - nerveux.
schielijk bn (& bw) rapide(ment),
prompt(ement). ▼—**heid** rapidité,
promptitude v.
schiereiland presqu'île, péninsule v.
schiet/baan tir, polygone v. ▼—**en I** on.w
1 tirer, faire feu; **2** (plk.) pousser; **3** (sp.)
shooter; **4** (fig.) s'élancer, se précipiter; dat
schoot haar door het hoofd, cela lui passa par
la tête; de tranen — hem in de ogen, ses yeux

se remplissent de larmes; er naast —,
manquer son but; er op —, tirer dessus; de bijl
schoot hem uit de hand, la hache lui échappa
(tomba) de la main; laten —, filer (la corde),
lâcher; (fig.) abandonner, laisser tomber.
II ov.w **1** tuer (d'un coup de fusil); **2** lancer
(des rayons); **3** pousser; wortel —, prendre
racine; zaad —, monter en graine; laten —,
lâcher. ▼—**gat** meurtrière v. ▼—**gebed**
oraison jaculatoire; courte prière v. ▼—**kaart**
carton m de tir. ▼—**lijn** ligne v de tir. ▼—**lood**
fil m à plomb. ▼—**masker** masque m
d'abattage. ▼—**oefeningen** tirs m mv,
▼—**partij** fusillade v. ▼—**proef** expérience v
de tir. ▼—**schijf** cible v. ▼—**spoel** navette v.
▼—**staat** relevé m des cartons. ▼—**stoel**
siège v éjectable de pilote. ▼—**tent** tir, salon
m de tir. ▼—**terrein** champ de tir; polygone
m. ▼—**wapen** arme v à feu. ▼—**wedstrijd**
concours m de tir.
schift/en I ov.w séparer, trier; sélectionner.
II on.w **1** se cailler, tourner; **2** (rafelen),
s'érailler. ▼—**ing 1** séparation v; triage m;
sélection v; **2** caillement m.
schijf 1 disque m; **2** rouelle (de viande),
tranche v; **3** (dam—) pion m; (knie—) rotule;
(schiet—) cible v; **4** (katrol—) rouet m; —
schieten, tirer à la cible; over veel schijven
lopen, être bien compliqué. ▼—**rem** frein m à
disque; luchtgekoelde —, frein m à disque
ventilé.
schijn 1 lumière, clarté; lueur v; (weer—)
reflet m; **2** apparence v, semblant m; de —
redden, sauver les apparences; de — hebben
van, avoir l'air de; naar de — beoordelen,
juger sur les apparences; onder de — van,
sous prétexte de, sous couleur de; —
bedriegt, les apparences sont trompeuses.
▼—**aanval** simulacre m d'attaque. ▼—**baar**
I bn **1** apparent; **2** simulé. **II** bw en apparence.
▼—**beweging 1** mouvement m apparent;
2 (mil.) démonstration v. ▼—**dood I** zn mort v
apparente. **II** bn mort en apparence.
schijnen 1 luire, briller; **2** avoir l'air, paraître,
sembler; de maan schijnt, il y a lune; de zon
schijnt, il fait du soleil; de zon schijnt in mijn
kamer, le soleil donne dans ma chambre; naar
het schijnt, à ce qu'il paraît.
schijn/geleerde faux savant m.
▼—**geleerdheid** fausse science v. ▼—**geluk**
bonheur m apparent. ▼—**gestalte** phase v.
▼—**heilig I** bn (& bw) hypocrite(ment). **II** zn
—e hypocrite m & v; faux dévot m, fausse
dévote v. ▼—**heiligheid** hypocrisie, fausse
dévotion v. ▼—**huwelijk** mariage m blanc.
▼—**koop** achat m simulé. ▼—**reden**
argument spécieux, prétexte m. ▼—**schoon**
spécieux, fallacieux.
schijnsel clarté, lueur v.
schijn/stoot feinte v. ▼—**tje** rien m; voor een
—, pour quatre sous. ▼—**verkoop** vente v
simulée. ▼—**vrede** paix v fourrée. ▼—**vroom**
zie ▼—**heilig.**
schijnwerper projecteur; phare m.
schijt merde v; — hebben aan, se ficher de.
▼—**en** chier.
schik 1 contentement, plaisir m, joie v;
2 (orde) arrangement m; in zijn — zijn, être
content, - de bonne humeur; met —,
décemment; ze heeft er geen — in, elle ne s'y
plaît pas; elle ne s'y amuse pas. ▼—**godin**
Parque v. ▼—**kelijk** complaisant; passable,
modique. ▼—**kelijkheid** complaisance v.
▼—**ken I** ov.w arranger, mettre en ordre,
disposer, ranger; transiger; régler; het zo —
dat, s'arranger pour; zich — naar, se résigner
à, se régler sur; zich naar de omstandigheden
—, s'accommoder aux circonstances. **II** on.w
s'arranger; convenir; als het u schikt, si cela
vous convient. ▼—**king** arrangement m,
disposition; transaction v; een — treffen,
s'arranger; minnelijke —, arrangement à
l'amiable.
schil 1 peau, pelure; **2** (v. citroen enz.) écorce
v.
schild 1 bouclier (ook v. kanon), écu; **2** (her.)

écusson m; 3 (uithangbord) enseigne v; (v. consul enz.) panonceau m; 4 (v. —pad) carapace v; ze voeren iets in het —, il se trame qc. ▼—drager 1 écuyer; 2 (her.) tenant, support m.

schilder peintre, (kunst—) (artiste) peintre m. ▼—academie Académie v des Beaux-Arts. ▼—achtig bn (& bw) pittoresque(ment). ▼—doek toile v. ▼—en l ov.w peindre (à = met); blauw —, peindre en bleu; (fig.) dépeindre. II on.w 1 peindre; 2 (wachthouden) être en faction, faire sentinelle; (fig.) attendre, faire les cent pas; in olieverf (waterverf) —, peindre à l'huile (à l'aquarelle). III zn 1 peinture v; 2 (verven) peinturage m; 3 (mil.) faction v. ▼—es femme peintre v, peintre m. ▼schilderij peinture v, tableau m. ▼—enmuseum musée m de peinture. ▼—koord cable m. ▼schilder/ing, —kunst peinture v. ▼—school école v de peinture. ▼—ezel chevalet v. ▼—sstok appui-main m. ▼—stuk peinture v = —werk; grof —, peinturage m.

schild/houder zie —drager. ▼—klier glande v thyroïde. ▼—pad 1 tortue; 2 écaille v. ▼—padden bn d'écaille, en écaille. ▼—padschaal carapace v. ▼—padsoep potage m à la tortue. ▼—wacht 1 factionnaire m, sentinelle v; 2 faction v; op — staan, être en faction. ▼—wachthuisje guérite v.

schilfer écaille v, éclat m; (med.) pellicule v. ▼—achtig écailleux. ▼—en s'écailler. (v. huid) pelser.

schill/en l ov.w 1 peler; (v. aardappel) éplucher; 2 (ontschorsen) écorcer, décortiquer. II zn: het —, le pelurage; l'épluchage m; le décorticage m. ▼—enmand panier m aux pelures.

schiller/hemd chemise v de sport. ▼—kraag col m Danton, - ouvert.

schim 1 ombre v; 2 (v. overledene) mânes m mv; 3 (spook) fantôme, revenant m.

schimmel 1 moisi m, moisissure v; 2 cheval m blanc. ▼—en (se) moisir. ▼—ig moisi.

schimp/dicht poème m satirique. ▼—en injurier, insulter. ▼—scheut trait satirique, sarcasme m. ▼—woord injure, invective v.

schip 1 navire, bâtiment, vaisseau m; 2 nef v (d'église); het — van staat, le char de l'État; schoon — maken, faire place nette. ▼—breuk naufrage m; — lijden, faire naufrage. ▼—breukeling naufragé(e) m (v). ▼—brug pont m de bateaux. ▼schipper 1 patron; — naast God, maître après Dieu; 2 (marine) premier maître d'équipage. ▼—en composer; transiger. ▼—skinderen enfance v batelière. ▼—sknecht garçon marinier. ▼—spet casquette v marine. ▼—svrouw batelière v.

schisma schisme m. ▼—tiek schismatique (m).

schitter/en briller, étinceler, rayonner; luire. ▼—end l bn brillant, resplendissant. II bw brillamment. ▼—ing réverbération v; éclat m, splendeur v; (v. diamant) feux m mv. ▼—licht lumière v éblouissante; feu m à éclipses.

schizofr/een schizophrène. ▼—enie schizophrénie v.

schmink fard; maquillage m. ▼—en l ov.w farder, maquiller. II zich — se farder, se maquiller; se faire une tête (de).

schnitzel escalope v (de veau).

schoei/en l (op leest) chausser; 2 (met hout) boiser, revêtir de planches. ▼—ing revêtement m en bois. ▼—sel chaussure v.

schoen 1 chaussure v; soulier m; hoge — chaussure v montante; lage —, chaussure basse; 2 (dans—) escarpin m; 3 (rijg—) brodequin m; open —, soulier découvert; —en aandoen, se chausser; wie de — past, trekke hem aan, qui se sent morveux se mouche. ▼—borstel brosse v à chaussures, décrotteuse v. ▼—crème cirage-crème m.

schoener schooner m.

schoen/fabriek cordonnerie v. ▼—hoorn zie —lepel. ▼—klomp galoche v. ▼—lapper savetier. ▼—leest forme v. ▼—lepel chausse-pied m. ▼—maker cordonnier. ▼—makersleest enclume v. ▼—makersmes tranchet m. ▼—poetsen décrottage; cirage m. ▼—poetser décrotteur; cireur m. ▼—riem cordon m de soulier. ▼—smeer cirage m. ▼—spanner embauchoir m (à ressort). ▼—werk chaussure v. ▼—winkel magasin m de chaussures, cordonnerie v. ▼—zool semelle v.

schoep aube, palette v. ▼—enrad roue v à aubes; turbine v à aubes.

schoffel sarcloir m, ratissoire v. ▼—en sarcler.

schoffer/en violer, déflorer. ▼—ing viol m.

schoft 1 coquin m, canaille v; 2 épaule v; (v. paard) garrot m.

schok choc, heurt m, secousse v; elektrische —, commotion v électrique. ▼—beton béton m vibré. ▼—breker amortisseur m. ▼—buis détonateur m. ▼—golf onde v de choc. ▼—ken l ov.w heurter, secouer; (fig.) ébranler, émouvoir. II on.w cahoter, être cahoté. III zn: het —, le cahotement; l'ébranlement m; —kend émouvant, sensationnel. ▼—mijn mine v automatique. ▼—schouderen hausser les épaules.

schol 1 (vis) plie v franche, carrelet; 2 (ijs—) glaçon m; 3 motte v de terre.

schola cantorum maîtrise v.

scholastiek bn (& zn) scolastique (v).

school/en l ov.w enseigner, former. II on.w s'attrouper. ▼—engemeenschap groupe m scolaire. ▼—ier écolier m. ▼—ing instruction, formation v.

schommel balançoire, escarpolette v. ▼—en l ov.w balancer. II on.w 1 se balancer; 2 (v. slinger) osciller; 3 (met lichaam) se dandiner. ▼—end oscillant; instable. ▼—ing balancement m; oscillation, fluctuation v. ▼—stoel fauteuil à bascule, rocking-chair m.

schone belle, beauté v; het —, le beau.

schonk gros os m. ▼—ig taillé à coups de hache; osseux.

schoof gerbe v; in schoven binden, engerber; in schoven zetten, mettre en gerbes.

schooi/en mendier. ▼—er mendiant m. ▼—ster mendiante v. ▼—erij vagabondage m.

school 1 école v; 2 (vis—) banc m; bijzondere —, école libre; — met de bijbel, école confessionelle protestante; hogere —, école supérieure; middelbare —, école de second degré; naar — gaan, aller en classe; openbare —, école laïque; (uitgebreid) lagere —, école primaire (supérieure); op — doen, mettre à l'école; — hebben, avoir classe; geen — hebben, avoir congé; op —, en classe, à l'école; de — verzuimen, 1 manquer la classe; 2 faire l'école buissonnière; van — doen, retirer de l'école; —tje spelen, jouer à la classe. ▼school/arts médecin d'école. ▼—atlas atlas m scolaire. ▼—behoeften fournitures v mv de classe. ▼—bestuur direction v. ▼—bezoek 1 fréquentation scolaire; 2 inspection v. ▼—bibliotheek bibliothèque v scolaire. ▼—bioscoop cinéma m d'enseignement. ▼—blijven être en retenue. ▼—blijver élève m en retenue. ▼—boek livre m de classe, - classique, - scolaire. ▼—bord tableau m (noir). ▼—dag jour m de classe. ▼—decaan professeur m conseiller d'orientation scolaire et professionnelle. ▼—etui trousse v. ▼—examen examen m scolaire. ▼—film film m éducatif, - d'enseignement. ▼—gaan fréquenter une école; faire ses classes. ▼—gaand d'âge scolaire. ▼—geld rétribution v scolaire. ▼—geleerdheid savoir m livresque. ▼—hoofd directeur d'école. ▼—jaar année v scolaire; année v d'études. ▼—jeugd les écoliers; (middelb. onderw.) les potaches. ▼—jongen écolier, élève, (middelb. onderw.) potache m.

▼—**juffrouw** institutrice v. ▼—**kaart** carte v murale. ▼—**keuze**: *school- en beroepskeuze*, orientation v scolaire et professionnelle. ▼—**lokaal** classe, étude v. ▼—**makker** camarade d'école, - de classe, copain m. ▼—**meester 1** maître d'école; **2** *zie* —**vos**. ▼—**meisje** écolière v. ▼—**melkvoorziening** distribution v scolaire de lait. ▼—**meubel** meuble m scolaire. ▼—**onderwijs** enseignement m scolaire. ▼—**paard** cheval m de haute école. ▼—**plaats** préau m, cour v. ▼—**plicht** scolarité v obligatoire. ▼—**plichtig** d'âge scolaire; —*e leeftijd*, scolarité v. ▼—**rapport** bulletin m. ▼—**reis** voyage m scolaire. ▼—**rijden** haute école v. ▼—**rijder**, —**rijdster** écuyer m -, écuyère v de haute école. ▼**school/s** l bn d'école, classique, routinier. ll bw selon la routine. ▼—**schip** vaisseau -école m. ▼—**schrift** cahier m d'écolier. ▼—**sheid** routine scolaire; étroitesse v méthodique. ▼—**slag** brasse v. ▼—**strijd** lutte v pour l'enseignement confessionnel. ▼—**tas** sac, cartable m, serviette v. ▼—**televisie** télévision v scolaire. ▼—**tijd 1** heures v mv de classe, classe v; **2** années v mv de classe; *buiten* —, en dehors des heures de classe; *onder* —, pendant la classe. ▼—**uitgave** édition v classique. ▼—**uitzending** émission v éducative. ▼—**vergadering** réunion v scolaire. ▼—**verzuim** absences v mv (scolaires). ▼—**vos** pion, pédant, cuistre m. ▼—**wedstrijd** concours -, match m (inter)scolaire. ▼—**wezen** enseignement m. ▼—**ziek** qui simule une indisposition. ▼—**ziekte** maladie v feinte.
schoon l bn 1 beau (bel, belle); élégant; superbe; **2** propre, blanc; — *linnen*, linge m blanc; — *water*, eau v pure. ll bw **1** joliment, bien; élégamment; **2** proprement; **3** complètement, tout à fait. lll zn: *het* —, le beau. ▼—**dochter** belle-fille, bru.
schoonheid l beauté, **2** propreté v. ▼—**sbehandeling** soins m mv de beauté. ▼—**sgevoel** sens m esthétique, - du beau. ▼—**sleer** esthétique v. ▼—**smiddel** cosmétique, produit m de beauté. ▼—**ssalon** salon m de beauté. ▼—**sspecialiste** esthéticienne v. ▼—**svlekje** grain m de beauté.
schoon/houden tenir propre; nettoyer. ▼—**klinkend** bien sonnant, mélodieux, (v. woord) beau. ▼—**maak** nettoyage m. ▼—**maakartikel** produit m d'entretien; détersif m. ▼—**maakbedrijf** entreprise v de nettoyage. ▼—**maakster** femme v de ménage. ▼—**maken** l ov.w **1** nettoyer; **2** (groenten —) éplucher; **3** (spoelen) rincer; **4** (vegen) essuyer; (met spons) éponger; (met borstel) brosser; décrotter; (met bezem) balayer; (met zeep) savonner; **5** (vis —) vider; **6** (schuren) récurer; **7** curer (un fossé); **8** (med.) absterger. ll zn nettoyage; éplucheuse v; rinçage; essuyage; décrottage; vidage m; abstersion v.
schoon/moeder belle-mère. ▼—**ouders** beaux-parents m mv.
schoon/rijden patinage m artistique. ▼—**rijder** patineur m artistique. ▼—**schijnend** spécieux. ▼—**schrijfkunst** calligraphie v. ▼—**schrijver** calligraphe m.
schoonvader beau-père.
schoon/vegen nettoyer, balayer. ▼—**wassen** laver (de), blanchir (de).
schoon/zoon gendre. ▼—**zuster** belle-sœur.
schoor étai, étançon, arc-boutant m. ▼—**balk** étai, sommier m. ▼—**hoek** angle m d'appui. ▼—**muur** contrefort, mur m de soutènement. ▼—**paal** *zie* **schoor**.
schoorsteen cheminée v; — *boven het dak uit*, souche v. ▼—**brand** feu m de cheminée. ▼—**kap** abat-vent m. ▼—**kleed** tour de cheminée; (op grond) devant m de cheminée. ▼—**mantel** manteau m de cheminée. ▼—**vegen 1** on.w ramoner. ll zn le ramonage. ▼—**veger** ramoneur m.

schoorvoet/en hésiter. ▼—**end** l bn hésitant. ll bw à contre-cœur; — *iets doen* hésiter à faire qc.
schoot 1 giron; **2** (moeder—) sein m; **3** (mar.) écoute v; **4** (v. kleed) devant, pan m; de — der Kerk, le giron de l'Eglise; *op iem.'s* —, sur les genoux de qn; *de handen in de* — *leggen*, s'abandonner. ▼—**hond** bichon m. —**lijn** ligne v de tir. ▼—**safgat** portée v. ▼—**shoek** angle m de tir. —**svel** tablier m; (v. trommelslager) cuissière v. —**sveld** champ m de tir libre.
schop 1 coup m de pied; *vrije* —, coup m franc; **2** pelle; (spa) bêche v. ▼—**pen** l (spel) pique m. ll donner des coups de pied (à), botter. ▼—**stoel**: op de — zitten, manquer de certitudes.
schor l bn enroué, rauque. ll bw d'un ton rauque.
schorem l zn crapule v. ll bn crapuleux.
schoren étayer, appuyer; soutenir.
schorheid enrouement m, raucité v.
schorpioen scorpion m.
schors écorce v.
schors/en suspendre, - (qn) de ses fonctions. ▼—**ing** suspension; (v. geestelijke) suspense, interdiction v.
schorseneer salsifis m.
schort tablier m. —**en 1** zie **schelen**; **2** suspendre; **3** (v. kleren) trousser.
schot 1 (beschot) cloison v; los —, écran m, (in lade) séparation v; **2** coup m de feu (- de fusil, - de canon); **3** (hok) étable v; **4** (vooruitgang) élan m; croissance v; **5** (sp.) shoot m; — brengen in, expédier, dépêcher; *er zit geen* — *in het werk*, l'ouvrage n'avance pas; *onder* — *hebben*, avoir à portée d'arme; *buiten* — — zijn, être hors d'atteinte; *buiten* — *blijven*, se tenir à l'écart.
Schot Ecossais m.
schotel 1 plat m; *diepe* —, terrine v; (bij kopje) soucoupe; (gebak—) assiette v; *vliegende* —, soucoupe volante. ▼—**doek** torchon m. ▼—**rek** porte-vaisselle m.
Schot/land l'Ecosse v. ▼—**s 1** écossais; *een* —e, une Ecossaise; **2** à carreaux (barriolés).
schots 1 zn rude, grossier. ll bw rudement, grossièrement; — *en scheef*, (poser) au petit bonheur. lll zn glaçon m.
schotwond (blessure v faite par un) coup m de feu.
schouder épaule v; *breedte der* —s, carrure v; *de* —s *ophalen*, hausser les épaules; *op* — *geweer!*, portez arme! ▼—**band** (v. hemd) épaulette; bretelle v. ▼—**bedekking** épaulette, patte v d'épaule. ▼—**blad** omoplate v. ▼—**breedte** carrure v. ▼—**en** pendre sur l'épaule; *geweer* —, porter l'arme: ▼—**mantel** pèlerine v. ▼—**ophalen** haussement m d'épaules. ▼—**passant** patte v d'épaule. ▼—**snoer** fourragère v; aiguillette(s) v (mv). ▼—**stoot** coup m d'épaule. ▼—**stuk 1** épaulette v; **2** (v. vlees) paleron m. ▼—**tas** sac m en bandoulière.
schout-bij-nacht contre-amiral m.
schouw l zn 1 inspection; **2** cheminée v; **3** bateau, bac m. ll bn grivois, obscène.
schouwburg théâtre m. ▼—**bezoeker** spectateur m. ▼—**zaal** salle v de théâtre.
▼**schouw/en 1** inspecter; visiter; **2** regarder, voir; **3** (lijk —) faire l'autopsie de. ▼—**ing 1** inspection; **2** autopsie v. ▼—**spel** spectacle m.
schoven gerber. ▼—**binder**, —**bindster** lieur m -, lieuse v de gerbes.
schraag chevalet, tréteau m.
schraal l bn 1 maigre, sec, mince; **2** (karig) frugal; chétif; **3** (dor) aride; — *bier*, petite bière v; *schrale huid*, peau v rêche; *schrale wind*, vent m âpre. ll bw pauvrement; — *ontbijten*, déjeuner sommairement. ▼—**heid 1** maigreur, aridité (du sol); **2** frugalité v; **3** (v. weer) âpreté v. ▼—**tjes** pauvrement.
schraap/ijzer racloir, grattoir m. ▼—**zucht** lésinerie, ladrerie v. ▼—**zuchtig** rapace, ladre.
schragen soutenir, supporter.

schram égratignure, éraflure v. ▼**—men** égratigner, érafler.

schrander I bn intelligent, sagace, ingénieux. II bw intelligemment, ingénieusement. ▼**—heid** intelligence; sagacité v.

schrans/en bouffer. ▼**—er** bouffeur m.

schrap I bw: zich — zetten, s'arc-bouter; se raidir; — staan, être en posture; ne pas lâcher pied. II zn 1 (krab) égratignure; 2 (streep) trait m, barre, marque v.

schrap/en gratter, racler; (fig.) amasser âprement; zich de keel —, s'éclaircir la voix. ▼**—er 1** racloir; 2 (vrek) avare m. ▼**—erig** avare, sordide. ▼**—erigheid** avarice v.

schrapp/en 1 racler; (vis) écailler; 2 rayer, biffer. ▼**—ing** (als lid) radiation v.

schrede pas m; enjambée; (fig.) démarche v; met rasse —n, à pas rapides, à grands pas.

schreef barre, ligne v, trait m; buiten de — gaan, passer les bornes.

schreeuw cri m. ▼**—en** I on.w 1 crier, s'écrier; 2 (v. baby) vagir; (hard —) brailler, gueuler; (woedend —) vociférer; om brood —, réclamer du pain à grands cris; om hulp —, crier au secours; hij schreeuwt voor dat hij geslagen wordt, il crie avant qu'on l'écorche. II ov.w crier; iem. doof —, assourdir qn (par ses cris). III zn: het —, les cris m mv. ▼**—end** criant; (v. kind, kleur, stem) criard; (v. kleur) voyant. ▼**—er, —ster** criard m, -de v; braillard m, -de v. ▼**—erig** criard, braillard.

schrei/en on.w 1 pleurer; (fam.) chialer; 2 crier; ten hemel —, crier vengeance (au ciel). II ov.w pleurer, verser (des larmes); hete tranen —, pleurer à chaudes larmes. ▼**—er** pleureur m.

schriel I bn 1 maigre, pauvre; 2 (gierig) chiche. II bw chichement. ▼**—heid** mesquinerie v.

schrift 1 (hand—) écriture v; 2 cahier m; de S—, l'Écriture (sainte); op — brengen, mettre par écrit. ▼**—elijk** I bn écrit; — e cursus, cours m par correspondance; — werk, épreuve écrite, composition v. II bw par écrit. ▼**—geleerde** docteur de la loi, scribe m. ▼**—kunde 1** graphologie; 2 paléographie v. ▼**—kundige** expert en écritures; graphologue; paléographe m. ▼**—uur 1** écrit, document, m; 2 l'Écriture (sainte). ▼**—uurlijk** bn (& bw) conforme (-mément) à la Bible. ▼**—vervalser** faussaire m. ▼**—vervalsing** faux m en écritures.

schrijden marcher à pas comptés.

schrijf/behoeften articles m mv de bureau. ▼**—boek** cahier m. ▼**—bureau** bureau m. ▼**—fout 1** lapsus m; 2 (spelfout) faute v d'orthographe. ▼**—gereedschap, —gerei** zie **—behoeften**. ▼**—inkt** encre v à écrire. ▼**—kop** tête v d'impression. ▼**—kramp** crampe v des écrivains. ▼**—kunst** art m d'écrire. ▼**—les** leçon v d'écriture. ▼**—letter** caractère m écrit; cursive v. ▼**—loon** salaire m de copiste. ▼**—machine** machine v à écrire. ▼**—machinepapier** papier m (pour) machine à écrire. ▼**—map** portefeuille; buvard m. ▼**—papier** papier m à lettres. ▼**—ster** femme auteur, - écrivain v, auteur m. ▼**—stift** style m. ▼**—taal** langue m écrite. ▼**—tafel** bureau m. ▼**—trant** style m, manière v d'écrire. ▼**—werk** travaux m mv d'écritures; (school) devoirs m mv écrits. ▼**—wijze 1** graphie v (d'un mot); 2 style m.

schrijlings à califourchon, à cheval.

schrijnen I ov.w écorcher. II on.w cuire, causer une douleur cuisante. ▼**—d** cuisant.

schrijnwerk 1 (meubel) menuiserie v; 2 (kunst) ébénisterie v. ▼**—er** menuisier, ébéniste m. ▼**—erslijm** colle v forte.

schrijv/en écrire; duidelijk —, écrire lisiblement; groot (klein) —, écrire gros (fin); met inkt (pen enz.) —, écrire à l'encre (à la plume etc.); — om, demander (par écrit) —; op een advertentie, répondre à une annonce; hoe schrijf je dat?, ça s'écrit comment?; het —, 1 l'écriture v; 2 la lettre; bij uw — van de 7e dezer, par votre honorée (lettre) du 7 crt.

▼**—er 1** (lit.) écrivain, auteur m; 2 (klerk) commis aux écritures, employé, clerc m (de notaire).

schrik effroi m, frayeur, peur v; de — zijn van, être la terreur de; door — bevangen, saisi de frayeur. ▼**—aanjagend** terrifiant. ▼**—aanjaging** intimidation v. ▼**—achtig 1** peureux; 2 (v. paard) ombrageux. ▼**—achtigheid** naturel m peureux. ▼**—barend** bn (& bw) terrible(ment), effroyable(ment). ▼**—beeld** image v effrayante; cauchemar m. ▼**—bewind** terrorisme m, terreur v. ▼**—draad** fil m électrifié; —omheining, clôture v électrique.

schrikkeldag jour m intercalaire.

schrikkelijk zie **schrikbarend**. ▼**—heid** horreur, atrocité v.

schrikkeljaar année v bissextile.

schrik/ken s'effrayer, avoir peur; (plotseling) s'épouvanter; wakker —, se réveiller en sursaut; zich dood —, mourir de frayeur. ▼**—wekkend** effrayant, épouvantable.

schril I bn 1 (v. geluid) aigu, perçant, strident; 2 (v. kleur) criard, violent. II bw violemment. ▼**—heid 1** stridence; 2 violence v.

schrobb/en balayer, laver à grande eau. ▼**—er** frottoir m. ▼**—ering** réprimande v.

schroef 1 vis v; 2 (bank—) étau m; 3 spirale v; 4 (luchtv., mar.) hélice v; alles op losse schroeven zetten, rendre tout instable; remettre tout en question; een — aandraaien (losdraaien), serrer (desserrer) une vis. ▼**—as** arbre m d'hélice. ▼**—bank** banc m à étau. ▼**—blad** aile d'hélice, pale v. ▼**—boot** bateau m à hélice. ▼**—bout** boulon m (à vis) fileté. ▼**—deksel** couvercle m à vis. ▼**—dop** capuchon m vissant; (auto) enjoliveur m. ▼**—draad** filet m. ▼**—fitting** (aan lamp) culot m à vis. ▼**—klem** serre-joint m. ▼**—oog** piton m. ▼**—sleutel** clef v anglaise, - à molette. ▼**—sluiting** fermeture v à vis. ▼**—snij-draad** filière v, taraud m. ▼**—tang** tenaille v à vis. ▼**—ventilator** ventilateur m à hélice. ▼**—vormig** hélicoidal.

schroei/en roussir, brûler; (med.) cautériser (une plaie). ▼**—ing** brûlure; cautérisation v. ▼**—ijzer** cautère m.

schroev/edraaier tournevis m. ▼**—en** visser, fixer avec une (of des) vis; uit elkaar —, dévisser; omhoog —, relever; vaster —, serrer les vis (de).

schrok(op) goinfre, glouton m. ▼**—ken** engloutir, avaler goulûment. ▼**—kig** bn (& bw) glouton(nement), goulu.

schrom/elijk bn (& bw) terrible(ment), énorme (-mément). ▼**—en 1** redouter; 2 (aarzelen) hésiter (à); zonder —, sans hésitation à. ▼**schroom** crainte; hésitation, scrupule v (devant). ▼**—vallig** timide(ment).

schroot ferraille v.

schrootjes frisettes v mv.

schub(be) écaille v. ▼**—ben** écailler v. ▼**—big** écailleux; squameux.

schuchter I bn timide, un peu sauvage; hésitant. II bw timidement. ▼**—heid** timidité v.

schud/debollen dodeliner de -, branler la tête. ▼**—den** I ov.w secouer, agiter, remuer, branler; — voor het gebruik, agiter avant de s'en servir; het hoofd —, hocher la tête; wakker —, réveiller en secouant; iem. de hand —, serrer la main à qn; de kaarten —, battre (of mêler) les cartes. II on.w secouer, s'agiter; doen —, ébranler; neen —, faire non de la tête. III zich — se secouer. ▼**—ding** secousse, agitation v. ▼**—goot** convoyeur m à secousses. ▼**—machine** secoueur, agitateur m. ▼**—rooster** grille v à secousses, - mobile.

schuier brosse v. ▼**—en** brosser; het —, le brossage.

schuif 1 (beweging) coup m; 2 (knip) targette v; 3 (plank) rallonge, tablette v; 4 (deksel) couvercle m; 5 (valdeur) trappe, vanne, v; 6 (v. japon) coulisse v; 7 (gleuf) coulisse v; 8 (v. kachel) clef v. ▼**—blad**

rallonge v (de table). ▼—**dak** toit m à
coulisse; (v. auto) toit ouvrant. ▼—**deur**
porte v à coulisse, - coulissante. ▼—**doos**
boîte à tiroir, cartouche v. ▼—**elen 1** glisser,
traîner les pieds; **2** (v. slangen) siffler. ▼—**je
1** zie **schuif; 2** (rk) guichet m; het — geven,
refuser l'absolution; het — krijgen, être
renvoyé sans avoir obtenu l'absolution.
▼—**knoop** nœud m coulant. ▼—**ladder**
échelle v coulissante. ▼—**lade** tiroir m.
▼—**maat**, —**passer** pied m à coulisse.
▼—**raam** fenêtre v à guillotine, - coulissante;
(v. kast) porte v vitrée coulissante. ▼—**slot**
verrou m. ▼—**tafel** table v à rallonges.
▼—**trompet** trombone v à coulisse.
schuil/en se cacher, se mettre à l'abri (de);
daar schuilt wat achter, il y a anguille sous
roche. ▼—**gaan** se cacher. ▼—**hoek** cachette
v, abri; (fig.) coin, recoin m. ▼—**houden
(zich)** se tenir à l'écart; se cacher. ▼—**kelder**
abri m, cave-abri v. ▼—**loopgraaf**
tranchée-abri v. ▼—**naam** nom de plume,
pseudonyme m.
schuim 1 écume; (op bier enz.) mousse v;
2 (afval) rebut m; lie v (du peuple);
3 (blusmiddel) mousse v-carbonique.
▼—**aarde** écumes v mv. ▼—**achtig**
écumeux; mousseux, spumeux. ▼—**bad** bain
m de mousse. ▼—**bekken** écumer.
▼—**blusser** extincteur -, appareil m à mousse
carbonique. ▼—**en** écumer; (v. dranken)
mousser. ▼—**end** écumant, écumeux;
mousseux. ▼—**klopper** moussoir m. ▼—**kop**
mouton m; met —, moutonneux. ▼—**omelet**
omelette v soufflée. ▼—**pje** meringue v.
▼—**plastic** mousse v plastique. ▼—**rubber**
caoutchouc m mousse, latex m alvéolé.
▼—**spaan** écumoire v.
schuin I bn 1 oblique, de biais; **2** (hellend)
incliné, en pente; **3** (fig.) leste, grivois,
scabreux; —e lijn, ligne v oblique; de —e
zijde, le côté opposé à l'angle droit. **II** bw
obliquement; — lopen, biaiser; —
oversteken, traverser de biais; — afslaan naar
rechts, obliquer à droite; — afsnijden, couper
en biseau; ze hebben hier — tegenover
gewoond, ils ont demeuré presque en face
d'ici. ▼—**en** rendre oblique, incliner, couper
de biais. ▼—**s** zie **schuin.** ▼—**te** obliquité;
pente; inclinaison v; (rand) biseau; (wal)
talus m; in de —, de (of en) biais,
obliquement.
schuit bateau m, barque v. ▼—**evracht**
cargaison v; prix m. ▼—**je 1** petit bateau m;
2 (v. ballon) nacelle; **3** (schietspoel) navette
v; **4** (metaal) lingot, saumon m. ▼—**jevaren**
canotage m, promenade v en bateau.
schuiv/en I ov.w pousser, (faire) glisser,
couler; avancer (un pion); dichterbij —,
rapprocher (de); opium —, fumer de l'opium;
de schuld — op, rejeter la faute sur; in elkaar
—, se télescoper. **II** on.w (se) glisser, (se)
couler, coulisser; dichterbij —, s'approcher,
approcher sa chaise. ▼—**er** pousseur,
fumeur; (v. kind) —tje, poussette v.
schuld 1 (geld) dette; **2** faute, culpabilité v;
uitstaande —, dette active; te betalen —,
dette passive; vlottende —, dette flottante;
dood door —, homicide m volontaire; het is
mijn — dat, c'est (de) ma faute si; het is zijn
— niet, ce n'est pas (de) sa faute, il n'y est
pour rien; wiens — is het ?, à qui la faute ?; —
belijden, s'avouer coupable; iem. de — van
iets geven, imputer qc à qn, rejeter la faute de
qc sur qn; de — ligt bij, la faute en est à; —en
maken, s'endetter; de — op zich nemen,
assumer la responsabilité; vergeef ons onze
—en, pardonnez-nous nos offenses.
▼**schuld/bekentenis 1** obligation v; titre m
de créance; **2** aveu m = —**belijdenis.**
▼—**besef** conscience v de sa culpabilité.
▼—**bewust** conscient de sa faute. ▼—**brief**
obligation v. ▼—**delging** extinction v,
amortissement m. ▼—**eiser** créancier m.
▼—**eiseres** créancière v. ▼—**eloos I** bn
innocent. **II** bw innocemment.

▼—**eloosheid** innocence v. ▼—**enaar**
débiteur m. ▼—**enares** débitrice v.
▼—**gevoel** sentiment m de culpabilité; iem.
een — geven, culpabiliser qn; een — krijgen,
se culpabiliser. ▼—**schuldig I** bn 1 coupable
(de); **2** obligé, redevable; — bevonden aan,
convaincu de; geld — zijn, devoir de l'argent;
— blijven aan, être redevable (de qc à qn);
hoeveel ben ik — ?, c'est combien ?; zich —
maken aan, se rendre coupable de. **II** zn: de
—e, le (of la) coupable. ▼—**verklaring**
verdict m de culpabilité.
▼**schuld/invordering** recouvrement m.
▼—**post** article m au passif. ▼—**vereffening**
liquidation v. ▼—**vernieuwing** novation v.
▼—**vordering** créance v. ▼—**vraag** question
v de culpabilité.
schulp: in zijn — kruipen, rentrer dans sa
coquille. ▼—**en 1** orner de coquillages;
2 canneler; **3** échancrer. ▼—**rand** bordure v
échancrée.
schunnig I bn 1 (v. uiterlijk) minable, sordide;
2 (v. gedrag) crapuleux; **3** (v. boek) ignoble.
II bw bassement, ignoblement. ▼—**heid
1** condition minable; **2** bassesse v.
schuren I ov.w récurer, frotter, polir; (v. huid)
écorcher. **II** on.w frotter contre. **III** zn: het —,
le frottement, le récurage.
schurft gale, psore v. ▼—**ig** galeux, scabieux;
(fig.) véreux, louche. ▼—**middel** remède v
antipsorique. ▼—**zalf** onguent m gris.
schurk gredin, coquin m. ▼—**achtig I** bn
fourbe, infâme. **II** bw en coquin.
▼—**achtigheid**, —**enstreek** gredinerie,
fourberie v.
schut 1 cloison v; **2** (scherm) écran, paravent
m. ▼—**blad 1** (v. boek) feuille v de garde;
2 (plk.) bractée v. ▼—**deur** porte v d'écluse.
—**geld** péage m. ▼—**kleuren** mimétisme m.
▼—**kolk** sas m. ▼—**meester** éclusier m.
▼—**sluis** écluse v à sas. ▼—**spatroon**
(—**spatronen**) patron (m) (v). ▼—**ten
1** mettre en sûreté, protéger; **2** (vee —),
conduire à la fourrière; **3** empêcher;
4 (schepen) faire passer par une écluse.
schutter tireur; garde m national. —**en**
cochonner; être empoté. ▼—**ig 1** agité;
2 empoté, maladroit. —**ij** garde v nationale.
▼—**skoning** roi de l'oiseau. ▼**sgilde**
corporation v des arquebusiers.
schutting clôture v en bois.
schuur hangar m, remise, baraque; (koren—)
grange v.
schuur/borstel frottoir m, brosse v.
▼—**linnen** toile v d'émeri. ▼—**middel** abrasif
m. ▼—**papier** papier-émeri, papier m de
verre, papier-verre m; met — wrijven, passer
au papier-verre. ▼—**poeder** poudre v
abrasive. ▼—**steen** pierre v ponce. ▼—**zand**
sablon, grès m.
schuw I bn timide, farouche, sauvage; —
maken, effaroucher; — worden,
s'effaroucher. **II** bw timidement, d'un air
farouche. ▼—**en** fuir, éviter, craindre.
▼—**heid** timidité, sauvagerie, humeur v
farouche.
science fiction science-fiction v.
scooter scooter m.
scor/e total, score m. ▼—**en** faire un total de.
scrabbelen faire une partie de scrabble.
scrib/a secrétaire m. ▼—**ent** écrivailleur m.
scrip titre fractionnaire, scrip m. ▼—**dividend**
dividende-actions m.
script-girl scripte v.
scriptie mémoire m (de licence), épreuve v
écrite (de licence).
scrup/ule peau v de phoque.
sealskin peau v de phoque.
sec/ans sécante v. ▼—**eren** disséquer.
second/air secondaire v. ▼—**ant 1** maître
d'études; **2** témoin m.
seconde seconde v. ▼—**wijzer** trotteuse v.
secret/aire secrétaire m. ▼—**aresse**
secrétaire v. ▼—**ariaat** secrétariat m. ▼—**arie**
secrétairerie v; secrétariat m. ▼—**aris**
secrétaire m. ▼—**aris-generaal**

secrétaire-général.
sectie 1 section ; **2** (*med.*) dissection, autopsie
v. ▼—**mes** scalpel. ▼—**tafel** table v de
dissection.
sector secteur m.
secund a deuxième v de change. ▼—**air**
secondaire ; —*e sector*, secteur m secondaire.
securiteit sûreté, certitude v ; *voor de* —, pour
plus de sûreté. ▼**secuur** bn (& bw)
exact (ement), ponctuel (lement) ; de
précision.
sedert depuis (que), à partir de, dès ; — *lang*
. . ., il y a beau temps que . . . ; — *kort* (*lang*),
depuis peu (longtemps) ; —*dien*, depuis lors.
segment segment m.
sein signal ; bip m ; —*en geven*, faire des
signaux ; *door de* — *en heenrijden*, brûler les
signaux. ▼—**boek** livre m de signaux.
▼—**brug** passerelle v aux signaux. ▼—**en**
1 faire des signaux ; **2** signaler ; **3** télégraphier.
▼—**er** signaleur ; transmetteur m. ▼—**huisje**
guérite à signaux. ▼—**kosten** frais m mv de
transmission. ▼—**lantaarn** fanal m. ▼—**licht**
feu m de signal. ▼—**ontvanger** récepteur m.
▼—**paal** sémaphore m. ▼—**post** poste m
sémaphorique. ▼—**register** registre m de
signaux. ▼—**schot** coup m de signal.
▼—**toestel** transmetteur, avertisseur m.
▼—**vlag** pavillon m de signal. ▼—**wachter**
signaleur m. ▼—**wezen** signalisation v.
▼—**wimpel** flamme v de signal. ▼—**zaal**
station v à signaux.
seism/isch sismique. ▼—**ograaf**
sismographe m. ▼—**ologie** sismologie v.
seizoen saison v. ▼—**arbeider** (ouvrier)
saisonnier m. ▼—**werkloosheid** chômage m
saisonnier.
sekreet cabinet m (d'aisances).
seks/e sexe m. ▼—**ualiteit** sexualité v.
▼—**ueel** bn (& bw) sexuel (lement).
sekte secte v ; *aanhanger v. een* —, sectateur
m. ▼—**geest** esprit de secte, sectarisme m.
selderij céleri m. ▼—**soep** potage m au céleri.
select/eren sélectionner. ▼—**ie** sélection v.
▼—**ief** sélectif. ▼—**iewedstrijden** épreuves
v mv éliminatoires.
selfmade man fils m de ses œuvres.
self-service self-service, libre-service m.
semantiek sémantique v.
semester semestre m.
semi-arts candidat m docteur.
seminar/ie séminaire m. ▼—**ist** séminariste
m.
senaat sénat m. ▼—**sverkiezingen** élections
v mv sénatoriales. ▼**senator** sénateur m.
Senegal Le Sénégal. ▼—**ees** Sénégalais (m).
senior aîné ; père ; *de heer Dubois* —, M.
Dubois aîné (*of* père) ; (*sp.*) sénior, vétéran m.
sensatie sensation v. ▼—**bericht** nouvelle v
sensationnelle. ▼—**pers** presse v à scandale.
▼—**roman**, —**stuk** roman m - ; pièce v à
sensation.
sensitivitygroep groupe v de sensibilisation.
▼**senso-motorisch** sensori-moteur, -trice.
▼**sensu/eel** bn (& bw) sensuel (lement).
▼—**aliteit** sensualité v.
sentie sentence v.
sentiment/aliteit sentimentalité v. ▼—**eel**
bn (& bw) sentimental (ement).
separaat séparé, réservé.
sepiatekening (dessin m à la) sépia v.
seponeren classer.
september septembre m.
septet septuor m.
septictank fosse v septique.
septime septième m.
septuaginta (la version des) Septante.
S.E.R. *Sociaal Economische Raad,* Conseil m
économique et social.
seraf(ijn) séraphin m. ▼—**ijns** séraphique.
sergeant 1 sergent ; **2** (*tech.*) serre-joint m.
▼—**majoor** sergent-major. ▼—**sstrepen**
galons m mv de sergent.
serie série v. ▼**serie-** de série. ▼—**produktie**
production v en série. ▼—**schakeling**
couplage m en série.

sering lilas m ; *witte* —, lilas blanc.
serpent serpent m. ▼—**ine** serpentin m.
serre 1 (*broeikas*) serre (chaude) ; **2** (*aan
huis*) véranda v.
serum sérum m. ▼—**inrichting** institut m
sérothérapique. ▼—**inspuiting** injection v
sérique. ▼—**therapie** sérothérapie v.
serv/eerboy table v roulante. ▼—**eren** (*sp.*)
servir.
servet serviette v (de table). ▼—**ring** rond m
de serviette.
service/dienst service m après-vente.
▼—**station** station v service.
servies service ; (*v. dranken ook*) cabaret v.
servituut servitude v.
servomechanisme servo-mécanisme m.
sessie séance, session v.
set 1 (*sp.*) manche v, set m. **2** jeu m (de).
sex-appeal sex-appeal m. ▼**sex-object** objet
m sexuel. ▼**sex-shop** sex-shop m.
sextant sextant m. ▼**sextet** sextuor m.
sexy érotique, sexy.
sfeer 1 sphère ; **2** (*fig.*) atmosphère v ;
ambiance v ; —*verlichting*, lumière v
d'ambiance ; **3** ordre m d'idées. ▼—**vol** où il y
a (*of* qui a) beaucoup d'ambiance.
sfinx sphinx m. ▼—**achtig** énigmatique.
's-Gravenhage La Haye.
shag tabac m à cigarettes.
shaker shaker m.
shampoo(ing) shampooing m.
shantoeng chantoung m.
sherry sherry, (vin de) Xérès m.
shocktoestand état m de choc.
shorts short m.
shuttle volant m.
Siamees Siamois (m) ; *siamese tweelingen*,
frères siamois, sœurs siamoises.
Siber/ië la Sibérie. ▼—**iër**, —**isch** Sibérien
(m).
Siciliaan(s) Sicilien (m) ; —*se*, Sicilienne v.
▼**Sicilië** la Sicile.
sidder/en frémir. ▼—**ing** frémissement m.
sier parure v ; *goede* — *maken*, faire bonne
chère. ▼—**aad** ornement m, parure v.
▼—**aardewerk** céramique v d'art. ▼—**en**
parer, orner. ▼—**erwt** pois m de senteur.
▼—**kunst** art m décoratif. ▼—**letter** lettrine
v. ▼—**lijk I** bn élégant, gracieux. **II** bw
élégamment, gracieusement. ▼—**lijkheid**
élégance, grâce, beauté v. ▼—**plant** plante v
ornementale.
siësta sieste v.
sifon siphon m.
sigaar cigare m ; *de* — *zijn*, être chocolat.
▼**sigare/aansteker** briquet m. ▼—**bandje**
bague v ; *met een* —, bagué. ▼—**nfabriek**
fabrique v de c. ▼—**nfabrikant** fabricant m
de c. ▼—**nkistje** boîte v à cigares.
▼—**nkoker** porte-cigares m.
▼—**nma(a)k(st)er** cigarier m. (-ière v).
▼—**nwinkel** magasin de c. ; (*in Frankr.*)
bureau m de tabac. ▼—**pijpje** fume-cigare m.
▼—**schaartje** coupe-cigares m.
sigaret cigarette v. ▼—**tenkoker**
porte-eigarettes, étui m à cigarettes.
▼—**tenpapier** papier m à c. ▼—**tepijpje**
fume-cigarette m.
signaal signal m ; — *geven*, (*auto*) avertir ;
signalen uitzenden, lancer des appels.
▼—**hoorn** clairon m. ▼—**klok** cloche-signal
v. ▼—**lamp(je)**, —**licht** voyant m.
▼**signale/ment** signalement m. ▼—**ren**
signaler. ▼**sign/atuur** signature v. ▼—**et**
1 signet ; **2** cachet, sceau m ; **3** vignette v.
sijpelen I on.w suinter. **II** zn : le suintement.
sik 1 chèvre v, chevreau m ; **2** barbiche v.
sikkel faucille v ; — *der maan*, croissant m de
la lune. ▼—**vormig** falciforme.
sikkeneurig grincheux, morose, pointilleux.
silhouet silhouette v.
silic/aat silicate m. ▼—**ium** silicium m.
silo silo m.
similor similor, toc m.
simp/el 1 simple ; **2** (*onnozel*) faible d'esprit,
niais. ▼—**listisch** simpliste.

simul/ant simulateur *m*. ▼**—eren** simuler.
simultaan simultané.
sinaasappel orange *v*. ▼**—sap** jus *m* d'orange.
sinds *zie* sedert.
singel 1 ceinture, (*v. paard*) sangle *v*;
  2 boulevard *m*; canal *m* de ceinture.
sinol/ogisch sinologique. ▼**—oog** sinologue
m.
sinopel sinople (*m*).
sint saint (*m*); *de goede* —, Saint-Nicolas.
▼**—bernardshond** saint-bernard *m*.
sintel 1 (*v. kolen*) escarbille; **2** (*v. metaal*)
scorie, crasse *v*. ▼**—baan** cendrée *v*.
sinterklaas Saint-Nicolas; (*feest*) la S.-N.
sinus sinus *m*.
sip: — *kijken*, faire la moue; être tout penaud.
sirene sirène *v*.
siroop sirop *m*.
sisal sisal *m*.
siss/en 1 siffler; **2** (*v. boter*) crier; **3** (*v. water*)
chanter. ▼**—er 1** siffleur; **2** (*voetzoeker*)
pétard, crapaud *m*; *met een — aflopen*, rester
sans conséquence.
sit-downstaking grève *v* sur le tas.
situatie situation *v*. ▼**—kaart** indication *v* des
lieux. ▼**—plan** tracé, plan *m* de site.
▼**situeren** situer, mettre en place.
sixtijns sixtin.
sjaal écharpe *v*, foulard, châle *m*. ▼**—kraag**
col châle *m*.
sjabl/one, —oon pochoir *m*; moule *m* (*ook
fig.*).
sjacher/aar brocanteur *m*. ▼**—aarster**
brocanteuse *v*. ▼**—en** brocanter; (*loven en
bieden*) marchander.
sjah (s)chah *m*.
sjalot échalotte *v*.
sjap(pie) prolo, voyou *m*.
sjees cabriolet *m*.
sjeik cheik *m*.
sjerp écharpe *v*.
sjezen 1 *on.w* être collé, échouer. **II** *ov.w*
renvoyer; *gesjeesd student*, fruit *m* sec.
sjilpen gazouiller, pépier.
sjirpen bruire, chanter.
sjoelbak jeu *m* de galets.
sjofel minable, piteux. ▼**—heid** aspect *m*
minable. ▼**—tjes** pauvrement.
sjokken traîner les pieds.
sjor/lijn amarre *v*. ▼**—ren 1** amarrer; **2** traîner.
sjouw/en l *ov.w* traîner, transporter. **II** *on.w*
1 (*hard werken*) peiner, turbiner; **2** faire la
noce. ▼**—er 1** homme de peine; **2** noceur *m*.
▼**—erij** travail *m* rude. ▼**—erman** *zie* **—er 1**.
skateboard planche *v* à roulettes.
skelet squelette *m*. ▼**—achtig** squelettique.
ski ski *m*; *op* — s, en skis. ▼**—baan** piste *v* de
ski. ▼**—centrum** station *v* ski. ▼**—ën** faire du
ski, skier. ▼**—èr, —ester, —lo(o)p(st)er**
skieur *m*, skieuse *v*.
skiff skiff *m*. ▼**—roeier** skiffeur *m*.
ski/leraar moniteur *m* de ski. ▼**—lift** téléski
m, (*fam.*) tire-fesses *m*. ▼**—schans** tremplin
m. ▼**—schoenen** chaussures *v mv* de ski.
sla *zie* salade.
Slaaf Slave *m*. **slaaf** esclave. ▼**—s** *bn* (*& bw*)
servile(ment). ▼**—sheid** servilité *v*.
slaag des coups *m mv*; *— geven*, rosser. ▼**—s:**
— raken, en venir aux mains; engager le
combat; *— zijn*, se battre, être aux prises.
slaan l *ov.w* **1** frapper; battre; **2** faire (une
blessure); jeter (un pont sur); **3** prendre (un
pion); **4** battre, vaincre; *een spijker in de
muur —*, enfoncer un clou dans la muraille;
iets naar binnen —, avaler qc, siffler (un verre
de vin); *iem. de armen om de hals —*, jeter les
bras autour du cou à qn; *de arm om iem.
middel —*, passer le bras autour de la taille à
qn; *over elkaar —*, croiser (les bras, les
jambes); *iem. in elkaar —*, tabasser qn. **II** *zich
door het leven —*, faire sa vie; *zich ergens
doorheen —*, se débrouiller. **III** *on.w*
1 frapper, battre; **2** (*v. klok*) sonner; **3** (*bij
schaken enz.*) prendre; *achteruit —*, ruer;
tegen de grond —, tomber par terre; *naar iets
—*, lancer un coup à qc; *— op*, se rapporter à;

het *slaat drie uur*, trois heures sonnent. **IV** *zn*
1 coups *m mv*; battement *m* (de cœur); **2** (*v.
vogels*) chant *m*; **3** (*v. munt*) frappe *v*.
▼**slaand** battant; *met —e trom*, tambour
battant; (*klok*) sonnant, à sonnerie.
slaap 1 sommeil *m*; **2** (*v. hoofd*) tempe; **3** (*in
oog*) chassie *v*; *— hebben*, avoir sommeil;
—jes doen, faire 'dodo'; *— krijgen*,
commencer à avoir sommeil; *in de —*,
pendant le sommeil, en dormant; *in —
maken*, endormir; *in — vallen*, s'endormir.
▼**—bank** canapé-lit; divan-lit *m*. ▼**—been** os
m temporal. ▼**—coupé** compartiment (à)
couchette, coupé-lit *m*. ▼**—drank**
soporifique, narcotique *m*. ▼**—dronken** ivre
de sommeil, somnolent, encore tout endormi.
▼**—dronkenheid** somnolence *v*.
▼**—gelegenheid** logis, gîte *m*. ▼**—je**
1 (petit) somme *m*; **2** (*na het eten*)
méridienne, sieste *v*; *—s doen*, faire dodo.
▼**—kamer** chambre *v* (à coucher).
▼**—kameraad** camarade *v* de chambre.
▼**—koets** couché *v*. ▼**—kop** dormeur *m*,
dormeuse *v*. ▼**—lied** berceuse *v*. ▼**—middel**
soporifique *m*. ▼**—mutsje** petit verre *m*.
▼**—plaats** place *v* couchée; couchette *v*;
endroit *m* pour dormir. ▼**—rijtuig** voiture-lit
v. ▼**—stad** cité-dortoir *v*. ▼**—ster** dormeuse
v; *de schone —*, la Belle au bois dormant.
▼**—stoel** siège *m* couchette.
▼**—verwekkend** assoupissant; soporifique.
▼**—wandelaar** somnambule *m & v*.
▼**—wandelen** somnambulisme *m*. ▼**—zaal**
dortoir *m*. ▼**—zak** duvet *m*; sac *m* de
couchage. ▼**—ziekte 1** maladie *v* du
sommeil; **2** encéphalite *v* léthargique.
slaatje salade *v*; *ergens een — uit slaan*, faire
son profit de qc.
slab(betje) bavoir *m*.
sla/bak saladier *m*. ▼**—bed** carré *m* de salade.
▼**—boon** haricot *m* vert nain.
slacht 1 abattage *m*; **2** viande *v* de boucherie.
▼**—bank** billot *m*; (*fig.*) boucherie *v*.
▼**—beest** animal *m* de boucherie. ▼**—briefje**
permis *m* d'abattage. ▼**—en** tuer, abattre.
▼**—er** boucher *m*. ▼**—erij** boucherie *v*.
▼**—huis** abattoir *m*, boucherie *v*. ▼**—ing**
1 abattage *m*; **2** (*fig.*) carnage *m*, tuerie,
boucherie *v*. ▼**—offer 1** victime; **2** (*v.
bedrog*) dupe *v*; (*v. ongeval*) accidenté; (*v.
ramp*) sinistré *m*. ▼**—offeren** immoler,
sacrifier. ▼**—tijd** époque *v* d'abattage.
▼**—vee** bêtes *v mv* de boucherie.
sladood: *lange —*, escogriffe, grand flandrin
m.
slag 1 coup; **2** (*v. hart, vleugel*) battement;
3 (*geluid*) coup de tonnerre; (*v. vogel*) chant
m; roulades *v mv*; **4** (*in kaartspel*) levée;
5 (*handigheid*) adresse, méthode; **6** (*bij
zwemmen*) brasse *v*; **7** (*roeier*) chef *m* de
nage; **8** (*ongeluk*) coup, malheur *m*, perte *v*;
9 (*veld*—) bataille *v*; *de — van iets hebben*,
s'entendre à; *er — van hebben met mensen
om te gaan*, avoir de l'entregent; *er — van
krijgen om*, se faire à; *een — om de arm
houden*, se ménager une porte de derrière;
alle —en halen, faire toutes les levées; *de
—en opnemen*, relever les levées; *aan de —
gaan*, se mettre au travail; *aan — komen*,
prendre la main; *met één —*, d'un seul coup,
tout d'un coup; *op —*, sur le coup; *van —
zijn*, décompter; *zonder — of stoot*, sans
coup férir; **10** (*soort*) espèce, sorte *v*; **11** (*til*)
pigeonnier *m*; *van allerlei —*, de tout poil; *van
het — van*, du genre de.
slagader artère *v*; *grote —*, aorte *v*. ▼**—bloed**
sang *m* artériel. ▼**—verkalking**
artério-sclérose *v*; *lijder aan —*,
artério-scléreux *m*.
slagboom barrière *v*.
slagen *on.w* réussir; être reçu (à un examen).
II *zn*: *het —*, la réussite.
slager boucher *m*. ▼**—ij** boucherie *v*.
▼**—svrouw** bouchère *v*. ▼**—swinkel**
boucherie *v*.
slag/hamer maillet *m*. ▼**—hoedje** amorce *v*;

détonateur *m*. ▼—**hout** batte *v*.
▼—**instrument** instrument *m* de percussion.
▼—**kruiser** croiseur *m* de bataille. ▼—**lengte**
(*v. zuiger*) course *v*. ▼—**linie** ligne *v* de
bataille. ▼—**net 1** (*balspel*) raquette *v*; **2** (*v.
vogels*) trébuchet *m*. ▼—**orde** ordre *m* de
bataille. ▼—**pen** penne, rémige *v*. ▼—**pin**
percuteur *m*. ▼—**regen** pluie battante, averse
v. ▼—**room** crème *v* fouettée. ▼—**sas**
explosif *m*. ▼—**schaduw** ombre *v* portée.
▼—**schip** navire *m* de ligne. ▼—**tand** défense
v. ▼—**uurwerk** horloge *v* à sonnerie.
▼—**vaardig** prêt à combattre ; (*fig.*) prompt à
la riposte. ▼—**vaardigheid** état *m*
d'aguerrissement ; (*fig.*) présence d'esprit,
promptitude *v* à la riposte. ▼—**veer 1** *zie*
—**pen**; **2** déclic ; **3** ressort *m* de gâchette.
▼—**veld** champ *m* de bataille. ▼—**wapen**
arme *v* de combat. ▼—**werk 1** sonnerie ;
2 (*muz.*) percussion *v*. ▼—**werker**
percussioniste, (*bij jazz*) batteur *m*.
▼—**woord** formule toute faite, phrase *v* à
effet. ▼—**zee** coup *m* de mer. ▼—**zij(de)**
bande *v*; — *maken*, donner de la bande.
▼—**zin** slogan *m*. ▼—**zwaard** glaive,
espadon *m*.
slak 1 limace *v*; **2** (*met huis*) colimaçon,
(*eetbaar*) escargot *m*; **3** (*metaal*—) scorie *v*;
4 (*hoogoven*—) laitier, mâchefer *m*.
slaken 1 (*losmaken*) relâcher, détacher ; **2** (*v.
kreet enz.*) pousser.
slakke/gang marche *v* très lente ; *een* —
gaan, marcher à pas de tortue ; (*fig.*) traîner en
longueur. ▼—**huis 1** coquille *v*; **2** (*in oor*)
limaçon *m*. ▼—**nmeel** scories *v mv* de
déphosphoration pulvérisées.
slalepel cuiller *v* à salade ; — *en vork*, couvert
m à salade.
slaolie huile *v* d'olive, - de table.
slalom slalom *m*.
slang 1 serpent *m* (*ook fig.*) ; **2** (*brand*—)
boyau, tuyau *m* (d'incendie) ; **3** (*chem.*)
serpentin *m*; **4** argot *m*. ▼—**ebeet** morsure *v*
de serpent. ▼—**e(ge)broed(sel)** couvée de
serpents ; (*fig.*) engeance *v* de serpents.
▼—**egif(t)** venin *m*. ▼—**emens** homme
serpent, contorsionniste *m*.
▼—**enbezweerder** charmeur *m* de serpents.
▼—**etong** langue de serpent ; (*fig.*) langue *v*
de vipère. ▼—**ewagen** dévidoir *m*.
slank élancé, svelte, élégant ; *de* —*e lijn*, la
ligne impeccable, - mince ; — *maken*,
amincir ; — *makend*, amincissant ; —*er
worden*, s'amincir. ▼—**heid** sveltesse,
gracilité (*'lijn'*) minceur *v*.
slap I *bn* **1** (*krachteloos*) faible, mou, sans
force ; **2** (*niet gespannen*) lâche, relâché,
détendu ; **3** (*niet stijf*) flasque, mou ; **4** (*lenig*)
souple ; **5** (*v. oplossing*) dilué ; clair, faible,
léger ; —*pe band*, pneu *m* flasque ; —*pe kost*,
nourriture *v* peu substantielle ; *de beurs is* —,
la bourse est faible ; —*pe houding*, attitude *v*
molle ; laxisme *m*; —*pe tijd*, morte-saison *v*.
II *bw* mollement.
slapeloos sans sommeil, - dormir ; *slapeloze
nacht*, nuit *v* blanche. ▼—**heid** insomnie *v*.
▼**slap/en I** *on.w* dormir, coucher ; *licht* —,
avoir le sommeil léger ; *vast* —, dormir à
poings fermés ; *gaan* —, aller se coucher ; *mijn
arm slaapt*, j'ai le bras engourdi (*of endormi*) ;
mijn benen —, j'ai des fourmis dans les
jambes ; *bij iem.* —, **1** coucher avec qn ;
2 passer la nuit chez qn ; *hij kan van zorg niet*
—, les soucis lui font perdre le sommeil ; *lang*
—, dormir la grasse matinée. **II** *zn : het* —, le
dormir, la dormition. ▼—**end** dormant ;
endormi. ▼—*er* **1** dormeur *m*; **2** dormeur *v*
intérieure ; —**erdijk**, ▼—**erig** somnolent ;
(*fig.*) engourdi, indolent ; *hij wordt* —, le
sommeil le prend. ▼—**erigheid**
1 somnolence ; **2** (*fig.*) indolence, torpeur *v*.
slap/heid 1 mollesse *v*, relâchement *m*;
2 souplesse ; **3** (*fig.*) indolence, lâcheté *v*;
laxisme *v*; **4** (*hand.*) malaise ; **5** (*psych.*)
atonie *v*. ▼—**jes** faiblement, mollement ; *zij is
nog* —, elle est encore faible. ▼—**peling**

mou ; flemmard *m*. ▼—**te** *zie* —**heid**.
sla/schotel saladier *m*. ▼—**tuin** jardin *m*
maraîcher.
slaven peiner. ▼—**arbeid** travail *m* d'esclave ;
(*fig.*) - pénible. ▼—**dienst** servitude *v*.
▼—**handel** traite *v* des nègres.
▼—**handelaar** négrier *m*. ▼—**markt** marché
m aux esclaves. ▼**slavernij** esclavage *m*,
servitude *v*. ▼**slavin** esclave *v*; *handel in
blanke* —*nen*, traite *v* des blanches.
Slav/isch slave. ▼—**onië** la Slavonie.
▼—**onisch** slavon.
slavork fourchette *v* à salade.
slecht I *bn* **1** méchant, mauvais, moche ;
2 pauvre ; bas, humble ; — *huis*, mauvais lieu
m; *het is een* —*e tijd*, les temps sont durs ;
—(*er*) *worden*, se gâter ; se pervertir. **II** *bw*
mal ; *het gaat* — *met hem*, il va mal ; il est bien
bas ; *hoe langer hoe* —*er*, de mal en pis. **III** *zn :
het* —*e*, le mal.
slechten 1 (*slopen*) démolir, raser ; **2** (*gelijk
maken*) aplanir ; **3** (*fig.*) vider.
slecht/er I *bn* plus mauvais, pire ; inférieur (à).
II *bw* plus mal, pis. ▼—**heid 1** mauvaise
qualité ; **2** (*v. karakter*) méchanceté,
dépravation *v*. ▼—**horend** dur d'oreille.
slechting démolition *v*.
slechts ne . . . que ; seulement ; *nog* —, ne . . .
plus que ; *niet* —, ne . . . pas que.
slechtziend dont la vue baisse.
sled/e traîneau *m*; (*in Zwitserl.*) luge ; (*in de
Alpen*) ramasse *v*. ▼—**en se** promener (*of*
aller) en traîneau. ▼—**evaart** course *v* en t.
▼**slee I** *zn* **1** *zie* **slede**; **2** auto *v* de luxe ;
3 (*plk.*) prunelle *v*. **II** *bn* **1** aigre ; **2** (*bot*)
obtus ; **3** (*v. tand*) agacé. ▼—**ën** *zie* **sleden**.
▼—**hak** semelle *v* canadienne.
sleep 1 (*sleur*) traîne, queue ; **2** (*gevolg*)
suite *v*, train *m*; **3** remorque *v*; *een* —
kinderen, une ribambelle d'enfants.
▼—**antenne** antenne *v* des postes d'avion.
▼—**asperge** asperge *v* en branche. ▼—**boot**
remorqueur, toueur *m*. ▼—**contact** frotteur
m. ▼—**dienst** service *m* de remorquage.
▼—**drager** caudataire *m*. ▼—**helling** cale *v*
de halage. ▼—**hengel** ligne *v* traînante.
▼—**japon** robe *v* à traîne. ▼—**kabel** remorque
v. ▼—**loon** frais *m mv* de remorquage =
—**kosten**. ▼—**net** filet *m* traînant ; drague *v*.
▼—**reis** tour *m* de remorquage. ▼—**touw**
1 remorque *v*; **2** (*v. ballon*) guiderope *m*; *op*
— *nemen*, prendre à la remorque ; *zich op* —
laten nemen, se mettre à la remorque (de).
▼—**trolley** trolley *m* frotteur. ▼—**tros**
remorque *v*. ▼—**vaart** remorquage *m*.
sleets s'usant vite ; *die jongen is erg* —, ce
garçon use beaucoup. ▼—**heid** usure ;
négligence *v*.
slem chelem *m*; — *maken*, faire chelem.
slemp 1 lait *m* safrané ; **2** bombance *v*. ▼—**en**
faire bombance. ▼—**partij** orgie *v*.
slendang ceinture-écharpe *v*.
slenter/aar flâneur *m*. ▼—**en** flâner, battre le
pavé. ▼—**gang 1** routine ; **2** flânerie *v*.
slep/en I *ov.w* traîner ; **2** remorquer ; *gesleept
worden*, être en remorque ; *met de haren er bij*
—, tirer par les cheveux. **II** *on.w* traîner (par
terre), se traîner. ▼—**end** traînant ; —*e blijven*,
traîner ; —*e houden*, faire traîner en longueur ;
—*e ziekte*, maladie *v* chronique. ▼**sleper**
1 traîneur *m*; **2** (*vrachtrijder*) voiturier, (*schip*)
remorqueur *m*. ▼—**spaard** percheron *m*;
(*oud*) haridelle *v*. ▼—**swagen** camion,
fardier *m*, voiture *v* de roulage. ▼—**swerk**
roulage *m*.
slet gourgandine, coureuse *v*.
sleuf cannelure, coulisse ; fente ; rainure *v*.
sleur routine *v*, train-train *m*; *in de* — *blijven*,
s'encroûter. ▼—**en I** *ov.w* traîner ; *door het
slijk* —, traîner dans la boue. **II** *on.w* se
traîner. ▼—**werk** travail *m* routinier.
sleutel clef (*clé*) *v*; *Engelse* —, clef anglaise, -
de démontage ; *geboorde* —, clef forée.
▼—**been** clavicule *v*. ▼—**bloem** primevère *v*.
▼—**bos** trousseau *m* de clefs. ▼—**drager**
porte-clefs ; (*hof*) chambellan *m*. ▼—**gat** trou

m de serrure. ▼—**geld** pas *m* de porte.
▼—**industrie** industrie-clef *v.* ▼—**positie** position-clef *v.* ▼—**ring** (anneau) porte-clefs *m.* ▼—**roman** roman *m* à clef. ▼—**stelling** zie —**positie.**

slib bourbe, vase *v,* limon *m.* ▼—**ben** laver.
▼—**beren** glisser. ▼—**berig** glissant, gluant.
slier(t) suite *v; lange* —, longue perche *v.*
▼—**asperge** asperge *v* en branche. ▼—**en** traîner.

slijk boue, vase, fange *v; limon m; het — der aarde,* le vil métal; *in het — blijven steken,* s'embourber; *uit het — halen,* tirer du ruisseau. ▼—**bord** garde-boue *m.* ▼—**erig** boueux, fangeux. ▼—**grond** fond *m* bourbeux. ▼—**lap** bavette *v.* ▼—**mossel** moule *v* limoneuse. ▼—**rand** bordure *v* crottée. ▼—**spat** éclaboussure *v.* ▼—**voet** pied *m* crotté. ▼—**vulkaan** salse *v.*

slijm 1 flegme *m,* glaire, pituite *v;* 2 (*v. slak enz.*) bave; 3 (*med.*) mucosité *v,* mucus; 4 (*plk.*) mucilage *m.* ▼—**achtig** muqueux, visqueux. ▼—**achtigheid** viscosité *v.*
▼—**afdrijvend** expectorant.
▼—**afscheiding** sécrétion *v* muqueuse.
▼—**erig** zie —**achtig.** ▼—**hoest** toux *v* grasse. ▼—**klier** glande *v* muqueuse.
▼—**prop** amas *m* de mucus. ▼—**vlies** muqueuse *v.* ▼—**vloed** flux *m* muqueux.
slijp/en 1 (*scherp maken*) aiguiser, affiler; 2 (*glad maken*) polir; tailler (un diamant).
▼—**er** affileur, polisseur, tailleur (de diamants). ▼—**erij** aiguisage; polissage *m;* taillerie *v.* ▼—**machine** polisseuse *v;* polissoir *m.* ▼—**molen** meule *v* à polir.
▼—**plank** planche *v* à repasser. ▼—**poeder** poudre *v* à polir. ▼—**staal** fusil *m.* ▼—**steen** pierre *v* à aiguiser.

slijt/age usure *v.* ▼—**en** l *ov.w* 1 (*verslijten*) user; 2 (*verkopen*) débiter; 3 (*v. leven*) passer; *zijn laatste dagen* —, achever de vivre. ll *on.w* s'user; (*fig.*) diminuer, se passer.
▼—**(st)er** détaillant(e) *m* (*v*); liquoriste *m &* *v.* ▼—**erij** débit *m* de boissons. ▼—**ersprijs** prix *m* de détail. ▼—**ing** 1 usure; 2 vente *v* en détail. ▼—**ings-** de dégradation. ▼—**laag** couche *v* d'usure.

slik 1 *zie* **slijk;** 2 ingestion *v.* ▼—**beweging** mouvement *m* de déglutition. ▼—**ken** l *on.w* avaler, déglutir; *hij moet heel wat* —, il en voit de grises; *hij zal dat gemakkelijk* —, il avalera cela comme de l'eau. ll *on.w* avaler. ▼—**nat** trempé (comme une soupe).

slim l *bn* 1 (*listig*) fin, malin, futé; 2 mauvais, difficile; *daar hoef je niet* — *voor te zijn,* ce n'est pas bien malin; *hij was zo* — *om,* il a eu l'esprit de; — *me vos,* rusé compère *m;* — *me vrouw,* fine mouche *v; iem. te* — *af zijn,* ruser avec qn., avoir raison de qn. ll *bw* 1 finement, avec adresse; 2 mal, difficilement. ▼—**heid** adresse, finesse *v.* ▼—**meling** —**merd** malin, fin matois *m,* fine mouche *v.*
▼—**migheid** finasserie, ruse *v.*

slinger 1 oscillation *v;* 2 mouvement *m* brusque; 3 balancier, pendule *v;* 4 (*arm*) manivelle *v;* 5 (*doek*) écharpe *v.* ▼—**en** l *ov.w* 1 agiter, secouer; ballotter; 2 (*weg*)—lancer; *geslingerd worden,* être indécis. ll *zich* — serpenter; *zich om iets heen* —, s'entortiller; *zich* — *op,* enfourcher. lll *on.w* 1 osciller; 2 (*v. schepen*) rouler; 3 serpenter; 4 (*overal rond*—) traîner (partout); — *als een dronkaard,* tituber; *tussen hoop en vrees* —, balancer entre l'espoir et la crainte. ▼—**end** l *bn* oscillant, oscillatoire; l'tortueux. ll *bw* en serpentant. ▼—**ing** 1 oscillation *v;* 2 (*v. schip*) roulis *m;* 3 (*in trein*) mouvement *m* de lacet; 4 (*fig.*) incertitude (*v. koers*) fluctuation *v.* ▼—**krans** guirlande *v.* —**lat** violon *m* de mer. ▼—**pad** sentier *m* tortueux.
▼—**plant** plante grimpante; liane *v.*
▼—**proef** expérience *v* du pendule. ▼—**punt** point *m* d'oscillation. ▼—**schommeling** oscillation *v.* ▼—**uurwerk** horloge *v* à pendule. ▼—**wijdte** amplitude *v* d'oscillation.

slinken l *on.w* diminuer, se dégonfler, se réduire. ll *zn* diminution, réduction *v.*
slinks l *bn* artificieux, détourné, oblique; —*e streek,* détour, artifice *m.* ll *bw* artificieusement, d'une façon détourné.
slip 1 basque *v,* pan *m;* 2 (*eind*) bout; coin, cordon *m* (*v. lijkkleed*); 3 (*Eng.*) note *v* de couverture; 4 (*broek*) slip *m.* ▼—**cursus** cours *m* antidérapage. ▼—**gevaar:** *weg met* —, route *v* dérapante *of* glissante. ▼—**jacht** rallye *v.* ▼—**pedrager:** *als* —*s dienst doen,* tenir les cordons du poêle. ▼—**pen** l *on.w* glisser, s'échapper; (*v. wiel*) déraper; *die niet kan* —, antidérapant. ll *zn* le dérapage.
▼—**pertje** fugue *v.* ▼—**school** école *v* antidérapage.
slob/beren l *ov.w* avaler bruyamment, laper. ll *on.w* barboter. ▼—**broek** culotte *v* bouffante. ▼—**kous** (mi-)guêtre *v.* ▼—**pakje** barboteuse *v.*
slodder/ig l *bn* débraillé. ll *bw* d'une façon débraillé. ▼—**vos** débraillé *m,* souillon *m & v.*
sloep chaloupe, embarcation *v; —en strijken !,* embarcations à la mer !
slof l *zn* 1 pantoufle, savate; (*oosters* —*je*) babouche *v;* 2 (*v. fruit*) cageot *m;* 3 (*sigaretten*) cartouche *v; uit zijn* — *schieten,* se risquer à son tour; se fâcher tout rouge; (*met geld*) se fendre; *het vuur uit zijn* —*fen lopen,* se mettre en quatre. ll *bn* mou, nonchalant. lll *bw* mollement, nonchalamment. ▼—**fen** traîner les pieds; (*fig.*) être nonchalant; — *met,* négliger.
slogan slogan *m.*
slok coup, trait *m;* gorgée *v; in één* —, d'un trait, d'un coup. ▼—**darm** oesophage *m.*
▼—**je** 1 petit coup *m,* petite gorgée; 2 (*borrel*) goutte *v,* petit verre *m.* ▼—**ken** avaler, engloutir. ▼—**ker** glouton *m; arme* —, pauvre diable *m.* ▼—**op** glouton(ne) *m* (*v*).
slon/s souillon, salope *v.* ▼—**zig** l *bn* nonchalant. ll *bw* nonchalamment.
sloof 1 (*voorschoot*) tablier *m;* 2 (*fig.*) pauvre créature, femme *v* de peine.
sloom l *bn* lent, mou. ll *bw* lentement, mollement. ▼—**held** lenteur *v.*
sloop 1 taie *v* d'oreiller; 2 *naar de* — *sturen,* envoyer à la ferraille. ▼—**hout,** —**werk** démolitions *v mv.*
sloot fossé *m; —je springen,* sauter les fossés.
slop impasse *v,* cul-de-sac *m.*
slop/en démolir, raser; (*v. schip*) déchirer; (*v. kracht*) épuiser. ▼—**er** démolisseur, entrepreneur de démolitions. ▼—**ing** démolition *v;* déchirage; (*fig.*) épuisement *m.*
slordig l *bn* négligé, négligent, nonchalant, peu soigné; — *zijn op zichzelf,* se négliger. ll *bw* négligemment, avec négligence; —*afmaken,* bâcler. ▼—**heid** négligence, nonchalance *v;* (*v. kleren*) débraillé *m.*
slorpen humer, siroter, absorber.
slot 1 serrure *v;* 2 (*v. boek*) fermoir; 3 (*hang*—) cadenas *m;* 4 (*v. geweer*) platine *v;* 5 (*kasteel*) château *m;* 6 (*eind*) fin, conclusion; (*v. beurs*) clôture *v; finale m;* 7 (*klooster*) clôture *v* monastique; *een — op de mond hebben,* avoir les lèvres cousues; *dat heeft* — *noch zin,* cela n'a ni rime ni raison; *achter* —, sous clef; *achter* — *en grendel zetten,* mettre sous les verrous, écrouer; *iets op* — *doen,* fermer qc à clef; *ten* —*te,* finalement, enfin; *ten* —*te zal hij ...,* il finira par ...... ▼**slot/akkoord** accord *m* final.
▼—**balans** bilan *m* de clôture. ▼—**bepaling** clause *v* finale. ▼—**dividend** complément *m* de dividende.
slotenmaker serrurier *m.* ▼—**ij** serrurerie *v.*
slotgebed prière *v* finale.
slotgracht fossé *m,* douve *v.*
slot/koers cours *m* de clôture. ▼—**notering** cote *v* de clôture. ▼—**nummer** finale *m.*
▼—**rede** péroraison *v.* ▼—**revisie** tierce *v.*
▼—**som** résultat définitif, résumé *m,* conclusion *v.* ▼—**stuk** (*vuurwerk*) bouquet *m.* ▼—**tafereel** apothéose *v.*
slot/voogd châtelain *m.* ▼—**vrouw**

châtelaine v.
slot/woord zie —rede, —som. ▼—zitting séance v de clôture.
Slov/een(s) Slovène (m). ▼—enië Slovénie v.
slov/en peiner, trimer. ▼—er trimeur m.
Slow/aak(s) Slovaque (m). ▼—akije Slovaquie v.
sluier 1 voile m; (korte —) voilette v; 2 (rouw—) crêpe m. ▼—en voiler.
sluik I bn plat. II zn contrebande v; zie tersluiks. ▼—handel contrebande v. ▼—handelaar contrebandier m. ▼—reclame publicité v clandestine. ▼—s furtif; en dessous.
sluimer/en sommeiller; (fig.) dormir, être latent. ▼—ing sommeil m. ▼—rol traversin, (pop.) polochon m.
sluip/deur porte v secrète; (fig.) échappatoire v. ▼—en se glisser, se couler; (binnen—) s'introduire à la dérobée. ▼—end I bn furtif, lent. II bw furtivement, à la dérobée. ▼—(st)er intrus(e); sournois(e) m (v). ▼—moord assassinat m. ▼—moordenaar(-ares) assassin(e) m (v). ▼—trap escalier m dérobé. ▼—weg chemin m détourné; (fig.) détour m; langs —en, en usant de détours.
Sluis l'Ecluse v. ▼**sluis** écluse v; de sluizen van zijn welsprekendheid, les sources de son éloquence. ▼—geld droit d'éclusage, péage m. ▼—kolk chambre v, sas m. ▼—meester éclusier en chef. ▼—wachter éclusier m. ▼—werken travaux m mv d'éclusage.
sluit/baar fermant, à fermeture. ▼—boom barrière; traverse v. ▼—en I ov.w 1 fermer; 2 terminer; clore (un débat); clôturer (la séance, un compte); 3 conclure (la paix); contracter (un mariage, un marché), passer (un contrat); 4 (in—, op—) enfermer; emprisonner, mettre (en prison); serrer (dans ses bras); achter iem. —, fermer sur qn; de hielen —, joindre les talons; iets in de kast —, serrer qc dans l'armoire. II zich — se fermer; zich vanzelf —, se fermer de soi-même. III on.w. (se) fermer; (v. kleed) être ajusté; deze japon sluit goed, cette robe prend bien la taille; een —d lijfje, un corsage ajusté; een niet —d lijfje, un corsage qui bâille; de rekening sluit met een tekort, le compte se solde par un déficit; —de begroting, budget m en équilibre. ▼—end (v. kleren) juste, collant; (v. begroting — maken), équilibrer un budget. ▼—er 1 qui ferme; 2 obturateur m; —snelheid, vitesse v d'obturation. ▼—ing 1 fermeture; 2 (tijd v. —) clôture, levée v (de la séance); 3 (slot) fermoir m; 4 conclusion v. ▼—ingsuur heure v de clôture. ▼—rede syllogisme m. ▼—ring rondelle v. ▼—speld épingle v de sûreté. ▼—spier sphincter m. ▼—steen clef v de voûte. ▼—stuk culasse v. ▼—veer gâchette v. ▼—zegel timbre-vignette; label m de qualité.
sluizenkanaal canal m à écluses.
slungel grand diable. ▼—en marcher les bras ballants. ▼—ig dégingandé.
slurf trompe v.
slurpen zie slorpen.
sluw I bn astucieux, rusé. II bw astucieusement. ▼—heid astuce, ruse v.
smaad affront, outrage m, insulte v; aanklagen wegens —, déposer plainte en diffamation. ▼—schrift libelle, écrit m diffamatoire.
smaak goût m; saveur v; — krijgen in, prendre goût à, se prendre de goût pour; — aan iem geven, relever un mets; — hebben in, avoir le goût de; met — eten, manger avec appétit; in de — vallen, plaire; être à la mode; dat is naar haar —, c'est de son goût. ▼—bedervend corrupteur du goût. ▼—loos sans goût. ▼—orgaan organe m du goût. ▼—vol I bn plein de goût, élégant, du meilleur goût. II bw avec beaucoup de goût. ▼—zenuw nerf m gustatif.
smacht/en I on.w languir; — naar iets, soupirer après qc; — van dorst, mourir de

soif. II zn: het —, la langueur. ▼—end I bn languissant; — naar, altéré de. II bw languissamment.
smad/elijk I bn honteux. II bw honteusement. ▼—elijkheid zie smaad. ▼—en diffamer, outrager. ▼—er diffamateur m.
smak 1 clappement de langue; 2 choc, coup m; lourde chute v.
smak/elijk I bn savoureux, appétissant. II bw savoureusement, avec appétit; eet —!, bon appétit!; — lachen, rire de bon cœur; — een sigaar roken, savourer un cigare; — uitzien, avoir l'air avenant. ▼—elijkheid bon goût m, saveur v. ▼—eloos bn (& bw) sans goût, de mauvais goût, fade(ment), insipide. ▼—eloosheid mauvais goût m, fadeur v, insipidité v. ▼—en I ov.w goûter, jouir de. II on.w avoir du goût; dat smaakt mij, c'est à mon goût, cela me plaît; het heeft me goed gesmaakt, j'ai mangé de bon appétit; — naar, avoir un goût de; naar ui —, sentir l'oignon.
smakken I ov.w jeter rudement, flanquer. II on.w 1 clapper de la langue; 2 faire claquer (la porte); 3 tomber lourdement.
smal bn étroit, mince; op de —le kant leggen, poser de champ. II bw à l'étroit; —letjes leven, vivre pauvrement. ▼—deel escadre, flottille v.
smal/en — op, décrier, tourner en dérision. ▼—end plein de dérision, (en ricanant) dédaigneusement.
smal/film film m de format réduit. ▼—spoor voie v étroite. ▼**smalte** étroitesse v.
smaragd émeraude v. ▼—en d'émeraude. ▼—groen vert (d') émeraude.
smart 1 douleur, souffrance; 2 (verdriet) peine v, chagrin m; 3 (v. wond) cuisson v. ▼—egeld indemnité v; (sp.) forfait m. ▼—elijk I bn douloureux, pénible. II bw douloureusement, péniblement. ▼—elijkheid caractère m pénible. ▼—en I on.w affliger, faire de la peine. II on.w être cuisant.
smash smash m.
smed/en 1 forger; 2 (fig.) forger, machiner; gloeiend —, forger à chaud. ▼—erij forge v. ▼**smeed/ijzer** 1 fer malléable; 2 (gesmeed) fer m forgé. ▼—ijzeren en fer forgé. ▼—kunst art m du forgeron. ▼—werk fer m forgé.
smeek/bede supplication v. ▼—ster suppliante v.
smeer 1 graisse v; 2 (kaarsvet) suif; 3 (wagen—) cambouis m; 4 (vuil) crasse v. ▼—achtig graisseux. ▼—boel saloperie, crasse, cochonnerie v. ▼—borstel brosse v à graisser. ▼—geld pot-de-vin m. ▼—inrichting boite v de graissage. ▼—kaas fromage m fondu. ▼—kanis salaud m, ordure v. ▼—kwast guipon m; met de — lopen, flagorner. ▼—lap 1 chiffon à graisser; 2 (fig.) cochon, goujat m. ▼—lapperij cochonnerie v. ▼—middel lubrifiant; (med.) liniment m. ▼—nippel graisseur m. ▼—olie huile v de graissage. ▼—pijp, —poe(t)s zie —lap 2. ▼—pot boite v à graisse; (v. auto) graisseur m. ▼—sel liniment; onguent m = —zalf.
smek/eling suppliant(e) m (v). ▼—en supplier (qn de faire qc), implorer (qc de qn). ▼—ing supplication v.
smelt/baar fusible; moeilijk —, réfractaire. ▼—baarheid fusibilité v. ▼—en I ov.w fondre. II on.w (se) fondre. III zn: het —, la (re)fonte, la fusion. ▼—er fondeur m. ▼—erij fonderie v. ▼—hitte température v de fusion. ▼—ing en lll. ▼—kroes creuset m. ▼—middel fondant m. ▼—oven fourneau m de fusion. ▼—pan bassin m. ▼—punt point m de fusion. ▼—zekering fusible m.
smeren I ov.w 1 graisser, lubrifier; 2 (met boter) beurrer; 3 (met olie) huiler; 4 (met talk) suiffer; iem. de handen —, graisser la patte à qn; hem —, filer. II zn: het —, le graissage, la lubrification.
smerig I bn crasseux, malpropre, sale; (fig.)

sordide. **II** *bw* salement, sordidement.
▼—**heid** crasse, malpropreté, saleté *v.*
smering huilage *m*, lubrification *v*; *zie ook*
smeren *v.*
smeris flic, cogne *m.*
smet tache, souillure *v*; (*med.*) intertrigo *m*;
waarop een — *rust*, taré; *een* — *werpen op,*
noircir, porter atteinte à. ▼—**stof** virus;
contage *m.* ▼—**teloos** sans tache, pur;
impeccable; irréprochable. ▼—**teloosheid**
pureté *v.* ▼—**ten l** *ov.w* tacher, salir. **II** *on.w*
se salir; (*v. huid*) s'irriter.
smeuïg tendre; (*v. soep*) bien lié; (*fig.*)
savoureux.
smeul/en fumer; couver sous la cendre.
▼—**ing** combustion *v* lente.
smid forgeron; (*hoef*—) maréchal *m* ferrant.
▼—**se** forge *v.* ▼—**shamer** marteau *m* de
forge. ▼—**sstal** travail *m.* ▼—**stang** tenailles
v mv.
smiezen: *in de* — *hebben*, sentir de loin; voir
venir (qn).
smijdig souple, ductible; lié, tendre.
smijten flanquer, jeter (rudement).
smikkelen se régaler.
smoel(werk) gueule *v*; —*tje*, minois *m*,
frimousse *v*; *op zijn* — *slaan*, casser la gueule
à; *hou je* —*!*, ta gueule!
smoesje échappatoire *v*, faux-fuyant *m.*
smoez/elen 1 chuchoter; **2** chiffonner, salir.
▼—**elig** chiffonné; défraîchi; douteux. ▼—**en**
chuchoter; *met elkaar* —, tramer qc.
smok/en fumer. ▼—**er** fumeur *m.* ▼—**erig**
enfumé. ▼—**ing** smoking *m*; *in* —, en
smoking.
smokkel contrebande *v.* ▼—**aar(ster)**
contrebandier (-ière). ▼—**arij** contrebande,
fraude *v.* ▼—**en l** *on.w* faire de la
contrebande, tricher. **II** *on.w* introduire -,
passer en fraude. ▼—**handel** *zie* —**arij.**
▼—**schip** contrebandier *m.* ▼—**waar**
marchandise *v* passée en fraude, - de
contrebande.
smokwerk smocks *m mv.*
smoor: *de* — *in hebben*, être en rogne; *iem.*
de — *injagen*, faire bisquer qn; *zie ook* —**lijk.**
▼—**dronken** ivre-mort. ▼—**heet** étouffant,
accablant; *het is* —, on étouffe. ▼—**klep**
soupape *v* d'admission. ▼—**lijk**: — *zijn van,*
être amoureux fou de, - éperdument
amoureux de. ▼**smoren l** *ov.w* étouffer;
étrangler; (*stoven*) braiser, étuver, dauber.
II *on.w* étouffer.
smout 1 (*reuzel*) saindoux; **2** (*drukkersterm*)
ouvrage *m* de ville, bilbloquets *m mv.*
▼—**drukker** imprimeur *m* d'ouvrages de ville.
▼—**en** graisser. ▼—**werk** *zie* **smout 2.**
▼—**zetter** compositeur *m* de bilboquet.
smul/len faire bonne chère, se régaler (de);
— *van een boek*, faire ses délices d'un livre.
▼—**paap** gourmet *m.* ▼—**partij** festin *m.*
smyrnatapijt tapis *m* d'Orient, - de Perse.
snaaien chiper.
snaak gaillard, loustic *m*; *.een rare* —, un drôle
de loustic. ▼—**s l** *bn* drôle. **II** *bw* drôlement.
▼—**sheid** drôlerie, malice *v.*
snaar corde *v*; *de gevoelige* — *aanraken,*
toucher (*of trouver*) la corde sensible; *alles*
op haren en snaren zetten, jouer le tout pour le
tout. ▼—**instrument** instrument *m* à cordes.
snack/bar snack, snack-bar *m.*
snakken haleter; — *naar*, soupirer après qc.
snap/pen l *on.w* babiller, bavarder; *naar iets*
—, happer. **II** *ov.w* **1** attrapper, pincer;
2 (*begrijpen*) comprendre, saisir; *snap je?,* tu
piges?; *hij snapt er niets van*, il n'y voit que du
feu. ▼—**shot** instantané *m.*
snars: *geen* —, rien du tout; *het kan hem geen*
— *schelen*, il s'en moque comme de la
quarante.
snater bec *m*; *hou je* —, ta gueule. ▼—**en 1** (*v.*
gans) cacarder; (*v. eend*) couin-couiner;
2 (*fig.*) bavarder, caqueter.
snauw coup *m* de boutoir; *iem. een* — *geven,*
rabrouer qn. ▼—**en l** *on.w* brusquer, rudoyer.
II *ov.w* dire d'un ton rude. ▼—**erig l** *bn*

hargneux. **II** *bw* hargneusement.
snavel bec *m.* ▼—**tang** pince *v*; davier *m.*
snede, snee 1 coup *m* (de couteau);
(*insnijding*) incision, entaille; (*wond*)
blessure, coupure, (*bij scheren*) estafilade,
(*over het gezicht*) balafre; **2** (*snit*) coupe *v*;
3 (*stuk*) morceau *m*; (*schijf*) tranche;
4 (*wisk.*) section *v*; **5** (*scherp*) tranchant *m*;
6 (*het snijden*) coupe *v*; — *brood*, tranche *v*
de pain; *verguld op* —, doré sur tranche; *ter*
—, à propos.
snedig l *bn* prompt à la riposte; — *antwoord,*
repartie *v.* **II** *bw* promptement; —
antwoorden, repartir; — *kunnen*
antwoorden, avoir l'esprit de repartie, -
d'à-propos. ▼—**heid** adresse, réplique *v*
prompte; (esprit d')à-propos *m.*
sneeuw neige *v*; *natte* —, neige fondue;
eeuwige —, neiges *v mv* éternelles. ▼—**bal**
boule *v* de neige. ▼—**balverkoop** vente *v* à la
boule de neige. ▼—**band** pneu *m* à glace.
▼—**berg 1** sommet neigeux; **2** monceau *m* de
neige. ▼—**bericht** bulletin *m* d'enneigement.
▼—**blind** ébloui par les neiges.
▼—**blindheid** éblouissement *m* causé par la
neige. ▼—**bril** lunettes *v mv* contre la neige.
▼—**bui** bourrasque *v* de neige, les neiges *v*
mv. ▼—**en** neiger; *het sneeuwt*, il neige.
▼—**gezicht** effet *m* de neige. ▼—**grens**
limite *v* des neiges. ▼—**jacht** tourmente *v* de
neige. ▼—**ketting** chaîne *v* à neige; *banden*
met —*en*, pneus *m mv* chaînés. ▼—**klokje**
perce-neige *v.* ▼—**klomp** masse *v* de neige.
▼—**lucht** ciel *m* qui annonce la neige.
▼—**maand** nivôse *v.* ▼—**modder** neige *v*
pourrie. ▼—**opruiming** (service de
l'enlèvement *m* des neiges. ▼—**ploeg**
chasse-neige *m.* ▼—**pop** bonhomme *m* de
neige. ▼—**regen** neige *v* fondue. ▼—**schoen**
raquette *v*; *gevoerde* —, snow-boot *m.*
▼—**storm** tourmente *v* de neige. ▼—**val**
1 avalanche, **2** (*neerslag*) précipitation *v*
neigeuse. ▼—**vlaag** rafale *v* de neige.
▼—**vlok** flocon *m* de neige. ▼—**vrij** nu de
neige. ▼—**water** neige *v* fondue. ▼—**wit**
blanc comme neige, neigeux. ▼—**witje**
Blanche-Neige *v.*
snel *bn* (& *bw*) prompt (ement),
rapide(ment); *le pols*, pouls *m* fréquent; *in*
—*le vaart*, à fond de train; — *van begrip zijn,*
avoir la conception vive; — *ler dan het geluid,*
supersonique. ▼—**binder** tendeur (à
crochets); *sandow m.* ▼—**buffet** self-service
m. ▼—**dienst** service *m* express.
▼—**drogend** siccatif.
snelheid rapidité, vitesse *v*; — *van begrip,*
promptitude *v* de conception; — *van*
spreken, volubilité *v*; *met grote* —, à grande
vitesse; — *120 km op de vlakke baan*, vitesse
de 120 kilomètres par heure en palier.
▼—**sbeperking** limitation *v* de vitesse.
▼—**smaniak** chauffard *m.* ▼—**smeter**
tachymètre; compteur *m* de vitesse.
▼—**srecord** record *m* de vitesse.
▼—**svermindering** ralentissement *m.*
▼—**swedstrijd** épreuve *v* de vitesse.
snelkoker bouilloire *v* électrique; — *onder*
druk, cocotte *v* minute. ▼**snelkookpan**
autocuiseur *m.*
snellen l *on.w* courir, s'élancer, se précipiter.
II *ov.w* couper (des têtes).
snel/pers presse *v* mécanique. ▼—**schrijven**
sténographie *v.* ▼—**trein** express; rapide;
train *m* direct. ▼—**varend** à grande vitesse.
▼—**verband** pansement *m* individuel.
▼—**verkeer** trafic *m* rapide; *autoweg voor*
—, autoroute *v.* ▼—**vurend** à tir rapide.
▼—**vuur** tir *m* rapide. ▼—**vuurkanon** canon
m à tir rapide. ▼—**weg** voie *v* express.
▼—**werkend** prompt, actif.
snerpen 1 (*v. kou*) percer; cingler; **2** crier;
3 (*v. pijn*) cuire. ▼—**d** perçant, âpre, cuisant,
snert purée *v* aux pois; *dat lijkt wel* —, cela ne
ressemble à rien; *dat is* —, c'est des bêtises.
▼—**vent** homme de rien.
sneu fâcheux; *wat* —*!*, quelle désillusion; —

kijken, avoir l'air déconfit.

sneuvelen tomber, être tué à l'ennemi.

snibbig I *bn* aigre, revêche. **II** *bw* aigrement. ▼**—heid** aigreur, humeur *v* revêche.

snij/beitel tranchet *m.* ▼**—bloem** fleur *v* à couper, - coupée. ▼**—boon** haricot *m* vert. ▼**—bord** *zie* **—plank.** ▼**—brander** chalumeau *m* oxycoupeur. ▼**snij/den I** *ov.w* **1** couper; (*verdelen*) découper; (*v. kleed*) tailler; **2** graver; **3** (*v. dier*) châtrer; **4** (*fig.*) écorcher; **5** (*met voertuig*) faire une queue de poisson; *in stukken —,* couper en morceaux. **II** *zich* — se couper (au doigt). **III** *on.w* couper; *er moet in gesneden worden,* il faut un coup de bistouri. **IV** *zn* coupe; découpage *m;* taille; castration *v.* ▼**—dend** tranchant; aigu, perçant; (*v. kou*) pénétrant. ▼**—der** tailleur *m.* ▼**—ding** coupure; section; (*v. twee lijnen*) intersection; (*dichtk.*) césure *v.* ▼**—kamer** amphithéâtre *m* de dissection, - anatomique. ▼**—lijn** ligne *v* d'intersection, sécante *v.* ▼**—machine 1** machine *v* à découper; **2** (*v. boekbinder*) massicot *m;* **3** (*foto—*) coupe-épreuves *m.* ▼**—mes** couperet, tranchet; (*med.*) bistouri *m.* ▼**—plank** tranchoir *m.* ▼**—punt** (point *m* d')intersection *v.* ▼**—tafel** table *v* de dissection. ▼**—tand** incisive *v.* ▼**—vlak** plan *m* d'intersection. ▼**—werk** sculpture *v.* ▼**—wond** *zie* **snede 1.**

snik I *zn* sanglot *m; de laatste — geven,* rendre le dernier soupir. **II** *bij is niet goed —,* il est un peu toqué. ▼**—heet** étouffant; *het is —,* il fait une chaleur étouffante (*of* suffocante). ▼**—ken** sangloter.

snip bécasse *v,*

snipper 1 rognure, retaille *v;* **2** (*in koek*) fragment *m* de fruits confits. ▼**—dag** jour *m* de vacances; (*verplichte*) *—(en) opnemen tussen feestdagen,* faire le pont. ▼**—en** découper, rogner. ▼**—koek** pain *m* d'épice à l'angélique. ▼**—mand** panier *m* à papier. ▼**—tje** tout petit peu, rien *m.* ▼**—uur** heure *v* de loisir, moment *m* perdu.

snipverkouden très enrhumé.

snit coupe, façon *v; naar de laatste —,* d'après la dernière mode.

snob snob *m; vrouwelijke —,* snobinette *v.* ▼**—istisch** snob.

snoei/en I *ov.w* **1** tailler, émonder; **2** (*v. geld*) rogner. **II** *zn: het —,* la taille. ▼**—er** émondeur *m.* ▼**—kunst** émondage *m.* ▼**—mes** serpette, serpe *v;* (*op stok*) ébranchoir *m.* ▼**—schaar** sécateur *m.* ▼**—tang** ébranchoir *m.*

snoek brochet *m.* ▼**—baars** sandre *m.*

snoep friandises *v mv.* ▼**—achtig** friand, gourmand. ▼**—en I** *ov.w* manger (en cachette) des friandises. **II** *on.w* fricoter; (*fig.*) flirter; *van — houden,* aimer les friandises. ▼**—(st)er** gourmand(e) *m* (*v*); *een ouwe —,* un vieux coureur. ▼**—erig I** *bn* charmant, mignon. **II** *bw* joliment. ▼**—goed** *zie* **snoep.** ▼**—je** bonbon *m.* ▼**—lust** gourmandise *v.* ▼**—reisje** excursion *v.* (*verboden*) tulpe *v.* ▼**—winkel** confiserie *v.* ▼**—zucht** gourmandise *v.*

snoer 1 cordon; **2** (*hals—*) collier *m;* **3** (*hengel—*) ligne *v;* **4** (*meet—*) cordeau *m;* *elektrisch —,* cordon, fil *m.* ▼**—en:** *iem. de mond —,* fermer la bouche à qn.

snoes chéri, mignon, amour; bijou *m; een — van een kind,* un amour d'enfant. ▼**—haan** drôle *m* de type; *vreemde —,* étranger *m.* ▼**—je** un amour (d'enfant); *zie ook* **schat.**

snoet museau, mufle; (*v. varken*) groin *m; zie ook* **smoel.** ▼**—tje** frimousse *v.*

snoezig *zie* **snoeperig.**

snood I *bn* méchant, pervers, atroce; (*v. ondank*) noir. **II** *bw* perfidement. ▼**—aard** scélérat *m.* ▼**—heid** méchanceté, atrocité *v.*

snor moustache; (*v. dier*) barbe *v; een — hebben,* porter la moustache.

snorder maraudeur *m.*

snorkel tube *m* respiratoire.

snork/en 1 ronfler; **2** *zie* **pochen.** — *als een os,* ronfler comme un tuyau d'orgue. ▼**—er**

1 ronfleur; **2** *zie* **pocher.**

snorren 1 (*v. kachel, wiel*) ronfler; (*v. kat*) ronronner; (*v. vlieg*) bourdonner; **2** (*snuffelen*) fouiller, fureter; **3** (*v. taxi*) marauder.

snot morve, mouchure *v;* (*v. kip*) coryza *m* des poules. ▼**—aap** morveux *m.* ▼**—neus 1** nez *m* morveux; **2** *zie* **—aap; 3** lampe *v* à queue. ▼**—teren** renifler; (*fig.*) pleurnicher. ▼**—terig** morveux.

snuffel/aar fouilleur, fureteur; — *in oude boeken,* bouquineur *m.* ▼**—en** flairer; (*fig.*) fouiller, fureter; *altijd in boeken —,* avoir toujours le nez dans les livres. ▼**—paal** renifleur *m.*

snufje: *nieuwste —(s),* dernier cri *m; — zout,* pincée *v* de sel.

snugger I *bn* éveillé; malin; (*spot*) bête. **II** *bw* finement. ▼**—heid** vivacité *v* d'esprit.

snuiftabak tabac *m* à priser.

snuisterij bibelot, colifichet *m; handelaar in —en,* bimbelotier *m.*

snuit 1 museau, mufle *m;* **2** (*v. varken*) groin *m;* **3** (*v. olifant*) trompe *v.;* **4** gueule *v,* nez *m.* ▼**—en I** *ov.w* moucher; *zijn neus — = II zich* — se moucher. ▼**—er 1** moucheur *m* de chandelles; **2** individu, type *m; rare —,* drôle *m* de type. ▼**—je** *zie* **snoetje.**

snuiv/en I *on.w* **1** renifler, souffler (du nez); **2** (*v. paard*) s'ébrouer; **3** (*tabak*) priser. **II** *zn: het —,* le reniflement; l'ébrouement; l'usage *m* du tabac à priser. ▼**—er 1** renifleur; **2** priseur; **3** (*v. duikboot*) tube *m* respiratoire.

snurken ronfler.

sober *bn* (*& bw*) sobre(ment), frugal(ement), (*toilet*) discret; (*kleren*) discrétion *v.* ▼**—heid** sobriété, frugalité, (*kleren*) discrétion *v.*

sociaal *bn* (*& bw*) social(ement); — *cultureel werk(st)er,* animateur (animatrice) socio-culturel(le); — *economische raad,* conseil économique et social; *sociale verzekeringsbank,* banque *v* d'assurances de l'Etat; *sociale voorzieningen, - zaken,* sécurité *v* sociale. ▼**—democraat** (démocrate-)socialiste *m.* ▼**—democratie** démocratie *v* socialiste; parti *m* socialiste. ▼**social/isatie** socialisation *v.* ▼**—iseren** socialiser. ▼**—isme** socialisme *m.* ▼**—ist(isch)** socialiste (*m*).

sociëteit 1 cercle, club *m;* **2** (*genootschap*) société *v;* **3** (*rk*) compagnie *v* de Jésus.

sociol/ogie sociologie *v.* ▼**—ogisch** *bn* (*& bw*) sociologique(ment). ▼**—oog** sociologue, sociologiste *m.*

soda soude *v.* ▼**—water** eau *v* gazeuse, - de Seltz, soda *m.*

soebatten quémander, supplier humblement.

Soedan le Soudan. ▼**—ees** Soudanais (*m*).

soep potage *m,* (*met brood enz.*) soupe *v;* (*dikke —*) pot-au-feu; (*heldere —*) consommé *m; in de — rijden,* faire rater; — *eten; in de — zitten,* être dans la purée. ▼**—balletje** boulette *v.* ▼**—bord** assiette *v* creuse.

soepel souple; — *maken,* assouplir; *mechanisme —er maken,* débrider la mécanique. ▼**—heid** souplesse *v.*

soep/groente herbes *v mv* potagères. ▼**—ketel** marmite *v.* ▼**—kokerij** soupe *v* populaire. ▼**—kom** bol *m.* ▼**—lepel** louche, cuiller *v* à potage. ▼**—stengel** gressin *m.* ▼**—tablet** tablette *v* de bouillon. ▼**—terrine** soupière *v.* ▼**—vlees 1** viande *v* de pot-au-feu; (*met soep*) pot-au-feu; **2** (*na het koken*) bouilli *m.*

soes 1 chou *m* (à la crème); **2** somnolence *v.*

soesa histoires, affaires *v mv,* ennuis *m mv.*

soesje profiterole *v.*

soeverein I *zn* souverain *m.* **II** *bn* (*& bw*) souverain(ement). ▼**—iteit** souveraineté *v.*

soez/en somnoler. ▼**—erig** somnolent.

sof I *zn* four *m,* veste *v; wat een —!,* la barbe! **II** *bn* moche.

sofa sofa *m.*

sof/isme sophisme *m.* ▼**—ist** sophiste *m.*

software logiciel, software *m.*

soja, —**boon** soya, pois *m* chinois.
sok 1 chaussette; **2** (*v. paard*) balzane *v*;
3 (*tech.*) manchon *m*; *ouwe* —, vieille barbe,
- perruque *v*; *iem. van de* —*ken slaan*
(*praten*), dégoter (démonter) qn; *op* —*ken*, à
pas de loup; (*dames*)—*je*, socquette *v*.
sokkel socle *m*.
sokkerig lâche, trop ample; (*fig.*) mou.
sokophouder support- chaussette *m*.
sol (*muz.*) sol *m*.
solarium solarium *m*.
soldaat soldat *m*; —*je*, (*brood*) croûton *m*;
—*je spelen*, jouer au soldat; — *maken*,
manger -, boire qc; — *worden*, se faire soldat.
▼**soldaten/brood** pain *m* complet.
▼—**leven** vie *m* militaire. ▼—**muts** bonnet *m*
de police. ▼—**schoen** godillot *m*. ▼—**stand**
état *m* militaire. ▼—**taal** argot *m* des casernes.
soldeer soudure *v*. ▼—**bout** fer à souder,
soudoir *m*. ▼—**der** soudeur *m*. ▼—**draad** fil *m*
soudure. ▼—**lamp** lampe *v* à souder.
▼—**naad** soudure *v*. ▼—**pijp** chalumeau *m*.
▼—**sel** soudure *v*. ▼**solderen I** *ov. w* souder.
II *zn* soudure *v*.
soldij solde, paye *v*; prêt *m*.
solfèg/e solfège *m*. ▼—**iëren** solfier.
solidair *bn* (& *bw*) solidaire(ment); *zich* —
verklaren met, se solidariser avec.
▼**solidariteit** solidarité *v*. ▼—**sgevoel**
sentiment *m* de (la) solidarité *v*.
solid/e I *bn* **1** (*stevig*) solide; **2** (*betrouwbaar*)
loyal, honorable; **3** (*fatsoenlijk*) rangé,
sérieux; **4** (*in geldzaken*) bon, solvable; —
geldbelegging, placement *m* de tout repos.
II *bw* **1** solidement; **2** sérieusement (vivre)
régulièrement. ▼—**iteit 1** solidité; **2** loyauté,
respectabilité; **3** vie rangée, bonne conduite;
4 solvabilité *v*.
solist, —**e** soliste *m* & *v*.
sollen berner, houspiller; — *met*, trimbaler
(qn); (*fig.*) berner, duper (qn); *met zich laten*
—, se laisser faire; *ik laat niet met me* —, on ne
me la fait pas.
sollicit/ant candidat(e), postulant(e) *m* (*v*).
▼—**atie** candidature, postulation *v*.
▼—**atiebrief** lettre de candidature; demande
v. ▼—**atiestukken** titres *m mv*, pièces *v mv*.
▼—**eren** se présenter pour un emploi; —
naar, **1** postuler (une place), être candidat à
(une place), demander, chercher; **2** (*met*
anderen) se mettre sur les rangs.
solmi/ëren, —**seren** solmiser. ▼—**satie**
solmisation *v*.
solo *bn* (& *zn*) solo (*m*); — *spelen*, jouer (*of*
exécuter) un solo. ▼—**instrument**
instrument *m* solo. ▼—**partij** solo *m*.
▼—**stem** voix *v* en solo; *voor* —, pour une
voix seule. ▼—**vlucht** vol *m* sans passager.
▼—**zanger** (chanteur) soliste *m*.
solutie solution *v*.
solv/abel solvable. ▼—**entie** solvabilité *v*.
▼—**eren** acquitter.
som 1 somme *v*, total; **2** (*vraagstuk*) problème
m; —*men maken*, résoudre des problèmes.
somber *bn* (& *bw*) sombre(ment); (*v. weer*)
gris; (*fig.*) morne, triste; — *worden*,
s'assombrir. ▼—**heid** obscurité; (*fig.*)
tristesse, mélancolie *v*.
somma somme *v*, total *m*.
somm/atie sommation *v*. ▼—**eren** sommer,
mettre en demeure.
sommige certains, quelques; —*n*,
quelques-uns. ▼**soms, somtijds 1** parfois,
quelquefois; **2** peut-être.
sonate sonate *v*; *Mondschein*—, Sonate au
Clair de lune.
sonde sonde *v*. ▼—**ren** sonder. ▼—**ring**
sondage *m*.
sonnet sonnet *m*.
soort sorte, espèce *v*; genre *m*; *in zijn* —, dans
son genre; *allerlei* —, toutes sortes (de); *een*
— *mantel*, une sorte de manteau; — *zoekt* —,
qui se ressemble s'assemble. ▼—**elijk** *bn* (&
bw) spécifique(ment). ▼—**gelijk** pareil.
▼—**genoot** congénère *m* & *v*. ▼—**naam** nom
m commun, - spécifique.

sop 1 liquide *m*; **2** (*zeep*—) lessive *v*; *met*
hetzelfde — *overgoten*, de même farine; *iem.*
in zijn — *laten gaar koken*, laisser cuire qn
dans son jus; *het ruime* — *kiezen*, prendre le
large. ▼—**pen** tremper. ▼—**perig** boueux.
sopraan soprano *m*. ▼—**partij** partie *v* de
soprano. ▼—**solo** solo *m* pour soprano.
sorbet sorbet *m*.
sort/eerder trieur *m*. ▼—**eermachine** trieur
m, trieuse *v*. ▼—**eren 1** (*bijeenzoeken*)
assortir; **2** (*uitzoeken*) classer, trier; *effect* —,
faire son effet. ▼—**ering 1** triage;
2 assortiment; *— grote* —, grand choix *m*.
sortie 1 contremarque; **2** sortie *v* de bal.
sortiment assortiment *m*.
souche souche *v*.
souffl/eren souffler. ▼—**eur** souffleur *m*; *op*
de — *spelen*, prendre au souffleur.
▼—**eurshokje** trou *m* -, boîte *v* du souffleur.
sounder parleur *m*.
souper souper *m*. ▼—**en** souper.
sous/bras dessous *m* de bras. ▼—**pied**
sous- pied *m*.
souteneur souteneur, (*pop.*) maquereau *m*.
souterrain sous-sol *m*.
souvenir souvenir *m*.
sovjet, sowjet soviet *m*. ▼—**iseren**
soviétiser. ▼—**isering** soviétisation *v*.
▼—**regime** régime *m* des soviets.
▼—**republiek** république *v* des soviets.
▼**S**— **Rusland** la Russie des Soviets;
l'U.R.S.S. *v*.
spa bêche *v*.
spaak 1 rayon, rai; **2** (*hefboom*) levier *m*; *een*
— *in het wiel steken*, mettre des bâtons dans
les roues (à qn); — *lopen*, échouer. ▼—**been**
radius *m*. ▼—**wiel** roue *v* à rais.
spaan 1 éclat de bois; copeau *m*; éclisse *v*;
2 spatule *v*. ▼—**der** copeau, éclat *m* de bois;
aan —*s slaan*, réduire en miettes. ▼—**plaat**
panneau *m* de particules (de bois).
Spaans espagnol; *het* —, l'espagnol *m*; — *e*
peper, piment *m*. ▼—**Amerikaans**
hispano-américain.
spaarbank caisse *v* d'épargne; *op de* —
brengen, mettre à la caisse. ▼—**boekje** livret
m (de caisse d'épargne). ▼**spaar/bon** bon
de capitalisation. ▼—**brander** économiseur
m. ▼—**der** l'épargnant *m*; *de kleine* —*s*, la
petite épargne. ▼—**en-crediet-instelling**
société *v* de crédit-épargne. ▼—**geld** argent
de réserve; magot *m*. ▼—**kas** *zie* —**bank**.
▼—**lamp** lampe *v* économique. ▼—**pot**
1 tirelire *v*; **2** (*geld*) magot *m*.
▼—**verzekering** assurance-capitalisation *v*;
onderlinge —, mutuelle *v* de capitalisation.
▼—**zaam I** *bn* économe, ménager, sobre
(de); — *met woorden*, laconique. **II** *bw*
économiquement, sobrement; — *omgaan*
met iets, ménager qc. ▼—**zaamheid**
économie *v*; *kleingeestige* —, parcimonie *v*.
▼—**zegel** timbre-épargne *m*.
spade bêche *v*.
spalk éclisse, attelle *v*. ▼—**en** éclisser. ▼—**ing**
éclissement *m*.
span 1 (*v. hand*) empan *m*; **2** (*v. zaag*)
monture *v*; *een* —*ne tijds*, un laps de temps
(assez court); **3** (*paar*) attelage *m*; paire *v*;
4 (*fig.*) couple *m*. ▼—**broek** pantalon *m*
collant. ▼—**doek** banderole *v*. ▼—**draad**
tendeur *m*.
spanen de copeaux, de bois d'éclisses.
spang boucle; agrafe; (*v. bit*) bossette *v*.
Span/jaard Espagnol. ▼—**je** l'Espagne *v*.
spanjolet espagnolette; crémone *v*.
span/ketting chaîne *v* d'enrayage.
▼—**kracht** force *v* d'expansion; (*v. spier*) -
de contraction. ▼—**ne** *zie* **span**. ▼—**nen**
I *ov. w* **1** tendre; **2** (*v. boog*) bander;
3 (*meten*) étendre; embrasser; **4** (*aan*—)
atteler; *de aandacht gespannen houden*, fixer
l'attention; *de haan* —, armer le fusil; *de*
verwachtingen zijn hoog gespannen, l'attente
est vive; *zich voor iets* —, s'atteler à,
s'employer pour. **II** *on.w* **1** se tendre, être
tendu; **2** serrer, gêner; *het zal er* —, cela va

chauffer. ▼—**nend** captivant, passionnant;
où il y a (of qui a) du suspense. ▼—**ner**
tendeur m. ▼—**ning** 1 tension; pression (d'un
gaz); 2 (v. brug) portée, travée v; 3 (elektr.)
voltage m; 4 (fig.) anxiété, tension v;
suspense m. ▼—**ningzoeker** tournevis m,
contrôleur de tension. ▼—**raam** châssis m.
spant 1 (v. dak) chevron; 2 (mar.) couple m.
spanveer ressort m de tension. ▼—**wijdte**
portée v. ▼—**zaag** scie v montée.
spar 1 (arch.) chevron; 2 (plk.) sapin m.
sparen 1 ov.w 1 épargner, mettre de côté,
réserver; 2 (ontzien) ménager; 3 (fig.) iem.
iets —, épargner qc à qn; zijn krachten —, se
réserver. II on.w épargner, faire des
économies. III zn: het —, l'épargne v.
spar/reboom zie spar. ▼—**renbos** sapinière
v.
spartelen gigoter; (v. vis) frétiller.
spastisch bn (& bw) spasmodique(ment).
spat 1 éclaboussure, tache; 2 (med.) varice v;
(v. paard) éparvin m. ▼—**aderen** varices v
mv. ▼—**bord** garde-boue m; (v. auto) aile v.
spatel spatule v.
spat/ie espace v. ▼—**iëren** espacer.
▼—**iëring** espacement m.
spat/kraan brise-jet m. ▼—**lap** bavette v de
protection, pare-boue m. ▼—**scherm** zie
—bord. ▼—**ten** I ov.w 1 éclabousser;
2 (kunst) brunir. II on.w jaillir; (v. regen)
gicler; (v. pen) cracher. ▼—**werk** peinture v à
la bruine.
spe: in —, futur; en herbe.
specerij épice v; —en, épiceries v mv.
▼—**handel** commerce m des épices; épicerie
v.
specht pic m; bonte —, épeiche v; groene —,
pivert m.
speci/aal bn (& bw) spécial(ement).
▼—**aliseren** spécialiser. ▼—**alist** spécialiste
m. ▼—**aliteit** spécialité v.
specie 1 (geld) espèces v mv, numéraire m; in
—, en espèces; 2 (kalk) mortier m.
▼—**briefje** bordereau m. ▼—**handel**
commerce m des espèces. ▼—**tafel** tableau
m des monnaies. ▼—**voorraad** encaisse v
métallique.
specific/atie spécification v; volgens —,
comme il est spécifié. ▼—**eren** spécifier;
donner le détail d'un compte; aldus
gespecificeerd, dont voici le détail.
▼**specifiek** bn (& bw) spécifique(ment).
spectraalanalyse analyse v spectrale.
spectrometer spectromètre m. ▼**spectrum**
spectre m.
speculaas gâteau m de la Saint-Nicolas.
specul/ant spéculateur m. ▼—**atie**
spéculation v. ▼—**atief** spéculatif, de
spéculation. ▼—**eren** spéculer (sur), jouer à
la Bourse; — op de daling der koersen,
spéculer à la baisse.
speech discours, speech m; een — afsteken,
faire un discours, porter un toast; (fam.) faire
un laius = —**en**.
speeksel salive v. ▼—**achtig** saliveux.
speel/avond soir m de représentation.
▼—**baar** jouable. ▼—**bal** balle v (à jouer);
(fig.) jouet m; als een — der golven, au gré
des flots. ▼—**bank** casino; tripot m. ▼—**bord**
damier, échiquier m. ▼—**doos** boîte v à
musique. ▼—**duivel** démon m du jeu.
▼—**film** long métrage m. ▼—**goed** jouets,
joujoux m mv; (fig.) hochet m.
▼—**goedtrein** train-jouet m.
▼—**goedwinkel** magasin m de jouets.
▼—**hol** —**huis** tripot m, maison v de jeu.
▼—**huishouder** tenancier m de maison de
jeu. ▼—**kaart** carte v à jouer. ▼—**kamer**
chambre v d'enfants; de jeu. ▼—**kameraad**
camarade m v de jeu. ▼—**kwartier**
récréation v. ▼—**man** musicien, ménétrier.
▼—**pakje** barboteuse v; (overdekt) préau m. ▼—**plaats** cour v;
(overdekt) préau m. ▼—**pop** poupée v; (fig.)
jouet m. ▼—**pot** cagnotte v. ▼—**ruimte** 1 aire
v de jeux; 2 jeu m, chasse v; 3 (fig.) marge,
latitude v. ▼—**s** joueur, folâtre. ▼—**schuld**

dette v de jeu. ▼—**sheid** humeur v folâtre.
▼—**ster** joueuse; actrice v. ▼—**tafel** 1 table v
de jeu; (fig.) tapis m vert; 2 (muz.) clavier m.
▼—**terrein** aire v de jeux. ▼—**tijd** récréation
v. ▼—**tuin** jardin m de récréation.
▼—**uurwerk** horloge v à sonnerie. ▼—**werk**
sonnerie v, carillon; mécanisme m. ▼—**wijze**
jeu m, interprétation v. ▼—**woede** rage v du
jeu. ▼—**zaal** salle v de jeux. ▼—**zucht**
passion v du jeu.
speen 1 (v. dier) tétine v; 2 (v. vrouw) bout m
de sein; 3 (v. zuigfles) tétine v; 4 (fop—)
sucette v. ▼—**varken** cochon m de lait m.
speer 1 lance, pique v; 2 (sp.) javelot m.
▼—**punt** fer m de lance. ▼—**werpen**
lancement m du javelot.
spek lard m; — met eieren, des œufs au lard;
mager —, petit lard. ▼—**achtig** gras à lard;
(med.) lardacé. ▼—**bokking** gros hareng m
saur. ▼—**haak** crochet m à lard. ▼—**je**: dat is
geen — voor je bekje, ce n'est pas pour ton
nez. ▼—**ken** larder; zijn beurs —, garnir sa
bourse. ▼—**koek** crêpe v au lard =
—**pannekoek**. ▼—**nek** cou m gras.
▼—**slager** charcutier m. ▼—**slagerij**
charcuterie v. ▼—**steen** stéatite v. ▼—**struif**
omelette v au lard.
spektakel tapage, vacarme m; — maken, faire
du tapage. ▼—**maker** tapageur m. ▼—**stuk**
pièce v à grand spectacle.
spek/vet I zn graisse v de lard. II bn gras à
lard. ▼—**worst** saucisse v au lard.
▼—**zwoerd** couenne v.
spel 1 jeu m; 2 partie v (de jeu); 3 (tent)
baraque v; théâtre ambulant; cirque m;
der verbeelding, œuvre v de l'imagination;
goed — (te zien) geven, fournir une
excellente partie; buiten — blijven, ne pas
compter; dat is geen eerlijk —, ce n'est pas de
jeu; vrij — hebben, avoir beau jeu (à); een —
spelen, jouer à un jeu; zijn leven staat op het
—, il y va de sa vie; op het — zetten, risquer;
alles op het — zetten, risquer le tout pour le
tout. ▼—**breker** trouble-fête; lâcheur m.
speld épingle v; —je, insigne m. ▼—**ek(n)op**
tête v d'épingle. ▼—**en** épingler. ▼—**engeld**
argent m pour la toilette. ▼—**enkoker** étui m
à épingles. ▼—**enkussen** pelote v à épingles.
▼—**enwerk** dentelle v. ▼—**enwerkster**
dentellière v. ▼—**eprik** coup m d'épingle.
spelen I on.w jouer; (on) gelukkig —, avoir de
la (dé)veine; in de loterij —, mettre à la
loterie; een filmrol —, tourner; het stuk speelt
in B., la scène se passe à B., l'action est à B.;
met zijn gezondheid —, jouer avec sa santé;
met iem. —, se jouer de qn; zij laten niet met
zich —, ils se ne laissent pas faire; om iets —,
jouer qc; voor heks —, jouer la sorcière; iem.
iets in handen —, jouer qc à qn. II ov.w: kaart
—, jouer aux cartes; een kaart —, jouer une
carte; piano —, jouer du piano; een spel —,
jouer à un jeu. III zn: na het — van de
Marseillaise, après l'exécution de l'hymne
national. ▼—**derwijs** en (se) jouant.
speleoloog spéléologue m.
speler 1 joueur; 2 acteur; 3 (muz.) exécutant.
spelfout faute v d'orthographe.
speling 1 jeu m; 2 (fig.) marge v; battement m
(de temps); — krijgen, prendre du jeu.
spel/leider meneur du jeu; animateur;
présentateur m. ▼—**leiding** animation; mise
v en scène.
spell/en épeler, orthographier. ▼—**ing**
épellation v; (schrift) orthographe v.
spelonk antre m, caverne v. ▼—**achtig**
caverneux.
spelregel 1 règle d'orthographe; 2 règle v du
jeu.
spencer spencer m.
spenderen dépenser (à), mettre (à).
sper/ballon ballon m de barrage. ▼—**dam**
barrage m. ▼—**gebied** zone v interdite.
sperma sperme m.
sper/tijd immobilisation v; (oorlog)
couvre-feu m. ▼—**vuur** feu de barrage m.
sperwer épervier m.

sperzieboon haricot *m* vert.
speur/der 1 détective; limier *m*; **2** (*in krant*) petite annonce *v*. **▼—en** fureter. **▼—hond** limier *m*. **▼—werk** travaux *m mv* de recherches, recherches *v mv* scientifiques. **▼—zin** flair *m*.
spichtig grêle, maigre. **▼—heid** maigreur *v*.
spie clavette; (*pin*) cheville, goupille *v*; (*wig*) coin *m*; (*geld*) fric *m*.
spieden guetter, espionner.
spiegel 1 miroir *m*; **2** (*meubel*) glace; (*staand*) psyché *v*; **3** (*oppervlak*) niveau *m*, surface *v*; **4** (*mar.*) arcasse *v*, tableau; **5** (*med.*) spéculum *m*. **▼—beeld 1** image réfléchie; **2** (*fig.*) contre-partie *v*; mirage *m*. **▼—blank** poli comme une glace. **▼—deur** porte *v* à glace. **▼—ei** œuf *m* sur le plat, - au miroir. **▼—en I** *on.w* miroiter, faire glace. **II zich** se regarder dans une glace, se mirer; *die zich aan een ander spiegelt, spiegelt zich zacht,* heureux celui que le malheur d'autrui rend sage. **▼—end** miroitant. **▼—fabriek** glacerie *v*. **▼—fabrikant** miroitier *m*. **▼—gevecht** combat simulé, simulacre *m* de combat. **▼—glad** poli comme une glace. **▼—glas** glace *v* sans tain. **▼—ing** miroitement, reflet *m*, réflexion *v*. **▼—kast** armoire *v* à glace. **▼—ruit** glace *v*. **▼—schrift** écriture *v* en miroir. **▼—zaal** (*in Versailles*) Galerie *v* des Glaces.
spiek/briefje tuyau *m*. **▼—en** communiquer; tricher; se tuyauter; — *bij,* copier sur.
spier 1 muscle; **2** (*plk.*) brin *m* d'herbe; *geen — vertrekken,* ne pas sourciller. **▼—beweging** mouvement *m* musculaire. **▼—bundel** faisceau *m* musculaire.
spiering éperlan *m*.
spier/kracht force *v* musculaire. **▼—naakt** nu comme un ver. **▼—ontsteking** myosite *v*. **▼—ontwikkeling** *oefeningen voor —,* exercices *m mv* de musculation. **▼—pijn** courbature; (*med.*) myalgie *v*. **▼—stelsel** système *m* musculaire. **▼—weefsel** tissu *m* musculaire. **▼—werking** action *v* musculaire. **▼—wit** blanc comme neige.
spie(t)s *zie* speer. **▼spietsen** embrocher; (*straf*) empaler.
spijbelen faire l'école buissonnière, sécher une heure de cours.
spijker pointe *v*; clou *m*; *de — houdt,* le clou prend; *—s met koppen slaan,* ne pas y aller de main morte; *de — op de kop slaan,* mettre le doigt dessus; *gloeiende —,* lumignon *m*. **▼—band** pneu *m* clouté. **▼—boor** vrille *v*, perçoir *m*. **▼—broek** blue-jean(s) *m* (*mv*). **▼—en I** *ww* clouer. **II** *zn: het —,* clouage *m*. **▼—schoen** soulier *m* ferré. **▼—schrift** écriture *v* cunéiforme. **▼—vast** tenant à fer et à clou.
spijl barre *v*, barreau *m*; (*in bijenkorf*) croisée *v*.
spijs 1 aliment *m*, nourriture *v*; **2** mets, plat *m*. **▼—brij** chyme *m*. **▼—kaart**, **—lijst** carte *v*, menu *m*. **▼—kast** garde-manger *m*. **▼—kelder** cellier *m*. **▼—kokerij** cuisine *v* populaire. **▼—uitdeling** soupe *v* populaire. **▼—vertering** digestion *v*; *slechte —,* digestion laborieuse; dyspepsie *v*; *voor de —,* digestif. **▼—verteringskanaal** tube *m* digestif. **▼—verteringsorganen** appareil *m* digestif.
spijt regret, dépit, chagrin *m*; *— hebben over,* regretter; *in — van,* malgré; en dépit de; *tot mijn —,* à mon grand regret. **▼—en:** *het spijt me dat,* je regrette que, je suis fâché que; *het spijt me zeer !,* je regrette beaucoup. **▼—ig 1** fâcheux, regrettable; **2** (*bits*) plein de dépit. **▼—igheid 1** dépit *m*; **2** rancœur *v*.
spijz/(ig)en nourrir, donner à manger. **▼—iging** alimentation, distribution *v* des vivres.
spikkel tache, moucheture *v*. **▼—(acht)ig** tacheté, moucheté. **▼—en** tacheter, moucheter.
spiksplinternieuw flambant neuf.
spil 1 (*as*) pivot, arbre, axe; **2** (*v. spinnewiel*)

fuseau; **3** (*sp.*) centre *m*; *de — waar alles om draait,* la cheville ouvrière; **4** (*mar.*) cabestan *m*. **▼—boor** drille *v*. **▼—lebeen** jambe *v* en fuseau. **▼—vormig** fuselé.
spil/ziek dépensier. **▼—zucht** prodigalité *v*.
spin araignée *v*; *nijdig als een —,* d'une humeur massacrante.
spinazie épinards *m mv*.
spindop filière *v*.
spin(binder) tendeur, sandow *m*.
spinet épinette *v*.
spin/fabriek filature *v*. **▼—machine** machine *v* à filer. **▼—nekop** araignée *v*. **▼—nen I** *ov.w* **1** filer; **2** (*tabak*) torquer; *zijde bij iets —,* trouver son compte à. **II** *on.w* **1** filer; **2** (*v. kat*) ronronner. **▼—ner** fileur *m*. **▼—nerij** filature *v*. **▼—neweb** toile *v* d'araignée. **▼—newiel** rouet *m*. **▼—nijdig** d'une humeur massacrante. **▼—rag** *zie* —neweb. **▼—school** école *v* de filature. **▼—ster** fileuse *v*.
spion(ne) espion(ne); (*politie—*) mouchard(e) *m* (*v*). **▼—age** espionnage *m*. **▼—eren** espionner; moucharder.
spiraal, —lijn spirale *v*. **▼—matras** sommier *m* à ressorts. **▼—tje** stérilet *m*. **▼—veer** spiral, ressort *m* à boudin. **▼—vlucht** vrille *v*. **▼—vormig** en spirale.
spirea spirée *v*.
spirit énergie *v*, élan *m*, initiative *v*. **▼—isme** spiritisme. **▼—ist(isch) I** *zn* (*& bn*) spirite (*m*). **II** *bw* par la voie spirite. **▼—ualien** spiritueux *m mv*. **▼—ualiteit** spiritualité *v*.
spiritus esprit-de-vin, alcool *m* (à brûler). **▼—brander** réchaud *m* à alcool. **▼—fabriek** distillerie *v*. **▼—lamp** lampe *v* à alcool. **▼—lichtje**, **—toestel** réchaud *m* à alcool.
spit 1 broche *v*; **2** (*med.*) lumbago *m*; *het — hebben,* avoir un lumbago; (*fam.*) avoir un tour de reins.
spits I *bn* pointu, aigu; (*fig.*) mordant, caustique. **II** *bw* en pointe. **III** *zn* **1** pointe; **2** (*v. toren*) aiguille, flèche; **3** (*v. berg*) cime *v*, sommet *m*; **4** (*fig.*) tête *v*; *op de — drijven,* pousser à bout; *het — afbijten,* attacher le grelot, payer de sa personne.
Spitsbergen Spitzberg *m*.
spitsboef filou *m*.
spitsbogestijl style *m* ogival. **▼spitsboog** ogive *v*. **▼—gewelf** voûte *v* en ogive. **▼—vormig** ogival, en ogive.
spits/en I *ov.w* aiguiser, appointer; *de oren —,* dresser l'oreille; (*fig.*) tendre l'oreille. **II zich — op** espérer ardemment (qc), s'attendre à (qc). **▼—heid** acuité *v*. **▼—muis** musaraigne *v*. **▼—neus** nez *m* pointu. **▼—uur** heure *v* de pointe; *de spitsuren,* la pointe; (*in verkeer*) la pointe de l'encombrement. **▼—vondig I** *bn* ingénieux, subtil. **II** *bw* subtilement. **▼—vondigheid** subtilité, argutie *v*.
spitten bêcher, creuser (la terre).
spleen spleen *m*. **▼—lijder** splénétique.
spleet fente, crevasse; (*in muur*) lézarde *v*. **▼—oog** œil *m* bridé.
splijt/baar fissile; (*v. gesteente*) scissile. **▼—en I** *on.w* fendre; cliver (un diamant). **II** *on.w* se fendre. **▼—ing** fissure *v*; clivage *m*; (*fig.*) scission *v*. **▼—stof** matière *v* fissile. **▼—wol** laine *v* moulinée double. **▼—zwam** bactérie *v*, bacille; (*fig.*) ferment *m* de discorde; *zie ook* splits-…
splinter écharde *v*; éclat *m* de bois. **▼—en I** *on.w* se fendre, voler en éclats. **II** *ov.w* fendre, faire voler en éclats. **▼—nieuw** tout flambant neuf. **▼—tang** bec-de-perroquet *m*.
split 1 fente; fermeture *v*; **2** (*steenslag*) gravillon *m*. **▼—erwt** pois *m* cassé. **▼—pen** goupille *v* d'arrêt, - fendue.
splits/baar divisible; (*atoom*) fissible. **▼—en I** *ov.w* dédoubler (une classe); diviser; fendre; (*chem.*) dissocier; (*v. atoom*) désagréger, fissionner. **II zich —** se séparer; (*v. weg, rivier*) se bifurquer; se scinder (en deux parties). **▼—ing 1** division, séparation, scission *v*; **2** (*in tweeën*) bifurcation *v* (*ook op*

school); dédoublement *m*; **3** (*chem.*) dissociation; (*nat.*) dissolution *v*. ▼—**ingsprodukt** produit *m* de dissociation.
splitvrucht fruit *m* déhiscent.
spoed 1 diligence, promptitude *v*; **2** (*v. schroef*) pas *m*; *met —*, en diligence; *— maken*, se dépêcher, faire diligence; *met bekwame —*, avec toute la diligence requise; (*opschrift*) —, urgent, pressé. ▼—**behandeling** traitement *m* d'urgence. ▼—**bestelling** distribution *v* exceptionnelle; (*op post*) par exprès. ▼—**cursus** cours *m* accéléré. ▼—**eisend** urgent, d'urgence; (*v. brief*) pressé. ▼—**en I** *on.w* avancer, accourir. **II** *zich* —, se dépêcher, faire diligence. ▼—**geval** cas *m* d'urgence. ▼—**ig I** *bn* prompt. **II** *bw* promptement, vite; *zo — mogelijk*, le plus tôt possible, au plus vite. ▼—**operatie** opération *v* urgente. ▼—**opname** urgence *v*; *afdeling —n*, service *m* des urgences. ▼—**zending** colis exprès *m*.
spoel 1 bobine; **2** (*v. naaimachine enz.*) navette *v*. ▼—**bak** cuvette *v* à rincer; (*in café*) bac *m* à laver. ▼—**drank** gargarisme *m*. ▼—**en 1** (*om—*) laver, rincer; **2** (*opwinden*) bobiner. ▼—**ing 1** (*het —*) lavage, rinçage *m*; **2** (*spoelsel*) lavure *v*; **3** (*draf*) drêche *v*, marc *m*. ▼—**inrichting** chasse *v* d'eau. ▼—**jongen** laveur, plongeur *m*. ▼—**machine 1** bobineuse; **2** rinceuse *v*. ▼—**sel** lavure(s) *v* (*mv*). ▼—**stelsel** tout-à-l'égout *m*. ▼—**water** eau de rinçage, lavure *v*. ▼—**worm** ascaride, lombric *m*.
spoken 1 revenir; **2** faire gros temps.
spon 1 (*prop*) bondon *m*; **2** (*gat*) bonde *v* = —**gat**.
sponning rainure, coulisse *v*.
spons 1 éponge *v*; *de — erover*, passez l'éponge. **2** (*bij tekenen*) poncif *m*. ▼—**achtig** spongieux, poreux. ▼—**en 1** éponger; **2** (*bij tekenen*) poncer. ▼—**rubber** caoutchouc *m* alvéolé. ▼—**zakje** ponce *v*.
sponsor parrain, donateur *m*; (*personne of organisme*) qui assure le patronage. ▼—en patronner; s'engager à rémunérer; sponsorer.
spont/aan *bn* (*& bw*) spontané(ment). ▼—**aneïteit, —aniteit** spontanéité *v*.
spook revenant, spectre *m*; (*fig.*) chipie *v*. ▼—**achtig** spectral. ▼—**achtigheid** atmosphère *v* spectrale. ▼—**geschiedenis** histoire *v* de revenants. ▼—**huis** maison *v* hantée. ▼—**schip** vaisseau *m* fantôme. ▼—**sel** chimère *v*. ▼—**verschijning** apparition *v*.
spoor 1 (*ruiter—*) éperon; **2** (*v. haan*) ergot *m*; **3** (*zaad*) spore, sporule *v*; **4** trace, piste *v*; vestige *m*; **5** (*wagen—*) ornière *v*; **6** (*rails*) voie *v*; **7** (*trein*) chemin *m* de fer; *dood —*, voie de garage, - d'évitement; *op dood —*, dans une impasse; *geen — van*, ne ... pas l'ombre de; *met het — gaan*, aller en chemin de fer; *per —*, par chemin de fer, par rail; *uit het — raken*, dérailler. ▼—**baan** voie (ferrée), voie *v*. ▼—**boekje** indicateur des chemins de fer; *Chaix m*. ▼—**breedte** largeur *v* de voie, écartement *m*. ▼—**brug** pont *m* de chemin de fer. ▼—**dijk** remblai *m*. ▼—**kaartje** billet *m*. ▼—**lijn** ligne *v*. ▼—**loos** sans (laisser de) trace. ▼—**man** cheminot *m*. ▼—**slag 1** coup *m* d'éperon; **2** (*fig.*) encouragement *m*. ▼—**slags** à bride abattue. ▼—**staaf** rail *m*. ▼—**student** étudiant qui fait la navette. ▼—**tijd** heure *v* de chemin de fer. ▼—**trein** train; convoi *m*. ▼—**verbinding** communication *v* par le rail. ▼—**wagen** wagon *m*.
spoorweg chemin *m* de fer, voie *v* ferrée; *van de —en*, ferroviaire. ▼**spoorweg... zie ook spoor-**. ▼—**aandeel** action *v* de chemin de fer. ▼—**beambte** employé de chemin de fer, cheminot *m*. ▼—**knooppunt** nœud *m* ferroviaire. ▼—**maatschappij** société *v* de chemin de fer. ▼—**net** réseau *m* ferroviaire. ▼—**overgang** passage *m* à niveau.

▼—**staking** grève *v* des cheminots. ▼—**verkeer** trafic *m*. ▼—**wachter** garde-voie; (*bij overgang*) garde-barrière *m*. ▼—**werker** cheminot *m*. ▼—**wezen** chemins *m mv* de fer.
sporadisch *bn* (*& bw*) sporadique(ment).
sporen I *ov.w* éperonner. **II** *on.w* **1** aller en chemin de fer; *5 uur —s*, 5 heures de chemin de fer; **2** tourner dans le même plan; *niet —*, être divergent.
sport 1 (*v. ladder*) échelon; **2** (*v. stoel*) barreau; **3** sport *m*; *aan — doen*, faire du sport. ▼—**artikel** article *m* de sport. ▼—**berichten, —nieuws** chronique *v* sportive. ▼—**blad** journal *m* de sport. ▼—**hemd** chemise *v* de sport. ▼—**ief** sportif; (*fig.*) chic; *zeer — gekleed*, habillé très sport. ▼—**kousen** bas *m mv* sport. ▼—**liefhebber** sportsman. ▼—**liefhebster** sportswoman. ▼—**pak** costume-sport *m*. ▼—**park** stade *m*. ▼—**redacteur** rédacteur sportif. ▼—**terrein** terrain *m* de sport. ▼—**trui** chandail *m*. ▼—**vliegtuig** avion *m* de sport. ▼—**wagen** voiture *v* de s. ▼—**wereld** monde *m* du sport.
spot 1 moquerie, raillerie *v*; *de — drijven met*, se moquer de, tourner en dérision; **2** (*lamp*) spot, projecteur *m*; **3** (*reclamefilm*) spot, message *m* publicitaire. ▼—**achtig I** *bn* railleur, narquois. **II** *bw* d'un ton railleur. ▼—**goedkoop** d'un bon marché fabuleux. ▼—**koopje** occasion *v*; article *m* sacrifié. ▼—**lach** rire *m* moqueur. ▼—**lied** chanson *v* satirique. ▼—**lust** esprit *m* moqueur. ▼—**naam** sobriquet *m*. ▼—**prent** caricature *v*. ▼—**prijs** prix *m* dérisoire. ▼—**ten** se moquer -, se railler (de); tourner en dérision; *daar valt niet mee te —*, c'est sérieux; *— met de armoede*, insulter à la misère. ▼—**tend** *zie* —**achtig**. ▼—**ter, —ster** railleur *m*, -euse *v*.
spouwmuur mur *m* à double paroi.
spraak 1 (*vermogen*) parole *v*; **2** langage *m* (parlé); **3** élocution, façon *v* de parler; *een zachte — hebben*, avoir le parler doux. ▼—**belemmering, —stoornis** trouble *m* de la parole, aphasie *v*. ▼—**gebrek** défaut *m* d'élocution. ▼—**gebruik** usage *m*. ▼—**kunst, —leer** grammaire *v*. ▼—**orgaan** organe *m* de la parole. ▼—**vermogen** (faculté de la) parole *v*. ▼—**zaam** causeur, communicatif; *— maken*, délier la langue (à qn); *— zijn*, avoir de la conversation. ▼**sprake** langage *m*; *er is — van*, il en est question; *er is geen — van*, il n'en est rien; *ter — brengen*, mettre sur le tapis, mettre la conversation sur, évoquer. ▼—**loos** muet; (*fig.*) stupéfait. ▼—**loosheid** mutisme *m*; (*fig.*) stupéfaction; (*med.*) aphasie *v*.
sprank étincelle; lueur *v*. ▼—**elen** étinceler.
spreek/beurt conférence *v*; *een — vervullen*, faire -, donner une conférence. ▼—**buis 1** tuyau *m* acoustique; **2** (*fig.*) porte-parole *m*. ▼—**kamer 1** parloir; **2** (*v. arts*) cabinet *m* de consultations. ▼—**koor** chœur *m* parlé. ▼—**oefening** exercice *m* d'élocution (de conversation etc.). ▼—**ster** orateur *m*. ▼—**taal** langage *m* parlé; *gewone —*, langage courant, la langue de la conversation. ▼—**tijd** temps *m* de parole; (*v. la*) consultation, réception *v*. ▼—**uur** (heure de la) consultation, réception *v*. ▼—**woord** proverbe *m*. ▼—**woordelijk** *bn* (*& bw*) proverbial(ement); *— worden*, passer en proverbe.
spreeuw étourneau *m*.
sprei couvre-lit, dessus *m* (de lit.).
spreid/en étendre; étaler, échelonner (les vacances); *bed —*, faire le lit; *de benen —*, écarter les jambes; *ten toon —*, étaler. ▼—**ing** redistribution *v*; écartement; étalement *m*.
spreken 1 parler, causer; **2** parler, faire un discours, - une conférence; *— met iem.*, parler à qn, causer avec qn; (*telef.*) *met wie spreek ik?*, de la part de qui?; *u spreekt met X*, de la part de X; (*als men de haak heeft opgenomen*) c'est M. X qui vous parle, j'écoute; *— over*, parler de; *over zaken —*, parler affaires; *te — zijn*, **1** être visible; **2** être

sur place; **3** (v. *arts*) être à consulter; *iem. te — vragen*, demander à parler à qn; - un rendez-vous; *dat spreekt vanzelf*, cela va sans dire, c'est évident; *duidelijk —*, prononcer dis;inctement; *uit haar ogen spreekt liefde*, ses yeux expriment l'amour; *niets spreekt ten gunste van hem*, ne témoigne en sa faveur; *Frans —*, parler français; *— is zilver, maar zwijgen is goud*, la parole est d'argent, le silence est d'or. ▼**sprekend I** *bn* parlant; *—bewijs*, preuve v évidente; *—e gelijkenis*, ressemblance v frappante; *—e kleuren*, couleurs v mv voyantes; *—e film*, film m parlant. **II** *bw*: *dat lijkt —*, la ressemblance est frappante. ▼**spreker 1** (*die met iem. spreekt*) interlocuteur; **2** (*openbaar*) orateur, conférencier.

sprenkelen I arroser, asperger; **2** (*spikkelen*) tacheter; **3** (*wasgoed*) humecter.

spreuk sentence, maxime v, aphorisme m.

spriet 1 (*dierk.*) antenne v; **2** (*gras—*) brin m d'herbe. ▼**—ig** mince, maigre.

spring/afstand intervalle m d'éclatement. ▼**—bak** 1 sommier m; **2** fosse v. ▼**—bok** **1** antilope v; **2** (*gymn.*) cheval m. ▼**—bron** jet m d'eau; source v d'eau vive. ▼**—concours** saut d'obstacles, jumping m. ▼**—en I** *on.w* **1** sauter, bondir; (*— naar*) se précipiter; **2** (*dekken*) saillir; **3** (*uiteen—*) éclater, sauter, faire explosion; (v. *fietsband*) crever; **4** (*splijten*) se gercer; se crevasser; **5** (v. *bron*) jaillir; (v. *fontein*) jouer; **6** (*fig.*) faire faillite, sauter; *in het water —*, **1** (*bij zwemmen*) sauter à l'eau; **2** se jeter à l'eau; *over een sloot —*, sauter un fossé; *uit bed —*, sauter à bas de son lit. **II** *zn* sauts m mv; la saillie (par l'étalon); éclatement m, explosion; crevaison v (d'un pneu); gerçure; faillite v. ▼**—end** jaillissant; (v. *handen*) gercé. ▼**—er** sauteur m. ▼**—lading** charge v explosive; *plan — voorzien*, piéger. ▼**—levend** plein de vie. ▼**—matras** matelas m à ressorts. ▼**—middel** explosif m. ▼**—oefening** exercice m de saut. ▼**—paard** 1 sauteur; **2** (*gymn.*) cheval m de bois. ▼**—plank** tremplin m; (*in zwembad*) plongeoir m. ▼**—punt** point m d'éclatement. ▼**—scherm** parachute m. ▼**—stof** explosif m. ▼**—tij** haute marée; maline v. ▼**—touw** corde v à sauter. ▼**—veer** ressort m; *springvere matras*, sommier m à ressorts. ▼**—vloed** raz m de marée. ▼**—zeil** toile v de saut.

sprinkhaan sauterelle v; *magere —*, gringalet m.

sprint sprint m. ▼**—en** sprinter. ▼**—er** sprinter, coureur m de vitesse. ▼**—wedstrijd** course v de vitesse.

sproei/en arroser. ▼**—er 1** (v. *gieter*) pulvérisateur; **2** (v. *carburator*) gicleur m. ▼**—ing** arrosage m. ▼**—wagen** arroseuse v.

sproet tache v de son. ▼**—ig** marqué de taches de son.

sproke conte, dit m.

sprokkel/en ramasser (du bois mort). ▼**—ing** ramassage m; (*fig.*) *—en*, miscellanées v mv.

sprong 1 saut, bond, élan m; **2** (*beentje*) astragale v; *— in het duister doen*, faire le saut dans l'inconnu; *kromme —en maken*, faire des folies; *in één —*, d'un bond; *— naar voren*, bond en avant; *op stel en —*, immédiatement.

sprookje conte m de fées; *— van Moeder de Gans*, conte de ma mère l'Oie. ▼**—sachtig** féerique. ▼**—sland** pays m de conte de fées.

spruit 1 jet m, pousse v; **2** (*fig.*) descendant, rejeton m. ▼**—en 1** germer, pousser, bourgeonner; **2** descendre, être issu. ▼**—jes, —kool** choux m mv de Bruxelles.

spruw muguet m, aphtes m mv.

spugen *zie* **spuwen**.

spui écluse v de chasse. ▼**—en 1** faire écouler l'eau; **2** aérer, renouveler l'air; **3** (*fig.*) écouler (des marchandises). ▼**—gat** dalot m; *dat loopt de —en uit*, cela dépasse toutes les bornes.

---

spuit 1 seringue; **2** lance d'incendie; **3** flingot = fusil m; *drijvende —*, bateau-pompe m; (*fam.*) *—je*, piqûre v; *shoot m*; *een —je geven*, faire une piqûre (à). ▼**—bus** bombe v (aérosol m). ▼**—en I** *ov.w* **1** lancer (des jets d'eau); pomper (de l'eau); **2** injecter, seringuer (un médicament); shooter (une drogue); **3** peindre au pistolet (une auto). **II** *on.w* **1** jaillir; **2** faire jouer une pompe; *de fonteinen —*, les eaux jouent. **III** *zn*: *het —*, le lançage; l'injection v; la peinture au pistolet, le jaillissement. ▼**—fles** siphon m. ▼**—gast** pompier m. ▼**—inrichting** atelier m de peinture au pistolet. ▼**—meester** chef de pompiers. ▼**—pijp** lance v d'arrosage. ▼**—slang** boyau -, tuyau m à incendie. ▼**—water** eau gazeuse v. ▼**—zak** poche v à douille.

spul 1 *zie* **spel**; **2** *—len*, affaires v mv; *goed —*, du véritable; *geen echt —*, du toc; **3** *—hebben met*, avoir des histoires avec.

spurt emballage m. ▼**—en** piquer un sprint; foncer.

sputteren rouspéter; *— tegen*, récriminer contre; (v. *motor*) crachoter.

sputum crachats m mv.

spuug salive v, crachats m mv. ▼**—bak** crachoir m. ▼**—lok** accroche-cœur m. ▼**spuw/bak** crachoir m. ▼**—en I** *ov.w* cracher; (*braken*) vomir, rendre; *vuur en vlam —*, jeter feu et flammes. **II** *on.w* cracher; *ze — op hem*, on le vomit. **III** *zn* crachement, vomissement m; (v. *vulkaan*) éruption v. ▼**—er** cracheur m.

staaf barre v, lingot m; *— scheerzeep*, bâton-pâte m. ▼**—goud** or m en barres. ▼**—lantaarn** torche v électrique. ▼**—je** baguette v, bâtonnet m. ▼**—vormig** en barres.

staak 1 bâton m, perche v; **2** (*bone -*) râme v; **3** piquet m; **4** (*fig.*) branche v.

staal 1 acier; (*fig.*) fer; **2** (*monster*) échantillon m; *— innemen*, prendre du fer. ▼**—blauw** bleu d'acier. ▼**—draad** fil m d'acier. ▼**—druppels** gouttes v mv ferrigineuses. ▼**—fabriek**, **—gieterij** aciérie v. ▼**—grijs** gris d'acier. ▼**—kaart** carte d'échantillons; (*fig.*) mosaïque v. ▼**—meesters**: *de —*, les Syndics des Drapiers. ▼**—pil** pilule v chalybée. ▼**—plaat 1** plaque d'acier; **2** gravure v sur acier. ▼**—waarden** valeurs v mv métallurgiques. ▼**—wijn** vin m chalybée.

staan I *on.w* **1** être -, se tenir debout; se dresser; **2** être, se trouver, figurer (sur une liste); **3** aller (bien, mal); **4** *— op*, insister (sur qc, pour avoir qc), tenir à; **5** (*passen*) aller, convenir (à); **6** (*blijven —*) s'arrêter, faire halte; *hoe — de zaken?*, comment vont les affaires?; *dat staat niet*, cela ne se fait pas; *die hoed staat je goed*, ce chapeau vous va bien; *het staat je vrij om*, vous êtes libre de; *daarmee staat of valt de zaak*, c'est une question de vie ou de mort; *hij staat al een uur te wachten*, voilà une heure qu'il attend, qu'il est là à attendre; *gaan —*, se lever, se mettre debout; (v. *hond*) tomber en arrêt; *op zijn achterste benen gaan —*, se dresser sur ses ergots; *op een tafel gaan —*, monter sur une table; *tegen de muur gaan —*, s'appuyer au mur; *te — komen op*, revenir à, valoir; *alles laten —*, tout planter là; *zijn eten laten —*, ne pas toucher à son dîner; *laat (dat) —*, laissez cela; *laat —*, moins encore; *wat staat er in de krant?*, qu'y a-t-il de nouveau dans le journal?; *als het er zo mee staat*, s'il en est ainsi; *daar staat boete (straf) op*, ce fait est passible d'une amende (d'une peine); *op instorten —*, menacer ruine; *tot — brengen*, arrêter; *tot — komen*, s'arrêter; *het water is tot — gekomen*, l'eau (du Rhin) est étale maintenant; *2 staat tot 4 als 5 tot 10*, 2 est à 4 comme 5 à 10; *hij staat ervoor*, cette tâche lui incombe; *er goed voor —*, avoir toutes les chances de réussir; *er slecht voor —*, être en mauvaise posture; *hij staat voor niets*, il ne

recule devant rien. **II** zn: het — la position debout, la station. ▼**staand** debout; —e houden, **1** arrêter (qn) ; **2** maintenir, soutenir (une thèse) ; —e boord, col m droit ; —e klok, horloge v à gaine ; —e lamp, lampe v sur pied ; — leger, armée v permanente ; —e magistratuur, magistrature v debout ; op —e voet, sur-le-champ ; —e de vergadering, séance tenante. ▼**staan/geld 1** droit de stationnement ; **2** dépôt m ; arrhes v mv.
▼**—plaats** place v debout.
staar cataracte v.
staart queue v ; (fig.) suite v ; met de — tussen de benen, la queue basse. ▼**—je** (vlechtje) couette v. ▼**—klok** horloge v de la Frise.
▼**—licht** feu m arrière. ▼**—pruik** perruque v à queue. ▼**—schroef** culasse v. ▼**—steun** béquille v. ▼**—stuk** culotte v. ▼**—wiel** roue v de queue.
staat 1 (toestand) état m ; condition, position v ; **2** (opgave) état, relevé, tableau m ; **3** (stand) condition v, rang m ; **4** (rijk) état m ; — van beleg, état de siège ; — van dienst, état m de service ; Provinciale Staten, les Etats Provinciaux ; de Verenigde Staten, les Etats-Unis ; — maken op, compter sur ; een grote — voeren, mener grand train ; buiten — te, hors d'état de ; in — stellen (zijn) te, mettre (être) en état de.
staathuishoudkund/e économie v politique.
▼**—ig I** bn économique. **II** zn: —e, économiste m.
staatkund/e politique v. ▼**—ig** bn (& bw) politique(ment).
staat/loos, —loze (bn & zn) apatride (m & v).
staats- étatique, d'Etat. ▼**—aangelegenheid** affaire v politique, - d'Etat. ▼**—almanak** annuaire m officiel. ▼**—ambt** charge v publique. ▼**—ambtenaar** fonctionnaire m.
▼**—bedrijf** administration v publique ; exploitation v d'Etat. ▼**—begroting** budget m, loi v de finances. ▼**—beheer 1** administration de l'Etat ; **2** régie v ; in — nemen, étatiser. ▼**—belang** intérêt m de l'Etat, - politique. ▼**—bemoeiing** intervention v, ingérence v de l'Etat.
▼**—bestuur** régime, gouvernement m de l'Etat. ▼**—blad** Journal m Officiel.
▼**—bosbeheer** administration v des eaux et forêts. ▼**—burger** citoyen(ne) m (v).
▼**—burgerlijk** bn (& bw) politique(ment).
▼**—burgerschap** citoyenneté v.
▼**—courant** Journal m Officiel. ▼**—dienst** service m de l'Etat, fonction publique ; Administration v. ▼**—domein** domaine m national. ▼**—drukkerij** imprimerie v nationale. ▼**—geheim** secret m d'Etat.
▼**—gelden** deniers m mv publics.
▼**—gevangene** détenu m politique.
▼**—godsdienst** religion v d'Etat, - officielle.
▼**—goederen** biens m mv nationaux.
▼**—greep** coup m d'Etat.
staatsie cérémonie, pompe v, apparat m.
▼**—bezoek** visite v de cérémonie. ▼**—degen** épée v de parade. ▼**—dracht, —kleed** habit m de cérémonie. ▼**—koets** carrosse m de gala. ▼**—mantel** manteau m de cérémonie.
staats/inmenging intervention v de l'Etat.
▼**—inrichting** organisation -, institution v politique. ▼**—instelling 1** institution v politique ; **2** établissement m de l'Etat.
▼**—kerk** zie **—godsdienst**. ▼**—lasten** charges v mv publiques. ▼**—leer** doctrine v politique ; **2** sciences v mv sociales.
▼**—lening** emprunt m d'Etat. ▼**—loterij** loterie v nationale. ▼**—man** homme d'Etat ; - politique. ▼**—mijnen** (in Frankrijk) Charbonnages m mv de France. ▼**—papier** fonds m public, titre m (de rente sur l'Etat).
▼**—raad 1** conseil m d'Etat ; **2** (persoon) conseiller m d'Etat. ▼**—recht** droit m public.
▼**—rechtelijk** de droit public. ▼**—schuld** dette v publique. ▼**—secretariaat** secrétariat m d'Etat. ▼**—secretaris** secrétaire v d'Etat. ▼**—socialisme**

socialisme m d'Etat. ▼**—stuk** document m.
▼**—toezicht** contrôle m de l'Etat. ▼**—vorm** régime m. ▼**—wetenschap** sciences v mv politiques et administratives. ▼**—zaak** affaire v politique, - d'Etat.
stabiel stable. ▼**stabilis/atie** stabilisation v.
▼**—atiestang** barre v stabilisatrice. ▼**—eren** stabiliser. ▼**stabiliteit** stabilité v.
stacaravan caravane v résidentielle.
stad ville; cité v ; (adres) —, en ville ; de — Parijs, la ville de Paris ; in de — wonen, habiter à la ville. ▼**—e: te — komen**, venir à propos, - à point. ▼**—genoot** concitoyen(ne) m (v). ▼**—houder 1** lieutenant, gouverneur ; '**2** (in Nederl.) stathouder m. ▼**—huis** mairie v ; hôtel m de ville. ▼**—huisachtig** officiel, pompeux. ▼**—huisstijl** style m de chancellerie.
stadion stade m.
stadium degré m, phase, période v ; T.B.C. in het eerste —, tuberculose au premier degré.
stads- urbain, municipal. ▼**—gas** gaz m de ville. ▼**—gebied** banlieue v. ▼**—gewest** conurbation v. ▼**—guerrilla** guérilla v urbaine. ▼**—licht** feu m de ville ; veilleuse v.
▼**—ontwikkeling** développement m urbain.
▼**—vervoer** transport m urbain. ▼**—wapen** blason m de la ville. ▼**—wijk** quartier m.
▼**—woning** habitat m urbain.
staf 1 bâton ; **2** (mil.) état-major m ; **3** (fig.) cadre m ; équipe v. ▼**—chef** chef d'état-major. ▼**—kaart** carte v de l'état-major. ▼**—officier** officier d'état-major.
stag étai m ; over — gaan, virer de bord.
stage stage m.
stagflatie stagflation v.
stagiair(e) stagiaire m & v.
stagn/atie stagnation v. ▼**—eren** stagner.
sta-in-de(-n)-weg obstacle, encombrement m ; een — zijn, être encombrant.
stak/en I ov.w cesser, suspendre ; staakt het vuren, cessez le feu. **II** on.w faire grève ; er wordt gestaakt, c'est la grève. ▼**—er** gréviste m.
staket(sel) estacade, palissade v.
staking 1 cessation, suspension ; **2** (werk—) grève v ; bij — van stemmen, s'il y a partage (des voix) ; — afkondigen, décréter la grève ; sit-down —, grève sur le tas ; wilde —, grève sauvage. ▼**—sbreker** briseur m de grève.
▼**—spost** piquet m de grève.
stakker(d) pauvre diable m.
stal 1 étable ; **2** (paarde—) écurie v ; op — zetten, mettre à l'étable, - à l'écurie ; - sous la remise, (fig.) - à la retraite.
stalen I bn d'acier ; (fig) de fer ; — gezicht, visage m impassible ; — long, poumon m d'acier. **II** ov.w **1** aciérer ; **2** (harden) tremper ; **3** (fig.) endurcir. **III** zn: het — **1** l'aciérage m ; **2** la trempe.
stalenboek cahier m d'échantillons.
stal/houder loueur m de voitures, - de chevaux. ▼**—houderij** louage m de voitures.
▼**—knecht** valet m d'écurie. ▼**—len 1** garer ; **2** (v. fietsen enz.) remiser. ▼**—les** fauteuils m mv d'orchestre. ▼**—letje 1** boutique en plein vent ; **2** (rk) crèche v. ▼**—ling 1** mise v à l'étable, à l'écurie ; remisage m ; **2** étable, écurie, remise v, garage m. ▼**—meester 1** (v. vorst) intendant des écuries ; **2** (v. circus) écuyer m.
stam 1 tronc m, tige ; **2** (volks—) tribu ; race, lignée v ; **3** (taalk.) racine v ; (v. ww) radical ; **4** (in verkennerij) clan m. ▼**—boek 1** registre m généalogique, - des origines ; (v. paarden) stud-book m ; (mil.) (registre m) matricule v.
▼**—boeknummer** numéro m matricule.
▼**—boom** arbre m généalogique ; (v. paard bijv.) pedigree m. ▼**—cel** cellule v mère.
stamel/aar bègue m & v. ▼**—en** bégayer, balbutier. ▼**—ing** bégaiement, balbutiement m.
stam/gast habitué m. ▼**—genoot** congénère m. ▼**—houder** héritier du nom, descendant m mâle. ▼**—huis** dynastie ; famille, maison v.

▼—**kapitaal** capital *m* de premier établissement. ▼—**men** : — *van*, descendre de ; *zie ook* **afstammen**. ▼—**moeder** aïeule *v*. ▼—**ouders** aïeux, ancêtres *m mv*.
stamp/beton béton *m* aggloméré. ▼—**en** I *on.w* 1 frapper du pied, trépigner ; 2 (*v. schip*) tanguer. II *ov.w* 1 (*fijn*—) broyer, pilonner ; 2 (*vast*—) battre, damer ; 3 (*fig.*) inculquer (qc à qn). III *zn* tangage *m* (d'un navire) ▼—**er 1** (*persoon*) pileur ; 2 (*werktuig*) pilon *m*, broyeuse ; (*straat*—) dame, hie *v* ; 3 (*plk.*) pistil *m*. ▼—**machine** concasseur *m*. ▼—**pot** ratatouille *v*, pot-au-feu *m*. ▼—**voeten** frapper du pied, trépigner. ▼—**vol** comble, bondé ; — *zijn met*, regorger de.
stam/salaris traitement *m* de base. ▼—**taal** langue *v* mère. ▼—**tafel 1** table *v* des habitués ; 2 table *v* généalogique. ▼—**tijd** temps *m* primitif. ▼—**vader** aïeul *m*. ▼—**verwant** congénère. ▼—**verwantschap** communauté d'origine, parenté *v*. ▼—**wapen** armes *v mv* de famille. ▼—**woord** radical, thème *m*.
stand 1 (*houding*) attitude, posture ; 2 (*hoogte*) hauteur ; situation *v* (du baromètre) ; niveau ; taux (des salaires) ; état *m* (du marché) ; cote *v* (de la bourse) ; 3 (*toestand*) état *m*, situation, condition ; 4 (*rang*) classe, condition *v*, rang *m* ; situation *v* sociale ; — *der maan*, phase *v* de la lune ; *burgerlijke* —, état *m* civil ; *zijn — ophouden*, tenir son rang ; *boven zijn — leven*, vivre au-dessus de ses moyens ; *tot — brengen*, réaliser ; établir ; *tot — komen*, se faire, se réaliser ; 5 (*v. tentoonstelling*) stand *m* ; 6 score *m* ; *de — is 2 - 0 voor X*, le score est de deux à zéro en faveur de X.
standaard 1 étendard ; 2 (*munt*) étalon ; 3 (*maatstaf*) étalon *m* ; matrice *v* ; 4 *zie* **stander**. ▼—**artikel** article *m* standard. ▼—**contract** contrat-type *m*. ▼—**drager** porte-étendard *m*. ▼—**gewicht** étalon *m*. ▼—**isatie** standardisation *v*. ▼—**iseren** standardiser. ▼—**isering** standardisation *v*. ▼—**loon** salaire *m* de base, tarif *m*. ▼—**maat** étalon *m*. ▼—**molen** moulin *m* sur pile. ▼—**type** type *m* standard. ▼—**uitrusting** équipement *m* de série. ▼—**werk** ouvrage *m* de fond ; œuvre *v* capitale.
stand/beeld statue *v*. ▼—**er 1** porte-manteau, porte-parapluie *m* ; 2 support *m*. ▼—**hoek** angle *m* dièdre. ▼—**houden 1** tenir (ferme) ; 2 (*blijven bestaan*) durer, se maintenir. ▼—**ing** situation sociale ; (*fig.*) classe, distinction *v*.
standje semonce *v* ; *een — krijgen*, recevoir un bon savon ; *iem. een — geven*, laver la tête à qn.
stand/plaats station *v*, poste *m* ; résidence *v*. ▼—**punt** point *m* de vue ; optique *v* ; *vanuit dit* —, de ce point de vue ; dans cette optique ; *de dingen van een ruimer — beschouwen*, voir les choses de haut. ▼—**recht** loi *v* martiale. ▼—**rechtelijk** d'après la l.m. ▼—**vastig 1** *bn* ferme, constant ; 2 stable ; durable. II *bw* fermement, constamment. ▼—**vastigheid 1** (*fig.*) fermeté, constance ; 2 stabilité *v*. ▼—**werker** camelot *m*.
stang 1 (*staaf*) barre *v* ; 2 (*v. paardebit*) branche *v* du mors.
stank puanteur, mauvaise odeur *v*.
stap pas *m* ; (*fig.*) démarche *v* ; —*pen doen bij*, faire des démarches auprès de ; *geen — vooruit komen*, ne pas avancer d'un pas ; — *voor* —, pas à pas.
stapel 1 (*hoop*) pile *v* ; 2 (*muz.*) âme *v* ; 3 (*mar.*) chantier *m* ; *op — staan*, être sur le chantier ; *van — doen lopen*, procéder au lancement de ; (*fig.*) lancer. ▼—**baar** superposable. ▼—**en** empiler, entasser. ▼—**gek** fou à lier. ▼—**goed** marchandises *v mv* sujettes au droit d'entrepôt. ▼—**handel** commerce *m* des articles de grande consommation. ▼—**meubel** meuble *m* par éléments. ▼—**plaats** centre *m* de commerce ;

entrepôt *m*. ▼—'**wolk** cumulus *m*.
stap/pen marcher, aller au pas ; *over iets heen* —, enjamber qc ; (*fig.*) passer sur qc, passer outre (à). ▼—**voets** au pas.
star *bn* (*& bw*) fixe(ment), raide ; (*fig.*) rigide.
staren regarder fixement ; —*d*, les yeux dans le vague ; *zich blind — op*, s'hypnotiser sur.
start 1 (*sp.*) départ *m* ; *vliegende* —, départ lancé ; *staande* —, départ arrêté ; 2 (*luchtv.*) décollage ; 3 (*v. motor en fig.*) démarrage *m* ; *van — doen gaan*, lancer. ▼—**baan** piste *v* de décollage. ▼—*en* I *ov.w* mettre en marche. II *on.w* partir, démarrer ; (*luchtv.*) décoller. ▼—**er** démarreur *m*. ▼—**inrichting** (*v. raketten*) rampe *v* de lancement. ▼—**kabel** câble *m* de démarrage. ▼—**kapitaal** capital *m* de départ. ▼—**lijn** ligne *v* de départ. ▼—**motor** démarreur *m*.
statenbijbel version *v* de la bible des Etats-Généraux. ▼**Staten-Generaal** Etats-Généraux *m mv*.
statie 1 *zie* **staatsie** ; 2 (*rk*) station *v* de la Croix.
statief support, pied *m*. ▼—**camera** appareil *m* sur pied.
statiegeld consigne *v* ; — *rekenen voor*, consigner.
statietrap (*mar.*) escalier *m* d'honneur.
statig I *bn* solennel, majestueux. II *bw* solennellement, majestueusement. ▼—**heid** solennité, majesté, ampleur *v*.
station 1 gare ; 2 (*halte*) station *v* ; — *restant*, en gare (de). ▼—**air** stationnaire. ▼—**car** break *m*. ▼—**eren** stationner ; parquer. ▼—**schef** chef *m* de la gare. ▼—**skruier** porteur *m* de gare. ▼—**soverkapping** verrière *v*. ▼—**srestauratie** buffet *m*, buvette *v*.
statisch statique.
statist/icus statisticien *m*. ▼—**iek** statistique *v* ; *de — opmaken*, établir la statistique. ▼—**isch** I *bn* statistique. II *bw* par la statistique.
status 1 état ; 2 (*recht*) statut *m*. ▼**statuut** statut *m*.
stav/en appuyer, confirmer. ▼—**ing** confirmation *v* ; *tot — van*, à l'appui de.
stayer coureur de demi-fond, stayer *m*.
stearine stéarine *v*. ▼—**kaars** bougie *v*.
stede : *in — van*, au lieu de ; *heilige* —, lieu *m* saint ; *hier ter* —, en (cette) ville. ▼—**bouwkunde** urbanisme *m*. ▼—**bouwkundig** (*e*) urbaniste (*m*). ▼—**houder** lieutenant ; vicaire (de Jésus-Christ). ▼—**lijk** municipal, urbain ; communal. ▼—**ling** citadin *m*. ▼—**schoon** esthétique *v* urbaine.
steeds I *bw* toujours ; — *meer*, de plus en plus. II *bn* urbain, de la grande ville.
steeg ruelle *v* ; *blinde* —, impasse *v*.
steek 1 coup *m* (de couteau) ; (*v. insekt*) morsure, piqûre *v* ; 2 (*naai*—) point *m* ; (*brei*—) maille *v* ; 3 (*hoed*) bicorne ; 4 (*med.*) élancement, point *m* douloureux ; 5 (*fig.*) pointe *v*, trait piquant *m* ; *geen — opschieten*, piétiner ; — *in de zij*, point de côté ; — *onder water*, coup *m* fourré ; *een — laten vallen* (*oprapen*), laisser tomber (ramasser) une maille ; *in de — laten*, abandonner, planter là. ▼—**beitel** bédane *m*. ▼—**contact** fiche *v*. ▼—**hevel** pipette *v*. ▼—**houdend** solide, valable, qui tient debout. ▼—*je* petit point *m* ; *daar is een — aan los*, c'est suspect. ▼—**laken** alèze *v* d'alaise *v*. ▼—**mug** cousin, moustique *m*. ▼—**pan** bassin *v* hygiénique. ▼—**penning** pot-de-vin *m*. ▼—**pil** suppositoire *m*. ▼—**pomp** pompe *v* à bâton. ▼—**priem** poinçon *m*. ▼—**proef** échantillon *m* = *representatieve* —, *(fig.)* ▼—**raam** fenêtre *v* à tabatière. ▼—**sleutel** clé *v* plate. ▼—**spel** tournoi *m*, joute *v*. ▼—**vlam 1** chalumeau ; 2 retour *m* de flamme. ▼—**vlieg** mouche *v* piquante. ▼—**wagen** diable *m*. ▼—**wapen** arme *v* à pointe.
steel 1 manche *m* ; 2 (*v. pan, vrucht*) queue *v* ; 3 (*v. pijp*) tuyau *m* ; 4 (*v. plant*) tige ; (*v. bloem*) pédoncule *v*. ▼—**pan** poêle à frire,

sauteuse, casserole v.
steels furtif, en dessous. ▼—**(ge)wijs**
furtivement.
steen 1 pierre ; 2 (bak—) brique ;
3 (blaas)gravelle v, calcul ; 4 (dobbel—) dé ;
(domino—) domino m ; 5 (edel—) pierre v
précieuse ; 6 (hagel—) grêlon m ; 7 (graf—)
dalle v ; 8 (vloer—) carreau ; 9 (straat—) pavé ;
10 (v. vrucht) noyau m ; de eerste — leggen,
poser la première pierre ; — der wijzen, pierre
v philosophale. ▼—**achtig** pierreux ; (med.)
graveleux. ▼—**bakkerij** briqueterie v.
▼—**bok** 1 bouquetin ; (astr.) Capricorne m.
▼—**bokskeerkring** tropique m du C.
▼—**boor** trépan m. ▼—**druk** lithographie v.
▼—**drukken** lithographier. ▼—**drukker**
lithographe m. ▼—**eik** yeuse v. ▼—**groeve**
carrière v. ▼—**gruis** gravier m, pierraille v.
▼—**houwen** I on.w tailler des pierres. II zn :
het —, la taille des pierres. ▼—**houwer**
tailleur m de pierres. ▼—**klopper** casseur m
de pierres.
steenkolen/ader veine v de la houille.
▼—**bedding** bassin-, gisement m houiller.
▼—**mijn** houillère, mine v de houille.
▼**steenkool** houille v ; witte —, houille
blanche. ▼—**laag** couche v de houille ; zie
ook **kolen…en kool…**
steen/koud froid comme le marbre. ▼—**oven**
four m à briques. ▼—**plaat** dalle v. ▼—**puist**
furoncle m. ▼—**rood** couleur de brique, rouge
brique. ▼—**rots** rocher m. ▼—**slag** (split)
gravillon m ; cailloutis m ; chute v de pierraille.
▼—**tijd(perk)** âge m de la pierre. ▼—**tje**
petite pierre ; een — bijdragen, apporter son
obole, - une pierre à l'édifice. ▼—**uil** chouette
v. ▼—**vorming** pétrification, concrétion v ; —
in de blaas, lithiase v. ▼—**vrucht** fruit m à
noyau. ▼—**worp** coup de pierre ; (afstand) jet
m de pierre.
steevast invariablement, sans manquer.
steiger 1 embarcadère, débarcadère ;
2 échafaudage m. ▼—**en** se cabrer.
steil I bn 1 escarpé, raide, à pic ; —e helling,
pente v rapide ; —e trap, escalier m raide ;
2 (fig.) rigide ; exclusif, doctrinaire. II bw en
pente raide ; —oplopen, monter raide. ▼—**e**
rigoriste m. ▼—**heid** 1 raideur, rapidité v ;
2 (fig.) exclusivisme, rigorisme m. ▼—**schrift**
écriture v droite. ▼—**te** pente v rapide,
escarpement m. ▼—**vurend** à trajectoire
droite.
stek 1 bouture v ; 2 coin m (de pêche).
stekeblind complètement aveugle.
stekel 1 piquant m, épine v ; 2 (distel) chardon
m. ▼—**baars** épinoche v. ▼—**cactus** cactus
m épineux. ▼—**ig** 1 piquant, épineux ; (fig.)
mordant. II bw d'une façon mordante.
▼—**igheid** piquant m, causticité, parole v
caustique. ▼—**varken** porc-épic m.
stek/en I ov.w 1 piquer, blesser ; 2 (in—)
enfoncer, introduire ; mettre, passer ;
3 (vast—) attacher ; 4 (bier, wijn —) tirer ;
5 (turf) couper, lever ; een ring aan de vinger
—, mettre une bague au doigt ; het steekt me
in de zij, j'ai un point de côté. II zich in kosten
—, se mettre en frais ; zich in moeilijkheden
—, s'attirer des ennuis ; zich —, se piquer.
III on.w noguer ; naar iem. —, porter un coup à
qn ; daar steekt geen kwaad in, il n'y a pas de
mal à cela ; er steekt een geleerde in hem, il a
l'étoffe d'un savant ; de wond steekt, la
blessure cause une douleur cuisante, -
lancinante. IV zn : het —, la piqûre ; (med.) la
cuisson, l'élancement m. ▼—**end** piquant ;
cuisant.
stekken I ov.w bouturer. II on.w faire des
boutures. III zn : het —, le bouturage.
stekker fiche v (mâle) ; dubbele —, fiche v
multiple, bouchon m intermédiaire ; de — uit
het contact trekken, tirer la fiche de la prise.
stel 1 op — zijn, être en ordre ; op — en
sprong, au pied levé ; 2 (onder—) support ;
3 ensemble, assortiment ; service v. garniture
v ; jeu m (de coussins bv) ; 4 (petroleum—)
réchaud m ; 5 couple v.

stel/en voler, dérober ; iem. hart stelen, gagner
le cœur de qn ; om te —, gentil à croquer.
▼—**er** voleur m.
stelkund/e algébrique v. ▼—**ig** bn (& bw)
algébrique(ment).
stellage échafaudage m.
stellen I ov.w 1 (plaatsen) mettre, placer,
poser ; 2 (bepalen) fixer, régler ; 3 (onder—)
mettre, supposer ; 4 (op—) composer,
rédiger ; 5 (richten) braquer, pointer ; een eer
— in, se faire honneur de ; het met iem.
kunnen —, s'arranger avec qn ; het (niet)
buiten iem. (iets) kunnen —, (ne) pouvoir se
passer de qn (qc) ; iem. kandidaat —,
proposer qn comme candidat ; hij heeft heel
wat met haar te —, elle lui donne du fil à
retordre ; op vrije voeten —, mettre en liberté.
II zich — se mettre, se poser ; (recht) se
constituer ; zich kandidaat —, se porter
candidat (à qn), poser sa candidature (à).
III on.w composer ; hij stelt goed, il a un bon
style. IV zn 1 pose ; 2 fixation v, réglage m ;
3 composition, rédaction v. ▼**stell/end** : —e
trap, positif m. ▼—**er** auteur, rédacteur m.
stelletje garniture v ; een aardig —, un joli
couple.
stellig I bn positif ; certain ; catégorique. II bw
positivement ; certes ; catégoriquement ; sans
aucun doute. ▼—**heid** certitude ; assurance ;
décision v.
stelling 1 (leer—) dogme m ; 2 (mil.) position
v (fortifiée) ; 3 (stellage) échafaudage m ;
3 (bewering, voorstel) assertion, thèse,
proposition v ; théorème m ; een — nemen,
enlever une position ; — nemen tegen,
prendre position contre ; op —en
promoveren, être reçu docteur après
proposition de thèses. ▼—**commandant**
chef de place. ▼—**name** prise v de position.
▼—**oorlog** guerre v de position.
steloefening exercice m de rédaction.
stelp/en arrêter, étancher (le sang). ▼—**end**
hémostatique. ▼—**ing** étanchement m.
stel/regel maxime, principe m. ▼—**schroef**
vis v de pointage ; - de réglage ; - d'arrêt.
stelsel système, régime, ensemble m. ▼—**loos**
sans système, - méthode. ▼—**matig** bn (&
bw) systématique(ment). ▼—**matigheid**
caractère m systématique.
stelt échasse v ; op —en lopen, être monté sur
des échasses ; alles staat op —en, tout est en
l'air. ▼—**loper** échassier m.
stem 1 voix ; 2 (muz.) partie ; 3 (bij stemming)
vote, voix v, suffrage m ; zijn — uitbrengen,
exprimer une vote ; de — verheffen, élever la
voix ; met algemene —men, à l'unanimité ;
blanco —, bulletin m blanc. ▼—**banden**
cordes v mv vocales. ▼—**biljet** bulletin m de
vote. ▼—**buiging** intonation. ▼—**bureau**
bureau m de vote. ▼—**bus** urne v ; (fig.)
scrutin m. ▼—**geluid** timbre, accent m.
▼—**gerechtigd** ayant droit de vote ; inscrit ;
(in vergadering) ayant voix délibérative.
▼—**gerechtigde** électeur m inscrit.
▼—**hebbend** 1 zie —gerechtigd ; 2 (taalk.)
sonore, vocalique. ▼—**hokje** isoloir m.
▼—**kaart** carte v d'électeur. ▼—**lokaal** salle v
de vote. ▼—**loos** 1 (taalk.) soufflé ; 2 muet,
aphone. ▼—**men** I on.w 1 aller aux voix,
voter ; 2 (muz.) s'accorder, être d'accord ; —
over iets, voter sur qc ; — met zitten en
opstaan, voter par assis et levé. II ov.w
1 (muz.) accorder ; 2 (fig.) disposer à (met
zn) ; rendre (met bn) ; vast gestemde markt,
marché m à tendance ferme. ▼—**mentelling**
recensement m des votes. ▼—**mer** 1 votant ;
2 accordeur m.
stemmig bn (& bw) grave(ment),
sobre(ment), recueilli (avec recueillement).
▼—**heid** gravité, modestie v.
stemming 1 scrutin m, vote v ; 2 (muz.)
accord m ; 3 (fig.) disposition v ; état m d'âme ;
moral m ; 4 ambiance, atmosphère ; opinion v
publique ; (handel) tendance v ; hoofdelijke
—, appel m nominal ; — maken tegen, dresser
l'opinion (publique) contre ; — maken voor,

créer un mouvement d'opinion pour ; *bij*
eerste —, au premier tour de scrutin ; *in —*
brengen, mettre aux voix ; *tot — over gaan,*
passer au vote. ▼—**sbeeld 1** analyse *v* des
dispositions ; **2** paysage *m* intime, - recueilli.
stemorgaan appareil *m* vocal.
stempel 1 sceau, cachet ; **2** (*merk*) timbre ;
3 (*keur*) cognet ; **4** (*plk.*) stigmate ; **5** (*fig.*)
cachet *m* ; *zijn — drukken op,* **1** (*goedkeuren*)
donner son approbation à ; **2** (*kenmerken*)
laisser une forte empreinte sur ; *van de oude*
—, de vieille roche. ▼—**doos** boîte *v* à
tampon. ▼—**en I** *ov.w* **1** timbrer ; (*postzegel*)
oblitérer ; (*steunkaart*) pointer ; **2** — *tot,*
prédestiner à, caractériser comme. **II** *on.w*
gaan —, faire pointer sa carte de chômage.
III *zn* timbrage *m* ; oblitération *v* ; pointage *m*.
▼—**inkt** encre *v* à tampon. ▼—**kussen**
tampon *m*. ▼—**machine** machine *v* à timbrer.
stem/plicht vote *m* obligatoire. ▼—**recht**
droit *m* de suffrage ; *algemeen* —, suffrage *m*
universel. ▼—**sleutel** accordoir *m*.
▼—**spleet** glotte *v*. ▼—**vork** diapason *m*.
▼—**vorming** pose de voix, culture *v* vocale.
▼—**wisseling** mue *v*.
stencil 1 stencil *m* ; **2** (gestencilde tekst)
polycopié *m*. ▼—**afdruk** polycopie *v*. ▼—**en**
tirer au stencil ; polycopier.
stenen de -, en pierre ; — *pijp,* pipe *v* en terre
cuite.
stengel tige *v* ; (*brood*) longuet, gressin *m* ;
zoute —, baguette *v* salée.
stengun pistolet mitrailleur *m*.
stenig pierreux. ▼—**en** lapider. ▼—**ing**
lapidation *v*.
steno/graaf sténographe *m*. ▼—**graferen**
sténographier. ▼—**grafisch** *bn* (& *bw*)
sténographique(ment). ▼—**gram**
sténographie, sténo *v*. ▼—**typist(e)**
sténo-dactylo *m* (*v*).
step trottinette *v*. ▼—**in** gaine *v* élastique.
steppe steppe *v*.
ster 1 astre *m*, étoile *v* ; **2** (*in boek*) astérisque
m ; **3** (*fig.*) étoile, vedette *v* ; *vallende —*, étoile
filante. ▼—**appel** pomme *v* étoilée.
stère stère *m*.
stereo stéréo *v* ; *in —*, en stéréo. ▼—**boxen**
enceinte *v* stéréo. ▼—**fonisch** *bn* (& *bw*)
stéréophonique(ment). ▼—**installatie**
chaîne *v* stéréo. ▼—**metrie** stéréométrie *v*.
▼—**metrisch** *bn* (& *bw*)
stéréométrique(ment). ▼—**scoop**
stéréoscope *m*. ▼—**scopisch** *bn* (& *bw*)
stéréoscopique(ment). ▼—**tiep** stéréotype.
▼—**uitzending** émission *v* stéréo.
sterf/bed lit *m* de mort. ▼—**dag** jour *m* de la
mort (de qn). ▼—**elijk** mortel. ▼—**elijkheid**
mortalité *v*. ▼—**geval** cas *m* de décès ;
wegens —, pour cause de décès. ▼—**huis**
maison *v* mortuaire. ▼—**kamer** chambre *v*
mortuaire. ▼—**te** mortalité *v*. ▼—**tecijfer**
taux *m* de mortalité. ▼—**tekans** mortalité *v*
statistique. ▼—**uur** heure *v* de la mort,
moment *m* suprême.
steriel stérile. ▼**sterilis/atie** stérilisation *v*.
▼—**eren** stériliser.
sterk *bn* **1** fort ; solide ; robuste ; **2** (*machtig*)
grand, puissant ; **3** (*hevig*) intense, violent ;
—e boter, beurre *m* rance ; *—e drank,* boisson
v forte, boisson distillée ; *—e oplossing,*
solution *v* concentrée ; *10 man* —, au nombre
de 10, fort de 10 hommes ; *hij maakt zich —*
dat te bewijzen, il se fait fort de prouver cela.
II *bw* fortement. ▼—**en I** *ov.w* fortifier ;
consolider ; (*fig.*) raffermir ; remonter ;
réconforter. **II zich** — se réconforter.
▼—**gespierd** musclé, musculeux. ▼—**ing**
1 tonique ; **2** (*fig.*) réconfort *m*. ▼—**te 1** force ;
solidité ; intensité ; **2** (*mil.*) place *v* forte ;
(*aantal*) effectif ; **3** (*fig.*) courage, réconfort
m, énergie *v*. ▼—**water** eau *v* forte.
sterling sterling *m*. ▼—**gebied** zone *v*
sterling. ▼—**waarde** effet *m* libellé en livres
sterling.
sterre/jaar année *v* sidérale. - astronomique
▼—**kers** cresson *m*. ▼—**nbeeld** constellation

v. ▼—**nhemel** ciel étoilé, firmament *m*.
▼—**nkaart** carte *v* astronomique. ▼—**nkijker**
télescope *m*. ▼—**nkunde** astronomie *v*.
▼—**nkundige** astronome *m*. ▼—**nlicht**
lumière *v* stellaire. ▼—**nwacht** observatoire
m. ▼—**nwichelaar** astrologue *m*.
▼—**nwichelarij** astrologie *v*. ▼—**tijd** temps
m astronomique.
ster/rijder inscrit *m* du rallye. ▼—**rit** rallye *m*.
sterveling mortel (le) *m* (*v*) ; *er was geen* —, il
n'y avait âme qui vive ; *de gewone* —, le
commun des mortels. ▼**sterven I** *on.w*
mourir (d'une maladie), expirer ; (*recht*)
décéder ; *op — liggen,* se mourir, être à
l'agonie. **II** *ov.w* : *een natuurlijke dood* —,
mourir de sa belle mort. **III** *zn* : *het* —, la mort,
le décès. ▼—**d** moribond, mourant ; *gebeden*
der —en, prières *v mv* des agonisants.
▼—**snood** agonie *v*. ▼—**suur** heure *v* de la
mort.
ster/vlucht rallye *m* aérien. ▼—**vormig**
stellaire.
stethoscoop stéthoscope *m*.
steun appui, soutien *m* ; — *verlenen aan,*
appuyer ; venir en aide ; — *trekken,* recevoir
une allocation de chômage. ▼—**bedrag**
allocation *v*. ▼—**beer** contrefort *m*.
▼—**comité** Secours national *m*. ▼—**en I** *ov.w*
soutenir ; appuyer (*ook fig.*) ; *met geld* —,
subventionner. **II** *on.w* **1** — *op,* s'appuyer sur,
reposer sur ; **2** (*fig.*) compter sur, se fier à ;
tegen, s'appuyer contre, s'adosser à.
▼—**fonds** fonds *m* de secours. ▼—**pilaar**
pilier (de soutènement) ; (*fig.*) pilier, appui,
soutien *m*. ▼—**punt** point *m* d'appui, base
(navale, - aéronautique). ▼—**regeling** les
allocations *v mv* de chômage. ▼—**trekker**
allocataire *m*. ▼—**verlening** action *v* de
secours. ▼—**zool** cambrure *v* (orthopédique
pour chaussures).
steur esturgeon *m*. ▼—**kuit** caviar *m*.
stevig *bn* (& *bw*) fort (ement), solide(ment) ;
robuste ; (*v. eten*) substantiel ; *deze stof is niet*
—, cette étoffe manque de corps. ▼—**heid**
solidité, fermeté *v*.
steward maître d'hôtel ; steward. ▼—**ess**
hôtesse *v* de l'air, - d'accueil.
sticht/elijk I *bn* édifiant. **II** *bw : dank je* —,
plus souvent ! ; ah, bien oui ! ▼—**en I** *ov.w*
1 fonder, créer ; **2** (*instellen*) établir ;
3 (*oprichten*) élever, ériger ; **4** (*fig.*) édifier ;
kwaad —, faire du mal. **II** *on.w* édifier. ▼—**er**
fondateur. ▼—**ing** fondation, création ;
(*oprichting*) érection ; (*fig.*) édification *v*.
▼—**ingsoorkonde** lettre *v* de fondation.
▼—**ster** fondatrice *v*.
sticker badge *m* auto-adhésif, autocollant *m*.
stief/broer demi-frère ; (*v. één vader*) frère
consanguin ; (*v. één moeder*) frère utérin.
▼—**dochter** belle-fille. ▼—**kind** enfant d'un
autre lit. ▼—**moeder** belle-mère ;
(*ongunstig*) marâtre *v*. ▼—**moederlijk I** *bn*
de marâtre. **II** *bw* en marâtre ; — *bedeeld,*
déshérité, disgracié (de la nature). ▼—**vader**
beau-père. ▼—**zuster** demi-sœur ; (*v. één*
vader) sœur consanguine ; (*v. één moeder*)
sœur utérine.
stiekem I *bn* sournois. **II** *bw* en tapinois, à la
dérobée. ▼—**erd** sournois, cachottier *m*.
stier taureau *m*. ▼—**egevecht** course *v* de
taureaux. ▼—**envechter** toréro *m*. ▼—**lijk** :
— *het land hebben,* avoir le cafard ; *zich —*
vervelen, s'ennuyer ferme.
stift 1 crayon, bâton, style ; **2** (*pin*) goujon *m*,
broche, goupille *v* ; **3** couvent *m*. ▼—**tand**
dent *v* à pivot.
stigma stigmate *m*.
stijf I *bn* **1** raide, rigide, tendu ; **2** (*gesteven*)
empesé ; **3** (*fig.*) raide, contraint ; (*gemaakt,*
onnatuurlijk) guindé ; (*uit de hoogte*)
cassant, collet monté ; — *worden,* se raidir ;
(*v. kou*) s'engourdir ; *een stijve grog,* un grog
carabiné. **II** *bw* fermement, fixement ; — *op*
zijn stuk staan, persister dans son opinion.
▼—**heid 1** raideur, rigidité *v* ;
engourdissement *m* ; **2** (*v. gelei bijv.*)

consistance ; 3 (*fig.*) raideur, gaucherie *v*.
▼—**hoofdig I** *bn* entêté, opiniâtre. **II** *bw*
opiniâtrement. ▼—**hoofdigheid** entêtement
m, opiniâtreté *v*. ▼—**kop** entêté *m*.
▼—**middel** apprêt *m*. ▼—**sel** 1 amidon ;
2 (—*pap*) empois *m* ; *door de* — *halen*,
empeser. ▼—**selachtig** amylacé. ▼—**te**
raideur *v*.
stijg/beugel étrier *m*. ▼—**en** 1 monter ;
(*luchtv.*) prendre de la hauteur ; 2 (*v. prijzen*)
augmenter. ▼—**ing** 1 montée, ascension ;
2 (*v. water*) crue ; 3 (*v. prijzen*) augmentation,
hausse *v*. ▼—**kracht** force *v* ascensionnelle.
stijl 1 style ; 2 (*post*) montant, jambage *m* ;
3 (*sp.*) forme *v* ; *in* —, de style. ▼—**leer**
stylistique *v*. ▼—**loos** sans style. ▼—**meubel**
meuble *m* de style. ▼—**vol** d'un bon style ;
noble, élégant.
stijv/en I *ov.w* 1 raidir ; 2 (*sterken*) fortifier,
affermir ; 3 (*met stijfsel*) empeser ; apprêter ;
4 (*fig.*) affermir ; alimenter (la caisse). **II** *on.w*
1 (*v. wind*) fraîchir ; 2 (*v. markt*) s'affermir.
▼—**ing** 1 (*met stijfsel*) empesage ; 2 (*fig.*)
affermissement *m*.
stik ! zut ! merde ! —**donker** (*v. nacht*) noir
épais ; *het is* —, il fait noir comme dans un
four. —**garen** fil *m* à piquer. —**gas** gaz *m*
asphyxiant. ▼—**ken I** *on.w* étouffer, être
asphyxié. **II** *ov.w* piquer. —**naad** couture *v*
piquée. ▼—**sel** ouvrage *m* piqué. ▼—**steek**
point *m* piqué. —**stof** azote *m*.
▼—**stofgehalte** teneur *v* en azote.
▼—**stofhoudend** azoté. ▼—**stofmeststof**
engrais *m* azoté. ▼—**vol** bondé, comble.
—**werk** *zie* —**sel**.
stil I *bn* 1 (*zwijgend*) silencieux ; 2 tranquille ;
3 (*verlaten*) désert, peu fréquenté ; 4 (*zacht*)
bas, doux ; —*le uren*, heures *v mv* creuses ;
—*le arme*, pauvre *m* honteux ; — *genot*,
secret plaisir *m* ; — !, silence !, chut ! ; —*le*
vrijdag (*zaterdag*), vendredi (samedi) saint ;
—*le week*, semaine sainte *v*. **II** *bw*
silencieusement, tranquillement, doucement ;
— *gaan leven*, se retirer des affaires ; —**aan**
petit à petit.
stil/eren I rédiger ; *goed* —, avoir du style,
bien écrire ; 2 (*tekening*) styliser. ▼—**ering**
stylisation *v*.
stilet stylet *m*.
stilhouden I *ov.w* 1 tenir tranquille ; 2 arrêter ;
3 taire. **II** *zich* — 1 ne pas bouger, rester
tranquille ; 2 se taire. **III** *on.w* s'arrêter.
stilist écrivain *m*. ▼—**iek** stylistique *v*.
▼—**isch** *bn* (& *bw*) stylistique (ment).
stil/le 1 taciturne *m* ; 2 personne *v* paisible ;
3 (*politie*) mouchard *m*. ▼—**len I** *ov.w*
calmer, apaiser ; *dorst* —, étancher la soif ;
honger —, assouvir la faim. **II** *on.w* s'apaiser.
▼—**letje** fauteuil *m* hygiénique. ▼—**letjes**
doucement. ▼—**leven** *v* morte.
▼—**liggen** ne pas bouger ; (*leven*) chômer.
▼—**staan** 1 (*na beweging*) s'arrêter ; (*v. hart*)
cesser de battre ; 2 (*toestand*) ne pas bouger,
ne plus aller, chômer, être arrêté ; faire du
surplace ; *daar staat iem. verstand bij stil*, la
raison s'y perd. ▼—**staand** stagnant ;
stationnaire. ▼—**stand** arrêt *m*, cessation,
stagnation *v* ; chômage *m*. ▼—**te** silence,
calme *m* ; tranquillité *v* ; *in* —, en silence, en
secret ; à voix basse ; *in alle* —, dans la plus
stricte intimité. ▼—**zitten** ne pas bouger ;
(*fig.*) rester les bras croisés ; *niet* —, bouger ;
(*fig.*) s'évertuer ; *niet kunnen* —, ne pas tenir
en place. ▼—**zittend** oisif ; (*leven*)
sédentaire.
stilzwijgen I *on.w* se taire. **II** *zn* silence,
mutisme *m* ; *het* — *opleggen*, imposer silence
(à). ▼—**end I** *bn* 1 taciturne ; 2 (*er onder*
begrepen) tacite, implicite, sous-entendu ;
3 discret. **II** *bw* en silence, tacitement ; —
voorbijgaan, passer sous silence.
▼—**endheid** discrétion *v* ; silence ; mutisme
m.
stimul/ans stimulant *m*. ▼—**eren** stimuler.
stink/bom boule *v* puante. ▼—**en** sentir
mauvais, puer (la boisson). ▼—**end I** *bn* qui

sent mauvais, puant, infect ; (*fig.*) odieux.
II *bw* odieusement. ▼—**erd** animal *m*, salope
v.
stip point *m*.
stipendium bourse ; subvention *v* ; legs *m*.
stippelen 1 pointiller ; 2 tacheter. ▼—**pellijn**
pointillé *m*.
stipt *bn* (& *bw*) ponctuel (lement) ; —
betalen, être exact à payer ; — *eerlijk*,
scrupuleusement honnête. ▼—**heid**
ponctualité *v*. ▼—**heidsactie** grève *v* du zèle.
stobbe souche *v*.
stock stock *m*. ▼—**dividend** dividende *m* en
actions.
stoei/en batifoler, folâtrer ; caresser. ▼—**erij**,
—**partij** batifolage *m*, jeux *m mv* bruyants.
stoel chaise *v*, siège *m* ; *de Heilige S—*, le
Saint-Siège ; — *met verstelbare leuning*,
siège *m* transformable. ▼—**en** reposer (sur) ;
pousser. ▼—**endans** : *een* — *doen*, jouer à la
mer agitée. ▼—**enmatter** rempailleur *m* de
chaises. ▼—**gang** selle *v* ; — *hebben*, aller à
la selle. ▼—**geld** loyer *m* de chaise.
▼—**kussen** carreau *m*. ▼—**tjeslift** télésiège
m.
stoep 1 trottoir ; 2 (*hoge* —) perron *m*.
▼—**rand** bordure *v* de trottoir.
stoer I *bn* carré, robuste. **II** *bw* robustement.
▼—**heid** carrure, solidité, vigueur *v*.
stoet 1 cortège, convoi *m* ; procession *v* ;
2 (*brood*) pain *m*. —**erij** haras, élevage *m* de
chevaux. —**haspel** maladroit *m*.
stof 1 matière, substance *v*, matériau *m* ;
2 (*geweven*) étoffe ; 3 (*fig.*) matière *v*, sujet
m ; — *geven tot*, donner lieu à, fournir matière
à ; *kort van* — *zijn*, être un homme de peu de
paroles ; *lang van* — *zijn*, être long ;
4 poussière ; poudre *v* ; — *afnemen* (*van*),
épousseter ; *tot* — *vergaan*, tomber en
poussière. ▼—**bril** lunettes *v mv* de
protection. ▼—**doek** chiffon de nettoyage,
essuie-meubles *m*. ▼—**feerder** tapissier *m*.
▼—**felijk** *bn* (& *bw*) matériel (lement) ; —
overschot, dépouille *v* mortelle.
▼—**felijkheid** matérialité *v*. ▼—**fen I** *bn*
d'étoffe, de drap. **II** *ov.w* épousseter. ▼—**fer**
épousselte *v*, brosse *v*. ▼—**feren** 1 tapisser,
garnir, meubler ; 2 garnir (un chapeau) ; orner,
embellir ; broder ; *gestoffeerde kamers*,
chambres *v mv* garnies. ▼—**f(er)ig**
poussiéreux, poudreux. ▼—**fering**
ameublement *m* ; tapisseries *v mv* ; garniture *v*.
▼—**filter** filtre *m* à poussière. ▼—**goud**
poudre *v* d'or. ▼—**jas** blouse *v*. ▼—**kam**
peigne *m* fin. ▼—**naam** nom *m* de matière.
▼—**nest** nid *m* à poussière. ▼—**omslag**
jaquette *v*. ▼—**regen** bruine *v*. ▼—**regenen**
bruiner. ▼—**vlokken** moutons *m mv*. ▼—**vrij**
dépoussiéré ; — *maken*, dépoussiérer.
▼—**wisseling** métabolisme *m*.
▼—**wisselingsziekte** maladie *v* de la
nutrition. ▼—**wolk** tourbillon *m* de poussière.
▼—**zuigen** passer l'aspirateur. ▼—**zuiger**
aspirateur *m*.
stoicijn(s) stoïcien (*m*). ▼**stoïsch** *bn* (& *bw*)
stoïque (ment).
stok 1 bâton *m* ; baguette ; 2 (—*wandel*—)
canne ; 3 (*bijen*—) ruche *v* ; 4 (*kippen*—)
perchoir ; 5 (*spel*) talon *m* ; 6 (*steel*) manche
m ; 7 (*vlagge*—) hampe *v* ; *het met iem. aan de* —
krijgen, se prendre de querelle avec qn.
▼—**brood** baguette *v* ; (*klein*) ficelle
v. **v.**—**doof** sourd comme un pot.
stok/en I *on.w* faire du feu, chauffer ; (*fig.*)
intriguer. **II** *ov.w* 1 brûler (du bois etc.) ;
2 (*kachel*) chauffer ; 3 distiller (de
l'eau-de-vie) ; *een vuurtje* —, allumer un feu.
III *zn* 1 chauffage *m* ; 2 distillation *v*. ▼—**er**
1 chauffeur ; 2 distillateur ; 3 (*fig.*) agitateur,
bouteteu *m*. ▼—**erij** distillerie *v*.
stok/ken I *ov.w* (*bonen*) ramer. **II** *on.w*
s'arrêter, rester court. ▼—**paardje** dada *m* ; *op*
zijn — *zitten*, avoir enfourché son dada.
▼—**paraplu** parapluie-canne *m*. ▼—**roos**
rose trémière *v*. ▼—**stijf I** *bn* raide comme
une perche. **II** *bw* : *iets* — *volhouden*,

soutenir qc mordicus. ▼—**vis** morue séchée v.
stola étole v.
stol/baar coagulable. ▼—**baarheid**
coagulabilité v. ▼—**len** se coaguler, se figer,
se prendre; *doen* —, coaguler. ▼—**ling**
coagulation v, figement m; (*chem.*)
congélation v. ▼—**lingspunt** point m de
solidification.
stolp cloche v. ▼—**en** mettre sous cloche.
▼—**plooi** godron, pli m creux.
stom I bn 1 muet; 2 (*dom*) bête, stupide; *geen
— woord zeggen*, ne pas souffler mot; —
spel, jeux m mv de scène; —*me ezel*, triple
idiot m. **II** bw stupidement. ▼—**dronken**
ivre-mort.
stom/en I on.w **1** jeter des vapeurs; **2** aller à la
vapeur; **3** filer, fumer; *met volle kracht* —,
aller à toute vapeur. **II** ov.w **1** chauffer à la
vapeur; **2** nettoyer à la vapeur; **3** cuire au bain
de vapeur. ▼—**er** bateau m à vapeur. ▼—**erij**
teinturerie v; *naar de — brengen*, porter chez
le teinturier.
stom/heid 1 mutité v, mutisme; **2** bêtise,
stupidité v. ▼—**me** muet(te) m (v).
stommel/en faire un bruit sourd. ▼—**ing
1** bruit sourd; **2** imbécile, bêta m.
stomm/etje — *spelen*, faire le muet.
▼—**iteit** bêtise, stupidité; (*gedrag*) gaffe v.
stomp I bn **1** obtus, émoussé; (*niet spits*)
aplati, sans pointe; **2** (*fig.*) obtus, bête, borné;
—*e hoek*, angle m obtus; —*e neus*, nez m
camus (of épaté). **II** zn **1** (*v. arm, lid*)
moignon; **2** (*rest*) tronçon, chicot m; (*v.
boom*) souche v; **3** coup m de poing,
bourrade v; (*op het oog*) pochon m. ▼—**en**
donner des coups de poing (à). —**heid** état m
obtus; (*fig.*) pesanteur v d'esprit;
abrutissement m. —**hoekig** obtusangle. —**je**
bout m. —**zinnig(heid)** *zie* stomp(heid).
stomvervelend (*fam.*) barbant.
stoof/pan braisière, daubière v. ▼—**peer**
poire v à cuire. ▼—**vuur** feu m doux.
stook/gat porte de chauffe; chaufferie v.
▼—**gelegenheid** *zie* —**plaats**.
▼—**materiaal** combustible m. ▼—**middel**
carburant m. ▼—**olie** mazout m. ▼—**plaats
1** (*in huis*) foyer, feu m; **2** (*in fabriek*)
chaufferie v.
stool étole v.
stoom 1 vapeur; **2** fumée v; *met — op, onder
—*, sous pression; *onder — liggen*, chauffer.
▼—**afsluiter** robinet m d'arrêt. ▼—**bad** bain
m de vapeur. ▼—**baggermolen**
vapeur-drague m. ▼—**boot** (bateau à)
vapeur, steamer, paquebot m.
▼—**brandspuit** pompe v à vapeur.
▼—**cursus** cours m accéléré. ▼—**druk**
pression v. ▼—**drukmeter** manomètre m.
▼—**fluit** sifflet m à vapeur; sirène v.
▼—**gemaal** usine v de pompage à vapeur.
▼—**hamer** marteau-pilon m. ▼—**inlaat** prise
v de vapeur. ▼—**ketel** chaudière v;
générateur m. ▼—**koker** autoclave;
marmite-étuve v. ▼—**kracht** puissance v de
la vapeur; *met —*, à vapeur. ▼—**leiding**
conduite v de vapeur. ▼—**machine** machine
v à vapeur. ▼—**pijp** tuyau m de vapeur.
▼—**spanning** tension v. ▼—**strijkijzer** fer m
à vapeur. ▼—**trawler** vapeur m chalutier.
▼—**vaart** navigation v à vapeur; service m de
bateaux à vapeur. ▼—**vaartmaatschappij**
messageries v mv maritimes; compagnie v de
navigation. ▼—**wals** rouleau m compresseur
à vapeur. ▼—**wasserij** buanderie v à vapeur.
▼—**werktuigkunde** mécanique v à vapeur.
▼—**wezen** locomotion v à vapeur.
stoor/nis dérangement, trouble m;
interruption v. ▼—**zender** poste m brouilleur.
stoot 1 coup, heurt m; **2** (*duw*) poussée v;
3 (*botsing*) choc, cahot m; collision; **4** (*bij
schermen*) botte v; **5** coup m (de trompette
etc.); **6** (*fig.*) impulsion v; *de eerste — geven*,
donner le branle. ▼—**band** talonnette v.
▼—**blok** butoir, heurtoir m. —**je** poussée v;
hij kan wel tegen een stootje, il est solide.
▼—**kant** ourlet, bord m, lisière v. ▼—**kussen**

tampon; ballon m de défense. ▼—**plaat**
garde v; (*v. geweer*) plaque v de couche.
▼—**troepen** troupes v mv de choc.
▼—**wapen** arme v d'estoc.
stop I zn **1** (*v. fles*) bouchon m; (*elektr.*)
fusible; plomb m; **2** (*in weefsel*) reprise v.
II tw: — !, assez !, suffit !, stoppez !, arrêtez !
▼—**bord** stop, signal m d'arrêt. ▼—**contact**
prise v de courant. ▼—**fles** flacon m bouché à
l'émeri. ▼—**garen** fil m à repriser. ▼—**lap**
1 linge m à repriser; **2** (*fig.*) cheville v.
▼—**licht** stop m. ▼—**middel** astringent m.
▼—**naald** aiguille v à repriser.
stoppel 1 chaume m; **2** (*v. baard*) piquant m.
▼—**baard** barbe v de trois jours. ▼—**ig**
hérissé (de poils). ▼—**veld** chaume m.
stop/pen I ov.w boucher (un trou);
2 (*opvullen*) bourrer, remplir; **3** (*kousen*)
repriser; **4** (*doen ophouden*) cesser, arrêter,
stopper; *iem. de mond —*, fermer la bouche à
qn; *in een kast —*, fourrer —, serrer dans une
armoire; *een lek —*, aveugler une voie d'eau.
II on.w **1** constiper; **2** s'arrêter, stopper. **III** zn
bouchage; bourrage m; reprise v; arrêt m.
▼—**pend** constipant; astringent. ▼—**per**
stoppeur m. ▼—**perspil** demi-stoppeur m.
▼—**plaats** arrêt m, halte, station v. ▼—**sein**
signal m d'arrêt. ▼—**sel** bourre v, remplissage
m. ▼—**steek** point m de reprise. ▼—**ster**
repriseuse v. ▼—**streep** ligne v d'arrêt, ligne v
stop. ▼—**trein** train m omnibus. ▼—**verbod**
arrêt m interdit; interdiction v d'arrêt. ▼—**verf**
mastic m. ▼—**watch** chronomètre m à arrêt;
chronographe m. ▼—**wol** laine v à repriser.
▼—**woord** cheville v; mot m favori.
▼—**zetten** arrêter, fermer (une usine);
suspendre. ▼—**zetting** arrêt m, fermeture,
suspension v (de paiements). ▼—**zijde** soie v
à repriser.
store persienne v.
stor/en I on.w déranger, troubler, gêner;
(*radio*) brouiller; perturber; *stoor ik u soms*, je
ne vous dérange pas, au moins ? **II zich —
aan** se soucier de, faire attention à; *zich niet
— aan iem.*, ne pas écouter qn. ▼—**end**
perturbateur; gênant. ▼—**ing** dérangement,
trouble m; interruption; (*radio*) perturbation v
atmosphérique; - parasite; panne v;
(*opzettelijk*) brouillage m; — *in elektrisch
net*, panne v de secteur. ▼—**ingsfilter** filtre m
antiparasite. ▼—**ingsvuur** feu m de
harcèlement. ▼—**ingszender** poste m
brouilleur. ▼—**ingvrij** antiparasité.
storm tempête, tourmente v, orage m; (*mil.*)
assaut m; — *lopen op*, donner l'assaut à;
(*fig.*) *het loopt* —, on assiège les portes.
▼—**achtig I** bn gros, orageux, agité. **II** bw
orageusement. ▼—**achtigheid** état m
orageux. ▼—**baan** parcours m du
combattant. ▼—**bal** cône m de tempête.
▼—**band** jugulaire, mentonnière v. ▼—**en
1** faire une tempête; **2** donner l'assaut à; *het
stormt*, le vent souffle en tempête.
▼—**enderhand** d'assaut, d'emblée. ▼—**klok**
tocsin m. ▼—**lamp** lampe-tempête v.
▼—**lantaarn** lanterne-tempête v. ▼—**latten**
violons m mv. ▼—**loop** assaut m; ruée v.
▼—**schade** dommage m causé par la
tempête. ▼—**sein** signal m de gros temps.
▼—**troepen** troupes v mv d'assaut.
▼—**vlaag** rafale v.
▼—**waarschuwingsdienst** service m
météorologique des côtes. ▼—**weer** temps m
orageux, gros temps m.
stort/bad bain-douche m, douche v. ▼—**bui**
averse, pluie v battante. ▼—**en I** ov.w **1** jeter,
précipiter; *radio-actieve stoffen in zee* —,
déverser des produits radioactifs en mer;
2 (*afladen*) déverser; **3** (*gieten*) verser,
répandre; **4** (*betalen*) verser; payer; *in het
ongeluk —*, perdre. **II zich —** se jeter, se
précipiter; *zich in het verderf —*, se perdre.
III on.w se précipiter; (*v. regen*) tomber à
verse. ▼—**gat** trou m de chargement.
▼—**goederen** marchandises v mv en vrac.
▼—**ing 1** effusion v (de sang); épanchement;

2 (*hand.*) versement. ▼**—ingsbewijs** récépissé *m* de versement. ▼**—ingskaart** mandat-carte *m* de versement. ▼**—kar** tombereau *m*. ▼**—koker** tuyau *m* de descente. ▼**—plaats** décharge *v*. ▼**—regen** pluie torrentielle, averse *v*. ▼**—regenen** pleuvoir à verse. ▼**—vloed** torrent *m*. ▼**—zee** paquet *m* d'eau.
stot/en I *on.w* **1** (*v. wagen*) cahoter; (*v. schip*) tanguer; (*v. geweer*) repousser; **2** (*fig.*) choquer; *aan de tafel* —, buter contre la table; — *op*, heurter, toucher; *tegen elkaar* —, s'entre-choquer. II *ov.w* **1** pousser, heurter; **2** (*fijn*—) broyer, piler; **3** (*fig.*) choquer. III *zich* — se heurter (contre qc); (*fig.*) être choqué, se scandaliser de. IV *zn* cahots, heurts *m mv*; tangage; choc *m*. ▼**—end 1** choquant; **2** (*v. stijl*) dur, heurté.
stotter/aar(ster) bègue *m & v*. ▼**—en** bégayer; balbutier.
stout I *bn* **1** (*ondeugend*) méchant; **2** (*driest*) hardi, intrépide. II *bw* méchamment; hardiment *m*. ▼**—erd** vilain(e), méchant(e) *m* (*v.*). ▼**—heid 1** méchanceté; **2** hardiesse, audace *v*. ▼**—moedig(heid)** *zie* **stout(heid) 2**.
stouwen arrimer; (*eten*) bouffer.
stoven 1 étuver; **2** (*med.*) fomenter; *zich in de zon* —, se chauffer au soleil; *langzaam* —, mijoter; *gestoofd*, braisé, en daube.
straal I *zn* **1** rayon, trait de lumière; (*bliksem*—) éclair; **2** (*meetk.*) rayon; **3** jet (d'eau), flot (de sang), filet *m*. II *bw*: — *negeren*, ignorer résolument. ▼**—aandrijving** propulsion *v* par réaction. ▼**—brekend** réfringent. ▼**—breker** brise-jet *m*. ▼**—breking** réfraction *v*. ▼**—buiging** diffraction *v*. ▼**—jager** chasseur *m* à réaction. ▼**—kachel** radiateur *m* à réaction. ▼**—motor** moteur *m* à réaction. ▼**—pijp** lance; tuyère *v*. ▼**—punt** point *m* radiant. ▼**—sgewijs** en rayon(s). ▼**—vliegtuig** avion *m* à réaction; — *met* (*2, 3*) *4 motoren*, (bi-, tri-) quadriréacteur *m*.
straat I rue; **2** (—*weg*) chaussée; route *v* pavée; **3** (*mar.*) détroit *m*; *op* —, dans la rue; — *slijpen*, battre le pavé. ▼**—arm** pauvre comme Job, dénué de tout. ▼**—belasting** impôt *m* sur les propriétés riveraines des rues. ▼**—bengel** voyou *m*. ▼**—deur** porte *v* d'entrée. ▼**—gevecht** bataille *v* de rue; rixe; bagarre *v*. ▼**—goot** ruisseau *m*. ▼**—hoek** coin de rue, carrefour *m*. ▼**—hond** chien *m* de ruisseau. ▼**—jeugd** gamins *m mv* des rues. ▼**—jongen** voyou, gavroche; polisson *m*. ▼**—kei, —klinker** pavé *m*, brique *v* de pavage. ▼**—lantaarn** réverbère *m*. ▼**—maker** paveur *m*. ▼**—meid 1** voyoute; **2** coureuse *v*. ▼**—muzikant** musicien ambulant. ▼**—naambordje** plaque *v* indicatrice. ▼**—roof** brigandage *m*. ▼**—rover** voleur *m* des grands chemins.
Straatsburg Strasbourg *m*. ▼**—er, —s** Strasbourgeois (*m*).
straat/schender vandale *m*. ▼**—schenderij** vandalisme *m*. ▼**—telefoon** borne *v* d'appel. ▼**—veger 1** balayeur *m*; **2** (*machine*) balayeuse *v*. ▼**—venter** camelot *m*. ▼**—verlichting** éclairage *m* des rues. ▼**—vuil** immondices *v mv* de la rue, crotte *v* des rues. ▼**—weg** chaussée, grand-route *v*. ▼**—werker** paveur *m*.
straf 1 *zn* peine, punition *v*; (—*werk*) pensum *m*; *op* —*fe van*, sous peine de. II *bn* (& *bw*) fixe(ment), sévère(ment); fort; raide; — *aanhalen*, serrer fort. ▼**—baar** coupable, (*action*) punissable; — *met*, passible de; — *stellen*, pénaliser. ▼**—baarstelling** sanction *v*. ▼**—bepaling** pénalité *v*; paragraphe *m* du code pénal. ▼**—blad** casier *m* judiciaire; *onbeschreven* —, casier *m* judiciaire vierge. ▼**—compagnie** compagnie *v* de discipline. ▼**—exerceren** faire des exercices supplémentaires dans un peloton *m* de punition. ▼**—expeditie** expédition *v* punitive, - de représailles. ▼**—feloos** I *bn* impuni. II *bw* impunément. ▼**—feloosheid**

impunité *v*. ▼**—fen** punir (qn de); *met boete* —, mettre (qn) à l'amende. ▼**—gevangenis** maison *v* de détention.
strafheid fixité; sévérité; raideur *v*.
straf/kolonie colonie *v* pénitentiaire. ▼**—maatregel** sanction *v*. ▼**—middel** moyen *m* de correction, mesure *v* disciplinaire. ▼**—oefening** exécution *v*, supplice *m*. ▼**—oplegging** punition *v*; *voorwaardelijke* —, condamnation *v* avec sursis. ▼**—plaats** lieu *m* du supplice. ▼**—port** surtaxe *v*; *met* — *belasten*, surtaxer. ▼**—portzegel** timbre-taxe *m*. ▼**—preek** semonce *v*. ▼**—proces 1** procès *m* criminel; **2** procédure *v* criminelle. ▼**—punt** pénalisation *v*; *een* — *krijgen*, être pénalisé. ▼**—recht** droit *m* criminel, - pénal; *wetboek van* —, code *m* pénal. ▼**—rechter** juge criminel; *voor de* —, devant la justice criminelle. ▼**—rechterlijk** criminel. ▼**—register** casier *m* judiciaire. ▼**—schop** coup franc, penalty *m*; *een* — *nemen*, tirer un penalty; *na* —, sur penalty. ▼**—schopgebied** surface *v* de réparation. ▼**—verlichting, —vermindering** commutation *v* de la peine. ▼**—verordening** arrêté *m* de police. ▼**—vordering** instruction *v* criminelle. ▼**—werk** pensum *m*. ▼**—wet** loi *v* pénale. ▼**—wetgeving** législation *v* criminelle. ▼**—zaak** affaire *v* criminelle.
strak I *bn* raide, tendu; (*v. kleed*) trop juste; *een* — *gezicht hebben*, ne pas sourciller. II *bw*: — *aanhalen*, serrer; — *aankijken*, regarder fixement; — *voor zich uitkijken*, regarder droit devant soi. ▼**—heid** raideur, tension, sévérité; impassibilité *v*. ▼**—(je)s** tout à l'heure, tantôt; *tot* —, à tantôt.
stralen 1 rayonner, briller; **2** (*v. examen*) échouer (à). ▼**—bundel** faisceau *m* lumineux. ▼**—d** radieux, rayonnant; épanoui (de joie). ▼**—krans** auréole *v*, nimbe *m*. ▼**straling** rayonnement *m*; (*nat.*) radiation *v*; *aan* — *blootstellen*, irradier.
stram raide, engourdi, perclus.
stramien canevas *m*.
strand plage *v*; (*oever*) rivage *m*; (*zandig*) grève *v*. ▼**—bad** plage *v*. ▼**—boulevard** digue *v*. ▼**—en** (s')échouer; (*fig.*) échouer. ▼**—goed** épaves *v mv*. ▼**—hoofd** jetée *v*. ▼**—ing** échouage; échouement *m*. ▼**—pakje** ensemble *m* de plage. ▼**—schoenen** souliers *m mv* de plage. ▼**—stoel** guérite *v* de plage. ▼**—tas** sac *m* de plage. ▼**—vonder** préposé *m* aux épaves. ▼**—vonderij** service *m* des épaves.
strapats excès *m*; extravagance *v*.
strapless décolleté-corbeille; à bretelles inexistantes.
stratosfeer stratosphère *v*. ▼**—vlucht** vol *m* stratosphérique.
streefdatum date *v* envisagée.
streek 1 coup, trait *m*, touche; (*v. strijkinstrument*) coup *m* d'archet; **2** (*land*—) pays *m*, contrée, région *v*; **3** (*lucht*—) climat *m*, zone *v*; **4** (*kompas*—) aire *v*, rumb *m* de vent; *op* — *zijn*, être en mouvement, - en train; - installé; *van* — *brengen*, démonter, retourner, faire perdre contenance à; *van* — *raken*, perdre contenance, se troubler; *van* — *zijn*, être souffrant, - indisposé; (*fig.*) - retourné; *zijn maag is van* —, il a un embarras d'estomac; **5** coup, tour, trait *m*, ruse *v*; *dolle* —, coup *m* de tête; *domme* —, bêtise *v*; *gemene* —, vilain tour *m*; *streken uithalen*, faire des siennes. ▼**—plan** plan *m* de développement *m* régional; plan *m* d'aménagement du territoire. ▼**—roman** roman *m* régional. ▼**—ziekenhuis** centre *m* hospitalier régional.
streep 1 ligne *v*, trait *m*; *doorgetrokken* —, ligne continue; *onderbroken* —, ligne discontinue; **2** (*mil.*) brisque *v*; galon, chevron *m*; **3** (*smalle strook*) bande *v*; *een* — *door iets halen*, rayer qc; (*fig.*) passer l'éponge sur; *een* — *door de rekening*, un mécompte; *er loopt een* — *door*, il est toqué.

▼—**je 1** trait m, marque, raie v; **2** (bij schrijfles) bâton; **3** (verbindings—) trait m d'union; **4** (—sgoed) étoffe v rayée; zij heeft een — voor, on lui passe qc; een jas met een blauw —, une veste rayée de bleu.
▼—**jesgoed** zie —**je 4**.

strek/dam levée v. ▼—**ken I** on.w **1** aller, s'étendre; **2** servir (à, de), tendre (à); zolang de voorraad strekt, tant que durera la provision; tot eer —, faire honneur à; tot voorbeeld —, servir d'exemple. **II** ov.w étendre, allonger. ▼—**kend:** —e meter, mètre m courant. ▼—**king** teneur, tendance v, but m. ▼—**kingsroman** roman m à thèse.
▼—**spier** extenseur m.

strel/en caresser, (fig.) flatter. ▼—**end** caressant, (fig.) flatteur. ▼—**ing** caresse, flatterie v.

strem/men I on.w se cailler, se figer. **II** ov.w cailler; (fig.) arrêter; interrompre. ▼—**ming** coagulation v; (fig.) arrêt; (v. verkeer) embouteillage; bouchon m.

streng I bn sévère; (hiver) rigoureux; rigide; (vie) austère. **II** bw sévèrement; rigoureusement; austèrement; — optreden, sévir. **III** zn **1** (touw) toron; **2** (v. garen) écheveau; **3** (med.) cordon; **4** (aan paardetuig) trait m.

strengelen I ov.w tresser; enlacer. **II zich** — s'enlacer (autour de).

strengheid sévérité; rigueur; austérité; âpreté v.

strepen rayer; strier, zébrer.

stress tension v psychique, pression v.

stretcher lit m pliant, - d'appoint, - de camp.

streven I on.w s'efforcer (de), aspirer (à) ambitionner (qc). **II** zn efforts m pv; ambition, aspiration v.

striem marque, meurtrissure v. ▼—**en** cingler.

strijd 1 combat m, lutte, guerre v; **2** (twist) querelle, dispute; (woorden—) polémique v; — om het bestaan, concurrence vitale, lutte v pour la vie; in — met, contraire à; om —, à l'envie, à qui mieux mieux. ▼—**baar** combatif, valide. ▼—**baarheid** combativité, validité v. ▼—**bijl:** de — begraven, enterrer la hache de guerre. ▼—**en 1** lutter, se battre, combattre; **2** (twisten) se disputer; **3** (fig.) — ten gunste van, militer pour; — met, être contraire à. ▼—**end** en guerre; militant; (recht) de —e partijen, les parties v pv contestantes. ▼—**ensmoe** de guerre lasse. ▼—**er** combattant; (fig.) lutteur; (pol.) militant m. ▼—**gas** m de combat. ▼—**gewoel** mêlée v. ▼—**ig:** — met, contraire à. ▼—**krachten** forces v pv armées. ▼—**lust** ardeur guerrière; (fig.) combativité v. ▼—**lustig** zie —**baar**. ▼—**makker** frère d'armes; copain m. ▼—**perk** lice, arène v. ▼—**vraag** question v en litige, point m controversé.

strijkage révérence v; —s maken, faire des façons, - des ronds de jambe.

strijk/bout fer m à repasser. ▼—**en I** ov.w **1** passer (of promener) la main sur, frotter; (weg—) écarter; **2** (in de hoogte —) rebrousser, relever; (neer—) coucher; (glad—) lisser; (met strijkijzer) repasser; **3** (màr.) rentrer (les couleurs); **4** passer sur le violon. **II** on.w **1** passer la main sur, frotter; **2** faire le repassage; met de riemen —, scier; langs iets —, frôler, raser qc; gaan — met, décrocher (le prix); partir (avec la caisse). ▼—**er** joueur d'instrument à archet. ▼—**goed** linge m à repasser. ▼—**instrument** instrument m à archet, - à cordes. ▼—**kwartet** quattuor m à cordes. ▼—**machine** machine v à repasser. ▼—**orkest** orchestre m à cordes. ▼—**plank** planche v à repasser. ▼—**ster** blanchisseuse de fin, repasseuse v. ▼—**stok** archet m. ▼—**vuur** feu m rasant.

strik 1 nœud m; (v. haarlint) coque v; **2** (val) piège; lacet m. ▼—**ken 1** faire un nœud à, nouer; **2** prendre au lacet. ▼—**kenzetter** colleteur m. ▼—**knoop** nœud m coulant.

strikt bn (& bw) strict (ement); — genomen,

à la rigueur; —e observantie, étroite observance v.

strikvraag question indiscrète; (school) colle v.

stringent péremptoire.

strip joint métallique, couvre-joint m; (tocht—) bourrelet m (métallique of feutré). ▼—**tang** pince v à couper à dénuder.

strip-tease v strip-tease m.
▼—**euse** strip-teaseuse v. ▼**stripverhaal** bande v dessinée, B.D., bédé v.

stro 1 paille; **2** (stal—) litière v; **3** (dak—) chaume m. ▼—**bloem** immortelle v. ▼—**boter** beurre m d'hiver. ▼—**dak** toit m de chaume. ▼—**dekker** couvreur m en chaume.

stroef I bn rude; qui résiste; (fig.) peu engageant, peu liant; stroeve stijl, style m heurté. **II** bw difficilement; — lopen, avoir trop peu de jeu; accrocher. ▼—**heid** froideur, manque v de liant; (tech.) frottement m.

strofe strophe v.

stro/geel (jaune) paille. ▼—**halm** brin m de paille; zich vasthouden aan een —, s'accrocher à un fétu. ▼—**hoed** chapeau de paille, canotier m. ▼—**huls** paillon m (de bouteille). ▼—**hut** chaumière v. ▼—**karton** carton-paille m.

stroken: — met, s'accorder avec, être conforme à; niet — met, être incompatible avec.

stro/kleur(ig) couleur v de la paille. ▼—**man** homme m de paille. ▼—**mat** paillasson m. ▼—**matras** paillasse v.

strom/en I (v. water) couler; courir; **2** (v. bloed) circuler; **3** (v. massa) se porter en masse (vers). ▼—**end** courant; — water, eau v courante. ▼—**ing** courant m; circulation v; (fig.) courant m, tendance v.

strompelen marcher en trébuchant.

stronk (boom) souche v; (kool) trognon m.

stront 1 merde v; **2** — maken, se chamailler. ▼—**je** (aan ooglid) orgelet m.

strooi/avond veille v de la Saint-Nicolas. ▼—**biljet** prospectus; tract m. ▼—**bus** saupoudreuse v. ▼—**en I** bn de paille. **II** ov.w répandre, semer; saupoudrer (de sel, de sucre). **III** on.w (v. processie) faire la jonchée; (v. vee) faire la litière. ▼—**er 1** joncheur; **2** (tech.) saupoudroir m. ▼—**lepel** cuiller v à saupoudrer. ▼—**mandje** corbeille v à fleurs.

strook 1 bande; **2** (v. cheque) souche v; (v. postwissel) talon; **3** (v. drukproef) placard; **4** (v. japon) volant; **5** (papier) ruban m.

stroom 1 courant; **2** (v. rivier) fleuve; (regen) torrent m; **3** (v. lava) coulée v; **4** (fig.) flot, torrent m; elektrische —, courant électrique; op — werken, fonctionner sur secteur; met de — meegaan, suivre le courant; onder — staan, être sous tension; traliehek onder —, grillage m électrifié. ▼—**afsluiter** ferme-circuit m. ▼—**af(waarts)** en aval (de); — gaan, descendre (la rivière). ▼—**bedding** lit m d'un courant. ▼—**breker** brise-courant m. ▼—**dam** épi m. ▼—**draad** fil m d'amenée du courant; ligne v caténaire. ▼—**gebied** bassin m. ▼—**kaart** carte v hydrographique. ▼—**leider** électrode v. ▼—**lijn** ligne v aérodynamique. ▼—**lijnen** caréner. ▼—**loos:** stroomloze uren, coupures v mv de courant. ▼—**meter** ampèremètre m. ▼—**net** secteur m. ▼—**op(waarts)** en amont (de); — gaan, remonter le courant. ▼—**snelheid** vitesse v du courant. ▼—**sterkte** intensité v de c. ▼—**verbruik** consommation v de c. ▼—**verdeler** allumeur; delco m. ▼—**verlies** déperdition v de c. ▼—**versnelling** rapide m; (fig.) accélération v. ▼—**wisselaar** commutateur; inverseur m.

stroop sirop v; mélasse v; iem. — om de mond smeren, flatter qn. ▼—**kan** pot m au sirop; met de — lopen, passer de la pommade à. ▼—**likker** flagorneur m, - euse v. ▼—**tocht** incursion v of pillards, razzia v. ▼—**wafel** gaufrette v à la mélasse.

strop 1 corde; **2** (tegenvaller) veste v;

3 mauvais garnement m. ▼—**das** cravate v.
strop/en 1 écorcher; 2 piller, voler; 3 (v. wild) braconner. ▼—**er 1** (rover) maraudeur; 2 (wild—) braconnier m. ▼—**erij 1** pillage; 2 (wild—) braconnage m.
stro/pop zie —**man.**
strot gorge v, gosier m. ▼—**klep** épiglotte v. ▼—**tehoofd** larynx m.
strozak paillasse v.
strubbeling difficulté; querelle v.
structural/isme structuralisme m. ▼—**ist(isch)** structuraliste (m).
struct/ureel 1 de la structure; structural; 2 (econ.) de structure, bn (& bw) structurel(lement). ▼—**urering** structuration v. ▼—**uur** construction, structure v. ▼—**uurformule** formule v (moléculaire) développée. ▼—**uurplan** plan m d'urbanisme.
struif 1 liquide m d'œuf; 2 omelette v.
struik arbuste m; —en, broussailles v mv.
struikel/blok pierre v d'achoppement, obstacle m. ▼—**en** trébucher; faire un faux pas. ▼—**ing** trébuchement; (fig.) faux pas m.
struik/gewas broussailles v mv. ▼—**heide** bruyère v commune. ▼—**rover** brigand m. ▼—**roverij** brigandage, vol m à main armée.
struis I zn autruche v. **II** bn bien découplé, robuste. ▼—**veer** plume v d'autruche. ▼—**vogel** autruche v. ▼—**vogelpolitiek** politique v d'autruche.
struma goitre m.
strychnine strychnine v.
stuc stuc m.
studeerkamer cabinet d'étude; bureau m.
▼**student(e)** étudiant(e) m (v); — in de letteren, étudiant en lettres; — in wis- en natuurkunde, étudiant en sciences; — in de rechten, in de medicijnen, in de theologie, étudiant en droit, en médecine, en théologie. ▼—**encorps** association v des étudiants. ▼—**enhaver** les (quatre) mendiants m mv. ▼—**enleven** vie v d'étudiant. ▼—**enrestaurant** restaurant m universitaire. ▼—**ensociëteit** cercle m des étudiants. ▼—**entijd** années v mv d'université. ▼**studeren 1** étudier; 2 (student zijn) faire ses études; op iets —, étudier qc; op de piano —, travailler son piano, - un morceau; voor priester —, étudier pour être prêtre. ▼**studie** étude v; — naar het naakt (model), étude d'après le nu, académie v; in — nemen, mettre à l'étude. ▼—**beurs** bourse v (d'études). ▼—**boek** manuel; traité m. ▼—**dagen** séminaire m. ▼—**jaar** 1 promotion; 2 année v d'étude. ▼—**kop** 1 tête v d'expression; 2 personne v ayant une bonne tête pour l'étude. ▼—**loon** présalaire m. ▼—**reis** voyage m d'études. ▼—**toelage** allocation v d'études. ▼—**verlof** sursis m d'appel. ▼—**verzekering** assurance v scolaire, - universitaire. ▼—**voorschot** prêt m (d'honneur). ▼—**zaal** salle v d'études. ▼**studio** studio m.
stuf gomme v (à effacer). ▼—**fen** effacer à la gomme.
stug raide, rude, (fig.) revêche, dur. ▼—**heid** raideur; (fig.) humeur v revêche.
stuif/meel 1 folle farine v; 2 (plk.) pollen m. ▼—**zand** sable mouvant; terrain m des s. m.
stuip convulsion v, spasme; (fig.) caprice m, lubie v; zich een — lachen, rire à se tordre. ▼—**achtig**, —**trekkend I** bn convulsif. **II** bw convulsivement. ▼—**trekken** s'agiter convulsivement. ▼—**trekking** convulsion v.
stuit 1 rebondissement m; 2 derrière m. ▼—**been** coccyx m. ▼—**en I** on.w donner contre; rebondir; op moeilijkheden —, se heurter à des difficultés. **II** ov.w arrêter, faire cesser; empêcher; (fig.) choquer. ▼—**end** révoltant, choquant, répugnant. ▼—**er** calot m. ▼—**ligging** présentation v du siège.
stuiven 1 faire de la poussière; 2 s'envoler (en poussière); uit elkaar —, se disperser.
stuiver 5 cents néerlandais. ▼—**tje-wisselen** jeu m des quatre coins.

stuk I zn 1 morceau; 2 (—je) fragment m, parcelle; 3 (als geheel) pièce v; 4 (muziek—) morceau; 5 (schilder—) tableau m; 6 (toneel—) pièce v; 7 (akte) document, titre m, pièce v; 8 (daad) action v, fait; 9 (kanon) canon m; 10 article, essai m; 11 (fam.) (vrouw, meisje) nana v; beau brin de fille; colis m; 3 gulden het —, 3 florins (la) pièce; zijn —ken inzenden, produire ses titres; — op naam, titre m nominatif; een — zetten in, mettre une pièce à; aan één —, tout d'un tenant; (marcher) tout d'une traite; aan —ken breken, mettre en morceaux; in één — door, (travailler) d'arrachepied, sans désemparer; hij blijft op zijn — staan, il persiste dans son opinion; per — betalen, payer par pièce; uit één —, d'une seule pièce; een man uit één —, un homme franc et direct; van zijn — brengen, déconcerter; van zijn — raken, perdre contenance; klein van —, de petite taille; — voor —, pièce à pièce. **II** bn cassé, brisé; dérangé, détraqué.
stukad/oor plafonneur, stucateur m. ▼—**oorswerk** stucage m. ▼—**oren** stuquer.
stukbijten casser des dents. ▼—**breken** briser, casser. ▼—**gaan** casser.
stukgoederen marchandises v mv en cueillette.
stukgooien briser, fracasser.
stuk/kenvuur tir m coup sur coup. ▼—**loon** salaire m aux pièces. ▼—**sgewijs** par morceaux, pièce par pièce; à l'unité.
stuk/slaan briser, casser; geld —, gaspiller de l'argent. ▼—**snijden** déchiqueter; dépecer. ▼—**springen** éclater. ▼—**trappen** briser —, enfoncer à coups de pied; (schoenen) éculer. ▼—**vallen** se briser, tomber en pièces.
stukwerk travail m aux pièces; (fig.) ouvrage m incomplet. ▼—**tarief** tarif m aux pièces.
stulp chaumière v; (fig.) humble cabane v.
stumper(d) 1 (sukkel) pauvret m, maladroit v; 2 (knoeier) barbouilleur m. ▼—**(acht)ig** bn (& bw) pitoyable(ment). ▼—**igheid** caractère m pitoyable. ▼—**werk** barbouillage, gâchis m.
stunt 1 tour m de force; 2 (fig.) prouesse v; 3 (reclame) truc m.
stuntelig bn (& bw) maladroit(ement).
stunt/man cascadeur m. ▼—**vlieger** acrobate m aérien.
sturen I ov.w 1 gouverner, diriger; conduire (une voiture); piloter (un avion); 2 envoyer; — om, envoyer chercher. **II** on.w conduire; — naar, s'orienter vers.
stut 1 étai; (mijn—) montant; (mar.) accore; 2 (fig.) appui m. ▼—**muur** mur m de soutènement. ▼—**paal** zie **stut.** ▼—**ten** I ov.w étayer; (fig.) appuyer. **II** zn: het —, l'étayage m.
stuur 1 (mar.) gouvernail, timon m, barre; 2 (v. auto) direction v; (—rad) volant; 3 (v. fiets) guidon; 4 (luchtv.) levier m de commande. ▼—**beweging** direction v. ▼—**boord** tribord m. ▼—**groep** comité m directeur; groupe d'orientation; - de coordination; - d'organisation. ▼—**inrichting** (mar.) appareil m à gouverner; (v. auto) direction v; (luchtv.) commandes v mv. ▼—**knuppel** manche m. ▼—**kolom** colonne v de direction. ▼—**loos** désemparé, à la dérive. ▼—**man 1** (eerste officier) second; 2 (loods) pilote; 3 (roerganger) timonier; 4 (sp.) barreur m. ▼—**manskunst** pilotage m; (fig.) entregent m. ▼—**pedaal** palonnier m. ▼—**rad 1** (mar.) roue v du gouvernail; 2 (v. auto) volant m. ▼—**roer** gouvernail m de direction.
stuurs bourru, renfrogné. ▼—**heid** mine renfrognée, humeur v bourrue.
stuur/slot antivol m de direction. ▼—**stang** 1 guidon; 2 manche m de direction. ▼—**stoel** fauteuil m de pilotage. ▼—**toestel** mécanisme m de commande. ▼—**vlak** aileron m. ▼—**wiel** volant m.
stuw, —**dam** barrage m. ▼—**adoor** stevedore; aconier m. ▼—**age** arrimage m.

▼—**en** 1 pousser, donner une impulsion à; 2 arrimer. ▼—**ing** 1 impulsion v; 2 arrimage m. ▼—**kracht** 1 poussée, force propulsive; 2 (fig.) énergie, force v d'impulsion. ▼—**meer** lac m de barrage. ▼—**sluis** écluse v de retenue.

sub/altern subalterne. ▼—**commissie** sous-commission v. ▼—**continent** sous-continent m. ▼—**cultuur** sous-culture v. ▼—**diaken** sous-diacre m.

subiet aussitôt.

subject sujet m. ▼—**ief** I bn subjectif. II bw subjectivement.

sub/liem I bn sublime. II bw d'une façon sublime. ▼—**limaat** sublimé m. ▼—**limeren** sublimer.

subsidiair bn (& bw) subsidiaire(ment).

subsi/die subvention v. ▼—**dieregeling** réglementation v de subventions. ▼—**diëren** subventionner.

subsonisch subsonique.

substan/tie substance v. ▼—**tieel** substantiel.

substit/ueren substituer. ▼—**utie** substitution v. (jur.) subrogation v. ▼—**uut** substitut m. ▼—**uut-griffier** substitut m de greffier. ▼—**uut-officier** substitut m du procureur de la reine.

sub/straat substrat m. ▼—**tangens** sous-tangente v. ▼—**tiel** subtil, délicat. —**tropisch** subtropical. —**versief** subversif.

succes succès m; veel —!, bonne chance!

successie succession v. ▼—**belasting** impôt m sur les successions. ▼—**rechten** droit m de succession, - de mutation après décès. ▼—**wet** loi v successorale. ▼**succes/sief** I bn successif. II bw successivement = —**sievelijk**.

succesvol couronné de succès.

sudderen mijoter, mitonner.

suf 1 abruti; 2 endormi; 3 étourdi. ▼—**fen** être abruti; rêvasser. ▼—**fer(d)** étourdi m.

suffragaan suffragant m.

sugg/ereren suggérer. ▼—**estie** suggestion v.

suiker sucre m; bruine — cassonade v; — doen in, - bij, sucrer. ▼—**bakker** confiseur m à sucre. ▼—**bakkerij** confiserie v. ▼—**biet** betterave v à sucre. ▼—**boon** dragée v, bonbon m. ▼—**brandewijn** (ra)tafia m. ▼—**brood** pain m de sucre. ▼—**campagne** campagne v sucrière. ▼—**en** sucrer. ▼—**gehalte** teneur v en sucre. ▼—**goed** confiserie, sucrerie v. ▼—**houdend** saccharifère. ▼—**industrie** industrie v sucrière. ▼—**klontjes** sucre m en morceaux. ▼—**lepel** cuiller v à sucre. ▼—**meloen** sucrin m. ▼—**oom** oncle à héritage, - d'Amérique. ▼—**peer** poire v sucrée. ▼—**peul** pois m goulu de primeur. ▼—**plantage** plantation v de canne à sucre. ▼—**planter** planteur sucrier. ▼—**pot** sucrier m. ▼—**raffinaderij** 1 raffinerie; 2 (daad) raffinage m. ▼—**riet** canne v à sucre. ▼—**schepje** pelle v à sucre. ▼—**tang** pince v à sucre. ▼—**tante** tante à héritage. ▼—**waren** sucreries, confiseries v mv. ▼—**water** eau v sucrée. ▼—**zieke** diabétique m & v. ▼—**ziekte** diabète m (sucré). ▼—**zoet** sucré; (fig.) mielleux.

suite 1 suite v; 2 deux chambres en enfilade; à la —, hors cadre, sans troupe. ▼—**deur** porte v de communication.

suiz/ebollen être étourdi; doen —, étourdir. ▼—**elen** avoir des vertiges. ▼—**en** frémir, murmurer; (v. water) chanter; (in de oren) tinter. ▼—**ing** murmure (du vent etc.); tintement v, bourdonnements m mv d'oreille.

sujet type m; gemeen —, vilain type; verlopen —, déclassé m.

sukade cédrat m confit. ▼—**koek** pain m d'épice au cédrat.

sukkel 1 pauvre diable m, mazette v; 2 (knoeier) gâcheur, bousilleur m; aan de — zijn, être souffrant. ▼—**aar(ster)** 1 élève arriéré; 2 valétudinaire m & v. ▼—**achtig** valétudinaire; traînard, lent. ▼—**draf(je)** petit

trot m; op een — gaan, aller au petit trot. ▼—**en** 1 être valétudinaire, - souffrant; 2 se traîner; (school) être faible; 3 vivre pauvrement; met zijn knie —, souffrir du genou; met de kinderen —, traîner des petits malades. ▼—**gangetje**: een — gaan, traîner (en longueur). ▼—**ig** zie —**achtig**.

sul benêt m. ▼—**achtig**, —**lig** bonasse, niais.

sulf/aat sulfate m. ▼—**apreparaat** sulfamide v.

sultan(e) sultan(e) m (v.). ▼—**aat** sultanat m.

summ/a somme v; — summarum, somme toute. ▼—**ier** bn (& bw) sommaire(ment). ▼—**um** comble m.

super/benzine super m. ▼—**carga** subrécargue m. ▼—**dividend** dividende m. extraordinaire. ▼—**fijn** surfin. ▼—**fort** superforteresse v. ▼—**fosfaat** superphosphate m. ▼—**ieur** I bn (& bw) supérieur(ement). II zn supérieur m. ▼—**intendent** surintendant m. ▼—**ioriteit** supériorité v. ▼—**latief** superlatif m. ▼—**markt** supermarché m; —en, grandes surfaces v mv. ▼—**mogendheid** superpuissance v. ▼—**oxyde** peroxyde m. ▼—**plie** surplis m. ▼—**sonisch** supersonique; —ekanal, bang m supersonique. ▼—**visie** supervision v. ▼—**visor** superviseur m.

supplement supplément m. ▼—**shoek** angle m supplémentaire. ▼**suppleren** suppléer; faire supplément (v. duurdere plaats bijv.). ▼**supplet/ie** complément m. ▼—**oir** supplémentaire, supplétif.

suppoost gardien, concierge m.

supporter supporter, partisan m.

supra (voir) plus haut, - ci-dessus. ▼—**nationaal** supranational.

surf surf m. ▼—**en** surfer. ▼—**er** surfeur, -euse.

Surin/aams de la Guyane néerlandaise. ▼—**ame** la Guyane néerlandaise; (rivier) le Surinam.

surnumerair surnuméraire m.

surplus (bij bank) couverture, provision v; surplus, excédent m.

surprise 1 surprise v; 2 paquet m surprise. ▼—**party** surprise-partie v; (fam.) surboum v.

surrogaat succédané m.

surséance sursis m (de paiement).

surveill/ance surveillance v; — hebben, être de surveillance. ▼—**ant** 1 surveillant; 2 pion m. ▼—**eren** I ov.w surveiller. II on.w faire la surveillance.

suspenderen suspendre. ▼**suspensie** suspense v.

sussen apaiser; étouffer (une affaire).

sweater chandail, sweater m.

swing swing m. ▼—**en** swinguer.

syllabe syllabe v.

syllogisme syllogisme m.

symbiose symbiose v.

symbol/iek symbolisme m. ▼—**isch** bn (& bw) symbolique(ment). ▼—**iseren** symboliser. ▼—**istisch** symboliste. ▼**symbool** symbole m.

symfonie symphonie v. ▼—**orkest** orchestre m symphonique.

symmetr/ie symétrie v. ▼—**isch** bn (& bw) symétrique(ment).

sympath/etisch sympathique. ▼—**ie** sympathie v. ▼—**iebetuiging** manifestation v de sympathie. ▼—**iek** bn (& bw) sympathique(ment). (fam.) sympa. ▼—**iestaking** grève v de solidarité. ▼—**iseren** sympathiser (avec); être sympathisant (avec).

symposion (v. Plato) Le Banquet; (nu) colloque m.

symp/tomatisch symptomatique. ▼—**toom** symptôme m.

synag/oge —**oog** synagogue v.

synchronis/atie synchronisation v. ▼—**ch** synchronique. ▼—**eren** synchroniser.

syncop/e syncope v. ▼—**eren** syncoper.

syndicaat syndicat m; lid van een —,

1 syndicataire; 2 syndiqué.
syndroom syndrome *m*.
synodaal *bn* (*& bw*) synodal(ement).
▼**synode** synode *m*.
synoniem *bn* (*& bw*) synonyme (*m*); het —
zijn, la synonymie.
synop/sis tableau *m* synoptique. ▼**—tisch**
synoptique.
syntactisch syntaxique. ▼**syntaxis** syntaxe
v.
synthe/se synthèse *v*. ▼**—tisch** *bn* (*& bw*)
synthétique(ment).
Syr/ië la Syrie. ▼**—iër** Syrien *m*. ▼**—isch**
syrien.
syst/eem système *m*; tot — verheffen, réduire
en système. ▼**—ematiek** systématique *v*.
▼**—ematisch** *bn* (*& bw*)
systématique(ment); par matières, par
système. ▼**—ematiseren** systématiser.

T *t m*.
Taag Tage *m*.
taai 1 souple et résistant; 2 (*v. vlees*) coriace,
dur; 3 (— *vloeibaar*) filant, gluant, visqueux;
4 (*koppig*) tenace; 5 (*gierig*) avaricieux, dur à
la détente; 6 (*v. boek, les*) aride; (*v. mens*)
coriace; (*v. plant*) vivace; — geduld,
patience *v* infatigable; een — gestel hebben,
avoir la vie dure; zich — houden, ne pas
démordre, - céder, tenir bon. ▼**—heid**
1 souplesse; 2 coriacité; 3 viscosité;
4 ténacité; 5 avarice; 6 aridité; coriacité; (*v.
lichaam*) endurance *v*. ▼**——** couque *v*.
taak 1 tâche *v*; 2 — voor wiskunde, devoir *m*
de vacances pour la mathématique; niet
tegen zijn — opgewassen, inférieur à sa
tâche; zich tot — stellen, se donner pour
tâche de, prendre à tâche de. ▼**—analyse**
analyse *v* des tâches; qualification *v* du
travail.
taal 1 (*alg.*) langage *m*; 2 (*bepaalde —*)
langue *v*; 3 argot, jargon; parler *m*; de oude
talen, les langues anciennes; — der bloemen,
langage des fleurs; — noch teken geven, ne
point donner de ses nouvelles. ▼**—akte**
certificat *m* d'aptitude à l'enseignement d'une
langue. ▼**—behoefte** besoin *m* langagier.
▼**—boek** manuel *m* de langue. ▼**—congres**
congrès *m* de linguistique. ▼**—eigen** idiome,
génie *m* de la langue. ▼**—fout** faute *v* (de
français p.e.), solécisme *m*. ▼**—gebied**
territoire *m* linguistique. ▼**—gebruik** usage
m. ▼**—geleerde** linguiste, philologue *m*.
▼**—gevoel** sentiment de la langue, instinct *m*
linguistique. ▼**—grens** frontière *v*
linguistique. ▼**—kunde** linguistique,
philologie *v*. ▼**—kundig** 1 linguistique;
2 grammatical; —e ontleding, analyse *v*
grammaticale. ▼**—leraar, —lerares**
professeur *m* de langue(s). ▼**—onderwijs**
enseignement *m* des langues. ▼**—regel** règle
v de grammaire. ▼**—schat** trésor linguistique,
fonds *m* de mots. ▼**—strijd** rivalité *v* des
langues. ▼**—wetenschap** linguistique,
philologie; science *v* du langage.
▼**—zuiveraar** puriste *m*.
taankleurig tanné, hâlé.
taart tarte *v*, gâteau *m*. ▼**—je** (*gebakje*)
gâteau; petit four *m*; —s eten, manger des
gâteaux. ▼**—schep** pelle *v* à tarte.
tabak tabac *m*; lichte —, tabac blond; zware
—, tabac brun; er — van hebben, en avoir
soupé. ▼**—scultuur** culture *v* du tabac.
▼**—sdoos** boîte *v* à tabac. ▼**—skleurig**
tabac. ▼**—slucht** odeur *v* de tabac.
▼**—sonderneming** zie **—splantage**.
▼**—spijp** pipe *v*. ▼**—splant** tabac *m*; een —,
un pied de tabac. ▼**—splantage** plantation *v*
de tabac. ▼**—spot** pot *m* à tabac. ▼**—spruim**
chique *v*. ▼**—steelt** culture *v* du tabac.
▼**—sveiling** vente *v* (publique) du tabac.
▼**—swalm** épaisse fumée *v* de tabac.
▼**—swinkel** débit de tabac; (*in Frankrijk*)
(bureau de) tabac *m*. ▼**—swinkelier**
débitant *m* de tabac. ▼**—szak** blague *v*; (*v.
papier*) cornet -, sac *m* à tabac.
tabel table *v*, tableau *m*. ▼**—larisch** en forme
de tableau; — overzicht, tableau synoptique;

— *samenvatten*, consigner sur un tableau.
tabernakel tabernacle *m*.
tableau tableau *m*.
tablet 1 tablette *v* (de chocolat *bijv.*) ;
  2 (*geneesmiddel*) comprimé *m*.
taboe tabou *m*; — *worden*, passer tabou.
taboeret tabouret *m*.
tabula rasa (faire) table rase. **▼tabula/tor**
  margeur ; tabulateur *m*. **▼—tuur** tablature *v*.
tachograaf tachygraphe *m*.
tachtig quatre-vingts ; (*in ss zonder* s). **▼—er**
  octogénaire *m & v*. **▼—jarig** de quatre-vingts
  ans ; octogénaire. **▼—ste** quatre-vingtième.
tackelen tacler.
tact tact *m*, délicatesse *v* ; — *hebben*, avoir du
  tact. **▼—icus** tacticien *m*. **▼—iek**, —**isch**
  tactique (*m*). **▼—loos** sans tact ; *hij is* —, il
  n'a pas de doigté. **▼—vol** II *bn* plein de tact, -
  de délicatesse. II *bw* avec tact.
taf(zijde) taffetas *m*.
tafel 1 (*meubel*) table ; **2** (*plaat*) planche,
  plaque ; **3** (*tabel*) table *v* ; tableau ; (*v.
  berekeningen*) barème *m* ; *groene* —,
  1 (*speeltafel*) tapis *m* vert ; **2** table du bureau,
  - des ministres ; *de — dekken*, mettre la table ;
  de — is daar goed, la cuisine y est bonne ; *aan
  — gaan*, se mettre à table ; *ter — brengen*,
  mettre sur la table ; *van — gaan*, sortir de
  table. **▼—beschuit** biscuit *m* fin. **▼—blad**
  dessus *m*, tablette ; (*inleg*—) rallonge *v*.
  ▼—dame voisine *v* de table. **▼—dienen**
  service *m* de (la) table. **▼—drank** boisson *v*
  de table. **▼—en** être à table, dîner. **▼—gast**
  convive *m & v*. **▼—gebed** (*rk*) bénédicité *m* ;
  (*na maaltijd*) grâces *v mv* ; (*prot.*) prière *v*
  avant le repas. **▼—genoot** commensal ;
  convive *m*. **▼—gereedschap**, —**gerei**
  couvert *m* ; ustensiles *m mv* de table.
  ▼—gesprek conversation *v* de table ; —*ken*,
  propos *m mv* de table. **▼—goed** nappage *m*.
  ▼—heer voisin *m*. **▼—kleed** tapis *m* de table ;
  napperon *m*. **▼—komfoor** chauffe-plats *m*.
  ▼—laken nappe *v*. **▼—linnen** linge *m* de
  table. **▼—loper** chemin *m* de table. **▼—peer**
  poire *v* à couteau. **▼—rede** discours ; toast *m*.
  ▼—ronde table *v* ronde. **▼—servies** service
  m de table. **▼—tennis** tennis *m* de table.
  ▼—voetbal baby-foot *m*. **▼—wijn** vin *m* de
  table, - ordinaire. **▼—zeil** toile *v* cirée.
  ▼—zilver argenterie *v*. **▼—zout** sel *m* de
  table. **▼—zuur** pickles *m mv*.
tafereel tableau *m*, scène ; (*fig.*) description *v*.
taille taille *v*. **▼—band** (*aan jas*) martingale *v*.
  ▼—ren dessiner la taille, resserrer à la taille.
  ▼—wijdte tour *m* de taille.
tailor-made (costume *m*) fait sur mesure.
tak 1 branche *v* ; (*kleiner*) rameau *m* ; **2** (*v.
  spoor*) embranchement *m* ; — *van dienst*,
  service *m* ; — *van sport*, (genre *m* de) sport
  m ; — *van wetenschap*, discipline *v*.
takel palan *m*. **▼—en** palanquer ; (*mar.*) gréer.
  ▼—wagen dépanneuse *v*.
takkenbos fagot *m*.
taks 1 (*hond*) basset *m* ; **2** portion ; tâche *v*.
tal nombre ; — *van*, nombre de.
talen — *naar*, désirer, aspirer à ; *niet — naar*,
  ne pas se soucier de.
talenkenner polyglotte *m*.
talent talent *m*. **▼—enjacht** dépistage *m* de
  talent. **▼—enjager** dépisteur *m* de talent.
  ▼—vol de talent, doué.
talhout rondin *m*, trique *v*.
talisman talisman *m*, amulette *v*.
talk 1 (*vet*) suif ; **2** (*gesteente*) talc *m*.
  ▼—klier glande *v* sébacée. **▼—poeder** talc
  m en poudre.
talloos innombrable, sans nombre.
talm/en traînasser, hésiter ; — *met*, tarder à.
  ▼—er lambin, traînard *m*.
talmoed, talmud Talmud *m*. **▼—ist**
  talmudiste.
talrijk I *bn* nombreux. II *bw* en grand nombre.
  ▼—heid grand nombre *m*.
talstelsel système *m* de numération.
talu(u)d talus *m*.
tam 1 (*v. huisdier*) domestique ; **2** (*getemd*)

apprivoisé ; **3** (*plk.*) cultivé, franc ; **4** (*fig.*)
  docile, doux ; (*slap*) sans force, timide ;
  médiocre, banal ; *iem.* — *maken*, dompter -,
  mater qn ; — *worden*, s'apprivoiser.
tamboer tambour *m* = *ook* —**eerraam**.
  ▼—(er)en tambouriner ; — *op*, insister sur.
  ▼—ijn 1 tambour de basque ; **2** tambourin *m*.
  ▼—majoor tambour-major *m*.
tamelijk I *bn* passable, pas mauvais,
  raisonnable. II *bw* passablement, assez ; —
  wat, pas mal de ; *het is — vervelend*, c'est
  plutôt ennuyeux.
tamheid 1 domesticité *v* ; **2** apprivoisement ;
  3 (*fig.*) docilité, banalité *v*.
tampon tampon *m*.
tamtam tam-tam ; téléphone *m* arabe.
tand dent *v* ; —*en krijgen*, faire ses dents ; *het
  —en krijgen*, la dentition ; —*en wisselen*,
  refaire ses dents ; *iem. aan de — voelen*, tâter
  -, sonder qn ; *met lange —en eten*, manger du
  bout des dents ; *met de mond vol —en staan*,
  ne savoir que dire. **▼—arts**
  (chirurgien-)dentiste *m*. **▼—bederf** carie *v*.
  ▼—eloos édenté.
tandem tandem *m*. **▼—berijd(st)er**
  tandémiste.
tand/en endenter, denteler. **▼—enborstel**
  brosse *v* à dents. **▼—engeknars** grincement
  m de dents. **▼—entrekken** extraction *v*.
  ▼—estoker cure-dent *m*. **▼—etang** davier
  m. **▼—formule** formule *v* dentaire.
  ▼—glazuur émail *m*.
tandheelkund/e chirurgie *v* dentaire. **▼—ig**
  dentaire.
tand/heugel crémaillère *v* ; *de besturing is van
  het —systeem*, la direction est à crémaillère.
  ▼—pasta dentifrice *m*. **▼—pijn** mal *m* de
  dents, odontalgie *v* ; — *hebben*, avoir mal aux
  dents. **▼—pijnstillend** odontalgique.
  ▼—plak plaque *v* dentaire. **▼—plombeersel**
  plombage *m*. **▼—rad** pignon *m*, roue *v*
  dentée. **▼—radbaan**, —**radspoor** chemin *m*
  de fer à crémaillère. **▼—steen** tartre *m*
  (dentaire). **▼—techniek**, —**technisch**
  odontotechnique (*v*). **▼—technicus**
  mécanicien-dentiste *m*. **▼—vlees** gencives *v
  mv*. **▼—vulling** obturation *v*. **▼—wiel** roue *v*
  dentée. **▼—wisseling** seconde dentition *v*.
  ▼—zuiverend dentifrice.
tanen I *ov.w* tanner (le cuir) ; basaner (la
  peau). II *on.w* s'obscurcir, perdre son éclat.
tang 1 (*klein*) pince *v*, pincettes ; **2** (*grote* —)
  tenailles *v mv* ; **3** (*fig.*) mégère *v*, serpent *m*.
  ▼—beweging (*mil.*) opération *v* en tenaille.
tang/ens tangente *v*. **▼—ent** sauterreau *m*.
  ▼—entieel tangentiel.
tango tango *m*.
tang/stelling tenaille *v*. **▼—vormig** en forme
  de tenaille.
tanig 1 (*v. leer*) tanné ; **2** (*v. huid*) hâlé.
tank 1 citerne *v*, réservoir ; **2** (*mil.*) char
  d'assaut, tank *m*. **▼—auto** camion-citerne *m*.
  ▼—en faire son plein d'essence, se ravitailler.
  ▼—er pétrolier *m*. **▼—gracht** fossé *m*
  antichar. **▼—schip** navire-citerne *m*.
  ▼—station station *v* service. **▼—val** *zie*
  —**gracht**. **▼—versperring** barrage *m*
  antichar. **▼—wagen** wagon-citerne ;
  camion-citerne *m*. **▼—wal** barrage *m*
  antichar.
tantaluskwelling supplice *m* de Tantale.
tante tante *v* ; *dikke* —, dondon *v* ; *lastige* —,
  particulière *v* peu commode.
tantième tantième *m*.
tap 1 (*kraan*) robinet ; **2** (*stop*) bondon,
  tampon ; **3** (*tech.*) pivot, tourillon *m*. —**dans**
  claquettes *v mv*. **▼—dansen** faire des
  claquettes. **▼—danser** danseur de
  claquettes. **▼—gat** trou *m* de bonde.
tapijt 1 tapis *m* ; **2** (*wand*—) tapisserie *v* ; *op
  het — brengen*, mettre sur le tapis.
  ▼—fabriek manufacture *v* de tapis.
  ▼—spijkertje broquette *v*. **▼—tegel** dalle *v*
  de tapis. **▼—werk** tapisserie *v*. **▼—werker**,
  —**wever** tapissier *m* ; licier *of* lissier *m*.
tapioca tapioca *m*.

tap/kan broc m. ▼—**kast** buffet ; (fam.) zinc m. ▼—**kraan** cannelle v. ▼—**pelings** à flots, à gros bouillons ; — neervallen, ruisseler, gicler. ▼—**pen** 1 tirer (du vin) ; 2 débiter (une plaisanterie) ; 3 débiter (des boissons) ; 4 saigner ; uit een ander vaatje —, changer de ton ; getapt, bien venu, bien vu. ▼—**per** débitant de boissons ; (fam.) bistro m. ▼—**perij** débit m.

taps conique.

taptemelk lait m écrémé.

taptoe retraite v, couvre-feu ; — blazen, — slaan, sonner -, battre la retraite.

tarbot turbot m.

tarief tarif ; barème m ; het — vaststellen voor, tarifer ; glijdend —, tarif mobile. ▼—**muur** barrière v douanière. ▼—**overeenkomst** contrat m collectif du travail.

tarr/a tare v. ▼—**eren** tarer.

tarten 1 défier, mettre au défi ; provoquer ; 2 braver, affronter (le danger). ▼—**d l** bn provocant. II bw d'une façon provocante.

tarwe froment m. ▼—**bloem** fleur v de farine. ▼—**brood** pain m blanc, - de froment. ▼—**meel** farine v de froment.

tas 1 (hoop) tas m ; 2 (kopje) tasse v ; 3 sac m ; (geld—) sacoche ; (boeken—) serviette v. ▼—**je** : dames—, sac m à main.

tast toucher m ; op de —, à tâtons, à l'aveuglette. ▼—**baar** l bn palpable, tangible ; tastbare leugen, mensonge m évident. II bw d'une façon palpable, manifestement. ▼—**baarheid** tangibilité v. ▼—**en l** ov.w palper, tâter, toucher ; iem. in zijn eer —, blesser qn au vif ; iem. in zijn zwak —, prendre qn par son faible. II on.w : in het duister —, nager en plein mystère, se perdre en conjectures ; in de zak —, mettre la main à la poche ; naar iets —, chercher qc à tâtons. ▼—**haar** poil m tactile. ▼—**orgaan** organe m du toucher. ▼—**zin** toucher m.

tatoeër/en entatouer. ▼—**ing** tatouage m.

taxameter taximètre m.

taxa/teur expert m. ▼—**tie** évaluation v. ▼—**tieprijs** prix m d'expertise. ▼**taxeren** l ov.w estimer, évaluer. II on.w faire une expertise.

taxi taxi m. ▼—**chauffeur** chauffeur m taxi m. ▼—**standplaats** station v de taxis.

taxus if m. ▼—**hout** bois m d'if.

T-buis tube m en T.

te l vz à ; — huis, à la maison, chez soi ; — uwen dienste, à votre service ; zitten — tekenen, dessiner, être en train de dessiner ; — weten, savoir, c'est-à-dire. II bw : — lang, trop long ; — veel, trop (de) ; — weinig, trop peu (de) ; des — erger, tant pis ; des — beter, tant mieux.

teakhout bois m de teck.

team équipe v.

tearoom salon m de thé.

teboekstellen noter (par écrit).

techn/icus technicien m. ▼—**iek** 1 (bedrevenheid) technique v ; (v. speler) mécanisme m ; 2 (wetenschap) technologie v. ▼—**isch** bn (& bw) technique(ment) ; M.T.S., collège m d'enseignement technique ; H.T.S., école v supérieure d'enseignement technique ; — adviseur, ingénieur m conseil. ▼—**ologie** technologie v. ▼—**oloog** technologue m.

teddybeer ours m en peluche.

teder l bn tendre, délicat ; frêle ; sensible ; (minnend) affectueux. II bw tendrement. ▼—**heid** tendresse, délicatesse, faiblesse, sensibilité v.

teef chienne, lice v.

teel/aarde terreau m ; terre v végétale. ▼—**bal** testicule m. ▼—**land** terre v cultivable, - labourable.

teelt 1 (v. vruchten) culture v ; 2 (voortplanting) reproduction v ; 3 jeunes plantes v mv ; - animaux m mv. ▼—**keus** sélection v (naturelle, artificielle).

teen 1 doigt m du pied, orteil m ; 2 (v. kous, schoen) bout m ; op de tenen lopen, marcher sur la pointe des pieds ; iem. op de tenen trappen, marcher sur les pieds de qn ; (fig.) piquer qn au vif ; 3 brin m d'osier. ▼—**haak** (v. fiets) rattrape-pédale m. ▼—**hout** osier m. —**stuk** bout m.

teer l zn goudron m. II bn & bw zie **teder**. ▼—**achtig** goudronneux.

teer/geliefd adoré. ▼—**gevoelig** bn (& bw) délicat(ement), sensible(ment). ▼—**gevoeligheid** délicatesse, sensibilité v. ▼—**hartig** bn (& bw) tendre(ment), sensible(ment). ▼—**hartigheid** tendresse, sensibilité v. ▼—**heid** zie **tederheid**.

teer/kwast guipon m. ▼—**olie** huile v de goudron. ▼—**pil** pilule v au goudron. ▼—**ton** tonneau m à goudron. ▼—**water** eau v goudronnée. ▼—**zeep** savon m au coaltar.

TEE-trein TEE, Trans-Europe-Express m.

teflonpan poêle v à téflonisée.

tegel 1 carreau m, dalle v.

tegelijk(ertijd) à la fois, en même temps.

tegel/vloer carreau, pavé m en carreaux. ▼—**werk** carrelage m. ▼—**zetter** carreleur m.

tegemoet/gaan aller au devant de ; hem —, aller à sa rencontre. ▼—**komen** venir à la rencontre de (qn) ; faire des avances (à qn), aider (qn). ▼—**komend** conciliant ; — (verkeer), qui va en sens inverse. ▼—**koming** 1 secours m ; 2 indemnité ; avance v ; 3 concession v.

tegen l vz 1 contre ; 2 (jegens) envers ; 3 (in strijd met) contraire(ment) à ; 4 (voor) pour, moyennant, à raison de ; 5 (in de richting van) vers ; 6 (vergeleken met) auprès de ; 7 (tot) à ; goed — verkoudheid, bon pour le rhume ; iets — iem. hebben, avoir une dent contre qn ; — iem. spreken, parler à qn ; ik heb er niets —, je veux bien ; — iets kunnen, pouvoir supporter qc ; niet — vocht kunnen, craindre l'humidité ; winnen met 3 — 2, gagner par 3 buts à 2 ; — verminderde prijzen, à prix réduits. II bw contre, contraire ; hij heeft —, dat hij zo jong is, il a contre lui qu'il est si jeune ; zij is (er) —, elle est contre, elle s'y oppose ; de wind is —, le vent est contraire. III zn contre m ; het voor en het —, le pour et le contre. ▼**tegen/aan** (tout) contre. ▼—**aanbod** contre-proposition v. ▼—**aanklacht** plainte v reconventionnelle. ▼—**aanval** contre-attaque v. ▼—**beeld** contraste ; pendant m. ▼—**bericht** avis m contraire ; behoudens —, zonder —, sauf avis contraire. ▼—**beschuldiging** contre-accusation ; récrimination v. ▼—**bevel** contre-ordre m. ▼—**bewijs** réfutation ; preuve v contraire. ▼—**bezoek** visite v réciproque ; iem. een — brengen, rendre sa visite à qn. ▼—**deel** contraire, opposé m. ▼—**draads** à contre-fil. ▼—**druk** 1 résistance, contre-pression ; 2 contre-épreuve v. ▼—**eis** demande v reconventionnelle.

tegengaan l ov.w 1 aller à la rencontre de ; 2 combattre. II zn : het —, la répression.

tegen/gesteld l bn contraire, opposé ; in —e richting, en sens contraire. II bw en sens inverse, - contraire. III zn : het —e, le contraire ; het — verdedigen, prendre le contre-pied d'une opinion. ▼—**gewicht** contre-poids m. ▼—**gif(t)** contre-poison, antidote m. ▼—**hanger** pendant m.

tegenhouden l ov.w 1 arrêter ; 2 (beletten) empêcher ; 3 (terughouden) retenir. II on.w durer.

tegenin : — gaan, s'opposer à.

tegen/kandidaat candidat du parti opposé ; rival m. ▼—**kanting** opposition, résistance v ; zie ook **kanten**.

tegen/komen 1 rencontrer ; 2 venir à la rencontre de. ▼—**lachen** rire à, sourire à.

tegen/licht contre-jour m. ▼—**lichtopname** photo v à contre-jour. ▼—**ligger** usager m venant en sens inverse ; —s l, (retour à la) circulation à double sens.

tegenlopen l ov.w aller à la rencontre de ; II on.w être contraire (à).

tegennatuurlijk contre nature.

tegenover I *vz* **1** en face de, vis-à-vis de, devant; **2** (*fig.*) à l'égard de, envers, devant; *hier staat — dat*, par contre, en revanche; — *mij geen plichtsplegingen !*, avec moi pas de façons! II *bw* en face, vis-à-vis. ▼—**gesteld** contraire, inverse, opposé; *het —e*, le contraire, l'inverse *m*, la contrepartie. ▼—**liggend**, —**staand** opposé. ▼—**stellen** opposer.

tegen/partij 1 (*jur.*) partie *v* adverse, adversaire; **2** parti opposé *m*; **3** (*muz.*) contrepartie *v*. ▼—**pool** opposé *m*, autre extrémité *v*. ▼—**praten** contredire. ▼—**prestatie** compensation *v*; *als —*, en compensation de. ▼—**slag** échec, mécompte *m*; *de —en*, les revers *m mv* de fortune. ▼—**spartelen** se débattre, résister à. ▼—**speelster** partenaire *v*. ▼—**speler** adversaire; partenaire *m*. ▼—**spoed** adversité, infortune *v*.

tegen/spraak 1 contradiction *v*; **2** (*v. bericht*) démenti *m*; *geen — dulden*, ne pas admettre de discussion; *in — zijn met*, être en contradiction avec. ▼—**spreken** I *ov. w* **1** contredire; **2** démentir; **3** (*betwisten*) contester; discuter. II *zich —* se contredire. III *on. w* répliquer. ▼—**spreker** contradicteur *m*.

tegen/staan dégoûter, répugner à. ▼—**stand** résistance *v*; — *bieden*, opposer de la résistance; — *ondervinden*, rencontrer de la résistance. ▼—**stander** adversaire *m*.

tegenstell/end antithétique; (*taalk.*) adversatif. ▼—**ing 1** contraste *m*, opposition; **2** (*taalk.*) antithèse *v*; *in — met*, par opposition à, à l'opposé de; *in — zijn met*, contraster avec; *in — daarmee*, par contre.

tegen/stemmen voter contre. ▼—**stoot** riposte *v*. ▼—**stralen** rayonner (sur). ▼—**streven** s'opposer à, se révolter contre. ▼—**strever** esprit *m* rebelle. ▼—**stribbelen** résister, se révolter.

tegenstrijdig contradictoire; contraire; — *zijn*, se contredire. ▼—**held** contradiction *v*.

tegenstroom 1 contre-courant; remous; **2** (*fig.*) courant *m* contraire.

tegen/vallen ne pas réussir, ne pas répondre à l'attente. ▼—**valler** mécompte *m*, déception *v*; (*fam.*) tuile *v*.

tegen/verklaring contre-déclaration *v*. ▼—**verzekering** réassurance *v*. ▼—**voeter** antipode *m*. ▼—**voorstel** contre-proposition *v*. ▼—**waarde** contre-valeur *v*. ▼—**waarderekening** blocage *m* de la contre-partie en monnaie nationale. ▼—**weer** défense, résistance *v*.

tegen/werken contrarier, contrecarrer, mettre obstacle à (qc); réagir contre. ▼—**werkend** contraire; de réaction. ▼—**werking** opposition; réaction *v*.

tegenwerp/en objecter. ▼—**ing** objection *v*; —*en maken*, soulever des objections.

tegenwicht contre-poids *m*; *een — vormen tegen*, compenser, contrebalancer.

tegenwoordig I *bn* présent, actuel; — *zijn bij*, assister à, être présent à. II *bw* actuellement, à l'heure qu'il est, de nos jours. ▼—**heid** présence *v*; — *van geest*, présence *v* d'esprit; *in — van*, en présence de, devant.

tegenzang antistrophe *v*; (*rk*) répons *m*.

tegenzin aversion, antipathie (contre), répugnance *v* (à); *met —*, à contrecœur, à regret.

tegoed: *hij heeft nog vijftig gulden —*, il lui revient encore 50 florins; — *houden*, faire crédit de; *het —*, le solde; (*vordering*) la créance; *l'avoir m*; *van iem.'s — aftrekken*, défalquer sur l'avoir de qn.

tehuis chez soi; toit, abri, logis *m*; — *voor meisjes*, maison d'accueil pour jeunes filles; home *m*; *militair —*, foyer *m* (du soldat); — *voor ouden van dagen*, hospice *m* de vieillards.

teil 1 bassine; **2** terrine *v*.

teisteren tourmenter; ravager; sévir (dans, à).

teken 1 signe; **2** (*sein*) signal; **3** (*ken—*)

caractère, indice, symptôme *m*; **4** (*merk*) marque *v*; **5** (*zinnebeeld*) emblème, symbole *m*; *in het — staan van*, être sous le signe de; *het is een — dat*, c'est signe que; *een — geven om*, faire signe de; — *van leven geven*, donner signe de vie; *ten — van*, en signe de.

teken/aap pantographe *m*. ▼—**aar**, —**ares** dessinateur *m*, dessinatrice *v*. ▼—**academie** école *v* des Beaux-Arts. ▼—**akte** certificat *m* d'aptitude à l'enseignement du dessin. ▼—**behoeften** articles *m mv* de dessin. ▼—**boek** carnet, album *m*. ▼—**bord** planche *v* à dessin. ▼—**doos** boîte *v* de dessin. ▼—**en** I *ov. w* **1** dessiner (au crayon etc.); **2** (*in—*) souscrire (à); **3** (*onder—*) signer; **4** (*merken*) marquer; **5** (*fig.*) peindre; *voor gezien —*, viser; *dat tekent hem*, on le reconnaît bien là, c'est bien lui. II *on. w* **1** dessiner; **2** signer; **3** se faire inscrire; s'engager. III *zn* dessin *m*; *rechtlijnig —*, dessin *m* linéaire. ▼—**end** caractéristique. ▼—**film** dessin *m* animé. ▼—**haak** té *m* (à dessin). ▼—**ing 1** dessin; **2** graphique *m*; **3** signature *v*; *in — brengen*, faire l'épure. ▼—**koker** étui *m* à dessin. ▼—**kool** fusain *m*. ▼—**krijt** crayon, pastel *m*. ▼—**kunst** art du dessin, dessin *m*. ▼—**leraar**, —**lerares** prof *m/v* de dessin. ▼—**mal** courbe *v*, pistolet *m*. ▼—**onderwijs** enseignement *m* du dessin. ▼—**papier** papier *m* à dessiner. ▼—**plank** planche *v* à dessin. ▼—**portefeuille** carton *m* à dessins. ▼—**potlood** crayon *m* à dessin. ▼—**schrift 1** cahier *m* à dessin; **2** notation *v* (chimique etc.). ▼—**tafel** table *v* de dessinateur. ▼—**voorbeeld** modèle *m*.

tekkelen déposséder (l'adversaire) du ballon; **2** attaquer d'une manière défendue.

tekort déficit, découvert, manque *m* (de *— aan*); — *aan arbeidskrachten*, pénurie *v* de main d'oeuvre; *iem. — doen*, manquer à qn; *iets — komen*, manquer de qc; *het —* aanvullen, combler le déficit. ▼—**koming** faute *v*, défaut *m*, défaillance *v*.

tekst 1 texte *m*; **2** (*bij muziek*) paroles *v mv*; (*v. opera*) libretto *m*; **3** sujet *m*; matière *v*. ▼—**boekje** livret *m*. ▼—**haak** crochet *m*. ▼—**schrijver** parolier *m*. ▼—**uitgave** édition *v* originale. ▼—**verklaring** commentaire *m*.

tel 1 numération; **2** seconde *v*; *de — kwijt zijn*, se tromper en comptant; *hij is niet in —*, on fait peu de cas de lui.

teleac centre *m* de télé-enseignement néerlandais.

telefon/eren téléphoner (qc à qn); appeler (qn) au téléphone; *kan ik hier automatisch met Nederland —?*, est-il possible d'obtenir les Pays-Bas à l'automatique? *zie ook* **spreken**. ▼—**isch** I *bn* téléphonique. II *bw* par téléphone. ▼—**ist(e)** téléphoniste, standardiste *m* & *v*. ▼**telefoon** téléphone *m*; (*hoorn*) combiné *m*; *de — opnemen*, décrocher le combiné; *de — neerleggen*, -*ophangen*, raccrocher le combiné; *daar gaat de —*, le téléphone sonne. ▼—**bericht** coup *m* de fil. ▼—**boek** annuaire *m* des téléphones; Bottin *m*. ▼—**cel** cabine *v* téléphonique. ▼—**centrale** central *m* (téléphonique). ▼—**gesprek** communication *v*; — *voor rekening van de opgeroepene*, communication *v* en P.C.V. ▼—**gids** zie —**boek**. ▼—**hoorn** combiné *m*. ▼—**klapper** répertoire *m* téléphonique. ▼—**net** réseau *m* du téléphone. ▼—**nummer** numéro *m* de téléphone; *een — kiezen*, -*draaien*, faire un numéro. ▼—**post** standard *m*. ▼—**tje** coup *m* de fil, -téléphone. ▼—**toestel** téléphone *m*. ▼—**verbinding** communication *v* téléphonique.

telefoto téléphotographie *v*.

telegeniek télégénique.

telegraaf télégraphe *m*. ▼—**dienst** service *m* télégraphique. ▼—**kantoor** bureau *m* du télégraphe. ▼—**verbinding** communication *v* télégraphique. ▼**telegraf/eren** télégraphier. ▼—**ie** télégraphie *v*. ▼—**isch** *bn* (& *bw*) télégraphique(ment). ▼**telegram**

télégramme *m* ; — *in gewone taal,* télégramme en clair; — *in geheime taal,* télégramme chiffré. ▼—**adres** adresse *v* télégraphique. ▼—**besteller** télégraphiste *m.* ▼—**stijl** style *m* télégraphique.
tele/lens téléobjectif *m.* ▼—**meter** télémètre *m.*
tel/en 1 cultiver, produire; **2** (*ook fig.*) engendrer. ▼—**er** producteur, cultivateur *m.*
telesc/oop télescope *m.* ▼—**opisch I** *bw* télescopique. **II** *bw* par télescope.
teletype téléscripteur *m.*
teleurstell/en décevoir. ▼—**ing** déception *v.*
televisie télévision, télé, T.V. *v*; — *hebben,* avoir la télé; *uitzenden door de* —, téléviser. ▼—**antenne** antenne *v* de télévision. ▼—**bijdrage** redevance *v* T.V. ▼—**journaal** journal *m* télévisé. ▼—**kanaal** canal *m* de télévision. ▼—**kijker**, —**kijkster** téléspectateur *m,* téléspectatrice *v.*▼—**net** chaîne *v.* ▼—**toestel** téléviseur *m* ; (*fam.*) télévision *v* ; *een* — *kopen,* acheter une télé. ▼—**uitzending** émission *v* télé. ▼—**zender** émetteur *m* de télévision. **telex** télex; téléimprimeur *m.* ▼—**ist** télexiste *m & v.*
telkens à chaque instant, tout le temps; — *als,* toutes les fois que, chaque fois que.
tel/len I *ov.w* compter; *zij worden niet geteld,* on fait peu de cas d'eux. **II** *on.w* compter (pour); *dat telt niet,* cela ne compte pas. ▼—**ler 1** (*pers.*) compteur; **2** (*v. breuk*) numérateur *m.* ▼—**ling** numération *v*; recensement *m.* ▼—**machine** (*in winkel*) totalisateur *m*; machine *v* à additionner. ▼—**raam** boulier *m* (compteur). ▼—**schaal** barème *m,* échelle *v* des nombres. ▼—**woord** nom *m* de nombre.
tembaar domptable.
temen traîner ses paroles. ▼**temerig I** *bn* traînard. **II** *bw* d'un ton traînard.
temmen dompter, (*mak maken*) apprivoiser. ▼**temmer** dompteur *m.*
tempel temple *m.*
temperament tempérament *m.*
temperatuur 1 température *v*; **2** (*muz.*) tempérament *m*; *van gelijke* —, isotherme. ▼—**daling** refroidissement *v.* ▼—**schommeling** fluctuation *v* de température. ▼—**stijging** réchauffement *m.* ▼—**verschil** (*groot*) écart *m* de température.
temper/en 1 modérer, tempérer, soulager (la douleur); **2** mêler, mélanger (des couleurs); **3** (*v. staal*) tremper. ▼—**ing 1** modération *v*; **2** mélange *m*; **3** trempe *v.*
tempo 1 mouvement, rythme *m*; **2** *in 4* —'s, en quatre temps; *versneld* —, mouvement accéléré.
temptatie tourment *m*; 't *is een* —, c'est dur.
ten au, à la, en; — *beste,* au mieux; — *eerste,* premièrement; —*einde,* afin de; — *laatste,* en dernier lieu; — *naaste bij,* à peu près.
tendens tendance *v.* ▼—**roman** roman *m* à thèse. ▼**tendent/ie** *zie* **tendens.** ▼—**ieus** **I** *bn* tendancieux; orienté. **II** *bw* tendancieusement.
tenen d'osier, en osier.
tenger frêle, délicat, mince. ▼—**heid** délicatesse, minceur, gracilité *v.*
tenhemelopneming assomption *v.*
tenietdoening annulation *v.*
tenlastelegging inculpation *v.*
tenminste au moins; du moins; — *als,* pourvu que.
tennis tennis *m.* ▼—**bal** balle *v* de tennis. ▼—**club** club *m* de tennis. ▼—**elleboog** mal *m* du coude. ▼—**ra(c)ket** raquette *v* de tennis. ▼—**schoenen** tennis *m mv.* ▼—**sen** jouer au t. ▼—**ser** joueur *m* de t. ▼—**veld** tennis *m.*
tenor ténor *m.* ▼—**stem** voix *v* de ténor.
tent 1 tente *v*; **2** pavillon *m*; **3** (*kermis*—) baraque *v*; **4** *een aardige* —, une bonne boîte; **5** (*v. bazar*) comptoir *m*; *een* — *opslaan,* dresser une tente.
tentamen examen *m* probatoire; - d'essai. ▼—**bewijs** acte *m* probatoire.

tent/dak toit *m* en pavillon. ▼—**dek** pont-tente *m.* ▼—**doek** toile *v* de tente. ▼—**haring** piquet *m.*
tentoon/spreiding étalage *m,* exhibition *v.* ▼—**stellen** exposer. ▼—**stelling** exposition *v.*
tentpaaltje piquet *m.*
tenue tenue *v*; uniforme *m.*
tenuitvoer/brenging, —**legging** exécution *v.*
tenzij à moins que (*met subj.*).
tepel 1 bout de sein, mamelon *m*; **2** (*v. dier*) tétine *v*; (*v. koe*) trayon *m.*
ter au, à la; — *hand stellen,* remettre.
teraardebestelling inhumation *v.*
terbeschikkingstelling : — *van de regering,* mise *v* à la disposition du gouvernement.
terdege bien, de la bonne façon.
terdoodbreng/en mettre à mort. ▼—**ing** mise à mort, exécution *v.*
terecht à bon droit, avec raison; *ben ik hier* —?, est-ce bien ici? ; — *of ten onrechte,* à tort ou à raison. ▼—**brengen 1** arranger, mettre à bonne fin; **2** remettre dans la bonne voie. ▼—**helpen** renseigner; *zie ook* —**brengen 2** . ▼—**komen** s'arranger; trouver son chemin; se retrouver; — *in,* tomber dans; *aller se loger dans; daar komt niets van terecht,* cela n'aboutit à rien. ▼—**staan** comparaître. ▼—**stellen** exécuter. ▼—**stelling** exécution *v.* ▼—**wijzen 1** montrer le chemin (à qn), renseigner (qn); **2** réprimander, reprendre. ▼—**wijzing 1** renseignement *m*; **2** réprimande *v.*
teren I *ov.w* **1** goudronner; **2** (*ver—*) dépenser. **II** *on.w* s'alimenter, vivre (de).
terg/en agacer, irriter, provoquer. ▼—**er** provocateur *m.* ▼—**ing** agacement *m,* provocation *v.*
tering (*uitgave*) dépenses *v mv*; **2** (*ziekte*) tuberculose *v.* ▼—**lijder** tuberculeux *m.*
terloops en passant; incidemment.
term 1 terme; **2** motif *m*; *in de* —*en vallen,* remplir les conditions voulues; *in bedekte* —*en,* à mots couverts.
termiet termite *m.* ▼—**enheuvel** termitière *v.*
termijn 1 terme; *berekening op middenlange en lange* —, calculs *m mv* à moyen et à long terme; **2** *wettelijke* —, délai *m* légal; **3** (*betaling*) acompte *m*; *op lange (korte)* —, à longue (courte) échéance; *uiterste* —, terme de rigueur; — *van dienstopzegging,* délai-congé *m*; *in* —*en,* en versements échelonnés. ▼—**betaling** paiement *m* à termes. ▼—**handel,** —**markt** marché *m* à terme.
ternauwernood à peine.
terpentijn essence *v* de térébenthine.
terra/cotta terre *v* cuite. ▼—**rium** vivarium *m.*
terras terrasse *v.* ▼—**vormig** en terrasses.
terrein terrain *m*; (*fig.*) domaine *m,* territoire *m*; *op andermans* — *komen,* empiéter sur le domaine d'autrui; *op politiek* —, sur le plan politique; *op bekend* —, en pays de connaissance. ▼—**oneffenheid,** —**plooi** accident -, pli *m* de terrain. ▼—**rijden** faire du tout-terrain. ▼—**wagen** voiture *v* tout-terrain.
terri/ër terrier *m.* ▼—**toir,** —**torium** territoire *m.* ▼—**toriaal** territorial.
terror/iseren terroriser. ▼—**isme** terrorisme *m.* ▼—**ist(isch)** terroriste (*m*).
tersluiks à la dérobée, furtivement.
terstond aussitôt, tout de suite.
tertiair tertiaire; — *e sector,* secteur *m* tertiaire.
terts tierce *v*; *grote (kleine)* —, tierce majeure (mineure).
terug 1 en arrière ! ; **2** de retour; *van 10 gulden* —, la monnaie de 10 florins. ▼—**bellen** rappeler. ▼—**betalen** rembourser, rendre. ▼—**betaling** remboursement; (*bij spaarbank*) retrait *m.* ▼—**bezorgen** renvoyer, rapporter. ▼—**blik** coup *m* d'œil en arrière. ▼—**brengen 1** (*dragen*) rapporter; **2** (*leiden*)

ramener, reconduire. ▼—**deinzen** reculer.
▼—**denken (aan)** se rappeler; *doen — aan*,
reporter à, - vers. ▼—**doen**: *we moeten wat
—*, on lui (leur) doit du retour. ▼—**draaien**
tourner en sens contraire. ▼—**drijven**
refouler, repousser. ▼—**eisen** réclamer,
redemander. ▼—**gaaf** restitution *v*. ▼—**gaan**
1 retourner, rebrousser chemin;
2 (*achteruitgaan*) aller en arrière; *naar huis
—*, rentrer (chez soi); — *tot 1900*, remonter à
l'an 1900.
teruggetrokken réservé. ▼—**heid** réserve *v*.
terug/geven I *ov.w* rendre, restituer. II *on.w*:
— *van 10 gulden*, rendre la monnaie de 10
florins. ▼—**groeten** rendre son salut à qn.
▼—**halen** aller reprendre (qc); ramener (qn).
▼—**hebben** ravoir; — *van 10 gulden*, avoir la
monnaie de 10 florins; *daar heeft hij niet van
terug*, il ne sait que répondre.
terughoudend réservé. ▼—**houdendheid**,
—**houding** réserve *v*.
terug/jagen refouler. ▼—**kaatsen**
1 renvoyer; 2 (*v. licht*) réfléchir; réverbérer;
3 (*v. geluid*) répercuter. ▼—**kaatsing**
1 renvoi *m*; 2 réflexion; réverbération;
3 répercussion *v*. ▼—**keer** retour *m*, rentrée *v*;
punt vanwaar geen — mogelijk is, point *m* de
non-retour. ▼—**keren** revenir; *naar huis —*,
retourner à la maison, rentrer. ▼—**komen**
revenir; *van een idee —*, en revenir d'une
idée; *op zijn woorden —*, se dédire.
▼—**komst** retour *m*. ▼—**kopen** racheter.
▼—**koppeling** 1 rétroaction *v*; 2 feed-back
m; 3 retour *m* d'information. ▼—**krabbelen**
battre en retraite, reculer. ▼—**krijgen** ravoir,
recouvrer. ▼—**lopen** I *on.w* 1 retourner; aller
à reculons; 2 (*hand.*) fléchir, tomber; 3 (*mil.*)
reculer; 4 (*terugvloeien*) refluer. II *zn*
fléchissement; recul; reflux *m*. ▼—**mars**
retraite *v*. ▼—**nemen** 1 reprendre; 2 retirer;
zijn woorden —, se rétracter; *gas —*, lever le
pied. ▼—**neming** reprise *v*; retrait *m*; (*fig.*)
rétractation *v*. ▼—**plaatsen** réintégrer (qn);
remettre (qc).
terug/reis retour *m*. ▼—**reizen** retourner.
terug/roepen rappeler; révoquer (un
ambassadeur). ▼—**roeping** rappel *m*;
révocation *v*. ▼—**schakelen** reconvertir;
rétrograder. ▼—**schakeling** reconversion *v*.
—**schieten** 1 se retirer; 2 riposter.
▼—**schrijven** répondre (à). ▼—**schrikken**
reculer (devant). ▼—**schuiven** reculer.
▼—**slaan** I *ov.w* 1 rendre ses coups à qn;
2 repousser (l'ennemi); 3 renvoyer (la balle);
rejeter (la couverture). II *on.w* riposter.
▼—**slag** choc *m* en retour; contrecoup *m*;
een — hebben op, avoir une répercussion sur.
▼—**spoelen** rebobiner. ▼—**springen** sauter
en arrière; ricocher; (*v. veer*) se débander.
▼—**stootloos** (canon) sans recul.
▼—**storten** reverser. ▼—**stoten** repousser.
▼—**stuiten** rebondir, ricocher. ▼—**tocht**
retraite *v*. ▼—**trappen** rétropédaler.
▼—**traprem** frein *m* par rétropédalage.
▼—**treden** reculer; se retirer. ▼—**trekken**
I *ov.w* retirer. II *on.w* se retirer; (*mil.*) se
replier. III *zich* — se retirer; (*bij verkiezing
enz.*) se désister; *zich in zichzelf —*, se
recueillir; (*vóór wedstrijd*) déclarer forfait.
IV *zn: het* —, le retrait. ▼—**val** rechute *v*.
▼—**vallen** retomber; revenir (à l'Etat).
▼—**verlangen** I *ov.w* redemander. II *on.w*:
— *naar*, regretter. ▼—**vinden** retrouver.
▼—**vloeien** refluer. ▼—**voeren** ramener.
▼—**vorderen** *zie* —**eisen**. ▼—**vordering**
réclamation *v*. ▼—**vragen** redemander; *iem.
—*, rendre son invitation à qn. ▼—**wandelen**
revenir sur ses pas. ▼—**weg** retour *m*; *op de
—*, en retournant. ▼—**werkend** rétroactif;
—*e kracht*, rétroactivité *v*; effet *m* rétroactif;
met — e kracht, I *bn* rétroactif; II *bw*
rétroactivement. ▼—**werking** réaction *v*.
▼—**werpen** rejeter, renvoyer; repousser
l'ennemi. ▼—**wijken** reculer (devant).
▼—**wijzen** renvoyer (à); refuser.
▼—**winnen** regagner, récupérer. ▼—**zenden**

renvoyer; (*bij postorders enz.*) *recht van —*,
droit *m* de retour. ▼—**zending** renvoi, retour
m. ▼—**zetten** 1 remettre en place; 2 reculer;
3 retarder (sa montre); 4 rabaisser (un élève).
▼—**zien** I *ov.w* revoir. II *on.w* regarder en
arrière. ▼—**zinken** retomber; s'enfoncer; se
replonger. ▼—**zwemmen** revenir à la nage.
terwijl I *vw* pendant que; tandis que; — *zij
zongen*, en chantant. II *bw* pendant ce temps.
terzijde à part; — *blijven staan*, rester à
l'écart. ▼—**laten**, —**stelling** suppression *v*;
met — van, en laissant de côté.
test 1 réchaud de chaufferette; 2 (*psych.*) test
m.
testament testament *m*; *een — maken*, faire
un testament; tester; *bij —*, par testament.
▼—**air** testamentaire. ▼—**maker**,
—**maakster** testateur *m*, -trice *v*.
testbeeld mire *v*. ▼**testen** tester.
testimonium attestation *v*, certificat *m*.
tetanus tétanos *m*; *tegen —*, anti-tétanique.
teug coup, trait *m*; *in één —*, tout d'un trait;
met kleine —en, à petites gorgées; *met volle
—en inademen*, respirer à pleins poumons.
teugel bride, rêne *v*; *iem. de vrije — laten*,
lâcher à qn la bride sur le cou. ▼—**loos**
débridé; (*fig.*) effréné, sans frein.
▼—**loosheid** licence *v* effrénée.
teuten traîner, lambiner.
tevens en même temps, et aussi, à la fois.
tevergeefs en vain, vainement.
tevoren à l'avance.
tevreden content. ▼—**heid** contentement *m*.
▼—**stellen** contenter, satisfaire (de).
tewaterlating lancement *m*.
teweegbrengen amener, déterminer, donner
lieu à, provoquer, causer.
tewerkstell/en employer. ▼—**ing** emploi;
travail *m* obligatoire; *volledige —*, plein
emploi *m*.
textiel textile *m*. ▼—**arbeider** ouvrier du
textile. ▼—**industrie** textile *m*, industrie *v*
textile. ▼—**kaart** carte *v* de vêtements.
▼—**stoffen** textiles *m mv*.
thans maintenant, actuellement, aujourd'hui.
theater théâtre *m*. ▼**theatraal** *bn* (& *bw*)
théâtral(ement).
thee thé *m*; — *drinken*, prendre le thé; —
zetten, faire le thé; *op de — vragen*, inviter
(qn) à prendre le thé. ▼—**blad** 1 feuille *v* de
thé; 2 cabaret, plateau *m* à thé. ▼—**bus** boîte
v à thé. ▼—**doek** linge *m*. ▼—**ei** œuf *m* à thé;
— *met steel*, cuillère *v* russe. ▼—**ketel**
bouilloire *v*. ▼—**kopje** tasse *v* à thé. ▼—**lepel**
cuiller *v* à thé; *een — (vol)*, une cuillerée à
thé. ▼—**lichtje** chauffe-théière *m*. ▼—**lood**
plomb *m* en feuilles.
Theems Tamise *v*.
thee/muts couvre-théière, cosy *m*. ▼—**partij**
thé; goûter *m*. ▼—**pot** théière *v*. ▼—**salon**
salon *m* de thé. ▼—**schepje** pelle *v* à thé.
▼—**servies** service *m* à thé. ▼—**tuin** jardin *m*
de plaisance. ▼—**uur** heure *v* du thé, - du
goûter. ▼—**visite** thé *m*; *op — komen*, venir
prendre le thé (le goûter). ▼—**zeef** passe-thé
m.
thema 1 thème; 2 sujet; 3 motif; 4 exercice *m*;
— *met variaties*, thème et variations.
▼—**tisch** thématique.
theolog/ant 1 théologien; 2 étudiant *m* en
théologie. ▼—**ie** théologie *v*. ▼—**isch** *bn* (&
bw) théologique(ment). ▼—**iseren** discuter
théologie. ▼**theoloog** théologien *m*.
theore/ma théorème *m*. ▼—**ticus** théoricien
m. ▼—**tisch** *bn* (& *bw*) théorique(ment); —*e
mechanica*, mécanique *v* rationnelle.
▼**theorie** théorie *v*.
theosoof théosophe *m*. ▼**theosof/ie**
théosophie *v*. ▼—**isch** *bn* (& *bw*)
théosophique(ment).
therap/eut médecin *m*. ▼—**eutisch** *bn* (&
bw) thérapeutique(ment). ▼—**ie** thérapie *v*.
thermiek ascendence *v* thermique.
thermo/chemie thermochimie *v*. ▼—**geen**
thermogène. ▼—**meter** thermomètre *m*; —
van Celsius, thermomètre centigrade.

▼—**nucleair** thermonucléaire. ▼—**sfles** (bouteille v) thermos m. ▼—**staat** thermostat m. ▼—**zuil** pile v thermo-électrique.
thesaur/ie Trésor m, trésorerie v. ▼—**ier** trésorier m.
thesis thèse v.
thriller livre (of film) m à suspense.
thuis l bw à la maison, chez soi ; niemand — vinden, trouver porte close ; zich ergens niet — voelen, se sentir dépaysé ; — zijn in, être versé dans ; mijnheer is niet —, monsieur n'est pas là ; - est sorti ; doet alsof u — bent, faites comme chez vous ; wel —, bon retour. Il zn chez soi, logis m. ▼—**blijver** bij verkiezing) abstentionniste m. ▼—**brengen** 1 porter (qc) à domicile ; 2 reconduire (qn) chez lui ; ik kan hem niet —, je ne puis le remettre. ▼—**front** arrières m mv. ▼—**haven** port m d'attache. ▼—**horen** être de ; niet — in, ne pas avoir sa place dans. ▼—**komen** rentrer. ▼—**komst** rentrée v (au logis), retour m. ▼—**krijgen** : zijn trekken —, être payé de la même monnaie. ▼—**reis** voyage m de retour ; op de —, au retour, en rentrant. ▼—**wedstrijd** match m à domicile. ▼—**werker** travailleur m à domicile.
tiara tiare v.
Tibet le Tibet. ▼—**aan(s)** Tibétain (m).
tic tic m.
tien dix. ▼—**daags** de dix jours. ▼—**de** bn (& zn) dixième ; de — april, le dix avril ; Pius de —, Pie dix ; ten —, dixièmement. ▼—**delig** décimal. ▼—**dubbel** décuple, dix fois autant. ▼—**duizend** dix mille ; —en, des dizaines de mille. ▼—**duizendste** dix-millième. ▼—**er** adolescent, teen-ager m. ▼—**hoek** décagone m. ▼—**hoekig** décagonal. ▼—**jarig** âgé de dix ans ; décennal. ▼—**kamp** décathlon m. ▼—**maal** dix fois. ▼—**tal** dizaine v. ▼—**tallig** décimal ; — stelsel, système m décimal. ▼—**tje** billet m -, pièce v de dix florins ; (rk) dizaine v. ▼—**voud** décuple m. ▼—**voudig** décuple.
tier(e)lantijn fanfreluche v.
tieren 1 bien venir, croître ; réussir ; se plaire (à) ; 2 (razen) tempêter.
tierig vigoureux ; vif, gai. ▼—**heid** vigueur, vivacité v.
tiet nichon m.
tij marée v ; afgaand —, marée descendante ; reflux m ; opkomend —, marée montante ; flux m.
tijd 1 temps m ; 2 heure v, moment m ; 3 saison ; 4 époque, période v ; lange —, longtemps ; de tegenwoordige (toekomende, verleden) —, le présent (futur, passé) ; het is —, c'est l'heure ; het is (wordt) — om, il est temps de ; het is hoog — dat, il faut absolument (met subj.) ; er zal een — komen, dat, l'heure viendra où ; (geen) — hebben, (ne pas) avoir le temps ; dat heeft de —, cela ne presse pas ; de (juiste) — vragen, demander l'heure exacte ; hij heeft zijn — gehad, il a fait son temps, il a eu son heure ; je moet maar — maken, il faut trouver le temps ; het is er de — niet naar om, l'heure n'est pas de..., aux (frivolités etc.) ; bij — en wijle, au moment propice, en temps utile ; bij —en, de temps en temps ; in — van oorlog, en temps de guerre ; in de laatste —, ces derniers temps ; men heeft u in lange — niet meer gehoord, il y a longtemps qu'on ne vous a entendu ; in mijn —, de mon temps ; in onze —, de nos jours ; met zijn — meegaan, aller avec son siècle ; être de son temps ; na die —, passé ce temps ; precies op — , juste à l'heure, à l'heure militaire ; je bent precies op —, vous êtes exact ; zij is over haar —, elle est en retard sur son terme ; 10 minuten over —, en retard de 10 minutes ; te gelegener (zijner) —, en temps utile ; (te) allen —e, de (of en) tout temps ; à toute heure ; tegen de — dat, vers le temps où ; uit de —, qui date, démodé, dépassé ; d'un autre âge ; van — tot —, de temps en temps, de temps à autre ; bevallen voor de —, accoucher avant terme ; oud

geworden voor zijn —, vieilli avant l'âge ; de — zal het leren, qui vivra verra ; we hebben alle —, nous avons tout notre temps ; plaatselijke —, heure v locale ; binnen de gestelde —, dans les délais voulus.
▼**tijd/aanwijzing** indication v de l'heure. ▼—**(s)bepaling** 1 détermination v de l'heure ; 2 (gram.) (complément) circonstanciel m de temps. ▼—**besparing** économie v de temps ; tot —, pour gagner du temps. ▼—**bom** bombe v à retardement.
tijdelijk l bn 1 temporel ; 2 (voorlopig) temporaire, provisoire ; — personeel, personnel m temporaire. Il bw temporellement, temporairement ; — benoemen, nommer à titre temporaire. III zn : het —e, le temporel ; het —e met het eeuwige verwisselen, passer de vie à trépas.
tijdeloos intemporel. ▼—**heid** intemporalité v.
tijdens durant, pendant, à l'époque de ; — het lopende jaar, en cours d'exercice.
tijd/geest esprit m du siècle ; tendances v mv actuelles. ▼—**genoot** contemporain(e) m (v).
tijd/ig l bn arrivé à temps, opportun ; —e hulp, prompt secours m. Il bw à temps ; dans les délais ; — geboren, né à terme ; — opstaan, se lever de bonne heure. ▼—**sindeling** organisation v du temps.
tijding nouvelle v ; extra —, édition v spéciale. ▼—**zaal** salle v des dépêches.
tijd/lang : een —, pendant quelque temps. ▼—**melding** horloge v parlante. ▼—**opname** 1 pose v ; 2 (sp.) chronométrage m. ▼—**opnemer** chronométreur m. ▼—**passering** passe-temps m. ▼—**perk** âge m ; période, époque v. ▼—**rekening** chronologie v ; christelijke —, ère v chrétienne ; joodse —, comput m israélite. ▼—**rit** course v contre la montre. ▼—**rovend** long, qui prend beaucoup de temps. ▼—**ruimte** espace m de temps = —**sbestek**. ▼—**schema** horaire ; programme m prévu. ▼—**schrift** magazine, périodique m, revue v ; —enstaardaard, porte-revues m. ▼—**sduur** durée v (de temps). ▼—**sein** signal m horaire. ▼—**sgewricht** conjoncture v. ▼—**somstandigheid** circonstance v. ▼—**sorde** ordre m chronologique. ▼—**stip** moment m ; instant m. ▼—**sverloop** laps de temps, délai m. ▼—**vak** période v. ▼—**verdrijf** amusement, passe-temps m ; uit —, pour passer le temps. ▼—**winning** temporisation v. ▼—**winst** du temps gagné. ▼—**zone** fuseau m horaire.
tijger tigre m. ▼—**in** tigresse v. ▼—**lelie** lis m tigré.
tijhaven port m à marée.
tijk coutil m, toile v à matelas ; taie v (d'oreiller).
tijm thym m.
tik 1 (geluid) (petit) coup m sec ; 2 (klap) tape ; 3 (op schrijfmachine) frappe v. ▼—**fout** erreur -, faute v de frappe. ▼—**je** un petit peu, un rien, un soupçon ; een — vervelend, un tantinet ennuyeux. ▼—**ken** l on.w 1 frapper, taper ; (fam.) toquer ; 2 (typen) taper (à la machine) ; 3 (v. klok) faire tic-tac ; aan de deur —, frapper à la porte. Il ov.w 1 frapper, taper ; 2 taper (une lettre) à la machine ; 3 (spel) toucher ; iem. op de vingers —, donner sur les doigts à qn. III zn : het —, 1 le tapement ; 2 le tic-tac. ▼—**tak** 1 (geluid) tic-tac ; 2 le tic-tac m, montre v.
til 1 soulèvement m ; dat is een hele —, c'est lourd ; er is iets op —, il se prépare qc ; 2 (duiven=) pigeonnier ; 3 (knip) trébuchet m.
tillen lever ; soulever.
timmer/baas maître m menuisier, - charpentier. ▼—**en** l ov.w bâtir, construire. Il on.w être menuisier, - charpentier ; hij timmert niet hoog, ce n'est pas un aigle. ▼—**gereedschap** outils m mv de charpentier (of de menuisier). ▼—**hout** bois m de

charpente, - de construction. ▼—**man**
menuisier; charpentier m. ▼—**mansknecht**
garçon charpentier. ▼—**mansoog**: *een* —
hebben, avoir le compas dans l'œil.
▼—**manswerkplaats** atelier m. ▼—**werf**
chantier m de construction. ▼—**werk**
menuiserie; boiserie; charpente v.
timpaan tympan m.
tin étain m. ▼—**achtig** stannique. ▼—**blik**
étain m en feuilles. ▼—**brons** bronze m
d'étain.
tinctuur teinture v.
tinerts minerai m d'étain.
tingel/en tinter, tintinnabuler; *op de piano* —,
pianoter. ▼—**ing(eling)** drelin !, drelin !
▼—**tangel** beuglant m.
tin/negieter potier m d'étain; *politieke* —,
politicien m de cabaret. ▼—**nen** d'étain.
▼—**soldeer** soudure v d'étain.
tint 1 teinte, couleur; 2 (*fig.*) apparence v;
3 (*v. gezicht*) teint m.
tintel/en étinceler, scintiller; *zijn vingers* —, il
a l'onglée; —*d van geest*, étincelant d'esprit.
▼—**ing** 1 scintillation; 2 (*in de vingers*)
onglée v. ▼—**ogen** ciller des yeux.
tint/en colorer, teinter. ▼—**je** nuance v; *een*
— *van waarheid*, une apparence v de vérité.
tin/waren poterie -, vaisselle v d'étain.
▼—**winning** extraction v de l'étain.
tip 1 bout, coin m, pointe v; *een* — *van de*
sluier oplichten, soulever un coin du voile;
2 (*aanwijzing*) tuyau m.
tippel trotte v; *een hele* —, une bonne trotte.
▼—**en** 1 trottiner; 2 faire le trottoir; *er in* —, se
faire pincer.
tippen 1 corner (une carte); 2 rafraîchir (les
cheveux); 3 tuyauter (qn); *het kan er niet aan*
—, ce n'est rien auprès de cela.
tipsy pompette.
tiptoetsbediening: *met* —, à touches à
effleurement.
tiptop l *bn* bien, de premier ordre, du meilleur.
Il *bw* on ne peut mieux.
tiraill/oren tirailler. ▼—**eur** tirailleur m.
▼—**eurvuur** tir m à volonté.
tiran tyran m. ▼—**nie** tyrannie v. ▼—**niek** *bn*
(& *bw*) tyrannique(ment). ▼—**niseren**
tyranniser,
titan titan m. ▼—**isch** titanesque.
titanium titane m.
titel titre m; *Franse* —, faux titre m. ▼—**blad**
(page v du) titre m. ▼—**en** intituler.
▼—**houder** tenant m du titre. ▼—**plaat**
frontispice m. ▼—**rol** rôle m principal.
▼**tijtul/air**, —**aris** titulaire (m); —*e rang*,
honorariat m d'un grade supérieur. ▼—**atuur**
titres m mv, qualités v mv.
tjalk galiote v.
tjilpen gazouiller, pépier.
tjokvol bondé, comble.
TL-buis tube m fluorescent, tube fluo.
▼**TL-verlichting** éclairage m luminescent.
tobbe cuvier, baquet m.
tobb/en peiner; — *over*, se tourmenter de ; *zie*
ook **sukkelen**; *niet* —, avoir le sourire. ▼—**er**
1 trimeur; 2 qn qui se tourmente; 3 pauvre
diable m; ▼—**erig** inquiet, pessimiste. ▼—**erij**
peine v; tourments m mv.
toch cependant, pourtant; tout de même,
quand même; — *zeker niet*, toujours pas;
vertel me — *eens*, raconte-moi un peu; *kom*
— *hier*, viens donc ici; *ik zeg het je* —,
puisque je te le dis; *je weet* — *dat hij weg*
is ?, vous savez qu'il est parti ?; *en* — *heeft hij*
niet gelijk, et pourtant il n'a pas raison ; —
heeft hij zijn plicht gedaan, toujours a-t-il fait
son devoir; *je bent* — *niet ziek ?*, vous n'êtes
pas malade, au moins ?; *het is* — *al te laat*,
aussi bien c'est déjà trop tard.
tocht 1 (*trek*) courant d'air, vent coulis ;
2 promenade v, tour, voyage m, expédition ;
excursion ; (*sport*) randonnée v; *op de* —
zitten, être entre deux airs ; *bang zijn voor* —,
craindre l'air ; —*jes maken*, excursionner.
▼—**band** bourrelet, brise-bise m. ▼—**deur**
contre-porte, porte v à tambour. ▼—**en**: *het*

tocht hier, il y a un courant d'air ici. ▼—**gat**
évent, appel m d'air; *dat huis is een* —, cette
maison est un nid à courants d'air. ▼—**genoot**
compagnon m -, compagne v de voyage.
▼—**gordijn** portière v. ▼—**ig** où il y a des
courants d'air. ▼—**kleed** brise-bise v. ▼—**lat**
bourrelet m. ▼—**portaal** tambour m.
▼—**raam** fenêtre v double. ▼—**scherm**
paravent m. ▼—**strip** bourrelet m adhésif de
calfeutrage; *metalen* —, bourrelet métallique.
▼—**vrij** rembourré.
tod chiffon m, guenille v. ▼—**denkoopman**
chiffonnier m.
toe l *tw*: —/, allons !; — *maar !*, faites !; —
nou !, voyons !; Il *bw ik kom er niet aan* —, je
ne puis m'y résoudre ; *ik ben* — *aan een*
opkikkertje, j'ai besoin d'un petit verre; *er*
slecht aan — *zijn*, aller mal, être bien bas ; *niet*
weten waar men aan — *is*, ne pas savoir à
quoi s'en tenir; *waar wil je aan* —?, où
voulez-vous en venir ?; *de deur is* —, la porte
est fermée; (*op de koop*) —, pardessus le
marché. ▼**toe** . . . *zie ook* **dicht** . . .
toebehoren l *on. w* appartenir à. ll *zn*
accessoires m mv; garniture; (*v. huis*)
dépendance v.
toebereid/en préparer, apprêter. ▼—**ing**
préparation v, apprêt m. ▼—**sel** apprêt(s),
préparatif m (*mv*).
toe/bijten l *on.w* mordre à. ll *ov.w* adresser
d'un ton bourru à, lancer à la figure de.
▼—**binden** lier, ficeler. ▼—**brengen** donner,
porter (un coup). ▼—**dekken** couvrir; *warm*
—, border chaudement. ▼—**dichten**
attribuer, imputer (qc à qn). ▼—**dienen**
administrer, infliger. ▼—**doen** l *ov.w* fermer.
ll *on.w*: *dat doet er niets toe*, cela n'y fait rien.
lll *zn* assistance v, concours m; *buiten mijn*
—, sans que j'y sois pour rien; *door* — *van*,
par le fait de.
toe/dracht circonstances v mv. ▼—**dragen**
l *ov. w* porter (à) ; *haat* —, avoir de la haine
pour. ll *zich* — se passer.
toe/drinken porter un toast à (qn).
▼—**eigenen** l *ov.w* attribuer. Il *zich* —
s'approprier; usurper. ▼—**eigening**
appropriation, usurpation v. ▼—**fluisteren**
glisser (qc) à l'oreille (à qn). ▼—**gaan** 1 se
fermer; 2 se passer.
toegang 1 accès m; 2 entrée; 3 avenue v; —
hebben, avoir accès, être reçu. ▼—**sbewijs**,
—**sbiljet**, —**skaart** billet -, ticket m d'entrée.
▼—**sprijs** prix m d'entrée. ▼—**sweg** voie v
d'entrée. ▼**toegankelijk** abordable ;
accessible. ▼—**heid** accessibilité v.
toegedaan attaché à, dévoué à; *een mening*
— *zijn*, être d'avis (que).
toegeeflijk l *bn* indulgent. ll *bw* avec
indulgence. ▼—**heid** indulgence v.
toegenegen dévoué (à), affectueux. ▼—**heid**
dévouement m, affection v.
toegev/en l *ov.w* 1 donner par-dessus le
marché; 2 admettre, convenir de; *ik geef toe*
dat, je veux bien que; *toegegeven*, je veux
bien. ll *on.w* céder à; *van geen* — *willen*
weten, être inflexible; *doen* —, amener à
composition. ▼—**end(heid)** *zie*
toegeeflijk(heid). ▼—**ing** concession v.
toe/gift extra; excédent; surpoids; (*muz.*) bis
m; *als* — *spelen*, jouer en bis. ▼—**groeien** se
fermer, s'oblitérer. ▼—**happen** *zie* —**bijten**
1.
toehoorder auditeur; *de* —*s*, l'auditoire v.
▼—**hoorster** auditrice. ▼—**horen** 1 écouter;
2 appartenir.
toehouden tenir fermé ; boucher; *zijn neus* —,
se boucher le nez.
toejuich/en applaudir (qn, à qc). ▼—**er**
applaudisseur m. ▼—**ing** acclamation v,
applaudissement m.
toekaatsen: *elkaar de bal* —, se renvoyer la
balle.
toeken/nen 1 (*som*) allouer; 2 accorder (une
indemnité); 3 (*ordre, waardigheid*) conférer;
4 (*prijs, punt op school*) décerner;
5 (*voorrecht*) octroyer; 6 (*eigenschap*)

attribuer, reconnaître ; **7** (*jur.*) adjuger.
▼—**ning** allocation *v* ; décernement ; octroi *m* ; attribution ; adjudication *v*.
toe/**kijken 1** regarder, assister en spectateur (à) ; **2** *good* —, faire attention. ▼—**knijpen** serrer ; *iem. keel* —, étrangler qn. ▼—**knikken** faire un signe de tête à. ▼—**knopen** boutonner. ▼—**komen 1** parvenir à ; **2** (*toebehoren*) appartenir, revenir à ; **3** (*rondkomen*) joindre les deux bouts ; *op iem.* —, s'avancer vers qn. ; *ieder wat hem toekomt*, chacun son dû. ▼—**komend 1** futur ; **2** (*aanstaand*) prochain ; *het ieder —e deel*, la part afférente à chacun ; *—e tijd*, futur *m.*
toekomst avenir *m* ; *in de* —, à l'avenir ; *in de naaste* —, dans un avenir peu éloigné. ▼—**beeld** anticipation *v.* ▼—**droom** rêve *m* d'avenir. ▼—**ig** futur. ▼—**roman** roman *m* d'anticipation.
toe/**laag**, —**lage** allocation (familiale) ; gratification ; indemnité *v* (parlementaire) ; — *voor onderhoud*, pension *v* alimentaire.
toelaatbaar admissible ; *niet* —, inadmissible. ▼—**heid** admissibilité *v.*
toelachen sourire à.
toelaten 1 laisser fermé ; **2** permettre, autoriser ; comporter ; **3** admettre, recevoir ; *toegelaten snelheid*, vitesse *v* autorisée. ▼—**lating 1** permission *v* ; **2** admission *v.* ▼—**latingsexamen** examen *m* d'admission.
toeleg dessein, projet ; complot *m.* ▼—**gen I** *ov.w* **1** couvrir, fermer ; **2** (*toewijzen*) accorder ; (*geld*) *op iets* —, y perdre ; *het er op* — *om*, s'appliquer à, faire exprès pour ; *het op iem. leven* —, attenter à la vie de qn. **II zich** — *op*, s'appliquer à, se livrer à.
toeleveringsbedrijf entreprise *v* sous-traitante.
toelicht/**en** expliquer, éclaircir ; commenter ; bonne lumière. ▼—**end** explicatif. ▼—**ing** explication *v,* éclaircissement ; commentaire *m* ; *memorie van* —, exposé *m* des motifs.
toe/**loop** affluence ; foule *v* ; *grote* — *hebben,* être fort couru. ▼—**lopen** accourir, affluer ; *spits* —, se terminer en pointe ; *op iem.* —, s'avancer vers qn.
toemeten mesurer (qc à qn).
toen I *bw* alors ; *van* — *af,* dès lors. **II** *vw* lorsque, quand ; comme ; *juist* — *hij uitging,* comme il sortait.
toenadering rapprochement *m* ; — *zoeken met,* chercher à se rapprocher de.
toendra toundra *v.*
toenem/**en** augmenter, croître, s'accroître, s'agrandir ; *steeds* — *in,* aller toujours (met gérondif) —. ▼—**end** croissant, progressif ; (*v. reeks*) ascendant. ▼—**ing, toename** augmentation *v,* accroissement, progrès *m.*
toen/**maals** alors. ▼—**malig** d'alors, du temps.
toepass/**elijk** applicable (à) ; à propos, bien placé. ▼—**elijkheid** applicabilité, propriété *v.* ▼—**en** appliquer (à). ▼—**ing** application *v* ; *in* — *brengen,* mettre en pratique ; *van* — *zijn op,* s'appliquer à.
toer 1 tour *m* ; excursion *v* ; **2** (*omwenteling*) tour *m,* révolution *v* ; **3** rang *m* (*v. breiwerk*) ; *op volle* —*en draaien,* travailler à pleine capacité ; 33⅓ —*enplaat,* disque *m* microsillon 33 tours ⅓ ; *een hele* —, tout un travail. ▼—**beurt** tour *m* de rôle ; *bij* —, à tour de rôle.
toereik/**en I** *ov.w* passer, tendre (qc à qn). **II** *on.w* suffire, être suffisant ; ▼—**end** suffisant ; — *zijn,* suffire.
toereken/**baar 1** (*v. persoon*) responsable ; **2** (*v. zaken*) imputable (à). ▼—**baarheid 1** responsabilité ; **2** imputabilité *v.* ▼—**en** imputer (qc à qn). ▼—**ingsvatbaar**(**heid**) *zie* —**baar**(**heid**).
toeren faire une promenade (en auto etc.).
▼—**tal** rythme *m* du moteur ; *op vol* —*komen,* tourner à plein régime. ▼—**teller** compte-tours *m.*
toerisme tourisme *m.* ▼**toerist** touriste *m.*
▼—**enbond** alliance *v* de tourisme.

▼—**encentrum** centre *m* touristique.
▼—**enindustrie** industrie *v* du tourisme.
▼—**enklasse** classe *v* touriste.
▼—**enverkeer** mouvement *m* touristique.
▼—**isch** touristique.
toernooi tournoi *m.*
toeroperator promoteur *m* de voyages.
toerust/**en** armer, équiper. ▼—**ing** armement, équipement ; attirail *m.*
toerwagen voiture *v* de tourisme ; autocar *m.*
toeschiet/**elijk** accommodant, facile ; *weinig* —, d'un abord difficile. ▼—**elijkheid** humeur *v* accommodante. ▼—**en** accourir, s'élancer.
toe/**schouwer,** —**schouwster** spectateur *m,* -tatrice *v.* ▼—**schreeuwen** crier (qc à qn). ▼—**schrijven** attribuer, imputer ; *toe te schrijven aan,* attribuable à. ▼—**schroeien** brûler, cautériser. ▼—**slaan I** *ov.w* **1** envoyer (une balle à qn) ; **2** fermer bruyamment ; (*v. was*) mettre en double ; **3** (*bij koop*) adjuger (qc à qn). **II** *on.w* **1** se fermer brusquement ; **2** accepter, toper ; **3** frapper ; *gauw* —, avoir la main leste.
toeslag 1 supplément *m* (de prix) ; **2** salaire *m* d'appoint ; **3** (*bij koop*) adjudication *v.* **4** (*op liefdadigheidszegel*) surtaxe *v.* ▼—**biljet** supplément *m.*
toe/**snauwen** brusquer, rudoyer. ▼—**snellen** accourir, s'élancer. ▼—**speling** allusion *v* (à) ; *een* — *maken op,* faire allusion à ; *bedekte* —, sous-entendu *m.* ▼—**spijs** entremets *m.* ▼—**spitsen I** *ov.w* envenimer, pousser (à l'extrême). **II zich** — s'envenimer, prendre un tour aigu.
toespraak discours *m* ; allocution *v.*
▼—**spreken** adresser la parole (à qn) ; haranguer (la foule).
toe/**staan** accorder, permettre. ▼—**stand** état *m,* situation, condition *v* sociale ; *in goede* —, en bonne condition. ▼—**steken I** *ov.w* passer, tendre (qc à qn). **II** *on.w* porter un coup (à qn).
toestel appareil ; dispositif ; (*fam.*) poste *m* (de radio, - télé) ; (*v. gymnastiek*) agrès *m mv.*
toestemm/**en 1** (*het eens zijn*) accorder, convenir (de qc) ; **2** (*goedvinden*) consentir (à qc). ▼—**end** approbateur. ▼—**ing** consentement *m* ; — *geven tot,* autoriser.
toe/**stoppen 1** boucher (un trou) ; *zie ook* : **stoppen** ; **2** border (qn) dans son lit ; emmitoufler ; *zijn oren* —, se boucher les oreilles ; *iem. iets* —, glisser qc dans la main de qn. ▼—**stoten** pousser ; porter un coup à. ▼—**stromen** affluer (vers) ; se rendre en foule (à).
toet 1 (*gezichtje*) minois ; **2** (*v. haar*) chignon *m* ; **3** (*schat*) chéri(e) *m* (*v*).
toe/**takelen I** *ov.w* **1** accoutrer, fagoter ; **2** (*afrossen*) maltraiter, rosser ; **3** (*bederven*) abîmer. **II zich** — s'affubler, se fagoter.
▼—**takeling** accoutrement *m.*
toetasten se servir.
toet/**en** corner ; *hij weet van* — *noch blazen,* il ne sait rien de rien. ▼—**er** cornet *m* avertisseur. ▼—**eren I** *on.w* corner. **II** *zn* : *het* —, les appels *m mv* de corne.
toetje 1 *zie* **toet** ; **2** entremets *m* (sucré) ; **3** dessert *m.*
toe/**treden 1** s'approcher ; **2** accéder à, adhérer à (une société) ; embrasser (une religion). ▼—**treding** accession (à), adhésion *v* (à).
toets touche *v* ; *de* — *kunnen doorstaan,* soutenir l'épreuve. ▼—**en** essayer ; (*fig.*) mettre à l'épreuve ; *aan de werkelijkheid* —, contrôler (qc) par les faits. ▼—**enbord** clavier *m.* ▼—**ing** essai *m* ; (*fig.*) épreuve ; vérification ; évaluation *v.* ▼—**steen** pierre *v* de touche.
toeval 1 hasard ; **2** (*med.*) accès *m,* attaque *v* ; *bij* —, par hasard. ▼—**len 1** se fermer ; **2** (*ten deel vallen*) échoir, tomber en partage à. ▼—**lig I** *bn* dû au hasard ; accidentel ; occasionnel ; (*fil.*) contingent ; —*e inkomsten,* profits *m mv* casuels. **II** *bw* par hasard ; accidentellement ; — *ontmoeten,*

venir à rencontrer. ▼—**ligerwijs** zie —lig II.
▼—**ligheid** hasard m; contingence; cause v
accidentelle.
toevertrouwen I ov.w confier (qc à qn).
II zich — se fier à.
toe/vloed affluence, foule v. ▼—**vloeien**
affluer, couler.
toevlucht asile, refuge m; zijn — nemen tot,
recourir à, avoir recours à. ▼—**soord** asile,
refuge m.
toevoeg/en I ajouter; 2 adjoindre (qn à);
3 (woord) adresser; toegevoegd, additif;
belasting op de toegevoegde waarde, taxe v
sur la valeur ajoutée. ▼—**ing** addition;
adjonction v; additif m. ▼—**sel** appendice,
supplément m.
toevoer 1 (gas, water) amenée, distribution v;
2 (v. waren) arrivage m; 3 approvisionnement
m; de — afsnijden, couper les vivres (à).
▼—**buis** tuyau m d'arrivée. ▼—**kanaal** canal
m d'adduction.
toe/vouwen plier; joindre (les mains).
▼—**waaien** amener, porter, souffler (au
visage). ▼—**werpen** 1 jeter, lancer; 2 faire
claquer (la porte); 3 combler (un fossé).
toewijd/en I ov.w consacrer, vouer. II zich —
se consacrer (à). ▼—**ing** dévouement m;
consécration v.
toewijz/en assigner; adjuger; accorder;
allouer. ▼—**ing** attribution; adjudication v;
extra —en krijgen, toucher des attributions
spéciales.
toe/zeggen promettre. ▼—**zegging**
promesse v.
toezend/en envoyer, expédier. ▼—**ing** envoi
m.
toe/zicht surveillance, inspection v; onder —
staan, être surveillé; (fig.) être en tutelle; raad
van —, comité m de surveillance; - de
contrôle. ▼—**zien** 1 zie —kijken; 2 surveiller;
— op, avoir soin de, veiller à. ▼—**ziend**
surveillant; —e voogd, subrogé tuteur,
cotuteur m.
tof bath; rigolo.
toffee caramel m dur.
toga robe, toge v.
toilet toilette v; chemisch —, W.-C. chimique;
een beetje — maken, faire un brin de toilette.
▼—**emmer** seau m de toilette. ▼—**garnituur**
garniture v de toilette. ▼—**necessaire**
trousse v de toilette. ▼—**spiegel** psyché m.
▼—**stel** garniture v de toilette. ▼—**tafel**
toilette v.
tokayer Tokay m.
tokkelen toucher, pincer; op de harp —,
pincer de la harpe.
tol 1 douane v; droit m de douane; (op de
weg) péage m; 2 (schatting) tribut m;
3 (speelgoed) toupie v; sabot m.
▼—**beambte** douanier m. ▼—**boom** barrière
v.
tolerantie tolérance v; repressieve —,
récupération v; repressieve — toepassen op
iem., récupérer qn.
tol/geld péage m. ▼—**hek** barrière v.
▼—**huisje** poste m de péage.
tolk interprète m; de — zijn van, se faire
l'interprète de, interpréter.
tollen 1 jouer à la toupie; 2 tourner.
tol/muur barrière v douanière. ▼—**unie** union
v douanière. ▼—**vrij** exempt des droits de
douane; libre.
tomaat tomate v. ▼**tomaten/puree**
concentré m de tomates. ▼—**sap** jus m de
tomates. ▼—**saus** sauce v tomate. ▼—**soep**
potage m aux tomates.
tombe tombeau, monument m funèbre.
ton 1 tonneau m; 2 (1000 kg) tonne v;
3 (gouds) 100.000 florins; 4 (boei) balise v.
toneel 1 scène v; 2 (schouwburg) théâtre m;
3 (fig.) scène v, théâtre m; bij het toneel zijn,
faire du théâtre. ▼—**avond** soirée v
dramatique. ▼—**benodigdheden**
accessoires m mv de théâtre. ▼—**club** cercle
m dramatique. ▼—**effect** effet dramatique;
coup m de théâtre. ▼—**gezelschap** troupe v.

▼—**kijker** jumelle, lorgnette v. ▼—**knecht**
machiniste m. ▼—**kritiek** critique v
dramatique. ▼—**kunst** art m dramatique.
▼—**loge** loge v d'avant-scène. ▼—**matig** bn
(& bw) théâtral (ement). ▼—**school**
conservatoire m dramatique. ▼—**schrijver**
auteur m dramatique. ▼—**seizoen** saison v
théâtrale. ▼—**speelster** actrice v. ▼—**spel**
1 jeu m (des acteurs); 2 pièce v de théâtre.
▼—**speler** acteur m. ▼—**stuk** pièce v de
théâtre. ▼—**verandering** changement m de
décors. ▼—**voorstelling** représentation v
théâtrale.
tonen I ov.w montrer, faire voir; — wat men
kan, donner toute sa mesure. II on.w faire de
l'effet.
tong 1 langue v; 2 (v. gesp) ardillon; 3 (v.
slot) pêne m; 4 (vis) sole v; de boze —en, les
mauvaises langues; een scherpe —, une
langue acérée; over de — gaan, être la fable
de la ville; een beslagen — hebben, avoir la
langue chargée; rap van —, avoir la
langue bien pendue. ▼—**blaar** fièvre v
aphteuse.
tongewelf (arch.) voûte v en berceau.
tong/eworst saucisse v farcie de langue de
bœuf. ▼—**filet** filet m de sole. ▼—**letter**
linguale v. ▼—**riem** filet, frein m de la langue;
goed van de — gesneden zijn, avoir la langue
bien pendue. ▼—**schar** limande sole v.
▼—**val** 1 accent; 2 patois m.
tonic eau v tonique. ▼**tonicum** tonique m.
tonijn thon m. ▼—**visser** thonier m.
tonisch tonique; — middel, tonique m.
ton/molen vis v d'Archimède. ▼—**nage**
tonnage m. ▼—**neboter** beurre m salé.
▼—**negeld** droit m de tonnage. ▼—**nen**
entonner (du vin); caquer (des harengs).
▼—**nemaat** tonnage m, jauge v.
▼—**nenstelsel** système m des fosses
mobiles, vidange v par tonneaux. ▼—**netje**
1 barillet; 2 (v. zijdeworm) cocon m.
tonsil amygdale v.
tonsuur tonsure v.
toog toge v; (rk) soutane v.
tooi ornement m, parure v; atours m mv (d'une
femme). ▼—**en** 1 ov.w orner, parer. II zich —
se parer (de).
toom 1 bride v; (fig.) frein m; 2 (broedsel)
couvée v; in — houden, maîtriser.
toon ton, son, accent m; de — van haar stem,
le timbre de sa voix; de goede —, le bon ton;
de — aangeven, donner la note; de hoge
tonen, l'aigu; de lage tonen, le grave; een
andere — aanslaan, changer de ton; een
hoge — aanslaan, le prendre de haut; er
heerste een ongedwongen —, il n'y avait pas
de contrainte; op zachte —, d'un ton doux;
uit de — vallen, détonner; ten — stellen,
exposer; ten — spreiden, étaler.
▼**toon/aangevend** bn gevend. ▼—**aard**
ton, mode m; in alle —en, sur tous les tons.
▼—**afstand** intervalle m. ▼—**baar**
présentable. ▼—**bank** comptoir; (in café)
zinc m. ▼—**beeld** modèle m. ▼—**der** porteur
m. ▼—**dicht** composition v musicale.
▼—**dichter** compositeur m. ▼—**gevend** qui
donne le ton; dirigeant; qui fait autorité.
▼—**hoogte** ton, diapason m. ▼—**kamer** salle v
d'exposition. ▼—**kleur** timbre m. ▼—**kunst**
musique v. ▼—**kunstenaar**, —**kunstenares**
musicien(ne) m(v). ▼—**ladder**, —**schaal**
gamme v. ▼—**loos** atone, sourd; met
toonloze stem, d'une voix blanche. ▼—**soort**
mode, ton m. ▼—**stelsel** notation v.
▼—**sterkte** intensité v du son. ▼—**teken**
accent m. ▼—**vast** qui ne sort pas du ton.
—**zaal** salon m de démonstration, salle v
d'exposition. ▼—**zetten** composer.
▼—**zetting** composition v.
toorn colère v, courroux m; in — ontsteken,
se mettre en colère. ▼—**ig** fâché, en colère.
toorts torche v, flambeau m. ▼—**licht** lueur v
des flambeaux.
toost toast m. ▼—**en** porter un toast (à),
porter la santé de.

top I *zn* 1 (*v. berg*) cime *v*; sommet; 2 (*v. gebouw*) faîte; 3 (*v. vinger*) bout *m*; 4 (*v. curve*) pointe *v*; 5 (*fig.*) comble *m*; *de hoogste —pen*, les points *m mv* culminants; *ten — stijgen*, arriver à son comble; *van — tot teen*, de pied en cap. II *tw* touchez-là, soit!, cela va!

topaas topaze *v*.

top/conferentie conférence *v* au sommet. ▼—**figuur** sommité *v*. ▼—**functie** haute fonction *v*. ▼—**functionaris** haut fonctionnaire *m*. ▼—**gevel** pignon *m*. ▼—**gewelf** dôme *m*. ▼—**hoek** angle *m* du sommet.

topje (*ook kleding*) petit haut *m*.

topogr/aaf topographe *m*. ▼—**afie** topographie *v*. ▼—**afisch** *bn* (*& bw*) topographique(ment).

toppen écimer, étêter.

top/prestatie performance *v* maxima. ▼—**punt** *zie top; dat is het* —, c'est le comble. ▼—**snelheid** vitesse *v* de pointe. ▼—**vorm**: *in* —, en pleine forme. ▼—**zwaar** trop lourd au sommet.

tor coléoptère, escarbot *m*.

toreador, torero toréro *m*.

toren 1 tour *v*; 2 (*kerk—*) clocher *m*. ▼—**klok** 1 horloge *m*; 2 cloche *v* d'une tour. ▼—**spits** flèche *v*; campanile *m*.

torn décousure *v*.

tornado tornade *v*.

torn/en I *ov.w* découdre; (*mar.*) retenir. II *on.w* se découdre; *aan iets* —, chercher à changer qc. ▼—**mes** couteau *m* à découdre.

torped/eren torpiller. ▼—**ering** 1 lancement de torpilles; 2 torpillage *m*. ▼—**ist** torpilleur. ▼**torpedo** I *znw v*; 2 (*auto*) torpédo *v*. ▼—**boot** torpilleur *m*. ▼—**jager** contre-torpilleur *m*. ▼—**lanceerbuis** lance-torpille *m*. ▼—**net** filet *m* pare-torpilles.

torsen porter avec effort; (*fig.*) être accablé par.

torsie torsion *v*. ▼—**balans** balance *v* de torsion. ▼—**staaf** barre *v* de torsion. ▼—**vering** suspension *v* à barre de torsion.

tors(o) torse *m*.

tortel, —duif tourterelle *v*.

tosti croque-monsieur *m*.

tot jusqu'à, à; — *dan toe*, — *dusver*, jusqu'alors; — *en met 1 april*, jusqu'au premier avril inclus; — *driemaal toe*, par trois fois.

totaal I *bn* total; II *bw* totalement, complètement; III *zn* total *m*; *in* —, au total. ▼—**cijfer** somme *v* totale. ▼**totali/sator** 1 pari *m* mutuel; 2 totalisateur *m*. ▼—**tair** totalitaire, autocratique. ▼—**ter** complètement.

totdat jusqu'à ce que; en attendant que.

totstand/brenging, —koming réalisation *v*.

toucheren toucher.

touperen crêper; coiffer en toupet.

tour/ingcar autocar *v*. ▼—**nee** tournée *v*; *op* —, en tournée.

touw 1 corde *v*; 2 (*mar.*) câble, cordage *m*; 3 (*bind—*) ficelle *v*; 4 (*koord*) cordon *m*; 5 (*weefge—*) métier *m*; *in* — *zijn*, être occupé; *op* — *zetten*, organiser; entreprendre; *daar is geen* — *aan vast te knopen*, on s'y perd. ▼—**ladder** échelle *v* de corde. ▼—**mat** natte *v* de corde. ▼—**tje** ficelle *v*; — *springen*, sauter à la corde. ▼—**trekken** lutte *v* à la corde; (*fig.*) manigances *v mv*.

toven/aar, —ares magicien(ne), sorcier (-ière) *m* (*v*). ▼**tover/achtig** *bn* (*& bw*) magique, féerique(ment). ▼—**drank** philtre *m*. ▼—**en** I *on.w* exercer la magie; (*v. kinderen*) faire des tours de passe-passe. II *ov.w* faire par enchantement, - par un coup de baguette. ▼—**fluit** flûte *v* enchantée. ▼—**heks** sorcière *v*. ▼—**ij** magie, sorcellerie *v*. ▼—**kasteel** château *m* enchanté. ▼—**kracht, —macht** vertu *v* magique. ▼—**lantaarn** lanterne *v* magique. ▼—**slag** coup *m* de baguette; *als bij* —, comme par enchantement. ▼—**staf** baguette

v magique. ▼—**wereld** monde *m* magique. ▼—**woord** parole *v* magique.

toxicum toxique *m*.

traag I *bn* 1 lent, paresseux; 2 (*nat.*) inerte. II *bw* lentement, paresseusement. ▼—**heid** 1 lenteur, paresse; 2 inertie *v*; — *van geest*, engourdissement *m* d'esprit.

traan 1 larme; 2 huile *v* de poisson; *hete tranen schreien*, pleurer à chaudes larmes; *in tranen*, tout en larmes. ▼—**achtig** huileux. ▼—**gas**, *gas* ▼*m* lacrymogène. ▼—**gasbom** grenade *v* lacrymogène. ▼—**gasspuitbus** bombe *v* autodéfense. ▼—**klier** glande *v* lacrymale. ▼—**kokerij** fonderie *v* d'huile de baleine. ▼—**ogen** larmoyer. ▼—**wekkend** lacrymogène.

trac/é tracé *m*. ▼—**eerwerk** arcatures *v mv* entrelacées. ▼—**eren** tracer. ▼—**ering** tracé *m*.

trachten chercher (à), s'efforcer (de), tâcher (de); — *naar*, aspirer à.

tract/ie traction *v*. ▼—**or** tracteur *m*.

tradit/ie tradition *v*; *van de — afwijken*, déroger à la tradition. ▼—**ioneel** traditionnel.

trag/edie tragédie *v*. ▼—**icus** tragique *m*. ▼—**isch** *bn* (*& bw*) tragique(ment); *het —e*, le tragique; *het — opnemen*, le prendre au tragique.

trailer semi-remorque *v*.

train/en I *ov.w* entraîner; styler (le personnel). II *zich* — s'entraîner. ▼—**er** entraîneur *m*. ▼—**ing** entraînement *m*; *in* —, à l'entraînement. ▼—**ingspak** survêtement *m*.

traiteur traiteur *m*.

traject trajet, parcours *m*.

traktaat traité *m*, convention *v*.

traktatie régal *m*.

traktement appointements *m mv*, traitement. ▼—**sdag** jour *m* de paie. ▼—**sstaat** feuille *v* d'émargement. ▼—**sverhoging** 1 (*wens*) relèvement *m*; 2 augmentation *v*.

trakteren 1 traiter; 2 régaler (de=*op*); payer.

tralie barreau *m*; —*s*, grille *v*; *achter de* —*s*, sous les verrous. ▼—**deur** porte *v* grillagée. ▼—**hek** grille *v*. ▼**traliën** grillager. ▼**tralievenster** fenêtre *v* grillée. ▼—**werk** grillage, treillis *m*.

tram tramway *m*. ▼—**balkon** plate-forme *v*. ▼—**bestuurder** conducteur *m*. ▼—**boekje** carnet *m* de tickets. ▼—**conducteur** receveur *m*. ▼—**halte** arrêt *m* du tramway; *vaste* —, arrêt fixe. ▼—**huisje** abri *m*. ▼—**men** aller en tramway; prendre le tramway.

tranch/eermes, —eervork couteau *m* -, fourchette *v* à découper. ▼—**eren** découper.

tranen I *on.w* pleurer. II *zn*: *het — der ogen*, le larmoiement. ▼—**dal** vallée *v* de larmes.

tranig qui sent l'huile.

tranquillizer tranquillisant *m*.

trans 1 créneau *m*; 2 galerie *v*; 3 voûte *v* du ciel.

trans/actie transaction *v*. —**atlantisch** transatlantique. —**cendent(aal)** transcendant(al). —**cript** transcription, expédition *v*.

transept transept *m*.

transfer transfert *m*. ▼—**eerbaar** transférable.

transformatie transformation *v*. ▼—**ator** transformateur *m*. ▼—**atorhuisje** poste *m* de transformation.

transigeren transiger.

transistor transistor *m*; —*radio*, transistor *m*.

transitief I *bn* transitif. II *bw* transitivement.

transito transit *m*. ▼—**handel** commerce *m* de transit, - transitaire.

trans/laat, —latie traduction *v*. ▼—**lateren** traduire. ▼—**lateur** traducteur *m*; *beëdigd* —, traducteur juré.

transparant transparent (*m*).

transpireren transpirer.

transplant/atie transplantation *v*. ▼—**eren** transplanter.

transponeren transposer.

transport 1 transport *m*; (*v. gevangene*) transportation *v*; (*groep*) convoi *m*; 2 (*boekh.*) report *m*; *op — stellen (naar)*, diriger (à of sur). ▼—**arbeider** ouvrier m des transports. ▼—**band** chemin roulant, transporteur m. ▼—**bedrijf 1** entreprise v de transports; 2 le transport. ▼—**eren** 1 transporter; 2 (boekh.) reporter. ▼—**fiets** vélo-porteur m. ▼—**kabel** câble téléférique; transporteur m aérien. ▼—**kosten** frais m mv de transport. ▼—**onderneming** zie —bedrijf 1. ▼—**schip** transport m. ▼—**verzekering** assurance v contre les risques des transports. ▼—**vliegtuig** avion m de transport. ▼—**wagen** camion, fourgon m. ▼—**wezen** moyens m mv de transport, trafic m.

trant manière v, genre, style m; in de — van, dans le style de, à la manière de.

trap 1 coup m de pied; vrije —, coup m franc; **2** (trede) marche v; degré; **3** escalier m; open —, échelle v de meunier; **4** (graad) degré m; **5** (v. raket) étage m; —pen van vergelijking, degrés de comparaison; op de —, dans l'escalier; —pen klimmen, gravir des étages; van de —pen vallen, tomber dans l'escalier; (v. boven af) dégringoler l'escalier. ▼—**as** pédalier.

trapeze trapèze m. ▼—**werker** trapéziste m.

trapezium trapèze m.

trap/gevel pignon m à redans. ▼—**jaar** année v climatérique. ▼—**je** gradin; marchepied; petit escalier m. ▼—**ladder** échelle v double, marchepied m. ▼—**leuning** rampe v. ▼—**loper** chemin m d'escalier. ▼—**machine** machine v (à coudre) à pédale.

trap/pelen trépigner; piétiner; gigoter; (v. paard) piaffer. ▼—**pen** I on.w frapper du pied; — naar, lancer des coups de pied à; **2** (op fiets) pédaler; — op, marcher sur; er in —, marcher —, donner dans le piège. II ov.w **1** donner des coups de pied à; **2** humilier; het orgel —, souffler l'orgue. ▼—**penhuis** cage v de l'escalier. ▼—**per 1** pédale v; **2** trappeur m. ▼—**pist** trappiste m. ▼—**portaal** palier m. ▼—**roede** tringle v. ▼—**schakelaar** va-et-vient m. ▼—**sgewijze** I bn graduel; — opklimming, gradation v; — afdaling, gradation v décroissante. II bw graduellement, par paliers; — oplopen, s'étager; — plaatsen, échelonner. ▼—**starter** démarreur m à pied. ▼—**stoel** escabeau-chaise m. ▼—**vormig** en escalier.

tras ciment, trass m. ▼—**maker** cimentier m. ▼—**raam** chape v.

trass/aat tiré m. ▼—**ant** tireur m. ▼—**eren** tirer.

tras/sen cimenter. ▼—**specie** ciment m.

trauma 1 lésion v; **2** traumatisme m. ▼—**tisch** traumatique. ▼—**tiseren** traumatiser.

traveller's cheque traveller's chèque, chèque m de voyage.

traverse traverse v.

travestie travestissement m. ▼**travestiet** travesti m.

trawant satellite m.

trawler chalutier m. ▼—**net** chalut m.

trechter entonnoir m. ▼—**vormig** en entonnoir, évasé.

tred 1 démarche, allure v; **2** pas m; gelijke —houden met, marcher du même pas que; (fig.) marcher de pair avec; zijn — verhaasten, presser le pas. ▼—**e 1** pas; **2** (trap—) degré m, marche v; **3** (v. ladder) échelon m; —n in het ijs hakken, tailler des pas dans la glace. ▼—**en** I on.w poser le pied (sur), marcher; buiten de oevers —, déborder; in dienst —, entrer au service; — en fonctions. II ov.w marcher, pétrir; met voeten —, fouler aux pieds. ▼—**molen** manège; (fig.) train-train m journalier.

treeft trépied m.

treeplank marchepied m.

tref chance, bonne fortune v. ▼—**fen** I ov.w **1** atteindre, toucher; **2** (ontmoeten) rencontrer, trouver; attraper (la ressemblance); **3** (fig.) émouvoir, toucher; doel —, toucher le but; het —, avoir de la chance, bien tomber; het niet (slecht) —, ne

---

pas avoir de chance, tomber mal; het — met, avoir de la chance avec; dat tref ik!, quelle chance!; dat treft niet, ce n'est pas de chance. II zn engagement m, rencontre v. ▼—**fend** I bn frappant; touchant. II bw d'une façon touchante. ▼—**fer** coup m direct, - qui porte; atteinte v. ▼—**kans** probabilité v d'atteinte. ▼—**punt 1** but; **2** point m d'impact; **3** rendez-vous m. ▼—**woord** mot souche; mot-matière v. ▼—**zekerheid** sûreté v de l'œil.

treiler chalutier, remorqueur m; semi-remorque v.

treiteraar agaceur m. ▼—**en** agacer.

trein train m; doorgaande —, train direct; met de —, par le train; ▼—**aanduiding**: centrale —, C.T.A., télépancartage m. ▼—**beambte** agent m du train. ▼—**bestuurder** conducteur m. ▼—**conducteur** chef de train. ▼—**enloop** marche v des trains. ▼—**kilometer** tarif m ferroviaire. ▼—**rover** détrousseur m de trains. ▼—**smid** visiteur. ▼—**soldaat** tringlot m. ▼—**stel** rame v de voitures. ▼—**veer** bac m porte-train. ▼—**verbindingen** communications v mv ferroviaires. ▼—**verkeer** trafic m ferroviaire.

trek 1 exode m, migration v; **2** (tocht) courant m d'air; (in schoorsteen) tirage m; **3** trait; **4** (lust) appétit m, envie; **5** (kaartspel) levée; **6** (in loop) rayure v; — naar de grote steden, exode rural; er is geen — in de kachel, le poêle ne tire pas; een — aan zijn pijp doen, tirer sur sa pipe; ik heb nergens — in, je n'ai faim de rien; — krijgen in, se sentir de l'appétit pour; prendre goût à; zijn —ken thuiskrijgen, recevoir la monnaie de sa pièce; in — zijn, être recherché, en vogue; aan zijn —ken komen, rentrer ses levées; (fig.) avoir son dû; in grote —ken, à grands traits, dans les grandes lignes. ▼**trek/bal** rétro, effet m de recul. ▼—**dag** jour m de tirage. ▼—**dier** animal m de trait. ▼—**gat** appel d'air, aspirail m. ▼—**gordijn** store m. ▼—**kebekken** se becqueter; (fig.) se bécoter.

trekken I ov.w **1** tirer; — aan, tirer sur; **2** (aan—) attirer; **3** (thee) faire infuser; **4** (tekenen) tracer; **5** (uit—) arracher, extraire; **6** (voort—) traîner; tracter; een aanhangwagen —, tracter une remorque; een bal —, donner un effet rétrograde à une bille; zich de haren uit het hoofd —, s'arracher les cheveux; iem. uit het water —, retirer qn de l'eau; van elkaar —, séparer. II on.w **1** tirer; **2** (hand.) disposer (sur), tirer (sur); **3** (v. hout) se tordre, se démettre; (v. kleed) faire un pli; tirer sur l'étoffe; **4** forcer (une plante); **5** (v. thee) s'infuser; **6** émigrer; marcher (sur); het trekt hier, il y a un courant d'air ici; die sigaar trekt niet, ce cigare ne tire pas; thee laten —, faire infuser le thé; aan zijn pijp —, tirer sur sa pipe; met het rechterbeen —, traîner la jambe droite; naar buiten —, aller à la campagne; aller demeurer à la campagne; voordeel — uit, profiter de. III zn **1** tirage m; **2** infusion v; **3** traçage m; **4** extraction; **5** traction; **6** migration; **7** (v. wissel) émission; **8** (v. hout) torsion v; **9** effet m de recul. ▼**trek/ker 1** tireur m; **2** (v. geweer) détente v; **3** randonneur; **4** tracteur m; — met oplegger, semi-remorque m. ▼—**king 1** (v. loterij) tirage m; **2** (med.) contraction v; tiraillement m; convulsion v. ▼—**kingslijst** liste v de tirage. ▼—**kingsrechten** droits m mv de tirage. ▼—**koord** cordon, tirant m. ▼—**kracht** force v de traction. ▼—**lust** passion v des voyages. ▼—**paard** cheval m de trait. ▼—**pen** tire-ligne m. ▼—**plaat** filière v. ▼—**pleister** vésicatoire m; (fig.) bon(ne) ami(e) m (v) ; attraction v. ▼—**pot** infusoir m; théière v. ▼—**schakelaar** interrupteur m à tirage. ▼—**sluiting** fermeture v éclair. ▼—**spanning** (v. beton) traction v. ▼—**spier** constricteur m. ▼—**stang** bielle v directrice, bras de rappel, tirant m. ▼—**tocht** randonnée v, équipée v. ▼—**vastheid** charge v limite d'élasticité. ▼—**vermogen** puissance v de

traction. ▼—**vogel** oiseau *m* migrateur, - de
passage. ▼—**zaag** scie *v* passe-partout ; -
universelle ; - à bûches. ▼—**zeel** bricole *v*.
tremul/ant 1 trémolo ; **2** (*orgelregister*)
tremblant *m*. ▼—**eren** trembler.
trend tendance *v*.
trens 1 (*v. paardebit*) bridon, filet *m* ; **2** (*bij
naaiwerk*) bride *v* ; cordon *m*. **3** tresse *v*.
tres tresse *v* ; brandebourg *m*.
treur/boom arbre *m* pleureur. ▼—**dicht**
élégie *v*. ▼—**dichter** poète élégiaque. ▼—**e :**
in (*of uit*) *den* —, éternellement, sans cesse.
▼—**en 1** être triste ; **2** (*kwijnen*) languir. ▼—**ig**
I *bn* **1** affligé, triste ; **2** (*bedroevend*)
déplorable ; *het is diep* —, c'est navrant. II *bw*
1 tristement, avec tristesse ; **2** déplorablement,
▼—**igheid** affliction, tristesse, mélancolie *v*.
▼—**mars** marche *v* funèbre. ▼—**muziek**
musique *v* funèbre. ▼—**spel** tragédie *v*.
▼—**speldichter** poète tragique. ▼—**speler**
tragédien. ▼—**wilg** saule *m* pleureur.
treuzel, —aar(ster) lambin (e), traînard (e) *m*
(*v*). ▼—(**acht**)**ig** lambin. ▼—**en** lambiner.
triang/el triangle *m*. ▼—**ulatie** triangulation
v.
tribun/aal cour *v* de justice. ▼—**e** tribune *v*.
trichine trichine *v*.
tricot 1 (*stof*) tricot ; jersey ; **2** (*kleding*)
maillot (*m*).
triduüm triduum *m*.
triest(ig) lugubre, mélancolique, morne.
trigonometr/ie trigonométrie *v*. ▼—**isch**
trigonométrique.
trijp 1 velours *m* d'Utrecht, moquette ;
2 (*ingewand*) tripe, panse *v*.
triktrak trictrac *m*. ▼—**ken** jouer au trictrac.
tril/beton béton *m* vibré. ▼—**haar** cil *m*
vibratile. ▼—**knoop** nœud *m*. ▼—**len**
1 trembler, frémir ; **2** (*v. snaren*) vibrer. ▼—**ler**
trille, trémolo *m* ; *dubbele* —, battement *m*.
▼—**ling** tremblement, frisson *m* ; (*v. snaar*)
vibration ; (*v. grond*) trépidation *v*.
▼—**lings-. . .** vibratoire. ▼—**lingsgetal**
nombre *m* d'oscillations, - de vibrations.
▼—**lingvrij** à l'abri
des vibrations, - des trépidations.
trimmen 1 s'entraîner méthodiquement pour
acquérir ou conserver sa forme ; **2** toiletter (un
chien).
trio trio *m*.
triomf triomphe *m*. ▼—**ant(elijk)** I *bn*
triomphant, triomphal. II *bw* triomphalement,
en triomphe. ▼—**boog** arc *m* de triomphe.
▼—**eerder** triomphateur. ▼—**eren** triompher.
▼—**tocht** marche -, entrée *v* triomphale.
trip voyage ; trip *m*.
tripl/—en ▼—**ex(hout)**
contre-plaqué *m* ; *van* —, en contreplaqué.
▼**triplo** : *in* —, en triple exemplaire.
trippel/en aller à petits pas, trottiner.
▼—**pasjes** petits pas *m mv* menus.
trippen faire un trip.
triptiek triptyque *m*.
trits trio *m*.
troebel trouble ; — *maken*, troubler ; —
worden, se troubler. ▼—**heid** état *m* trouble.
troef atout *m* ; *harten* — *maken*, mettre cœur
atout ; — *bekennen*, fournir atout ; *wie moet
— maken ?*, à qui de faire ? ; — *maken*, faire
l'atout, nommer la couleur. ▼—**kaart** atout
m ; *gekeerde* —, retourne *v*.
troep troupe, bande *v* ; *officier uit de* —,
officier de fortune. ▼—**enbeweging**
mouvement *m* de(s) troupes. ▼—**enmacht**
forces *v mv* militaires. ▼—**enscheiding**
désengagement *m*. ▼—**entransport**
transport *m* de troupes.
troetel/en choyer, dorloter. ▼—**kind** enfant
gâté (e), - chéri (e), favori (te) *m* (*v*).
▼—**naam** petit nom *m* d'amitié.
troeven couper (avec un atout) ; (*fig.*) rosser,
réduire au silence.
trofee trophée *v*.
troffel truelle *v*.
trog 1 auge *v* ; **2** (*kneedbak*) pétrin *m*.
trolley trolley *m*. ▼—**bus** trolleybus *m*.
trom tambour *m*, caisse *v*.

trombon/e trombone *m*. ▼—**ist** trombone *m*.
trombose thrombose *v*.
tromgeroffel roulement *m* de tambour.
▼**trommel 1** tambour *m* ; **2** boîte *v* en fer
blanc ; **3** (*tech.*) barillet *m*. ▼—**aar**
tambour(ineur). ▼—**en** I *on.w* **1** battre du
tambour ; **2** (*op ruit bijv.*) tambouriner ;
3 pianoter. II *ov.w* tambouriner. ▼—**koek**
échaudé *m*. ▼—**rem** frein *m* à tambour.
▼—**slag** son -, roulement de tambour ; (*mil.*)
ban *m* ; *bij* —, au son du tambour. ▼—**slager**
tambour. ▼—**stok** baguette *v*. ▼—**vel** peau *v*
de tambour. ▼—**vlies** tympan *m*. ▼—**vuur** tir
de destruction, feu *m* roulant.
▼—**wasmachine** lessiveuse *v* à tambour.
tromp 1 trompe ; **2** (*v. vuurmond*) bouche *v*.
trompet 1 trompette *v* ; **2** porte-voix *m*.
▼—**blazer** trompette *m*. ▼—**geschal**
sonnerie de clairon ; fanfare *v*. ▼—**signaal**
sonnerie *v*. ▼—**ten** I *on.w* **1** sonner de la
trompette ; **2** (*v. olifant*) barrir. II *ov.w*
trompeter, publier à son de trompe. ▼—**ter**
trompette *m*.
tronen I *ov.w* trôner ; régner. II *ov.w* attirer.
tronie binette, gueule, trogne *v*.
troon trône *m*. ▼—**hemel** dais, baldaquin *m*.
▼—**opvolger** successeur au trône.
▼—**opvolging** succession *v* au trône.
▼—**rede** discours du trône ; message *m* de la
couronne. ▼—**safstand** abdication *v*.
▼—**sbestijging** avènement *m* au trône.
▼—**zaal** salle *v* du trône.
troost consolation *v* ; *schrale* —, faible
consolation. ▼—**brief** lettre *v* de
condoléance. ▼—**eloos** désolé,
inconsolable ; morne. ▼—**eloosheid**
désolation *v*. ▼—**en** consoler (qn de qc) ;
réconforter. ▼—**end** consolateur, consolant.
▼—**er, —eres** consolateur *m*, -trice *v*.
tropen tropiques *m mv* ; *in de* —, sous les
tropiques. ▼—**helm** casque *m* tropical.
▼—**uitrusting** équipement *m* tropical.
▼**tropisch 1** tropical ; **2** (*fig.*) métaphorique.
tros 1 grappe *v* ; **2** (*v. bananen*) régime ; **3** (*v.
vruchten*) trochet *m* ; **4** (*touw*) haussière *v*,
câbleau *m* ; **5** (*leger*—) train *m* des équipages.
▼—**vormig** en grappe.
trots 1 *zn* fierté *v*, orgueil *m* ; hauteur *v* ; *de —
zijn van*, être l'orgueil de. II *bn* fier,
orgueilleux, hautain ; superbe, majestueux ; —
worden, — *zijn*, s'enorgueillir (de). III *bw*
orgueilleusement ; avec fierté. IV *vz* malgré,
en dépit de. ▼—**eren** affronter, braver, défier.
▼—**ering** défi *m*, bravade *v*.
trottoir trottoir *m*. ▼—**band** bordure *v*.
trouw I *bn* (& *bw*) **1** fidèle (ment),
loyal (ement) ; **2** exact (ement) ; — *bezoeker*,
habitué, hôte *m* assidu. II *zn* **1** fidélité,
loyauté, foi *v* ; **2** (*huwelijk*) mariage *m* ; *eed
van* —, serment *m* d'allégeance ; *te goeder* —,
de bonne foi. ▼—**akte** certificat -, acte *m* de
mariage. ▼—**belofte** promesse *v* de mariage.
▼—**boekje** livret *m* de mariage ; (*in Fr.*) livret
m de famille. ▼—**dag** jour des noces ;
mariage ; anniversaire *m* de mariage.
▼—**eloos** *bn* (& *bw*) infidèle (ment),
perfide (ment) ; traître (usement).
▼—**eloosheid** infidélité, perfidie, trahison *v*.
▼—**en** I *on.w* se marier. II *ov.w* **1** marier, unir ;
2 se marier avec, épouser.
trouwens d'ailleurs, aussi bien.
trouw/hartig *bn* (& *bw*) loyal (ement),
ouvert (ement) ; cordial (ement).
▼—**hartigheid** loyauté, franchise ; cordialité
v. ▼—**japon** robe *v* de mariée. ▼—**lustig**
désireux de se marier. ▼—**pak** habit *m* de
noces. ▼—**partij** noce *v*. ▼—**plannen** projets
m mv matrimoniaux. ▼—**plechtigheid**
cérémonie *v* nuptiale, - du mariage. ▼—**ring**
alliance *v*, anneau *m* nuptial. ▼—**zaal** salle *v*
des mariages.
truc truc *m*.
truck tracteur *m* (de remorque) ; camion.
truff/el truffe *v*. ▼—**eren** truffer.
trui chandail, maillot *m* de sport ; *de gele* —, le
maillot jaune.

trust trust *m*; *een* — *vormen*, créer un trust, se truster. ▼—**ee** trustee *m*.

tsaar tsar *m*. ▼**tsar/ewitsj** tsarévitch *m*. ▼—**ina** tsarine *v*. ▼—**ist(isch)** tsariste (*m*).

tseetseevlieg (mouche) tsé-tsé *v*.

T-shirt Tee-shirt, T-shirt *m*.

Tsjech Tchèque *m*. ▼—**isch** tchèque. ▼—**o-Slowaak(s)** Tchéco-Slovaque. ▼—**o-Slowakije** la Tchéco-Slovaquie.

tuba tuba *m*.

tube tube *m*.

tubeless pneu *m* sans chambre, - tubeless ; - increvable.

tubercul/eus tuberculeux. ▼—**ose** tuberculose *v*. ▼**tuberkel** tubercule *m*. —**bacil** bacille *m* de la tuberculose.

tucht discipline *v*. ▼—**eling** détenu(e) *m*(*v*). ▼—**eloos** I *bn* indiscipliné ; — *leven*, vie *v* déréglée. II *bw* sans discipline. ▼—**eloosheid 1** manque de discipline ; **2** déréglement *m*. ▼—**huis** maison *v* de force. ▼—**huisboef** forçat *m*. ▼—**huisstraf** détention, réclusion *v*. ▼—**igen** I *ov.w* châtier, corriger. II *zich* — se châtier, se donner la discipline. ▼—**recht** droit *m* disciplinaire. ▼—**school** centre *m* d'éducation surveillée.

tuf, —**steen** tuf *m*.

tui câble *m* d'affourche. ▼—**brug** pont *m* à haubans.

tuig 1 (*werk*—) instruments, outils *m mv*; **2** (*v. paard*) harnais *m*; **3** (*mar.*) gréement *m*; **4** (*fig.*) (*waar*) camelote ; (*mensen*) canaille *v*. ▼—**age** gréement *m*. ▼—**en** équiper. ▼—**huis** arsenal *m*.

tuil gerbe *v*, bouquet *m*.

tuimel 1 culbute *v*; **2** (*fig.*) ivresse *v*. ▼—**aar 1** culbuteur ; **2** (*vogel*) culbutant ; **3** (*glas*) godet *m*; **4** (*tech.*) bascule ; (*v. geweer*) noix *v*. ▼—**en** faire la culbute ; tomber. ▼—**ing** culbute *v*. ▼—**raam** fenêtre *v* à bascule. ▼—**schakelaar** interrupteur *m* à boule.

tuin jardin *m*; *iem. om de* — *leiden*, tromper -, duper qn. ▼—**aardbei** fraise *v* des jardins; capron *m*. ▼—**aarde** terreau *m*, terre *v* végétale. ▼—**ameublement** garniture *v* de jardin. ▼—**architect** architecte paysagiste, jardiniste *m*. ▼—**bed** planche, plate-bande *v*; parterre *m* (de fleurs). ▼—**bouw** horticulture ; culture *v* maraîchère. ▼—**bouwschool** école *v* d'horticulture ; - maraîchère (*v. groente*). ▼—**der** maraîcher *m*. ▼—**derij** maraîchage *m*. ▼—**dorp** hameau-jardin *m*. ▼—**en** jardiner. ▼—**gereedschap** ustensiles *m mv* de jardinage. ▼—**hoed** chapeau *m* à large bord. ▼—**huis** pavillon *m*; tonnelle *v*. ▼—**ier** jardinier *m*. ▼—**ieren** jardiner, faire du jardinage ; *het* —, le jardinage. ▼—**man** jardinier. ▼—**muur** mur *m* de clôture. ▼—**parasol** parasol *m*. ▼—**schaar** ciseaux *m mv* de jardinier. ▼—**schommelbank** balancelle *v* de jardin. ▼—**slang** tuyau *m* d'arrosage. ▼—**stad** cité-jardin *v*. ▼—**stoel** chaise *v* de jardin. ▼—**tafel** table *v* de jardin.

tuit 1 bec, tuyau *m*; **2** (*v. muts*) corne *v*. ▼—**en** tinter; *zijn oren* —, les oreilles lui tintent. ▼—**kan** pichet *m*. ▼—**lamp** lampe *v* à bec.

tuk: *iem.* — *hebben*, mettre qn dedans ; — *op*, avide de, âpre à. ▼—**je** petit somme *m*.

tulband 1 turban ; **2** (*gebak*) savarin, kouglof *m*. ▼—**vorm** moule *m* à brioche.

tul/e tulle *v*. ▼—**en** tulle.

tulp tulipe *v*. ▼—**ebol** bulbe -, oignon *m* de tulipe. ▼—**eboom** tulipier *m*.

tumbler, —**glas** godet *m*.

tumor tumeur *v*.

tumult tumulte *m*.

tune (*radio*) indicatif *m*.

tuner-versterker ampli-tuner *m*.

Tunes/iër Tunisien *m*. ▼—**isch** tunisien.

tun/ica, —**iek** tunique *v*.

Tunis 1 la Tunisie ; **2** (*stad*) Tunis *v*.

tunnel 1 tunnel ; **2** passage *m* souterrain. ▼—**brug** pont *m* tubulaire. ▼—**vormig** en tunnel.

turbine turbine *v*. ▼**turbo/generator**

turbo-générateur *m*. ▼—**trein** turbo-train *m*.

tureluurs : *het is om* — *te worden*, c'est à devenir fou ; j'enrage.

turen : — *naar*, regarder fixement.

turf tourbe *v*; *een* —, une motte de tourbe ; — *steken*, tourber; *een* — *hoog*, haut comme une botte. ▼—**graverij** tourbière *v*. ▼—**grond** terrain *m* tourbeux. ▼—**mand** panier *m* aux mottes. ▼—**molm** poussier *m* de mottes (à brûler). ▼—**strooisel** tourbe-litière *v*. ▼—**trapper** tourbier; godillot *m*.

Turk Turc. ▼—**ije** la Turquie.

turkoois turquoise *v*.

Turks turc (*v* turque) ; *een* —*e*, une Turque.

turn/en faire de la gymnastique. ▼—**er** gymnaste *m*. ▼—**zaal** gymnase *m*.

turven 1 (*tellen*) cocher ; **2** (*slaan*) cogner.

tussen entre; (*temidden van*) parmi ; — *licht en donker*, entre chien et loup ; *er geen woord* — *kunnen krijgen*, ne pas réussir à placer un mot; *er* — *uit gaan*, se sauver, déguerpir; *er* — *nemen*, se payer la tête de ; mettre dedans. ▼—**bedrijf** entracte *m*. ▼—**beide** parfois, de temps à autre; — *komen*, intervenir. ▼—**dek** entrepont *m*. ▼—**deur** porte *v* de communication. ▼—**door** entre les deux, à travers. ▼—**gebied** enclave *v*. ▼—**gerecht** hors-d'œuvre ; (*na soep*) entrée *v*; (*voor dessert*) entremets *m*. ▼—**geschoven** intercalé, interpolé.

tussenhandel commerce *m* de demi-gros, - intermédiaire. ▼—**aar** demi-grossiste, intermédiaire *m*.

tussen/heg haie *v* mitoyenne. ▼—**in** entre les deux, au milieu. ▼—**kleur** demi-teinte *v*.

tussen/komen : *als er niets tussenkomt*, sauf empêchement. ▼—**komend** incident ; intervenant. ▼—**komst** intervention *v*; **2** *door* — *van*, par l'intermédiaire de.

tussen/kopje (*typ.*) intertitre *m*. ▼—**laag** oouche *v* intermédiaire. ▼—**landing** escale *v*; *een* — *maken*, faire escale (à). ▼—**lassen** intercaler. ▼—**liggend** intermédiaire, interjacent. ▼—**muur 1** (*gemeenschappelijke* —) mur mitoyen ; **2** (*binnen*—) mur *m* de refend. ▼—**persoon** intermédiaire *m & v*. ▼—**poos** intervalle *m*, pause *v*; *bij tussenpozen*, par intervalles ; *bij lange tussenpozen*, à de longs intervalles; *zonder* —, sans discontinuer. ▼—**ruimte 1** espace intermédiaire, entre-deux, intervalle; **2** (*tussen regels*) interligne *m*; *met een* — *van 3 of 4 weken*, à 3 ou 4 semaines de distance; *met (flinke)* —*en*, (bien) espacé(e)s. ▼—**schot** cloison *v*. ▼—**spel** intermède ; (*muz.*) interlude *m*. ▼—**station** station *v* intermédiaire. ▼—**strook** entre-deux *m*. ▼—**tijd** intervalle *m*; *in die* —, en attendant ; *d'ici là*. ▼—**tijds** I *bn*: —*e verkiezing*, élection *v* partielle. II *bw* pendant…; en attendant; en dehors du temps ordinaire. ▼—**uit** d'entre les deux; *er* — *gaan*, se sauver. ▼—**uur** heure d'intervalle; (*school*) heure *v* creuse. ▼—**verdieping** entresol *m*.

tussenvoeg/en intercaler. ▼—**ing,** —**sel** intercalation; interpolation; insertion *v*.

tussen/voorstel proposition *v* intermédiaire. ▼—**vorm** forme *v* intermédiaire. ▼—**werpsel** interjection *v*. ▼—**zetsel** entre-deux *m*; entre-toile *v*. ▼—**zin** parenthèse; proposition *v* incidente.

tutoyeren I *ov.w* tutoyer. II *zn*: *het* —, le tutoiement.

T.V.-antenne antenne *v* T.V. ▼**T.V.-film** film *m* T.V.

twaalf douze; — *uur 's middags*, midi; *douze heures* ; — *uur 's nachts*, minuit; zéro heure. ▼—**de** douzième; *Pius de* —, Pie douze; *de* — *april*, le douze avril. ▼—**hoek** dodécagone *m*. ▼—**tal** douzaine *v*. ▼—**uurtje** (second) déjeuner *m*. ▼—**voudig** dodécuple, douze fois autant.

twee deux; — *aan* —, deux par deux; *met zijn* —*ën*, nous deux; à eux deux; *een van* —*ën*, de deux choses l'une. ▼—**armig** à deux bras;

à deux branches. ▼—**baansweg** route v à deux voies. ▼—**benig** bipède.
tweed cheviote v écossaise, tweed m.
twee/de deuxième ; second ; de — verdieping, le second (étage) ; op de — plaats, en second lieu ; — huis, résidence v secondaire ; — taal, langue v seconde. ▼—**dehands** d'occasion ; (érudition) de seconde main. ▼—**de kamerverkiezingen** législatives v mv. ▼—**delig** binaire ; (feuille) biparti(te) ; — kostuum, deux-pièces m. ▼—**derangs** inférieur. ▼—**draads** à deux fils. ▼—**dracht** discorde v. ▼—**drachtig** désuni, divisé. ▼—**ërhande**, —ërlei de deux sortes (of espèces). ▼—**fasig** biphasé. ▼—**gevecht** combat singulier, duel m. ▼—**gesprek** dialogue m, interview v. ▼—**hoevig** bisulque ; — dier, bisulque m. ▼—**honderd** deux cent(s). ▼—**honderdste** deux-centième ; — gedenkdag, bicentenaire m. ▼—**hoofdig** à deux têtes, bicéphale ; —e spier, biceps m. ▼—**hoornig** à deux cornes, bicorne.
▼—**jarig** 1 de deux ans ; 2 (v. ambt) biennal ; 3 (plk.) bisannuel. ▼—**kamerflat** deux-pièces m. ▼—**kamerstelsel** bicamérisme m. ▼—**klank** diphtongue v. ▼—**kleurig** bicolore, à deux couleurs. ▼—**kwartsmaat** deux-quatre m. ▼—**ledig** 1 double ; —e term, binôme m ; 2 (fig.) ambigu, équivoque. ▼—**lettergrepig** dissyllabique. ▼—**ling** jumeau m, jumelle v ; —broer, frère jumeau ; —zuster, sœur jumelle ; T—en, (sterrenbeeld) Gémeaux m mv. ▼—**loop(sgeweer)** fusil m à deux coups. ▼—**luik** diptyque v. ▼—**maandelijks** bimestriel. ▼—**motorig** bimoteur. ▼—**persoons** à deux places ; — bed, grand lit ; — hut, cabine v à deux couchettes (à deux lits) ; — kamer, chambre v à deux lits ; — slaapzak, sac m biplace. ▼—**riemsbootje** canot m à deux rames. ▼—**slachtig** 1 hermaphrodite ; (plk.) bissexué ; 2 amphibie ; 3 (fig.) double, ambigu. ▼—**slachtigheid** 1 hermaphroditisme m ; 2 ambiguïté v. ▼—**snijdend** à deux tranchants. ▼—**spalt** désunion, discorde v. ▼—**span** attelage m à deux ; (fig.) couple m. ▼—**sporenband** bande v à double piste. ▼—**spraak** dialogue m. ▼—**sprong** bifurcation v. ▼—**stemmig** à deux voix ; — lied, duo m. ▼—**strijd** 1 duel ; 2 combat m intérieur ; in — zijn, être irrésolu, hésiter. ▼—**takt-**... à deux temps ; — mengsel, mélange v deux-temps. ▼—**tal** paire v, couple m & v. ▼—**talig** bilingue. ▼—**taligheid** bilinguisme m. ▼—**term** binôme m. ▼—**vlakshoek** angle m dièdre. ▼—**voud** 1 double ; 2 nombre m pair. ▼—**voudig** double. ▼—**waardig** bivalent. ▼—**wieler** deux roues m. ▼—**wielig** à deux roues. ▼—**zijdig** bilatéral ; — contract, contrat m synallagmatique. ▼—**zits** à deux places, biplace.
twijfel doute m ; de — opheffen, lever le doute, dissiper les doutes ; buiten alle — zijn, ne souffrir aucun doute, ne pas faire l'ombre d'un doute ; in — staan, douter ; in — trekken, mettre en doute. ▼—**aar(ster)** 1 sceptique m & v ; 2 (bed) lit m bâtard. ▼—**achtig** I bn douteux, incertain. II bw douteusement. ▼—**achtigheid** caractère m incertain ; incertitude v. ▼—**en** 1 (aan iets) douter (de qc) ; 2 (eraan — dat) douter (que met subj.) ; 3 (of) douter (si) ; (niet — of) ne pas douter (que). ▼—**end** 1 sceptique ; 2 douteux. ▼—**ing** doute m, hésitation v. ▼—**zucht** scepticisme, esprit m de doute. ▼—**zuchtig** sceptique.
twijg 1 rejeton, scion m ; (tak) branche v, brin m ; 2 (bind—) osier m. ▼—**je** brindille v.
twijn 1 fil m retors ; 2 soie v retorse. ▼—**en** I ov.w retordre ; mouliner (la soie). II zn : het —, le retordement.
twinkelen scintiller.
twinset twin-set m.
twintig vingt. ▼—**ste** vingtième. ▼—**tal**

vingtaine v. ▼—**tallig** vicésimal.
twist dispute, querelle, altercation v ; (slaande ruzie) rixe v ; — krijgen, se prendre de querelle. ▼—**appel** pomme v de discorde. ▼—**en** se quereller, se disputer ; (rede) — over, disputer de. ▼—**er** querelleur. ▼—**geding** litige m ; affaire v contentieuse. ▼—**geschrijf** controverse, polémique v. ▼—**gesprek** discussion, dispute v. ▼—**punt** point m en litige. ▼—**stoker** boutefeu, querelleur m. ▼—**vraag** point m controversé, - litigieux. ▼—**ziek** querelleur m. ▼—**zoeker** querelleur, batailleur m.
two-seater voiture v à deux places.
tyfeus typhoïde, typhoïdique. ▼**tyfus** fièvre v typhoïde. ▼—**bacil** bacille m typhique. ▼—**lijder** typhique m. ▼—**serum** sérum m anti-typhique.
type type m ; (fig.) prototype m.
typen I ov.w dactylographier, écrire à la machine, taper. II zn : het —, la dactylographie.
typer/en caractériser. ▼—**end** caractéristique (de). ▼**typisch** 1 typique, caractéristique ; 2 drôle, curieux.
typ/ist(e) dactylo m & v. ▼—**ograaf** typographe, typo m. ▼—**ografisch** bn (& bw) typographique(ment).

U

U I u *m*. II *vnw* vous; tu, toi, te; *als ik — was*, si j'étais que de vous.
Uebermensch surhomme *m*.
Ufo ovni *m* (objet volant non identifié).
ui 1 oignon; **2** (*fig.*) bon mot *m*; blague, farce *v*. ▼—**elucht** relent *d*'oignon miioté.
▼—**ensaus** sauce *v* à l'oignon. ▼—**ensoep** soupe à l'oignon.
uier pis *m*, tétine, mamelle *v*.
uil 1 hibou *m*; **2** (*vlinder*) noctuelle *v*; **3** (*fig.*) bêta *m*. ▼—**ebril** lunettes *v mv* d'écaille.
▼—**espiegel** espiègle *m*. ▼—**skuiken** (grosse) bête, poire *v*. ▼—**tje**: *een — knappen*, faire un petit somme.
uit I *vz* de, hors de; (*afkomstig uit*) en provenance de; — *je brief lees ik*, par votre lettre je vois; — *het venster*, par la fenêtre; — *het hoofd*, par cœur; — *liefde*, par amour. II *bw* **1** fini; (*niet meer in de mode*) dépassé; **2** sorti; (—*geleend*) en circulation; **3** (—*gedoofd*) éteint; **4** (*verschenen*) paru; *en daarmee* —, un point, c'est tout; *dat moet nu maar eens — zijn*, il faudrait ne pas recommencer; *het is — tussen ons*, c'est fini nous deux; *het is* —, c'est fini; c'en est fait (de); *zij wil* —, elle veut sortir; *J. is* —, J. est sorti, J. n'est pas là; *er* —!, hors d'ici!; *ik ben er* —, je n'y suis plus; *er op — zijn om*, chercher à; *hij kan er niet over* —, il n'en revient pas; — *en thuis*, aller et retour; — *de tijd zijn*, dater.
uitadem/en I expirer; **2** (*uitwasemen*) exhaler. ▼—**ing 1** expiration; **2** exhalaison *v*.
uitbagger/en curer, draguer. ▼—**ing** curage, dragage *m*.
uitbakken faire fondre la graisse (de).
uitbann/en expulser; exorciser (le diable).
▼—**ing** expulsion; exorcisation *v*.
uitbarst/en éclater; (*v. vulkaan*) faire éruption; *in lachen* —, éclater de rire; *in tranen* —, fondre en larmes. ▼—**ing** éclat *m*; explosion; éruption *v*.
uitbeeld/en représenter, dépeindre. ▼—**ing** représentation; interprétation *v*.
uitbeitelen ciseler; graver (dans la pierre).
uitbenen désosser; (*fig.*) exploiter.
uitbested/en 1 mettre en pension; **2** (*werk*) céder, sous-traiter. ▼—**ing 1** mise en pension; **2** cession *v*; sous-traité *m*.
uitbetal/en payer, verser. ▼—**ing** paiement, versement *m*.
uitbijt/en corroder. ▼—**ing** corrosion *v*.
uitblazen I *ov.w* **1** souffler, éteindre; **2** (*rook*) lancer; *de laatste adem* —, rendre le dernier soupir. II *on.w* reprendre haleine, respirer.
uitblijven I *on.w* ne pas venir; ne pas se produire; *tarder à venir*; *dat kon niet* —, cela ne pouvait manquer. II *zn*: *het* —, l'absence *v*; le retardement.
uitblink/en briller; (*fig.*) exceller. ▼—**er** as, crack *m*.
uitbloeien 1 se faner; **2** (*chem.*) s'effleurir.
uitboren aléser, évider, tarauder. **uitbotten** bourgeonner, boutonner.
uitbouw 1 annexe; **2** (*uitstek*) saillie *v*; **3** (*erker*) bow-window *m*. ▼—**en** élargir, étendre. ▼—**ing** extension *v*; élargissement *m*.

uitbraak évasion *v*.
uitbraden rôtir à fond; faire fondre la graisse (de).
uitbrak/en vomir. ▼—**ing** vomissement *m*.
uitbrand/en I *ov.w* **1** (*wond*) cautériser; **2** nettoyer par le feu, flamber. II *on.w* **1** se consumer (par le feu); **2** achever de brûler, s'éteindre. ▼—**er** réprimande *v*, savon *m*; *iem. een — geven*, réprimander qn.
uitbreid/en I *ov.w* **1** étendre (les bras); **2** déployer (les ailes); **3** (*vergroten*) agrandir, élargir; amplifier (une histoire); donner de l'extension (à une fabrique). II zich — s'étendre, s'élargir, se développer; prendre de l'extension. ▼—**ing** extension *v*, développement; élargissement *m*, expansion *v*. ▼—**ingsplan** plan *m* d'extension, - d'urbanisation.
uitbreken I *ov.w* enlever, arracher, démolir (un mur). II *on.w* **1** s'évader, forcer sa prison; **2** (*uitbarsten*) se déclarer, se déclencher, éclater; **3** (*v. uitslag*) faire éruption; *het angstzweet brak hem uit*, il fut inondé d'une sueur froide; *de brand is uitgebroken in*, le feu a pris à; *er een uurtje* —, se libérer pendant une heure. **uitbrengen** I *ov.w* conduire (porter) dehors; *een geheim* —, divulguer un secret; *klanken* —, émettre des sons; *een toost op iem.* —, porter un toast à qn, porter la santé de qn; *een nieuw produkt* —, lancer un nouveau produit. II *zn*: *het* —, l'émission *v*; la divulgation, le lancement. **uitbroeden** couver, faire éclore; (*fig.*) méditer, nourrir.
uitbuigen plier en dehors.
uitbuit/en exploiter. ▼—**er** exploiteur *m*.
▼—**ing** exploitation *v*.
uitbundig I *bn* exubérant, enthousiaste. II *bw* avec enthousiasme. ▼—**heid** exubérance *v*.
uitdag/en défier, provoquer (à). ▼—**end** I *bn* de défi, provocant. II *bw* d'une manière provocante. ▼—**er** provocateur *m*. ▼—**ing** défi *m*, provocation *v*; *een — aannemen*, relever un défi.
uit/delen distribuer; *bevelen* —, donner des ordres. ▼—**deler** distributeur *m*.
uitdelg/en exterminer; *een schuld* —, amortir (éteindre) une dette. ▼—**ing 1** extermination *v*; **2** amortissement *m*.
uitdeling distribution *v*, partage *m*. ▼—**slijst** collocation *v*.
uitdenken inventer, imaginer. **uitdeuken** dresser; débosseler. **uitdienen 1** faire son temps; **2** (*mil.*) finir s. t. **uitdiepen** creuser, approfondir. **uitdijen** s'amplifier, se gonfler.
uitdoen 1 (*kleren*) ôter, quitter; enlever; **2** (*uitwissen*) biffer, rayer; effacer; **3** (*doven*) éteindre; *iem. het huis* —, mettre qn en pension. **uitdossen** attifer, affubler.
uitdoven I *ov.w* éteindre, étouffer. II *on.w* s'éteindre. III *zn*: *het* —, l'extinction *v*.
uitdraaien I *ov.w* **1** éteindre (la lampe); fermer (le gaz, l'électricité); *het* —, baisser; **2** (*schroef*) dévisser; **3** (*gat*) creuser, évider. II zich er — s'en tirer. III *on.w*: — *op*, aboutir à.
uitdragen porter dehors; (*fig.*) répandre; *iets* —, porter des messages. ▼**uitdrager** fripier, revendeur, brocanteur *m*. ▼—**ij**, —**swinkel** friperie *v*.
uitdrijv/en 1 chasser, expulser; **2** (*med.*) évacuer; **3** exorciser (le diable); **4** (*tech.*) repousser (un métal); espacer (les mots).
▼—**ing** expulsion; évacuation *v*.
uitdrinken boire, vider.
uitdrog/en I *ov.w* essuyer, dessécher, tarir. II *on.w* se dessécher, se tarir. ▼—**end** desséchant; dessiccatif. ▼—**ing** dessèchement *m*, dessiccation *v*.
uitdrukk/elijk *bn* (*& bw*) exprès (expressément), explicite(ment), formel(lement). ▼—**elijkheid** énergie *v*.
▼—**en** I *ov.w* exprimer; presser (qc). II zich — s'exprimer. ▼—**ing** expression *v*.
uitdruppelen s'égoutter.
uitduid/en indiquer, décrire. ▼—**ing** indication, description *v*.

uitdunn/en éclaircir; élaguer. ▼**—ing** éclaircissement m.

uiteen bn(& bw) séparé(ment). ▼**—barsten** éclater. ▼**—drijven** disperser; dissiper. ▼**—gaan 1** se séparer; se disperser; **2** (v. planken) s'écarter, se désassembler; **—tot 2 februari,** s'arranger au 2 février. ▼**—lopen 1** diverger; **2** (v. meningen) différer. ▼**—lopend** divergent. ▼**—nemen** démonter. ▼**—vallen** tomber en morceaux, - en poussière; (fig.) se désagréger. ▼**—zetten** exposer, expliquer. ▼**—zetting** exposé, développement m, exposition v.

uiteinde bout m, extrémité v; (fig.) fin, mort v; iem. een zalig — wensen, souhaiter une bonne fin d'année à qn. ▼**—lijk** bn (& bw) final (ment).

uiten I ov.w exprimer, manifester, prononcer. **II zich** — s'exprimer, s'ouvrir (à).

uitentreuren à n'en pas finir; sans cesse.

uiteraard de sa nature; évidemment; forcément.

uiterlijk I bn extérieur. **II** bw **1** extérieurement, à l'extérieur; (lichamelijk) au physique; **2** (op zijn laatst) au plus tard; **3** (hoogstens) tout au plus. **III** zn **1** extérieur, aspect; physique m; **2** (fig.) apparence v. ▼**—heid** apparence v extérieure.

uitermate extrêmement. ▼**uiterst** bn (& bw) extrême(ment); ultra; zijn —e best doen, faire tout son possible. ▼**uiterste** extrémité v, excès m; tot het — brengen, pousser à bout; tot het — gaan, aller jusqu'au bout; van het ene — in het andere vallen, aller d'un extrême à l'autre; het — wagen, tenter l'impossible.

uiterwaard franc-bord m.

uiteten 1 finir; **2** offrir un repas d'adieux à.

uitflappen lâcher. **uitfluiten** siffler, huer.

uitgaaf 1 dépense; **2** edition v.

uitgaan I on.w **1** sortir (de); **2** (v. kleding) s'ôter; **3** (v. vlek) disparaître, s'effacer, **4** (v. licht enz.) s'éteindre; **5** —van, partir (d'un principe); provenir de; (fig.) émaner de, se dégager de; op iets —, tâcher de trouver qc, chercher qc; op bericht —, aller aux nouvelles. **II** zn sortie v. ▼**—d** sortant (de sortie; —e wereld, monde m où l'on s'amuse. ▼**—sdag** jour m de sortie. ▼**—sjapon** robe v de sortie. ▼**—skas** masse v. ▼**uitgang 1** sortie, issue; **2** (v. woord) terminaison, désinence; **3** (fig.) fin v. ▼**—spunt** point m de départ. ▼**—svisum** visa m de sortie.

uitgave 1 (v. geld) dépense; **2** édition; publication v.

uitgebracht émis, exprimé.

uitgebreid I bn étendu, vaste; détaillé. **II** bw dans le détail. ▼**—heid** étendue v.

uitgehongerd affamé. **uitgekiend** étudié; calculé. **uitgekookt** (fig.) futé; roublard.

uitgelaten pétulant, transporté (de joie). ▼**—heid** pétulance, joie folle v.

uitge/leefd décrépit. **—leide** pas m de conduite; — doen, reconduire; escorter. **—lezen** choisi, d'élite; (v. ding) de choix, exquis. **—maakt** (fig.) avéré; décidé. **—nomen** excepté, à l'exception de. **—praat** au bout de son latin. **—put** épuisé, à bout de forces. **—rekend** intéressé. **—slapen** éveillé, déluré. **—steld** remis. **—storven** éteint, morne, désert. **—streken** impassible; composé.

uitgestrekt étendu, vaste. ▼**—heid** étendue v, ampleur v.

uitgev/en I ov.w **1** dépenser (de l'argent); **2** émettre (des actions); **3** (in druk) faire imprimer, publier; **4** (uitdelen) distribuer; **5** (uitreiken) délivrer; 10 gulden — voor, mettre 10 florins pour; — voor waarheid, donner pour vrai. **II** zich — voor se dire, se faire passer pour. **III** on.w **1** dépenser; **2** éditer. ▼**—er** éditeur m. ▼**—erij**, **—ersfirma** maison v d'édition. ▼**—ersmaatschappij** société v d'éditions.

uitge/wekene émigré(e), réfugié(e) m (v). ▼**—woond** délabré. **—zakt** avachi. **—zet**, —te route, piste v balisée. **—zocht** zie

—lezen. **—zonderd** excepté, sauf.

uitgieren: het —, rire à gorge déployée.

uitgifte 1 émission; **2** distribution v.

uitglijden glisser; (v. ladder) se dérober sous qn; zijn voet gleed uit, le pied lui manqua.

uitgooien 1 jeter dehors; **2** vider; het raam —, jeter par la fenêtre; zijn kleren —, se dépouiller rapidement (de ses vêtements).

uitgraven creuser. **uitgroeien** se développer.

uit/haal 1 ostentation v; **2** enflement m de la voix; **3** (uitwijking) détour, écart m. ▼**—halen I** ov.w **1** (uittrekken) tirer; (uit brievenbus) retirer; allonger (une table); arracher (les mauvaises herbes); (v. breiwerk enz.) défaire; **2** (leeghalen, schoonmaken) vider (ses poches, le poisson); curer (sa pipe); de kosten er —, rentrer dans ses frais; niets —, ne produire aucun effet; ne servir à rien; wat heb je nu weer uitgehaald?, qu'est-ce que vous avez fait encore?; eieren —, dénicher des œufs. **II** on.w **1** (uitwijken) se ranger; naar links —, appuyer sur sa gauche; **2** nager plus vite; voor iem. —, se mettre en frais pour qn.

uithang/bord enseigne v. ▼**—en I** ov.w mettre dehors; de geleerde —, faire le savant; de was —, étendre le linge. **II** on.w pendre dehors; (fig.) demeurer, percher; dat hangt mij de keel uit, j'en ai par-dessus la tête, j'en ai marre.

uithebben avoir fini.

uitheems étranger; exotique.

uithoek lieu écarté, trou m; in een — van het land, au fond de la province.

uithol/len 1 creuser, évider; (fig.) creuser, rendre inopérant; de kamer —, sortir de la chambre en courant. ▼**—ing 1** creusement; **2** (holte) creux m; overdwarse — in de weg, cassis m; **3** (fig.) affaiblissement m systématique.

uithonger/en affamer, réduire par la famine. ▼**—ing** famine v.

uithoren 1 écouter jusqu'à la fin; **2** interroger, sonder, faire causer; (fam.) cuisiner.

uithoud/en 1 étendre; **2** (fig.) supporter, souffrir, endurer; het is niet om uit te houden, c'est à n'y pas tenir; het — van, tenir le coup; durer. ▼**—ingsvermogen** endurance v; (sp.) fond m.

uithouwen 1 creuser; **2** sculpter, graver (dans le marbre). **uithozen** écoper. **uithuilen 1** pleurer tout son content; **2** finir de pleurer.

uithuizig souvent sorti; - absent. ▼**—heid** absences v mv fréquentes.

uithuw(elijk)en marier.

uiting 1 manifestation, expression; **2** parole v, accent m.

uitje 1 partie v de plaisir; **2** petit oignon m.

uitjouwen huer, conspuer. **uitkafferen** engueuler. **uitkammen 1** démêler; **2** (een wijk) ratisser.

uitkeren payer; distribuer. ▼**uitkering** paiement m; distribution (de dividende); allocation v; sociale —, prestation v sociale. ▼**—sfonds** caisse v de secours.

uitkermen: het —, pousser des cris de douleur. **uitkienen** tirer au clair; étudier. **uitkiezen** choisir; met zorg —, trier sur le volet.

uitkijk 1 poste m d'observation; **2** vue v; **3** (persoon) guetteur m, vigie v; op de — staan, faire le guet. ▼**—en I** on.w **1** faire attention, regarder autour de soi; **2** faire le guet, être en vigie; — naar, chercher des yeux; kijk uit!, attention! (pop.) fais gaffe! **II** ov. w: zijn ogen —, écarquiller les yeux, ne pouvoir se rassasier de la vue (de qc). ▼**—post** poste m de guet. ▼**—spiegel** miroir m rétroviseur. ▼**—toren** belvédère, mirador m.

uitklapbaar: met — blad, (secrétaire) à abattant.

uitklaren dédouaner. ▼**uitklaring** dédouanement m. ▼**—sbiljet** déclaration v à la sortie.

uitkleden I *ov.w* **1** déshabiller, dévêtir; **2** (*fig.*) dépouiller, mettre à nu. **II zich** — se dévêtir; (*fig.*) se saigner aux quatre veines.
uitkloppen battre; secouer (un tapis); vider (la pipe); (*metaal*) dresser au marteau.
uitknijpen I *ov.w* pressurer. **II** *on.w* filer, décamper.
uitknip/pen découper; — *volgens de stippellijn*, découper suivant les pointillés.
▼**—sel** découpure *v*.
uitknobelen tirer au clair.
uit/koken 1 faire bouillir; **2** nettoyer en faisant bouillir. ▼**—koking** ébullition *v*.
uitkomen I *on.w* **1** sortir; **2** (*bekend worden*) se découvrir, se savoir; **3** (*v. boeken, kranten enz.*) paraître, être publié; **4** (*v. bloem, ei*) éclore; (*v. plant*) sortir de terre; **5** (*v. tand*) percer; **6** (*juist zijn*) être juste, - exact; **7** (*v. voorzegging*) se réaliser; **8** (*sp.*) se mettre en ligne; affronter; **9** (*deling komt uit*, la division se fait sans reste; (*kaartspel*) *u moet* —, vous avez la main; *wie moet* — ?, à qui de jouer?; *het kwam anders uit*, il en fut autrement; *dat komt goed uit*, cela tombe bien; *dat komt hem niet uit*, cela ne lui convient pas; *doen* —, faire ressortir, mettre en relief, faire valoir; *in de ruiten* —, jouer carreau; *hij komt niet uit met dat geld*, cet argent ne lui suffit pas; — *op*, ouvrir sur, donner sur; — *tegen*, se détacher sur (le fond vert etc.); *scherp* — *tegen*, se détacher nettement (sur), être bien accusé; *voor iets* —, avouer. **II** *zn* sortie; éclosion; ▼**uitkomst 1** issue *v*; résultat *m*; **2** (*redding*) issue *v*, salut, moyen *m*, ressource *v*; **3** (*v. vraagstuk*) solution *v*; (*v. aftrekking*) reste; (*v. deling*) quotient *m*; (*v. optelling*) somme *v*; (*v. vermenigvuldiging*) produit *m*.
uit/koop rachat, dédommagement *m*.
▼**kopen I** *ov.w* racheter; *iem.* —, acheter la part de qn. **II zich** — se libérer.
uitkramen débiter, faire étalage de.
uitkrijgen réussir à ôter; finir. **uitkunnen** pouvoir sortir.
uitlaat échappement *m*. ▼**—gas** gaz *m* d'échappement. ▼**—klep** soupape *v* d'échappement. (psych.) moyen *m* de défoulement. ▼**—pijp** tuyau *m* d'é.
uitlachen se moquer de; *uitgelachen worden*, être tourné en dérision.
uitladen décharger, débarquer.
uitlaten I *ov.w* faire sortir (le chien); recondure (qn); supprimer (un mot etc.); ne pas mettre (son veston); ne pas (r)allumer, laisser éteint (le feu). **II zich** — **over** parler de, s'expliquer de. ▼**uitlating I** (*gezegde*) paroles *v mv*; **2** suppression *v*. ▼**—steken** apostrophe *v*.
uitleenbibliotheek bibliothèque *v* de prêt.
uitleg explication *v*; **2** (*vergroting*) agrandissement *m*. ▼**—gen 1** expliquer; interpréter; **2** agrandir; (*v. kleed*) élargir; (*v. zoom*) rabattre; **3** (*uitspreiden*) déplier, étendre, étaler; *ongunstig* —, tourner en mal. ▼**—ger** explicateur, interprète *m*. ▼**—ging 1** explication, interprétation; exégèse *v* (de la Bible); **2** agrandissement, élargissement *m*.
uitlekken égoutter; (*fig.*) transpirer, s'ébruiter.
uit/lenen prêter. ▼**—lener** prêteur *m*.
▼**—lening** prêt *m*.
uitleven: *zich* —, vivre sa vie; se donner corps et âme (à).
uitlever/en livrer, extrader. ▼**—ing** extradition *v*. ▼**—ingsverdrag** traité *m* d'extradition.
uitlezen 1 finir, achever de lire; **2** (*uitkiezen*) élire, trier. **uitlijnen** aligner. **uitlikken** lécher.
uitlokk/en 1 inviter, engager; **2** provoquer, appeler. ▼**—ing** excitation, provocation *v*.
uitloodsen piloter hors du port.
uitloop 1 écoulement *m*, issue, embouchure *v*; **2** (*bij tennissen*) recul; **3** élan *m*.
▼**uitloo/pen I** *on.w* **1** partir, sortir; **2** déboucher, se jeter (dans la mer); **3** (*v.*

vocht) s'écouler; **4** (*uitbotten*) bourgeonner, germer; **5** — *op*, aboutir à; **6** (*sp.*) se détacher; **7** (*door verkregen vaart*) courir sur son erre. **II** *ov.w* éculer (ses souliers). **III** *zn*: *het* —, les sorties *v mv* continuelles; le départ; le bourgeonnement; la feuillaison. ▼**—er 1** batteur *m* de pavé; (*sp.*) fuyard; **2** (*v. berg*) contrefort; **3** (*plk.*) jet, scion *m*, pousse *v*.
uitloten 1 tirer; **2** (*v. lot*) sortir; **3** (*v. lening*) amortir par voie de tirage au sort; *de nummers die* —, les numéros *m mv* sortants.
uitlov/en proposer (un prix), promettre (une récompense). ▼**—ing** proposition; promesse *v*.
uitlozen décharger. ▼**uitlozing** écoulement *m*. ▼**—skanaal** canal *m* de déversement.
uitluchten aérer. **uitluiden** annoncer la fin de; sonner le glas (de qn). **uitmaken I** *ov.w* **1** (*v. vlek*) effacer, enlever; **2** éteindre (le feu); **3** en finir avec, terminer; **4** (*beslissen*) établir; décider; **5** (*bedragen*) se monter à; **6** (*vormen*) composer, former; **7** —, *voor*, traiter de. **II** *on.w*: *wat maakt dat uit?*, qu'est-ce que cela fait?; *dat maakt niets uit*, cela ne fait rien. **uitmalen 1** assécher, épuiser; **2** (*v. graan*) bluter. **uitmergelen** épuiser, appauvrir. **uitmeten 1** mesurer; **2** vendre au détail; (*fig.*) *breed* —, s'étendre sur; exagérer.
uitmond/en se jeter (dans). ▼**—ing** embouchure *v*.
uitmonster/en mettre un collet et des parements à; (*fig.*) parer. ▼**—ing** parement *m*.
uitmoorden massacrer.
uitmunt/en exceller (à), se distinguer.
▼**—end I** *bn* excellent. **II** *bw* excellemment.
▼**—endheid** excellence *v*.
uit/neembaar détachable, amovible.
▼**—nemen 1** ôter, enlever; **2** excepter.
▼**—nemend(heid)** *zie* **uitmuntend(heid)**; *bij* —*heid*, par excellence.
uit/nod(ig)en inviter (à); engager (à).
▼**—nodiging** invitation *v* (à).
uitoefen/en exercer; pratiquer. ▼**—ing** exercice *m*; pratique *v*.
uitpakken I *ov.w* déballer; défaire (sa malle). **II** *on.w* déballer; (*fig.*) vider son sac.
uitpersen presser, pressurer; exprimer.
uitpikken 1 crever, enlever; **2** (*fig.*) choisir, prendre au hasard. **uitpluizen** éplucher.
uitpluizer éplucheur *m*. **uitpompen** épuiser, vider. **uitpraten** parler (jusqu'au bout); *laat hem* —, laissez-le achever.
uitproesten: *het* —, pouffer de rire.
uitpuilen se gonfler; sortir; —*de ogen*, des yeux à fleur de tête.
uit/putten épuiser; *zich* — *in verontschuldigingen*, se confondre en excuses. ▼**—puttend I** *bn* **1** épuisant; **2** (*volledig*) exhaustif. **II** *bw* exhaustivement. ▼**—putting** épuisement *m*; usure; (*v. honger*) inanition *v*.
uitraken finir; prendre fin; *de verloving is uitgeraakt*, les fiançailles ont été rompues.
uitrangeren mettre sur une voie morte; (*fig.*) écarter définitivement. **uitrazen 1** épuiser sa rage; **2** (*v. storm*) cesser de faire rage; **3** (*fig.*) jeter sa gourme. **uitregenen** finir de pleuvoir; être effacé -, être éteint par la pluie.
uitreik/en distribuer; délivrer (un certificat). ▼**—ing** distribution, délivrance *v*.
uitreis sortie *v*, aller *m*. ▼**—visum** visa *m* de sortie.
uitrekenen calculer.
uitrekk/en I *ov.w* allonger, étendre, étirer. **II zich** — s'étirer. ▼**—ing** extension *v*; allongement *m*.
uitrichten: *daar is niets mee uit te richten*, tout cela ne servira à rien.
uit/rijstrook voie *v* de ralentissement. ▼**—rit** sortie *v*; (*v. autoweg*) bretelle *v* de sortie.
uitroei/en I *ov.w* exterminer; anéantir. **II** *on.w* sortir en canot. ▼**—ing** extirpation; éradication *v*.
uitroep cri *m*, exclamation *v*. ▼**—en** crier,

s'écrier; — *tot*, proclamer. ▼—**teken** point *m* d'exclamation.

uitroken 1 achever de fumer; **2** enfumer, fumiger. **uitrukken I** *ov.w* arracher. **II** *on.w* se mettre en marche.

uitrust/en I *on.w* se reposer; se délasser. **II** *ov.w* équiper (de), munir (de); armer (de); (*fig.*) doter (de). **III** *zich* — s'équiper. ▼—**ing** équipement; armement *m*. ▼—**ingstukken** fourniment *m*.

uitschakel/en *ov.w* débrayer; (*elektr.*) couper (le contact), (*fig.*) éliminer, écarter. ▼—**ing** débrayage *m*; mise hors circuit; élimination *v*.

uitschateren éclater de rire. **uitscheiden I** *ov.w* (*v. vocht*) sécréter. **II** *on.w* cesser, finir; *schei uit* (*met*), assez (de), cessez (de). **uitschelden** injurier, invectiver; — *voor*, traiter de.

uitschiet/en *ov.w* **1** crever, emporter; **2** (*uittrekken*) ôter vivement. **II** *on.w* **1** (*v. persoon*) s'élancer hors de; **2** (*schuiven*) glisser; **4** (*v. wind*) sauter; **4** (*plk.*) pousser, bourgeonner. ▼—**er** saute *v* de vent.

uitschilderen peindre. **uitschitteren** *zie* —**blinken**.

uitschot 1 rebut *m*; — *van sigaren*, déchets *m mv* de cigares; **2** lie *v* du peuple.

uit/schrabben racler. ▼—**schrappen** rayer, biffer.

uitschreeuwen crier; *het* — *van pijn*, pousser des cris de douleur. **uitschrijven 1** copier; dresser (*v. rekening*); **2** (*v. belasting*) imposer, lever; **3** (*lening*) lancer; **4** (*prijsvraag*) mettre au concours; **5** (*vergadering*) convoquer; **6** instituer (un jour de prières). **uitschudden 1** secouer, vider en secouant; **2** (*beroven*) détrousser.

uitschuif/baar à coulisses, telescopique; *uitschuifbare wand*, cloison *v* extensible. ▼—**tafel** table *v* à rallonge(s). ▼**uitschuiven** tirer; allonger; pousser dehors.

uitschuld dette *v* passive.

uitslaan I *ov.w* **1** faire partir, briser, crever; **2** chasser; **3** (*v. armen*) étendre; (*v. vleugels*) déployer; (*v. kaart*) déplier; —*de kaart*, dépliant *m*; **3** (*bal*) servir; **4** (*kleed*) secouer; **5** (*zeggen*) dire, débiter. **II** *on.w* **1** servir, donner le coup d'envoi; **2** (*vochtig worden*) suer, suinter; (*met schimmel*) moisir; **3** (*v. brand*) jaillir, éclater. **uitslag I** (*balspel*) service *m*; **2** (*v. huid*) éruption; **3** (*op muur*) efflorescence; moisissure; **4** issue *v*, résultat *m*.

uitslapen I *on.w* dormir tout son soûl. **II** *ov.w*: *zijn roes* —, cuver son vin. **uitsloven** (**zich**) se donner du mal (pour), s'évertuer (à).

uitsluit/en exclure; proclamer un lock-out chez. ▼—**end I** *bn* exclusif. **II** *bw* exclusivement. ▼—**ing** exclusion *v*; lock-out *m*; *met* — *van*, à l'exclusion de. ▼—**sel** réponse *v* définitive; explication *v*.

uit/slurpen, —slorpen gober; boire à petits coups. **uitsmeren** étendre. **uitsmijter 1** videur; **2** sandwich *m* au veau avec œuf sur le plat.

uitsnijd/en 1 couper, retrancher; **2** (*med.*) extirper; **3** découper (une volaille); échancrer (un col); **4** tailler, graver. ▼—**ing 1** extirpation; **2** découpage; **3** (*v. kledingstuk*) échancrure *v*.

uitspan/nen 1 tendre; **2** dételer (un cheval). ▼—**ning 1** étendage *m*; **2** dételage *m*; **3** (*fig.*) distraction *v*. ▼—**sel** firmament *m*.

uitspar/en ménager; économiser. ▼—**ing** économie; réserve *v*; ouverture *v*; espace *m* vide. **uitspatting** excès *m*, débauche *v*. **uitspelen I** *ov.w* jouer (une carte); finir. **II** *on.w* avoir la main; **2** achever la partie; **3** jouer sa carte. **uitspinnen** étendre, amplifier (un sujet).

uitspoel/en 1 laver, rincer; **2** (*ondermijnen*) creuser, miner. ▼—**ing** lavage, rinçage *m*; érosion *v*.

uitspraak 1 prononciation *v*; **2** (*jur.*) arrêt, jugement *m*, sentence *v*; (*daad*) prononcé *m*; **3** (*beslissing*) décision *v*; — *doen in*, rendre

son verdict dans; — *doen over*, se prononcer sur; — *over 14 dagen*, le tribunal statuera à quinzaine.

uitspreiden étendre, déployer (les ailes); écarter les jambes.

uitspreken I *on.w*: *laat me* —, laissez-moi finir. **II** *ov.w* prononcer; (*jur.*) rendre (un arrêt); exprimer (une opinion). **III** *zich* — se prononcer; *zich vrij* —, achever sa pensée.

uit/springen avancer, saillir; —*de hoek*, angle *m* saillant. ▼—**sprong** saillie *v*.

uitspruit/en bourgeonner; germer; pousser. ▼—**sel** pousse, germe *v*.

uit/spugen, —spuwen cracher; vomir. **uitspuiten** lancer (un jet d'eau); faire jaillir; (*med.*) laver; seringuer.

uit/staan I *ov.w* souffrir, supporter. **II** *on.w* **1** (*v. geld*) être placé à intérêt; *niets hebben uit te staan met*, n'avoir rien à démêler avec (qn); n'avoir aucun rapport avec (qc). ▼—**staand** : *e vordering*, créance *v* exigible.

uitstal/kast vitrine *v*. ▼—**len** étaler. ▼—**ling** étalage *m*. ▼—**raam** devanture, montre *v*.

uitstap/je excursion *v*; —*je maken*, excursionner. ▼—**pen** I *ww* descendre. **II** *zn* (*fig.*) départ *m*.

uitstedig absent, en voyage. ▼—**heid** absence *v*.

uit/steeksel saillie; aspérité *v*. ▼—**stek** saillie *v*, encorbellement *m*; *bij* —, par excellence. ▼—**steken I** *ov.w* **1** creuser, graver; **2** enlever; crever (les yeux à qn); arracher; **3** avancer (une jambe); tendre (le bras); *de vlag* —, arborer le drapeau. **II** *on.w* saillir; déborder; (*fig.*) exceller (sur), l'emporter (sur). ▼—**stekend I** *bn* excellent, éminent. **II** *bw* éminemment; à la perfection; **2** saillant, proéminent.

uitstel délai; ajournement *m*; — *van betaling*, sursis; moratoire *m*; — *van dienst*, sursis *m* d'incorporation. ▼—**len** différer, remettre; (*jur.*) surseoir à, proroger; (*rk*) exposer. ▼—**lend** dilatoire. ▼—**ling** exposition *v*.

uitsterven s'éteindre. **uitstomen** nettoyer à la vapeur, (*hans*) nettoyer à sec.

uitstort/en répandre, verser; *zijn hart* — *voor*, s'épancher auprès de (qn), s'ouvrir à. ▼—**ing** épanchement; déversement *m* (industriel); — *van bloed*, hémorrhagie *v*; (*rk*) — *van de H. Geest*, effusion *v* du Saint-Esprit.

uitstoot/en 1 pousser dehors; **2** expulser; **3** casser (une vitre). ▼—**ing** expulsion *v*.

uitstralen I *ov.w* émettre, rayonner. **II** *on.w* rayonner; irradier. ▼**uitstraling** rayonnement *m*. ▼—**spunt** centre *m* de radiation. ▼—**stheorie** théorie *v* de l'émission. ▼—**svermogen** pouvoir *m* rayonnant. ▼—**swarmte** chaleur *m* radiante.

uitstrekken I *ov.w* allonger, étendre. **II** *zich* — s'étendre.

uitstrijk frottis *m*. ▼—**en 1** repasser (*v. linnengoed*); **2** étaler.

uitstrooien répandre, semer. **uitsturen** envoyer; — *op*, — *om*, envoyer chercher; *de klas* —, renvoyer; *de haven* —, piloter hors du port. **uittarten** défier, provoquer.

uittekenen dessiner, (*fig.*) décrire. **uittellen** compter; (*sp.*) égrener les secondes. **uitteren I** *ov.w* amaigrir, consumer, exténuer. **II** *on.w* se consumer.

uittocht exode, départ *m*, sortie *v*.

uittrappen 1 chasser à coups de pieds; **2** éteindre (*of effacer*) avec le pied. **uittreden** sortir (de); (*fig.*) partir; se retirer, donner sa démission. **uittreding** départ *m*; *vervroegde* —, préretraite *v*.

uittrek/blad rallonge *v*. ▼—**ken I** *ov.w* **1** (*v. kleding*) ôter, quitter; **2** tirer, arracher; (*breiwerk*) défaire; **3** (*geld*) destiner, affecter; **4** (*boekje*) faire un résumé de; dépouiller. **II** *on.w* **1** s'infuser; **2** se mettre en marche, sortir (de). ▼—**sel 1** extrait; **2** (*v. boek*) résumé *m*. ▼—**tafel** table *v* à rallonges.

uitvaagsel 1 ordures *v mv*; **2** (*fig.*) rebut *m*,

lie v. **uitvaardig/en** promulguer (une loi) ;
lancer (un mandat d'arrêt) ; donner (un
ordre). ▼—**ing** promulgation v.
uitvaart(dienst) obsèques v mv religieuses.
uitval sortie v. ▼—**len 1** tomber ; (v. bloem)
s'effeuiller ; **2** (mil.) faire une sortie ;
3 (achterblijven) rester en arrière ; (sp.)
abandonner ; goed —, réussir, bien tourner ;
slecht —, mal réussir, - tourner ; dat vliegtuig
valt uit, cet avion est supprimé ; tegen iem. —,
éclater contre qn. ▼—**ler 1** concurrent qui
abandonne ; **2** (mil.) éclopé m.
uitvaren partir, sortir ; (fig.) fulminer (contre
qn). **uitvechten** décider par les armes ; (fig.)
vider (un différend). **uitvegen 1** nettoyer ;
2 effacer ; iem. de mantel —, laver la tête à qn.
uitverkiezing sélection ; prédestination v.
uitverkoop vente v au rabais, soldes v mv ;
braderie v ; wegens vergevorderd seizoen,
fin v de saison. ▼**uitverkopen** liquider, (v.
kleding en stoffen) mettre en solde ; brader ;
dat boek is uitverkocht, ce livre est épuisé ; de
zaal is uitverkocht, on refuse du monde.
uitverkoren I bn élu. **II** zn : —e, élu(e) m (v).
uitvind/en inventer ; découvrir. ▼—**er**
inventeur m. ▼—**ing** invention v. ▼—**sel** fable
v.
uitvissen tirer au clair. **uitvliegen** quitter le
nid ; sortir à tout propos.
uitvloeisel effet, résultat m. **uitvlucht**
1 sortie v ; **2** (fig.) prétexte, faux-fuyant m.
uitvoegstrook voie v de ralentissement.
uitvoer exportation v ; ten — brengen, mettre
à exécution, réaliser. ▼—**artikel** article m
d'exportation. ▼—**baar** faisable, praticable,
possible. ▼—**baarheid** possibilité,
praticabilité v. ▼—**der 1** exportateur ;
2 exécuteur ; **3** chef m de travail. ▼—**en**
1 exporter ; **2** (doen) effectuer, exécuter ;
3 faire, réaliser ; (fam.) fabriquer ; niets —,
flâner. ▼—**end** exécutif. ▼—**ende** exécutant
m. ▼—**handel** commerce m d'exportation.
uitvoerig I bn détaillé, circonstancié. **II** bw en
détail, tout au long. ▼—**heid** détail m,
profusion v de détails.
uitvoer/ing 1 exécution ; mise en œuvre ;
réalisation ; in —, en cours de réalisation ;
2 (toneel—) représentation ; **3** (v. boek)
présentation v. ▼—**ingscommando**
commandement m d'exécution.
uitvoer/premie prime v à l'exportation.
▼—**recht** droit m d'exportation, - de sortie.
▼—**verbod** interdiction -, prohibition v (de
sortie). ▼—**vergunning** licence v
d'exportation, autorisation v de sortie.
uitvorsen découvrir, scruter. ▼—**d** scrutateur.
uitvouw/baar pliant, en dépliant. ▼—**en**
déplier.
uitvragen 1 questionner ; **2** mee —, inviter.
uitvreten 1 creuser, ronger, manger ;
2 corroser, ronger. **uitwaaien I** on.w **1** être
éteint par le vent ; flotter au vent ; **2** s'envoler
(par la fenêtre). **II** ov.w éteindre.
uitwaarts en dehors.
uitwas excroissance, protubérance, bosse v.
uitwasem/en I ov.w exhaler. **II** on.w
s'évaporer. ▼—**ing** exhalaison, évaporation v ;
miasme m.
uitwassen I ov.w laver ; nettoyer. **II** on.w
croître, se développer.
uitwater/en se décharger, déboucher.
▼—**ing** décharge ; embouchure v.
▼—**ingskanaal** canal de déversement,
émissaire m. ▼—**ingssluis** écluse v de
décharge.
uitwedstrijd match m en déplacement.
uitweg issue, sortie v.
uitweid/en faire une digression ; — over,
disserter longuement sur. ▼—**ing** digression
v.
uitwendig I bn externe, extérieur ; (voor)
gebruik, usage m externe ; het —e, l'extérieur
m. **II** bw extérieurement, à l'extérieur.
uitwerk/en 1 (in bijzonderheden) faire,
achever, développer, élaborer ; **2** (uitsnijden)
façonner, ciseler, sculpter ; **3** (uithalen)

effectuer, opérer ; niets —, n'avoir aucun
effet ; een vraagstuk —, résoudre un
problème. ▼—**ing 1** développement m,
élaboration v ; **2** effet, résultat, impact m ;
3 solution v ; zonder —, inopérant.
uitwerp/en 1 jeter ; rejeter ; rendre (ce qu'on a
mangé) ; évacuer (des matières fécales) ;
chasser ; expulser ; (mil.) éjecter ; larguer (des
parachutistes). ▼—**er** (mil.) éjecteur m.
▼—**selen** excréments m mv.
uitwieden sarcler.
uitwijk/en (wijken) se ranger ; **2** (met
wagen) se garer ; **3** (v. muur) pencher ;
4 émigrer ; links (rechts) —, obliquer à
gauche (à droite) ; voor iem. — se ranger
devant qn. ▼—**ing** évitement m ; émigration v.
▼—**haven** bassin m de garage.
uitwijz/en 1 mettre à la porte ; expulser ;
2 (tonen) montrer, apprendre ; révéler.
▼—**ing 1** expulsion ; **2** interdiction v de
séjour.
uitwinn/en 1 gagner, épargner ; **2** (jur.)
évincer. ▼—**ing** (jur.) éviction v.
uitwisbaar effaçable.
uitwissel/en échanger. ▼—**ing** échange m.
▼—**ingsverdrag** cartel m d'échange.
uitwis/sen effacer. ▼—**sing** effacement m.
▼—**toets** touche v d'effacement.
uitwoeden s'apaiser. **uitwonend** externe.
uit-/wrijfborstel polissoire v. ▼—**wrijven**
1 frotter (les yeux) ; **2** effacer ; **3** brosser, polir.
uitwringen tordre. **uitzaaien** semer ; het —,
(med.) l'ensemencement m. **uitzaaiing**
(med.) métastase v. **uitzagen** découper,
scier.
uitzakk/en s'affaisser ; (med.) descendre.
▼—**ing** affaissement ; ventre m (d'un mur) ;
(med.) descente, chute v (de la matrice).
uitzend/bureau société v de location de
personnel. ▼—**en** envoyer ; (mil.) détacher ;
(radio enz.) émettre ; diffuser ; een
s.o.s.-bericht —, lancer un s.o.s. ▼—**ing 1**
envoi m ; mission v ; (radio enz.) émission,
(radio)diffusion v ; in de —, zijn, être sur
l'antenne ; in de — komen, passer à l'antenne.
▼—**kok** traiteur m. ▼—**post** poste m
émetteur.
uitzet trousseau m ; (v. kind) layette v. ▼—**baar**
dilatable, expansible. ▼—**baarheid**
dilatabilité, expansibilité v. ▼—**tafeltje** table
v gigogne. ▼—**ten I** ov.w **1** mettre dehors ;
mettre à terre, débarquer ; mettre à la mer (une
chaloupe) ; **2** placer (des sentinelles, de
l'argent) ; **3** (doen zwellen) étendre, enfler ;
4 (vergroten) étendre ; pootvis —, aleviner.
II on.w se gonfler, se dilater. ▼—**ting 1** mise
à la mer ; **2** placement m ; **3** extension,
dilatation, expansion v.
▼—**tingscoëfficiënt** coefficient m de
dilatation. ▼—**tingsvermogen** dilatabilité,
force v expansive. ▼—**verzekering**
assurance v dotale.
uitzicht vue, perspective v ; — hebben op,
donner sur ; het — belemmeren, boucher la
vue ; in — stellen, promettre. ▼—**loos** sans
issue.
uitzieken (laten —, laisser la maladie suivre
son cours.
uitzien 1 (het raam —) regarder par ;
2 (uitzicht hebben op) donner sur, avoir vue
sur ; **3** (v. boek) se présenter ; wat zie je er uit !,
comme te voilà fait ! ; ik vind dat je er goed
uitziet, je vous trouve bonne mine ; dat ziet er
mooi voor je uit !, vous voilà bien arrangé ! ;
naar een betrekking —, être en quête d'une
situation ; het ziet er niet naar uit dat, il n'y a
guère d'apparence que.
uitzingen chanter jusqu'au bout ; het —,
attendre la fin ; het een maand kunnen —,
avoir de quoi vivre pendant un mois.
uitzinnig I bn extravagant, frénétique. **II** bw
d'une manière insensée. ▼—**heid**
extravagance, frénésie v.
uitzitten purger (sa condamnation).
uitzoeken 1 choisir ; **2** (sorteren) faire le tri,
trier ; — maar !, au choix !

uitzonder/en I *ov.w* excepter. **II zich** — se singulariser. ▼—**ing** exception *v; een* — *maken,* — *zijn,* faire exception (à la règle); *een* — *maken voor iem.,* faire une exception en faveur de qn; *bij* —, par exception, pour une fois; *met* — *van,* à l'exception de.
✢—**ingsgeval** cas *m* d'exception.
▼—**ingstoestand** état *m* d'exception.
▼—**lijk** *bn (& bw)* exceptionnel (lement).
uitzuig/en sucer; *(fig.)* exploiter, gruger. ▼—**er** suceur; *(fig.)* exploiteur, vampire *m,* sangsue *v.* ▼—**ing** succion; *(fig.)* exploitation *v.*
uit/zuinigen *zie* —**sparen. uitzwavelen** soufrer. **uitzwermen** essaimer; se répandre en tirailleurs. **uitzweten I** *ov.w* suer; chasser en suant. **II** *on.w* suinter.
ulevel (pastille *v* de) caramel, berlingot *m.*
ulster ulster *m.*
ultim/atum ultimatum *m.* ▼—**o:** — *mei,* fin mai.
ultra ultra *m.* ▼—**kort** ultra-court. ▼—**marijn** outremer *m.* ▼—**violet** ultraviolet.
umlaut métaphonie *v.*
UNCTAD Conférence *v* des Nations Unies pour le commerce et le développement, C.N.U.C.E.D.
UNESCO Unesco *m.*
UNICEF Fonds *m* international de secours à l'enfance.
unicum une chose unique dans son genre.
unie union *v.*
uni/form uniforme *m.* ▼—**formeren** uniformiser. ▼—**formjas** tunique *v.* ▼—**sex** unisexe. ▼—**sono** à l'unisson. ▼—**verseel** *bn (& bw)* universel (lement); — *erfgenaam,* légataire *m* universel. ▼—**versiteit** université *v.* ▼—**versiteitsstad** ville *v* universitaire.
U.N.O. Organisation des Nations Unies, O.N.U.
unster peson *m* à ressort.
up: —*s and downs,* des hauts et des bas *m mv;* — *to date,* à la page.
uranium uranium *m; verrijkt* —, uranium enrichi.
urgent urgent, d'urgence. ▼—**ie** urgence *v.*
urin/aal urinal *m.* ▼—**e** urine *v.* ▼—**eren** uriner. ▼—**oir** urinoir *m.*
urn urne *v.*
usance, usantie 1 usage *m,* habitude *v;* 2 *(hand.)* usance *v; dat is hier* —, c'est l'usage ici. ▼**uso** usance *v; op 4 maanden* —, à 4 mois d'usance.
ut ut, do *m.*
utiliteit utilité *v.* ▼—**sbeginsel** utilitarisme *m.*
utop/ie utopie *v.* ▼—**isch** utopique. —**ist** utopiste *m.*
uur heure *v;* — *gaans,* lieue *v; om het* —, toutes les heures; *om 6* —, à six heures; *op de hele en halve uren,* aux heures et aux demies 30; *140 km per* —, (faire) du cent quarante à l'heure; *van* — *tot* —, d'heure en heure; *te elfder ure,* au dernier moment; *te goeder ure,* à propos, pour son bonheur; *te kwader ure,* mal à propos, pour son malheur. ▼—**dienst** service *m* des heures. ▼—**gemiddelde** moyenne *v* horaire. ▼—**loon** salaire *m* à l'heure, - horaire. ▼—**loner** horaire *m.*
▼—**snelheid** vitesse *v* horaire. ▼—**tarief** tarif *m* horaire. ▼—**werk 1** horloge *v;* 2 mouvement, mécanisme *m.*
▼—**werkmaker** horloger *m.* ▼—**wijzer** aiguille *v* des heures.
U-vormig en u.
uw votre, vos; ton, ta, tes; *de* —*e, het* —*e,* le -, la vôtre; le tien, la tienne; *de* —*en,* les vôtres; les tiens. ▼**uwent:** *ten* — 1 chez vous; 2 *(hand.)* sur votre place. ▼—**wege, om** —*wil* pour (l'amour de) vous, à cause de vous. ▼**uwerzijds** de votre part.

V *v m; V 1, V 2,* bombe volante.
vaag *bn (& bw)* vague(ment), indécis.
▼—**heid** vague *m.*
vaak I *zn* sommeil *m,* envie *v* de dormir. **II** *bw* souvent, bien des fois.
vaal 1 fauve; **2** pâle, terne; livide; *(v. kleur)* passé; décoloré. ▼—**bleek** blafard, livide; —-... d'un (bleu etc.) pâle, - terne. ▼—**heid** couleur *v* terne. ▼—**rood** fauve.
vaan 1 drapeau, étendard *m;* **2** *(mil.)* fanion *m;* **3** *(fig.)* devise *v.* ▼**vaandel 1** drapeau; **2** *(v. cavalerie)* étendard *m;* **3** *(v. vereniging)* bannière *v; met vliegende* —*s,* enseignes *v mv* déployées. ▼—**drager** porte-étendard; porte-drapeau *m.* ▼—**wacht** garde *v* du drapeau. ▼**vaan/drig 1** *zie* **vaandeldrager;** **2** *(mil.)* aspirant *m.* ▼—**stand** *vliegtuigschroef in* —, hélice *v* mise en drapeau.
vaardig I *bn* 1 *(handig)* adroit, habile; 2 *(vlug)* agile, prompt. **II** *bw* promptement.
▼—**heid** 1 adresse, habileté; 2 promptitude *v.* ▼—**heidsproef** test *m* d'aptitude.
vaargeul chenal *m,* passe *v.*
vaars génisse *v.*
vaart 1 navigation; **2** *(snelheid)* allure, marche, vitesse *v; (aanloop)* élan *m;* **3** canal; **4** *(fig.)* dynamisme *m; de grote* —, la navigation au long cours; *weinig* — *hebben,* marcher à petite allure; *dat zal zo'n* — *niet lopen,* cela s'arrangera; — *zetten achter,* activer; *in de* — *brengen,* mettre en ligne; *in volle* —, à toute allure.
vaar/tuig navire, bâtiment *m.* ▼—**water** eau navigable; passe *v; iem. in het* — *zitten,* traverser les desseins de qn. ▼—**weg** voie *v* navigable.
vaarwel adieu *m.* ▼—**zeggen** dire adieu à; *(fig.)* renoncer à; quitter (le théâtre); se retirer (du monde).
vaas vase *m.*
vaat/doek torchon *m; zo slap zijn als een* —, avoir les bras *(of* les jambes) en coton. ▼—**je** barillet, tonnelet *m.* ▼—**vernauwend** vaso-constricteur. ▼—**verwijdend** vaso-dilateur. ▼—**werk 1** *(tonnen)* futailles *v mv;* **2** vaisselle *v.*
vacant vacant; —*e zetel,* vacance *v.*
▼**vacatiegeld** vacations *v mv.* ▼**vacature** vacance, place *v* vacante.
vaccin vaccin *m.* ▼—**atie** vaccination *v.*
▼—**atiebewijs** certificat *m* de vaccination.
▼—**e 1** *(stof)* vaccin *m;* **2** *(inenting)* vaccination *v.* ▼—**eren** vacciner.
vaceren être vacant.
vacht toison, pelage *m; (op de grond)* tapis, fourrure *m;* peau *v* (de …).
vacuüm vide *m.* ▼—**rem** frein *m* à vide.
▼—**verpakking** emballage *m* sous vide.
vadem brasse, toise *v.*
vader 1 père; **2** directeur, administrateur; **3** auteur; *de Heilige V*—, le Saint-Père.
▼—**hart** cœur *m* de père. ▼—**huis** maison *v* paternelle. ▼**vaderland** patrie *v; het* — *verlaten,* s'expatrier; *naar het* — *terugkeren,* se rapatrier; *naar het* — *terugzenden,* rapatrier. ▼—**er** patriote *m.* ▼—**loze** sans-patrie, apatride *m.* ▼—**s** national.

▼—**sliefde** patriotisme *m*. ▼—**slievend** *bn* (& *bw*) patriotique(ment). ▼**vader/liefde** amour *m* paternel. ▼—**lijk** *bn* (& *bw*) paternel (lement). ▼—**schap** paternité *v*; *uit het — vervallen verklaren*, condamner à la déchéance paternelle. ▼—**stad** ville *v* natale.

vadsig I *bn* indolent. II *bw* indolemment. ▼—**heid** indolence.

vagebond vagabond, chemineau *m*; *rondzwerven als een —*, vagabonder.

vagevuur purgatoire *m*.

vagina vagin *m*.

vak 1 case *v*, compartiment; casier; 2 (*v. muur*) pan; (*v. deur*) panneau; (*v. zoldering*) caisson *m*; (*v. balken*) travée; 3 (*v. school*) branche, matière, spécialité, discipline *v*; 4 (*beroep*) métier *m*, profession *v*; *zijn — kennen*, connaître sa partie; *man van het —*, specialiste.

vakantie vacances *v mv*; congé *m*; *— hebben*, être en vacances, avoir congé; *— nemen*, prendre un jour de congé; *met — gaan*, partir en vacances. ▼**vakantie-**`...` de vacances, vacancier. ▼—**dag** jour *m* de congé. ▼—**ganger** vacancier *m*. ▼—**kolonie** colonie *v* de vacances. ▼—**oord** villégiature *v*. ▼—**piek** pointe *v* des départs en vacances. ▼—**spreiding** étalement *m* des vacances. ▼—**toeslag** prime *v* de vacances. ▼—**week** (*v. arbeiders enz.*) semaine *v* des congés payés.

vak/arbeider ouvrier *m* qualifié, - spécialisé. ▼—**bekwaam** qualifié. ▼—**beweging** mouvement *m* syndical. ▼—**blad** journal *m* professionnel. ▼—**bond** syndicat *m* ouvrier. ▼—**bondsvertegenwoordiger** délégué *m* syndical. ▼—**centrale** centrale *v* syndicaliste. ▼—**geleerde** spécialiste *m*. ▼—**genoot** confrère *v*. ▼—**groep** groupement *m* professionnel, - corporatif. ▼—**kennis** connaissances *v mv* professionnelles. ▼—**kringen** milieux *m mv* professionnels. ▼—**kundig** professionnel, expert; *onder —e leiding*, dirigé par les experts. ▼—**leraar** spécialiste *m* = ▼—**man** expert *m*. ▼—**onderwijs** enseignement *m* professionnel. ▼—**opleiding** formation *v* professionnelle. ▼—**organisatie** organisation *v* syndicale. ▼—**school** école *v* professionnelle. ▼—**studie** étude *v* spéciale. ▼—**term** terme *m* du métier. ▼—**vereniging** syndicat *m* (professionnel). ▼—**verenigingswezen** syndicalisme *m*. ▼—**werk** 1 (*arch.*) colombage *m*; 2 grillage, treillis; 3 artisanat *m*. ▼—**zoldering** plafond *m* à caissons.

val 1 chute; 2 (*v. water*) décrue; 3 (*fig.*) chute, perte *v*; *ten — brengen*, tomber, renverser; séduire; 4 (*muize—*) piège *m*, souricière; 5 (*—deur*) trappe *v*; 6 (*strook*) tour *m*; *in de — lopen*, donner dans le piège; *een — opstellen voor iem.*, tendre un piège à qn. ▼—**bijl** couperet *m*, guillotine *v*. ▼—**blok** bélier *m*. ▼—**brug** pont-levis *m*. ▼—**deur** 1 trappe; 2 vanne *v* (d'écluse); 3 (*v. hok*) panneau *m* à guillotine.

valentie valence *v*.

valeriaan valériane *v*.

val/gordijn store *m*. ▼—**helm** casque *m* protecteur. ▼—**hoogte** hauteur *v* de chute.

valideren être porté en compte; valider; *— tegen*, constituer la contrevaleur de.

valies valise *v*, sac *m* de voyage.

valk faucon *m*.

Valkenburg Fauquemont *m*.

valkuil fosse, trappe *v*.

vallei vallée *v*.

vallen I *on.w* 1 tomber; 2 (*dalen*) baisser, décroître, diminuer; 3 tomber, périr; 4 être; *er zijn 3 doden gevallen*, il y a eu 3 hommes de tués; *de vermoedens — op*, les soupçons se portent sur; *er valt sneeuw*, il tombe de la neige; *er viel een schot*, un coup de feu partit; *er vielen woorden*, on en vint aux gros mots; *laten —*, baisser (le store); (*v. prijs*) rabattre de; laisser tomber; *— aan*, échoir à; *in het*

oog —, sauter aux yeux; *al naar het valt*, selon les circonstances; *dat valt daar niet onder*, cela ne rentre pas dans cette catégorie; *dat feest valt op een vrijdag*, cette fête tombe un vendredi; *— op*, 1 se laisser prendre à; 2 s'amouracher de; *— over*, trébucher sur; (*fig.*) se scandaliser de; *iem. te voet —*, se jeter aux pieds de qn; *het valt hem zwaar om*, il lui en coûte de, il lui est pénible de; *met — en opstaan*, avec des hauts et des bas; *en trébuchant*. II *zn* chute; tombée (de la nuit), baisse, décrue *v* (des eaux); *bij het — van de avond*, à la nuit tombante, à la tombée de la nuit. ▼**val/lend** tombant; *—e ziekte*, épilepsie *v*. ▼—**licht** jour *m*. ▼—**luik** trappe *v*. ▼—**net** trébuchet; filet *m* de sauvetage. ▼—**proef** épreuve *v* de la chute. ▼—**reep** échelle *v*; *een glaasje op de —*, le coup de l'étrier.

vals I *bn* 1 faux; feint; 2 (*v. karakter*) méchant, perfide; *— haar*, cheveux *m mv* postiches; *— licht*, faux jour *m*. II *bw* faussement; *— zingen*, chanter faux. ▼—**aard** traître, imposteur *m*.

valscherm parachute *m*. ▼—**jager** parachutiste *m*. ▼—**troepen** troupes *v mv* parachutées.

vals/elijk faussement. ▼—**heid** fausseté, perfidie *v*; *— in geschrifte*, faux *m* en écritures.

val/strik piège *m*; embûche *v*; *—bom*, mine-piège *v*. ▼—**tijd** durée *v* de la chute.

valuta 1 valeur *v*; 2 change *m*; monnaie *v*; *harde —*, monnaie *v* forte, change dur; *land met lage —*, pays à change déprécié, - faible. ▼—**markt** marché *m* des changes. ▼—**politiek** régime *m* des changes.

valwind rafale *v*.

vamp vamp *v*. ▼—**ier** vampire *m*.

van 1 (*bezit*) de, à; *dit boek is — mij*, (*heb ik geschreven*) ce livre est de moi; (*behoort mij toe*) ce livre est à moi; *een vriend — mij*, un de mes amis; 2 (*afkomst*) *hij is — Dijon*, il est originaire de Dijon; *groet haar — mij*, saluez-la de ma part; *dat is lief — je*, c'est gentil à vous; *B — Bravo*, B comme Bravo; *gebak — Faure*, de la pâtisserie de chez Faure; *— steen*, de - en pierre; 3 (*begin*) de, dès, depuis; *— dag tot dag*, de jour en jour; *— de Rijn tot de Noordzee*, depuis le Rhin jusqu'à la Mer du Nord; 4 (*oorzaak*) de, à cause de, par suite de; *— schreien — vreugde*, pleurer de joie; *niet slapen — het lawaai*, ne pas dormir à cause du bruit; 5 (*plaats*) *— achteren*, par derrière; *— voren*, par devant; 6 (*richting*) *— achteren*, de l'arrière; *— boven*, d'en haut; *— Frankrijk*, de France; *— onder zijn mantel*, de dessous son manteau; *— de tafel nemen*, prendre sur la table; 7 (*tijd*) *— het jaar*, cette année; 8 (*andere betekenissen*) *een — hen*, un d'entre eux; *zij zegt — ja*, elle dit que oui; *7 — 10 is 3*, qui de 10 ôte 7 reste 3.

vanaf depuis, à partir de, de.

van/avond ce soir. ▼—**daag** aujourd'hui; *— of morgen*, un de ces jours.

van/daan waar —, d'où; *daar —*, de là; *blijf daar —*, n'y allez pas. ▼—**daar** de là (vient que..).

vandalisme vandalisme *m*.

vaneen en deux; séparé. ▼—**scheuren** déchirer.

vang/arm tentacule *m* = ▼—**draad** fil *m* de protection. ▼—**en** attraper, prendre, saisir. ▼—**rail** glissière *v* de sécurité. ▼—**snoer** fourragère *v*. ▼**vangst** prise, capture; pêche *v*; *een goede — doen*, faire un fameux coup de filet.

vanille vanille *v*. ▼—**ijs** glace *v* à la vanille. ▼—**stokje** gousse *v* de vanille.

van/nacht cette nuit. ▼—**ouds** depuis longtemps. ▼—**waar** d'où. ▼—**wege** 1 à cause de; 2 de la part de.

vanzelf de soi (-même); tout seul. ▼—**sprekend** de toute évidence, forcément. ▼—**sprekendheid** évidence *v*.

vaporisator vaporisateur m.
varen I zn fougère v. **II** on.w **1** aller en bateau, naviguer, voguer; **2** servir (à bord d'un bateau); laten —, abandonner, renoncer à; wel — bij, trouver son compte à, se trouver bien de; naar Engeland —, passer en Angleterre; onder Franse vlag —, battre pavillon français. **▼—sgezel** marin m.
vari/a varia m mv. **▼—abel** (v) variable (v). **▼—ant** variante v. **▼—atie 1** variété; **2** (wijziging) variation v; voor de —, pour changer. **▼—ëren**, varier. **▼—été(theater)** music-hall m. **▼—éteit** variété v.
varken porc, cochon m; hij zal dat — wel wassen, il s'en charge. **▼—sborstel** soie v. **▼—sfokker** éleveur de porcs. **▼—sfokkerij** élevage m des porcs, porcherie v. **▼—shok** toit m à porcs; porcherie v. **▼—skarbonade** côtelette v de porc. **▼—sleer** cuir m de cochon. **▼—smarkt** marché m aux porcs. **▼—sslachter**, **▼—sslager** charcutier m. **▼—svlees** porc m.
vaseline vaseline v.
vasomotorisch vaso-moteur, -motrice.
vast I bn **1** ferme, stable; **2** (dicht) compact, dense, serré; **3** (niet gasvormig, -vloeibaar) solide; **4** (niet week) consistant; **5** (vastgesteld) fixe; obligatoire; **6** (zeker) certain, sûr; — benoemen, titulariser; —e benoeming, nomination v en titre; —e betrekking, situation v fixe; —e brug, pont m dormant; —e grond, terre v ferme; —e klant, client m régulier; zijn —e leverancier, son fournisseur attitré; —e ligging op de weg (v. auto), bonne tenue v de route; —e prijs, prix m fixe; geen —e wil hebben, manquer de volonté; —e tapijt, moquette v; zich — praten, s'enferrer; — goed hebben, avoir des propriétés immobilières. **II** bw **1** fermement, fixement, dur; **2** (intussen) en attendant, toujours; **3** (zeker) certainement, sans doute; — geloven, croire fermement; — slapen, dormir profondément.
vastbakken (s')attacher.
vastberaden bn (& bw) ferme(ment), résolu(ment). **▼—heid** fermeté, résolution v.
vast/binden attacher, lier, fixer. **▼—draaien** serrer, visser; (v. rem) bloquer. **▼—eland** continent m. **▼—elands** continental.
vasten I on.w **1** (niet eten); **2** (geen vlees eten) faire maigre (le vendredi), observer le carême. **II** zn **1** jeûne; **2** carême m. **▼—actie** campagne v de carême néerlandaise. **▼—avond** mardi m gras. **▼—avondgek** carême-prenant m. **▼—brief** lettre v pastorale de carême. **▼—dag 1** jour de jeûne; **2** jour m maigre. **▼—preek** méditation v de carême. **▼—spijs** plat m maigre. **▼—tijd** carême m.
vast/gespen boucler. **▼—goed** immobilier m; biens immobiliers m mv. **▼—grijpen** s'accrocher (à), empoigner. **▼—hechten I** ov.w attacher, fixer, coller. **II** zich — s'attacher, se coller (à). **▼—heid 1** fermeté, consistance, solidité; **2** (dichtheid) densité; **3** (zekerheid) sûreté v.
vasthoud/en I ov.w **1** tenir, maintenir, retenir; **2** (behouden) garder, conserver; **3** (gevangenhouden) retenir prisonnier. **II** zich — aan s'accrocher à, saisir. **III** on.w tenir; — aan, persister dans (son opinion), adhérer à. **II** en **1** tenace, persévérant; **2** avare. **▼—endheid 1** ténacité v; **2** avarice v.
vast/igheid 1 sûreté v; **2** bien m immeuble. **▼—klampen** (zich) se cramponner (à), s'accrocher (à). **▼—klemmen I** ov.w serrer. **II** zich — se cramponner (à). **▼—leggen 1** attacher, mettre à l'attache; amarrer (un bateau); **2** (fig.) fixer sur le papier; engager (un capital dans). **▼—liggen 1** être attaché, -à l'attache; être amarré; (fig.) être engagé. **▼—lopen** (v. machine) se coincer, (se) gripper; (fig.) être au point mort. **▼—maken** attacher, lier, amarrer (un canot). **▼—metselen** sceller. **▼—naaien** coudre (ensemble). **▼—pennen** ..... **▼—pluggen**

cheviller. **▼—praten I** ov.w mettre (qn) au pied du mur. **II** zich — s'enferrer. **▼—raken** s'accrocher; s'échouer; (fig.) demeurer court; — in, s'empêtrer dans.
vastrechtkaart 60 + of **65 +** carte v 'vermeil'.
vast/roesten se rouiller; (fig.) prendre racine. **▼—schroeven** visser. **▼—sjorren** amarrer. **▼—staan** être d'aplomb; (fig.) être certain; dat staat vast, c'est un fait avéré; het staat vast dat, il est établi que; het staat bij hem vast dat, il est certain que. **▼—stellen** constater, fixer, déterminer; établir; de datum — op, prendre date pour; op het vastgestelde uur, à l'heure convenue; vastgestelde prijs, taxe v. **▼—stelling** détermination, fixation; taxation v (des prix). **▼—zetten I** ov.w fixer, assujettir; ajuster (ses lunettes); assurer (son chapeau); emprisonner; bloquer (les freins); constituer (une rente à); placer (de l'argent); (fig.) mettre au pied du mur; enfermer. **II** zich — se fixer, s'attacher (à). **▼—zitten 1** être ferme; **2** être en prison; **3** (mar.) être échoué; **4** (fig.) être coincé, ne savoir que dire; aan iets —, être tenu à qc; voor tien — maanden —, en avoir pour dix mois.
vat 1 vaisseau, vase; récipient; **2** (ton) tonneau, fût m, barrique v; wat in het — is verzuurt niet, ce qui est différé n'est pas perdu; **3** prise; **4** poignée v; — op iem. hebben, avoir prise sur qn.
vatbaar sensible (à), susceptible (de), accessible (à); voor rede —, raisonnable; — maken, prédisposer (à). **▼—heid** sensibilité (à), susceptibilité v (à); — voor ziekte, réceptivité v.
vaten/kwast lavette v à vaisselle. **▼—wasser** laveur de vaisselle, plongeur m.
Vaticaan Vatican m. **▼—s** vatican. **▼—stad** cité v du Vatican.
vatt/en I ov.w **1** prendre, saisir; arrêter (un voleur); **2** (v. edelsteen) enchâsser, sertir; **3** (fig.) comprendre, concevoir; kou —, prendre un rhume, - froid; post —, se poster. **II** on.w **1** prendre, mordre; **2** (plk.) prendre racine. **▼—ing** monture, sertissure v (d'un diamant).
vazal vassal m. **▼—staat** état m satellite.
vech/ten se battre (avec qn), combattre; — om, se battre pour avoir; se disputer (qc). **▼—ersbaas** bagarreur, batailleur. **▼—lust** combativité, humeur v belliqueuse. **▼—lustig** combatif; belliqueux. **▼—partij** rixe, bagarre v; een — beginnen met, se colleter avec. **▼—sport** sport m de combat. **▼—wagen** char m d'assaut, - de combat.
vector vecteur m.
veder 1 plume; **2** (bij tekenen) aile v. **▼—bal** volant m. **▼—bed** lit m de plumes. **▼—bont** fourrure v de plumes. **▼—bos** panache; plumet m; aigrette v. **▼—gewicht** poids m plume. **▼—laagwolk** cirro-stratus m. **▼—stapelwolk** cirro-cumulus m. **▼—wolk** cirrus m.
vee bétail m, bestiaux m mv; groot (klein) —, gros (menu) bétail; het redeloze —, les brutes v mv; (fig.) canaille v. **▼—arts** vétérinaire m. **▼—artsenijkunde** médecine v vétérinaire. **▼—artsenijkundig(e)** vétérinaire(m). **▼—artsenijschool** école v vétérinaire. **▼—drijver** toucheur. **▼—fokker** nourrisseur, éleveur m. **▼—fokkerij** nourrissage, élevage m.
veeg I zn **1** coup m de brosse, - de balai, - de torchon; **2** (klap) gifle v, soufflet m; **3** coup m de couteau, estafilade v; — uit de pan, coup m de bec. **II** bn près de mourir; (fig.) pres de sa perte; dat is een — teken, c'est de mauvais augure, c'est mauvais signe. **▼—machine** balayeuse v. **▼—sel** balayures v mv.
vee/handel commerce v des bestiaux. **▼—handelaar** marchand m de bétail. **▼—houder** zie **—fokker**. **▼—koek** tourteau m.
veel I t/w beaucoup (de); (fam.) plein (de); plusieurs; de vele ongelukken, die, le grand nombre d'accidents qui; zijn vele vrienden,

ses nombreux amis; *te* —, trop; — *te* —, beaucoup trop; *heel* —, bien (du, de la, des); *zeer* —, énormément (de); *het vele eten*, les grandes quantités de nourriture. **II** *zn*: *velen*, beaucoup, bien des gens (disent que). **III** *bw* beaucoup; *hij komt* —, il vient souvent. ▼—al souvent, bien des fois. ▼—belovend qui promet beaucoup, prometteur.
▼—betekenend **I** *bn* significatif. **II** *bw* d'une manière significative. ▼—bewogen mouvement, agité. ▼—eer plutôt.
▼—eisend exigeant, difficile. ▼—geliefd aimé de tous, chéri; populaire.
▼—godendom polythéisme *m*. ▼—heid multiplicité, pluralité *v*; grand nombre *m*.
▼—hoek polygone *m*. ▼—hoekig polygone.
▼—hoofdig à plusieurs têtes; —*e regering*, polyarchie *v*. ▼—jarig de plusieurs années.
▼—kleurig multicolore, polychrome, bigarré.
▼—ledig multiple; (*wisk.*) polynôme.
▼—omvattend vaste; complexe.
▼—schrijver polygraphe *m*. ▼—soortig de plusieurs espèces. ▼—stemmig à plusieurs voix, polyphone. ▼—zins à bien des égards.
▼—talig polyglotte. ▼—term polynôme *m*.
▼—tijds souvent. ▼—vermogend puissant, influent. ▼—vlak polyèdre *m*. ▼—vlakhoek angle *m* polyèdre. ▼—vlakkig polyèdre.
▼—voet myriapode *m*. ▼—voud multiple *m*; *het kleinste gemene* —, le plus petit commun multiple. ▼—voudig multiple. ▼—vraat glouton *m*. ▼—vuldig **I** *bn* multiple, fréquent. **II** *bw* fréquemment. ▼—vuldigheid fréquence, diversité *v*. ▼—wijverij polygamie *v*. ▼—zeggend significatif, expressif, qui en dit long. ▼—zijdig polygone; (*fig.*) varié; — *ontwikkeld*, universel. ▼—zijdigheid universalité; largeur *v* d'esprit.
veem 1 société *v* d'entreposage; **2** magasins *m mv* généraux.
veemarkt marché *m* au bétail.
veem/ceel récépissé-warrant *m*. ▼—gericht Sainte Vehme *v*. ▼—houder entreposeur *m*. exploitant *m* de magasins généraux.
veen 1 (*stof*) tourbe; **2** (*veenderij*) tourbière *v*; *hoog*—, tourbière de forêts et de bois flottés; *laag*—, tourbière des plaines basses.
▼—achtig tourbeux. ▼—arbeider, —baas tourbier *m*. ▼—brand incendie *m* de tourbières. ▼—derij tourbière *v*. ▼—grond terrain *m* tourbeux.
vee/pacht bail à cheptel *m*. ▼—pest peste *v* bovine.
veer 1 *zie* veder; **2** (*metalen* —) ressort *m*; **3** (*v. bril*) branche *v*; **4** passage; (*pont*) bac *m*. ▼—balans peson *m* à ressort. ▼—blad lame *v* de ressort. ▼—boot bac *m*. ▼—geld passage *m*. ▼—kracht élasticité; (*fig.*) énergie *v*, ressort *m*; — *hebben*, avoir du ressort. ▼—krachtig élastique; (*fig.*) qui a du ressort, résistant. ▼—man passeur *m*.
▼—plank tremplin *m*. ▼—pont bac *m*.
▼—slot serrure *v* à ressort.
veertien quatorze; — *dagen geleden*, il y a quinze jours. ▼—daags de quinze jours.
▼—de quatorzième; *de* — *juli*, le quatorze juillet; *Lodewijk XIV*, Louis quatorze.
veertig quarante. ▼—daags de quarante jours; *de* —*e vasten*, la sainte quarantaine.
▼—er quadragénaire. ▼—jarig quadragénaire, de quarante ans. ▼—ste quarantième. ▼—tal quarantaine *v*.
vee/stal étable *v*. ▼—stapel cheptel *m* bovin; richesse *v* en bétail. ▼—teelt élevage *m*.
▼—verzekering assurance *v* contre la mortalité du bétail. ▼—voeder fourrage *m*, aliments *m mv* pour bestiaux. ▼—wagen bétaillère *v*; fourgon *m* aux bestiaux.
veg/en balayer; ramoner (la cheminée); *voeten* —, s'essuyer les pieds. ▼—er **1** balayeur; ramoneur; **2** (*voorwerp*) balai *m*.
veget/ariër, —*arisch* végétarien (*m*).
▼—eren végéter.
vehikel 1 tacot; clou; **2** (*med.*) véhicule *m*.
veil 1 à vendre; **2** (*omkoopbaar*) vénal; *zijn*

leven — *hebben*, être prêt à sacrifier sa vie.
▼—conditiën conditions *v mv* de vente.
▼—dag jour *m* de vente. ▼—en vendre publiquement. ▼—heid vénalité *v*.
veilig I *bn* sûr, en sûreté; *de weg is* —, la voie est libre; *de* —*ste partij*, le parti le plus sûr; *V— Verkeer* (*in Frankrijk*) Prévention *v* routière. **II** *bw* sûrement, en confiance.
veiligheid sûreté; *in* — *brengen*, mettre en sûreté, - en lieu sûr; *de openbare* —, la sécurité publique; — *van verkeer*, sécurité *v* routière. ▼—scarrosserie carrosserie *v* de sécurité. ▼—sdienst sûreté *v* nationale; *binnenlandse* —, surveillance *v* du territoire.
▼—sglas glace - *v*; verre *m* de sécurité.
▼—sgordel ceinture *v* de sécurité; *de* — *vastmaken*, attacher la ceinture de sécurité; — *met rolautomaat*, c.d.s. à enrouler.
▼—shalve pour plus de sûreté.
▼—sinrichting dispositif *m* de sécurité.
▼—sklep soupape *v* de sûreté; (*fig.*) exutoire *m*. ▼—skooi habitacle *m* indéformable.
▼—slamp lampe *v* de sûreté. ▼—slucifer allumette *v* de sûreté, - suédoise.
▼—smaatregel mesure *v* de sûreté.
▼—smuseum musée *m* de prévention des accidents de travail. ▼—snorm norme *v* de sécurité. ▼—spal verrou *m* de sûreté.
▼—sraad Conseil *m* de sécurité. ▼—srail contre-rail *m*. ▼—sriem ceinture *v* de sécurité. ▼—sscheermes rasoir *m* de sûreté.
▼—ssein signal *m* de fin d'alerte. ▼—sslot serrure *v* de sûreté. ▼—sspeld épingle *v* de nourrice, - de sûreté. ▼—sstop bouchon *m* fusible.
veiling vente *v* publique; *in* — *brengen*, mettre en vente. ▼—zaal salle *v* des ventes.
veinz/en feindre, simuler. ▼—er dissimulateur, hypocrite *m*. ▼—erij feinte, hypocrisie *v*.
vel 1 peau; **2** (*v. worst*) robe; **3** feuille *v* (de papier); *iem. het* — *over de oren halen*, écorcher qn; *uit zijn* — *springen*, être hors de soi.
veld 1 champ, terrain *m* (*ook fig.*); **2** (*v. dambord enz.*) case; **3** (*vlakte*) plaine *v*; *in het vrije* —, en rase campagne; — *winnen*, gagner du terrain; *te* —*e staande*, (*plk.*) sur pied; *te* — *trekken*, partir en guerre; *iem. uit het* — *slaan*, déconcerter qn; *uit het* — *geslagen*, déconcentré, perplexe. ▼—altaar autel *m* portatif. ▼—apotheek pharmacie *v* ambulante. ▼—arbeid travaux *m mv* des champs. ▼—arbeider ouvrier agricole.
▼—artillerie artillerie *v* de campagne.
▼—bakkerij boulangerie *v* de campagne.
▼—bed lit *m* de camp. ▼—bloem fleur *v* des champs. ▼—boon grosse fève *v*. ▼—dienst service *m* de campagne. ▼—fles gourde *v*.
▼—gewas produits *m mv* agricoles. ▼—heer capitaine, général. ▼—hospitaal hôpital *m* de campagne. ▼—keuken cuisine *v* de campagne, - roulante. ▼—kijker jumelle *v* de c. ▼—leger armée *v* en (de) c.
▼—maarschalk 1 maréchal de France; 2 (*in Duitsl.*) feldmaréchal. ▼—post poste *v* aux armées. ▼—prediker aumônier *m*. ▼—rijden faire du tout-terrain. ▼—sla mâche *v*.
▼—slag bataille *v*. ▼—sterkte potentiel *m*.
▼—stoel pliant *m*. ▼—teken fanion *m*.
▼—tent tente-abri *v*. ▼—tenue tenue *v* de campagne. ▼—tocht campagne *v*.
▼—vruchten produits *m mv* agricoles.
▼—wachter garde *m* champêtre.
▼—winnen propagation *v*.
velen souffrir, supporter, endurer.
velg jante *v*. ▼—rem frein *m* sur jante.
vellen I *ov.w* abattre; croiser (la baïonnette); prononcer (une sentence); *een oordeel* —, juger (de). **II** *zn*: *het* —, l'abattage *m*.
velum voile *m*.
vendelzwaaien jeu *m* du drapeau.
vendu(tie) vente *v* publique. ▼—afslager crieur *m*.
venerisch vénérien.
venijn venin, poison *m*. ▼—ig **I** *bn* venimeux;

(fig.) envenimé, empoisonné, perfide; —e
tong, langue v de vipère. II bw d'une façon
envenimée. ▼—igheid venimosité, perfidie v.
vennoot associé m; beherend —, gérant; stille
—, (associé) commanditaire m. ▼—schap
société v; naamloze —, société anonyme;
stille —, société en commandite; —onder
firma, société en nom collectif; besloten —,
société v à responsabilité limitée, S.A.R.L.
▼—schapsbelasting impôt m sur les
sociétés.
venster fenêtre v. ▼—bank banquette v;
rebord, appui m; op de —, sur la fenêtre.
▼—blind volet, contrevent m. ▼—breedte
baie v. ▼—envelop(pe) enveloppe v à
fenêtre. ▼—glas verre m à vitre. ▼—gordijn
rideau m de fenêtre. ▼—kozijn châssis m.
▼—opening baie v. ▼—raam châssis m de
fenêtre. ▼—ruit vitre v, carreau m.
vent homme, type, gaillard; een aardige —, un
chic type; een slimme —, un rusé compère.
venten vendre, colporter, crier. ▼**venter**
colporteur, marchand m ambulant.
ventiel valve v. ▼—dop chapeau m de valve.
▼—slang tube m pour valve.
ventil/atie ventilation v, aérage m. ▼—ator
ventilateur m. ▼—atorriem courroie v de
ventilateur. ▼—eren ventiler, aérer.
ver I bn 1 éloigné, lointain; 2 (gevorderd)
avancé; 3 (v. uitzicht) étendu; het —re
Oosten, l'Extrême-Orient m; —re reis, long
voyage m. II bw loin; het — brengen, aller
loin; hoe — zijn we?, où en sommes-nous?;
hoe — is het van hier tot X?, combien y a-t-il
d'ici à X?; te — gaan, aller trop loin, passer
les bornes; tot hoe —?, jusqu'où?
ver/aangenamen rendre plus agréable,
donner du charme à. —aanschouwelijken
rendre sensible, traduire par une image.
—accijnzen 1 imposer; 2 dédouaner.
veracht/elijk I bn 1 méprisable, abject;
2 (verachtend) dédaigneux. II bw
1 bassement; 2 avec mépris. ▼—elijkheid
abjection v. ▼—en mépriser. ▼—ing mépris
m.
verademen respirer, reprendre haleine.
▼—ing relâche, répit, soulagement m.
veraf loin, au loin (tain). ▼—gelegen éloigné,
lointain, écarté, isolé.
verafgoden idolâtrer.
verafschuwen détester, avoir horreur de.
veralgemenen généraliser.
veranda véranda v.
verander/en I ov.w changer; (ten kwade)
altérer; (vervormen) convertir, transformer;
(wijzigen) modifier; arranger (une robe);
commuer (une peine). II on.w changer; —
van, changer de. ▼—ing changement m;
altération; transformation; modification v;
—en aanbrengen, faire des changements (à).
▼—lijk changeant, variable; inconstant.
▼—lijkheid variabilité; inconstance v.
verankeren ancrer.
verantwoord justifié; —e beslissing,
décision v dûment considérée; artistiek —,
conforme aux normes artistiques. ▼—elijk
1 responsable (de); 2 (voor geld) comptable;
— stellen voor, rendre responsable de.
▼—elijkheid 1 responsabilité; 2 comptabilité
v. ▼—elijkheidsbesef sens m des
responsabilités. ▼—en I ov.w répondre de;
rendre compte de; het hard te — hebben, être
en mauvaise posture. II zich — se justifier (à
qn de qc). ▼—ing 1 responsabilité;
2 justification v; hij neemt het op zijn —, il en
répond; ter — roepen, demander compte (à
qn de qc).
verarm/en I ov.w appauvrir. II on.w
s'appauvrir. ▼—ing appauvrissement m.
verass/en incinérer. ▼—ing incinération v.
verbaasd étonné. ▼—heid étonnement m.
verbaliseren dresser procès-verbal à; zich
laten —, se faire dresser contravention.
verband 1 (samenhang) rapport m,
connexion v; (v. woorden) contexte;
2 (verbintenis) engagement m, obligation v;

3 (med.) pansement; bandage; 4 (v.
houtwerk) assemblage m, (v. steen) liaison v;
oorzakelijk —, rapport de cause à effet; —
houden met, se rattacher à; — leggen tussen,
établir un rapport entre; in — met, en rapport
avec; en raison de; en fonction de; uit het —
rukken, disloquer; onder — zijn, être
hypothéqué. ▼**verband/artikel** article m
pour pansement. ▼—cursus cours m de
pansement. ▼—doos trousse v sanitaire de
secours. ▼—gaas gaze v de pansement.
▼—kist boîte v de secours. ▼—tasje trousse
v de poche. ▼—watten ouate v pour
pansements; coton m hydrophile.
verbann/en exiler, bannir; reléguer, déporter.
▼—ing bannissement, exil m.
verbaster/en s'abâtardir, dégénérer. ▼—ing
abâtardissement m; dégénération v.
verbaz/en I ov.w étonner, surprendre. II zich
— over s'étonner de. ▼—end I bn étonnant;
prodigieux. II bw étonnamment,
prodigieusement, énormément.
verbedden changer de lit.
verbeeld/en I ov.w figurer, représenter.
II zich — se figurer, s'imaginer; zich heel wat
—, se croire un personnage. ▼—ing
1 imagination; 2 (inbeelding) présomption v;
veel — hebben, avoir une haute opinion
de soi-même. ▼—ingskracht imagination,
(faculté) imaginative v.
verbeiden attendre. **verbenen** s'ossifier.
verbergen I ov.w cacher, dissimuler, masquer.
II zich — (voor iem.) se cacher (de qn).
verbeten concentrée, rentré; (v. strijd)
acharné.
verbeter/en I ov.w 1 (iets gebrekkigs)
corriger, rectifier; 2 (iets goeds) améliorer;
amender; 3 perfectionner (une machine, sa
méthode); 4 (herstellen) réparer, réformer.
II zich — se corriger; s'améliorer. III on.w
s'améliorer. ▼—ing correction, rectification;
amélioration v; mieux; perfectionnement;
redressement m (moral). ▼—ingsgesticht
maison v de redressement.
verbeurd confisqué; — verklaren,
confisquer. ▼—verklaring confiscation,
saisie v. ▼verbeuren perdre; er is niet veel
aan verbeurd, le mal n'est pas grand.
verbeuzelen dissiper, perdre (son temps).
verbidden attendrir, fléchir.
verbieden défendre, interdire; prohiber; iem.
zijn huis —, défendre sa porte à qn.
verbijster/d déconcerté, perplexe. ▼—en
déconcerter. ▼—ing perplexité,
consternation v.
verbijten I ov.w étouffer; dévorer (sa
douleur). II zich — zich te mordre les lèvres;
2 (v. ongeduld) ronger son frein.
verbind/en I ov.w 1 (med.) panser; 2 unir;
(tel.) donner la communication, relier;
(elektr.) connecter; 3 (verenigen) combiner;
allier; (v. begrippen) associer; 4 (verplichten)
engager; wilt u mij — met…, voulez-vous
me donner…; ben ik verbonden met X?, je
suis bien chez X? ▼—end I (gram.)
copulatief; 2 obligatoire; — worden, devenir
définitif. ▼verbinding I (mil.) liaison,
jonction v; 2 assemblage m, réunion;
3 communication; connexion v; 4 association;
5 combinaison; 6 obligation v, engagement
m; 7 (vervoer) relation, desserte v; in —
staan met, communiquer avec, être en relation
avec; in — stellen, mettre en contact.
▼—sdienst service m des communications.
▼—slijn ligne v de communication.
▼—sofficier officier m de liaison. ▼—sstuk
raccord m. ▼—steken trait m d'union.
▼—stroepen troupes v mv de liaison.
▼—sweg (tussen wegen) bretelle v de
raccordement. ▼verbintenis 1 union,
alliance v; 2 contrat, engagement m,
obligation v.
verbitter/en aigrir, exaspérer. ▼—ing aigreur,
amertume, exaspération v; acharnement m.
verbleken I pâlir, blêmir; 2 (v. kleur) se faner,
se décolorer.

verblijd content, réjoui (de). ▼—**en** I *ov.w* réjouir. **II zich** — se réjouir (de).

verblijf 1 séjour *m*; **2** (*woning*) demeure *v*, logis *m*; — *houden*, séjourner. ▼—**kosten** frais *m mv* de séjour. ▼—**plaats** résidence *v*, domicile *m*. ▼—**svergunning** permis *m* de séjour. ▼**verblijven** demeurer, séjourner; *ik verblijf met de meeste hoogachting*, agréez, Monsieur, l'expression de ma parfaite considération.

verblind/en aveugler, éblouir. ▼—**heid** aveuglement *m*. ▼—**ing** aveuglement, éblouissement *m*; illusion *v*.

verbloemen déguiser, colorer, voiler.

verbluffen épater; déconcerter. ▼**verbluft** ébahi, stupéfait. ▼—**heid** ébahissement *m*.

verbod défense, interdiction ; prohibition *v*. ▼—**en** défendu, interdit; — *te roken*, défense de fumer. ▼—**sbepaling** clause *v* prohibitive.▼—**sbord** panneau *v* d'interdiction.

verbogen tordu.

verbolgen courroucé, irrité. ▼—**heid** courroux *m*, irritation *v*.

verbond 1 alliance, union; coalition, ligue; confédération *v*; **2** pacte *m*; **3** (*Bijbel*) testament *m*; *een — sluiten*, conclure une alliance, s'allier. ▼—**en 1** allié; **2** obligé (à); **3** inhérent (à).

verborgen 1 caché, dérobé; secret; **2** latent; **3** occulte; — *houden*, receler. ▼—**held** mystère *m*; obscurité *v*.

verbouw culture *v*. ▼—**en 1** cultiver; **2** reconstruire.

verbouwereerd ahuri, décontenancé.

verbouwing reconstruction *v*; *wegens —*, pour cause de transformation.

verbrand/en I *ov.w* **1** brûler; incinérer (les morts); *onvolledig verbrande gassen*, des gaz *m* imbrûlés; **2** (*verteren*) consumer; **3** (*v. zon*) hâler, bronzer. **II** *on.w* **1** brûler; **2** se consumer; **3** se hâler; se bronzer; (*tot kalk —*) calciner; (*verkolen*) carboniser. ▼—**ing 1** combustion; **2** crémation *v*; **3** (*straf*) supplice *m* du feu. ▼—**ingsmotor** moteur *m* à combustion. ▼—**ingsprodukt** produit *m* de combustion.

verbrassen dissiper, gaspiller.

ver/breden élargir. ▼—**breding** élargissement *m*.

verbreiden 1 répandre, propager; **2** divulguer, publier.

ver/breken rompre, briser; résilier (un contrat); (*telefoonverbinding*) couper; *de verbinding is verbroken*, on nous a coupés. ▼—**breking** rupture *v*; résiliation *v*.

verbrijzel/en briser, écraser; (*nat.*) désagréger. ▼—**ing** écrasement *m*; désagrégation *v*.

verbroederen I *ov.w* unir. **II zich** — fraterniser (avec qn).

verbrokkel/en morceler, démembrer. ▼—**ing** morcellement *m*; démembrement *m*.

verbruik consommation *v*; *eigen —*, autoconsommation *v*. ▼—**en 1** (*gebruiken*) consommer; **2** (*verteren*) consumer. ▼—**er** consommateur *m*. ▼—**sartikel** article *m* de consommation. ▼—**sbelasting** redevance *v* d'usage; impôt *m* sur la consommation, - sur la dépense. ▼—**sgoederen** biens *m mv* de consommation.

verbuig/baar 1 pliable; **2** (*gram.*) déclinable. ▼—**en 1** plier; tordre; fausser; **2** décliner; *een wiel —*, voiler une roue. ▼—**ing** déclinaison *v*.

verburgerlijken s'embourgeoiser.

verchromen chromer.

verdacht suspect; douteux; — *worden van*, être soupçonné de; — *op*, préparé à; *ik was er op —*, je m'y attendais. ▼—**e** prévenu(e) *m* (*v*). ▼—**making** insinuation *v*.

verdag/en ajourner; proroger (les Chambres). ▼—**ing** ajournement *v*; prorogation *v*.

verdamp/en I *on.w* s'évaporer. **II** *ov.w* faire évaporer. ▼—**ing** évaporation *v*.

verdedig/baar défendable, tenable; soutenable. ▼—**en** I *ov.w* défendre; soutenir

(une thèse). **II zich** — se défendre. ▼—**er** défenseur; soutenant (d'une thèse).

▼**verdediging** défense; soutenance *v* (de sa thèse); plaidoyer *m*. ▼—**slinie** ligne *v* de défense. ▼—**sverdrag** traité *m* de défense. ▼—**swapen** arme *v* défensive.

verdeeld désuni, divisé. ▼—**heid** discorde, division; désunion *v*.

verdekt 1 ponté; **2** à l'abri; *zich — opstellen*, se mettre en embuscade.

verdel/en 1 diviser; **2** (*uitdelen*) distribuer, partager; **3** (*omslaan*) répartir; **4** (*onenig maken*) désunir, diviser; — *over 8 jaar*, échelonner sur 8 années. ▼—**er** (*v. automotor*) allumeur, delco *m*.

verdelg/en exterminer. ▼—**ing** extermination *v*.

verdeling 1 division; **2** (*uitdeling*) distribution *v*; partage *m*; **3** répartition *v*.

verdenk/en soupçonner (qn de qc), suspecter (qn). ▼—**ing** soupçon *m*, suspicion *v*.

verder I *bn* plus éloigné, - long; ultérieur. **II** *bw* **1** plus loin; **2** après, ensuite; **3** (*bovendien*) de plus, en outre; — *het bos in*, plus avant dans la forêt; — *werken*, continuer de travailler; *en zo —*, et ainsi de suite; — *geen nieuws*, pour le reste rien de nouveau; *daar kom je niet — mee*, cela ne vous avance guère.

verderf 1 perte, ruine; **2** (*eeuwig*) perdition *v*; *in het — storten*, perdre (qn). ▼—**elijk** I *bn* pernicieux, funeste, fatal (à). **II** *bw* pernicieusement. ▼—**elijkheid** influence *v* pernicieuse. ▼**verderven** corrompre; ruiner.

verdicht fictif, supposé; — *verhaal*, fiction *v*. ▼—**en** I *ov.w* **1** condenser; **2** (*fig.*) inventer. **II zich** — se condenser. ▼—**ing 1** condensation, compression; **2** invention *v*. ▼—**sel** fable, fiction, invention *v*.

verdien/en I *ov.w* **1** gagner; **2** (*waard zijn*) mériter; *heeft hij dat aan u verdiend?*, est-ce là sa récompense?; *hij heeft zijn verdiende loon*, il n'a que ce qu'il mérite. **II** *on.w* gagner de l'argent. ▼—**ste 1** salaire; **2** (*winst*) gain, bénéfice; **3** mérite *m*; *naar —*, selon ses mérites. ▼—**stelijk** I *bn* méritant; (*v. daad*) méritoire; *een — man*, un homme de mérite; *zich — maken jegens*, bien mériter de; se rendre utile à. **II** *bw* méritoirement.

verdiep I *ov.w* approfondir, creuser. **II zich** — in s'abîmer -, s'absorber -, se plonger dans. ▼—**ing 1** approfondissement; **2** étage *m*; *huis met één —*, maison *v* sans étage; *hoog van —*, haut de plafond; *gelijkvloerse —*, rez-de-chaussée *m*; *op de derde —*, au troisième.

verdierlijken I *ov.w* abrutir, **II** *on.w* s'abrutir.

verdikk/en I *ov.w* **1** épaissir; **2** (*vloeistof*) concentrer. **II** *on.w* **& zich** — s'épaissir, se concentrer. ▼—**ing 1** épaississement *m*, concentration *v*; **2** (*opzwelling*) enflure, tumeur *v*.

verdisconteren escompter.

verdoeken rentoiler.

verdoem/d I *bn* damné, maudit; sacré; — *!*, sapristi! **II** *bw* diablement, rudement. ▼—**de** damné, réprouvé *m*. ▼—**elijk** damnable, réprouvable. ▼—**en** damner, réprouver. ▼—**enis** damnation, réprobation *v*.

verdoen I *ov.w* gaspiller, perdre. **II zich** — se donner la mort.

verdoezelen *ov.w* (*& on.w*) (s') effacer.

verdokteren payer au médecin et au pharmacien.

verdommen 1 *zie* **verdoemen**; **2** *zie* **vertikken**.

verdonk/eremanen soustraire, escamoter. ▼—**en** *ov.w* (*& on.w*) s'obscurcir.

verdoold égaré. ▼—**heid** égarement *m*.

verdor/d aride, desséché, sec; — *blad*, feuille *v* morte. ▼—**ren** *ov.w* (*& on.w*) (se) dessécher. ▼—**ring** dessèchement *m*.

verdorven corrompu, dépravé, pervers. ▼—**heid** corruption, dépravation, perversité *v*.

verdov/en I *ov.w* **1** assourdir; étourdir;
2 (*geluid*) amortir; **3** (*v. kou*) engourdir;
4 (*med.*) anesthésier. **II** *on.w* **1** s'engourdir,
s'affaiblir. **▼—ing 1** assourdissement,
étourdissement, assoupissement *m*; **2** (*med.*)
anesthésie *v*. **▼—ingsmiddel** anesthésique;
narcotique; stupéfiant *m*; (*fam.*) —en, la
drogue.

verdraag/lijk supportable, tolérable.
▼—zaam I *bn* tolérant; accommodant; **II** *bw*
avec tolérance. **▼—zaamheid** tolérance *v*.

verdraai/d I *bn* tordu; —*!*, fichtre!; *een —e
hand*, une écriture *v* contrefaite. **II** *bw*
singulièrement, fort. **▼—en 1** tourner;
2 (*verwringen*) fausser, forcer; **3** (*fig.*) altérer
(la vérité); dénaturer (les paroles de qn);
torturer (un texte). **▼—ing** contorsion *v*;
roulement *m* (d'yeux); altération *v*.

verdrag pacte, traité *m*; *een — aangaan*
(*met*), faire un pacte (avec); *een —
opzeggen*, dénoncer un traité.

verdragen endurer, supporter, souffrir,
tolérer; *dat kan ik van hem —*, je lui passe
cela; *dat verdraagt zijn maag niet*, son
estomac ne le tolère pas.

verdragend à longue portée.

verdrie/dubbelen — voudigen tripler.

verdriet chagrin, ennui *m*; affliction, peine *v*;
— *aandoen*, affliger. **▼—elijk 1** ennuyeux,
fâcheux; **2** affligé. **▼—elijkheid** ennui,
contretemps *m*. **▼—en** ennuyer, contrarier.
▼—ig affligé, triste; — *worden*, s'affliger.

ver/drijven 1 chasser; **2** déloger (l'ennemi);
3 dissiper (le brouillard); passer, tuer (le
temps); (*wisk.*) éliminer (une inconnue).
▼—dringen 1 pousser, bousculer; **2** (*fig.*)
évincer, supplanter; **3** (*psych.*) refouler.
▼—dringing 1 bousculade; **2** (*fig.*)
supplantation *v*; **3** refoulement *m*.

verdrink/en I *ov.w* **1** noyer (qn); **2** inonder
(la campagne); **3** dépenser à boire. **II** *on.w* se
noyer. **III** *zich* — aller se noyer, se jeter à
l'eau. **▼—ing** noyade *v*; *dood door —*, mort *v*
par submersion.

verdrog/en se dessécher; (*v. bron*) se tarir.
▼—ing dessèchement, tarissement *m*.

verdrukk/en opprimer. **▼—er** oppresseur *m*.
▼—ing oppression *v*.

verdubbel/en doubler; *zijn ijver —*, redoubler
de zèle. **▼—ing 1** redoublement *m*; **2** (*gram.*)
réduplication *v*.

verduidelijk/en éclaircir. **▼—ing**
éclaircissement *m*.

verduister/en I *ov.w* **1** obscurcir; **2** éclipser;
3 détourner, soustraire (de l'argent);
4 (*vensters*) camoufler, occulter; (*lichten*)
masquer (les feux); **5** (*fig.*) offusquer
(l'intelligence). **II** *on.w* **1** s'obscurcir; **2** (*v.
zon*) s'éclipser; **3** (*v. gezicht*) se rembrunir.
▼—ing 1 obscurcissement *m*; **2** éclipse *v*;
3 détournement; **4** camouflage *m* des
lumières.

verduitsen 1 germaniser; **2** traduire en
allemand.

verdunn/en 1 (*v. plank*) amincir; **2** (*v.
vloeistof*) délayer; éclaircir (une sauce);
couper (le vin); étendre (le cognac); **3** (*v.
gas*) raréfier. **▼—ing 1** amincissement;
2 délayage, coupage *v*; **3** raréfaction *v*.

verduren souffrir.

verduurzamen conserver; *verduurzaamde
levensmiddelen*, conserves *v mv* alimentaires.

verdwaasd affolé, égaré. **▼—heid** égarement
m, folie *v*.

verdwalen s'égarer, se perdre.

verdwazen faire perdre la raison.

verdwijn/en disparaître, se dissiper. **▼—ing**
disparition *v*.

veredel/en 1 ennoblir; **2** améliorer (une race).
▼—ing 1 ennoblissement *m*; **2** amélioration
v. **▼—ingsindustrie** industrie *v* de
transformation.

vereenvoudig/en simplifier; (*wisk.*) réduire.
▼—ing simplification; réforme *v* (de
l'orthographe).

vereenzamen perdre les contacts sociaux;

manquer de rapports humains.

vereenzelvig/en: *zich — met*, s'identifier
avec; *zich — met zijn rol*, entrer dans la peau
de son personnage. **▼—ing** identification *v*.

vereer/der admirateur *m*. **▼—ster** admiratrice
v.

vereeuwigen perpétuer; immortaliser.

vereffen/en 1 (*rekening*) solder; (*schuld*)
acquitter; **2** (*zaak*) régler; (*geschil*) arranger,
vider. **▼—ing** acquittement; règlement *m*; *ter
— van*, en règlement de.

ver/eisen exiger, requérir. **▼—eiste** condition
nécessaire, exigence *v*.

veren I *bn* de plumes. **II** *on.w* être élastique,
faire ressort; *goed verend*, bien suspendu;
verend stuur, guidon *m* amortissant.

verengelsen angliciser. **verengen** rétrécir.

verenig/baar compatible (avec).
▼—baarheid compatibilité *v*. **▼V—de
Staten** Etats-Unis *m mv*. **▼V—de Naties**
Nations *v mv* Unies, O.N.U. *v*. **▼—en I** *ov.w*
1 réunir, unir (à); joindre (à); **2** (*ambten*)
cumuler; **3** (*overeenbrengen*) accorder,
concilier; *in zich —*, réunir. **II zich — 1** se
réunir; **2** (*v. rivieren*) confluer; *zich — met*,
se ranger à (l'avis de qn); joindre (une
troupe). **▼—ing 1** union, réunion, fusion;
2 (*genootschap*) association, société, union
v; — *voor vreemdelingenverkeer*, syndicat *m*
d'initiative.

verer/en 1 honorer, révérer; **2** faire présent
(de qc à qn). **▼—end** flatteur.

vererger/en I *ov.w* aggraver. **II** *on.w* empirer,
s'aggraver. **▼—ing** aggravation; escalade *v*.

verering 1 vénération *v*; **2** don, hommage *m*.

verf 1 couleur; **2** (*laag —*) peinture; **3** (*v. stof*)
teinture *v*; *de — is nog nat*, la peinture est
toute fraîche. **▼—doos** boîte *v* de couleurs.
▼—handel commerce *m* des couleurs.

verfijn/en raffiner. **▼—ing** raffinement *m*.

verfilm/en filmer, porter sur-; (*v. roman*)
adapter à l'écran. **▼—ing** filmage *m*.

verf/je couche *v* de couleur. **▼—kwast**
brosse *v*.

verflauw/en s'affaiblir; se refroidir; tomber.
▼—ing affaiblissement, refroidissement *m*.

verflens/en se faner, se flétrir. **▼—ing**
flétrissure *v*.

verfmes amassette *v*.

verfoei/en détester, abhorrer. **▼—lijk** *bn* (&
bw) détestable(ment), abominable(ment).

verfomfaaien, verf(r)ommelen chiffonner,
friper, froisser.

verfpot pot *m* à couleur.

verfraai/en embellir, enjoliver. **▼—ing**
embellissement *m*.

verfransen franciser. **▼—ing** francisation *v*.

verfriss/en rafraîchir; ranimer. **▼—ing**
rafraîchissement *m*. **verfroller** rouleau *m* à
peinture. **▼—spuit** pistolet *m*. **▼—waren**
couleurs, matières *v mv* colorantes.

vergaan 1 périr, se perdre; **2** (*verdwijnen*) s'en
aller, (se) passer; **3** (*verrotten enz.*) se
consumer, se pourrir, s'user; — *van
ongeduld*, griller d'impatience.

vergaarbak réservoir; bassin; dépotoir *m*.

vergader/en *ov.w* (& *on.w*) **1** (s')assembler,
(se) réunir. **▼—ing** réunion, assemblée;
(*zitting*) séance *v*; *algemene —*, assises *v mv*,
congrès *m*. **▼—zaal** salle *v* de réunion, - des
séances.

vergallen 1 crever le fiel (d'un poisson);
2 (*fig.*) empoisonner, gâter.

vergalopperen (zich) se couper, faire une
gaffe.

vergankelijk périssable, fragile. **▼—heid**
instabilité, fragilité *v*.

vergapen: *zich aan iets —*, s'émerveiller de
qc; se laisser éblouir par qc.

vergaren accumuler, amasser.

vergass/en 1 gazéifier; carburer; **2** gazer
(qn). **▼—er** carburateur *m*. **▼—ing
1** carburation; gazéification *v*; **2** exécution *v*
par asphyxie.

vergasten régaler (qn de).

vergeeflijk pardonnable.

vergeefs I *bn* inutile, vain. II *bw* inutilement, vainement, en vain.

vergeestelijken spiritualiser.

vergeet/achtig oublieux. ▼—**achtigheid** défaut *m* de mémoire. ▼—**mij-niet** myosotis *m*.

vergeld/en payer, rendre; *kwaad met goed —*, rendre le bien pour le mal. ▼—**ing** 1 (*beloning*) récompense; 2 (*straf*) expiation *v*. ▼—**ingsmaatregel** mesure *v* de rétorsion, représaille *v*.

vergelijk arrangement, compromis *m*; *een — treffen*, entrer en composition. ▼—**baar** comparable. ▼—**en** comparer; conférer (deux textes); confronter. ▼—**end** comparé; *—e trap*, comparatif *m*. ▼—**enderwijs** par comparaison, comparativement. ▼—**ing** 1 comparaison; 2 (*wisk.*) équation *v*; *— van de eerste* (*tweede, derde*) *graad*, équation linéaire (carrée, cubique), - du premier (second, troisième) degré; *in —* met, en comparaison de. ▼—**ingstabel** tableau *m* comparatif.

vergemakkelijken faciliter.

vergen exiger; *te veel — van*, abuser de.

vergenoeg/d content (de); réjoui. ▼—**dheid** contentement *m*. ▼—**en** I *ov.w* contenter. II zich — **met** se contenter de.

vergetelheid oubli *m*; *aan de — ontrukken*, tirer de l'oubli; *in — raken*, tomber dans l'oubli. ▼—**heid** tegopen oublier.

vergev/en 1 pardonner (qc à qn); 2 (*vergiftigen*) empoisonner; 3 (*weggeven*) disposer de, donner; *zonden —*, remettre les péchés (à qn), absoudre (qn). ▼—**ensgezind** clément, enclin au pardon. ▼—**ensgezindheid** clémence *v*. ▼—**ing** 1 pardon *m*, rémission; 2 (*v. titel*) collation *v*; 3 empoisonnement *m*.

vergezellen accompagner.

vergezicht perspective, vue *v*.

vergezocht tiré par les cheveux, recherché.

verglet passoire *v*. ▼—**en** 1 répandre, verser; 2 (*opnieuw gieten*) refondre.

vergif(t) poison, venin; (*med.*) toxique; virus *m*. ▼**fenis** zie **vergeving**. ▼—**tig** 1 (*v. dier*) venimeux; 2 (*v. plant*) vénéneux; 3 (*v. gas*) délétère; 4 (*v. stof*) toxique; 5 (*fig.*) envenimé. ▼—**tigen** 1 empoisonner; 2 (*med.*) intoxiquer; 3 (*fig.*) empoisonner; envenimer (une discussion). ▼—**tiger** empoisonneur *m*. ▼—**tiging** empoisonnement *m*; intoxication *v*. ▼—**tigingsverschijnsel** symptôme *m* d'empoisonnement. ▼—**tigster** empoisonneuse *v*.

vergiss/en (zich) se tromper, faire erreur. ▼—**Ing** erreur, méprise *v*; *bij —*, par erreur.

verglazen I *ov.w* 1 (*in glas veranderen*) vitrifier; 2 émailler. II *on.w* se vitrifier.

vergoddelijken diviniser.

vergoe/den dédommager -, indemniser (qn de qc); bonifier (la rente); réparer (une faute); payer, rembourser (les frais). ▼—**ding** dédommagement *m*; indemnité; réparation *v*; *— voor reis- en verblijfkosten*, indemnité de frais de voyage et de séjour; *tegen —*, moyennant rétribution. ▼—**lijken** excuser; colorer. ▼—**lijking** excuse *v*; prétexte *m*.

vergooien I *ov.w* gaspiller. II zich — s'avilir, se prostituer.

vergrijp délit; attentat *m*. ▼—**en** (zich): — *aan*, attenter à, porter la main sur, violer.

vergrijzen blanchir.

vergroei/d adhérent (à), soudé (à). ▼—**en** 1 se déformer, dévier; 2 (*med.*) se cicatriser, s'effacer; *— met*, se souder à. ▼—**ing** 1 déformation; 2 cicatrisation *v*.

vergrootglas loupe *v*, verre *m* grossissant. ▼**vergrot/en** 1 agrandir; augmenter, grossir, étendre; amplifier; (*fig.*) exagérer. ▼—**ing** agrandissement (d'une photo); grossissement *m*; exagération *v*. ▼—**ingstoestel** agrandisseur *m*; amplificateur *m*.

vergruizen I *ov.w* broyer, écraser. II *on.w*

s'effriter.

verguizen discréditer; déshonorer; décrier.

verguld doré; — *op snee*, doré sur tranche; — *zilver*, vermeil *m*; — *met*, enchanté de; *—e armoede*, la misère en habit noir. ▼—**en** dorer. ▼—**sel** dorure *v*.

vergunn/en accorder, permettre. ▼—**ing** autorisation, permission; (*v. onderneming*) concession; (*v. sterke drank*) licence *v*; débit *m*.

verhaal 1 récit *m*, narration *v*, conte *m*; *kort —*, nouvelle; 2 (*herstel*) réparation *v*; (*recht*) recours *m*; — *hebben op*, avoir recours contre; *weer op — komen*, se remettre, reprendre ses forces; *op zijn — terugkomen*, revenir à ses moutons. ▼—**baar** recouvrable. ▼—**tje** conte *m*.

verhaast/en presser; activer; précipiter. ▼—**ing** précipitation *v*.

verhakking abatis *m*, barricade *v*.

verhal/en 1 raconter; 2 *iets op iem. —*, se rattraper de qc sur qn; avoir recours contre qn; 3 reprendre ses forces; 4 (*mar.*) touer. ▼—**end** narratif. ▼—**er** narrateur *m*.

verhandel/baar négociable; bancable. ▼—**en** 1 négocier, vendre; 2 discuter, traiter. ▼—**ing** dissertation; conférence *v*.

verhangen I *ov.w* déplacer. II zich — se pendre.

verhard durci; (*med.*) induré; (*fig.*) endurci. ▼—**en** I *ov.w* durcir; empierrer (une route); (*fig.*) endurcir. II *on.w* (s'en)durcir. ▼—**ing** (en)durcissement *m*; (*med.*) induration *v*.

verharen changer de poil, muer.

verhaspelen défigurer, massacrer.

verheerlijk/en exalter, glorifier. ▼—**ing** exaltation, glorification *v*.

verheff/en I *ov.w* élever (la voix, son âme); relever; *tot de 3de macht —*, élever à la puissance 3; *zijn stem — tegen*, s'élever -, protester contre. II zich — s'élever; *zich op*, se vanter de. ▼—**ing** élévation *v*.

verheimelijken cacher, dissimuler.

verheldр/en *ov.w* (& *on.w*) s'éclaircir. ▼—**ing** éclaircissement *m*.

verhel/en cacher, dissimuler. **verhelpen** rémédier (à qc); arranger (qc).

verhemelte 1 (*in mond*) palais; 2 (*hemel*) ciel, dais *m*.

verheug/d I *bn* content (de), charmé. II *bw* avec joie. ▼—**en** I *ov.w* réjouir. II zich — **over** se réjouir de. ▼—**enis**, —**ing** joie *v*.

verheven 1 élevé; 2 (*fig.*) élevé, sublime; *boven iets — zijn*, être au-dessus de qc; *het —e*, le sublime. ▼—**heid** élévation *v*.

verhevigen intensifier.

verhinder/en empêcher (qn de faire qc), prévenir. ▼—**ing** empêchement, obstacle *m*; *bij —*, en cas d'empêchement.

verhit échauffé; exalté. ▼—**ten** chauffer; (*fig.*) échauffer. ▼—**ting** chauffage (*fig.*) échauffement *m*.

verhoeden empêcher, prévenir; *wat de Hemel verhoede*, ce qu'à Dieu ne plaise.

verhog/en 1 élever; 2 rehausser (une muraille); 3 augmenter, relever (le salaire); 4 faire avancer; promouvoir (à une classe supérieure); 5 ajouter (à la beauté); faire ressortir; *verhoogde prijs*, prix *m* majoré. ▼—**ing** 1 élévation *v* (des prix; de la température); 2 rehaussement *m*; 3 augmentation *v*, relèvement; 4 avancement *m*, promotion; 5 (*v. prijs*) majoration *v*; 6 (*in zaal*) estrade *v*; 7 (*v. produktie*) accroissement *m*; — *hebben*, faire de la température.

verhonderdvoudigen centupler.

verhonger/en mourir de faim. ▼—**ing** inanition *v*.

ver/hoor 1 interrogatoire *m*; 2 (*v. getuigen*) audition *v*. ▼—**horen** 1 entendre, interroger; 2 (*v. gebed*) exaucer.

verhoud/en (zich): — *tot*, se rapporter à, être à; *x verhoudt zich tot y als 3 tot 4*, x est à y comme 3 à 4. ▼**verhouding** rapport *m*, relation; proportion *v*; *in —*, —,

proportionnellement; *naar — van*, en
proportion de. **▼—sgetal** nombre *m*
proportionnel.
verhuis/biljet déclaration *v* de changement
de domicile. **▼—wagen** fourgon *m* de
déménagement, tapissière *v*. **▼verhuiz/en**
déménager; émigrer. **▼—er** déménageur.
▼—ing déménagement *m*.
verhur/en I *ov.w* louer; affermer (une ferme,
une terre); placer (un domestique). **II zich —**
s'engager, se mettre en condition. **▼—ing**
location *v*; placement *m*. **▼verhuur/der**
loueur; propriétaire *m*. **▼—kantoor 1** agence
v de location; **2** (*v. dienstboden*) bureau *m* de
placement.
verijdel/en déjouer, renverser (un dessein);
décevoir l'espérance. **▼—ing** renversement
m.
vering suspension *v*.
verjaar/d 1 périmé; **2** acquis par prescription.
▼—dag anniversaire *m*. **▼—feest** fête *v*.
verjag/en chasser, expulser. **▼—ing**
expulsion *v*.
ver/jaren 1 célébrer son anniversaire; **2** se
prescrire; périmer. **▼—jaring 1** anniversaire
m; **2** prescription *v*; *aan — onderhevig*,
prescriptible. **▼—jaringstermijn** période *v*
de prescription.
verjong/en rajeunir. **▼—ing** rajeunissement
m.
verkalk/en se calciner; se scléroser. **▼—ing
1** calcination; sclérose *v*; *— der bloedvaten*,
artériosclérose *v*.
verkankeren être rongé par un cancer; se
gangréner. **verkapt** déguisé.
verkavel/en diviser en lots. **▼—ing**
lotissement *m*.
verkeer 1 circulation *v*, mouvement *m*;
2 (*omgang*) commerce *m*, fréquentation *v*; —
te land, trafic *m* routier; '*doorgaand —*', sens
prescrit; 'toutes directions' *v mv*;
internationaal —, relations *v mv*
internationales; *in het dagelijks —*, dans la vie
de tous les jours.
verkeerd I *bn* **1** (*omgekeerd*) renversé; **2** (*niet
goed*) faux, incorrect, mauvais; *het —e
nummer draaien*, se tromper de numéro; *aan
het —e kantoor komen*, s'adresser mal; *de
—e kant*, l'envers *m*; *het — vinden dat*,
trouver mauvais que. **II** *bw* mal; à faux; de
travers; *— aansluiten*, donner le mauvais
numéro; *— aflopen*, finir mal; *— verstaan*,
entendre mal (*of* de travers); *— zien*, se
tromper; *— aantrekken*, mettre à l'envers.
verkeers/ader artère *v*. **▼—agent** agent de la
circulation. **▼—bord** panneau *m* de
signalisation. **▼—brug** pont *m* routier.
▼—drempel bande *v* transversale.
▼—informatie radioguidage *m*. **▼—leider**
contrôleur *m* de navigation d'aérodrome.
▼—licht feu *m* (tricolore). **▼—lichtpaal**
borne *v* lumineuse. **▼—middel** moyen *m* de
communication. **▼—ongeval** accident de la
circulation, - de la route. **▼—opstopping**
bouchon, embouteillage *m*. **▼—politie** police
v routière. **▼—regeling** règlement *m* du
trafic. **▼—regels** code *m* de la route.
▼—teken signal *m* routier. **▼—toren** mirador
m; (*op vliegveld*) tour *v* de contrôle. **▼—tuin**
piste *v* d'éducation routière. **▼—tunnel**
tunnel *m* routier. **▼—veiligheid** sécurité *v*
routière. **▼—vliegtuig** avion *m* de transport.
▼—voorschriften code *v* de la route.
▼—weg route *v* à grande circulation. **▼—zuil**
borne *v*, poteau *m*.
verkenn/en reconnaître, explorer. **▼—er**
éclaireur; (*jeugdbeweging*) scout *m*. **▼—ing**
reconnaissance; exploration *v*; *op —
uitgaan*, reconnaître le terrain. **▼—ingstocht**
reconnaissance *v*. **▼—ingsvliegtuig** avion *m*
de reconnaissance.
verker/en 1 changer, varier; **2** (*verblijven*)
être; séjourner; *— met fréquenter; — met
een meisje*, faire la cour à une jeune fille.
▼—ing — *hebben*, être fiancé.
verkies/baar éligible. **▼—baarheid** éligibilité

v. **▼—lijk** préférable. **▼verkiez/en I** *ov.w*
1 choisir, élire; **2** vouloir, entendre; **3** (*de
voorkeur geven*) préférer, aimer mieux.
II *on.w*: *zoals je verkiest*, comme vous
voudrez. **▼—ing 1** choix *m*; **2** volonté;
3 préférence; **4** élection *v*; *—en in eerste
ronde*, élections *v mv* primaires; *—en voor de
2e Kamer*, élections législatives; *naar —*, à
discrétion, à volonté. **▼—ings... électoral.
▼—ingsdag jour *m* des élections. **▼—ronde**
tour *m* de scrutin.
verkijken I *ov.w* **1** donner (pour voir); **2** *de
kans is verkeken*, l'occasion est perdue.
II zich — mal voir.
verkikkerd *— op*, fou de, toqué de.
verklaar/baar explicable. **▼—d** déclaré, juré.
▼—der explicateur, commentateur *m*.
▼verklar/en I *ov.w* **1** (*ophelderen*) éclaircir;
2 déclarer (son amour, la guerre); (*voor
waar*) certifier; (*begrip*) expliquer, interpréter; *iem.
schuldig —*, déclarer qn coupable. **II zich —**
s'expliquer; *zich niet —*, ne pas se prononcer.
▼—end explicatif. **▼—ing 1** éclaircissement
m; **2** déclaration; explication; **3** (*jur.*)
déposition *v*.
ver/kleden 1 changer d'habits;
2 (*vermommen*) déguiser, travestir (en).
▼—kleding 1 changement d'habits;
2 déguisement, travestissement *m*.
verklein/aap réducteur *m*. **▼—baar**
réductible. **▼—en** rapetisser; diminuer;
réduire; (*fig.*) amoindrir, diminuer. **▼—end**
diminutif, qui diminue. **▼—ing** rapetissement
m, diminution, réduction *v*, amoindrissement
m. **▼—woord** diminutif *m*.
verkleum/d engourdi, transi. **▼—dheid**
engourdissement *m*. **▼—en I** *ov.w* engourdir;
II *on.w* être transi.
verkleuren I *on.w* **1** changer de couleur, pâlir;
2 (*kleur verliezen*) se décolorer, se déteindre.
II *ov.w* décolorer.
verklik/ken dénoncer, rapporter. **▼—ker
1** dénonciateur, rapporteur; **2** (*toestel*)
avertisseur; (*radio*) détecteur *m*. **▼—ster**
rapporteuse *v*.
ver/kneukelen, —kneuteren (zich) jubiler.
verkniezen (zich) languir, se ronger le cœur.
verknippen découper; couper mal, abîmer;
tot snippers —, déchiqueter.
verknocht attaché (à). **▼—heid** attachement,
dévouement *m* (à).
verknoeien 1 gâcher, gâter, abîmer;
2 gaspiller (son argent).
verkoel/en I *ov.w* rafraîchir; (*fig.*) refroidir.
II *on.w* se rafraîchir, se refroidir. **▼—end**
rafraîchissant; réfrigérant. **▼—ing**
rafraîchissement *v*; (*fig.*) refroidissement *m*.
▼—ingsmiddel réfrigérant *m*.
verkoeverkamer salle *v* de réveil, - de
réanimation.
ver/kolen *ov.w* (& *on.w*) (se) carboniser.
▼—koling carbonisation *v*.
verkondig/en annoncer; publier; propager;
prêcher. **▼—ing** annonce, publication;
prédication *v*.
verkoop vente *v*; débit *m*. **▼—baar** vendable;
de bon débit. **▼—dag** jour *m* de vente.
▼—huis maison *v* de ventes. **▼—leider**
promoteur *m* de ventes. **▼—lokaal** salle *v* des
ventes. **▼—prijs** prix *m* de vente. **▼—punt**
point *m* de vente. **▼—ster** vendeuse *v*.
▼—waarde valeur *v* vénale. **▼ver/kopen**
vendre; (*fig.*) débiter; *bij het gewicht —*,
vendre au poids; *— voor 50 gulden*, vendre
qc 50 florins. **▼—koper** vendeur *m*.
verkoperen cuivrer, doubler de cuivre.
verkoping vente *v* (publique).
verkort raccourci; *in — e vorm*, en raccourci.
▼—en raccourcir; abréger; résumer. **▼—ing**
raccourcissement *m*; abréviation *v*; abrégé *m*.
verkoud/en *— worden*,
s'enrhumer, attraper un rhume. **▼—heid**
rhume *m*; *— in het hoofd*, coryza, rhume *m*
de cerveau.
verkracht/en violer, violenter. **▼—ing** viol *m*;
(*fig.*) violation *v*.

verkreuk(el)en chiffonner, friper, froisser.
verkrijg/baar: — *bij*, en vente chez; — *stellen*, mettre en vente. ▼**—en 1** avoir, obtenir; **2** (*verwerven*) acquérir; *hij kan het niet van zich* —, il ne peut s'y résoudre. ▼**—er** acquéreur *m*. ▼**—ing 1** obtention; **2** acquisition *v*.
verkroppen dévorer, avaler; *verkropte woede*, fureur *v* contenue; *hij kan het niet* —, il ne peut pas digérer cela. **verkruimelen** émietter. **verkwanselen** troquer; gaspiller; (*verkopen*) bazarder.
verkwijn/en languir, dépérir. ▼**—ing** langueur *v*, dépérissement *m*.
verkwikk/elijk réconfortant. ▼**—en** rafraîchir, réconforter; ranimer. ▼**—ing** rafraîchissement, réconfort; soulagement *m*.
verkwist/en gaspiller, prodiguer. ▼**—end** I *bn* prodigue. II *bw* prodigalement. ▼**—er** dissipateur, prodigue *m*. ▼**—ing** dissipation, prodigalité *v*.
verladen charger; transborder.
ver/lagen I *ov.w* abaisser; diminuer, réduire (le prix); *tegen verlaagde prijs verkopen*, mettre en réclame; dégrader. II *zich* — s'abaisser (à), descendre (jusqu'à). ▼**—laging** abaissement *m*; diminution, réduction, dégradation *v*; (*fig.*) avilissement *m*.
verlakk/en laquer, vernir; (*fig.*) mettre dedans, rouler. ▼**—er** laqueur, vernisseur *m*; (*fig.*) trompeur, fumiste *m*. ▼**—erij, —ing** tromperie, fumisterie *v*.
verlam/d perclus; paralysé. ▼**—men** I *ov.w* rendre perclus; paralyser (*ook fig.*). II *on.w* devenir perclus, être paralysé. ▼**—ming** paralysie *v*.
verlang/en I *on.w*: — *naar*, désirer, souhaiter (qc), aspirer à; *ik verlang er naar hem weer te zien*, il me tarde de le revoir. II *ov.w* **1** (*wensen*) désirer; **2** (*eisen*) demander; exiger, réclamer. III *zn* désir *m*; demande *v*; *aan zijn* — *voldoen*, se rendre à ses désirs. ▼**—end** désireux.
verlaten I *ov.w* **1** quitter. **2** (*in de steek laten*) abandonner, délaisser. II *zich* — s'attarder; *zich* — *op*, compter sur; se fier à; s'en remettre à. III *zn* **1** départ; **2** abandon *m*; *bij het* — *van*, au sortir de (l'école etc.). IV *bn* abandonné; (*eenzaam*) désert; inhabité. ▼**—heid** abandon *m*; solitude *v*.
verleden I *bn* passé; — *deelwoord*, participe *m* passé; — *zondag*, dimanche passé; — *week*, la semaine dernière; *onvoltooid* — *tijd*, imparfait *m*; *voltooid* — *tijd*, plus-que-parfait *m*. II *zn* passé *m*. III *bw* l'autre jour.
verlegen I *bn* **1** confus, timide; contraint, gêné; **2** (*bedorven*) défraîchi, passé; — *maken*, embarrasser, confondre; — *worden*, se troubler; — *zijn met*, ne savoir que faire de; — *zijn om*, avoir besoin de (qc). II *bw* d'un air embarrassé. ▼**—heid** confusion, timidité; gêne *v*; embarras *m*.
verlegg/en se déplacer; (*verkeersstroom*) dévier. ▼**—ing** déplacement *m*.
verleid/elijk I *bn* séduisant. II *bw* d'une manière séduisante. ▼**—elijkheid** charme *m*, séduction *v*. ▼**—en** séduire; — *tot*, inciter à (mal faire); *het meisje is verleid*, la jeune fille a été mise à mal. ▼**—er** séducteur *m*. ▼**—ing** séduction, tentation *v*; détournement *m* (de mineur(e). ▼**—ster** séductrice *v*.
ver/lekkerd friand (de), fou (de). ▼**—lekkeren** affriander.
verlenen accorder, donner; concéder (un droit); conférer; attribuer.
verleng/baar renouvable; susceptible de prolongation. ▼**—de** prolongement *m*. ▼**—en 1** allonger (une robe etc.); **2** renouveler (un abonnement); **3** prolonger (une ligne, un chemin); **4** proroger (l'échéance d'un billet); **5** reconduire (*contract*). ▼**—ing** allongement *v*; renouvellement *m*; prolongation; prorogation *v*. ▼**—snoer** cordon -, fil *m* prolongateur. ▼**—stuk** rallonge *v*; appendice *m*.

verleñing concession *v*; — *v. hulp*, secours *m*.
verleppen se faner, se flétrir, passer. ▼**verlept** fané; défraîchi.
verleren oublier (de), désapprendre.
verlet 1 empêchement; **2** (*uitstel*) délai, retard *m*; perte *v* de temps. ▼**—ten** perdre.
verlevendig/en vivifier, ranimer; (r)aviver. ▼**—ing** vivification, reprise *v* (des affaires).
verlicht 1 éclairé; **2** lumineux. ▼**—en 1** éclairer, illuminer; **2** (*zwaarte*) alléger; **3** (*fig.*) soulager; faciliter. ▼**—ing 1** éclairage *m*, illumination *v*; **2** allégement; **3** soulagement *m*; **4** siècle *m* des lumières.
verliefd I *bn* amoureux -, épris (de); — *worden*, tomber amoureux (de). II *bw* amoureusement. ▼**—e** amoureux *m*, amoureuse *v*. ▼**—heid** amour *m*, amourette *v*.
verlies perte *v*; *een* — subi(e), faire -, essuyer une perte; *met* —, à perte; — *en winstrekening*, compte *m* de pertes et profits. ▼**verliez/en** perdre; *het* — *tegen*, succomber contre. ▼**—er** perdant *m*.
verliggen se défraîchir, se gâter.
verlijden passer; *het* — *der akte*, la passation *v*.
verlof 1 permission, autorisation *v*, consentement *m*; **2** congé *m*, permission *v*; — *hebben om*, avoir la permission de; *met uw* —, permettez; *met groot* — *zijn*, être libéré; *van* — *terugkomen*, rentrer de congé. ▼**—dag** jour *m* de c. ▼**—ganger** permissionnaire *m*. ▼**—pas** congé *m*.
verlokken attirer, séduire; *zie ook* **verleiden** enz.
verloochen/en I *ov.w* renier, désavouer; démentir (sa race). II *zich* — se sacrifier; *zichzelf* —, se démentir. ▼**—ing 1** reniement *m*, répudiation *v*; démenti *m*; **2** abnégation *v*.
verloofde fiancé(e), futur(e) *m* (*v*).
verloop 1 cours *m*, marche *v*; **2** (*v. ziekte*) progrès *m*; **3** (*achteruitgang*) baisse, décadence *v*; **4** (*uiteengaan*) écoulement *m*; **5** (*afloop*) issue; **6** mouvement *m* (du personnel); départs *m mv*; (*hand.*) *een vast* — *hebben*, être ferme; *na* — *van*, au bout de. ▼**—nippel** raccord *m* de réduction. ▼**—stekker** adaptateur *m*. ▼**—stuk** pièce *v* de réduction. ▼**verlopen 1** *on.w* **1** marcher, suivre son cours; **2** (*v. getij*) refluer; **3** (*v. tijd*) s'écouler, passer; (*termijn*) expirer; **4** (*achteruitgaan*) baisser, diminuer; (*v. zaken*) péricliter; (*v. gesprek*) tomber; (*v. mens*) se déclasser; *kalm* —, se dérouler dans le calme. II *bn* (*temps*) passé, expiré, (billet) périmé; — *kerel*, mauvais sujet; débauché; *niet* — *paspoort*, passeport *m* en cours de validité; — *student*, fruit *m* sec.
verloren perdu; — *gaan*, se perdre; — *zoon*, enfant *m* prodigue.
verlos/kunde obstétrique *v*. ▼**—kundig** I *bn* obstétrical. II *zn*: —*e*, accoucheur *m*, accoucheuse *v*. ▼**—sen** délivrer; (*med.*) accoucher. ▼**—ser 1** Redempteur; **2** libérateur. ▼**—sing 1** (*godsd.*) rédemption; **2** délivrance *v*; **2** accouchement *m*. ▼**—singswerk** œuvre *v* de la rédemption. ▼**—tang** forceps *m*.
verlot/en mettre en loterie. ▼**—ing** mise *v* en loterie; (*trekking*) tirage *m*.
verlov/en I *ov.w* fiancer. II *zich* — *met* se fiancer à. ▼**—ing** fiançailles *v mv*. ▼**—ingskaart** faire-part *m*, carte *v* de fiançailles. ▼**—ingsring** bague *v* de fiançailles.
verlucht/en illustrer, enluminer (un livre). ▼**—ing** illustration, enluminure *v*.
verluiden transpirer; *naar verluidt*, à ce qu'on dit; *laten* —, donner à entendre. **verluieren**: *zijn tijd* —, fainéanter, flâner. **verlustigen** (**zich**) se réjouir (de); s'enchanter (de).
vermaak amusement, plaisir *m*; — *scheppen in*, se plaire à.
vermaard célèbre, fameux. ▼**—heid** célébrité *v*, renom *m*.
vermager/en I *ov.w* amaigrir. II *on.w* maigrir. ▼**—ing** amaigrissement *m*. ▼**—ingskuur**

cure v d'amaigrissement, régime m
amaigrissant. **▼—ingsmiddel** amaigrissant
m.

vermakelijk amusant, (fam.) rigolo (v
rigolote), (pop.) marrant. **▼—heid**
amusement, divertissement m; publieke —,
réjouissance v publique. **▼—heidsbelasting**
impôt m sur les spectacles. **▼vermak/en**
I ov.w **1** changer, refaire (une robe) ;
2 réparer; **3** léguer (par testament) ; **4** (fig.)
amuser, divertir. **II** zich — s'amuser (à),
(fam.) rigoler, (pop.) se marrer. **▼—ing**
1 réfection; **2** réparation v; **3** legs m.

vermalen moudre, broyer, triturer.

verman/en exhorter (à), admonester. **▼—ing**
exhortation ; réprimande v.

vermannen I on.w dompter, maîtriser. **II** zich
— faire un effort sur soi-même, maîtriser son
émotion.

vermeend prétendu, supposé, soi-disant.

vermeerderen I ov.w augmenter; ajouter à.
II on.w augmenter (de) ; s'accroître. **▼—ing**
augmentation v, accroissement m; een —
van werk, un surcroît de travail.

vermeien (zich) se divertir (à), s'ébattre; —
in, prendre plaisir à.

vermeld/en mentionner, citer (le nom de);
eervol —, citer à l'ordre du jour;
▼—ensvaard digne de mention; niets —s,
rien à signaler. **▼—ing** mention, citation v;
eervolle —, citation à l'ordre du jour; mention
honorable; de simple —, le simple énoncé.

vermeng/en 1 mêler, mélanger; (met water)
couper, tremper; (met metaal) allier;
2 (vervalsen) frelater. **▼—ing** mélange m,
mixtion v.

vermenigvuldig/en I ov.w multiplier (par).
II zich — se multiplier. **▼—er** multiplicateur
m. **▼—ing** multiplication v. **▼—tal**
multiplicande m.

vermetel I bn audacieux, téméraire. **II** bw
audacieusement, témérairement. **▼—heid**
audace, témérité v. **▼vermeten (zich)** oser.

vermicelli vermicelle m. **▼—soep** potage m
au vermicelle.

vermijd/en éviter, fuir. **▼—ing** évitement m.

vermiljoen(kleurig) (d'un rouge) vermillon.

verminder/en baar réductible. **▼—d** réduit; —e
koopkracht, pouvoir m d'achat réduit. **▼—en**
I ov.w amoindrir; diminuer; réduire; espacer
(ses visites) ; snelheid —, ralentir. **II** on.w
diminuer, décroître; — tot, se réduire à.
▼—ing diminution, réduction v.

vermink/en mutiler; (fig.) tronquer,
dénaturer. **▼—ing** mutilation v. **▼—te**
invalide, mutilé, estropié m.

ver/missen manquer (à). **▼—mist** égaré;
perdu ; disparu ; als — vermelden, porter
manquant. **▼—miste** manquant, disparu m.

vermits puisque.

ver/moedelijk bn (& bw) probable(ment) ;
—e erfgenaam, héritier m présomptif.
▼—moeden I ov.w se douter de,
soupçonner ; présumer. **II** zn soupçon m;
présomption v.

vermoei/d fatigué, las; —e trekken, traits m
mv tirés. **▼—dheid** fatigue, lassitude v. **▼—en**
fatiguer, lasser. **▼—end** fatigant. **▼—enis**
fatigue v.

vermogen I ov.w pouvoir, être capable de;
niets —, être impuissant. **II** zn **1** pouvoir m,
puissance; **2** (geest—) disposition, faculté v,
talent m; **3** fortune v, biens, moyens m mv;
nationaal —, patrimoine m national; richesse
v nationale; nuttig —, rendement m. **▼—d**
1 puissant; **2** fortuné. **▼—saanwas**
augmentation v du capital; accroissement m
du patrimoine. **▼—saanwasdeling**
participation v à l'accroissement du
patrimoine (par les ouvriers). **▼—sbelasting**
impôt m sur le capital, - la fortune.

vermolm/d vermoulu. **▼—en** se vermouler.
▼—ing vermoulure v.

vermom/de personne v masquée ; masque m.
▼—men déguiser, masquer, travestir.
▼—ming déguisement m, travestissement;

mascarade v.

vermooien embellir.

vermoorden égorger, tuer; assassiner;
(velen) massacrer (ook fig.).

vermors/en gaspiller. **▼—ing** gaspillage m.

vermorzel/en broyer, écraser. **▼—ing**
écrasement m.

vermout vermouth m.

vermurw/en I ov,w amollir; (fig.) attendrir,
fléchir. **II** on.w se (r)amollir; (fig.) s'attendrir.
▼—ing attendrissement m.

vernagelen clouer; enclouer (un canon).

vernauw/en I ov.w rétrécir. **II** on.w en zich
— se rétrécir. **▼—ing** rétrécissement m.

verneder/en humilier. **▼—ing** humiliation v.

vernemen I ov.w **1** apercevoir; **2** apprendre.
II on.w: — naar, s'informer de.

verneuken biter, bitter.

verniel/al brise-tout m. **▼—en** détruire, briser,
ravager. **▼—end** destructeur, -trice. **▼—er**
destructeur m. **▼—ster** destructrice v. **▼—ing**
destruction v, ravages m mv. **▼—ingswerk**
œuvre v de destruction. **▼—zucht** rage v
destructrice, vandalisme m.

vernietig/baar annihilable, annulable. **▼—en**
1 détruire, ruiner ; **2** (uitroeien) exterminer,
supprimer ; **3** (nietig verklaren) anéantir,
annuler (un contrat) ; casser (un arrêt) ;
(herroepen) révoquer. **▼—end 1** destructeur ;
2 (jur.) annulatif ; —e blik, regard m
foudroyant ; — bewijs, preuve v accablante ;
—e kritiek, critique v impitoyable. **▼—er**
destructeur m. **▼—ster** destructrice v. **▼—ing**
1 destruction ; **2** suppression v;
3 anéantissement m, cassation v.

vernieuw/bouw rénovation ; réhabilitation v.
▼—en renouveler; remettre à neuf; innover;
rénover (un art). **▼—er** rénovateur m. **▼—ing**
renouvellement m, remise à neuf,
modernisation; rénovation v.

vernikkel/en nickeler. **▼—ing** nickelage m.

vernis vernis m. **▼—je** couche de vernis; (fig.)
semblant, m, légère couche v (de). **▼—sen**
vernir. **▼—sing** vernissage m.

vernuft esprit m, ingéniosité v; (persoon)
génie m. **▼—ig I** bn ingénieux. **II** bw
ingénieusement.

veronaangenamen rendre désagréable.

veronacht/zamen négliger. **▼—zaming**
négligence v.

veronderstell/en supposer; doen —, porter à
croire. **▼—ing** supposition v.

verongelijken faire tort à.

verongelukken 1 périr; avoir un accident;
2 (fig.) échouer; verongelukte auto, voiture v
accidentée.

verontreinig/en salir, souiller, infecter.
▼—ing souillure, infection, pollution v.

verontrust/en alarmer, inquiéter. **▼—ing**
inquiétude v.

verontschuldig/en excuser. **▼—ing** excuse
v; — vragen, faire des excuses.

verontwaardig/en I ov.w indigner. **II** zich —
s'indigner (de). **▼—ing** indignation v.

veroor/deelde condamné(e) m (v).
▼—delen condamner ; — in de kosten,
condamner aux dépens ; ter dood —,
condamner à mort. **▼—deling** condamnation
v.

veroorloven permettre; zich de weelde —,
s'offrir le luxe (de).

veroorzak/en causer, faire naître, provoquer;
amener, donner lieu à. **▼—ing** cause v.

verorber/en consommer, (fam.) expédier.
▼—ing consommation v.

verorden/en prescrire, ordonner. **▼—ing**
arrêté, décret m, ordonnance v; bij —
vaststellen, statuer sur.

verouder/d vieilli; suranné; vieillot; — zijn,
dater; — woord, mot archaïque, archaïsme
n. **▼—en** vieillir. **▼—ing** vieillissement m.

verover/aar conquérant. **▼—en** conquérir,
s'emparer de; enlever, prendre. **▼—ing**
conquête; prise v.

verpacht/en affermer, donner à bail. **▼—er**
bailleur m. **▼—ing** affermage, bail m.

verpakk/en emballer. ▼**—ing** emballage *m*; — *inbegrepen*, emballage perdu; — *niet inbegrepen*, emballage en sus. ▼**—ingswijze** conditionnement *m*, mode *m* d'emballage.

verpand/en engager; hypothéquer (une maison). ▼**—ing** engagement *m*; hypothèque *v*.

verpatsen bazarder.

verpaupering paupérisation *v*.

verpersoonlijk/en personnifier. ▼**—ing** personnification *v*.

verpest/en infecter, empoisonner. ▼**—end** infect, pestilentiel. ▼**—ing** pestilence *v*.

verpieterd 1 étiolé; **2** trop cuit, ramolli; **3** (*v. pers.*) épuisé, (*fam.*) vanné.

verplaats/baar mobile, portatif. ▼**—en I** *ov.w* **1** déplacer; transférer, transporter; **2** (*v. boom*) transplanter; **3** (*v. ambtenaar*) muter; *verplaatste persoon*, personne *v* déplacée. **II zich** — se déplacer; *zich in die tijd* —, se reporter à cette période; *zich in iem. toestand* —, se mettre à la place de qn. ▼**—ing** déplacement *m*; transplantation *v*; transfert *m*.

verplant/en transplanter. ▼**—ing** transplantation *v*.

verpleeg/de hospitalisé(e); pensionnaire *m* (*v*). ▼**—kundige** infirmier *m*, infirmière *v*. ▼**—ster** infirmière, garde-malade *v*.

verpleg/en soigner; entretenir. ▼**—end**: — *personeel*, personnel *m* soignant. ▼**—er** ambulancier, infirmier, garde-malade *m*. ▼**—ing** soins *m mv* (médicaux), assistance *v*, secours *m* (*mv*). ▼**—ingsdienst** intendance *v*. ▼**—ingskosten** frais *m mv* d'hospitalisation.

verpletter/en aplatir, écraser; (*fig.*) accabler; foudroyer. ▼**—ing** broyage, écrasement *m*.

verplicht 1 obligé (de, à), tenu (à, de faire qc); obligatoire; **2** (*verschuldigd*) dû; *zich* — *achten om*, croire de son devoir de; — *zijn om*, être dans l'obligation de; *avondkleding* —, la tenue de soirée sera de rigueur; *—e feestdag*, fête *v* d'obligation; — *verzekerd*, assujetti à la Sécurité sociale; *—e figuren* (*bij kunstschaatsen bijv.*) figures *v mv* imposées. ▼**—en I** *ov.w* obliger (à), engager (à); *iem. veel verplicht zijn*, avoir de grandes obligations à qn; (*ik ben u*) *zéér verplicht*, (je vous suis) bien obligé. **II zich — tot** s'engager à, s'obliger à. ▼**—end 1** (*gedienstig*) obligeant; **2** (*dwingend*) obligatoire. ▼**—ing** engagement *m*, obligation *v*; *een aangaan*, contracter des obligations; *zijn — en nakomen*, faire honneur à ses obligations; *zonder* — *uwerzijds*, sans aucun engagement de votre part.

verpolitieken politiser.

verpopp/en (zich) se chrysalider. ▼**—ing** transformation *v* en chrysalide.

verpoten transplanter.

verpotten rempoter.

verpoz/en: zich — se délasser, se reposer. ▼**—ing** délassement *m*, repos *m*.

verpraten I *ov.w* perdre (son temps) en bavardant. **II zich** — en dire trop.

verprutsen gaspiller, gâcher.

verpulveren (se) pulvériser.

ver/raad trahison *v*. ▼**—raden I** *ov.w* trahir, (*fig.*) déceler, révéler. **II zich** — se trahir. ▼**—rader, —raadster** traître *m*, traîtresse *v*. ▼**—raderlijk I** *bn* traître(sse), perfide. **II** *bw* traîtreusement.

verrass/en surprendre, prendre sur le fait. ▼**—end** surprenant. ▼**—ing** surprise *v*.

verre loin; — *van mij de gedachte dat*, loin de moi la pensée que (*met subj.*); — *overtreffen*, dépasser de beaucoup. ▼**—gaand** *bn* (*& bw*) extrême (ment)*v*.

verregenen être abîmé (délavé) par la pluie.

verrek merde.

verreken/en I *ov.w* régler; mettre en compte; *tegen elkaar* —, mettre en compensation. **II zich** — se tromper. ▼**—ing 1** règlement *m*; compensation *v* de comptes; mise *v* en compte; **2** erreur *v* de calcul. ▼**—kantoor**

Chambre *v* des compensations. ▼**—pakket** colis *m* en port dû.

verrekijker 1 longue-vue; **2** (*toneelkijker*) lorgnette, jumelle(s) *v* (*mv*); **3** télescope *m*.

ver/rekken I *ov.w* déboîter. **II zich** (*een arm*) — se donner une entorse, se luxer (un bras). **III** *on.w* crever. ▼**—rekking** entorse, luxation *v*. ▼**—rekt I** *bn* disloqué; (*fig.*) sacré, sale. **II** *bw* bigrement.

verreweg de beaucoup, de loin, infiniment.

verricht/en exécuter, faire. ▼**—ing** action, exécution *v*.

verrijden 1 dépenser en voitures; **2** (*sp.*) courir (un prix); *verreden worden*, se courir.

verrijk/en enrichir. ▼**—ing** enrichissement *m*.

verrijzen 1 se dresser, se lever; **2** ressusciter (de la mort). ▼**—is** résurrection *v*.

verrimpelen *ov.w* (& *on.w*) (se) rider.

verroeren I *ov.w* remuer. **II** *on.w* **en zich** — bouger, (se) remuer.

verroest/en se rouiller; *verroest !* zut alors! ▼**—ing** rouille *v*.

ver/rot *enz. zie rot enz.*

verruil/en 1 échanger, troquer (contre = *voor*); **2** (*omwisselen*) changer. ▼**—ing 1** échange, troc; **2** change *m*.

verruim/en élargir. ▼**—ing** élargissement *m*.

verrukkelijk charmant, ravissant. **II** *bw* d'une façon ravissante. ▼**—heid** beauté *v* ravissante, charme *m*. **verrukk/en** enchanter, ravir. ▼**—ing** enchantement, ravissement *m*, extase *v*.

verruw/en abrutir. ▼**—ing** abrutissement *m*.

vers I *zn* **1** vers; **2** (*in Bijbel*) verset; **3** (*gedicht*) poème *m*, poésie *v*. **II** *bn* frais; nouveau; — *in het geheugen liggen*, avoir présent à la mémoire. **III** *bw* fraîchement, nouvellement. ▼**—bouw** versification *v*.

verschaffen procurer, fournir; *zich recht* —, se faire justice; *zich toegang* —, s'introduire (dans). **verschalen** s'éventer; (*v. wijn*) se piquer. **verschalken 1** duper, mystifier; **2** tromper (la vigilance); **3** siffler (un verre).

verschans/en I *ov.w* retrancher. **II zich** — se retrancher. ▼**—ing** retranchement *m*.

verscheiden I *on.w* décéder. **II** *zn* décès *m*. **III** *bn* différents, divers, plusieurs. ▼**—heid** diversité, variété *v*.

verschep/en 1 (*overladen*) transborder; **2** transporter. ▼**—ing 1** transbordement; **2** transport *m*.

verscherp/en aiguiser; renforcer, aggraver; envenimer (une querelle); *het toezicht* —, rendre la surveillance plus étroite. ▼**—ing** aiguisage *m*; aggravation *v*.

verscheur/en I *ov.w* déchirer; dévorer. ▼**—end** déchirant; — *dier*, bête *v* féroce, carnassier *m*.

verschiet lointain; (*fig*) avenir *m*; *in het* —, en perspective.

verschieten I *ov.w* **1** épuiser (ses munitions); **2** avancer (de l'argent). **II** *on.w* **1** se déplacer brusquement; (*v. ster*) filer; **2** (*v. kleur*) changer de couleur, pâlir; passer, se décolorer.

verschijn/dag jour *m* d'échéance; jour *m* d'audience. ▼**—en 1** paraître; (*plotseling*) apparaître; arriver; **2** (*vervallen*) échoir; (*verstrijken*) expirer; **3** (*v. gerecht*) comparaître; *juist verschenen*, vient de paraître. ▼**—ing 1** apparition; (*v. boek*) parution; **2** comparution *v*. ▼**—ingsvorm** manifestation *v*; avatar *m*. ▼**—sel** phénomène *v*; (*med.*) symptôme *m*.

verschil 1 différence; distinction; divergence *v*; **2** (*v. mening*) différend *m*; **3** (*in afstand, tijd*) décalage *m*; *het* — dien, couper la poire en deux; — *van leeftijd*, écart *m* d'âge.

verschilferen s'écailler.

verschil/len 1 différer; **2** (*afwisselen*) varier; *zij — maar drie jaar*, ils ne diffèrent que de trois ans; *hemelsbreed* —, différer du tout au tout. ▼**—lend I** *bn* différent; distinct. **II** *bw* différemment. ▼**—punt** point *m* litigieux.

verschimmel/en se moisir. ▼**—ing** moisissure *v*.

verschon/en I ov.w **1** changer (de linge) ; rechanger ; **2** excuser ; **3** (sparen) épargner, dispenser (qn de qc), ménager. **II zich — 1** se changer ; **2** s'excuser. **▼—ing 1** changement de linge ; linge m blanc ; **2** excuse v ; een — bij zich hebben, avoir du linge pour se changer.
verschoppeling souffre-douleur m & v.
verschot 1 choix m ; **2** avance v ; **3** (v. kleren) fournitures v mv.
verschrikk/elijk I bn terrible, effroyable. **II** bn terriblement, affreusement ; — lelijk, laid à faire peur. **▼—elijkheid** atrocité ; énormité v. **▼—en I** ov.w effrayer, épouvanter ; faire peur à. **II** on.w s'effrayer. **▼—ing 1** épouvante, terreur ; **2** (wat verschrikt) horreur v.
verschroei/en roussir ; brûler ; (v. tint) hâler ; de taktiek der verschroeide aarde toepassen, faire le vide derrière soi. **▼—ing** brûlure v, dessèchement m.
verschrompel/en ov.w (& on.w) (se) racornir, ratatiner. **▼—ing** racornissement m ; (med.) atrophie v.
verschuifbaar coulissable.
verschuil/en (zich) se cacher ; (fig.) se retrancher (derrière qc).
verschuiv/en I ov.w **1** déplacer ; (faire) glisser ; avancer ; reculer ; **2** (uitstellen) différer, remettre. **II** on.w se déplacer ; glisser. **▼—ing 1** déplacement ; **2** (fig.) ajournement ; glissement m ; (v. aardschollen) dérive v.
verschuldigd I bn dû ; redevable (de) ; obligé (de). **II** zn : het —e, ce qui est dû ; le dû.
versheid fraîcheur, nouveauté v.
versie version v ; oorspronkelijke —, version v originale.
versier/der I 1 débrouillard ; **2** dragueur ; **3** décorateur m. **▼—en I** se débrouiller (pour) ; venir à bout (de qc) ; **2** draguer (une fille) ; **3** décorer, embellir, orner. **▼—ing 1** décoration v ; **2** (—sel) ornement m, parure v. **▼—ingskunst** art m décoratif. **▼—sel** ornement m.
versjacheren bazarder.
versjouwen déplacer avec effort ; traîner.
verslaafd adonné (à) ; (aan drugs) toxicomane, toxico. **▼—heid** passion v (pour), goût m immodéré (de) ; toxicomanie v.
verslaan I ov.w **1** battre, vaincre (l'ennemi) ; terrasser (qn) ; **2** étancher (la soif) ; **3** rapporter, donner un compte-rendu (de). **II** on.w **1** (verschalen) s'éventer ; **2** (bekoelen) se refroidir. **▼verslag** rapport ; compte-rendu ; reportage m ; — doen van, rendre compte de. **▼—en I** bn (v. vijand) battu ; consterné. **II** zn : —e, mort(e) m (v), victime v. **▼—enheid** abattement m, consternation v. **▼—gever 1** rapporteur ; **2** (v. krant) reporter ; chroniqueur ; envoyé spécial m. **▼—jaar** année v du rapport.
verslapen I ov.w perdre -, passer (le temps) à dormir. **II zich** — dormir trop longtemps.
verslapp/en I ov.w amollir, relâcher. **II** on.w s'amollir ; se relâcher ; s'affaiblir. **▼—ing** détente v, relâchement m ; (morele) laxisme m ; (hand.) malaise v.
verslaving zie **verslaafdheid**. **▼—ziekte** toxicomanie v.
verslechter/en empirer, s'aggraver. **▼—ing** aggravation, détérioration v.
ver/sleten usé ; tot op de draad —, râpé. (v. mens) décrépit. **▼—slijten I** ov.w user ; consommer ; (aanzien voor) prendre (pour). **II** on.w s'user. **▼—slijting** usure v.
verslikken avaler de travers.
verslind/en dévorer, engloutir. **▼—er** dévoreur m. **▼—ing** engloutissement m.
verslinger/d fou (de). **▼—en (zich)** se toquer (de).
verslonzen abîmer ; gâcher. **versmachten** languir (de), mourir (de).
versmad/en dédaigner, refuser. **▼—ing** dédain, refus m. **versmallen** zie **vernauwen**.
versmelt/en I ov.w **1** fondre ; faire un alliage (de) ; **2** (omsmelten) refondre ; **3** (fig.)

fusionner. **II** on.w se fondre ; (fig.) se réduire à ; in tranen —, fondre en larmes. **▼—ing** fusion v.
versnapering friandise v.
versnellen accélérer. **▼versnelling 1** accélération v ; **2** (v. fiets) braquet m ; **3** (v. auto) changement m de vitesse (automatique) ; vitesse v ; de tweede — inschakelen, passer en seconde vitesse ; in de grootste —, en prise directe ; doortrekken in de 2e —, pousser à fond en deuxième. **▼—sbak** boîte v de vitesses ; automatische —, boîte v automatique ; met de hand bediende —, boîte v manuelle. **▼—shandel, —hendel** levier m de vitesse. **▼—snaaf** moyeu m de changement de vitesse. **▼—srad** dérailleur m.
versnij/den 1 découper ; **2** gâter par une mauvaise coupe ; **3** couper (le vin) **▼—ding 1** découpage m ; **2** coupage m.
versnipper/en couper en petits morceaux ; (fig.) morceler, éparpiller (ses efforts). **▼—ing** morcellement m, dispersion v.
versober/en ov.w réduire les dépenses de. **▼—ing** réduction ; compression v.
versomberen on.w (& on.w) (s')assombrir.
verspelen 1 perdre (au jeu) ; **2** gaspiller.
versperr/en barrer (le chemin à qn) ; barricader ; embouteiller (une rue). **▼—ing** barrage m ; barricade v. **▼—ingsvuur** tir m de barrage.
verspill/en gaspiller. **▼—ing** gaspillage m.
versplinter/en I ov.w fracasser. **II** on.w éclater, s'effeuiller. **▼—ing** fractionnement m.
verspreid épars, répandu. **▼—en I** ov.w **1** répandre ; diffuser ; distribuer (boeken bijv.) ; **2** disséminer, disperser (menigte bijv.) ; **3** propager. **II zich** — se répandre, etc. **▼—ing** diffusion ; dispersion ; propagation ; distribution v ; extension v (v. het Frans bijv.) ; — van kernwapens, prolifération v nucléaire. **▼—ingsgebied** aire v d'extension.
versprek/en (zich) se tromper ; hij heeft zich versproken, la langue lui a fourché. **▼—ing** erreur v, lapsus m.
verspring/en 1 se déplacer ; **2** (v. wee) se déclencher ; **3** (v. getij) avancer ; retarder ; feest dat verspringt, fête v mobil.
vèrspringen : het —, le saut en longueur.
verspringing déplacement m.
versregel vers m.
verstaan 1 comprendre ; entendre ; **2** connaître ; (verstand hebben van) s'entendre à ; Frans —, comprendre -, savoir le français. **II zich** — met iem. s'entendre avec qn. **▼—baar I** bn **1** distinct ; **2** intelligible ; zich — maken, se faire entendre. **II** bw intelligiblement. **▼—baarheid 1** netteté ; **2** intelligibilité v. **▼—der** : een goed — heeft maar een half woord nodig, à bon entendeur demi-mot suffit.
verstal/en I ov.w aciérer ; (fig.) endurcir. **II** on.w s'endurcir. **▼—ing** aciération v ; endurcissement m.
verstand 1 (begrip) compréhension, intelligence v ; **2** esprit m ; intelligence v ; intellect m ; **3** (rede) raison v ; **4** (oordeel) discernement, jugement m ; **5** (kennis) connaissance v ; gezond —, bon sens m ; — hebben van, s'entendre à ; iem. iets aan het — brengen, faire comprendre qc à qn ; (niet) bij zijn volle — zijn, (ne pas) avoir toute sa raison ; dat gaat boven mijn —, cela me passe ; met dien —, à condition que. **▼—elijk** bn (& bw) intellectuel(lement). **▼—elijkheid** intellectualité v. **▼—houding** intelligence v ; in — staan, être d'intelligence. **▼—ig I** bn **1** intelligent ; **2** (oordeelkundig) avisé, raisonnable, sensé ; **3** (voorzichtig) prudent, sage ; hij was zo — om, il aurait le bon esprit de ; meer dan — was, plus que de raison. **II** bw intelligemment, raisonnablement, sensément, sagement. **▼—igheid** intelligence, sagesse v. **▼—skies** dent v de sagesse. **▼—smens** intellectuel m.

▼—**sverbijstering** aliénation *v* mentale.
verstarren figer.
verstedelijk/en urbaniser. ▼—**ing**
urbanisation *v*.
versteend pétrifié ; (*fig*.) enduroi.
verstek 1 contumace *v*, défaut *m* ; *bij* —, par
contumace ; — *laten gaan*, faire défaut.
2 (*arch*.) onglet *m* ; — *zagen*, scier d'onglet.
▼—**bak** boîte *v* à coupe d'onglet.
▼**verstekeling** passager *m* clandestin.
verstel/baar réglable, mobile, amovible. ▼—**d**
1 rapiécé, raccommodé ; **2** (*fig*.) perplexe,
interdit ; troublé ; *daar sta ik — van*, je n'en
reviens pas. ▼—**dheid** perplexité *v*,
ébahissement *m*. ▼—**len 1** déplacer ; régler ;
2 (*herstellen*) raccommoder, reprendre.
▼—**ling 1** déplacement ; réglage ;
2 raccommodage *m*, réparation *v*. ▼—**werk**
raccommodages ; effets *m mv* à raccommoder.
versten/en *ov.w* (& *on.w*) (se) pétrifier ;
(*fig*.) (s')endurcir. ▼—**ing 1** pétrification *v* ;
2 (*voorwerp*) fossile *m*.
versterf 1 décès *m* ; **2** (*nalatenschap*)
succession *v* ; *bij* —, en cas de décès.
▼—**recht** droit *m* de succession.
versterk/en 1 fortifier ; consolider, raffermir ;
renforcer (le nombre) ; **2** (*v. kleur*) intensifier ;
(*chem*.) concentrer ; **3** corroborer ; confirmer
(dans une opinion) ; **4** (*verkwikken*)
conforter, restaurer ; **5** (*v. geluid*) amplifier ; *de
inwendige mens* —, se restaurer. ▼—**end**
fortifiant ; — *middel*, fortifiant, tonique,
reconstituant *m*, —**er** amplificateur *m*.
▼—**ing 1** fortification *v*, renforcement *m* ;
(*troepen*) renforts *m mv* ; **2** (*chem*.)
concentration ; **3** (*med*.) tonifiant *m* ;
4 restauration ; **5** (*radio*) amplification *v*.
▼—**ingstroepen** troupes *v mv* de renfort.
versterv/en I *on.w* **1** mourir ; **2** échoir par
décès ; **3** *laten* —, faire mortifier. **II zich** — **se**
mortifier. ▼—**ing 1** *zie* **versterf** ; **2**
mortification *v*.
verstevigen raffermir.
ver/stijfd engourdi, raidi, transi. ▼—**held**
engourdissement *m* (de froid) ; raideur *v*.
▼—**stijven** *ov.w* (& *on.w*) (**se**) raidir,
(s')engourdir. ▼—**stijving** engourdissement ;
raidissement *m* ; (*v. beton*) prise *v*.
verstikk/en I *ov.w* étouffer ; (*door gas*)
asphyxier. **I** *on.w* suffoquer. ▼—**end**
asphyxiant, délétère. ▼—**ing** suffocation *v*,
étouffement *m* ; asphyxie *v*. ▼—**ingsdood**
mort *v* par asphyxie.
verstoffelijk/en matérialiser. ▼—**ing**
matérialisation *v*.
verstoken I *ov.w* brûler, se chauffer de. **II** *bn*
privé (de), dépourvu (de). **verstokt(heid)**
zie **verhard(ing)**. **verstolen** caché, en
cachette.
verstom/d abasourdi, stupéfait ; — *staan*,
demeurer -, rester stupéfait. ▼—**men I** *ov.w*
rendre muet. **II** *on.w* rester muet, faire silence.
▼—**ming 1** perte de la parole ; **2** stupéfaction
v. **verstompen** *zie* **afstompen**.
verstoord irrité ; — *zijn op iem.*, en vouloir à
qn. ▼—**er** perturbateur, trouble-fête *m*.
▼—**heid** irritation *v*.
verstop/pen 1 (*verbergen*) cacher ;
2 (*dichtstoppen*) boucher ; obstruer,
engorger ; (*v. verkeer*) embouteiller ; **3** (*med*.)
constiper (le ventre). ▼—**pertje** : — *spelen*,
jouer à cache-cache. ▼—**ping** obstruction *v*,
engorgement, embouteillage *m* ; (*med*.)
constipation *v*. ▼**verstopt 1** caché ;
2 bouché, obstrué ; constipé ; enrhumé (du
cerveau) ; — *raken*, s'engorger.
verstor/en I anéantir (un projet) ; troubler ;
2 irriter. ▼—**end** perturbateur. ▼—**ing** *zie*
storing.
verstot/en 1 repousser ; **2** répudier (sa
femme) ; **3** déshériter (un enfant). ▼—**ing**
répudiation *v* ; abandon *v*.
verstrakken se durcir, se raidir.
verstraler phare *m* longue-portée.
verstrekken fournir, procurer, distribuer ;
servir (de).

vér·strekkend vaste, d'une portée
incalculable.
verstrekking fourniture ; prestation *v*.
verstrijk/en s'écouler ; expirer. ▼—**ing**
expiration *v*.
verstrikken 1 renouer ; **2** prendre au piège ;
(*fig*.) embarrasser ; duper.
verstrooi/d I *bn* **1** éparpillé, épars ; **2** distrait.
II *bw* distraitement. ▼—**dheid** distraction *v*.
▼—**en I** *ov.w* disperser, éparpiller ; (*fig*.)
distraire. **II zich** — se distraire. ▼—**ing**
1 dispersion *v* ; éparpillement *m* ; **2** distraction
v.
verstuik/en démettre ; (se) fouler (le pied, le
bras). ▼—**ing** entorse, foulure *v*.
verstuiv/en I *ov.w* pulvériser ; vaporiser.
II *on.w* être emporté par le vent ; se vaporiser ;
(*fig*.) s'éparpiller. ▼—**er** pulvérisateur,
vaporisateur ; atomiseur *m*. ▼—**ing**
1 pulvérisation, vaporisation *v* ; **2** sables *m mv*
mouvants.
ver/suffen *ov.w* (& *on.w*) (s')abrutir.
▼—**suft** étourdi, hébété. ▼—**suftheid**
hébétement *m*.
versvoet pied *m*.
vertaal/baar traduisible. ▼—**bureau** office *m*
de traduction. ▼—**ster** traductrice *v*.
▼—**werk** traduction(s) *v* (*mv*).
vertakk/en (**zich**) se ramifier. ▼—**ing**
ramification *v*, embranchement, (*v. leiding*)
branchement *m*.
vertal/en traduire (de = *uit*, en = *in*). ▼—**er**
traducteur *m*. ▼—**ing 1** (*in moedertaal*)
traduction ; (*school*) version ; **2** (*in vreemde
taal*) traduction *v* ; (*school*) thème *m*.
verte lointain *m*, in *de* —, au loin(tain) ; *in de
verste — niet*, pas le moins du monde ; *uit de
—*, de loin ; *uit de — besturen*,
télécommander.
verteder/en *ov.w* (& *on.w*) (s')attendrir.
▼—**ing** attendrissement *m*.
verteerbaar digestible ; *licht* —, d'une
digestion facile. ▼—**heid** digestibilité *v*.
vertegenwoordig/en représenter. ▼—**end**
représentatif. ▼—**er** représentant *m* ;
wettelijke —, représentant légal ; (*hand*.)
démarcheur ; (*dealer*) concessionaire *m*.
▼—**ing** représentation *v*.
vertel/len I *ov.w* (ra)conter ; apprendre, dire ;
hij heeft hier niets te —, il ne commande pas
ici. **II** *on.w* : — *van*, parler de, raconter.
III zich — se tromper en comptant. **IV** *zn*
het —, la narration. ▼—**ler** conteur, narrateur
m. ▼—**ling** récit ; conte *m*, narration *v*.
▼—**selboek** livre *m* de contes.
verter/en I *ov.w* **1** (*v. spijs*) digérer ;
2 (*verbruiken*) consommer, manger ;
dépenser (de l'argent) ; **3** (*door vuur enz*.)
consumer ; **4** (*metaal*) corroder, ronger ;
5 (*fig*.) dévorer. **II** *on.w* être digéré ; se
consumer ; se corroder. ▼—**ing 1** (*med*.)
digestion ; **2** (*verbruik*) consommation ;
3 dépense *v*.
verticaal I *bn* (& *bw*) vertical(ement). **II** *zn*
verticale *v*.
vertienvoudigen décupler.
vertier 1 animation *v*, mouvement ; **2** (*hand*.)
débit *v*.
vertikken refuser net ; *ik vertik het*, je ne
marche pas. **vertillen I** *ov.w* déplacer. **II zich**
— se donner un tour de reins.
vertimmer/en transformer. ▼—**ing**
changement *m* (de locaux).
vertinnen (r)étamer. **vertoeven 1** séjourner ;
2 tarder. **vertogen** démontrer, exposer.
vertolk/en 1 interpréter ; **2** traduire. ▼—**er**
interprète ; traducteur *m*. ▼—**ing**
interprétation ; traduction *v*. ▼—**ster**
traductrice.
verton/en I *ov.w* **1** montrer ; présenter,
produire (un document) ; **2** (*tentoonstellen*)
exposer ; **3** (*toneel*) jouer, représenter ; (*film*)
projeter. **II zich** — paraître, se présenter ; (*v.
ziekte*) se déclarer. ▼—**ing 1** présentation ;
production ; **2** exposition ; **3** représentation ;
projection *v*.

vertoog discours m.
vertoon 1 présentation ; **2** démonstration, ostentation v ; — *maken*, faire étalage (de), parade (de) ; *op — van*, sur présentation de ; *op — betaalbaar*, payable au porteur. ▼—**baar** présentable.
vertoornen irriter, mettre en colère.
vertrag/en I ov.w ralentir ; retarder ; *in vertraagd tempo opnemen*, tourner au ralenti ; *vertraagde film*, film m au ralenti. **II zich** — s'attarder. **III** on.w se ralentir. ▼—**end** retardateur. ▼—**ing** retard, ralentissement m ; — *hebben*, prendre du retard ; *een uur* — *hebben*, avoir un retard d'une heure ; *de — inlopen*, rattraper le retard.
vertrappen fouler aux pieds ; (fig.) opprimer ; *het —*, ne pas marcher. ▼**ver/treden I** ov.w *zie* —**trappen. II zich** — se dégourdir les jambes ; (fig.) se délasser, sortir un peu.
vertrek 1 départ m ; **2** (*kamer*) pièce, chambre v ; —*ken*, appartement m. ▼—**bord** panneau m des départs. ▼—**ken I** on.w partir (pour), s'en aller. **II** ov.w tordre (la bouche) ; remuer, agiter ; *geen spier* —, ne pas sourciller. ▼—**kend** en partance. ▼—**uur** heure v du départ.
vertroebelen embrouiller, troubler.
vertroetelen choyer, (fam.) chouchouter, mignoter.
vertroost/en consoler. ▼—**end** consolant. ▼—**ing** consolation v.
vertrouw/d 1 familier ; **2** (*betrouwbaar*) de confiance, sûr ; *met iets* — *zijn*, bien connaître qc, être au courant de qc ; *zich* — *maken met*, se familiariser avec. ▼—**dheid** familiarité, intimité v ; *zijn* — *met*, sa connaissance de. ▼—**elijk I** bn **1** familier ; **2** bw familièrement ; confidentiellement. ▼—**elijkheid 1** familiarité, intimité v ; **2** caractère m confidentiel. **III** zn : *het* —, la peinture ; la teinture. ▼—**er 1** peintre (en bâtiments) ; **2** teinturier m. ▼—**erij 1** peinture ; **2** teinturerie v ; — *en chemische wasserij*, teinturier m dégraisseur.
verven/en renouveler, rafraîchir, (olie v. auto) vidanger. ▼—**ing** renouvellement, rafraîchissement m, (olie) vidange v. ▼—**ingskanaal** canal m de chasse.
vervett/en se changer en graisse. ▼—**ing** adiposité v.
verviervoudigen quadrupler. **vervilten** ov.w (& on.w) (se) feutrer.
vervlaams/en flamandiser. ▼—**ing** flamandisation v.
vervlakken s'effacer, se niveller. ▼—**ing** nivellement m.
vervliegen I on.w **1** s'évaporer, se volatiliser ; **2** (v. tijd) fuir. **II** zn : *het* —, l'évaporation v ; la fuite.
vervloeien s'étendre, être déliquescent ; (fig.) s'effacer.
vervloek/en maudire. ▼—**ing** malédiction, imprécation v.
vervlogen (v. tijd) passé ; (v. illusie) déçu, perdu.
vervluchtigen ov.w (& on.w) (se) volatiliser.
vervoeg/en I ov.w conjuguer. **II zich** — *bij* s'adresser à. ▼—**ing** conjugaison v.
vervoer transport m ; *stedelijk* —, transport m urbain ; *openbaar* —, transports m mv en commun. ▼—**baar** transportable. ▼—**biljet** passavant m. ▼—**der** transporteur m. ▼—**dienst** service m de transport. ▼—**en** transporter ; (lucht v.) aéroporter ; (in extase) ravir. ▼—**ing** extase v, transport m ; *in* —, transporté de joie, en extase. ▼—**middel** moyen m de transport.
vervolg suite, continuation v ; *in het* —, à l'avenir, désormais. ▼—**baar** poursuivable, actionnable. ▼—**deel** supplément ; tome suivant m. ▼—**en 1** poursuivre, continuer ; **2** (*achtervolgen*) poursuivre, (*kwellen*) persécuter ; **4** (jur.) poursuivre, actionner ; *wordt vervolgd*, à suivre. ▼—**ens** ensuite, puis. ▼—**er** persécuteur m. ▼—**ing 1** continuation ; **2** poursuite ; **3** persécution v. ▼—**ingswaanzin** idée m de la persécution. ▼—**onderwijs** enseignement m postscolaire ; - postprimaire. ▼—**roman** roman m à suites.
vervolmak/en I ov.w perfectionner. **II zich** — se perfectionner. ▼—**ing** perfectionnement m.
vervorm/en déformer, transformer. ▼—**ing** déformation, transformation v.
vervrachten fréter. ▼—**er** fréteur m. ▼—**ing** frètement m.
vervreemd 1 aliéné ; **2** dépaysé. ▼—**baar**

dépossession ; déchéance v.
vervals/en falsifier ; altérer (un texte) ; contrefaire (une signature) ; fausser (un document) ; frelater (le vin etc.). ▼—**er 1** falsificateur ; contrefacteur ; faussaire ; frelateur m. ▼—**ing** falsification ; altération v ; faux m (en écritures) ; (*namaak*) contrefaçon v.
vervang/baar remplaçable ; (*onderling* —) interchangeable. ▼—**en 1** remplacer (par) ; substituer (à) ; *elkaar* —, se relayer ; *de plaats* — *van*, tenir lieu de ; *d'werk geven in plaats van verloren werkgelegenheid*, reclasser. ▼—**(st)er** remplaçant(e) m (v). ▼—**ing** remplacement m, substitution v. ▼—**ingsmiddel** succédané m.
vervatten comprendre, contenir ; *in deze termen vervat*, conçu en ces termes.
vervel/en I ov.w ennuyer ; (fam.) embêter. **II zich** (*dood*) —, s'ennuyer (à mourir). ▼—**end I** bn ennuyeux ; (fam.) embêtant ; *stom* —, assommant ; *het erg* — *vinden*, être très ennuyé (de). **II** bw ennuyeusement. ▼—**ing** ennui ; (fam.) embêtement m.
vervell/en 1 peler ; **2** (v. slang) muer.
verv/en I ov.w **1** peindre ; **2** (v. stoffen, haar) teindre ; *geverfd !*, peinture v fraîche ! **II zich** — se maquiller. **III** zn : *het* —, la peinture ; la

aliénable. ▼—**en** I *ov.w* aliéner, dépayser.
II *on.w* se détacher de. III *iem. van zich* —,
s'aliéner qn. ▼—**ing** aliénation *v*,
dépaysement *m*. ▼—**ingseffect** effet *m* de
distanciation.
vervroeg/en avancer; anticiper (les
élections); *dagtekening* —, antidater. ▼—**ing**
anticipation *v*.
vervrouwelijken efféminer.
vervuil/d crasseux, sordide; pollué. ▼—**en**
I *ov.w* encrasser, salir; polluer. II *on.w*
s'encrasser; croupir dans l'ordure; (*v. milieu*)
se polluer. ▼—**er** pollueur *m*. ▼—**ing**
encrassement *m*, pollution *v*.
vervull/en 1 remplir (son devoir);
2 (*volbrengen*) accomplir, effectuer; réaliser.
▼—**ing** accomplissement *m*, réalisation *v*; *in*
— *gaan*, se réaliser.
verwaai/d dispersé par le vent; (*v. haar*)
ébouriffé. ▼—**en** être emporté par le vent, être
dispersé.
verwaand I *bn* présomptueux, suffisant. II *bw*
avec suffisance.
verwaardigen (zich) daigner (faire qc).
verwaarloz/en I *ov.w* négliger; *te* —,
négligeable. II *zich* — se négliger. ▼—**ing**
négligence *v*.
verwacht/en attendre (qn); s'attendre à;
zoals te — *was*, comme on pouvait s'y
attendre; *een baby* —, être enceinte; avoir
commencé une maternité. ▼—**ing** attente,
espérance *v*; prévision *v* (météorologique);
boven —, au delà de ses prévisions; *in blijde*
— *zijn*, être enceinte.
verwant I *bn* apparenté (à), parent (de); allié
(par mariage); (*fig*.) analogue (à), annexe;
(*chem*.) associé (à). II *zn*: —(e), parent(e) *m*
(*v*); *naaste* —, proche parent(e) *m* (*v*).
▼—**schap** parenté; alliance; (*fig*.) affinité *v*.
verward I *bn* 1 confus, embrouillé;
2 embarrassé, troublé; — *raken in*,
s'embarrasser dans. II *bw* confusément.
▼—**heid** 1 confusion *v*, embrouillement;
2 embarras *m*.
verwarmd chauffé; —*e achterruit*, lunette *v*
arrière chauffante. ▼**verwarmen** I *ov.w*
1 chauffer (une chambre); 2 échauffer (par
un mouvement etc.); 3 (*weer* —) réchauffer.
II *zich* — se (ré)chauffer. ▼**verwarming**
chauffage; échauffement *m*; *centrale* —,
chauffage central. ▼—**sadviseur** conseiller *m*
chauffagiste. ▼—**sbuis** tuyau *m* de chauffe.
▼—**selement** élément *m* chauffant.
▼—**sinstallatie** installation *v* de chauffage.
▼—**soppervlak** surface *v* de chauffe.
▼—**srooster** bouche *v* de chaleur.
▼—**stoestel** appareil de chauffage,
calorifère; radiateur *m*.
verwarr/en I *ov.w* 1 (em)brouiller,
confondre; troubler (l'esprit); 2 embarrasser
(qn). II *zich* — se troubler; *zich* — *in*,
s'empêtrer dans. ▼—**ing** *zie* **verwardheid**;
in — *brengen*, (em)brouiller; jeter le
désordre dans.
verwater/en tremper, délayer. ▼—**ing**
délayage *m*. **verwedden** parier.
verweer défense, résistance *v*.
verweerd décoloré, rongé par le temps; (*v.
gezicht*) boucané; (*v. steen*) effrité.
verweer/der défendeur *m*. ▼—**middel**
moyen *m* de défense. ▼—**schrift** défense,
apologie *v*. ▼—**ster** défenderesse *v*.
verwekelijk/en *ov.w* (& *on.w*) (s')amollir.
▼—**ing** (r)amollissement *v*.
verwekk/en engendrer (un enfant); (*fig*.)
causer, provoquer, susciter. ▼—**er** auteur; (*v.
ziektekiem*) générateur, agent *m*. ▼—**ing**
1 génération *v*; engendrement *m*;
2 provocation *v*.
verwelk/en se faner, se flétrir, passer. ▼—**ing**
flétrissure *v*.
verwelkom/en souhaiter la bienvenue à,
accueillir. ▼—**ing** bienvenue *v*, bon accueil *m*.
verwenn/en I *ov.w* gâter. II *zich* —
dorloter. ▼—**ing** gâterie *v*.
verwens/en maudire. ▼—**ing** imprécation,

malédiction *v*.
verwer/en I *on.w* s'effriter. II *zich* — se
défendre, se débattre. ▼—**ing** 1 *zie* **verweer**;
2 effritement *m*.
verwerkelijk/en réaliser. ▼—**ing** réalisation
v.
verwerken 1 travailler, mettre en œuvre;
traiter; 2 (*fig*.) digérer; s'assimiler (la matière
enseignée); — *tot*, convertir en.
verwerp/elijk blâmable; inadmissible. ▼—**en**
1 rejeter; repousser; 2 condamner. ▼—**ing**
1 rejet *m*; 2 condamnation *v*.
verwerv/en acquérir. ▼—**ing** acquisition *v*.
verwezenlijk/en I *ov.w* réaliser. II *zich* —
s'accomplir. ▼—**ing** réalisation *v*.
verwijden dilater, élargir.
verwijder/d distant, éloigné. ▼—**en** I *ov.w*
1 éloigner, écarter (ce qui gêne); 2 enlever
(des taches); 3 renvoyer (un élève). II *zich* —
s'éloigner; s'absenter. ▼—**ing** 1 éloignement,
écartement; 2 enlèvement *m*.
verwijding dilatation *v*; élargissement *m*.
verwijfd efféminé. ▼—**heid** efféminalion,
mollesse *v*.
verwijl délai *m*. ▼—**en** séjourner; s'arrêter.
verwijt reproche *m*. ▼—**en** reprocher; *het zich*
—, se reprocher (que). ▼—**end** de reproche.
verwijz/en renvoyer; (*jur*.) déférer (à).
▼—**ing** 1 renvoi *m*; référence *v*;
2 condamnation *v*; *onder* — *naar*, en se
référant à.
verwikkel/en embrouiller; *in een zaak* —,
impliquer dans une affaire. ▼—**ing**
complication; implication; intrigue *v*.
verwilder/d redevenu sauvage; (*v. blik*)
hagard; (*tuchteloos*) indiscipliné; (*v. tuin*)
inculte. ▼—**en** 1 (re)devenir sauvage; 2 (*v.
persoon*) rejeter toute discipline; 3 rester
inculte. ▼—**ing** retour à l'état sauvage;
abrutissement *m*.
verwissel/baar 1 convertible (en espèces
= *geld*); 2 interchangeable; 3 permutable.
▼—**en** 1 échanger (contre); 2 (*verwarren*)
confondre (avec); 3 changer; 4 substituer.
▼—**ing** 1 échange *m* (contre); 2 confusion *v*
(avec); 3 changement *m*; 4 substitution *v*.
verwittig/en avertir -, informer (qn de qc).
▼—**ing** information *v*.
verwoed I *bn* furieux, enragé, acharné. II *bw*
furieusement, avec acharnement. ▼—**heid**
rage *v*.
verwoest/en détruire; ravager. ▼—**end**, —**er**
destructeur; ravageur. ▼—**ing** destruction *v*;
ravage *m*; ruine *v*.
verwond/e blessé(e) *m* (*v*). ▼—**en** blesser.
verwonder/en I *ov.w* étonner, surprendre;
het verwondert mij, je m'étonne (que, de).
II *zich* — **over** s'étonner de. ▼—**ing**
étonnement *m*, surprise *v*. ▼—**lijk** I *bn*
étonnant, surprenant. II *bw* étonnamment.
verwonding blessure *v*.
verwonen payer (un loyer de).
verword/en se gâter, se corrompre;
dégénérer. ▼—**ing** corruption; désagrégation
v.
verworp/eling réprouvé *m*. ▼—**en** abject,
avili.
ver/wrikken ébranler; fouler (un pied).
ver/wringen tordre, forcer, déformer (le
caractère). ▼—**wringing** torsion *v*.
▼—**wrongen** tordu; (*v. gezicht*) altéré.
verzacht/en 1 adoucir; 2 mitiger, modérer,
soulager; 3 atténuer (une faute);
4 (*med*.) lénifier. ▼—**end** adoucissant; (*med*.)
lénitif; (*jur*.) atténuant. ▼—**ing**
adoucissement *m*; mitigation; atténuation *v*.
▼—**ingsmiddel** émollient, lénitif *m*.
verzadig/en 1 rassasier, assouvir; 2 (*chem*.)
saturer; *niet te* —, insatiable. ▼—**ing**
1 satiété; 2 (*chem*.) saturation *v*.
verzak/en 1 renier; 2 renoncer à; *zijn plicht*
—, manquer à son devoir. ▼—**ing** 1 abjuration
v; 2 renoncement *m*.
verzakk/en s'affaisser. ▼—**ing** affaissement
m.
verzamel/aar collectionneur *m*. ▼—**en** I *ov.w*

1 collectionner; **2** rassembler (des gens);
amasser; recueillir; *zijn gedachten* —,
recueillir ses idées; — *blazen,* sonner le
rappel. **Il zich** — **1** se rassembler; **2** (*v.
lichtstralen*) se concentrer. ▼—**ing** collection
v; rassemblement; recueil *m*; ensemble *m*;
leer der —, théorie *v* des ensembles.
▼—**naam** collectif *m*. ▼—**plaats** lieu de
rassemblement *m*. ▼—**staat** état *m*
récapitulatif. ▼—**werk** compilation *v*;
répertoire *m*.
verzanden s'ensabler.
verzegel/en cacheter; (*jur.*) sceller, apposer
les scellés (à). ▼—**ing** cachetage *m*; (*jur.*)
apposition *v* des scellés.
verzeilen I *on.w* : *ergens verzeild raken,* arriver
par hasard à. **II** *ov.w* **1** faire échouer; **2** courir
(un prix).
verzeker/aar assureur *m*. ▼—**d** *bn* **1** assuré.
2 certain, sûr; *in* —*e bewaring nemen,*
s'assurer de la personne (de qn). **II** *zn* : *de*
—*e,* l'assuré *m*; *verplicht* —, assuré social;
vrijwillig —, assuré volontaire. ▼—**en** I *ov.w*
assurer (contre l'incendie etc.); *zijn huis* —,
faire assurer sa maison; *iem. iets* —, assurer
qc à qn (*of qn de qc*). **II zich**— s'assurer;
zich — *voor 30.000 gulden,* souscrire une
police d'assurance de 30.000 florins.
▼**verzekering 1** assurance *v*; **2** (*bewering*)
assertion *v*; *zie ook* **sociaal.** ▼—**bewijs**
attestation *v* d'assurance.
▼—**maatschappij** compagnie *v*
d'assurances. ▼—**spremie** prime *v*
d'assurance.
verzend/en envoyer, expédier. ▼—**er**
envoyeur, expéditeur. ▼—**ing** envoi *m*,
expédition *v*; *de afdeling Verzending,* le
service du départ. ▼—**ingswijze** mode *m*
d'envoi.
verzeng/en brûler, roussir. ▼—**end** torride.
verzet 1 opposition, résistance.
2 (*ontspanning*) distraction *v*, délassement
m; **3** (*v. fiets*) braquet *m*; *lijdelijk* —,
résistance passive; — *aantekenen* (*tegen*),
faire opposition (à); *in* — *komen* (*tegen*),
s'opposer (à); s'insurger (contre).
▼—**sbeweging** maquis *m*; résistance *v*.
▼—**sman** maquisard; résistant *m*. ▼—**ten**
I *ov.w* **1** déplacer; avancer, jouer (un pion);
remettre à un autre jour; *de zinnen* —,
distraire l'esprit; *geen voet* —, ne pas bouger.
II zich — **1** s'opposer (à), résister; se
rebeller; **2** se distraire, se récréer. ▼—**ting**
déplacement *m*.
verziend presbyte. ▼—**heid** presbytie *v*.
verzilver/en 1 argenter; **2** convertir en
espèces, réaliser. ▼—**ing 1** argenture;
2 réalisation *v*.
verzink/en I *ov.w* **1** noyer; galvaniser;
zinguer. **II** *on.w* (s')enfoncer, couler; (*in
gedachten*) se plonger (dans); *in het niet* —
bij, pâlir devant. ▼—**ing 1** submersion *v*;
2 galvanisation *v*; zingage *m*.
verzin/nen controuver, imaginer, inventer.
▼—**sel** fiction, invention *v*.
verzoek demande, prière; (*schriftelijk*)
requête *v*; — *om gratie,* recours *m* en grâce;
aan een — *voldoen,* accéder à une prière; *op*
—, sur demande; *op* — *tonen,* présenter à la
réquisition. ▼—**en 1** prier (qn de qc);
demander (qc à qn); **2** inviter -, prier (qn à);
3 (*verleiden*) tenter; *verzoeke, men wordt
verzocht,* prière de…, on est prié de… ▼—**er**
1 tentateur; **2** (*jur.*) requérant *m*. ▼—**ing**
tentation *v*; *in* — *brengen,* induire en
tentation. ▼—**schrift** pétition, requête *v*.
verzoen/dag jour *m* du Pardon, fête *v* de
l'Expiation. ▼—**en** I *ov.w* réconcilier. **II zich**
— se réconcilier (avec); faire la paix (avec);
zich met de gedachte —, se résigner à l'idée.
▼—**end** conciliant. ▼—**er** conciliateur *m*.
▼—**ing** réconciliation *v*. ▼—**ingsgezindheid**
esprit *m* de réconciliation. ▼—**ingsoffer**
sacrifice *m* expiatoire. ▼—**ingspolitiek**
politique *v* de conciliation.
verzoet/en édulcorer, dulcifier; (*fig.*) adoucir,

soulager; embellir (la vie). ▼—**ing**
édulcoration *v*; (*fig.*) adoucissement *m*.
verzolen ressemeler.
verzorg/d soigné; recherché. ▼—**en** I *ov.w*
1 soigner; (*zijn nagels* —) se faire (les
ongles); **2** prendre soin de; être chargé de;
3 pourvoir (qn de qc); établir, faire une
position (à); *een reis* —, organiser un voyage.
II zich — se soigner. ▼—**er,** —**ster** tuteur,
tutrice; (*v. dieren*) gardien(ne); (*sp.*)
soigneur. ▼—**ing 1** soins *m mv*;
2 approvisionnement; **3** établissement *m*.
verzot avide —, fou (de), passionné (pour).
▼—**heid** passion *v*.
verzucht/en soupirer. ▼—**ing** soupir,
gémissement *m*.
verzuim 1 négligence, omission *v*; **2** (*jur.*)
défaut *m*, demeure *v*; **3** délai, retard *m*;
4 absentéisme *m*; *een* — *herstellen,* réparer
un oubli. ▼—**en** négliger, manquer (à),
omettre; ne pas profiter de.
verzuipen I *on.w* **1** noyer; **2** boire. **II zich** —
aller se noyer.
verzur/en I *ov.w* aigrir. **II** *on.w* s'aigrir; *wat in
het vat is verzuurt niet,* ce qui est différé n'est
pas perdu. ▼—**ing** aigrissement *m*, oxydation
v.
verzwakk/en I *ov.w* affaiblir, débiliter;
épuiser; atténuer (l'effet). **II** *on.w* s'affaiblir,
s'épuiser. ▼—**ing** affaiblissement *m*;
épuisement *m*; atténuation *v*.
verzwar/en *ov.w* (& *on.w*) (s')alourdir;
renforcer (une digue); (*fig.*) (s')aggraver;
—*de omstandigheden,* circonstances *v mv*
aggravantes; *diefstal met* —*de
omstandigheden,* vol *m* qualifié. ▼—**ing**
alourdissement; renforcement *m*; (*fig.*)
aggravation *v*.
verzwelg/en engloutir. ▼—**ing**
engloutissement *m*.
verzwendelen dissiper, gaspiller.
verzwer/en s'ulcérer. ▼—**ing** ulcération *v*.
verzwijg/en cacher, omettre, taire. ▼—**ing**
omission *v*, silence *m*.
verzwikk/en se fouler; *zijn pols* —, se
fouler le poignet. ▼—**ing** foulure *v*.
vesper vêpres *v mv*. ▼—**boek** vespéral *m*.
vest gilet, cardigan *m*.
vestibule vestibule *m*.
vestig/en I *ov.w* établir, fixer. **II zich** —
s'établir (médecin), se fixer; se domicilier.
▼—**ing** établissement *m*, installation *v*.
▼—**ingsvergunning** autorisation *v*
d'installation.
vesting forteresse, place *v* forte.
▼—**bouw(kunde)** fortification *v*. ▼—**gracht**
douve *v*. ▼—**straf** détention *v* dans une
forteresse. ▼—**werk** fortification *v*.
vestzak gousset *m*. ▼**vestz**·**ik**-·… de poche.
vet I *bn* gras(se); *dik en* —, gros et gras; —
worden, s'engraisser; *daar ben je* — *mee,*
cela te fait une belle jambe. **II** *zn* graisse *v*;
(*aan vlees*) gras *m*; (*chem.*) — *ten,* corps *m*
mv gras; *iem. zijn* — *geven,* dire à qn son fait;
op zijn — *teren,* vivre de sa graisse.
▼—**achtig** graisseux; (*med.*) adipeux.
vete hostilité permanente *v*.
veter lacet; cordon *m*.
veteraan vétéran *m*.
veter/band ruban *m* plat. ▼—**drop** réglisse *v*
en lacet. ▼—**gat** œillet *m*.
vet/gehalte teneur *v* en corps gras. ▼—**heid**
graisse; obésité *v* (du corps). ▼—**houdend**
adipeux. ▼—**kolen** charbon *m* gras. ▼—**laars**
botte *v* forte. ▼—**leer** cuir *m* gras.
▼—**mesten** engraisser; empâter.
▼—**mesting** engraissement *m*.
veto véto *m*; *zijn* — *uitspreken over,* mettre
son véto à.
vet/plant plante *v* grasse. ▼—**puistje** tanne *v*.
▼—**tig** graisseux, gras, onctueux.
▼—**tigheid** graisse, onctuosité *v*. ▼—**vlek**
tache *v* de graisse. ▼—**vrij**: — *papier,* papier
m sulfurisé. ▼—**weiden** engraisser. ▼—**zak**
gros patapouf, boulot *m*. ▼—**zucht** adipose *v*.
veulen poulain *m*.

vezel fibre v, filament m; (in vlees) filandre v.
▼—**ig** fibreux, filamenteux, filandreux.
▼—**plaat** aggloméré, (fam.) agglo m.
▼—**stof** fibrine v. ▼—**tje** fibrille v.
V-hals décolleté v en V.
via par (la voie de), via. ▼—**duct** viaduc m.
▼—**ticum** viatique m.
vibreren 1 vibrer; 2 faire vibrer sa voix.
vicaris vicaire m.
vice-admiraal vice-amiral m.
victorie victoire v; — kraaien, chanter v.
victualiën victuailles v mv, vivres m mv.
video/band bande v vidéo. ▼—**cassette** vidéocassette v. ▼—**foon** vidéophone m.
▼—**plaat** vidéodisque m. ▼—**recorder** appareil m vidéo; magnétoscope m;
opnemen op —, magnétoscoper.
vier quatre; met —en (marcheren), par rangs de quatre; onder — ogen, en tête à tête.
▼—**baansweg** route v à quatre bandes.
▼—**daags** de quatre jours. ▼—**de I** t/w quatrième; Hendrik de V—, Henri quatre; de — januari, le quatre janvier; ten —,
quatrièmement. **II** zn quatrième m; voor drie —, aux trois quarts. ▼—**delig** 1 (plk.) quadrifide; 2 (muz.) à quatre temps.
▼—**draads** à quatre brins. ▼—**dubbel** quadruple.
vieren 1 célébrer, fêter; chômer; 2 (laten schieten) lâcher, filer.
vier/endeel quart m. ▼—**endelen** écarteler.
▼—**handig** 1 à quatre mains; 2 (aap) quadrumane. ▼—**hoek** quadrilatère m.
▼—**hoekig** quadrangulaire. ▼—**honderd** quatre cent(s).
viering célébration v.
vierkant 1 zn 1 carré; 2 (drukkerij) cadrat m.
II bn carré. **III** bw carrément; — behouwen, équarrir. ▼—**ig** carré. ▼—**je** 1 petit carré; 2 (v. stof) carreau m; 3 (v. dambord) case v.
▼—**svergelijking** équation v quadratique.
▼—**swortel** racine v carrée.
vier/kleurig quadricolore. ▼—**kwartsmaat** mesure v à quatre temps. ▼—**ledig** composé de quatre parties; —e grootheid, quadrinôme m. ▼—**ling** quadruplé(e)s m mv (v mv).
▼—**motorig** quadrimoteur. ▼—**potig** quadrupède; à quatre pieds. ▼—**span** attelage m de quatre, - à la Daumont.
▼—**sprong** carrefour m. ▼—**stemmig** à quatre voix. ▼—**takt**... à quatre temps.
▼—**tal** quatre. ▼—**vlak(kig)** tétraèdre (m).
▼—**voet(er)**, —**voetig** quadrupède (m).
▼—**voud** quadruple m; het — nemen, quadrupler. ▼—**voudig** quadruple.
▼—**wielig** à quatre roues. ▼—**zijdig** quadrilatère.
vies I zn 1 malpropre, sale, dégoûtant;
2 (kieskeurig) délicat, difficile; 3 (fig.) gras, obscène; — zijn van, être dégoûté de. **II** bw malproprement. ▼—**heid** 1 malpropreté, saleté; 2 délicatesse; répugnance;
3 obscénité v. ▼—**neus** dégoûté m.
Vietnam Viet-nam m. ▼—**ees** Vietnamien m.
viewer visionneuse v (avec diapositives).
viez/erik salaud m, salope v. ▼—**igheid** malpropreté, saleté v.
viger en être en vigueur.
vigilie vigile v.
vignet vignette v.
vijand ennemi; adversaire m. ▼—**elijk** ennemi.
▼—**elijkheid** hostilité v. ▼—**ig** hostile (à).
▼—**igheid** inimitié, hostilité, animosité v.
▼—**in** ennemie v. ▼—**schap** zie —igheid.
vijf I t/w cinq; ze alle — bij elkaar hebben, être dans son bon sens; ze niet alle — bij elkaar hebben, être marteau. **II** zn cinq, le cinquième; Karel de V—, Charles-Quint;
Willem de V—, Guillaume cinq; de — mei, le cinq mai; een —, un cinquième; ten —,
cinquièmement. ▼—**dubbel** quintuple.
▼—**enzestigplus-reductiekaart** carte v 'vermeil'. ▼—**hoek** pentagone m. ▼—**hoekig** pentagonal. ▼—**honderd** cinq cent(s).
▼—**jarenplan** plan m quinquennal. ▼—**jarig** de cinq ans. ▼—**kaart** quinte v. ▼—**kamp**

pentathlon m. ▼—**ling** quintuplé(e)s m mv (v mv). ▼—**persoonswagen** cinq places v.
▼—**stemmig** à cinq parties. ▼—**tien** quinze.
▼—**tiende** quinzième. ▼—**tig** cinquante.
▼—**tiger** quinquagénaire m; een goeie — zijn, avoir passé la cinquantaine. ▼—**tigjarig** de cinquante ans; — jubileum,
cinquantenaire m. ▼—**tigste** cinquantième;
— gedenkdag, cinquantenaire m. ▼—**tigtal** cinquantaine v. ▼—**vlak(kig)** pentaèdre (m).
▼—**voud(ig)** quintuple (m); het — nemen van, quintupler.
vijg 1 figue; 2 (fam.) crotte v. ▼—**eblad** feuille v de figuier; (v. beeld) - de vigne. ▼—**eboom** figuier m. ▼—**emand**, —**emat** cabas m.
vijl lime; râpe v; driekante —, tiers-point m.
▼—**en** limer; het —, le limage. ▼—**sel** limaille v.
vijver étang m, pièce v d'eau; (vis—) vivier m; —tje, bassin m.
vijzel 1 mortier; 2 (schroef) vérin m. ▼—**en** élever au vérin. ▼—**stamper** pilon m.
vilder équarrisseur m.
villa villa v; —tje, chalet, cottage m. ▼—**park** quartier m des villas.
villen écorcher; (paard) équarrir.
vilt feutre m. ▼—**achtig** feutré. ▼—**en I** bn de feutre. **II** ov.w feutrer. ▼—**hoed** feutre m.
▼—**papier** papier m feutre. ▼—**stift** stylo-feutre, feutre-marqueur m. ▼—**werker** feutrier m.
vin 1 nageoire v; 2 (puist) bouton m; geen — verroeren, ne pas bouger.
vind/en I ov.w 1 trouver; 2 (achten) croire, estimer, trouver; het goed met iem. kunnen —, s'entendre bien avec qn. **II** zn: het —, la découverte, la trouvaille. ▼—**er** trouveur m;
de eerlijke — zal beloond worden, la personne qui rapportera l'objet sera récompensée. ▼—**inding** découverte, invention v. ▼—**rijk** ingénieux, inventif.
▼—**rijkheid** ingéniosité v, esprit m inventif.
▼**vindplaats** 1 lieu m d'origine; 2 (v. erts) gîte; 3 (v. dier) habitat m.
vinger doigt m; de — op de wonde leggen, mettre le doigt dessus; iets door de —s zien, fermer les yeux sur, passer (qc à qn); lange —s hebben, avoir les mains crochues; zich in de —s snijden, se brûler les doigts; iem. op de —s tikken, donner sur les doigts à qn.
▼—**afdruk** empreinte v digitale. ▼—**breed** large comme le doigt. ▼—**breedte** doigt m.
▼—**doekje** serviette v à thé. ▼—**hoed** dé m (à coudre). ▼—**kom** rince-doigts, bol m. ▼—**lid** phalange v. ▼—**ling** doigtier m.
▼—**oefeningen** exercices m mv de doigté.
▼—**top** bout m du doigt. ▼—**vlug** agile des doigts. ▼—**vlugheid** dextérité, vélocité v.
▼—**wijzing** indication v, indice m.
▼—**zetting** doigté, doigter m.
vink pinson m; blinde —en, paupiettes v mv.
▼—**entouw** op het — zitten, être aux aguets, guetter sa chance. ▼—**eslag** 1 chant du pinson; 2 (val) trébuchet m.
vinnig I bn 1 (v. antwoord) aigre, vif;
2 agressif, violent; 3 (v. kou) âpre. **II** bw aigrement; violemment. ▼—**heid** âcreté;
âpreté; violence v.
viola viole v; — d'amore, viole d'amour.
violet, —**kleurig** violet(te). ▼—**achtig**, —**blauw** violâtre. ▼—**rood** zinzolin.
viol/ist, —**e** violoniste m & v. ▼—**oncel** violoncelle m. ▼—**oncellist(e)** violoncelliste m (v). ▼**viool** 1 violon m; 2 (plk.) violette v;
driekleurige —tje, pensée v; de eerste — spelen, être premier violon; (fig.) jouer un rôle important. ▼—**avond** récital m de violon.
▼—**begeleiding** accompagnement m de violon. ▼—**bouwer** luthier m. ▼—**concert** concerto m pour violon. ▼—**kist** étui m de v.
▼—**leraar** professeur de v. ▼—**les** leçon v de v. ▼—**snaar** corde v de v. ▼—**sonate** sonate v pour v. ▼—**spel** jeu m du v., - d'un violoniste.
virginiatabak tabac m de la Virginie.
virtu/oos virtuose m. ▼—**ositeit** virtuosité v.

virulent virulent. ▼—**ie** virulence v.
vis poisson m; zo gezond als een — zijn, se porter comme un charme; — wil zwemmen, poisson sans boisson est poison. ▼—**afslag** poissonnerie v. ▼—**akte** permis m de pêche. ▼—**boer** poissonnier.
viscos/e viscose v. ▼—**iteit** viscosité v.
vis/couvert service m à poisson. ▼—**dag** jour m maigre, - de pêche.
viseren viser, mettre son visa sur.
vis/gerecht plat m de poisson. ▼—**graat** arête v. ▼—**graatstof** tissu m à chevrons. ▼—**haak** hameçon m. ▼—**handelaar** marchand de poisson; — in verse zeevis, mareyeur m.
visie 1 (inzage) examen m; 2 vision v.
▼**visioen** vision v. ▼**visionair** visionnaire.
visitatie 1 (v. douane) visite; 2 (v. politie) perquisition; 3 (v. kerk) visitation v. ▼**visite** visite v. ▼—**kaartje** carte v de visite; zijn — afgeven, déposer sa carte de visite. ▼—**ren** fouiller, visiter.
vis/kom bocal m. ▼—**kweker** pisciculteur m. ▼—**kwekerij** pisciculture v. ▼—**lepel** cuiller, truelle v à poisson. ▼—**lijm** colle de poisson, ichtyocolle v. ▼—**lijn** ligne v. ▼—**mand** bourriche; manne v. ▼—**markt** marché m au poisson. ▼—**plaat** plat m percé. ▼—**rijk** poissonneux. ▼—**schotel** 1 plat à (servir le) poisson; 2 (gerecht) plat m de poisson.
vissen I on.w pêcher; uit — gaan, faire une partie de pêche. achter het net —, laisser passer l'occasion; — naar, 1 (zoeken) draguer; 2 (fig.) sonder (qn); 3 quêter (un compliment). II zn pêche v.
visser pêcheur m. ▼—**ij** pêche v; pêcheries v mv. ▼—**ijbedrijf** industrie v de la pêche. ▼—**ijtentoonstelling** exposition v piscicole. ▼—**sboot** bateau m pêcheur. ▼—**shaven** port m de pêche. ▼—**svloot** flotte v de pêche. ▼**vis/snoer** ligne v. ▼—**spaan** truelle v à poisson.
vista: a —, à vue; a prima — spelen, jouer à première vue.
vis/teelt pisciculture v. ▼—**trap** échelle v à poissons. ▼—**tuig** engins m mv de pêche.
visueel visuel.
visum visa m.
vis/vangst pêche v. ▼—**vijver** vivier m. ▼—**vormig** pisciforme. ▼—**vrouw** poissonnière v. ▼—**water** eau poissonneuse, pêcherie v. ▼—**wijf** poissarde v. ▼—**winkel** poissonnerie v.
vitaal vital.
vitamine vitamine v. ▼—**ren** vitaminer.
vitrage rideau m de vitrage.
vitriool vitriol m.
vitt/en chicaner, trouver à redire (à). ▼—**er** chicaneur m. ▼—**erig** chicaneur, pointilleux. ▼—**erij** chicanerie; (v. ambtenaar) chinoiserie v. ▼**vitzucht** esprit m de chicane.
vivisectie vivisection v.
vizier 1 (v. helm) vizière; 2 (mil.) hausse, mire v. ▼—**hoek** angle m de mire. ▼—**keep** cran m de mire. ▼—**kijker** lunette v de hausse. ▼—**klep** hausse v. ▼—**korrel** guidon m. ▼—**lijn** ligne v de mire. ▼—**liniaal** alidade v.
vla 1 crème; 2 flan m, tourte v = **vlaai**.
vlaag 1 bourrasque, rafale v; 2 (fig.) accès m (de); bij vlagen, par bouffées.
vlaai zie vla.
Vlaams flamand; —e, Flamande v.
▼**Vlaanderen** la Flandre.
vlag drapeau; (v. schip) pavillon m; de — strijken (voor), amener le pavillon; (fig.) baisser pavillon (devant), abdiquer (devant); met —gen versieren, pavoiser; onder goedkope — varen, porter pavillon de complaisance. ▼—**gemast** mât m des couleurs. ▼—**gen** arborer le(s) drapeau(x); alle huizen vlagden, toutes les maisons étaient pavoisées. ▼—**gendoek** étamine v. ▼—**genkaart** carte v des pavillons. ▼—**genparade** salut m au drapeau, cérémonie v des couleurs. ▼—**geschip** vaisseau m commandant. ▼—**gestok** hampe

v. ▼—**officier** officier général de la marine. ▼—**signaal** signal m vexillaire. ▼—**vertoon** manifestation v du pavillon; voor —, pour montrer le pavillon.
vlak I bn 1 plat; 2 (effen) ras, uni; 3 (wisk.) plan; 4 (v. stijl) sans relief; de —ke hand, le plat de la main; — ke meetkunde, géométrie v plane; in het —ke veld, en rase campagne; zie ook **snelheid**. II bw droit, juste; tout; — bij, tout près; à deux pas (de); — tegenover, juste en face. III zn 1 plat m; 2 surface v; gebogen —, plan m courbe; hellend —, plan m incliné; op een hellend —, sur une pente dangereuse; 3 tache v. ▼—**baangeschut** bouches v mv à feu à trajectoire tendue. ▼—**baanvuur** tir m de plein fouet. ▼—**heid** surface unie; (fig.) platitude v. ▼—**ken** ov.w 1 aplanir, dresser; 2 zie **vlekken**. ▼**vlakte** 1 plaine; 2 surface v; 3 sol m; zich op de — houden, rester dans le vague; tegen de — slaan, terrasser. ▼—**maat** mesure v de superficie. ▼—**meting** planimétrie v.
vlam flamme v; — vatten, prendre feu, s'enflammer. ▼—**boog** arc m.
Vlaming Flamand m.
vlam/kleur(ig) couleur (v) de feu. ▼—**men** flamber, jeter des flammes; (fig.) flamboyer. ▼—**mend** flamboyant. ▼—**menwerper** lance-flammes m. ▼—**metje** flammèche; allumette v. ▼—**oven** fourneau m à réverbère. ▼—**pijp** tube m (de chaudière). ▼—**vormig** flamboyant, flammé.
vlas 1 (plk.) lin m; 2 (bereid) filasse v de lin. ▼—**blond** filasse. ▼—**bouw** culture v du lin. ▼—**haar** cheveux m mv filasse; duvet m. ▼—**kleur(ig)** couleur (v) filasse. ▼—**kop** blondin(e) m (v). ▼—**linnen** toile v de lin. ▼—**sen** I bn filasse, de lin. II on.w: — op, être avide de, guetter, désirer ardemment, aspirer à. ▼—**veld** linière v.
vlecht natte, tresse, couette v. ▼—**en** enlacer, natter, tresser; (fig.) mêler (à). ▼—**(st)er** tresseur, (- euse). ▼—**werk** lacis m, tressages m mv; clayonnage m.
vleermuis chauve-souris m.
vlees 1 chair; 2 (spijs) viande v; in het — snijden, couper dans le vif; weten wat voor — men in de kuip heeft, connaître son bonhomme. ▼—**afval** abats m mv. ▼—**bal(letje)** boulette v de viande. ▼—**bon** ticket m de viande. ▼—**boom** fibrome m. ▼—**dag** jour m gras. ▼—**delen** parties v mv charnues. ▼—**etend**, **-eter** carnivore (m). ▼—**extract** extrait m de viande. ▼—**gerecht** plat m de viande. ▼—**gezwel** fibrome m. ▼—**haak** croc m de boucherie. ▼—**hal** halle aux viandes, boucherie v. ▼—**houwer** boucher m. ▼—**houwerij** boucherie v. ▼—**keuring** inspection v des animaux de boucherie. ▼—**kleur** carnation, couleur v de chair. ▼—**kleurig** couleur de chair, chair v. ▼—**klomp** masse v de chair. ▼—**made** ver de viande, asticot m. ▼—**mes** couteau, découpoir m. ▼—**molen** hachoir m. ▼—**nat** bouillon m. ▼—**pastei** pâté de viande, vol-au-vent m. ▼—**sap** suc m de viande. ▼—**schotel** plat m de viande. ▼—**snijmachine** machine v à trancher. ▼—**soep** consommé m. ▼—**spijs** viande v. ▼—**vlieg** mouche v à viande. ▼—**voeding** alimentation v carnée. ▼—**vork** grande fourchette v de cuisine. ▼—**waren** viandes v mv; charcuterie v. ▼—**wording** incarnation v. ▼—**worst** saucisson; cervelas m.
vleet 1 filet; 2 tas m, quantité v; bij de —, à foison, en quantité.
vlegel 1 fléau; 2 (fig.) animal, malotru m. ▼—**achtig** I bn grossier, rustre. II bw grossièrement. ▼—**achtigheid** grossièreté, impertinence v. ▼—**jaren** âge m ingrat.
vlei/en/el ov.w flatter. II zich — met se flatter de. ▼—**end** I bn flatteur. II bw flatteusement. ▼—**(st)er** flatteur, (- euse). ▼—**erij** flatterie v.
vlek 1 tache v; 2 (v. inkt) pâté m; 3 bourg m; bourgade v. ▼—**keloos** sans tache, immaculé. ▼—**keloosheid** pureté; blancheur

v immaculée. ▼**—ken I** *ov.w* (*& on.w*) (se) salir, (se) tacher. ▼**—kenmiddel** détachant *m.* ▼**—kig** tacheté, tavelé. ▼**—tyfus** typhus *m* (exanthématique).

vleselijk *bn* (*& bw*) charnel(lement). ▼**—heid** 1 réalité physique ; 2 sensualité *v.*

vlet chaloupe *v.*

vleug 1 lueur ; 2 direction *v* du poil ; *tegen de —,* à contre-poil, à rebrousse-poil.

vleugel 1 aile *v* ; 2 (*v. deur*) battant *m* ; 3 piano *m* à queue. ▼**—adjudant** aide-de-camp *m*. ▼**—deur** porte *v* à deux battants. ▼**—klep** aileron *m.* ▼**—lam** qui ne bat que d'une aile ; (*fig.*) frappé d'impuissance. ▼**—man** chef *m* de file ; (*sp.*) ailier *m.* ▼**—moer** écrou *m* à oreilles. ▼**—piano** piano *m* à queue. ▼**—schild** élytre *m.* ▼**—schroef** vis *v* ailée. ▼**—slag** coup *m* d'aile. ▼**—speler** ailier *m.* ▼**—wijdte** envergure *v.*

vleugje étincelle, lueur *v*, soupçon *m* ; — *beterschap,* mieux *m* passager ; — *zonneschijn,* échappée *v* de soleil.

vlezig pulpeux.

vlieg mouche *v* ; *iem. een — afvangen,* souffler qc à qn, couper l'herbe sous le pied à qn ; *twee — in één klap slaan,* faire d'une pierre deux coups. ▼**—basis** base *v* aérienne. ▼**—bereik** rayon *m* d'action. ▼**—boot** hydravion *m.* ▼**—brevet** brevet *m* d'aviateur. ▼**—dag** jour *m* de vol. ▼**—dek** plate-forme *v* d'envol. ▼**—dekschip** (navire) porte-avions *m,* ▼**—demonstratie** meeting *m* d'aviation ; démonstration *v* de vol. ▼**—dienst** service *m* aérien.

vliegen I *on.w* 1 voler ; 2 (*weg—*) s'envoler ; 3 courir ; 4 (*v. kogels*) siffler ; *over een stad —,* survoler une ville ; *in brand —,* s'enflammer, prendre feu ; *elkaar in het haar —,* se prendre aux cheveux ; *— eo jeter* (*of* sauter) au cou de qn ; *alle vogels —' spelen,* jouer à pigeon vole ; *dat vliegt weg,* cela se vend comme des petits pains. **II** *ov.w* desservir (une ligne). **III** *zn* 1 (*v. vogel*) vol *m* ; 2 aviation *v.* ▼**vliegend** 1 volant ; 2 (*personeel*) navigant ; *in —e haast,* en toute hâte ; *in —e vaart,* à toute vitesse. ▼**—gaas** toile *v* métallique ; filet *m* contre les mouches. ▼**—kast** garde-manger *m.* ▼**—mepper** tapette *v.* ▼**—net** émouchette *v.* ▼**—papier** papier *m* tue-mouches, glu *m.* ▼**—svlug** en courant ; à fond de train ; en un clin d'œil. ▼**—vanger** 1 papier *m* tue-mouches ; 2.(*vogel*) gobe-mouches *m.* ▼**—vuil** chiures *v mv* de mouches. ▼**—zwam** fausse oronge *v.*

vlieger 1 cerf-volant ; 2 aviateur *m* ; *die — gaat niet op,* cela ne prend pas. ▼**—ij** aviation *v.* ▼**—sbrevet** brevet *m* de pilote.

vlieg/haven aéroport *m* d'aviation. ▼**—kamp** camp *m* d'aviation. ▼**—kunst** aviation *v.* ▼**—machine** avion *m.* ▼**—ongeluk** accident *m* de l'air. ▼**—route** route *v* aérienne. ▼**—sport** aviation *v.* ▼**—station** aérogare *v.* ▼**—ster** aviatrice *v.* ▼**—tocht** vol, raid *m.* ▼**—tuig** avion *m* ; *onbemand —,* avion-robot *m* ; *per —,* par avion. ▼**—tuigbestuurder** pilote *m* (aérien). ▼**—tuigbouwer** constructeur d'avions. ▼**—tuigfabriek** usine *v* d'aviation. ▼**—tuigkaping** détournement *m* d'avion. ▼**—tuigloods** hangar *m.* ▼**—tuigmodelbouw** aéromodélisme *m.* ▼**—tuigmoederschip** navire *m* porte-avions. ▼**—tuigromp** fuselage *m.* ▼**—tuigschroef** hélice *v* ; *— met verstelbaar blad,* hélice réversible. ▼**—tuigverkeer,** —tuigvervoer trafic *m* par voie d'avions. ▼**—uur** heure *v* de vol. ▼**—veld** aérodrome, champ *m* d'aviation. ▼**—vergunning** licence *v* de vol. ▼**—werk :** *met kunst en —,* à force d'habileté, par artifice. ▼**—wiel** volant *m.*

vlier, —boom sureau *m.* **vliering** soupente *v.* ▼**—kamertje** mansarde *v.*

vlierthee infusion *v* (de fleurs) de sureau. **vlies** 1 (*vacht*) toison ; 2 (*velletje*) membrane, pellicule, tunique ; 3 (*in melk*) peau *v* ; *het Gulden V—,* la Toison d'or. ▼**—achtig**

membraneux. ▼**—dun** pelliculaire.

vliet cours *m* d'eau. ▼**—en** couler, ruisseler. **vlijen I** *ov.w* (ar)ranger. **II zich —** **tegen** se blottir contre ; *zich —,* s'étendre dans.

vlijm/end aigu, cuisant ; cruel. ▼**—scherp** affilé, tranchant.

vlijt zèle *m* ; application, assiduité *v.* ▼**—ig I** *bn* appliqué, diligent, zélé. **II** *bw* avec application, diligemment, activement.

vlinder papillon *m.* ▼**—achtig** (*fig.*) inconstant, volage. ▼**—dasje** nœud *m* papillon. ▼**—slag** brasse *v* papillon.

Vlissingen Flessingue *v.*

vlo puce *v.*

vloed 1 flux *m,* marée *v* haute ; 2 (*rivier*) fleuve *m* ; 3 (*overstroming*) inondation *v* ; (*stort*)— torrent *m* (*ook fig.*) ; *opkomende —,* marée *v,* montante ; *witte —,* leucorrhée *v* ; *het is —,* la marée est haute. ▼**—golf** raz *m* de marée. ▼**—haven** port *m* à marée.

vloei/baar liquide ; — *maken,* liquéfier ; — *worden,* se liquéfier. ▼**—baarheid** liquidité ; fluidité *v.* ▼**—baarmaking,** —baarwording liquéfaction (metaal) fusion *v.* ▼**—boek** parapheur *m.* ▼**—blok** tampon-buvard *m.* ▼**—en** 1 couler, s'écouler ; 2 (*v. papier*) boire ; *in de kas —,* tomber dans la caisse. ▼**—end I** *bn* (*v. stijl*) coulant ; liquide, fluide. **II** *bw* couramment. ▼**—er** fondu *m* enchaîné. ▼**—ing** 1 écoulement ; 2 (*med.*) écoulement *m* (*of* perte *v*) de sang. ▼**—papier** 1 (papier) buvard ; 2 papier *m* de soie. ▼**—rol** rouleau-buvard *m.* ▼**—staal** acier *m* homogène. ▼**—stof** liquide *m* ; (*nat.*) fluide *m.* ▼**—tje** papier *m* à cigarettes.

vloek 1 (*woord*) juron, blasphème *m* ; 2 (*vervloeking*) malédiction, imprécation *v. in een — en een zucht,* en un tour de main. ▼**—en** *ov.w* maudire. **II** *on.w* jurer, blasphémer ; — *op,* pester contre ; *die kleuren —es,* ces couleurs jurent entre elles. ▼**—waardig** exécrable.

vloer 1 (*houten*) plancher ; (*ingelegd*) parquet ; 2 (*stenen*) carreau, pavé *m* ; *over de — komen bij,* fréquenter. ▼**—bedekking** revêtement *m* du sol. ▼**—en** 1 planchéier, carreler, paver ; 2 (*sp.*) tomber. ▼**—enwrijver** cireuse *v.* ▼**—kleed,** —tapijt tapis *m.* ▼**—mat** natte *v,* paillasson *m.* ▼**—steen** carreau *m,* dalle *v.* ▼**—zeil** linoléum *m.*

vlok 1 flocon *m* ; 2 (*haar—*) touffe *v* ; 3 (*stof*) mouton ; 4 (*rijst— enz.*) grumeau *m.* ▼**—ken** floconner. ▼**—kenzeep** savon *m* en paillettes. ▼**—kig** floconneux.

vlonder planche, passerelle *v.*

vlooi/ebeet, —epik piqûre *v* de puce. ▼**—en** *ov.w* (*& zich —*) (s')épucer. ▼**—enmarkt** marché *m* aux puces. ▼**—ennest** pucier *m.* ▼**—entheater** salon *m* des puces savantes. ▼**—estip** chiure *v* de puce.

vloot flotte *v* ; (*boter*)—*je,* beurrier *m.* ▼**—basis** base *v* navale. ▼**—plan** projet *m* de construction navale.

vlos, —zijde soie *v* floche. ▼**—sig** effiloché, flou, mou.

vlot I *bn* 1 qui est à flot ; 2 (*fig.*) alerte ; (*v. manieren*) dégagé ; (*v. stijl*) aisé ; 3 facile à vivre ; (*actief*) allant, plein d'allant ; 4 rapide ; *weer — maken,* renflouer. **II** *bw* couramment ; facilement. **III** *zn* radeau, train *m* de bois. ▼**—brug** pont *m* de radeaux. ▼**—heid** allant *m,* aisance *v.* ▼**—ten** 1 flotter ; 2 (*fig.*) aller bien, marcher, venir ; (*v. gesprek*) se soutenir. ▼**—tend** flottant. ▼**—ter** 1 flotteur *m* ; 2 (*dobber*) flotte *v.* ▼**—terpen** pointeau *m* de carburateur.

vlucht 1 (*het vliegen*) raid, vol *m* ; 2 (*vogels*) vol *m,* volée *v* ; 3 (*wijdte*) envergure ; 4 (*het vluchten*) fuite ; 5 (*fig.*) envolée *v,* essor *m* ; *de — nemen,* prendre la fuite ; *een hoge — nemen,* prendre un grand essor ; *op de — jagen,* mettre en fuite. ▼**—en** fuir ; s'enfuir -; se sauver (devant) ; (*uitwijken*) se réfugier. ▼**—eling** fugitif, fuyard ; réfugié *m.* ▼**—en** (*voor*) fuir -, s'enfuir ▼**—haven** rade-abri *v.* ▼**—heuvel** refuge *m.* ▼**—ig I** *bn* 1 passager, fugace ;

2 (*oppervlakkig*) léger, rapide; **3** (*chem.*) volatil. **II** *bw* rapidement, à la hâte.
▼—**igheid** légèreté, rapidité; volatilité *v.*
▼—**leider** contrôleur *m* de navigation aérienne. ▼—**nummer** numéro *m* de vol. ▼—**plaats** asile, refuge *m.* ▼—**strook** bande *v* d'arrêt d'urgence. ▼—**weg** sortie *v* de secours.

vlug I *bn* agile, prompt, vif; (*fig.*) éveillé, intelligent; — *ter been*, ingambe. **II** *bw* promptement; vivement; — *kokend*, à cuisson rapide. ▼—**heid** **1** agilité, dextérité, promptitude; vivacité; **2** intelligence *v.* ▼—**schrift** brochure *v.* ▼—**zout** sel *m* volatil.

voc/aal I *bn* vocal. **II** *zn* voyelle *v.* ▼—**atief,** —**ativus** vocatif *m.*

vocht 1 liquide *m;* **2** (*in lichaam*) humeur; **3** (—*igheid*) humidité *v.* ▼—**aantrekkend** hydrophile. ▼—**ig** humide, mouillé; (*klam*) moite; — *maken*, humecter; — *worden,* s'humecter. ▼—**igheid** humidité; moiteur *v.* ▼—**igheidsmeter** hygromètre *m.* ▼—**inbrengend** hydratant. ▼—**kring** auréole *v.* ▼—**verlies** déshydratation *v.* ▼—**vlek** mouillure *v.* ▼—**vrij** anhydre. ▼—**weger** pèse-alcool, aréomètre *m.* ▼—**werend** hydrofuge.

vod chiffon *m,* loque *v,* haillon *m; achter de* —*den zitten,* talonner. ▼—**denhandel** friperie *v.* ▼—**denkoper,** —**denman,** —**denraper** chiffonnier *m.* ▼—**dig** sale, déguenillé; (*fig.*) méchant, de rien.

voed/en I *ov.w* nourrir, alimenter. **II** *on.w* nourrir, être nourrissant. **III** *zich* — se nourrir (de). ▼—**end** nourrissant, nutritif. ▼**voeder** nourriture, pâture *v;* fourrage *m.* ▼—**biet** betterave *v* fourragère. ▼—**en** nourrir, donner à manger à. ▼—**ing** pâture *v;* affouragement *m.* ▼—**zak** musette *v.*

voeding 1 nutrition; alimentation; **2** (*voedsel*) nourriture *v.* ▼—**sbodem** fond -, bouillon *m* de culture; (*fig.*) terrain *m* tout préparé. ▼—**sbuis** tuyau *m* alimentaire. ▼—**sdraad,** —**skabel** caténaire *v.* ▼—**skanaal** canal *m* d'amenée. ▼—**sleer** diététique *v.* ▼—**smiddel** aliment *m,* substance *v* alimentaire. ▼—**sproces** assimilation *v.* ▼—**sprodukt** produit *m* alimentaire. ▼—**ssap** suc *m* nourricier, sève *v.* ▼—**sstoornis** trouble *m* de la nutrition. ▼—**stentoonstelling** exposition *v* culinaire. ▼—**swaarde** valeur *v* nutritive.

voedsel nourriture *v,* aliment; (*v. vee*) pâture *v* (*ook fig.*); — *geven aan,* nourrir. ▼—- **en landbouworganisatie** organisation *v* pour l'alimentation et l'agriculture, O.A.A. ▼—**pakket** colis *m* alimentaire. ▼—**voorziening** ravitaillement *m.* ▼**voedster** nourrice *v.* ▼—**kind** nourrisson *m.* ▼—**vader** père nourricier. ▼**voedzaam** nourrissant, substantiel. ▼—**heid** qualité *v* nutritive.

voeg joint *m;* (*naad*) couture *v; in dier —é, de cette façon; de telle façon (que); uit de —en gaan,* se déboîter. ▼—**en** I *ov.w* **1** joindre, assembler; (*metselwerk*) jointoyer; **2** (*schikken*) arranger, disposer; — *bij,* ajouter à, joindre à; — *naar,* adapter à. **II** *zich* — *bij* — his. rejoindre qn; *zich* — *naar,* se plier à, se conformer à. ▼—**er** jointoyeur *m.* ▼—**ijzer,** —**spijker** fiche *v.* ▼—**woord** conjonction *v.* ▼—**zaam** *bn* (& *bw*) convenable(ment). ▼—**zaamheid** convenance *v.*

voel/baar sensible; palpable. ▼—**baarheid** perceptibilité *v.* ▼—**en** I *ov.w* **1** sentir; (*fig.*) (res)sentir, éprouver; **2** (*tasten*) palper, tâter, toucher; *iets* — *voor,* avoir de la sympathie pour; *hij voelt er weinig voor,* cela ne lui dit rien. **II** *on.w* sentir, tâter; — *in,* fouiller dans; — *naar,* chercher (à tâtons). ▼—**hoorn** antenne, tentacule *v.* ▼—**ing** contact *m; — houden met,* rester en contact avec; (*mil.*) se sentir les coudes; *se concerter avec; — krijgen met,* prendre contact avec (l'ennemi). ▼—**spriet** *zie* —**hoorn.**

voer 1 *zie* **voeder; 2** (*vracht*) charretée, voie *v.* ▼—**der** conducteur. ▼—**en** I *ov.w* **1** conduire, mener; **2** transporter; **3** (*hebben*) porter, avoir sur soi; **4** (*bekleden*) doubler; (*met bont*) fourrer; (*v. binnen*) revêtir; **5** *zie* **voederen;** *de Nederlandse vlag* —, battre pavillon néerlandais; *het woord* —, avoir la parole. **II** *zn* **1** affouragement; **2** doublage *m.* ▼—**ing** doublure *v;* revêtement *m.* ▼—**loon** frais *m mv* de roulage. ▼—**man** charretier, voiturier *m.* ▼—**taal** langue *v* véhiculaire; langue de travail. ▼—**tuig** véhicule *v.* ▼—**wiel** roue *v* motrice.

voet pied; (*v. standbeeld*) piédestal, socle *m;* (*v. zuil*) base *v; — geven aan,* encourager, soutenir; *vaste* — *krijgen,* prendre pied; — *bij stuk houden,* tenir bon; *met het geweer bij de* —, l'arme au pied; *met* —*en treden,* fouler aux pieds; *onder de* — (*ge*)*raken,* être foulé aux pieds; *onder de* — *lopen,* déborder; *envahir (un pays); op* — *van gelijkheid,* sur (un) pied d'égalité; *op —' van vrede,* sur le pied de paix; *op de* — *volgen,* suivre de près; *op bescheiden* —, sur un pied modeste; *op dezelfde* —, sur le même pied; *op gelijke* —, (être) sur le pied d'égalité; (mettre) sur le même pied; *op gespannen — met iem. staan,* avoir des rapports tendus avec qn; *op goede* — *met iem. blijven,* rester en bons termes avec qn; *op grote* — *leven,* mener grand train; *op staande* —, sur-le-champ; *op vrije* —*en,* en liberté; *op vrije* —*en stellen,* mettre en liberté, libérer; *te* —, à pied; *ten* —*en uit,* en pied; *niet uit de* —*en kunnen,* marcher difficilement; *zich uit de* —*en maken,* se sauver, filer; *iem. voor de* —*en lopen,* être dans les jambes de qn. ▼**voet/angel** chausse-trape; *er liggen* — *en klemmen,* il y a des pièges. ▼—**bad** bain *m* de pieds. ▼—**bal 1** ballon *v;* **2** (*spel*) football, foot *m.* ▼—**balbeker** coupe *v* de football. ▼—**ballen** jouer au foot. ▼—**baller** footballeur *m.* ▼—**balmatch** match *m* de foot. ▼—**balschoenen** chaussures *v mv* de football. ▼—**baltoto** concours *m* de pronostics. ▼—**bankje 1** tabouret *m* de pied; **2** (*v. schoenpoetser*) sellette *v.* ▼—**boog** arbalète *v.* ▼—**boogschutter** arbalétrier *m.* ▼—**breed** largeur *v* du pied; (*fig.*) pouce *m; geen* — *wijken,* ne pas reculer d'une semelle. ▼—**brug** passerelle *v.* ▼—**eind** pied *m* (du lit). ▼—**endeken** couvre-pieds *m.* ▼—**enzak** chancelière *v.*

voetganger piéton *m.* ▼—**slicht** signal *m* lumineux pour piétons. ▼—**soversteekplaats** passage *m* piétons. ▼—**sstraat** rue *v* piétonnière.

voet/je petit pied *m; —s geven aan,* faire du pied à; *een wit* — *hebben bij iem.,* être dans les bonnes grâces de qn; — *voor* —, pied à pied. ▼—**kus** baisement *m.* ▼—**licht** rampe *v; voor het* — *brengen,* monter; *voor het* — *komen,* voir les feux de la r. ▼—**mat** paillasson *m.* ▼—**pad** sentier *m.* ▼—**pomp** pompe *v* à étrier. ▼—**punt 1** pied; **2** nadir *m.* ▼—**reis** voyage *m* à pied. ▼—**rem** frein *m* à pédale. ▼—**schakelaar** interrupteur *m* à pied. ▼—**spoor** trace *v; iem.* — *volgen,* marcher sur les traces de qn. ▼—**stap** pas *m.* ▼—**stoots** (*acheter*) en bloc (*of* à forfait); (*fig.*) d'emblée. ▼—**stuk** piédestal, socle *m.* ▼—**tocht** randonnée *v* pédestre. ▼—**val** prosternation *v; een* — *doen voor,* se prosterner devant. ▼—**veeg** essuie-pieds; (*fig.*) souffre-douleurs *m.* ▼—**volk** infanterie *v.* ▼—**vrij** qui dégage le pied; trotteur; —*e rok,* jupe *v* trotteur. ▼—**wassing** lavement *m* des pieds. ▼—**zoeker** pétard *m.* ▼—**zool** plante *v* du pied.

vogel oiseau *m; slimme* —, fin matois *m; alle* —*s vliegen,* (jouer à) pigeon vole; *een* — *in de hand is beter dan tien in de lucht,* un tiens vaut mieux que deux tu l'auras. ▼—**handel** oisellerie *v.* ▼—**handelaar** oiselier *m.* ▼—**kenner** ornithologiste *m.* ▼—**kooi** cage

v. ▼—**markt** marché m aux oiseaux.
▼—**mest** fiente v d'oiseaux ; guano m.
▼—**nest** nid m d'oiseau. ▼—**schieten** tir m à l'oiseau. ▼—**trek** migration v.
▼—**verschrikker** épouvantail m.
▼—**vlucht** : in —, à vol d'oiseau. ▼—**vrij** proscrit ; — verklaren, mettre hors la loi ; proscrire. ▼—**vrijverklaring** proscription v.
Vogezen Vosges v mv.
voile voilette v.
vol 1 plein ; 2 (gevuld) rempli ; 3 (over—) comble ; een —le baard hebben, porter toute sa barbe ; een —le maand, tout un mois ; iem. voor — aanzien, prendre qn au sérieux ; — maken, remplir (ook getal) ; combler (la mesure) ; een benzinetank — doen, faire le plein d'essence ; de autobus is —, l'autobus est au complet ; —l, complet ! iedereen is er — van, tout le monde en parle ; een —le dag (24 uur), un jour franc ; ten —le, entièrement, pleinement ; je gezicht zit — puistjes, tu as plein de boutons sur la figure.
▼—**automatisch** entièrement automatique ; (machine) à automatisme intégral.
volbloed pur-sang m. ▼—**ig** sanguin, pléthorique. ▼—**igheid** pléthore v.
volbrengen s'acquitter de, accomplir ; het is volbracht, tout est consommé.
voldaan 1 content -, satisfait (de) ; 2 (betaald) payé ; pour acquit ; voor — tekenen, acquitter. ▼—**heid** satisfaction v.
▼**vol**/**doen** I ov.w 1 (vullen) remplir ; combler ; 2 (betalen) acquitter, payer ; 3 (bevredigen) contenter, satisfaire. II on.w 1 payer ; 2 (voldoende zijn) suffire ; 3 (voldoening geven) satisfaire (à) ; remplir (les conditions) ; répondre (à l'attente) ; bij een examen —, être reçu, réussir ; uitstekend — in het gebruik, donner un excellent usage.
▼—**doend** I bn satisfaisant, suffisant, passable, assez (de) ; meer dan —, plus qu'il ne faut ; — e halen, obtenir une note passable ; —e zijn, suffire. II bw suffisamment.
▼—**doening** 1 (hand.) acquittement, paiement ; 2 contentement m, satisfaction v.
voldongen terminé ; — feit, fait m accompli.
voldragen I ov.w porter jusqu'au terme. II bn né à terme, mûri.
voleind/(**ig**)**en** accomplir, achever.
▼—(**ig**)**ing** accomplissement m.
volgaarne de bon cœur.
volg/**auto** voiture v de suite. ▼—**briefje** procuration v. ▼—**eling** disciple m & v ; partisan ; adepte m. ▼—**en** I ov.w suivre ; observer (une tactique). II on.w suivre ; — op, succéder à ; faire suite à ; wie volgt ?, au suivant ; hij liet er op —, il ajouta ; — uit, résulter de, suivre de ; daaruit volgt dat, il en résulte que, il suit de là ; — end suivant ; (na heden) prochain ; de —e dag, le lendemain ; de —e, le suivant, celui qui suit ; (uitnodigend) de —de, au suivant ; het —e, ce qui suit ; tot de —e halte à la prochaine ; stapt u bij de —e halte uit ?, vous descendez (à la prochaine) ? ▼—**ens** suivant, selon, d'après ; — mij, à mon avis. ▼—**nummer** numéro m d'ordre.
volgooien combler, remplir, (tank) faire le plein.
volg/**orde** ordre m, succession v ; in —, à la suite. ▼—**rijtuig** voiture v de suite.
volgroeid mûr, arrivé au terme de sa croissance.
volg/**trein** train m supplémentaire, - bis.
▼—**wagen** (v. tram) baladeuse ; remorque v.
▼—**zaam** docile. ▼—**zaamheid** docilité v.
volhard/**en** persévérer, persister (dans).
▼—**end** persévérant, persistant. ▼—**ing** persévérance v. ▼—**ingsvermogen** endurance v.
volheid plénitude ; rondeur v (des joues).
volhouden I ov.w soutenir (un effort) ; (bewering) maintenir. II on.w persévérer ; tot het uiterste —, tenir jusqu'au bout ; hardnekkig —, persister à dire.
volijverig I bn plein de zèle, empressé. II bw

avec zèle.
volk 1 nation v, peuple m ; 2 (mensen) gens m mv, foule v ; 3 (werk—) ouvriers m mv ; 4 (bezoek) monde m ; het (gemene) —, le bas peuple, la populace ; —!, holà !, quelqu'un ! ; goed —!, ami ! ; er was veel —, il y avait beaucoup de monde. ▼—**enbond** Société v des Nations. ▼—**enkunde** ethnologie v.
▼—**enkundig** ethnologique. ▼—**enrecht** droit m des peuples, droit international.
▼—**enrechtelijk** de droit international.
volkomen I bn 1 (volmaakt) parfait ; 2 (volledig) complet, entier. II bw parfaitement ; complètement. ▼—**heid** 1 perfection ; 2 intégrité v.
volkorenbrood pain m complet.
volkrijk populeux. ▼**volks**... populaire, du peuple ; national ; (fam.) peuple. ▼—**aard** caractère m national. ▼—**bad** bains m mv populaires. ▼—**belang** intérêt m public.
▼—**bestaan** existence v nationale.
▼—**beweging** mouvement m populaire.
▼—**buurt** quartier m populaire. ▼—**concert** concert m populaire. ▼—**dracht** costume m national. ▼—**feest** fête v populaire. ▼—**front** front m populaire. ▼—**geest** esprit m public.
▼—**gezondheid** santé v publique ; hygiène v publique ; ministerie van —, ministère m de la Santé publique ; geestelijke —, hygiène mentale. ▼—**gunst** popularité ; faveur v du public. ▼—**huishoudkunde** économie v sociale. ▼—**huisvesting** logement m ; ministerie van — en ruimtelijke ordening, ministère m de l'Habitat et de l'Aménagement du Territoire. ▼—**karakter** caractère m national. ▼—**klasse** classe v du peuple ; meisje uit de —, fille v du peuple. ▼—**kracht** énergie v nationale. ▼—**kunde** folklore m.
▼—**leger** armée nationale, milice v. ▼—**lied** 1 hymne m national ; 2 chanson v populaire ; 3 (genre) chant m populaire. ▼—**menigte** foule, multitude v. ▼—**mening** opinion v publique. ▼—**menner** démagogue, meneur m de foules. ▼—**mond** : in de —, comme le dit le peuple, populairement. ▼—**onderwijs** instruction v publique. ▼—**oploop** rassemblement m. ▼—**overlevering** tradition v populaire. ▼—**partij** parti m populiste. ▼—**planting** colonie v.
▼—**redenaar** orateur populaire.
▼—**republiek** république v (démocratique) populaire. ▼—**school** école v primaire ; - populaire. ▼—**soevereiniteit** souveraineté v du peuple. ▼—**stam** tribu, peuplade v.
▼—**stemming** plébiscite m ; onderwerpen aan een uitspraak bij —, soumettre au verdict populaire. ▼—**taal** 1 langue v nationale ; 2 - populaire. ▼—**telling** recensement m.
▼—**tuintje** jardin m familial ; - ouvrier.
▼—**universiteit** université v populaire.
▼—**wil** volonté v du peuple, - nationale.
▼—**verhuizing** migration v des peuples.
▼—**vermaak** réjouissances v mv populaires.
▼—**vertegenwoordiger** représentant du peuple, député. ▼—**vertegenwoordiging** représentation v nationale. ▼—**verzekering** assurance v populaire. ▼—**vijand** ennemi m du peuple. ▼—**vlijt** industrie v nationale.
▼—**voeding** alimentation v du peuple.
▼—**voorstelling** représentation v populaire.
▼—**wil** volonté v du peuple, - nationale.
▼—**woede** fureur v de la populace. ▼—**zaak** 1 affaire v nationale ; 2 magasin m populaire.
volledig I bn complet ; intégral. II bw complètement ; intégralement. ▼—**heid** détails m mv complets ; abondance de détails ; intégrité v.
volleerd consommé, expert, parfait.
vollemaansgezicht figure v de pleine lune.
vollopen se remplir.
volmaakt I bn parfait, accompli, achevé. II bw parfaitement. ▼—**heid** perfection v.
volleybal volley-ball m. ▼—**len** jouer au v.
volmacht plein(s) pouvoir(s) m (mv) ; procuration v ; bij —, par procuration ; blanco —, blanc seing m ; iem. blanco — geven ;

donner carte blanche à qn. ▼—**gever** mandant *m*. ▼—**hebber** mandataire *m*.
volmaken I achever, perfectionner; 2 *zie* **vol**.
volmondig I *bn* franc. II *bw* franchement, sans réplique.
volontair volontaire, surnuméraire *m*.
volop en abondance, copieusement, à discrétion; *(fam.)* à gogo.
vol/proppen bourrer, gorger. ▼—**schenken**, —**schrijven** remplir.
volslagen I *bn* complet, entier. II *bw* complètement, entièrement.
volstaan suffire; se contenter (de).
volstoppen I *ov.w* bourrer (de). II *zich* — s'empiffrer (de).
volstort/en I remplir; 2 *(hand.)* libérer (des actions). ▼—**ing** 1 remplissage *m*; 2 libération y intégrale.
volstrekt *bn* (& *bw*) absolu(ment); — *niet*, point du tout, nullement.
volstromen se remplir.
volt volt *m*.
voltallig au (grand) complet; — *maken*, compléter. ▼—**heid** état *m* complet.
voltameter voltamètre *m*.
volte 1 plénitude; 2 *(menigte)* foule; 3 *(zwenking)* volte *v*; 4 *(spel)* tour *m* de cartes.
voltekend couvert.
voltig/eren voltiger. ▼—**eur** voltigeur *m*.
voltmeter voltmètre *m*.
voltooi/d achevé, parfait; — *tegenw. tijd*, passé *m* indéfini; — *verleden tijd*, plus-que-parfait. ▼—**en** (par)achever, terminer. ▼—**ing** achèvement *m*.
voltreffer coup *m* en plein.
voltrekk/en I *ov.w* accomplir; conclure, consacrer (un mariage); exécuter (un arrêt). II *zich* — se réaliser, - dérouler. ▼—**ing** consécration *v*.
voluit en toutes lettres.
volume volume *m*. ▼—**regelaar** contrôle *m* de volume.
volvet (double) crème.
volvoeren exécuter; consommer (un crime).
volwaardig hautement qualifié; de qualité supérieure.
volwassen I *bn* adulte, fait; grand. II *zn* — *e*, adulte *m* & *v*, grande personne *v*. ▼—**heid** état *m* adulte.
volzin phrase, proposition *v*.
vomeren vomir, rendre.
vondeling enfant *m* trouvé; *te* — *leggen*, abandonner. ▼—**enhuis** hospice *m* des enfants trouvés.
vondst trouvaille *v*.
vonk étincelle *v*. ▼—**(el)en** étinceler; projeter des étincelles. ▼—**ing** étincellement *m*.
▼—**ontsteking** allumage *m* par étincelle.
▼—**vrij** sans étincelles. ▼—**wijdte** distance *v* explosive.
vonnis *(in 1e instantie)* jugement; *(in 2e instantie)* arrêt *m v*; — *vellen*, prononcer *(of* rendre) un arrêt, - un jugement; — *vernietigen*, casser un arrêt. ▼—**sen** juger, prononcer un arrêt (sur). ▼—**sing** condamnation *v*, jugement *m*.
voogd, —**es** tuteur *m*, -trice *v*. ▼—**ij** tutelle *v*; *onder* —, en tutelle. ▼—**ijkinderen** enfants *m mv* de l'Assistance. ▼—**ijraad** conseil *m* de tutelle.
voor sillon *m*.
voor I *vz 1 (plaats)* devant; 2 *(tijd)* avant; *(geleden)* il y a, voilà; 3 pour; — *altijd*, à jamais; *een* — *een*, un à un; *een 7* — *Engels*, un sept d'anglais; *ik* — *mij*, moi; pour ma part, je; — *de notaris*, par devant notaire; — *drie vierden*, aux trois quarts; *wat* — *bloemen?* quelles fleurs?; — *30 francs dineren*, dîner à 30 francs. II *bw: ik ben* — 1 ma montre avance; 2 je suis pour; *hij is* —, il a de l'avance, il est en tête; *iem.* — *zijn*, devancer qn; — *en na*, tout le temps; *de wagen staat* —, la voiture est avancée; - est là; *hij heeft alles* —, il a tout pour lui. III *vgw* avant que *(met subj.)*. IV *zn: het* — *en*

tegen, le pour et le contre. ▼**vooraan** en avant, devant, en tête; — *instappen*, monter par l'avant; — *staan*, être placé devant; — *zetten*, mettre sur le devant. ▼—**staand** (personnage *m*) de marque, éminent, notable.
vooraf d'abord, d'avance, au préalable.
▼—**gaan** précéder. ▼—**gaand** précédent, préable, antérieur (à).
vooral surtout, avant tout, notamment.
vooralarm préalerte, présomption *v* d'alerte.
vooralsnog pour le moment.
voor/arbeid travail *m* préliminaire. ▼—**arm** avant-bras *m*. ▼—**arrest** détention *v* préventive. ▼—**as** essieu *m* avant. ▼—**avond** 1 premières heures *v mv* de la soirée; 2 *(fig.)* veille *v*. ▼—**baat**: *bij* —, d'avance; *bij* — *mijn dank*, agréez mes remerciements anticipés. ▼—**balkon** 1 *(v. huis)* balcon *m* (de devant); 2 *(v. tram)* plate-forme *v* d'avant. ▼—**band** pneu *m* avant. ▼—**bank** 1 premier banc; 2 *(v. auto)* siège *m* avant.
voorbarig *bn* (& *bw*) prématuré(ment).
▼—**heid** précipitation *v*.
voorbedacht prémédité; *met* —*en rade*, avec préméditation, de propos délibéré.
voorbede intercession *v*; *op* — *van*, sur l'intercession de.
voorbeeld exemple, modèle; type *m*; *bij* —, par exemple; *een* — *nemen aan*, prendre exemple sur; *zelf het* — *geven*, donner l'exemple, prêcher d'exemple; *tot* — *nemen*, prendre pour exemple (qn); s'inspirer de (qc); *zonder* —, sans précédent. ▼—**ig** I *bn* exemplaire. II *bw* à merveille.
voorbeen *(v. paard)* antérieur *m*.
voorbehoed/end I *bn* préventif. II *bw* préventivement. ▼—**middel** préservatif; moyen préventif *m*.
voorbehoud réserve, restriction *v*; *onder* —, sous réserve; sous bénéfice d'inventaire; *onder gewoon* —, sous les réserves d'usage. ▼—**en** I *ov.w* réserver. II *zich het recht* — se réserver le droit.
voorbereid/en I préparer; ménager (une surprise à). II *zich* — op se préparer à; attendre. ▼—**end** 1 préparatoire; *in de* — *klas zitten*, être en cours préparatoire; 2 préalable. ▼—**ing** préparation *v*; *in* —, en (voie de) préparation. ▼—**sel** préparatif, apprêt(s) *m (mv)*.
voorbericht avant-propos *m*, préface *v*; *(telefoon)* préavis *m*.
voorbeschikk/en prédestiner (à). ▼—**ing** prédestination *v*.
voorbestemmen prédestiner (à).
voorbidden précéder dans la prière, prier tout haut devant les fidèles.
voorbij I *vz 1 (langs)* le long de; *(passer)* devant; 2 *(verder)* au delà de, plus loin que, après. II *bn* passé. ▼—**dragen** porter devant.
▼—**gaan** I *on.w* passer. II *ov.w* 1 *(passeren)* passer devant; 2 *(inhalen)* dépasser; 3 *(overslaan)* passer sous silence, négliger, omettre. III *zn* passage *m*, *in het* —, en passant. ▼—**gaand** passager, transitoire.
▼—**ganger** passant *m*. ▼—**komen** passer.
▼—**lopen** passer devant, dépasser; *elkaar* —, se croiser. ▼—**praten**: *zijn mond* —, jaser.
▼—**rijden** *(inhalen)* doubler; *elkaar* —, se croiser. ▼—**snellen** passer à toute allure; s'écouler rapidement. ▼—**streven** dépasser; laisser derrière soi. ▼—**trekken** défiler, passer. ▼—**zien** négliger.
voorbinden mettre (un tablier), nouer (qc) autour du cou (à qn).
voorbode avant-coureur *m*; *(fig.)* présage *m*; *(med.)* prodrome *m*.
voorbrengen faire avancer; *(fig.)* mettre en avant, alléguer.
voorchristelijk d'avant l'ère chrétienne.
voordanser premier danseur.
voordat avant que *(met subj.)*.
voordeel 1 partie *v* antérieure; 2 *(nut)* intérêt *m*, utilité *v*; 3 avantage, bénéfice, profit *m*; *zijn* — *doen met*, tirer profit de, profiter de; — *trekken uit*, bénéficier de; *ten voordele van*,

au bénéfice de ; en faveur de.
voor de hand liggend évident, naturel.
voordelig l bn 1 intéressant ; avantageux, payant ; **2** (— in het gebruik) économique, profitant ; **3** (gunstig) favorable. **ll** profitablement.
voordeur porte v d'entrée.
voordoen l ov.w 1 mettre ; **2** montrer (qc à qn) ; **3** (uitstallen) présenter. **ll zich —** s'offrir, se présenter ; zich — als, se faire passer pour ; zich goed —, se présenter bien ; de vraag doet zich voor of, la question se pose de savoir si.
voordracht 1 proposition, liste v (de présentation) ; **2** (lezing) conférence v ; (rede) discours ; **3** (wijze) débit m, diction ; déclamation ; (muz.) exécution, interprétation v ; de — opmaken, établir un état de proposition ; iem. als nr 1 op de — zetten, présenter qn numéro 1 sur la liste de présentation. **▼—skunst** art m de dire, diction v. **▼—skunstenaar** acteur, comédien m. **▼—skunstenares** actrice, comédienne v. **▼voordragen l** proposer (un candidat) ; **2** dire, réciter ; interpréter ; **3** formuler ; exposer.
vooreerst 1 d'abord, premièrement ; **2** pour le moment, provisoirement ; hij zal — wel niet slagen, il n'est pas près de réussir.
vooreinde devant m.
voor/gaan l précéder ; passer avant ; (in verkeer) avoir la priorité ; rechts laten —, céder le passage à droite ; **2** (in kerk) conduire le service ; précéder dans les prières ; **3** donner l'exemple ; **4** (v. uurwerk) avancer ; **5** (leiden) passer le premier, passer devant ; gaat u voor, après vous ; passez devant, je vous prie ; dames gaan voor, honneur aux dames. **▼—gaand** précédent, dernier. **▼—ganger 1** prédécesseur ; **2** (fig.) initiateur ; **3** (geestelijke) pasteur, prédicateur ; officiant m.
voor/gebergte promontoire m. **▼—geborchte** limbes m mv. **▼—gebouw** avant-corps m.
voor/gelakt prélaqué. **▼—geleiding :** bevel tot —, mandat d'amener. **▼—gelijmd** préencollé. **▼—gemeld, —genoemd** précité, susdit. **▼—gerecht 1** hors d'œuvre m ; **2** entrée v. **▼—geschiedenis 1** préhistoire v ; origines v mv ; **2** antécédents m mv. **▼—geslacht** ancêtres m mv. **▼—gespannen** (béton) précontraint. **▼—gevallene** ce qui s'est passé ; événements m mv passés. **▼—geval** fait m.
voorgeven 1 (spel) rendre ; donner une avance ; **2** (voorwenden) prétendre, prétexter.
voor/gevoel pressentiment m ; een — hebben, pressentir. **▼—gewend** feint, de commande. **▼—gisteren** avant-hier. **▼—goed** définitivement.
voorgoochelen faire illusion à.
voor/grond devant ; premier plan m ; op de — plaatsen, mettre en évidence, faire ressortir ; zich op de — plaatsen, se mettre en évidence ; op de — treden, s'imposer. **▼—hamer** frappe-devant m. **▼—hand** avant-main m ; (fig.) de — hebben, avoir la préférence ; op —, d'avance. **▼—handen** disponible, en magasin ; niet —, épuisé.
voorhang(sel) rideau ; voile m (du temple). **▼—en 1** (sus)pendre devant, poser (un rideau) ; **2** présenter -, proposer (comme membre).
voorharen avant-port m.
voorhebben 1 porter ; **2** avoir affaire à ; **3** avoir un avantage ; **4** se proposer ; het goed — met, vouloir du bien à ; de verkeerde —, prendre qn pour un autre.
voor/heen autrefois, jadis ; Janssen — Pietersen, J. ancienne maison P. **▼—historisch** préhistorique. **▼—hoede** avant-garde v ; (sp.) ligne v des avants. **▼—hof** avant-cour v ; vestibule ; parvis m (d'une église).
voor/hoofd front m. **▼—hoofds...** frontal.

voorhouden tenir devant (qn), présenter (à qn) ; garder (son tablier) ; (fig.) représenter, reprocher, rappeler.
voorhuid prépuce m.
voorin au commencement ; à l'entrée (d'une maison) ; à l'avant (d'un navire).
vooringenomen prévenu (en faveur de ; contre). **▼—heid** prévention v, parti m pris.
voor/jaar printemps m ; in het —, au printemps. **▼—jaars...** printanier (de printemps). **▼—jaarsopruiming** mise v en vente de soldes du printemps.
voor/kamer chambre v donnant sur la rue, salon m. **▼—kant** devant m, façade v ; aan de —, sur le devant.
voorkauwen mâcher (qc à qn).
voorkennis connaissance, prescience v ; zonder zijn —, à son insu.
voorkeur préférence v ; bij —, de préférence ; de — geven aan, préférer. **▼—recht** droit m préférentiel. **▼—sprijs** prix m préférentiel. **▼—tarief** tarif m préférentiel.
voorkomen l ov.w & on.w 1 avancer ; **2** dépasser, devancer (qn) ; **3** (gebeuren) arriver, se passer, se produire ; se voir ; **4** (jur.) comparaître ; (v. zaak) être présenté, venir ; **5** (schijnen) sembler ; dat komt voor bij Racine, ce passage se trouve dans Racine ; bijna niet meer —, se faire rare ; het komt me voor, il me semble ; bij gedval, le cas échéant. **ll zn 1** aspect, extérieur, air m ; **2** présence v.
voorkom/en l ov.w empêcher, prévenir ; iem. wensen —, aller au devant des vœux de qn. **ll zn :** het —, la prévention. **▼—end** éventuel, (le cas) échéant. **▼—end l** bn empressé, obligeant, prévenant. **ll** bw obligeamment. **▼—endheid** prévenance v. **▼—ing :** ter — van, pour prévenir.
voorkrijgen recevoir une avance ; het kind krijgt een slabbetje voor, on met une bavette à l'enfant.
voor/laatst avant-dernier ; (gram.) pénultième. **▼—land 1** laisse v ; **2** dat is je —, voilà le sort qui vous attend.
voor/laten laisser passer, se laisser devancer (par qn). **▼—leggen 1** mettre devant ; **2** soumettre, proposer.
voorletter initiale ; (in boek) lettrine v.
voor/lezen lire (qc à qn), faire la lecture de (qc à qn). **▼—lezer(es)** lecteur (-trice). **▼—lezing 1** lecture ; **2** conférence v.
voorlicht/en éclairer. **▼—ing** instruction v ; seksuele —, information v sexuelle. **▼—ingsdienst** service m d'informations.
voorliefde prédilection v ; — hebben voor, préférer.
voorliegen mentir (à qn).
voorlijk précoce. **▼—heid** précocité v.
voor/lopen marcher devant ; **2** (v. uurwerk) avancer. **▼—loper** avant-coureur, précurseur. **▼—lopig** bn (& bw) provisoire(ment) ; — verslag, rapport m provisoire ; —e hechtenis, détention v préventive ; het —e, le provisoire.
voor/malig ancien. **▼—man** contre-maître ; (fig.) chef de file ; voisin de devant. **▼—mast** mât m de misaine. **▼—meld** précité. **▼—middag** matin m, matinée v. **▼—muur** avant-mur m.
voorn gardon m.
voornaam l bn 1 important, d'importance, capital, essentiel ; **2** grand, distingué ; —e gast, invité de marque. **ll zn** prénom, petit nom m. **▼—heid** distinction v ; grand air m. **▼—st 1** bn principal. **ll zn** principal ; essentiel m. **▼—woord** pronom m.
voornacht premières heures v mv de la nuit.
voornamelijk principalement, notamment.
voornemen l zich — se proposer (de), se promettre (de) ; zich heilig — om, faire vœu de. **ll zn** dessein, projet m, intention v.
voor/noemd précité, susdit. **▼—oefening** exercice m préparatoire. **▼—onder** coqueron m avant. **▼—onderzoek** instruction v. **▼—ontwerp** avant-projet m. **▼—oordeel**

préjugé m. ▼—**oorlogs** d'avant-guerre; —e tijd, avant-guerre m.

voorop sur le devant, en avant; (fig.) en premier lieu. ▼—**gaan** marcher à la tête; (fig.) précéder. ▼—**gezet** préconçu. ▼—**stellen**, —**zetten** mettre en avant; poser d'abord; (fig.) supposer.

voor/ouderlijk ancestral. ▼—**ouders** aïeux m mv.

voorover en avant; met het hoofd —, la tête la première. ▼—**buigen** ov.w (& on.w) (se) pencher -, (s')incliner en avant.

voor/pagina: op de —, à la une. ▼—**pand** pan m de devant. ▼—**plein** esplanade v; parvis m. ▼—**poot** patte v de devant, antérieur m. ▼—**portaal** 1 vestibule; 2 (v. kerk) porche m. ▼—**post** avant-poste m. ▼—**proef** essai; (fig.) avant-goût m. ▼—**proever** dégustateur m. ▼—**pui** perron m.

voorraad provision, réserve v, stock m; in — houden, réserver; — opdoen (van), s'approvisionner (en); uit — te leveren, à livrer du stock. ▼—**kamer** garde-manger m. ▼—**kelder** cellier m.

voorraam fenêtre v de devant.

voorradig en magasin.

voorrang priorité v; iem. — geven, laisser la priorité à; — hebben, avoir priorité (sur), être prioritaire. ▼—**skruising** intersection v de deux voies dont l'une est prioritaire; passage m protégé. ▼—**sweg** route v à priorité.

voor/recht privilège m, prérogative v; onder — van boedelbeschrijving, sous bénéfice d'inventaire. ▼—**rede** préface v. ▼—**rekenen** faire (à qn) le calcul de; exposer. ▼—**richtingbord** panneau m de présignalisation. ▼—**rijden** précéder à cheval; avancer. ▼—**ruit** pare-brise m. ▼—**schieten** avancer. ▼—**schijn**: te — halen, produire, sortir; te — komen, se montrer. ▼—**schip** avant m. ▼—**schoot** tablier m. ▼—**schot** avance v; — geven, faire une avance; ontvangen als — op, toucher à valoir sur.

voor/schrift instruction v, ordre, précepte m; (med.) ordonnance v; op — van de dokter, par ordre du médecin; de —en, la réglementation. ▼—**schrijven** 1 ordonner, prescrire, dicter; 2 écrire un exemple.

voorshands pour le moment.

voor/slag 1 (sp.) premier coup, service; 2 (muz.) agrément m; 3 (fig.) proposition v; 4 (v. klok) avant-quart m. ▼—**stuk** avant-goût m.

voorsnij/den découper. ▼—**mes** couteau m à découper. ▼—**en - vork**, service m à découper.

voor/sorteerpijlen flèches v mv de présélection. ▼—**sorteren** prendre vers la droite (of la gauche); se placer dans le couloir de présélection.

voorspannen atteler; (fig.) charger (qn de); zich ergens —, s'employer pour.

voorspel prélude (v. toneelstuk) prologue m. ▼—**en** I ov.w jouer (à; devant). II on.w jouer le premier; (sp.) jouer à l'avant. ▼—**er** avant m.

voor/spellen épeler (qch à qn). ▼—**spéllen** prédire, pronostiquer, annoncer; iets goeds —, être de bon augure. ▼—**speller** prophète m. ▼—**spelling** prédiction v; pronostic m.

voorspiegel/en I ov.w faire miroiter (qc à qn). II zich — se faire illusion, se flatter (de). ▼—**ing** illusion v.

voorspoed prospérité v; in voor- en tegenspoed, dans la bonne et dans la mauvaise fortune. ▼—**ig** I bn prospère; — zijn, avoir du succès, prospérer. II bw heureusement.

voor/spraak 1 intercession (en faveur de), défense v; 2 défenseur m. ▼—**spreken** parler en faveur de, intercéder pour. ▼—**spreker** défenseur.

voorsprong avance v; (fig.) avantage m.

voorstaan I on.w être présent à l'esprit; er beter —, se trouver en meilleure posture; er goed —, avoir des chances de succès; daar staat me iets van voor, je me le rappelle vaguement. II ov.w défendre, soutenir; zich laten — op, se piquer de.

voor/stad faubourg m. ▼—**stander** partisan, promoteur. ▼—**standerklier** prostate v.

voorste I bn premier; antérieur; de devant. II zn devant m; premier m.

voorstel 1 proposition v; 2 (v. wagen) avant-train m. ▼—**len** I ov.w 1 présenter (qn); 2 (verbeelden) représenter, figurer; 3 (voorstel doen) proposer; mag ik u — mijnheer X, permettez-moi que je vous présente monsieur X. II zich — 1 se présenter (à qn); 2 se figurer, s'imaginer; 3 se proposer (de faire qc); ik kan me dat best —, je vois ça d'ici; zich te veel van iets —, se faire des illusions. ▼—**ling** 1 présentation; 2 représentation; 3 idée v; grafische —, graphique m. ▼—**lingsvermogen** imagination v.

voorstemmen voter pour.

voor/steven étrave, proue v. ▼—**studie** étude(s) v (mv) préparatoire(s). ▼—**stuk** 1 partie v antérieure, devant m; 2 (toneel) lever m de rideau.

voort 1 parti, loin; 2 en avant, plus loin. ▼**voort**... (in ss) continue de...; ... toujours. ▼—**aan** désormais, à l'avenir.

voortand dent de devant, incisive v.

voortbestaan I on.w subsister. II zn continuation v; permanence; (fig.) survie; survivance v.

voortbeweg/en I ov.w mettre en mouvement; propulser. II zich — avancer. ▼—**ing** locomotion v; déplacement m; propulsion v.

voortbreng/en produire; créer. ▼—**end** productif. ▼—**er** producteur. ▼—**ing** production; création v. ▼—**sel** produit m; production v.

voortdrijv/en 1 pousser en avant; 2 (aansporen) aiguillonner; 3 (jagen) chasser; 4 (tech.) propulser. ▼—**ing** 1 poursuite; 2 propulsion v.

voort/duren continuer. ▼—**durend** bn (& bw) continuel(lement), permanent; —e aandacht, attention v soutenue. ▼—**during** continuation, permanence v.

voorteken présage; signe avant-coureur m.

voorterrein avant-terrain; het opruimen van het —, le dégagement du terrain.

voort/gaan 1 avancer; 2 — met, continuer (qc; de faire qc). ▼—**gang** 1 progrès m; 2 progression, continuation v; — hebben, se faire; — maken met, avancer; pousser (qc).

voort/glijden glisser, avancer en glissant. ▼—**helpen** pousser.

voortijd temps m mv préhistoriques. ▼—**ig** bn (& bw) prématuré(ment).

voort/komen: — uit, naître de. ▼—**leven** (continuer à) vivre; — in de herinnering, se perpétuer. ▼—**maken** se dépêcher.

voortplant/en ov.w (& zich —) (se) propager, - reproduire. ▼—**ing** propagation, reproduction; transmission v; — uit één organisme, clonage m. ▼—**ingsorganen** appareil m génital. ▼—**ingssnelheid** vitesse v de propagation. ▼—**ingsvermogen** faculté v de reproduction.

voortrap 1 perron; 2 (sp.) envoi m.

voortreffelijk I bn excellent, supérieur. II bw excellemment, à merveille. ▼—**heid** excellence v.

voortrein train m dédoublé; (v. auto) avant-train v.

voortrekk/en favoriser; (bij erfenis) avantager. ▼—**er** pionnier; (jeugdbeweging) routier m. ▼—**erij** favoritisme m.

voortrukken marcher en avant.

voorts ensuite, en outre, de plus; en zo —, et ainsi de suite; et caetera (etc.).

voort/slepen I ov.w traîner. II zich — se traîner. ▼—**snellen** avancer rapidement.

▼—**spoeden (zich)** presser le pas.
▼—**spruiten** germer, pousser; — *uit*, sortir de, provenir de. ▼—**stuwen** propulser, pousser en avant. ▼—**stuwing** propulsion *v*.
▼—**sukkelen** se traîner, avancer péniblement.
voortuin jardinet *m* devant.
voort/varen continuer sa route; poursuivre.
▼—**varend** I *bn* énergique, expéditif, prompt; *men moet niet te — willen zijn*, il ne faut pas brusquer les choses. II *bw* expéditivement.
▼—**varendheid** énergie, promptitude *v*.
voortvloeien — *uit*, résulter de.
voortvluchtig I *bn* fugitif, en fuite. II *zn*: —*e*, fugitif *m*, fugitive *v*.
voort/woekeren gagner du terrain, se propager. ▼—**zeggen** communiquer, publier; *zegt het voort*, qu'on se le dise.
voortzett/en continuer, poursuivre; *wordt voortgezet*, à suivre. ▼—**ing** continuation, suite *v*.
vooruit 1 (*v. plaats*) en avant; **2** (*v. tijd*) d'avance, par avance; — (*rijdend*), sens de la marche; — *dan maar*, allons-y; — *betaald op*, à valoir sur; *zijn tijd — zijn*, être en avance sur son siècle; *iem.* — *zijn*, devancer qn.
▼—**betalen** payer d'avance. ▼—**betaling** paiement *m* anticipé. ▼—**brengen** faire avancer, - progresser. ▼—**gaan 1** aller en avant; **2** avancer, faire des progrès; **3** aller mieux, prospérer; *10 %* —, réaliser un progrès de 10 pour 100; *hij gaat er niet op vooruit*, il n'y gagne pas. ▼—**gang** progrès, avancement *m*. ▼—**geschoven** avancé. ▼—**helpen** aider, pousser, pistonner. ▼—**komen** avancer, faire du chemin, réussir, faire des progrès; *in de wereld* —, faire son chemin. ▼—**lopen** I *ov.w* **1** partir en avant; **2** marcher en tête; **3** (*fig.*) — *op*, anticiper sur. II *ov.w* devancer.
▼—**reizen** précéder. ▼—**springen 1** s'élancer en avant; **2** (*arch.*) saillir, faire saillie. ▼—**springend** en saillie. ▼—**steken** I *on.w* faire saillie, II *ov.w* avancer; allonger, étendre. ▼—**stekend** saillant, proéminent.
▼—**strevend** avancé, progressiste.
▼—**werpen** projeter. ▼—**zetten** avancer.
▼—**zicht** perspective *v*; prévisions *v mv*; *in het — van*, en prévision de; *zonder — en*, sans espérances. ▼—**zien** I *ov.w* prévoir; *de dingen* —, voir les choses de loin. II *on.w* être prévoyant, voir loin. ▼—**ziend** prévoyant.
voorvader ancêtre *m*; —*en*, ancêtres, aïeux *m mv*. ▼—**lijk** ancestral.
voorval événement, incident *m*. ▼—**len** arriver, se passer, survenir.
voorvechter champion, défenseur *m*.
voorverkoop vente *v* anticipée, - préalable.
voorverwarm/en préchauffer. ▼—**ing** préchauffage *m*.
voor/vlak devant *m*, face *v* antérieure.
▼—**voegsel** préfixe *m*. ▼—**vork** fourche *v* avant.
voorwaar certes, en vérité.
voorwaarde condition *v*; *op* — *dat*, à condition de (*met inf.*), - que (*met ind. of subj.*). ▼—**lijk** *bn* (& *bw*) conditionnel (lement); —*e veroordeling*, condamnation *v* avec sursis; —*e wijs*, conditionnel *m*.
voorwaarschuwingsbord panneau *m* de présignalisation; annonce *v* d'un signal lumineux.
voorwaarts I *bn* en avant, progressif. II *bw* en avant; — *mars!*, en avant marche!
voor/wand paroi *m* de devant. ▼—**was** prélavage *m*.
voorweken I *ww* tremper. II *zn* trempage *m*.
voorwend/en prétexter, feindre. ▼—**sel** prétexte *m*; *onder* — *van*, sous couleur de, sous prétexte de.
voorwereldlijk préhistorique.
voorwerk/en conduire les exercices. ▼—**er 1** moniteur; **2** (*tech.*) metteur *m* au point.
voorwerp 1 objet; **2** (*gram.*) complément, régime *m*; *lijdend* —, complément direct; *meewerkend* —, complément indirect.

▼—**szin** proposition *v* objective.
voorwiel roue *v* avant. ▼—**aandrijving** traction *v* avant. ▼—**ophanging** suspension *v* avant.
voor/woord avant-propos *m*, préface *v*.
▼—**zaal** antichambre *v*. ▼—**zanger** chantre *m*.
voor/zeggen I *ov.w* souffler, dicter. II *zn*: *het* —, l'habitude de souffler. ▼—**zéggen** prédire, pronostiquer. ▼—**zegger** souffleur *m*.
▼—**zégger** prophète *m*. ▼—**zegging** prédiction, prophétie *v*.
voorzet (*bij schaken*) trait *m*; (*bij voetballen*) passe *v*; (*voor doel*) centre *m*. ▼—**sel** préposition *v*. ▼—**ten 1** avancer, mettre en avant; **2** (*eten enz.*) offrir, servir; *zijn beste beentje* —, se montrer à son avantage.
voorzichtig I *bn* prudent; — *!*, attention!; *wees* —, méfie-toi; méfiez-vous. II *bw* prudemment, avec précaution; '—*behandelen*', fragile. ▼—**heid** prudence *v*; — *is de moeder der wijsheid* (*of der porseleinkast*), prudence est mère de sûreté.
▼—**heidshalve** par précaution.
voorzien I *ov.w* s'attendre à, prévoir; — *van*, garnir -, munir -, pourvoir de; (*v. voorraad*) approvisionner (en); alimenter (en gaz, - eau, - électricité); (*aan tafel*) *ik ben nog* —, je suis encore servi; — *van de handtekening van*, revêtu de la signature de; *het* — *hebben op*, en vouloir à; *het niet* — *hebben op*, ne se défier de; *van alle gemakken* —, (ayant) tout (le) confort. II *on.w*: — *in*, pourvoir à; rémédier à (un défaut); satisfaire à (un besoin); *in de meest dringende behoeften* —, parer au plus pressé; *in eigen behoeften* —, se suffire; *de wet heeft daarin* —, la loi a prévu (réglé) cette question. ▼—**igheid** Providence *v*; *door de* — *beschikt*, providentiel. ▼—**ing** approvisionnement, ravitaillement *m* (en); satisfaction *v*; (*v. elektriciteit enz.*) alimentation *v*; distribution *v*.
voorzijde devant *m*; façade *v* (d'une maison); (*v. papier*) recto *m*; *aan de* —, sur le devant; au recto.
voor/zitten présider (à). ▼—**zitter** président *m*. ▼—**zitterschap** présidence *v*.
▼—**zittershamer** maillet *m*; (*In Frankrijk gewoonlijk bel:*) sonnette *v* du président.
voorzomer commencement *m* de l'été.
voorzorg précaution *v*. ▼—**smaatregel** mesure *v* de précaution.
voos spongieux; (*fig.*) pourri, véreux. ▼—**heid** état *m* spongieux; (*fig.*) corruption *v*.
vorder/en I *ov.w* demander, exiger; (*mil.*) réquisitionner. II *on.w* avancer, faire des progrès. ▼—**ing 1** demande, réclamation; **2** (*schuld*) créance; **3** (*mil.*) réquisition *v*; **4** (*vooruitgang*) avancement, progrès *m*; *preferente* —, créance *v* privilégiée.
vore sillon *m*.
voren I *zn* gardon *m*. II *bw*: *als* —, comme ci-dessus; *naar* —, en avant; (*van*) *te* —, d'avance, auparavant; *van* —, par devant, de face; en face, de front; *van* — *af aan beginnen*, recommencer; *van* — *naar achteren*, de l'avant à l'arrière. ▼—**staand** précédent.
vorig 1 ancien; **2** dernier, passé; précédent; *de —e dag*, la veille; *de —e avond*, la veille du soir.
vork 1 fourchette; **2** (*v. fiets, hooi*) fourche *v*; **3** (*v. weg*) bifurcation *v*. ▼—**heftruck** chariot *m* élévateur à fourche. ▼—**vormig** fourchu, bifurqué.
vorm 1 forme; configuration; **2** forme, manière *v*; **3** (*giet*) moule; **4** (*sp.*) condition, forme *v*; *bedrijvende* (*lijdende*) —, voix *v* active (passive); *vaste* — *aannemen*, prendre corps, se concrétiser. ▼—**elijk** I *bn* cérémonieux, formaliste. II *bw* cérémonieusement. ▼—**elijkheid** formalisme *m*. ▼—**eling** confirmand(e) *m* (*v*). ▼—**(e)loos** informe. ▼—**en** I *ov.w* **1** former, façonner; **2** (*uitmaken*) constituer, former; **3** (*rk*) confirmer. II *zn*: *het* —, (*rk*) la

confirmation. ▼**—end** créateur, plastique ;
constituant ; éducateur (-trice). ▼**—er**
formateur. ▼**—geving** modelage m. ▼**—ing**
formation ; constitution ; éducation ; (rk)
confirmation v. ▼**—ingsleider** animateur m
socio-culturel. ▼**—ingsverlofdag** congé m
de formation ; — met behoud van loon,
congé de formation rémunéré. ▼**—leer**
théorie v des formes ; (taalk.) morphologie v.
▼**—sel** confirmation v. ▼**—vast**
indéformable.
vorsen faire des recherches.
vorst 1 prince m ; **2** (dak—) arête v, faîte m ;
3 gelée v ; strenge —, forte gelée. ▼**—elijk**
I bn princier. **II** bw princièrement. ▼**—endom**
principauté v. ▼**—enhuis** dynastie v. ▼**—in**
princesse. ▼**—pan** faîtière v. ▼**—vrij 1** à l'abri
de la gelée ; **2** résistant à la gelée.
vos 1 renard v ; **2** (paard) alezan v ; slimme —,
fin matois m. ▼**—merrie** jument v alezane.
▼**—sejacht** chasse v au renard. ▼**—sen**
bûcher, piocher.
votum vote m.
voucher bon ; cheque(-déjeuner) ; reçu ;
récépissé m.
vouw pli m ; (in boek) corne v ; uit de — gaan,
se déplisser. ▼**—baar** pliable. ▼**—been**
coupe-papier ; plioir m. ▼**—blad** dépliant m.
▼**—deur** porte v accordéon. ▼**—en** plier ;
joindre (les mains). ▼**—fiets** vélo m pliant.
▼**—kampeerwagen** caravane v pliante.
▼**—schaartje** ciseaux m mv pliants.
▼**—stoel** (siège) pliant m. ▼**—tafel** table v
pliante.
vozen s'accoupler ; baiser.
vraag 1 question ; **2** (om iets te krijgen)
demande v ; — en aanbod, l'offre et la
demande ; de — is of, la question est de
savoir si ; er is veel — naar, c'est fort
demandé. ▼**—al** questionneur m, -euse v.
▼**—baak 1** oracle ; **2** (boek) répertoire m ;
source v d'informations. ▼**—gesprek**
interview v. ▼**—punt** problème m posé.
▼**—ster** demandeuse. ▼**—stuk** problème m.
▼**—teken** point m d'interrogation.
vraat glouton, goinfre m. ▼**—zucht**
gloutonnerie, voracité v. ▼**—zuchtig**
glouton, goulu.
vracht 1 charge, cargaison v, chargement m ;
2 (last) fardeau m, charge v ; **3** (prijs)
transport ; (v. reiziger) passage m ; **4** (hoop)
masse, quantité v ; halve — betalen, payer
demi-place. ▼**—auto** camion m. ▼**—brief**
lettre v de voiture ; connaissement m.
▼**—contract** contrat m de fret. ▼**—goed**
marchandises v mv en petite vitesse ; als —,
par petite vitesse. ▼**—lijst** bordereau m de
chargement. ▼**—nota** note v d'expédition.
▼**—prijs** (frais m mv de) transport m.
▼**—rijder** routier, camionneur. ▼**—schip**
cargo m ; — met passagiersaccommodatie,
cargo m mixte. ▼**—vaart** transport m par eau.
▼**—vliegtuig** avion-cargo m. ▼**—vrij I** bw
franco. **II** bn franc de port. ▼**—wagen** poids
lourd, camion m. ▼**—wagenchauffeur**
routier m.
vragen I ov.w **1** demander (qc à qn) ;
2 (verzoeken) prier (qn de faire qc) ;
3 (uitnodigen) inviter, prier (qn à). **II** on.w :
— naar, s'informer de ; naar de weg —,
demander son chemin. ▼**—d** interrogateur.
▼**—derwijs** en interrogeant, par des
questions. ▼**—lijst** questionnaire m. ▼**vrager**
demandeur ; questionneur m.
vrede paix v ; — hebben met, s'accommoder
à ; ik heb er — mee, je veux bien ; — sluiten,
faire la paix ; met — laten, laisser en paix ; om
de lieve — , pour avoir la paix. ▼**—bode**
messager m de paix. ▼**—lievend** bn (& bw)
pacifique(ment). ▼**—lievendheid**
dispositions v mv pacifiques. ▼**—rechter**
juge m de paix. ▼**—sduif** colombe v de la
paix. ▼**—smars** marche v de la paix.
▼**—snaam** (in) soit ; tant pis.
▼**—sonderhandeling** négociation v de paix.
▼**—spijp** calumet m de la paix. ▼**—spoging**

tentative v de paix. ▼**—sprijs** prix m Nobel
pour la paix. ▼**—sterkte** effectifs m mv en
temps de paix. ▼**—sticht(st)er** pacificateur
(-trice). ▼**—stijd** temps m de paix.
▼**—sverdrag** traité m de p. ▼**vredig** bn (&
bw) paisible(ment), tranquille(ment).
▼**—heid** tranquillité v. ▼**vreedzaam** bn (&
bw) pacifique(ment), paisible(ment).
▼**—heid** douceur v.
vreemd I bn **1** étranger ; (uitheems) exotique ;
2 (zonderling) bizarre, étrange, singulier ; —
zijn aan, être étranger à ; iets — vinden,
s'étonner de qc. **II** bw étrangement. ▼**—e**
étranger m, -ère v ; in den —, à l'étranger ; dat
heeft hij van geen —, il a de qui tenir.
▼**vreemdeling(e)** étranger (-ère) ; touriste
m & v. ▼**—enboek** livre m des étrangers.
▼**—enhaat** xénophobie v. ▼**—enhater**
xénophobe m. ▼**—enlegioen** légion v
étrangère. ▼**—enverkeer** tourisme m ;
vereniging tot bevordering van —, syndicat m
d'initiative. ▼**vreemd/heid** étrangeté,
singularité v. ▼**—soortig** bizarre.
▼**—soortigheid** bizarrerie.
vrees crainte, peur, appréhension v ; uit
dat, de crainte que (met subj.), de crainte de
(met inf.) ; uit — voor, par peur de ; iem. —
aanjagen, faire peur à qn, intimider qn.
▼**—aanjaging** intimidation v. ▼**—achtig I** bn
craintif, peureux. **II** bw craintivement,
peureusement. ▼**—achtigheid** timidité v,
naturel m craintif.
vrek avare, grigou m. ▼**—kig** avare,
avaricieux. ▼**—kigheid** avarice v.
vreselijk I bn effrayant, terrible. **II** bw
terriblement ; (fam.) extrêmement. ▼**—heid**
atrocité, horreur v.
vreten dévorer ; — in, ronger.
vreugde(e) 1 joie, allégresse ; **2** (—betoon)
réjouissance v ; hoe meer zielen, hoe meer —,
plus on est de fous, plus on rit. ▼**—ekreet** cri
m de joie. ▼**—eloos** sans joie, triste.
▼**—everstoorder** rabat-joie, trouble-fête m.
▼**—evol** plein de joie, joyeux.
vrezen craindre, redouter ; — voor, craindre
(qc) ; (bezorgd) craindre pour (qn, qc).
vriend 1 ami ; copain ; **2** (hand.)
correspondant ; **3** (v. meisje) copain ; bon ami,
amoureux ; even goeie —en, sans rancune ;
een — van mij, un de mes amis ; een — van
mij die officier is, un officier de mes amis.
▼**—elijk I** bn aimable, sympa, gentil ; —
stadje, charmante petite ville v ; —e aanblik,
aspect m riant. **II** bw aimablement,
gentiment ; iem. — ontvangen, faire bon
accueil à qn ; — bedankt, mille fois merci.
▼**—elijkheid** amabilité, gentillesse v.
▼**—endienst** service m d'ami. ▼**—enkring**
cercle m d'amis. ▼**—in 1** amie ; copine ;
compagne ; **2** (geliefde) bonne amie.
▼**—schap** amitié v ; — sluiten met, se lier
d'amitié avec. ▼**—schappelijk** bn (& bw)
amical(ement).
vries/kamer chambre v froide. ▼**—kast,
—kist** congélateur m = —vak. ▼**—punt**
point m de congélation ; zéro m. ▼**—weer**
temps m de gelée. ▼**vriezen** geler ; stuk—, se
fendre par la gelée ; het vriest vijf graden, il fait
moins cinq. ▼**vriezer** freezer m.
vrij I bn **1** libre ; disponible ; **2** gratuit ; **3** (los)
dégagé, sans gêne ; **4** (openhartig) franc ;
5 onafhankelijk ; —e opgang, escalier m
indépendant ; ik ben zo — geweest te, je me
suis permis de ; —e dag, jour m de congé ; het
—e kwartier, la récréation ; —e tijd, loisir m ;
—e val, chute v libre ; —e slag, nage v libre ; de
handen — hebben, avoir ses coudées
franches ; —van successierechten, exonéré
de droits de succession ; de — e wil, le libre
arbitre ; het staat u vrij om, libre à vous de.
II bw librement ; franchement ; (tamelijk)
assez ; — veel, pas mal de. **III** zn : in het —
zetten (auto), mettre au point mort. ▼**vrijaf**
congé m ; — geven, donner congé ; —
hebben, être en congé.
vrijage amours v mv ; flirt m.

vrij/biljet 1 permis, laissez-passer; **2** billet de faveur (au théâtre); **3** (*spoor*) permis *m* de circulation. ▼—**blijvend** sans engagement. ▼—**brief 1** pleins pouvoirs *m mv*; **2** (*fig.*) introduction *v*. ▼—**buiter** flibustier *m*.
vrij/dag vendredi *m*; *Goede V*—, vendredi saint. ▼—**dags** l *bn* de (*of du*) vendredi. **II** *bw* le vendredi.
vrijdenker libre penseur. ▼—**ij** libre pensée *v*.
vrij/dom franchise *v* (de port); exemption *v* (d'impôt). ▼—**dragend** en porte-à-faux. ▼—**e 1** homme libre; **2** grand air, air libre *m*. ▼—**elijk** librement.
vrijen l — *met*, caresser; — *met elkaar*, se caresser; faire l'amour. **II** *ov.w* courtiser. ▼**vrijer** bon ami, amoureux; *oude* —, vieux garçon.
vrijetijd/sbesteding organisation *v* des loisirs. ▼—**tarief** taxe *v* des heures creuses.
vrij/geleide sauf-conduit *m*; escorte *v*. ▼—**gesteld** dispensé (d'un examen), exempt (du service militaire); exonéré (*v. financiële last*); —*e*, délégué syndical; syndicaliste *m*.
vrijgeven libérer; débloquer; laisser passer.
vrijgevig l *bn* généreux, large. **II** *bw* généreusement, largement. ▼—**heid** générosité, largesse, libéralité *v*.
vrijgevochten indépendant, affranchi.
vrijgezel célibataire, garçon. ▼—**lenflat** ensemble *m* à studios.
vrijhandel libre-échange *m* = —**stelsel**.
vrijhaven port *m* franc.
vrijheid 1 liberté; **2** (*openhartigheid*) franchise *v*; **3** sans-gêne *m*, licence *v*; *in* —*stellen*, libérer; *de* — *geven*, rendre la liberté (à); —, *blijheid*, là où il y a de la gêne, il n'y a pas de plaisir. ▼—**sbeperking** (*straf*) peine *v* restrictive de liberté. ▼—**sberoving** séquestration *v*. ▼—**sgeest** esprit *m* d'indépendance. ▼—**sliefde** amour *m* de la liberté. ▼—**sstraf** peine *v mv* privative de liberté. ▼—**szin** *zie* —**sgeest**.
vrij/houden 1 défrayer, inviter; payer les frais de; **2** tenir dégagé (l'entrée); **3** réserver (du temps). ▼—**kaart** *zie* —**biljet**. ▼—**komen 1** être délivré, - exempt (de); être libéré; être relâché; **2** (*chem.*) se dégager; **3** (*v. huis*) être disponible; (*v. betrekking*) devenir vacant; *met de schrik* —, en être quitte pour la peur. ▼—**kopen** racheter; rédimer.
vrij/laten 1 laisser libre, donner carte blanche à; **2** mettre en liberté, libérer; **3** dégager (les bras). ▼—**lating** mise *v* en liberté.
vrijloop: *in de* —, débrayé; au point mort.
vrijmak/en l *ov.w* affranchir; émanciper; dégager (l'entrée), libérer. ▼—**ing** affranchissement *m*; émancipation *v*; dégagement *m*.
vrijmetsel/aar franc-maçon. ▼—**arij** franc-maçonnerie *v*.
vrijmoedig *bn* (& *bw*) franc(hement), ouvert(ement). ▼—**heid** franchise, assurance *v*.
vrijpleiten l *ov.w* disculper. **II** *zn* disculpation *v*.
vrijpostig l *bn* hardi, impertinent. **II** *bw* hardiment, impertinemment. ▼—**heid** hardiesse, impertinence *v*.
vrij/spraak acquittement *m*. ▼—**spreken** acquitter.
vrij/staan être permis; *het staat u vrij*, libre à vous de... ▼—**staand** indépendant, isolé.
vrijstaat état *m* libre.
vrijstell/en dispenser, exempter; exonérer (de); — *van belasting*, détaxer. ▼—**ing** dispense, exemption; exonération *v*; — *van voorschrift*, dérogation *v*; *tijdelijke* —, ajournement *m*.
vrijuit franchement, librement, sans détour; *hij gaat* —, sa responsabilité n'est pas engagée; il n'y est pour rien.
vrijverklar/en 1 acquitter; **2** émanciper. ▼—**ing** acquittement *m*; émancipation *v*.
vrij/waren garantir (de), préserver (de *of* contre). ▼—**waring** garantie, préservation *v*.
vrijwel à peu près, presque, quasi, comme qui

dirait. **vrijwiel** roue *v* libre.
vrijwillig *bn* (& *bw*) volontaire(ment), de plein gré; —*e gift*, don *m* gracieux; — *en belangeloos*, bénévole. ▼—**er** (engagé) volontaire *m*; — *bij de brandweer*, pompier *m* bénévole. ▼—**heid** bonne volonté *v*, plein gré *m*.
vrijzinnig l *bn* (& *bw*) libéral(ement). **II** *zn*: *de* —*en*, les libéraux. ▼—**heid** libéralisme *m*.
vroed prudent, sage. ▼—**vrouw** sage-femme *v*.
vroeg l *bn* **1** matinal; **2** hâtif, précoce; —*e dood*, mort *v* prématurée; —*e kersen*, cerises *v mv* précoces. **II** *bw* de bonne heure, tôt, prématurément; — *opstaan*, être matinal; *een uur te* — *komen*, arriver une heure à l'avance. ▼—**er** l *bn* ancien; — *dan*, antérieur à. **II** *bw* **1** (*eerder*) de meilleure heure, plus tôt; **2** (*eertijds*) autrefois, jadis; — *dan*, antérieurement à. ▼—**mis** messe *v* du matin. ▼—**rijp** précoce, hâtif. ▼—**rijpheid** précocité *v*. ▼—**st** le plus tôt, le premier; *de* —*e tijden*, les temps les plus reculés; *op zijn* —, au plus tôt. ▼—**te matinée** *v*; *in de* —, de bon matin. ▼—**tijdig** *zie* **vroeg**. ▼—**tijdigheid** prématurité; précocité *v*. ▼—**trein** train *m* ouvrier.
vrolijk l *bn* **1** gai, joyeux; **2** (*v. kamer*) gai, riant; **3** (*aangeschoten*) parti; *zich* — *maken over*, s'amuser de; se moquer de. **II** *bn* gaiement, joyeusement. ▼—**heid** gaîté *v*; hilarité *v*; animation *v* (d'une rue).
vrome dévot(e) *m* (*v.*). ▼—**vroom** l *bn* pieux, religieux; dévot; *vrome boeken*, livres *m mv* de piété; *vrome wens*, illusion *v*. **II** *bw* pieusement, religieusement; dévotement. ▼—**heid** piété, dévotion *v*.
vrouw 1 femme *v*; (*pop.*) nana *v*; **2** femme, épouse; **3** (*kaartspel*) dame; — *Pieters*, madame P.; *ja*, —*tje*, oui, mon amie; — *des huizes*, maîtresse de maison; *de* — *thuis*, (*niet werkend buitenshuis*) la femme au foyer; *een* — *zoeken*, chercher femme. ▼—**elijk** féminin; — *dier*, femelle; —*e arts*, femme médecin *v*; —*e handwerken*, ouvrages *m mv* de femme. ▼—**elijkheid** féminité *v*. ▼**vrouwen/arts** gynécologue *m*. ▼—**beweging** mouvement *m* féministe. ▼—**bond** ligue *v* de femmes. ▼—**hand 1** main de femme; **2** écriture *v* de femme. ▼—**hater** misogyne *m*. ▼—**huis 1** foyer *m* de femmes; **2** centre *m* S.O.S. femmes battues. ▼—**kiesrecht** suffrage *m* féminin. ▼—**kleding** vêtements *m mv* de femmes. ▼—**kleermaker** couturier, tailleur pour dames. ▼—**kliniek** clinique *v* obstétricale; - gynécologique. ▼—**klooster** couvent *m* de religieuses. ▼—**rok** jupe *v*, jupon *m*. ▼—**rubriek** rubrique *v* féminine. ▼—**zaken**: *staatssecretaris voor* —, secrétaire d'Etat à la condition féminine. ▼—**ziekte** maladie *v* de femme.
vrucht fruit *m*; *eerste* —*en*, primeurs *v mv*; (*fig.*) les prémices *v mv*; — *zetten*, nouer. ▼—**afdrijvend** abortif. ▼—**afdrijving** avortement *m*. ▼—**baar** l *bn* fertile -, fécond (en); — *maken*, fertiliser, féconder. **II** *bw* fructueusement. ▼—**baarheid** fertilité, fécondité *v*. ▼—**beginsel** ovaire *v*. ▼—**bodem** réceptacle *m*. ▼—**boom** arbre *m* fruitier. ▼—**dragend** fructifère (*fig.*) fructueux. ▼—**eloos** l *bn* infructueux, inutile. **II** *bw* inutilement. ▼—**eloosheid** inutilité *v*. ▼—**enbowl** bowl *m* de fruits. ▼—**endrank** boisson *v* de fruits. ▼—**emesje** couteau *m* à fruits. ▼—**enijs** glace *v* aux fruits. ▼—**enschaal 1** coupe *v* à fruits; **2** compotier *m*. ▼—**ensla** macédoine *v* de fruits. ▼—**enwijn** vin *m* de fruits. ▼—**esap** jus *m* de fruits. ▼—**gebruik** usufruit *m*, jouissance *v*. ▼—**gebruiker** usufruitier. ▼—**gebruikster** usufruitière. ▼—**suiker** glucose *v*. ▼—**vlees** pulpe *v*. ▼—**water**: *het* —, les eaux *v mv*. ▼—**zetting** fructification; nouaison *v*.
vuig l *bn* vil, odieux, abject. **II** *bw*

odieusement. ▼—**heid** abjection, bassesse v.
vuil l bn sale ; crasseux ; bij de — e was doen,
mettre au sale ; 2 (bedorven) corrompu, gâté ;
(v. ei) couvi ; 3 (fig.) obscène ; —e maag,
estomac m dérangé ; —e praatjes, obscénités ;
saletés v mv. **ll** zn 1 saleté, crasse ;
2 (straat—) crotte v ; 3 (—nis) immondices v
mv. ▼—**afvoer** évacuation v des ordures
ménagères. ▼—**bek** cochon, salaud m.
▼—**bekken** dire des obscénités. ▼—**bekkerij**
langage m ordurier. ▼—**(ig)heid** 1 saleté,
crasse v ; 2 (vuilnis) immondices v mv ;
3 (fig.) obscénité v. ▼—**ik** cochon, salaud m.
▼—**maken** salir, encrasser. ▼—**nis** ordures,
immondices v mv. ▼—**nisbak** poubelle v.
▼—**nisbelt** décharge v publique. ▼—**nisblik**,
pelle v à poussière. ▼—**nisemmer** seau m à
ordures. ▼—**nisman** éboueur, boueux m.
▼—**nisstortkoker** vide-ordures m.
▼—**nisstortplaats** décharge v
publique. ▼—**niswagen** camion m à ordures.
▼—**tje** grain m de poussière ; een — aan de
lucht, un point noir à l'horizon ; geen — aan
de lucht, rien qui menace. ▼—**verbranding**
incinération v de déchets.
▼—**verbrandingsoven** station v
d'incinération. ▼—**verwerkingsbedrijf**
usine v de valorisation des ordures
ménagères.
vuist poing m ; voor de — spreken,
improviser ; voor de — vertalen, traduire à
livre ouvert. ▼—**gevecht** pugilat m. ▼—**je**
petit poing m ; in zijn — lachen, rire dans sa
barbe ; uit het — eten, manger sur le pouce.
▼—**slag** coup m de poing.
vulcaniseren l ov.w vulcaniser. **ll** zn : het —,
la vulcanisation.
vulg/air bas, trivial, grossier. ▼—**us** commun
m ; foule v.
vulkaan volcan m. **vulkanisch** volcanique.
vul/len 1 remplir ; 2 (op—) bourrer ;
(etenswaar) farcir ; (kachel) charger ; (tand)
obturer, plomber ; (ballon) gonfler ; (vulpen)
recharger ; zijn benzinetank —, faire son plein
d'essence ; — met, remplir de. ▼—**ling**
remplissage m ; farcissure v ; plombage ;
gonflement ; rechange m ; met losse —,
rechargeable. ▼—**pen** stylo m. ▼—**pendop**
capuchon m. ▼—**peninkt** encre v à stylo.
▼—**potlood** porte-mine m. ▼—**sel**
1 remplissage m ; 2 bourre ; 3 (vlees) farce v.
vuns, vunzig qui sent le relent, pourri.
▼—**heid** moisi m, odeur fétide, saleté v.
vuren l on.w faire feu, tirer. **ll** zn feu m. **lll** bn
en bois de sapin. ▼—**hout** bois m de sapin.
vurig l bn ardent, de feu ; (fig.) ardent,
enthousiaste, passionné ; (v. gebed) fervent ;
— paard, cheval m fougueux. **ll** bw
ardemment, passionnément. ▼—**heid** ardeur,
ferveur, passion v ; rougeurs v mv.
vuur 1 feu m ; 2 (in koren) nielle v ; 3 (fig.) feu
m, ardeur, passion v ; het — aanblazen,
souffler sur le feu ; — geven, faire feu ; —
aanleggen, faire du feu ; — vatten, in —
geraken, prendre feu ; met — spelen, jouer
avec le feu ; onder — nemen, ouvrir le feu sur ;
tussen twee vuren zitten, être entre le marteau
et l'enclume. ▼—**bal** boule v de feu. ▼—**bol**
globe m de feu ; bolide m. ▼—**cement** ciment m
réfractaire. ▼—**dans** danse v du feu.
▼—**dekking** couvert m à l'abri du feu.
▼—**dood** supplice m du feu. ▼—**doop**
baptême m du feu ; de — ondergaan, recevoir
le baptême du feu. ▼—**gloed** chaleur v du
feu ; brasier m. ▼—**haard** foyer m. ▼—**ijzer**
chenet m. ▼—**kleurig** ardent, couleur de feu.
▼—**kolom** colonne v de feu.
Vuurland Terre v de Feu. ▼—**er** Fuégien.
vuur/leiding réglage m du tir. ▼—**lijn,** —**linie**
ligne v de feu. ▼—**mond** bouche v à feu.
▼—**oven** fournaise v. ▼—**peloton** peloton m
d'exécution. ▼—**pijl** fusée v. ▼—**pijltoestel**
chevalet m pour fusées. ▼—**poel** 1 fournaise
v ; 2 (hel) gouffre m de l'enfer. ▼—**proef**
épreuve v du feu ; de — doorstaan, soutenir
l'épreuve. ▼—**regeling** réglage m du tir.

▼—**rood** couleur de feu ; (v. gezicht) tout
rouge ; met een — gezicht, le visage
empourpré. ▼—**scherm** écran ; (traliewerk)
garde-feu m. ▼—**schip** bateau-feu m.
▼—**schop** pelle v à feu. ▼—**sein** signal m
lumineux. ▼—**slag** briquet m. ▼—**snelheid**
vitesse v de tir. ▼—**spuwend** ignivome ; —e
berg, volcan m. ▼—**steen** pierre v à fusil, silex
m. ▼—**steentje** pierre v à briquet. ▼—**straal**
éclair ; jet m de feu. ▼—**tang** pincettes v mv.
▼—**tje** petit feu m ; een lopend —, une traînée
de poudre. ▼—**toren** phare m.
▼—**torenwachter** gardien m de phare.
▼—**vast** à l'épreuve du feu, réfractaire ; —
glas, verre m Pyrex ; —e schotel, plat m qui va
au feu. ▼—**vreter** 1 cracheur m de feu ;
2 (mil.) dur m à cuire. ▼—**wals** barrage m
roulant. ▼—**wapen** arme v à feu. ▼—**water**
eau v de feu. ▼—**werk** feu m d'artifice.
▼—**werkfabriek** atelier m pyrotechnique.
▼—**werkmaker** artificier. ▼—**zee** nappe de
feu, fournaise v.

W w (double v) *m.*

waag 1 balance v; **2** (—*gebouw*) poids *m* public; *het is een hele* —, c'est fort risqué. ▼—**hals** témérité, casse-cou *m.* ▼—**halzerij** témérité v. ▼—**schaal** plateau *m* de balance; (*alles*) *in de* — *stellen*, risquer (le tout pour le tout). ▼—**stuk** coup *m* d'audace.

waaien 1 faire du vent; **2** flotter au vent; s'envoler; *het waait hard*, il fait beaucoup de vent; *met alle winden* (*mee*)—, tourner à tous les vents; *laat maar* —, laissez aller.

waaier 1 éventail (de dame); **2** ventilateur *m* (électrique). ▼—**vormig** en éventail.

waak 1 veille v; **2** (*mar.*) quart *m.* ▼—**hond** chien *m* de garde. ▼—**s, —zaam** vigilant. ▼—**vlam** veilleuse v. ▼—**zaamheid** vigilance v.

Waal 1 Wallon; **2** (*rivier*) Wahal; **3** (*kolk*) tournant; **4** bassin *m.* ▼—**s I** *bn* wallon. **II** *zn*: *een* —*e*, une Wallonne; *het* —, le wallon.

waan erreur, illusion v; *in de* — *brengen*, faire accroire (qc à qn); *in de* — *verkeren*, s'imainer (à tort). ▼—**voorstelling** hallucination v. ▼—**wijs I** *bn* présomptueux. **II** *bw* présomptueusement. ▼—**wijsheid** présomption v. ▼—**zin** démence, aliénation v (mentale). ▼—**zinnig I** *bn* aliéné, dément, fou. **II** *bw* follement.

waar I *zn* **1** marchandise v, article *m*; **2** (*eet—*) denrée v; *verboden* —, contrebande v; *alle* — *is naar zijn geld*, à chaque chose son prix; *zijn* — *aanprijzen*, faire l'article. **II** *bn* vrai, véritable; *niet* —?, n'est-ce pas?; — *verhaal*, récit *m* vécu; *welis—*, à la vérité, il est vrai; *het is* — *ook*, au fait, j'y pense, à propos; *er is iets* —*s in*, il y a du vrai là-dedans. **III** *bw* où; — *vandaan?*, d'où?; — *hij ook is*, où qu'il soit; — *ergens het station?*, c'est par où, la gare? ▼**waar/aan** à quoi; auquel *enz.* ▼—**achter** derrière quoi; derrière lequel *enz.*

waarachtig *bn* (& *bw*) vrai(ment), véridique(ment) — —!, vraiment! ▼—**heid** vérité; véracité v.

waar/beneden au-dessous de quoi; - duquel *enz.*; sous lequel. ▼—**bij** près de quoi; près duquel *enz.*; *besluit* —, décret *m* aux termes duquel.

waarborg 1 garantie v; (*borg*) caution v; **2** (*persoon*) garant *m.* ▼—**en** garantir, répondre de. ▼—**fonds** fonds *m* de garantie. ▼—**ing** garantie v; cautionnement *m* = —**som.**

waarboven au-dessus de quoi; - duquel *enz.*

waard I *zn* **1** aubergiste, hôte; *zoals de* — *is vertrouwt hij zijn gasten*, on mesure les autres à son aune; **2** région v basse entourée de fleuves. **II** *bn* **1** cher; **2** digne; **3** (*prijs*) de la valeur de; — *zijn*, **1** valoir; **2** mériter; *dat hou hem heel wat* — *zijn geweest zou*, il aurait payé cher pour.

waarde I valeur v; prix *m*; **2** (*fig.*) mérite *m*; — *in geld*, valeur marchande; *aangegeven* —, valeur déclarée; *innerlijke* —, valeur intrinsèque; *veel* — *hechten aan*, attacher beaucoup de prix à; *zijn* — *ontlenen aan*, valoir par; *in* — *verminderen*, se déprécier; *met aangegeven* —, avec déclaration de valeur; *ter* — *van*, du montant de, s'élevant

à ...; *van gelijke* —, équivalent. ▼—**bepaling** taxation v, détermination v de la valeur. ▼—**bon** bon-matières *m.*

waardeerbaar appréciable, estimable.

waarde/leer théorie v de la valeur. ▼—**loos** sans valeur, de nulle valeur; inutilité; (*fig.*) inanité v. ▼—**meter** étalon; (*fig.*) critère *m.* ▼—**oordeel** jugement *m* de valeur. ▼—**ren** apprécier, estimer; *hogelijk* —, tenir en haute estime. ▼—**ring** appréciation, estimation v. ▼—**schaal** échelle v de valeurs. ▼—**vast 1** de valeur stable; garanti; **2** indexé; variant en fonction du mouvement des prix; — *minimumloon*, salaire *m* minimum interprofessionnel de croissance, s.m.i.c. ▼—**vermeerdering** plus-value; hausse v. ▼—**vermindering** moins-value; baisse; dépréciation v. ▼—**vol** précieux, important, de grande valeur. ▼—**vrij I** *bn* libre de jugement de valeur. **II** *bw* sans juger de la valeur morale, sociale *enz.* ▼—**zending** colis-valeur *m.*

waardig *bn* (& *bw*) digne(ment); *iets* — *zijn*, être digne de; mériter. ▼—**heid** dignité v. ▼—**heidsbekleder** dignitaire *m.*

waardin aubergiste, hôtesse v.

waar/door à travers quoi; par où; par quoi; par lequel *enz.* ▼—**heen** où, par où; — *ook*, de quelque côté que, où que (*met subj.*).

waarheid vérité v; *de* — *spreken*, dire la vérité; *om de* — *te zeggen*, à vrai dire; *iem. de* — *zeggen*, dire à qn ses quatre vérités; *de* — *wil niet altijd gezegd worden*, toute vérité n'est pas bonne à dire. ▼—**lievend** véridique, sincère. ▼—**sliefde, —szin** véracité; sincérité v. ▼—**sserum** penthotal *m.*

waar/in où, en quoi, dans lequel *enz.* ▼—**langs** par où. ▼—**lijk** vraiment, véritablement.

waarmaken 1 prouver; **2** accomplir (une promesse); *zich* —, se prouver.

waarme(d)e avec quoi, avec lequel *enz.*

waarmerk marque v de fabrique; cachet, sceau; paraphe *m.* ▼—**en** marquer; légaliser; vérifier.

waar/na après quoi. ▼—**naar** sur quoi, selon quoi, selon lequel *enz.* ▼—**naast** à côté de quoi; à côté duquel *enz.*

waarneembaar perceptible, appréciable. ▼—**heid** perceptibilité v. ▼**waarnem/en 1** apercevoir, observer, remarquer; **2** remplir (son devoir); observer (les règles); exercer (un emploi); prendre soin de (ses affaires); **3** administrer; **4** profiter de, saisir (l'occasion); *voor iem.* —, suppléer qn; *het voorzitterschap* —, faire fonction de président. ▼—**end** suppléant, intérimaire. ▼—**er (waarneemster) 1** observateur, (-trice); **2** suppléant(e) *m* (v). ▼—**ing 1** perception; observation v; **2** accomplissement (d'un devoir); exercice *m*; (*godsd.*) observance; **3** administration v; **4** suppléance, place v de suppléant. ▼—**ingspost** poste *m* d'observation. ▼—**ingsvermogen** faculté d'o.; (*psych.*) perception, perceptivité v.

waar/om 1 autour de quoi; autour duquel *enz.*; **2** pourquoi?; **3** (*betrekkelijk*) pourquoi. ▼—**omtrent 1** à propos de quoi, - duquel *enz.*; **2** en -, vers quel endroit. ▼—**onder** sous quoi; (*betrekkelijk*) sous lequel; parmi lesquels *enz.* ▼—**op** sur quoi; (*betrekkelijk*) sur lequel *enz.* ▼—**over** de quoi; dont, (*betrekkelijk*) sur lequel *enz.*

waarschijnlijk *bn* (& *bw*) probable(ment), vraisemblable(ment). ▼—**heid** probabilité, vraisemblance v. ▼—**heidsrekening** calcul *m* des probabilités.

waarschuw/en avertir (de), prévenir (de); mettre en garde (contre); *zonder te* —, sans crier gare. ▼—**end** —*e droom*, rêve *m* prémonitoire. ▼—**er** avertisseur *m.* ▼—**ing** avertissement *m*; mise v en garde; (v. *belasting*) sommation v. ▼—**ingsbord** panneau-, poteau *m* avertisseur. ▼—**ingscommando** commandement *m*

préparatoire. ▼—**ingslampje** voyant *m*.
waar/tegen contre quoi ; contre lequel *enz*.
▼—**toe** 1 à quoi, pourquoi ; 2 (*betr*.) où, à quoi. ▼—**tussen** entre quoi ; entre –, parmi lesquels *enz*. ▼—**uit** 1 d'où, de quoi ;
2 (*betrekkelijk*) d'où, dont. ▼—**van**
1 (*vragend*) de quoi ; 2 (*betrekkelijk*) dont.
▼—**voor** pourquoi ; pour lequel *enz*.
waarzeg/gen dire la bonne aventure. ▼—**ger**
(—ster) diseur (-euse) de bonne aventure.
waas 1 fleur *v*, velouté *m* (des fruits) ; 2 voile ;
(*fig*.) air *m*.
wacht 1 garde, faction *v* ; 2 (*mar*.) quart ;
3 (—huis) corps *m* de garde ; *de — houden,
de — betrekken*, monter la garde ; *de —
hebben*, être de garde, - de quart ; 4 (*persoon*)
garde, gardien ; factionnaire *m* ; sentinelle *v*.
▼—en I *ov.w* attendre ; guetter ; *wacht even,
un instant*. II *ov.w* attendre, s'attendre à.
III *zich —* **voor** se garder de. IV *zn* attente *v*.
▼—**er** gardien, surveillant. ▼—**geld**
traitement *m* de disponibilité. ▼—**gelder**
fonctionnaire au traitement de disponibilité.
▼—**huis** corps *m* de garde. ▼—**huisje** 1 (*mil*.)
guérite *v* ; 2 (*v. tram enz*.) abri *m*. ▼—**kamer**
1 salle *v* d'attente ; antichambre *v*, salon *m*
d'attente. ▼—**lijst** liste *v* d'attente.
▼—**meester** maréchal des logis. ▼—**post**
poste *m* (de surveillance). ▼—**schip**
stationnaire *m*. ▼—**toren** 1 mirador *m* ;
2 échauguette *v*. ▼—**verbod** défense *v* de
stationner. ▼—**woord** consigne *v*, mot *m* de
passe.
wad gué, bas-fond *m*. ▼—**en** passer à gué ;
door het slijk —, patauger dans la boue.
wafel 1 gaufre ; 2 (*plat*) gueule *v*. ▼—**ijzer**
gaufrier *m*. ▼—**kraam** baraque *v* aux gaufres.
wagen I *ov.w* hasarder, oser, risquer ; *het erop
—*, tenter l'aventure ; *die niet waagt, die niet
wint*, qui ne risque rien n'a rien ; *het — om*,
entreprendre de. II *zich —*, s'aventurer ; *zich
— aan*, oser entreprendre. III *zn* 1 voiture *v*,
chariot ; 2 (*spoor*—) wagon *m* ; 3 (*auto*) auto,
voiture ; (*fam*.) bagnole *v* ; 4 (*v.
schrijfmachine*) chariot *m*. ▼—**as** essieu *m*.
▼—**bestuurder** 1 conducteur ; 2 chauffeur.
▼—**kap** capote *v*. ▼—**lading** charretée ;
charge *v*. ▼—**maker** charron, carrossier.
▼—**makerij** carrosserie *v*. ▼—**park** 1 parc *m*
automobile ; 2 (*spoor*) parc *m* du matériel
roulant. ▼—**schuur** remise *v*. ▼—**smeer**
graisse *v* ; cambouis *m*. ▼—**spoor** ornière *v*.
▼—**stel** train *m* de voiture. ▼—**wijd** —, *open*,
grand (e) ouvert(e). ▼—**zeil** bâche *v*. ▼—**ziek**
qui a le mal de la route.
waggelen chanceler ; (*dronken*) tituber.
wagon wagon *m* ; (*alleen v. reizigers*) voiture
v. ▼—**lading** wagon *m*.
wak I *zn* endroit faible (*of trou*) *m* dans la
glace. II *bn* humide, moite.
wak/en I *on.w* veiller (qn = *bij iem*.) ; — *voor*,
veiller à. II *zn* veille, veillée *v*. ▼—**end** attentif,
éveillé ; *in — e toestand*, à l'état de veille ; *een
— oog houden op*, avoir l'œil ouvert sur.
▼—**er** veilleur ; *zie ook* **wachter**.
wakker I *bn* 1 éveillé ; 2 (*fig*.) alerte, éveillé,
vif ; — *maken*, (r)éveiller ; *men moet geen
slapende honden — maken*, il ne faut pas
réveiller le chat qui dort ; — *worden*, s'éveiller,
se réveiller. II *bw* vivement, énergiquement.
wal 1 rempart ; 2 bord *m* (de l'eau), rive *v* ;
3 (*kade*) quai *m* ; *len onder de ogen
hebben*, avoir des poches sous les yeux ; *aan
— stappen*, débarquer ; *van de — in de sloot
raken*, tomber de fièvre en chaud mal ; *van —
steken*, partir ; (*fig*.) se lancer.
waldhoorn cor *m*. ▼—**blazer** corniste,
sonneur *m* de cor.
Wales pays *m* de Galles ; *de prins van —*, le
prince de Galles.
walg dégoût *m*, aversion *v* ; *een — hebben
van*, avoir du dégoût pour. ▼—**elijk**
dégoûtant, écœurant. ▼—**en** avoir un dégoût
de ; *ik walg er van*, cela me dégoûte. ▼—**ing**
dégoût *m*, nausées *v mv*.
walkant bord *m* du quai ; berge *v*.

walm fumée -, vapeur *v* épaisse. ▼—**en** fumer.
▼—**end** fumeux.
wal/noot grosse noix *v*. ▼—**noteboom** noyer
m.
walrus morse *m*.
wals 1 (*dans*) valse *v* ; 2 (*cylindre*) lamineur *m*.
▼—**en** 1 valser ; 2 cylindrer ; laminer ; *koud —*,
laminer à froid. ▼—**er** 1 valseur ; 2 lamineur.
▼—**erij** laminerie *v*. ▼—**machine** lamipoir *m*.
▼—**tempo** mouvement *m* de valse.
walvis baleine *v*. ▼—**vaarder** baleinier.
▼—**vangst** pêche *v* à la baleine.
wan van *m* ; (*machine*) vanneuse. ▼—**begrip**
notion *v* erronée. ▼—**beheer** mauvaise
administration *v*. ▼—**betaler** mauvais
payeur. ▼—**betaling** non-paiement *m*.
▼—**bof** déveine *v*. ▼—**boffen** avoir de la
déveine.
wand paroi, cloison *v* ; *houten —*, panneau *m* ;
uitschuifbare —, uittrekbare —, cloison
extensible ; *verplaatsbare —*, cloison mobile.
▼—**bekleding** revêtement *m* des murs ;
boiserie *v*, lambris *m mv*.
wandel 1 promenade ; 2 (*fig*.) conduite *v*.
▼—**aar(ster)** promeneur (-euse). ▼—**dek**
pont- promenade *m*. ▼—**en** I *on.w* 1 se
promener ; 2 aller, marcher ; — *naar*, se rendre
à pied à. II *zn* : *het —*, la promenade ; *aan het
— zijn*, être en promenade. ▼—**end**
ambulant ; mobile. ▼—**gang** couloir *m*.
▼—**hoofd** jetée- promenade *v*. ▼—**ing**
promenade *v* ; (*fam*.) balade *v* ; *in de —*,
communément, comme on dit. ▼—**kaart** plan
m des environs ; permis *m* de visite.
▼—**kostuum** costume -, habit *m* de ville.
▼—**pad** sentier *m* (pour piétons). ▼—**park**
jardin *m* public. ▼—**route** route *v* du
marcheur ; *uitgezette —, gemarkeerde —*,
circuit *m* pédestre jalonné. ▼—**schoen**
1 chaussure *v* de marche ; 2 soulier habillé.
▼—**sport** footing *m*, marche *v*. ▼—**stok**
canne *v*. ▼—**tocht** excursion à pied, marche
v. ▼—**toerisme** footing *m*. ▼—**weg**
promenade *v*, chemin *m* réservé aux piétons.
wand/gedierte vermine *v*, punaises *v mv*.
▼—**kaart** carte *v* murale. ▼—**klok** horloge,
pendule *v*. ▼—**lamp** applique *v*. ▼—**luis**
punaise *v*. ▼—**schildering** peinture murale,
fresque *v*. ▼—**tapijt** tapisserie *v*.
▼—**versiering** décoration *v* murale.
wanen croire, s'imaginer, penser.
wang joue *v* ; — *aan — dansen*, danser joue
contre joue.
wangedrag inconduite, mauvaise conduite *v*.
wan/hoop désespoir *m* ; *iem. tot — brengen*,
désespérer qn. ▼—**hoopsdaad** acte *m* de
désespoir. ▼—**hopen** désespérer (de qc),
désespérer. ▼—**hopend**, —**hopig** *bn* (*& bw*)
désespéré(ment) ; au désespoir. ▼—**hopige**
désespéré(e) *m* (*v*).
wankel, —**baar** chancelant ; (*nat*.) instable ;
(*fig*.) inconstant ; indécis. ▼—**baarheid**
inconstance, instabilité ; irrésolution *v*. ▼—**en**
chanceler ; (*fig*.) hésiter, faiblir ; *aan het —
brengen*, ébranler. ▼—**moedig** indécis,
irrésolu. ▼—**moedigheid** indécision,
irrésolution *v*. ▼—**motor** moteur *m* à piston
rotatif.
wan/klank dissonance ; note *v* discordante ;
een — vormen, dissoner. ▼—**klinkend**
discordant, dissonant.
wanneer I *bw* quand. II *vgw* lorsque, quand ;
(*indien*) si.
wannen I *ww* vanner. II *zn* : *het —*, le
vannage.
wanorde désordre *m*, confusion *v* ; *in —
brengen*, déranger, embrouiller ;
désorganiser ; *in — raken*, se déranger.
▼—**lijk** déréglé, en désordre. ▼—**lijkheid**
dérèglement, désordre *m*.
wan/smaak mauvais goût *m*. ▼—**smakelijk**
de mauvais goût.
wanstaltig contrefait, difforme. ▼—**heid**
difformité, laideur *v*.
want I *vgw* car. II *zn* 1 (*mar*.) agrès, cordages
m mv ; 2 moufle *m*, mitaine *v*.

wan'toestand situation v intolérable.
wantrouw/en l ov.w se méfier de. ll zn
méfiance v. ▼—**ig** l bn méfiant. ll bw avec
méfiance.
wanverhouding disproportion v.
wapen 1 arme v; **2** (—kunde) armes, armoiries
v mv; onder de —s roepen, appeler sous les
drapeaux; met de —s in de vuist, les armes à
la main; aanhouden wegens het dragen van
verboden —s, arrêter pour port d'armes
prohibé. ▼—**balk 1** (loodrecht) pal m;
2 (dwars) fasce; **3** (schuin) bande, barre v.
▼—**bezit** détention v d'armes. ▼—**boek**
armorial m. ▼—**broeder** frère d'armes. ▼—**en**
l ov.w armer; équiper. ll zich — met s'armer
de; zich — tegen, se prémunir contre.
▼—**fabriek** fabrique v d'armes. ▼—**feit** fait
d'armes, exploit m. ▼—**geweld** force v
d'armes. ▼—**ing** armement; équipement m.
▼—**kamer** salle v d'armes. ▼—**kunde** blason
m. ▼—**kundig** héraldique. ▼—**kundige**
héraldiste m. ▼—**magazijn** arsenal m.
▼—**produktie** production v des armements.
▼—**rek** râtelier m; (versiering) panoplie v.
▼—**rusting** armure v. ▼—**schild** écusson m.
▼—**spreuk** devise v. ▼—**stilstand** trêve v,
armistice m. ▼—**stok** matraque v.
wapper/en flotter au vent, claquer; (v. zeil)
faséyer. ▼—**ing** flottement m.
war désordre m; in de —, en désordre; (v.
hoofd, machine) détraqué; (v. haar) décoiffé;
(v. maag) dérangé; in de — brengen,
embrouiller; désorganiser; in de — raken,
s'embrouiller; se désorganiser; hij is vandaag
helemaal in de —, il a la tête à l'envers
aujourd'hui; uit de — halen, débrouiller,
démêler. ▼—**boel** confusion v, gâchis, chaos
m.
warempel ma foi, parbleu, en vérité.
waren/huis grand magasin, bazar m.
▼—**kennis** connaissance v des
marchandises, - des denrées. ▼—**lijst** facture
v.
warhoofd esprit m brouillon.
warm l bn chaud; (fig.) chaleureux; het is —,
il fait chaud; ik ben —, j'ai chaud; — houden,
tenir chaud; zich — maken voor, — worden
voor, s'intéresser vivement à qc; zich —
lopen, marcher pour se réchauffer. ll bw
chaudement; (fig.) chaleureusement.
▼—**bloedig** à sang chaud; (fig.) ardent, vif.
▼—**en** chauffer; bassiner (un lit); réchauffer
(un plat). ▼—**lopen** l on.w chauffer,
s'échauffer; (fig.) s'emballer (pour). ll zn
échauffement m. ▼—**pjes** chaudement; er —
inzitten, être bien emmitouflé; (fig.) être à son
aise.
warmte 1 chaleur v, chaud m; **2** (fig.) ardeur,
chaleur v, feu m; die goed — leidt, calorifère;
die slecht — leidt, calorifuge; soortelijke —,
chaleur v spécifique. ▼—**eenheid** calorie v.
▼—**-energie** énergie v thermique. ▼—**en**
geluidsisolatie isolation v
thermo-acoustique. ▼—**geleidend** bon
conducteur (de la chaleur), diathermane.
▼—**geleiding** conductibilité v thermique.
▼—**gevend** calorifique; — vermogen,
capacité v calorifique. ▼—**graad** (degré m de
la) température v. ▼—**isolerend** calorifuge.
▼—**leer** thermologie v. ▼—**leider**
conducteur m (de la chaleur). ▼—**meter**
thermomètre m. ▼—**uitstraling** radiation v
thermique. ▼—**verlies** déperdition v de
chaleur.
warmwater... (in ss) ... à eau chaude.
▼—**installatie** chauffe-eau m. ▼—**kruik**
bouillotte v. ▼—**zak** bouillotte v caoutchouc.
warrel/en tourbillonner. ▼—**ing**
tourbillonnement m.
wars — van iets zijn, être ennemi de qc.
Warschau Varsovie m.
war/taal galimatias, radotage m; — uitslaan,
radoter. ▼—**winkel** zie —boel.
was 1 cire; **2** (v. water) crue v; **3** blanchissage
m; (grote —) lessive v; **4** (linnengoed) linge
m; fijne —, linge m fin; schone —, linge

blanc; de — doen, faire la lessive; in de —
doen, donner (sa lessive) à laver; in de —
zijn, être à la lessive. —**achtig** de cire, cireux.
▼—**afdruk** empreinte v sur cire. —**baas**
blanchisseur. ▼—**beer** raton m laveur.
▼—**benzine** benzine v de nettoyage.
▼—**bord** planche v à savonner. —**doek** toile
v cirée. —**dom** croissance v. —**echt**
lessivable; grand teint, bon teint.
wasem buée, vapeur v. — en dégager une
buée, fumer. ▼—**kap** hotte v aspirante.
was/gelegenheid lavabo m. ▼—**goed** linge
m. ▼—**handje** gant m de toilette. ▼—**hok**
lavoir m, buanderie v. ▼—**inrichting**
blanchisserie v. —**kaars 1** bougie v; **2** (v.
kerk) cierge m. —**ketel** chaudière v à lessive.
▼—**knijper** pince v à linge. ▼—**kom** cuvette
v. ▼—**kuip** cuvier m. ▼—**lijst** liste v du linge.
▼—**machine** lessiveuse v. ▼—**mand** panier
m à linge. ▼—**middel 1** lessive v; détersif m;
2 (haar—) lotion v.
1 wassen l ov.w laver, nettoyer; (v. gezicht)
débarbouiller; (v. linnen) blanchir, lessiver;
(v. kaarten) battre. ll zn lavage, nettoyage;
blanchissage; lavement (de pieds); (v.
tekening) lavis m; (v. lichaam) ablution v.
2 wassen l on.w **1** croître, monter, grandir;
2 (toenemen) s'accroître. ll zn **1** croissance;
2 (v. water) crue v.
3 wassen l zn v cirage m, III bn de
cire. ▼—**beeldspel** cires v mv.
wassend croissant; de —e maan, le croissant
de la lune.
was/ser blanchisseur. ▼—**serette** laverie v en
libre-service. ▼—**serij** laverie v; blanchisserie
v. ▼—**sing** lavage m; ablution v. ▼—**stel**
garniture v de toilette. ▼—**tafel** toilette v;
vaste —, lavabo m. ▼—**tafelemmer** seau m
hygiénique. ▼—**tafelglas** verre m à dents.
▼—**tafelkast** meuble m lavabo. ▼—**tobbe**
cuvier m. ▼—**toestel** lessiveuse v.
▼—**vrouw** blanchisseuse. ▼—**water 1** l'eau v
pour se laver; **2** eau v de vaisselle, - sale.
▼—**zak** sac m à linge. ▼—**zijde** soie v lavable.
wat l vr.vnw **1** que; qu'est-ce que (qui); quoi,
comment; — dan?, peut-on savoir?; —
dàn?, que faire alors?; — is dàt, qu'est-ce
que c'est (que ça)?; — zou dat?, (et puis)
après?, qu'est-ce que cela fait? **2** bn que(le),
quelle sorte de; — voor boek is dat?, quel est
ce livre? **3** (indir. vragend) ce qui, ce que;
quel; hij vraagt wat ze zegt, il demande ce
qu'elle dit; **4** (uitroep) quoi; — een mensen!;
(veel) que de monde!; (soort) quel monde!;
— een ongeluk!, quel malheur!; och —!,
allons donc!; — heeft hij geschreeuwd!, ce
qu'il a crié! — wat is goed geweest!, (fam.)
qu'est-ce qu'ils ont été bien! ll betr.vnw **1** ce
qui, ce que; (alles) — hij heeft, (tout) ce qu'il
a; — ik nodig heb, ce dont j'ai besoin; —
erger is, qui pis est. III onbep.vnw quelque
chose; — ook, quoi que ce soit; — ook, quoi
que (met subj.); — voor voorwaarden hij ook
stelt, quelles que soient ses conditions; heel
— werk, bien du travail, pas mal de travail;
voor — hoort —, rien pour rien; zo blij als —,
heureux comme tout; — nieuws, quelque
chose de nouveau; — brood, un peu de pain.
IV bw un peu; — langzaam, un peu lent; ze
zijn — blij!, ils sont parfaitement contents; —
is het koud!, comme il fait froid!; — mooi!,
que c'est beau!
water 1 eau; **2** (zee) mer v; **3** cours m d'eau;
4 (in stoffen) moire; **5** eau; sueur; urine;
6 (med.) hydropisie v; stilstaand —, eau v
stagnante; stromend —, eau courante;
territoriale — en, eaux territoriales; het —
komt hem in de mond, l'eau lui vient à la
bouche; — in zijn wijn doen, mettre de l'eau
dans son vin; het — hebben, être
hydropique; in het — vallen, tomber à l'eau;
(fig.) - dans l'eau; erwten in het — zetten,
mettre des pois tremper; onder — zetten,
inonder; het hoofd boven — houden, tenir
bon, - ferme; weer boven — komen, revenir,
réapparaître; te —, par eau; te — gaan, se

jeter à l'eau; *te — laten*, lancer, mettre à l'eau; *een diamant van het zuiverste —*, un diamant de la plus belle eau. ▼**water/aantrekkend** hydrophile. ▼**—aanvoer** adduction *v* d'eau. ▼**—afdrijvend** diurétique. ▼**—afstotend** imperméabilisé; hydrofuge. ▼**—bad** bain-marie *m*. ▼**—bak 1** réservoir; **2** urinoir *m*. ▼**—ballet** ballet *m* nautique. ▼**—bekken** bassin *m*. ▼**—beweegkracht** force *v* hydraulique. ▼**—bloem** fleur *v* aquatique. **waterbouw/kunde** architecture *v* hydraulique. ▼**—kundig** hydraulique; *— ingenieur*, hydraulicien. **water/bron** source *v*, point *m* d'eau. ▼**—brood** pain *m* cuit à l'eau. ▼**—chocola(de)** chocolat *m* à l'eau. ▼**—closet** water-closet *m*. ▼**—damp** vapeur *v* d'eau. ▼**—dicht** imperméable; (*mar.*) étanche; *— maken*, imperméabiliser; étancher. ▼**—dichtheid** imperméabilité; étanchéité *v*. ▼**—dier** animal *m* aquatique. ▼**—emmer** seau *m* à eau. ▼**—en** I *ov.w* **1** arroser; **2** (*v. stof*) moirer. II *on.w* uriner. ▼**—fiets** pédalo *m*. ▼**—geneeskunde**, **—geneeswijze** hydrothérapie *v*. ▼**—glas 1** (*drinkglas*) verre à eau; **2** (*chem.*) verre soluble; **3** urinal *m*. ▼**—god** divinité *v* aquatique, triton *m*. ▼**—godin** naiade *v*. ▼**—golf** mise *v* en plis. ▼**—goot** gouttière *v*; (*straat*) ruisseau *m*. ▼**—hoen** poule *v* d'eau. ▼**—hoofd** hydrocéphale *m* & *v*. ▼**—hoos** trombe *v* d'eau. ▼**—houdend 1** qui contient de l'eau, aqueux; **2** (*chem.*) hydraté. ▼**—ig 1** aqueux; **2** (*med.*) séreux; **3** (*fig.*) (*v. vloeistof*) délayé; (*v. stijl*) lâche. ▼**—kaart** carte *v* nautique. ▼**—kan** pot *m* à eau; (*op tafel*) aiguière *v*. ▼**—kant** bord *m* de l'eau, berge *v*. ▼**—karaf** carafe *v*. ▼**—kering** digue *v*. ▼**—ketel** (*theeketel*) bouilloire; (*grote*) chaudière *v*. ▼**—kleurig** couleur d'eau, glauque. ▼**—koeling** refroidissement *m* par eau. ▼**—koud**: *het is —*, il fait un froid humide. ▼**—kraan** robinet *m* à eau. ▼**—kracht** énergie *v* hydraulique; *elektriciteit uit —*, hydro-électricité *v*. ▼**—krachtmachine** moteur *m* hydraulique. ▼**—laars** botte *v* imperméable. ▼**—land** pays *m* marécageux. ▼**—landers** larmes *v mv*. **waterleiding 1** conduite *v* d'eau; **2** (*dienst*) service *m* des eaux. **water/lelie** nénuphar *m* (blanc). ▼**—lijn** ligne *v* de flottaison. ▼**—linie** ligne *v* de défense par l'inondation. ▼**—loop** cours *m* d'eau; *energie uit waterlopen*, houille *v* verte. ▼**—lozing 1** décharge *v* -, écoulement *m* des eaux; **2** urination *v*. ▼**—man** (*sterrenbeeld*) verseau *m*. ▼**—mantel** chemise *v* d'eau. ▼**—meloen** melon *m* d'eau, pastèque *v*. ▼**—merk** filigrane *m*. ▼**—meter** hydromètre; (*aan leiding*) compteur *m*. ▼**—molen 1** moulin *m* à eau; **2** moulin d'épuisement. ▼**—nimf** naiade *v*. ▼**—nood** disette *v* d'eau. ▼**—omloop** circulation *v* d'eau. ▼**—ontharder** adoucisseur *m* d'eau. ▼**—orgel** orgue *m* hydraulique. ▼**—partij** pièce *v* d'eau; eaux *v mv*. ▼**—pas** I *bn* de niveau, horizontal. II *zn* niveau *m* (d'eau). ▼**—peil** échelle *v* d'eau, - de marée. ▼**—pers** presse *v* hydraulique. ▼**—pijp** conduit *m* d'eau. ▼**—plaats** urinoir *m*. ▼**—plant** plante *v* aquatique. ▼**—plas** flaque, mare; nappe *v* d'eau. ▼**—pokken** varicelles *v mv*. ▼**—polo** water-polo *m*. **waterpomp** pompe *v* à eau. ▼**—tang** pince *v* multiprise. **water/proef**, **—proof** imperméable (*m*). ▼**—put** puits *m*, citerne *v*. ▼**—rad** roue *v* hydraulique. ▼**—rat** rat *m* d'eau. ▼**—rijk** riche en (cours d') eau. ▼**—schade** dégâts *m mv* des eaux. ▼**—schap** district *m* de l'administration des eaux. ▼**—scheiding** ligne *v* de partage des eaux. ▼**—schuw** hydrophobe. ▼**—schuwheid** hydrophobie *v*. **water/ski** ski *m* nautique. ▼**—skiën** pratiquer le ski nautique. **2** (*buis*) tuyau *m* à eau. ▼**—snip**

bécassine *v*. ▼**—snood** inondation *v*. ▼**—spiegel 1** surface *v* de l'eau; **2** niveau *m* de l'eau. ▼**—spoeling** chasse *v* d'eau. **watersport** sport *m* nautique; navigation *v* de plaisance. ▼**—centrum** centre *m* nautique. ▼**—er** plaisancier *m*. **water/spuit 1** pompe (à incendie); **2** seringue *v*. ▼**—staat** département *m* des eaux; - du waterstaat: - des ponts et chaussées. ▼**—stand** hauteur -, cote *v* de l'eau; *laagste —*, étiage *m*; *gevaarlijke —*, cote d'alerte; *lage —*, maigre *m*. **waterstof 1** poussière *v* d'eau; **2** (*gas*) hydrogène *m*. ▼**—bom** bombe à l'hydrogène, superbombe H *v*. ▼**—gas** gaz *m* hydrogène. ▼**—peroxyde** eau *v* oxygénée. **water/straal** jet *m* d'eau; *—tje*, filet *m* d'eau. ▼**—tanden**: *dat is om te —*, cela fait venir l'eau à la bouche. ▼**—tje 1** cours *m* d'eau; **2** eau *v* de senteur, - médicinale. ▼**—toevoer** alimentation *v* en eau. ▼**—toren** château *m* d'eau. ▼**—val** cascade, chute *v* d'eau; *grote —*, cataracte *v*. ▼**—vang** prise *v* d'eau. ▼**—verf** détrempe, aquarelle *v*; *met — schilderen*, peindre à l'eau. ▼**—verfschilder** aquarelliste *m*. ▼**—verftekening** aquarelle *v*. ▼**—verplaatsing** déplacement *m*. ▼**—vijzel** vis *v* d'Archimède. ▼**—vlak** nappe *v* d'eau. ▼**—vliegtuig** hydravion *m*. ▼**—vliegtuighaven** base *v* d'h. ▼**—vloed** déluge *m*, inondation *v*. ▼**—vogel** oiseau *m* aquatique. ▼**—voorziening** alimentation *v* en eau. ▼**—vrees** hydrophobie *v*. ▼**—vrij 1** à l'abri de l'eau; **2** (*chem.*) anhydre. ▼**—weg** voie *v* navigable; route d'eau. ▼**—werk 1** construction *v* hydraulique; - dans l'eau; **2** jet d'eau, jeu *m* d'eau; eaux *v mv*. ▼**—zak** sac *m* à eau; vache *v* à eau. ▼**—zonnetje** soleil *m* pâle. ▼**—zucht** hydropisie *v*. ▼**—zuchtig** hydropique. ▼**—zuivering** épuration *v* des eaux. **watje** pelote *v* d'ouate, - de coton. **watt** watt *m*. **watt/en** I *zn* du coton (hydrophile), de la ouate. II *bn* de coton, d'ouate. ▼**—eren** ouatter. **wauwelen** bavarder, caqueter. **waxinelicht/(je)** bougie *v*. ▼**—glaasje** godet *m*. **wazig** vague, vaporeux. **W.C.** cabinets *m mv*, toilettes *v mv*, les W.C. ▼**—-papier** papier *m* hygiénique. **we** nous; (*fam.*) on. **web** toile *v* d'araignée; tissu *m*. **wed** gué; abreuvoir *m*. **wedde** *zie* **jaarwedde**. **wedden** gager, parier; *om iets —*, parier qc; *ik wed dat je het niet kunt*, je vous défie de faire cela; *op een paard —*, jouer un cheval. ▼**—schap** pari *m*, gageure *v*; *een — aangaan*, faire un pari. **weder** *zie* **weer**. ▼**—dienst** service *m* en retour; *tot — bereid*, prêt à vous rendre la pareille. ▼**—geboorte** régénération *v*. ▼**—helft** autre moitié *v*; (*fig.*) épouse *v*, époux *m*. ▼**—hoor**: *het hoor en — toepassen*, entendre les deux parties. ▼**—invoering** réintroduction *v*. ▼**—keren 1** revenir; (*v. spreker af*) retourner; **3** (*zich herhalen*) se répéter. ▼**—kerend**: *— voornaamwoord*, pronom *m* réfléchi; *— werkwoord*, verbe *m* pronominal. ▼**—kerig** *bn* (& *bw*) mutuel(lement). ▼**—kerigheid** réciprocité *v*. ▼**—komen** revenir. ▼**—komst** retour *m*. ▼**—liefde** amour *m* mutuel; *iem. — bewijzen*, répondre à l'amour de qn. ▼**—om 1** de retour; **2** de nouveau. ▼**—opbloei** regain, relèvement *m*, reprise *v*. ▼**—opbouw** reconstruction *v*; relèvement *m* (d'un pays). ▼**—opleving** reprise *v*; réveil *m*. ▼**—opstanding** résurrection *v*. ▼**—opzeggens**: *tot —*, jusqu'à nouvel ordre, - résiliation du contrat. ▼**—rechtelijk** I *bn* contraire à la loi, injuste. II *bw* injustement. ▼**—varen** I *on.w* arriver (à), survenir (à); *iem.*

recht laten —, rendre justice à qn. **ll** zn ce qui
(nous) arrive, aventure, expérience v.
▼—**vergelden** rendre la pareille (à qn).
▼—**vergelding** récompense; revanche v.
▼—**verkoop** revente v. ▼—**verkoper**
revendeur. ▼—**vraag** question v en retour.
▼—**waardigheid** tribulation, vicissitude;
aventure v. ▼—**woord** réplique v. ▼—**wraak**
revanche v; représailles v mv. ▼—**zijds** zie
ook —**kerig** : respectif; —e vorderingen,
prétentions v mv respectives.
wed/ijver émulation, rivalité v. ▼—**ijveren**
rivaliser (avec qn de qc). ▼—**loop** course v =
—**ren**; — zonder hindernissen, course plate;
— met hindernissen, course d'obstacles.
▼—**strijd** 1 concours m, lutte; 2 concurrence,
rivalité; 3 course: épreuve v, match m; — op
de lange baan, course v de fond.
▼—**strijdskiën** zn ski m de compétition.
▼—**strijdwagen** engin m de compétition.
weduw/e veuve, (adellijke) douairière v.
▼—**en- en wezenverzekering** assurance v
décès. ▼—**enpensioen** pension m de veuve.
▼—**naar** veuf m. ▼—**(naar)schap**, —**staat**
veuvage m.
wee l zn 1 malheur m; 2 douleur v, mal m; o
— !, oh là là! ; — u!, malheur à vous. **ll** bn
écœurant, fade; — zijn, avoir mal au cœur;
—e smaak, goût m nauséabond.
weef/getouw, —**stoel** métier m. ▼—**kunst**
art m textile. ▼—**sel** tissu m. ▼—**selleer**
histologie v. ▼—**spoel** navette v.
weeg/brug bascule v. ▼—**glas** aréomètre m.
▼—**haak** balance v romaine. ▼—**schaal**
1 plateau m de balance, bassin m; 2 balance
v; pèse-personne m.
week l zn 1 semaine v; over een —,
d'aujourd'hui en huit; de — hebben, être de
semaine; door (in) de —, en semaine,
pendant la semaine; 2 (het weken)
macération v, trempage m; in de — leggen,
— zetten, mettre tremper; in de — liggen,
tremper; de was in de — zetten, couler la
lessive. **ll** bn 1 mou, tendre; 2 délicat; —
ijzer, fer m doux; — maken, ramollir, rendre
mou; (fig.) attendrir; — worden, devenir
mou, se ramollir; (fig.) s'attendrir.
▼—**abonnement** abonnement m à la
semaine. ▼—**agenda** semainier m.
▼—**bericht** bulletin m hebdomadaire.
▼—**beurt** semaine v; de — hebben, 1 être de
semaine; 2 (bij predikanten) avoir le tour de
prêcher un jour de la semaine. ▼—**blad**
hebdomadaire m. ▼—**dag** jour m de la
semaine.
weekdieren mollusques m mv.
week/e(i)nd(e) fin v de semaine, week-end
m. ▼—**endhuisje** résidence v secondaire;
maison v de weekend. ▼—**geld** 1 semaine v;
argent v de poche.
week/hartig bn (& bw) sensible (ment),
tendre(ment). ▼—**hartigheid** sensibilité,
tendresse v. ▼—**heid** mollesse v.
weekkalender semainier m.
wee/klacht lamentation, plainte v.
▼—**klagen** se lamenter, se plaindre.
weekloon semaine, paye v.
weekmaken (r)amollir; tremper; (fig.)
attendrir.
weekstaat état -, bilan m hebdomadaire.
weelde 1 luxe m, somptuosité; 2 (overvloed)
profusion; (v. planten) luxuriance;
3 (wellust) volupté v. ▼—**artikel** article m de
luxe. ▼—**belasting** taxe v de luxe. ▼—**rig**
l bn 1 luxueux, somptueux; 2 luxurieux,
exubérant; 3 voluptueux; —e vormen, formes
v mv opulentes. **ll** bw luxueusement;
voluptueusement. ▼—**righeid** zie weelde.
weemoed mélancolie, tristesse v. ▼—**ig** bn (&
bw) mélancolique(ment).
Weense Viennoise v.
weer l zn 1 défense, résistance v; 2 (wal)
rempart; 3 mouvement m; in de — zijn, être
en mouvement;vroeg in de — zijn, être
matinal; 4 temps m; in — en wind, — of geen
—, par tous les temps; wat is het voor — ?,

quel temps fait-il? ; het is mooi —, il fait beau ;
aan — en wind blootgesteld, exposé aux
intempéries. **ll** bw de nouveau, encore; over
en —, réciproquement.
weer... (in ss) zie ook **terug... en weder...**
weerbaar 1 valide, capable de porter les
armes; 2 en état de se défendre. ▼—**heid**
1 état m de défense; validité v; 2 ligue v pour
la défense = —**heidscorps**.
weerballon ballon-sonde m.
weerbarstig rebelle, rétif, récalcitrant.
▼—**heid** rétivité v.
weerbericht bulletin m de la météo.
weerga pareil m.
weergalm écho m, répercussion v. ▼—**en**
résonner, retentir.
weergaloos incomparable, sans pareil.
weer/gave valide; traduction;
interprétation v; — van klankopname, lecture
v. ▼—**geven** rendre.
weer/glans reflet v, (fig.) éclat m. ▼—**haak**
barbillon m; van weerhaken voorzien,
barbelé.
weer/haan girouette v; coq m. ▼—**huisje**
hygroscope m. ▼—**klank**, —**klinken** zie
—**galm(en)**. ▼—**kunde** météorologie v.
▼—**kundig l** bn météorologique. **ll** zn: —e,
météorologiste m.
weerlegg/en réfuter. ▼—**ing** réfutation v.
weerlicht éclairs m mv; fulguration v. ▼—**en**
faire des éclairs.
weer/loos 1 sans défense; 2 désarmé.
▼—**loosheid** impuissance, faiblesse v.
▼—**macht** force armée, défense v nationale.
▼—**middelen** moyens m mv de défense.
weer/omstuit : van de —, par contre-coup.
▼—**pijn** douleur v sympathique. ▼—**schijn**
reflet; (glans) lustre, chatoiement m; met een
—, chatoyant. ▼—**schijnen** réfléter la
lumière; chatoyer.
weer/schip bateau m du service
météorologique. ▼—**sgesteldheid**
conditions v mv atmosphériques.
weer/skanten (aan, van) des deux côtés, de
part et d'autre. ▼—**slag** contre-coup m.
weersomstandigheden : in alle —, par tous
les temps.
weerspannig l bn récalcitrant, rebelle. **ll** bw
en rebelle. ▼—**heid** opiniâtreté, rébellion v.
weerspiegel/en l ov.w réfléter. **ll** on.w se
réfléter. ▼—**ing** reflet m.
weerstaan résister (à). ▼**weerstand**
résistance v; regelbare —, rhéostat m; —
bieden, résister (à), tenir tête (à). ▼—**sfonds**,
—**skas** caisse v de solidarité. ▼—**snest** centre
m de résistance. ▼—**svermogen** (force de)
résistance v.
weerstoestand état m de l'atmosphère.
weerstreven contrarier (qn), résister (à).
weers/verandering changement m du
temps. ▼—**verkenning** reconnaissance v du
temps. ▼—**verwachting** prévisions v mv du
temps.
weers/zijden zie —**kanten**.
weervoorspelling prévision v du temps.
weerwil répugnance v; in —, malgré.
weerwolf loup-garou m.
weerzien l (& zn) revoir (m); tot —s, au
revoir.
weerzin aversion v; répugnance v.
▼—**wekkend** écœurant, répugnant.
wees orphelin(e) m (v). ▼—**gegroet** avé
(Maria) m. ▼—**huis** orphelinat m. ▼—**jongen**,
—**meisje** orphelin m, -e v.
weet connaissance v; het is maar een —, il
faut connaître le truc; nergens — van
hebben, être insensible à tout; aan de —
komen, apprendre. v al pédant(e) m (v).
▼—**gierig** studieux, curieux. ▼—**gierigheid**
amour m de l'étude, curiosité v.
weg 1 chemin m, voie; 2 (afstand) distance;
3 (grote —) route; 4 (rij—) chaussée; 5 (fig.)
voie v, expédient, moyen m; af te leggen —,
afgelegde —, trajet, parcours m; kortste —,
raccourci m; — naar het station, chemin de la
gare; een — afleggen, parcourir un chemin;

zijn eigen — *gaan*, agir à sa guise ; *de gewone* — *volgen*, suivre la marche habituelle ; *aan de* —, au bord de la route ; *altijd bij de* — *zijn*, être toujours par voies et par chemins ; *als er niets in de* — *komt*, sauf empêchement ; *iem. iets in de* — *leggen*, contrarier qn ; *in de* — *staan*, barrer le chemin ; être encombrant ; *(fig.)* faire obstacle à ; *dat zit hem in de* —, c'est ce qui le vexe ; *naar de* — *vragen*, demander son chemin ; *de* — *wijzen*, indiquer le chemin ; *op* —, en route, en chemin ; *op* — *gaan*, se mettre en route ; *het ligt op zijn* — *om*, c'est à lui de ; *mooi op* — *zijn om*, être en voie de ; *uit de* — *l*, place (par là) ; *uit de* — *gaan (voor)*, se ranger (devant), faire place (à) ; *iem. uit de* — *ruimen*, se débarrasser de qn, supprimer qn ; *de moeilijkheden uit de* — *ruimen*, lever toutes les difficultés.

weg *bw* éloigné, parti ; perdu ; — *daar*, place par là ; — *er mee*, enlevez-moi ça ; — *met die hand*, ôtez cette main ; *(fam.)* bas les pattes ; — *met die gedachte*, loin de moi cette pensée ; — *met die minister*, à bas ce ministre ; *ik moet* —, ça n'y est plus ; *ik moet* —, il faut que je m'en aille ; — *hebben van*, tenir de, faire penser à ; *hij is* — *van haar*, il est toqué d'elle.

wegbereider pionnier, précurseur.

weg/bergen enfermer, serrer. ▼—**blazen** enlever en soufflant. ▼—**blijven** manquer, ne pas venir, rester absent ; *dat woord kan* —, on peut supprimer ce mot. ▼—**breken** démolir, enlever. ▼—**brengen** emporter (qc) ; emmener (qn) ; accompagner, reconduire ; *iem. een eindje* —, faire à qn un bout de conduite.

wegcafé café *m* route, *(fam.)* routier *m*.

wegcijferen I *dat is niet weg te cijferen*, cela ne laisse pas d'être vrai. **II zich** — se renoncer ; s'oublier.

wegdek revêtement *m* ; *slecht* —, chaussée *v* déformée.

weg/denken faire abstraction de. ▼—**doen** 1 enlever, ôter ; 2 se défaire de ; 3 serrer. ▼—**dragen** emporter ; *de goedkeuring* —, être approuvé (par) ; *de prijs* —, remporter le prix. ▼—**drijven** I *ov.w* chasser ; enlever. II *on.w (v. wolk)* se dissiper ; aller à la dérive. ▼—**dringen**, —**drukken** repousser, bousculer. ▼—**duiken** plonger ; *(fig.)* se blottir.

wege (van) de la part de ; à cause de.

wegen *ov.w* & *on.w* peser ; *op de hand* —, soupeser ; *zwaar* —, peser lourd.

wegen/aanleg construction *v* des routes. ▼—**belasting** impôt *m* sur la circulation. ▼—**fonds** fonds *m* spécial d'investissement routier. ▼—**informatiedienst** centre *m* national d'information routière. ▼—**kaart** carte *v* routière. ▼—**net** réseau *m* routier.

wegens 1 pour, à cause de, par suite de ; 2 par rapport à ; au sujet de.

wegen/verkeersinformatie *(in Fr.)* Inter-service route *m*. ▼—**wacht** assistance *v* routière automobile, A.R.A. ; *(in Frankrijk telefonisch vragen naar)* Relais Touring Secours ; *(in België)* touring-secours *m*.

weggaan s'en aller, partir ; — *van*, quitter.

weg/gebruikers usagers *m mv* de la route. ▼—**gedeelte** portion *v* de route.

weg/gelopen en fugue ; — *minderjarigen*, mineurs *m mv* en fugue. ▼—**geven** donner, céder. ▼—**goochelen** escamoter. ▼—**gooien** I *ov.w* jeter, mettre au rebut ; *(fig.)* faire. II **zich** — se galvauder. ▼—**graven** déblayer. ▼—**halen** enlever, emporter, emmener. ▼—**jagen** chasser ; congédier. ▼—**klapbaar** escamotable. ▼—**knippen** 1 *(met schaar)* enlever ; 2 *(met vingers)* enlever d'une chiquenaude. ▼—**komen** partir ; l'échapper belle ; *maak dat je wegkomt (fam.)*, fiche-moi le camp. ▼—**krimpen** se rétrécir ; *(fig.)* se tordre. ▼—**kruipen** s'éloigner en rampant ; se cacher.

wegkruising croisement, carrefour *m*,

intersection *v*.

weg/kussen ôter par des baisers. ▼—**kwijnen** languir, se consumer. ▼—**laten** omettre, supprimer, sauter (une phrase) ; *(gram.)* élider. ▼—**lating** omission, suppression, élision ; *(v. woorden)* ellipse *v*. ▼—**leggen** 1 mettre de côté, réserver ; 2 *(opbergen)* ranger, serrer.

wegligging tenue *v* de la route.

weg/leiden emmener, reconduire. ▼—**lopen** 1 s'enfuir, se sauver ; 2 *(v. vloeistof)* s'écouler ; *dat loopt niet weg*, cela ne presse pas ; — *met*, s'engouer de. ▼—**loper** déserteur, fugitif *m*. ▼—**maken** I *ov.w* 1 *(zoek)* égarer ; 2 *(vlek)* ôter, enlever ; 3 *(med.)* endormir, anesthésier. II **zich** — se sauver. ▼—**moffelen** cacher vivement, escamoter. ▼—**nemen** enlever, ôter, prendre ; aplanir (des difficultés) ; *(med.)* enlever ; faire l'amputation de ; *dat neemt niet weg dat*, cela n'empêche pas que. ▼—**neming** enlèvement *m* ; *(med.)* ablation *v* (d'un membre).

wegomlegging déviation ; route *v* déviée.

weg/pesten chasser (qn) à force de méchancetés. ▼—**pikken** chiper. ▼—**pinken** essuyer (furtivement). —**piraat** chauffard *m*. —**raken** 1 se perdre, disparaître ; 2 s'évanouir. ▼—**redeneren** détruire, réduire à néant. —**renner** routier *m*. ▼—**restaurant** restoroute ; routier *m*.

weg/rijden se mettre en route ; démarrer. ▼—**roepen** appeler dehors ; venir chercher. ▼—**roesten** être consumé de la rouille. ▼—**ruimen** déblayer, enlever. ▼—**ruiming** déblaiement, enlèvement *m*. ▼—**schenken** faire cadeau de. ▼—**scheren** I *ov.w* enlever au rasoir. II **zich** — décamper. ▼—**scheuren** déchirer, arracher. ▼—**schoppen** repousser du pied. ▼—**schuilen** *zie* —**kruipen**. ▼—**schuiven** écarter, reculer. ▼—**slepen** remorquer. ▼—**slingeren** jeter loin de soi. ▼—**sluiten** enfermer. ▼—**smelten** fondre, disparaître. ▼—**snijden** retrancher, couper, *(med.)* amputer.

wegsplitsing bifurcation *v*.

weg/spoelen I *ov.w* enlever, ronger. II *on.w* être emporté par l'eau, se détacher. ▼—**springen** se détacher brusquement, s'éloigner en bondissant. ▼—**steken** 1 détacher ; 2 cacher. ▼—**sterven** (se) mourir ; s'éteindre. ▼—**stoppen** cacher, fourrer. ▼—**strijken** faire disparaître ; écarter (les cheveux du front). ▼—**sturen** renvoyer ; expédier. ▼—**teren** se consumer, languir. ▼—**trappen** repousser du pied. ▼—**trekken** I *ov.w* retirer, tirer, éloigner. II *on.w* s'éloigner, partir, déménager, émigrer ; *(v. pijn, wolk)* se dissiper.

wegtunnel tunnel *m* routier.

weg/vagen effacer. ▼—**vallen** tomber ; être supprimé ; *tegen elkaar* —, se compenser ; *het* — *van druk*, la chute de pression. ▼—**vegen** balayer, enlever ; essayer.

weg/verkeer circulation *v* routière. ▼—**versmalling** chaussée *v* rétrécie ; fin *v* de section élargie.

weg/vliegen s'envoler. ▼—**vloeien** s'écouler. ▼—**voeren** emporter (qc) ; emmener (qn) ; déporter ; évacuer. ▼—**voering** enlèvement *m* ; déportation ; évacuation *v*. ▼—**werken** 1 enlever ; 2 faire disparaître ; 3 *(fig.)* éliminer (un facteur) ; supprimer (un obstacle) ; évincer, écarter (qn) ; envoyer (ailleurs) ; *de bal* —, éloigner -, renvoyer le ballon.

weg/werker cantonnier *m*.

wegwerp..... à jeter.

weg/wijs au courant ; — *maken*, mettre au courant ; instruire ; — *worden*, s'orienter. ▼—**wijzer** 1 *(persoon)* guide ; 2 *(paal)* poteau *m* indicateur ; *van* —*s voorzien*, signaliser.

weg/wissen effacer, essuyer. ▼—**wrijven** enlever en frottant. ▼—**zakken** 1 *(v. water)* disparaître peu à peu ; 2 *(ineenzakken)* s'affaisser, céder ; — *in*, s'enfoncer dans ; *in*

de modder —, s'embourber. ▼—**zenden**
1 renvoyer, congédier ; 2 (*verzenden*)
envoyer, expédier. ▼—**zending** renvoi,
congédiement ; envoi *m*, expédition *v*.
▼—**zetten** mettre de côté ; ranger,
serrer. ▼—**zinken** couler, s'enfoncer ; *in de
modder* —, s'enliser.
wei 1 petit lait ; 2 (*bloed*—) sérum *m*.
weide prairie *v*, pré, pâturage *m* ; *de* — *in
sturen*, mettre au vert. ▼—**grond** pâtis *m*.
▼**weiden** I *ov.w* faire paître. II *on.w* paître.
weids I *bn* pompeux, somptueux. II *bw*
pompeusement, somptueusement.
weifel/aar irrésolu, esprit *m* flottant. ▼—**en**
hésiter (à), être indécis ; *hij weifelde even*, il
eut un moment d'hésitation. ▼—**ing**
hésitation, irrésolution *v*.
weiger/en I *ov.w* refuser ;
dat mag ik niet —, ce n'est pas de refus.
II *on.w* refuser ; (*mech.*) s'enrayer ; rater,
cesser de fonctionner. ▼—**ing** refus ; déni *m*
(de justice) ; *een — krijgen*, essuyer un refus ;
bij zijn — blijven, demeurer dans la négative.
weiland *zie* **weide**.
weinig peu ; — *bloemen*, peu de fleurs ; *de
—e bezoekers*, les quelques -, les rares
visiteurs ; *hoe* —, combien peu ; *hoe — ook*,
tant soit peu ; *veel te* —, beaucoup trop peu ;
drie te —, trois en moins ; *er is iem. te* —, il
manque quelqu'un ; *men betekent zo* —, on
est si peu de chose ; —, peu (de gens).
weitas carnier *m* ; gibecière *v*.
wekaminen amines *v mv* de réveil.
wekelijk I *bn* mou, douillet. II *bw* mollement,
douillettement. ▼—**heid** mollesse *v*.
wekelijks I *bn* hebdomadaire, de la semaine.
II *bw* tous les huit jours ; (*per week*) par
semaine.
wek/eling être *m* efféminé. ▼—**en** tremper.
wekk/en réveiller ; (*fig.*) provoquer. ▼—**er**
1 (*persoon*) réveilleur ; 2 (*klok*) réveille-matin
m ; 3 (*geluid*) sonnerie *v*.
wel fontaine, source *v*.
wel *bn & bw* 1 bien ; — *doen*, faire du bien ; —
thuis, bon retour ; *als ik het — heb*, si je ne me
trompe ; *dat mag hem* —, je l'aime bien ; *niet* —
zijn, ne pas être bien ; *alles* —, tout va bien ; *er
— bij varen*, s'en trouver bien ;
2 (*versterkend*) — *neen*, mais non ; *dat mag
men — zeggen*, c'est le cas de le dire ; —
zeker, si fait ; *toch* —, que si ; *vandaag niet*,
maar morgen —, pas aujourd'hui, mais
demain ; *ik* — *!*, moi, si ! moi, oui ! ;
3 (*veronderstellend*) sans doute ; *je zult* —
moe zijn, vous devez être fatigué ; *ik spreek
toch* — *met mijnheer B.?*, c'est bien à
monsieur B. que je parle ? ; 4 (*vragend*)
n'est-ce pas ?, eh ?, quoi ? ; 5 (*uitroepend*)
—*!*, eh bien !, voyons ! ; —, —*!*, tiens, tiens ! ;
waar?, — *in Caen!*, où ?, mais à Caen donc !
wel/bedacht bien avisé, bien trouvé.
▼—**begrepen** bien compris, bien entendu.
▼—**behaaglijk** I *bn* doux. II *bw* béatement.
▼—**behagen** bien-être *m*, satisfaction *v*.
▼—**bekend** (bien) connu, notoire.
▼—**bereid** bien préparé ; *het is hier tafeltje* —,
nous sommes à bouche que veux-tu.
▼—**beschouwd** à vrai dire, au fond.
welbespraakt disert. ▼—**heid** faconde, verve
v.
wel/besteed bien employé ; (*geld*) bien
placé. ▼—**bewust** conscient.
wel/daad bienfait *m* ; bonne action *v*.
▼—**dadig** I *bn* bienfaisant, charitable ;
salutaire. II *bw* charitablement ; de façon
salutaire. ▼—**dadigheid** bienfaisance,
charité *v*. ▼—**dadigheidsfeest** fête *v* de
bienfaisance.
weldenkend bien pensant.
weldoen I *on.w* faire le bien, - la charité.
II *ov.w iem.* —, faire du bien à qn. ▼—**er**
bienfaiteur. ▼—**ster** bienfaitrice.
weldra bientôt ; sous peu ; prochainement ; *hij
zal — komen*, il ne tardera pas à venir.
weledel, —**geboren**, —**geleerd** *enz.* : —*e
heer*, Monsieur. ▼**weleerwaard** révérend ;

—*e*, révérend père.
welgedaan gros et gras ; *er — uitzien*, avoir
bonne mine. ▼—**heid** bonne mine *v*,
embonpoint *m*.
welgemaakt bien fait (de sa personne).
▼—**heid** taille *v* bien prise.
welgemanierd poli, courtois. ▼—**heid**
politesse *v*.
wel/gemeend bien intentionné, sincère.
▼—**gemoed**, —**gemutst** dispos, content.
▼—**geschapen** bien constitué, - conformé ;
viable.
welgesteld aisé, nanti. ▼—**heid** aisance *v*.
welgevall/en I *ov.w* : *zich laten* —, agréer, se
prêter à ; (*v. belediging*) avaler. II *zn*
satisfaction *v* ; *met* —, avec complaisance ;
naar —, à volonté. ▼—**ig** I *bn* agréable. II *bw*
avec bonté, favorablement.
welgevormd bien fait ; bien conformé.
welgezind bien intentionné. ▼—**heid** bonne
intention *v*.
welig I *bn* 1 dru, abondant ; luxuriant ; 2 (*v.
grond*) fertile. II *bw* avec vigueur. ▼—**heid**
1 abondance, luxuriance ; 2 fertilité *v*.
welingelicht bien informé ; *uit — e bron*, de
source certaine.
weliswaar il est vrai.
welk quel ; lequel, laquelle, qui, que ; — *land?*,
quel pays ? ; — *ook*, quel que ; quelque …
que ; quelconque ; *brood en rijst*, —*e
voedingsmiddelen* …, le pain et le riz,
aliments qui …
welkom I *bn* agréable, propice, bienvenu ;
iem. — *heten*, souhaiter la bienvenue à qn ; —
zijn, être le (la, les) bienvenu(e, -s, -es) ; *dat
bericht zal* — *zijn*, cette nouvelle ne sera pas
mal accueillie. II *zn* — *st* bienvenue *v*,
wellen I *on.w* jaillir. II *ov.w* 1 faire revenir ;
faire mitonner ; 2 (*v. ijzer*) braser, souder.
welletjes bien ; *zo is het* —, c'est assez.
wellevend *bn* (& *bw*) poli(ment),
honnête(ment). ▼—**heid** politesse *v*,
savoir-vivre *m*.
wellicht peut-être.
welluidend I *bn* mélodieux, harmonieux.
II *bw* mélodieusement, harmonieusement.
wellust volupté *v*. ▼—**eling** voluptueux.
▼—**ig** I *bn* voluptueux, lascif. II *bw*
voluptueusement, lascivement.
welnemen permission *v* ; *met uw* —, avec
votre permission.
welnu eh bien !, voyons !
weloverwogen bien pesé.
welp 1 lionceau ; 2 ourson ;
3 (*jeugdbeweging*) louveteau *m*.
▼—**enhorde** meute *v*. ▼—**enleider** louvetier
m.
wel/pomp pompe *v* d'eau de source. ▼—**put**
puits *m* d'eau vive.
welriekend odoriférant, parfumé.
welslagen réussite *v*, succès *m*.
welsprekend I *bn* éloquent. II *bw*
éloquemment. ▼—**heid** éloquence *v*.
welstand 1 bien-être *m*, prospérité ; 2 bonne
santé *v* ; *in blakende* —, respirant la santé.
welste : *van je* —, de la belle façon, en règle.
wel/vaart *zie* —**stand** 1. ▼—**varen** I *on.w* se
porter bien, prospérer. II *zn zie* —**stand** 1.
▼—**varend** prospère ; en bonne santé.
▼—**varendheid** *zie* —**stand**.
welven I *ov.w* voûter ; courber. II *zich* — se
voûter.
welverdiend juste, bien mérité.
welversneden bien taillé ; *een — pen
hebben*, avoir une plume exercée.
welving courbure ; voussure *v* ; galbe *m* (de la
poitrine) ; voûte *v*.
welvoeglijk I *bn* convenable, décent. II *bw*
convenablement, décemment. ▼—**heid**
convenance, décence *v*.
welwater eau *v* de source.
welwillend I *bn* bienveillant ; *met —e
medewerking van*, avec le gracieux concours
de. II *bw* avec bienveillance. ▼—**heid**
bienveillance *v*.
welzijn 1 bien-être *m*, prospérité ; 2 santé *v* ;

3 salut *m* ; *algemeen* —, salut public ; *voor uw* —, pour votre bien.
wemel/en fourmiller (de), grouiller (de). ▼—**ing** fourmillement *m*.
wend/en I *ov.w* tourner, faire virer. **II** zich — se tourner ; *zich niet kunnen* — *of keren*, ne pas pouvoir se retourner ; ne savoir à quel saint se vouer ; *zich* — *tot*, s'adresser à. **III** *on.w* tourner, virer. ▼—**ing 1** tour, virement ; **2** (*v. levensweg*) tournant *m* ; **3** (*fig.*) tour *m*, tournure *v*.
Wenen Vienne *v*.
wen/en pleurer ; *hete tranen* —, pleurer à chaudes larmes. ▼—**end I** *bn* en larmes. **II** *bw* en pleurant.
Wener Viennois. ▼**Weens** viennois.
wenk signe (de la tête etc.) ; clin d'œil ; (*fig.*) avertissement, avis *m* ; *iem. een* — *geven om*, faire signe à qn de ; *op zijn* — *en bediend worden*, être servi au doigt et à l'œil. ▼—**brauw** sourcil *m*. ▼—**brauwboog** arcade *v* sourcilière. ▼—**en** faire signe à (qn), avertir.
wennen I *ov.w* habituer (qn à). **II** *on.w* s'habituer (à), se faire (à) ; *je moet eraan* —, il faut s'y faire.
wens désir, souhait, vœu *m*, félicitation *v* ; *naar* —, à souhait ; *mijn beste* —*en*, mes meilleurs vœux ; *toutes mes félicitations*. ▼—**droom** rêve *m* où se manifeste un désir ; utopie *v*. ▼—**elijk** désirable, souhaitable. ▼—**elijkheid** opportunité, utilité *v*. ▼—**en** désirer, souhaiter ; *geluk* —, féliciter ; *te* — *overlaten*, laisser à désirer ; (*in winkel*) wenst u nog iets (*anders*) ?, et avec ça ?
wentel/en I *ov.w* rouler, tourner. **II** zich — se rouler, se tourner. **III** *on.w* tourner, pivoter. ▼—**ing** tour *m*, révolution, rotation *v*. ▼—**sproeier** arroseur *m* à turbine. ▼—**teefje** pain *m* perdu. ▼—**trap** escalier *m* en colimaçon ; escalier en vis.
wereld monde, univers *m* ; *de grote* —, le beau monde, la (haute) société ; *de verkeerde* —, le monde renversé ; *de andere* —, l'au-delà ; *ter* — *brengen*, mettre au monde ; *niets ter* —, rien au monde ; *iets uit de* — *helpen*, en finir avec qc. ▼**wereld...** (*in ss*) mondial, du monde ; universel. ▼—**bank** banque *v* mondiale. ▼—**behoefte** besoin *m* mondial (en cuivre etc.). ▼—**beroemd** d'une réputation mondiale. ▼—**beschouwing** philosophie ; conception *v* de la vie, -de l'espèce humaine dans le monde. ▼—**bol** globe *m*. ▼—**brand** conflagration *v* mondiale. ▼—**burger** citoyen *m* du monde ; *een jonge* —, un nouveau-né. ▼—**congres** congrès *m* mondial. ▼—**deel** partie *v* du monde, continent *m*. ▼—**gebeurtenis** événement *m*. ▼—**geschiedenis** histoire *v* universelle, - du monde. ▼—**gezondheidsorganisatie** organisation *v* mondiale de la santé, O.M.S. ▼—**handel** commerce *m* mondial. ▼—**heerschappij** hégémonie *v* du monde. ▼—**kaart** carte *v* du monde. ▼—**kampioen** champion(ne) *m* (*v*) du monde. ▼—**kampioenschap** championnat *m* mondial. ▼—**kundig** notoire, de notoriété publique ; — *maken*, divulguer, publier. ▼—**lijk** séculier, profane ; temporel ; — *maken*, séculariser. ▼—**macht** puissance *v* mondiale. ▼—**markt** marché *m* mondial. ▼**W**—**natuurfonds** Fonds *m* Mondial pour la Nature. ▼—**oorlog** guerre *v* mondiale. ▼—**postverbond** union *v* postale universelle. ▼—**raad** : — *van kerken*, conseil *m* mondial des Églises. ▼—**record** record *m* mondial. ▼—**ruim** espace *m*.
werelds mondain, du monde ; séculier.
wereld/schokkend bouleversant. ▼—**spelen** jeux *m mv* mondiaux. ▼—**stad** métropole *v*. ▼—**taal** langue *v* universelle. ▼—**tentoonstelling** exposition *v* universelle. ▼—**toneel** scène *v* du monde. ▼—**verbruik** consommation *v* mondiale, -totale. ▼—**verkeer** trafic *m* mondial. ▼—**voedsel-en-landbouworganisatie**

organisation *v* pour l'alimentation et l'agriculture, O.A.A. ▼—**vrede** paix *v* universelle. ▼—**wonder** merveille *v* du monde. ▼—**zee** océan *m*.
weren I *ov.w* repousser, se défendre contre ; empêcher. **II** zich — se défendre ; (*fig.*) s'efforcer, faire son possible.
werf chantier *m* (de construction).
wering défense *v* ; *tot* — *van*, contre, pour combattre.
werk 1 travail, ouvrage *m*, œuvre, besogne *v* ; (*fam.*) boulot *m* ; **2** (*moeilijk*) labeur *m* ; **3** (*school*) devoirs *m mv* ; études *v mv* ; (*examen*) copie *v* ; **4** (*verrichting*) entreprise ; opération *v* ; **5** mécanisme, mouvement *m* (d'une horloge) ; **6** (*geplozen*) étoupe *v* ; *dat is het* — *van een ogenblik*, c'est l'affaire d'un instant ; *aangenomen* —, ouvrage à forfait ; *zijn eerste* — *was*, son premier soin était de ; *goede* —*en*, œuvres *v mv* ; *volledige* —*en*, œuvres *m mv* complètes ; *dat is onbegonnen* —, **1** c'est impossible ; **2** on n'en finira jamais ; *openbare* —*en*, travaux *m mv* publics ; *het schriftelijk werk*, travaux écrits ; *nuttig* — *doen*, faire œuvre utile ; *lang* — *hebben aan*, mettre beaucoup de temps à ; *drie maanden* — *hebben*, en avoir pour trois mois ; — *maken van iets*, s'occuper de qc ; — *maken van een meisje*, être aux petits soins pour une jeune fille ; *hij zal er geen* — *van maken*, il ne portera pas plainte ; *aan het* —!, à l'ouvrage ! ; au boulot ! ; *veel* — *hebben*, (*fam.*) avoir du pain sur la planche ; *veel mensen aan het* — *hebben*, employer beaucoup de monde ; *de hand aan het* — *slaan*, mettre la main à la pâte ; *in het* — *stellen*, mettre en œuvre ; *te* — *gaan*, procéder, opérer, s'y prendre ; *iem. te* — *stellen*, employer qn. ▼**werk/baas 1** maître ; **2** contremaître, chef d'atelier. ▼—**bank** établi-étau *m*. ▼—**bezoek** visite *v* de travail. ▼—**bij** ouvrière *v*. ▼—**blad** plan *m* de travail. ▼—**college** séminaire *m*. ▼—**comité** comité *m* exécutif. ▼—**dadig** actif, efficace. ▼—**dadigheid** activité, efficacité *v*. ▼—**dag 1** jour *m* ouvrable ; **2** (*duur*) journée *v* de travail.
werkelijk I *bn* réel, effectif, actif ; *in* —*e dienst*, en activité de service. **II** *bw* réellement, effectivement. ▼—**heid** réalité, existence *v*. ▼—**heidszin** sens *m* de la réalité.
werkeloos 1 désœuvré, inactif, oisif ; **2** (*v. middel*) inefficace. ▼—**heid 1** désœuvrement *m*, inactivité, oisiveté ; **2** inefficacité *v*.
werk/en I *on.w* **1** travailler ; **2** fonctionner, marcher ; **3** (*uitwerking hebben*) agir, opérer, être efficace ; exercer son influence ; **4** (*v. hout*) gauchir, travailler ; **5** (*gisten*) fermenter ; (*v. deeg*) lever ; (*v. planten*) bourgeonner ; (*v. lading*) glisser ; *zich dood* —, se tuer de travail ; *hard* —, travailler dur ; *de vulkaan werkt*, le volcan est en activité ; *uit* — *gaan*, faire des ménages ; *aan een proefschrift* —, travailler à une thèse ; *er wordt aan gewerkt*, on s'en occupe ; *dat werkt op mijn zenuwen*, cela me porte sur les nerfs ; *op de verbeelding* —, frapper l'imagination ; — *voor een examen*, travailler à un examen ; *voor iem.* —, (*fig.*) se prononcer en faveur de qn. **II** *ov.w* : *iets naar binnen* —, avaler qc. ▼—**end** travaillant ; — *lid*, membre *m* actif, *-e oorzaak*, cause *v* efficiente ; —*e stand*, classe *v* ouvrière. ▼—**er 1** travailleur ; **2** *maatschappelijk* —, assistant *m* social. ▼—**ezel** piocheur *m*. ▼—**gelegenheid** emploi *m* ; *beperkte* —, sous-emploi *m* ; *volledig benutte* —, plein-emploi *m*. ▼—**gelegenheidspolitiek** politique *v* active de l'emploi. ▼—**gemeenschap** communauté *v* de travail. ▼—**gever** employeur, patron ; *de* —*s*, le patronat. ▼—**geversbijdrage** cotisation *v* patronale. ▼—**geversvereniging** syndicat *m* patronal. ▼—**groep** groupe *m* de travail. ▼—**handschoen** gant *m* de travail. ▼—**hoek** coin-travail *m*. ▼—**hout** bois *m* de construction. ▼—**huis 1** atelier *m* ; **2** (*v*.

werkster) maison *v* où l'on fait le ménage.
werking 1 action, opération *v*; **2** (*uit—*) effet, résultat; **3** (*tech.*) fonctionnement *m*; *in — treden*, entrer en vigueur; *in volle —*, en pleine activité; *in — stellen*, mettre en marche; *buiten — stellen*, arrêter; suspendre.
werk/kamer cabinet *m* de travail. ▼**—kamp** camp *m* de travail. ▼**—kapitaal** mise *v* de fonds; fonds *m* de roulement. ▼**—kleren** vêtements *m mv* de travail. ▼**—kracht** capacité *v* de travail, activité *v*; *—en*, bras, ouvriers *m mv*; (la) main d'œuvre. ▼**—kring** occupations *v mv*; emploi *m*; sphère *v* d'activité. ▼**—liedenpensioen** retraite *v* des vieux travailleurs. ▼**—liedenvereniging** syndicat *m* ouvrier. ▼**—loon** salaire *m*, paye *v*; (*v. dienstbode*) gages *m mv*; *kosten aan —*, frais *m mv* de main d'œuvre.
werkloos I *bn* sans travail. **II** *zn* werkloze, sans-travail; chômeur *m*. ▼**—heid** chômage *m*. ▼**—heidsbestrijding** lutte *v* contre le chômage. ▼**—heidsuitkering** allocation *v* de chômage. ▼**—heidsverzekering** assurance *v* chômage. ▼**werkloze** *zie* **werkloos II**.
werk/lunch déjeuner *m* de travail. ▼**—lust** ardeur *v* à travailler. ▼**—man** ouvrier. ▼**—mandje** corbeille *v* à ouvrage. ▼**—manswoning** habitation *v* ouvrière. ▼**—meester** chef d'atelier. ▼**—mier** fourmi *v* ouvrière. ▼**—nemer** employé; salarié *m*; *de —s*, le salariat. ▼**—nemersorganisatie** syndicat *m* professionnel. ▼**—overleg** concertation *v*. ▼**—pak** bleu *m*; combinaison *v*; vêtement *m* de travail. ▼**—plaats** atelier, chantier *m*. ▼**—program** programme *m* de travail. ▼**—rooster** emploi *m* du temps; *glijdend —*, horaire *m* flottant, - flexible, - à la carte. ▼**—schoen** brodequin *m*. ▼**—situatie** condition *v* de travail. ▼**—spoor** chemin *m* de fer à voie étroite; chantier *m* de construction. ▼**—staking** grève *v*. ▼**—ster** femme de ménage; *maatschappelijk —*, assistante *v* sociale. ▼**—student** étudiant-employé. ▼**—stuk 1** pièce, production; **2** (*wisk.*) construction *v*. ▼**—tafel** table *v* de travail; établi; bureau *m*. ▼**—tijd** durée *v* du travail, temps *m* de travail. ▼**—tijdverkorting** réduction *v* d'horaires.
werktuig outil, instrument *m*. ▼**—kunde** mécanique *v*. ▼**—kundige** mécanicien. ▼**—lijk** *bn* (*& bw*) automatique(ment), machinal(ement).
werk/uur heure *v* de travail. ▼**—vergunning** permis *m* de travail. ▼**—verruiming** expansion *v* de l'emploi. ▼**—verschaffing** intégration *v* des chômeurs. ▼**—vlak** plan *m* de travail. ▼**—volk** ouvriers *m mv*. ▼**—vrouw** *zie* **—ster**. ▼**—wijze** méthode *v*, procédé *m*. ▼**—willige** non-gréviste *m & v*.
werkwoord verbe *m*. ▼**—elijk** *bn* (*& bw*) verbal(ement).
werkzaam I *bn* **1** laborieux, actif, agissant; **2** (*werkdadig*) efficace; *— bij*, employé à, attaché à. **II** *bw* laborieusement. ▼**—heid 1** activité, diligence; **2** efficacité *v*; *werkzaamheden*, occupations, opérations *v mv*; travaux *m mv*. ▼**werkzoekende** demandeur *m* d'emploi.
werp/en I *ov.w* jeter, lancer; *in de strijd —*, engager; *een schaduw — op*, projeter son ombre sur; *jongen —*, mettre bas -, faire des petits. **II** *on.w* faire des petits. **III** *zich — op* se jeter sur; s'adonner à (l'étude); *6 ogen —*, amener six points. ▼**—er** lanceur *m* (de). ▼**—hengel** canne *v* à lancer. ▼**—lood** plomb *m* de sonde. ▼**—mes** couteau *m* à lancer. ▼**—schijf** disque *m*. ▼**—spies** javelot, dard *m*. ▼**—tuig** projectile *m*.
wervel 1 vertèbre *v*; **2** (*sluit—*) tourniquet *m*. ▼**—dier** vertébré *m*. ▼**—en** tournoyer. ▼**—kolom** colonne *v* vertébrale. ▼**—storm**, **—wind** cyclone, tourbillon *m*; *als een —*, en trombe.
werv/en recruter, enrôler; (*werklui*) embaucher. ▼**—er** agent recruteur;

embaucheur *m*. ▼**—ing** recrutement; embauchage *m*. ▼**—ingscampagne** campagne *v* de recrutement; (*hand.*) promotion *v*.
wesp guêpe *v*. ▼**—ennest** guêpier *m*.
west I *bn* ouest, à l'ouest. **II** *zn* ouest, occident *m*; *de W—*, Indes *v mv* occidentales. ▼**west...** (*in ss*) ouest; occidental. ▼**—duits** ouest-allemand. ▼**W—-Duitsland** Allemagne *v* de l'Ouest. ▼**—einde** côté *m* ouest, extrémité *v* occidentale. ▼**—elijk I** *bn* (à l'*)* ouest (de), occidental. **II** *bw* vers l'ouest. ▼**—en** ouest, occident, couchant *m*; *in het —*, à l'ouest; *ten — van*, à l'ouest de; *buiten —*, **1** sans connaissance; **2** ivre-mort. ▼**—enwind** vent *m* d'ouest. ▼**—erkim** couchant, horizon *m*. ▼**—erlengte** longitude *v* ouest. ▼**—erling** occidental *m*. ▼**—ers** occidental, d'occident. ▼**W—-Indië** les Indes *v mv* occidentales. ▼**W—-Europese Unie** Union *v* de l'Europe occidentale, U.E.O. ▼**W—-indisch** des Indes occidentales. ▼**—moesson** mousson *v* sud-ouest; *de —*, la saison pluvieuse. ▼**—noord—** ouest-nord-ouest. ▼**—punt** occident *m* vrai. ▼**—zuid—** ouest-sud-ouest.
wet loi *v*; *de — stellen aan*, faire la loi à. ▼**—boek** code *m*; *burgerlijk —*, code civil; *van strafrecht*, code pénal; *— van koophandel*, code de commerce.
weten I *ov.w* savoir; *hij vertrekt morgen noet je —*, vous saurez qu'il partira demain; *dat moet je zelf —*, c'est ton affaire; *het beter willen — dan*, vouloir en remontrer à; *hij wil het niet —*, il s'en cache; *er iets op —*, avoir trouvé un expédient; *er niets meer op —*, être au bout de son latin; *er alles van —*, être fixé; *être payé pour le savoir; *hij wil er niets van —*, il ne veut rien savoir; *zij wil niets van hem —*, elle ne veut pas de lui; *hij weet daar niets van* (*het deert hem niet*), cela ne lui fait rien; *dat weet wat!*, quelle affaire!; *— te ontkomen*, trouver moyen d'échapper; *het te — komen* (*door*), le savoir (par); *men kan nooit —*, on ne sait jamais; *voor zover ik weet*, que je sache. **II** *zn* savoir *m*; *bij mijn —*, que je sache; *buiten — van*, à l'insu de; *naar zijn beste —*, en conscience; le mieux possible; *tegen beter — in*, contre toute évidence. ▼**wetens**: *willens en —*, de propos délibéré.
▼**wetenschap** science *v*; savoir *m*. ▼**—pelijk** *bn* (*& bw*) scientifique(ment). ▼**wetenswaardig** intéressant, curieux. ▼**—heid** chose *v* intéressante.
wetering cours d'eau; canal *m* d'irrigation.
wet/geleerde légiste, jurisconsulte *m*. ▼**—geleerdheid** jurisprudence *v*. ▼**—gevend** législatif. ▼**—gever** législateur. ▼**—geving** législation *v*. ▼**—houder** adjoint (au maire); (*in Neder.*) échevin *m*. ▼**—houderschap** charge *v* d'adjoint. ▼**—sartikel** article *m* de loi. ▼**—sbepaling** disposition *v* légale. ▼**—sontwerp** projet *m* de loi. ▼**—sovertreder** contrevenant; délinquant *m*. ▼**—sovertreding** infraction à la loi, contravention *v*. ▼**—svoorstel** proposition *v* de loi. ▼**—swinkel** bureau *m* privé de renseignements juridiques. ▼**—telijk** *bn* (*& bw*) légal(ement); législatif; *—e maatregel*, mesure *v* législative; *aansprakelijk*, civilement responsable; *—e aansprakelijkheid*, responsabilité *v* civile; *erfdeel*, réserve *v* héréditaire. ▼**—telijkheid** légalité *v*. ▼**—teloos** anarchique, sans système. ▼**—teloosheid** anarchie *v*; défaut *m* de système.
wetten aiguiser, affiler, repasser.
wettig *bn* (*& bw*) légitime(ment); légal(ement); *— huwelijk*, mariage *m* légitime; *— betaalmiddel*, monnaie *v* légale; *— verklaren — te wettigen*, légaliser, valider; *door het gebruik gewettigd*, consacré par l'usage. ▼**—heid** légitimité, légalité; validité *v*. ▼**—ing** légitimation, légalisation *v*.
▼**wettisch** selon la loi, strict; rigoriste.
wev/en tisser. ▼**—er** tisserand; (*in fabriek*)

tisseur *m*. ▼—**erij 1** tissage *m*; **2** (*plaats*) fabrique *v* de tissus; atelier *m* de tissage. ▼—**ersspoel** navette *v*.

wezel belette *v*.

wezen 1 *on.w* être; exister; *wij zijn — dansen*, nous avons été danser; *hij mag er —*, il est un peu là. **II** *zn* **1** être *m*, créature *v*, individu *m*; **2** (*het eigenlijke*) essence *v*, essentiel, fond *m*; **3** (*bestaan*) existence *v*; **4** (*aard*) caractère *m*, nature *v*; **5** (*voorkomen*) air *m*, mine *v*; **6** (*bewustheid*) conscience *v*; *in — laten*, conserver; *in — zijn*, exister; *uit zijn diepste —*, du plus profond de lui. ▼—**heid** entité; individualité; réalité *v*. ▼—**lijk** *bn* (*& bw*) **1** essentiel(lement); **2** réel(lement). ▼—**lijkheid** réalité *v*. ▼—**loos I** *bn* **1** apathique; **2** (*v. schrik*) égaré, hagard; **3** chimérique, vain. **II** *bw* sans expression; — *kijken*, avoir les yeux hagards. ▼—**loosheid** apathie *v*; air *m* égaré; non-existence *v*. ▼—**skenmerk** caractéristique *v*.

whisky whisky *m*. ▼—**soda** whisky *m* soda.

whisten jouer au whist.

wichel/aar(ster) augure, devin *m*; (*devinaresse v.*). ▼—**arij** divination *v*. ▼—**roede** baguette *v* de sourcier. ▼—**roedeloper** baguettisant, sourcier *m*.

wicht 1 (*ge—*) poids *m*; **2** (*kind*) bébé, mioche *m*; *mal —*, petite folle *v*.

wie 1 (*vragend*) qui (est-ce qui)?, qui est-ce que?; **2** (*betr.*) qui, que; (*degene die*) celui qui *enz.*; — *ook*, quiconque, qui que ce soit; (*tel.*) *met —?*, c'est de la part de qui? qui est à l'appareil?

wiebelen chanceler, vaciller; se balancer.

wied/en sarcler; arracher les mauvaises herbes; *het —*, le sarclage. ▼—**er** sarcleur.

wieg berceau *m*; *hij is voor schilder in de — gelegd*, il est né peintre. ▼—**edruk** incunable *m*. ▼—**ekap** capote *v* de berceau. ▼—**ekleed** couverture *v* de berceau. ▼—**elen I** *ov.w* balancer, bercer. **II** *on.w* se balancer, osciller. ▼—**elied** berceuse *v*. ▼—**eling** balancement *m*. ▼—**en** bercer.

wiek aile *v*. ▼—**geklap** battement *m* d'ailes.

wiel 1 roue *v*; **2** (*kolk*) tournant *m*; *iem. in de —en rijden*, contrarier qn; contrecarrer qn. ▼—**as** essieu *m*. ▼—**band** bandage *m*. ▼—**dop** enjoliveur *m*. ▼—**en** tourner, tournoyer. ▼—**erbaan** vélodrome *m*. ▼—**ersport** cyclisme *m*. ▼—**erwedstrijd** course *v* cycliste.

wieling tourbillon; gouffre *m*.

wiel/ophanging suspension *v*. ▼—**rem** frein *m* sur roue. ▼—**renner** coureur *m*. ▼—**rijder**, —**rijdster** cycliste *m & v*. ▼—**rijdersbond** union *v* cycliste.

wier algue *v*, varech, goémon *m*.

wierook encens *m*; — *toezwaaien*, encenser. ▼—**vat** encensoir *m*.

wig(ge) coin *m*; (*mil.*) saillant *m*. ▼—**vormig** cunéiforme.

wij nous; (*fam.*) on; — *soldaten*, nous autres, soldats.

wijbisschop évêque *m* auxiliaire adjoint.

wijd I *bn* ample, large, spacieux; —*er worden*, s'élargir, s'évaser; — *uitzicht*, vaste perspective *v*; — *gat*, grand trou *m*. **II** *bw* largement, loin; — *open*, grand ouvert; — *openen*, ouvrir tout grand; écarquiller (*les yeux*); — *en zijd*, partout. ▼—**beens** les jambes écartées.

wijd/en I *ov.w* **1** consacrer, bénir; **2** (*toe—*) consacrer, vouer; *iem. tot priester —*, ordonner qn prêtre. **II** *zich* — aan consacrer sa vie à, se (dé)vouer à. ▼—**ing 1** consécration; bénédiction; ordination; **2** (*stemming*) onction *v*, recueillement *m*.

wijd/lopig I *bn* ample, circonstancié; (*vervelend*) prolixe. **II** *bw* amplement; prolixement. ▼—**lopigheid** longueur *v*, luxe *m* de détails; prolixité *v*. ▼—**te** largeur; ampleur *v*; — *van de hals*, tour *m* de cou; — *van de rails*, écartement *m* des rails. ▼—**vermaard** célèbre. ▼—**vertakt** étendu, tentaculaire.

---

wijf femme, mégère; *oud —*, vieille *v*; (*fig.*) vieille femme. ▼—**je 1** petite femme; **2** (*v. dieren*) femelle *v* = —**jesdier**.

wijk 1 quartier *m*, section, circonscription *v*; **2** fuite, retraite *v*; **3** canal, fossé *m*; *de — nemen (naar)*, se réfugier (en). ▼—**en 1** céder, fléchir, se retirer; **2** fuir, se réfugier; **3** (*uit de weg*) se ranger; *het gevaar is geweken*, le danger est écarté; — *voor iem.*, céder le pas à qn. ▼—**gebouw** dispensaire; centre (culturel, paroissial *enz.*) *m*. ▼—**plaats** asile, refuge, abri *m*. ▼—**pleegster** infirmière *v* visiteuse. ▼—**verpleging** assistance *v* médicale à domicile.

wijl I *zn* espace de temps, instant *m*; *bij —en*, de temps en temps, par moments. **II** *vgw* parce que.

wijlen feu, défunt; — *de koning*, le défunt roi.

wijn vin; (*pop.*) pinard *m*; *jonge —*, vin nouveau; *oude —*, vin reposé (*of* mûr); *goede — behoeft geen krans*, à bon vin point d'enseigne. ▼—**azijn** vinaigre *m* de vin. ▼—**belasting** impôt *m* sur le vin. ▼—**bereiding** vinification *v*. ▼—**berg** coteau, vignoble *m*. ▼—**bouw** viticulture *v*. ▼—**bouwend** viticole, vinicole. ▼—**bouwer** vigneron, (*groot*) viticulteur *m*. ▼—**fles** bouteille *v* à vin. ▼—**gaard** vigne *v*; vignoble *m*. ▼—**gaardenier** vigneron. ▼—**gaardluis** phylloxéra *m*. ▼—(**gaard**)**rank** sarment, pampre *m*. ▼—**geest** esprit de vin, alcool *m* éthylique. ▼—**glas** verre *m* à vin. ▼—**grog** grog *m* au vin. ▼—**handel** commerce *m* des vins; *een —*, un débit. ▼—**handelaar** négociant en vins. ▼—**huis** débit (de vins), cabaret *m*. ▼—**jaar** millésime *m*; *fles waarop het — vermeld staat*, bouteille *v* millésimée. ▼—**kaart** carte *v* des vins. ▼—**kelder** cave *v* à vin. ▼—**kenner** connaisseur en vins, (*vakman*) dégustateur. ▼—**koper** marchand *m* de vins. ▼—**land** pays *m* vinicole. ▼—**lied** chanson *v* bachique. ▼—**maand** octobre *m*. ▼—**merk** cru *m*; *fijn —*, grand cru. ▼—**offer** libation *v*. ▼—**oogst** vendange *v*. ▼—**pakhuis** chai *m*. ▼—**pers** pressoir *m*. ▼—**perzik** pêche *v* vineuse. ▼—**proefnap** taste-vin *m*. ▼—**proever** *zie* —**kenner**. ▼—**reiziger** placier *m* en vins. ▼—**rood** couleur de vin. ▼—**saus** sauce *v* au vin. ▼—**soep** soupe *v* au vin. ▼—**soort** cru *m*. ▼—**stok** vigne *v*, cep *m* de vigne. ▼—**streek** région *v* viticole. ▼—**ton** tonneau de (à) vin, baril *m*, futaille *v*. ▼—**vervalser** frelateur de vin. ▼—**vervalsing** frelatage *m* de vin. ▼—**vlek** tache *v* de vin; (*med.*) tache *v* de la lie de vin. ▼—**zak** outre *v*.

wijs I *bn* (*& bw*) sage(ment), sensé, prudent; *hij is niet goed —*, il a le cerveau dérangé; *hij zal wel wijzer zijn*, il s'en gardera bien; *wijzer worden*, s'assagir; *ik kan er niet uit — worden*, je n'y comprends rien, j'y perds mon latin. **II** *zn* **1** façon, manière; mode *v*; **2** air *m*; mélodie *v*; *aantonende —*, indicatif *m*; *onbepaalde —*, infinitif *m*; *van de — brengen*, déconcerter, dérouter; *van de — raken*, sortir du ton; (*fig.*) se troubler; *'s lands —, 's lands eer*, autant de pays, autant de coutumes. ▼**wijs/begeerte** philosophie *v*. ▼—**elijk** sage(ment). ▼—**geer** philosophe *m*. ▼—**gerig** *bn* (*& bw*) philosophique(ment). ▼—**heid** sagesse *v*; *de — in pacht hebben*, avoir la science infuse. ▼—**maken** en faire accroire (à qn); *maak dat anderen wijs*, à d'autres; *laten we elkaar niets —*, ne faisons pas les malins; *zichzelf iets —*, se suggérer qc. ▼—**neus** pédant(e) *m* (*v*). ▼—**neuzig** pédant, suffisant. ▼—**vinger** index *m*.

wijten imputer (qc à qn); — *hebben aan*, devoir à; *te — zijn aan*, être dû (due) à.

wijting merlan *m*.

wijwater eau *v* bénite. ▼—**bak(je)** bénitier *m*. ▼—**kwast** goupillon *m*.

wijze 1 façon, manière; **2** (*gram.*) mode *v*; — *van doen*, procédé *m*; *bij — van*, en guise de; *bij — van proef*, à titre d'essai; *bij — van*

aardigheid, histoire de rire; *bij* — *van spreken*, par manière de dire; **3** sage *m*; *de* — *n uit het oosten*, les Rois Mages.
wijzen indiquer, montrer; *iem. de deur* —, mettre qn à la porte; *van de hand* —, rejeter; décliner (une invitation); *vonnis* —, prononcer la sentence; — *op*, signaler, attirer l'attention sur; *alles wijst erop dat*, tout porte à croire que. ▼**wijzer 1** aiguille *v*; (*v. zonnewijzer*) style *m*; **2** (*blad*—) signet *m*; **3** (*v. logaritmen*) caractéristique *v*. ▼—**plaat** cadran *m*.
wijzig/en changer, modifier; —**ing** changement *m*, modification *v*. ▼—**ingsclausule** avenant *m*.
wijzing arrêt *m*, décision *v*.
wikkel/en I enrouler, envelopper; (*fig.*) engager. **II zich** — **in** s'envelopper dans; (*fig.*) s'engager dans. ▼—**ing** enroulement, bobinage *m*. ▼—**rok** jupe *v* portefeuille.
wikken peser, soupeser; — *en wegen*, peser mûrement; *de mens wikt en God beschikt*, l'homme propose et Dieu dispose.
wil volonté *v*; *uiterste* —, dernière volonté *v*, testament *m*; *zijn*— *vrije* arbitre *m*; *zijn goede* — *tonen*, faire acte de bonne volonté; *om Gods* — *wille*, pour l'amour de Dieu; *tegen* — *en dank*, bon gré, mal gré; *iem. ter* — *le zijn*, faire plaisir à qn; *uit vrije* —, de bon gré, volontairement.
wild I *bn* (**& bw**) **1** sauvage(*ment*); *het gaat er* — *aan toe*, ça bouge; **2** (*bloeddorstig*) féroce; **3** (*schuw*) farouche; **4** (*onstuimig*) bruyant (bruyamment), turbulent; emporté; **5** (*v. grond*) inculte, sauvage; **6** (*v. vaart*) libre, non contrôlé; (*v. staking*) non organisé; — *e dieren*, fauves *m mv*, bêtes *v mv* féroces; — *e vlucht*, fuite *v* désordonnée; *in het* — *groeiend*, sauvage; *in het* — *e weg*, au hasard, à l'aventure. **II** *zn* gibier *m*; *rood* —, bêtes *v mv* fauves. ▼—**baan** varenne *v*. ▼—**braad** gibier *m* rôti; venaison *v*. ▼—**dief** braconnier. ▼—**dieverij** braconnage *m*. ▼— *e sauvage m*, sauvagesse *v*. ▼—**ebras** étourdi. ▼—**ernis** désert *m*, brousse *v*. ▼—**heid 1** sauvagerie; **2** turbulence *v*; **3** état *m* inculte. ▼—**leer** (peau *v* de) daim. ▼—**leren** de daim. ▼—**pastei** pâté *m* de venaison. ▼—**stand** population *v* de gibier. ▼—**vreemd** tout à fait inconnu, - étranger.
wilg saule *m*. ▼—**en d'**osier.
willekeur 1 (*eigenzinnigheid*) arbitraire; caprice; **2** bon plaisir *m*, volonté *v*; *naar* —, à volonté; **2** arbitrairement. ▼—**ig** *bn* (**& bw**) **1** arbitraire(*ment*); **2** volontaire; **3** (*een of ander*) quelconque.
willen I *ww* vouloir; *liever* —, aimer mieux, préférer; *hij wil er niet aan*, il n'en veut pas; *wat wilt u van haar?*, que lui voulez-vous?; *ik wil het niet hebben*, **1** (*weigering*) je n'en veux pas; **2** (*verbod*) je ne le veux pas; *ik wil aannemen dat*, j'aime à croire que. **II** *zn : het* —, le vouloir, la volition. ▼**wil/lens** à dessein, exprès; — *en wetens*, de propos délibéré. ▼—**lig 1** de bonne volonté, docile; **2** (*hand.*) (article) demandé; (marché) bien disposé. ▼—**ligheid 1** bonne volonté, docilité *v*; **2** bon débit *m*, bonne disposition *v*. ▼—**loos** apathique, sans volonté; (*med.*) aboulique. ▼—**loosheid** apathie, aboulie *v*. ▼—**sbeschikking** volonté *v*; *uiterste* —, dernières volontés *v mv*, testament *m*. ▼—**skracht** énergie, (force *v* de) volonté *v*. ▼—**suiting** acte *m* de volonté, volition *v*.
wimpel flamme, banderolle *v*.
wimper cil *m*.
wind vent *m*; *hoe is de* — ?, à quoi est le vent?; *de* — *is west*, le vent est à l'ouest; *de* — *mee hebben*, avoir vent arrière; *de* — *tegen hebben*, avoir vent debout; *er de* — *onder hebben*, mener son monde au doigt et à l'œil; *de* — *van voren geven* (*krijgen*), donner (recevoir) un savon; *in de* — *slaan*, négliger; *van de* — *leven*, vivre de l'air du temps; — *en weder dienende*, si le temps le permet.

windas treuil; (*staande*) cabestan *m*.
wind/breker coupe-vent; (*v. auto*) pare-brise; anorak *m*. ▼—**buil** vantard *m*. ▼—**buks** carabine *v* à air comprimé. ▼—**druk** pression *v* du vent. ▼—**ei** œuf *m* hardé; *dat zal je geen* —*eren leggen*, vous n'y perdrez pas.
winden 1 enrouler; **2** (*hijsen*) guinder; *op een klos* —, bobiner; *van een klos* —, dévider; *een doek om de hand* —, envelopper la main d'un linge.
wind/energie énergie *v* éolienne; houille *v* incolore. ▼—**erig 1** où il fait du vent, exposé au vent; **2** (*v. voedsel*) flatueux; **3** (*fig.*) boursouflé; *het is* —, il fait du vent. ▼—**erigheid 1** flatuosité; **2** boursouflure *v*. ▼—**haan** girouette *v*. ▼—**handel** agiotage *m*. ▼—**handelaar** agioteur. ▼—**hoek 1** côté d'où vient le vent; **2** endroit *m* exposé à tous les vents. ▼—**hond** lévrier *m*; levrette *v*. ▼—**hoos** tourbillon *m*.
winding tour, détour; enroulement *m*; (*v. hersens enz.*) circonvolution *v*.
wind/je 1 vent léger, souffle *m*, brise *v*; **2** pet, vent *m*. ▼—**kant** côté *m* du vent. ▼—**kracht** : — *10*, vent *m* de force 10. ▼—**kussen** coussin *m* pneumatique. ▼—**meter** anémomètre *m*. ▼—**molen** moulin *m* à vent. ▼—**motor** éolienne *v*. ▼—**richting** direction *v* du vent. ▼—**roos** rose *v* des vents. ▼—**schade** dégâts *m mv* causés par le vent. ▼—**scherm** paravent; (*in open lucht*) brise-vent; (*v. auto*) pare-brise *m*.
windsel bandage, bande *v* Velpeau; (*luier*) lange, maillot *m*.
wind/snelheid vitesse *v* du vent. ▼—**stil** calme. ▼—**stilte** calme *m*; *volkomen* —, calme *m* plat. ▼—**stoot** coup *m* de vent, bourrasque *v*. ▼—**streek** aire *v* de vent, rumb *m*; *naar de 4 windstreken*, aux quatre points cardinaux. ▼—**surf** planche *v* à voile. ▼—**surfer** véliplanchiste *m/v*. ▼—**tunnel** soufflerie *v* aérodynamique. ▼—**vaan** girouette *v*. ▼—**veer** cirrus *m*. ▼—**vlaag** rafale *v*. ▼—**wijzer** girouette *v*. ▼—**zak** manche *v* à air. ▼—**zijde** côté du vent, lof *m*.
wingerd vigne *v*; *wilde* —, vigne *v* vierge.
winkel 1 boutique *v*, magasin *m*; **2** atelier *m*; *een* — *hebben*, tenir boutique. ▼—**bediende** vendeur *m*, vendeuse *v*. ▼—**centrum** centre *m* commercial. ▼—**en** faire du shopping. ▼—**galerij** galerie *v* marchande. ▼—**goed** marchandises *v mv* en magasin. ▼—**haak 1** équerre *v*; **2** (*scheur*) accroc *m*. ▼—**huis** magasin *m*. ▼—**ier(ster)** boutiquier *m* (-ière *v*). ▼—**juffrouw** demoiselle de magasin, vendeuse *v*. ▼—**kast** vitrine, devanture *v*. ▼—**lade** tiroir-caisse *m*. ▼—**opstand** fonds *m* de boutique. ▼—**prijs** prix *m* de détail, - de magasin. ▼—**raam**, —**ruit** glace; devanture *v*. ▼—**sluiting** clôture *v* des magasins. ▼—**stand** quartier *m* marchand; gens *m mv* de commerce. ▼—**straat** rue *v* commerçante. ▼—**tje** boutique *v*; — *spelen*, jouer à la marchande. ▼—**vereniging** coopérative *v*; magasins *m mv* réunis. ▼—**waren** marchandises *v mv* en magasin; *onverkoopbare* —, *verlegen* —, garde-boutique, rossignol *m*. ▼—**week** semaine *v* réclame. ▼—**zaak** : — *te koop*, fonds *m* de commerce à céder.
winn/aar, —**ares** gagnant *m*, - e *v*. ▼—**en I** *ov.w* gagner; *erts* —, extraire du minerai; *het van iem.* —, l'emporter sur qn; *iem. voor zich* (*zijn zaak*) —, gagner qn (à sa cause); *gewonnen zijn voor*, être acquis à; *zich gewonnen geven*, se rendre. **II** *on.w* gagner (à = *bij*); *terre victorieux*; *met glans* —, l'emporter haut la main; — *bij nadere kennismaking*, gagner à être connu; — *op*, gagner sur; (*jur.*) *het* —, avoir gain de cause. ▼—**ing** culture; extraction *v*.
winst bénéfice, gain, profit *m*; *bruto* —, bénéfice brut; *imaginaire* —, profit estimé; *zuivere* —, bénéfice net; — *maken*, réaliser un bénéfice, - des bénéfices. ▼—**aandeel 1** part *v* de bénéfice, tantième; dividende *m*;

2 *zie* **—bewijs.** ▼**—bejag** amour *m* du lucre.
▼**—belasting** impôt *m* sur les bénéfices ; -
sur les profits illicites. ▼**—berekening** calcul
m du bénéfice. ▼**—bewijs** action *v* de
jouissance. ▼**—cijfer** montant *m* (du
bénéfice.) ▼**—delend** participant aux
bénéfices. ▼**—deling** intéressement *m* des
travailleurs aux bénéfices ; participation *v*
(contractuelle) aux bénéfices. ▼**—derving**
manque *m* à gagner, perte *v*.
▼**—-en-verliesrekening** compte *m* de
profits et pertes. ▼**—gevend** lucratif,
profitable. ▼**—marge** marge *v* bénéficiaire.
▼**—neming** prise-, réalisation *v* de bénéfices.
▼**—saldo** solde *m* bénéficiaire. ▼**—uitkering**
paiement *m* -, distribution *v* de bénéfice.
▼**—verdeling** répartition *v* du bénéfice.

winter 1 hiver *m* ; 2 (*v. hand of voet*)
engelures *v mv* ; *des* —s, en hiver ; *in het hartje
van de* —, au plus dur de l'hiver. ▼**—achtig**
d'hiver ; comme en hiver. ▼**—avond** soirée *v*
d'hiver. ▼**—band** mant *m* anti-neige.
▼**—bloem** fleur *v* hivernale. ▼**—dag** journée
v d'hiver. ▼**—dienst** service *m* d'hiver.
▼**—en** : *het wintert*, on sent déjà l'hiver.
▼**—goed** vêtements *m mv* d'hiver.
▼**—handen** engelures *v mv* aux mains.
▼**—jas** pardessus *m* d'hiver. ▼**—koninkje**
roitelet *m*. ▼**—koren** blé *m* d'hiver. ▼**—kost**
mets *m* d'hiver. ▼**—landschap** paysage *m*
d'hiver. ▼**—maand** mois *m* d'hiver. ▼**—s**
d'hiver, hivernal. ▼**—slaap** sommeil *m*
d'hiver ; hibernation *v* ; — *houden*, hiberner.
▼**—sport** sports *m mv* d'hiver.
▼**—sportcentrum** station *v* de sports
d'hiver. ▼**—tenen** engelures *v mv* aux orteils.
▼**—tijd** 1 saison *v* d'hiver ; 2 heure *v* d'hiver.
▼**—trek** migration *v* d'hiver. ▼**—verblijf**
séjour *m* d'hiver. ▼**—vermaak** plaisir(s) *m
mv* de l'hiver. ▼**—voeten** engelures *v mv* aux
pieds. ▼**—zonnestilstand** solstice *m* d'hiver.

wip 1 (*v. brug en het* —*pen*) bascule ; 2 (*v.
kinderen*) balançoire *v* ; 3 (*fig.*) bond, saut ;
clin d'œil, instant *m* ; *in een* —, en un
tournemain ; *op de* — *zitten*, 1 être l'arbitre de
la situation ; 2 être menacé de licenciement.
▼**—brug** pont-levis *m*. ▼**—neus** nez *m*
retroussé. ▼**—pen** I *on.w* se balancer, faire la
bascule ; *met zijn stoel* —, se balancer sur sa
chaise ; *over iets heen* —, franchir lestement
qc. II *ov.w* 1 balancer ; 2 (*fig.*) faire sauter
(qn). ▼**—plank** balançoire *v*. ▼**—stoel**
chaise *v* à bascule ; *op de* — *zitten*, n'avoir
rien de fixe.

wis I *bn* (& *bw*) certain(ement), sûr(ement) ;
— *en zeker*, sûr et certain. II *zn* 1 (*bundel*)
poignée, botte *v* ; 2 (*band*) lien d'osier ;
3 (*stro*—) bouchon (de paille) ; 4 (*vaatdoek*)
torchon *m*.

wiskund/e mathématiques, math(s) *v mv* ;
wis- en natuurkunde, sciences *v mv*
physiques et mathématiques. ▼**—eleraar**
professeur de mathématiques. ▼**—ig** *bn* (&
bw) mathématique(ment). ▼**—ige**
mathématicien(ne) *m*(*v*).

wispelturig I *bn* capricieux. II *bw*
capricieusement. ▼**—heid** inconstance *v*.

wissel 1 (—*brief*) lettre *v* de change ; (*v. wie
hem trekt*) traite ; (*v. wie hem krijgt*) remise *v* ;
2 (—*koers*) change *m* ; 3 (*v. spoor*) aiguille *v* ;
4 (*verandering*) changement *m* ; *een* —
trekken op de toekomst, spéculer sur l'avenir ;
een — *trekken op iem.*, tirer sur qn. ▼**—aar**
changeur *m*. ▼**—advies** avis *m* de traite.
▼**—agent** courtier. ▼**—baar** négociable.
▼**—bank** I banque *v* d'escompte ; 2 bureau *m*
de change. ▼**—beker** coupe *v* de challenge ;
houder van —, challengeur *m*. ▼**—bord**
commutateur *m*. ▼**—bouw** assolement *m*.
▼**—en** I *ov.w* 1 échanger (des lettres etc.) ;
changer (de place) ; 2 (*geld*) changer ; *een
gulden* —, donner la monnaie d'un florin.
II *on.w* 1 changer ; 2 (*v. kind*) changer les
dents ; 3 (*v. trein*) être aiguillé sur une autre
voie ; *hij kan niet* —, *hij heeft geen klein geld*,
il ne peut vous rendre, il n'a pas de (petite)

monnaie. III *zn* 1 change *m* ; 2 dentition *v*.
▼**—end** changeant ; instable. ▼**—geld**
(petite) monnaie *v*. ▼**—handel** commerce *m*
des devises. ▼**—ing** 1 (*ruil*) échange ; 2 (*v.
geld*) change ; 3 (*fig.*) changement *m*,
variation *v*. ▼**—kantoor** bureau *m* de change.
▼**—koers** cours *m* du change. ▼**—loper**
garçon de recettes. ▼**—makelaar** courtier *m*.
▼**—markt** marché *m* des changes.
▼**—nemer** preneur d'un effet, bénéficiaire *m*.
▼**—prijs** (*sp.*) prix *m* de challenge. ▼**—recht**
droit *m* de change. ▼**—rijmen** rimes *v mv*
croisées. ▼**—ruiterij** émission *v* de billets de
complaisance. ▼**—spoor** voie *v* d'évitement,
- de garage. ▼**—stand** position *v* des
aiguilles ; *verkeerde* —, faux aiguillage *m*.
▼**—standaard** étalon *m* de change (or).
▼**—stroom** courant *m* alternatif. ▼**—tand**
1 dent de lait ; 2 nouvelle dent *v*. ▼**—vallig**
aléatoire, changeant ; *de krijgskans is* —, les
armes sont journalières. ▼**—valligheid**
instabilité *v* ; vicissitudes *v mv*. ▼**—wachter**
aiguilleur *m*. ▼**—wachtershuisje** cabine *v*.
▼**—werking** interaction *v*.

wiss/en essuyer, torcher ; (*mil.*)
écouvillonner ; (*uit*—) effacer. ▼**—er** brosse
v ; (*ruite*—) essuie-glace *m*.

wissewasje bagatelle *v*, rien *m*.

wit I *bn* blanc, blanche ; *W*—*te Donderdag*,
Jeudi *m* Saint ; *magazijn van* —*te goederen*,
magasin *m* de blanc ; — *maken*, blanchir.
II *zn* 1 blanc *m*, couleur *v* blanche ; 2 (*doel*)
but *m* ; 3 (*spel*) les blancs *m mv* ; *in het* —
gekleed, habillé de blanc. ▼**—bestoven**
enfariné, poudré à blanc. ▼**—bloemig** à
fleurs blanches. ▼**—bont** blanc tacheté, pie.
▼**—gedast** cravaté de blanc.
▼**—gepleisterd** blanchi à la chaux.
▼**—gepoederd** poudré à blanc.
▼**—gloeiend** chauffé à blanc. ▼**—goed**
blanc *m*. ▼**—goud** platine *m*. ▼**—harig** à
poils -, à cheveux blancs. ▼**—hout** bois *m*
blanc. ▼**—kalk** badigeon *m*. ▼**—kar** chariot *m*
à bagages. ▼**—kiel** porteur, commissionnaire.
▼**—kwast** pinceau *m* à badigeon. ▼**—lof**
endive *v*. ▼**—metaal** métal *m* blanc. ▼**—sel**
chaux *v* à blanchir. ▼**—tebrood** pain *m*
blanc. ▼**—tebroodsweken** lune *v* de miel.
▼**—tekool** chou *m* blanc. ▼**—ten** I *ov.w*
badigeonner ; blanchir à la chaux. II *zn*
badigeonnage *m* au lait de chaux. ▼**—ter**
plâtrier *m*.

wodka wodka *m*.

woed/e fureur, rage *v*. ▼**—en** I *on.w* sévir,
faire rage ; — *in*, ravager. II *zn* : *het* —, la
fureur. ▼**—end** I *bn* furieux, enragé ; —
maken, faire enrager ; — *worden*, entrer en
fureur, - en colère ; — *zijn*, enrager. II *bw*
furieusement.

woeker usure *v* ; — *drijven*, prêter à usure.
▼**—aar(ster)** usurier *m* (-ière *v*). ▼**—achtig**
bn (& *bw*) usuraire(ment). ▼**—en** 1 prêter à
usure ; 2 se multiplier rapidement, pulluler ; —
met, faire valoir ; mettre à profit ; *zich rijk* —,
s'enrichir par l'usure. ▼**—ing** végétations *v
mv* ; prolifération *v* (microbienne). ▼**—plant**
plante *v* parasite. ▼**—rente** taux *m* usuraire.

woel/en I *on.w* 1 s'agiter, remuer ; 2 fouiller ;
in bed —, se tourner et se retourner. II *ov.w* :
gaten — *in*, creuser. ▼**—geest** esprit
remuant, agitateur *m*. ▼**—ig** agité, remuant,
turbulent ; mouvementé ; —*e menigte*, foule *v*
houleuse. ▼**—igheid** agitation ; turbulence *v*.
▼**—ing** agitation *v* ; —*en*, troubles *m mv*.
▼**—water** enfant turbulent, remuant.
▼**—ziek** 1 remuant, turbulent ; 2 (*oproerig*)
séditieux.

woensdag mercredi *m*. ▼**—s** I *bn* du mercredi.
II *bw* le mercredi.

woerd canard *m* (mâle).

woest I *bn* 1 (*wild*) barbare, farouche,
sauvage ; —*e zee*, mer *v* démontée. II *bw*
sauvagement. ▼**—eling** barbare *m* ; brute *v*
sauvage. ▼**—enij** désert *m*. ▼**—heid**
1 férocité, sauvagerie *v* ; 2 état *m* inculte, -
sauvage.

woestijn désert m, solitude v. ▼—achtig désertique. ▼—put point m d'eau.

wol 1 laine v; 2 (plk.) coton, duvet m; door de — geverfd, roué, achevé; onder de — kruipen, se glisser sous les couvertures. ▼—achtig laineux. ▼—beest bête v à laine. ▼—bereiding industrie v lainière. ▼—dragend lanigère, lanifère.

wolf 1 loup m; 2 (in tand) carie v; jonge —, louveteau m; honger als een —, faim v de loup.

wol/fabriek fabrique v de laine. ▼—fabrikant lainier.

wolfra(a)m tungstène, wolfram m. ▼—staal acier m au tungstène.

wolfs/hond chien-loup m. ▼—klem chausse-trape v.

Wolga Volga m.

wol/handel commerce m des laines. ▼—handelaar lainier, marchand m de laine. ▼—handkrab crabe m aux mains velues. ▼—industrie industrie v lainière.

wolk nuage m; nue v; een — van sprinkhanen, une nuée de sauterelles; in de —en zijn, être ravi, - au comble de la joie; er uitzien als een —, se porter comme un charme. ▼—achtig nuageux.

wolkam peigne m de cardeur.

wolk/breuk pluie v torrentielle. ▼—eloos sans nuages, serein. ▼—enbank panne v de nuages. ▼—endak tapis m de nuages. ▼—enhemel ciel m nuageux. ▼—enkrabber gratte-ciel m.

wol/lende laine; — goederen, bonneterie v; — kleren, — stoffen, lainages m mv. ▼—letje lainage; tricot m; (mil.) couverture v (de laine). ▼—markt marché m des laines. ▼—schaar forces v mv. ▼—spinner fileur m de laine. ▼—spinnerij filature v de laine. ▼—vee bêtes v mv à laine.

wolve/jacht chasse v au loup. ▼—jager louvetier m.

wolverver teinturier m en laine. ▼—ij teinturerie v de laine.

wolvin louve v.

wol/werker lainier m. v. — wever tisserand m en laine. ▼—zak balle v, - sac m de laine.

wond I bn blessé; (fig.) sensible. II zn blessure, (groot) plaie v. ▼—behandeling pansement m. ▼—en blesser.

wonder 1 (bovennatuurlijk) miracle m; 2 (buitengewoon) merveille v; (verbazend) prodige m; —en doen, opérer des miracles, faire merveille; het Is een — dat, c'est miracle que (met subj.); — boven —!, grande merveille!; het is geen — dat, ce n'est pas étonnant que. ▼—baar(lijk) I bn miraculeux, merveilleux, prodigieux. II bw miraculeusement, merveilleusement, prodigieusement. ▼—beeld image -, statue v miraculeuse. ▼—dadig I bn miraculeux. II bw miraculeusement. ▼—dier phénomène m. ▼—doend miraculeux. ▼—doener thaumaturge m. ▼—dokter guérisseur m. ▼—groot prodigieux, énorme. ▼—kind (enfant) prodige m. ▼—lijk 1 zie —baar; 2: I bn bizarre, singulier. II bw singulièrement. ▼—lijkheid bizarrerie, singularité v. ▼—macht pouvoir m miraculeux. ▼—middel panacée v. ▼—olie huile v de ricin. ▼—schoon beau comme le jour, admirable. ▼—spreuk paradoxe m. ▼—teken signe m. ▼—vol prodigieux. ▼—wel à merveille. ▼—werk zie wonder.

wond/heelkunde chirurgie v. ▼—koorts fièvre v traumatique. ▼—pleister sparadrap m. ▼—poeder poudre v vulnéraire. ▼—roos érysipèle m. ▼—teken stygmate m.

wonen demeurer, habiter, loger; op kamers —, être logé en garni. ▼woning demeure, habitation, maison v, logement; (jur.) domicile m; (deel v. huis) appartement m; zijn — betrekken, emménager. ▼—bouw construction v d'habitations. ▼—bureau agence v immobilière. ▼—inrichting installation v. ▼—nood crise v du logement.

▼—ruil échange m d'appartements. ▼—tekort pénurie v de logement. ▼—wet loi v sur le logement. ▼—zoekenden candidats-locataires; candidats-acheteurs m mv. ▼woon/achtig demeurant (à), domicilié (à). ▼—gelegenheid habitat m. ▼—huis maison v d'habitation. ▼—kamer salle v de séjour, living-room m. ▼—kazerne caserne v. ▼—keuken cuisine-séjour v. ▼—plaats domicile m; zonder vaste woon- of verblijfplaats, sans domicile ni résidence fixe. ▼—schip bateau-maison m. ▼—wagen roulotte; caravane v. ▼—wagenbewoner nomade, forain m. ▼—wijk quartier m d'habitations; ensemble m résidentiel.

woord 1 mot m; (in zin) parole; 2 (uitdrukking) expression v, terme m; 3 (belofte) parole, promesse v; 4 (wacht—) mot m d'ordre; het W— is vlees geworden, le Verbe s'est fait chair; geen — meer, pas un mot de plus; zijn — breken, manquer à sa parole; het — doen, s'exprimer; s'acquitter de sa commission; een goed — doen voor, dire un mot en faveur de; —en krijgen, se prendre de querelle; iem. het — ontnemen, retirer la parole à qn; het hoogste — voeren, tenir le dé dans la conversation; geen — zeggen, ne souffler mot; aan het — zijn, avoir la parole; in één —, bref; met andere —en, en d'autres termes; onder —en brengen, exprimer; iem. te — staan, écouter qn, — voor —, mot à mot; —en wekken, voorbeelden trekken, bon exemple vaut une leçon. ▼woord/accent accent m tonique, - syllabique. ▼—afleiding étymologie v. ▼—blind dyslexique. ▼—blindheid dyslexie v. ▼—breuk manquement m de parole. ▼—elijk I bn littéral, textuel. II bw littéralement, mot à mot; (citer) textuellement; — opnemen, prendre au pied de la lettre. ▼woorden/arm: —e taal, langue v pauvre. ▼—boek dictionnaire m. ▼—kennis connaissance v de mots. ▼—keus choix m de mots. ▼—lijst vocabulaire, lexique m. ▼—raadsel charade v, logogriphe m. ▼—rijk éloquent, (v. taal) riche. ▼—schat trésor de mots; vocabulaire m. ▼—spel jeu m de mots. ▼—twist discussion, dispute v. ▼—stroom flux m de paroles. ▼—wisseling discussion, altercation v. ▼—zifter puriste; chicaneur m. ▼woord/figuur trope m. ▼—gebruik usage m. ▼—geheugen mémoire v verbale. ▼—kunst prose v d'art. ▼—omzetting inversion v. ▼—ontleding analyse v grammaticale. ▼—register index m alphabétique. ▼—schikking construction, syntaxe v. ▼—soort partie v du discours. ▼—speling calembour m. ▼—verdraaiing fausse interprétation v. ▼—verklaring définition v nominale. ▼—voerder porte-parole m. ▼—vorming formation des mots; morphologie v.

worden 1 devenir; se faire (soldat); passer (caporal), se mettre (en colère); tomber (malade); 2 (ontstaan) naître, devenir, se former; 3 (hulppww) être; hij wordt bedreigd, il est menacé; erger —, empirer; er wordt gebeld, on sonne; dat wordt niet gezegd, cela ne se dit pas; het begint warm te —, il commence à faire chaud; hij moet soldaat —, il doit être soldat; hij is maar dertig geworden, il n'a vécu que trente ans; anders —, changer; hij wordt morgen 10 jaar, demain il aura 10 ans; het wordt morgen 14 dagen, demain il y aura quinze jours (que); wat zal er van hen —?, que deviendront-ils? ▼word/end naissant, en voie de formation. ▼—ing genèse, naissance, formation v; in —, naissant, en voie de formation. ▼—ingsgeschiedenis genèse v. ▼—ingsproces évolution v.

worg/en étrangler. ▼—er étrangleur m. ▼—ing étranglement m, strangulation v.

worm ver m; —pje, vermisseau m. ▼—(acht)ig 1 vermiculaire; 2 vermoulu. ▼—koekje pastille v vermifuge. ▼—middel

vermifuge *m*. ▼—**stekig 1** piqué des vers ;
2 (*v. vrucht*) véreux ; (*v. hout*) vermoulu.
▼—**stekigheid** vermoulure *v*. ▼—**ziekte**
anémie *v* vermineuse.
worp 1 jet ; coup *m* (de dés etc.) ; **2** lancer *m* ;
vrije —, lancer franc ; **3** (*jonge dieren*) portée
v.
worst 1 (*dikke*) saucisson *m* ; **2** (*dunne*)
saucisse *v* ; **3** (*bloed*—) boudin *m* ;
4 (*varkens*—) andouille *v*.
worstel/aar lutteur *m*. ▼—**en** lutter (avec qn ;
contre qc). ▼—**ing** lutte *v*. ▼—**perk** arène,
lice *v*. ▼—**wedstrijd** match *m* de catch.
worst/epen brochette *v*. ▼—**je** andouillette *v*.
▼—**velletje** peau *v* d'andouille.
▼—**vergiftiging** botulisme *m*. ▼—**vlees**
charcuterie *v*.
wortel 1 racine ; **2** (*groente*) carotte *v* ; —*s*
krijgen, pousser des racines ; — *schieten*,
prendre racine ; (*fig*.) s'enraciner ; *met* —
tak uitroeien, extirper jusqu'à la racine. ▼—**en**
I *on.w* prendre racine ; (*fig*.) être enraciné.
II *zich* — s'enraciner. ▼—**grootheid** radical
m. ▼—**stok** rhizome *m*. ▼—**tafel** table *v* des
racines. ▼—**teken** signe *m* radical.
▼—**trekken**, —**trekking** extraction *v* de la
racine. ▼—**vorm** radical *m*.
woud forêt *v* ; *van het* —, forestier. ▼—**duif**
ramier *m*. ▼—**god** faune, sylvain *m*.
▼—**godin** dryade *v*. ▼—**landschap** paysage
m sylvestre. ▼—**loper** coureur des bois.
▼—**steden**: *Vier—meer*, Lac *m* des
Quatre-Cantons.
would-be prétendu, soi-disant.
wouw 1 milan ; **2** réséda *m*.
wraak 1 vengeance *v* ; **2** représailles *v mv*,
revanche *v* ; — *nemen over*, tirer vengeance
de. ▼—**baar** récusable. ▼—**gierig** vindicatif.
▼—**gierigheid** soif *v* de vengeance.
▼—**godin** déesse vengeresse ; furie *v*.
▼—**neming**, —**oefening** vengeance *v*.
▼—**zucht** désir *m* de vengeance. ▼—**zuchtig**
zie —**gierig**.
wrak I *bn* **1** défectueux, délabré, (navire)
désemparé ; **2** (*v. waren*) de rebut. **II** *zn* débris
m, épave *v*.
wraken blâmer (la conduite de qn) ; récuser
(un témoin) ; dévier.
wrak/goederen marchandises de rebut ;
épaves *v mv*. ▼—**heid** délabrement, mauvais
état *m*. ▼—**hout**, —**stuk** épave *v*.
wraking 1 récusation ; **2** déviation *v*.
wrang âcre, âpre, acerbe, aigre ; (*fig*.) amer ;
—*e wijn*, vin *m* rude, - rêche. ▼—**heid** âcreté,
âpreté, acerbité, aigreur *v*.
wrat verrue *v*.
wreed *bn* (& *bw*) cruel(lement),
féroce(ment). ▼—**aard** cruel. ▼—**aardig** *zie*
wreed. ▼—(**aardig**)**heid** cruauté, férocité *v*.
wreef cou-de-pied *m*.
wreekster vengeresse. ▼**wrek/en 1** *ov.w*
venger (qn *of* qc), tirer vengeance de. **II** *zich*
— se venger (sur qn de qc). ▼—**end**, —**er**
vengeur.
wrevel aigreur *v*, dépit *m*. ▼—**ig I** *bn* dépité.
II *bw* avec dépit.
wriemel/en 1 (*jeuken*) chatouiller ;
2 (*krioelen*) fourmiller. ▼—**ing**
chatouillement ; fourmillement *m*.
wrijf/borstel, —**doek** frottoir *m*. ▼—**hout**
astic *m* ; (*mar*.) défense *v*. ▼—**paal** pieu à
frotter ; (*fig*.) souffre-douleur *m*. ▼—**steen**
pierre à broyer, pile ; molette *v* (de peintre).
▼—**was** encaustique *v*. ▼**wrijven 1** frotter ;
(*v. lichaamsdelen ook* :) frictionner ; **2** (*fijn*—)
broyer, pulvériser ; **3** (*glad*—) polir ; *zich* (*in*)
de handen —, se frotter les mains. ▼**wrijving**
1 frottement ; frictionnement *m*, friction *v* ;
2 (*tech*.) frottement *m* ; **3** (*fig*.) friction *v*,
désaccord *m*. ▼—**selektriciteit** électricité *v*
par frottement. ▼—**spunt** point *m* de friction.
▼—**svlak** surface *v* de frottement.
wrik/ken 1 remuer, faire vaciller ; **2** (*mar*.)
godiller. ▼—**riem** godille *v*.
wring/en I *ov.w* **1** tordre ; **2** presser (le
fromage) ; **3** (*knellen*) blesser, serrer ; *uit de*

handen —, arracher des mains ; *ieder weet*
waar de schoen hem wringt, chacun sait où le
bât le blesse. **II** *zich* — se tordre ; *zich in*
allerlei bochten —, tortiller. **III** *on.w* frotter.
▼—**er** essoreuse *v*. ▼—**ing** torsion *v*.
wroeging remords *m*.
wroeten (*far*)fouiller ; creuser (le sol) ; (*fig*.)
peiner, trimer.
wrok rancune *v*, ressentiment *m* ; *een* — *tegen*
iem. hebben, avoir une dent contre qn.
▼—**ken** bouder (contre qn), garder rancune à
qn. ▼—**kig** rancunier.
wrong 1 (*haar*—) torsade *v*, chignon *m*.
wrongel caillé *m*, caillebotte *v*.
wuft I *bn* léger ; versatile, inconstant. **II** *bw*
légèrement. ▼—**heid** légèreté ; versatilité *v*.
wuiven agiter en l'air, faire signe (de la main
etc.), saluer.
wulps I *bn* lascif, voluptueux. **II** *bw*
lascivement, voluptueusement. ▼—**heid**
lasciveté *v*.
wurgen étrangler.
wurm *zie* **worm** ; *dat arme* — !, le pauvre
petit ! ▼—**en** se tordre comme un ver ; (*fig*.)
turbiner, trimer.

X x *m.*
x-benen jambes *v mv* cagneuses.
x-stralen rayons *m mv* X, rayons Roentgen.
xylofoon xylophone *m.*

Y y *m* (i grec).
yacht yacht *m.* ▼—**club** cercle *m* nautique.
yoghurt yogourt, yaourt *m.*
ypsilon y, i grec, upsilon *m.*

Z z *m.*

zaad 1 (*algem.*) semence ; **2** (*v. plant*) graine
v ; **3** (*v. dier*) sperme *m* ; **4** (*in grond*) semailles
v mv ; **5** (*fig.*) germe *m* ; semence ; postérité *v* ;
op zwart — zitten, être à sec. ▼—**bakje** auget
m. ▼—**handel** commerce *m* des graines,
graineterie *v.* ▼—**handelaar** grainetier *m.*
▼—**huisje,** —**hulsel** capsule, enveloppe *v*
séminale. ▼—**kiem** germe *m.* ▼—**korrel** grain
m ; graine *v.* ▼—**lob** cotylédon *m.* ▼—**olie**
huile *v* de colza. ▼—**oogst** récolte *v* des
graines.
zaag scie *v.* ▼—**beugel** porte-scie *m* ; monture
v de scie. ▼—**blad** lame *v* de scie.
▼—**machine** scie *v* mécanique. ▼—**meel**
sciure *v.* ▼—**molen** scierie *v.* ▼—**sel** sciure *v.*
▼—**snede** trait *m* de scie. ▼—**swijs** en dents
de scie. ▼—**tand** dent *v* de scie. ▼—**vis**
poisson-scie *m.* ▼—**vormig** en dents de scie ;
—e gebroken lijn, ligne *v* brisée en dents de
scie.
zaai/baar propre à être semé. ▼—**bed** semis
m. ▼—**bloem** fleur *v* annuelle. ▼—**en** semer ;
dun gezaaid, clairsemé. ▼—**er** semeur *m.*
▼—**goed** semence *v* ; semailles *v mv.* ▼—**ing**
semailles *v mv.* ▼—**graan** blé *m* de semence.
▼—**land** champ *m* ensemencé. ▼—**machine**
semoir *m.* ▼—**plant** plante *v* annuelle.
▼—**sel,** —**tijd** semailles *v mv.*
zaak 1 (*ding*) chose *v*, objet *m* ; **2** (*hand.*)
affaire *v*, commerce, fonds *m* (de commerce) ;
3 (*aangelegenheid*) affaire, chose ; **4** (*jur.*)
cause, affaire *v*, procès *m* ; *Binnenlandse
Zaken*, l'Intérieur *m* ; *Buitenlandse Zaken*, les
Affaires Étrangères ; *de goede —*, la bonne
cause ; *de — is dat*, le fait est que ; *het is —*, il
est important ; *dat is zijn —*, cela le regarde ;
niet veel —s, pas grand'chose, pas fameux ;
een — opzetten, monter une affaire ; *zaken
doe met*, être en relation d'affaires avec ;
gemene — maken met, faire cause commune
avec ; *bij een — betrokken zijn*, être mêlé à
une affaire ; *in zake . . .*, en matière de . . . ; *ter
zake*, au fait ; *dat doet niets ter zake*, cela ne
fait rien à l'affaire ; *tot de — komen*, (en) venir
au fait. ▼**zaak/bezorger** agent *m* d'affaires.
▼—**geheugen** mémoire *v* des faits.
▼—**gelastigde** chargé d'affaires,
plénipotentiaire *m.* ▼—**je** (petite) affaire *v* ;
het hele —, tout le bazar ; *zijn —s kennen*,
posséder la matière. ▼—**kennis** connaissance
spéciale, entente *v* des affaires ; *met —*, en
connaissance de cause. ▼—**kundig(e)**
expert (*m*). ▼—**register** répertoire *m*, table *v*
(alphabétique) des matières. ▼—**rijk** nourri
de faits. ▼—**waarnemer** agent *m* d'affaires.
zaal salle *v.* ▼—**chef** chef de salle. ▼—**dienst**
service *m* de salle ; *— hebben*, être de salle.
▼—**huur** location *v.* ▼—**sport** sport *m* en
salle.
zabbelen sucoter.
zacht I *bn* **1** doux, tendre ; (*mollig*) moelleux ;
lekker —, mollet ; douillet ; **2** (*v. kleur*) tendre ;
3 (*buigzaam*) souple ; **4** (*bescheiden*) discret ;
— bed, lit *m* mou ; *het geluid — er zetten*,
baisser le volume du son ; *— brood*, pain *m*
tendre ; *— ei*, œuf *m* mollet, - à la coque ; *—
karakter*, caractère *m* doux ; *— potlood*,

crayon *m* tendre ; *— tapijt*, tapis *m* moelleux ;
— vuurtje, petit feu *m* ; *—e warmte*, chaleur *v*
tempérée ; *— maken*, adoucir, ramollir. **II** *bw*
doucement, avec douceur ; mollement ; *—
aanvoelen*, être doux au toucher ; *—
behandelen*, ménager ; *— spreken*, parler bas ;
—er spreken, parler plus bas, baisser la voix ;
de radio —er zetten, baisser le poste.
▼**zacht/aardig I** *bn* doux (douce), bénin
(bénigne). **II** *bw* avec douceur.
▼—**aardigheid** douceur, bénignité *v.*
▼—**gekookt** mollet. ▼—**heid** douceur ;
mollesse *v* ; moelleux *m.* ▼—**jes** doucement ;
(tout) bas, sans bruit ; *— wakker maken*,
réveiller en douceur ; *— aan, dan breekt het
lijntje niet*, qui veut aller loin, ménage sa
monture. ▼—**moedig I** *bn* doux, clément.
II *bw* en douceur, avec mansuétude.
▼—**moedigheid** douceur, clémence *v.*
▼—**werkend** bénin. ▼—**zinnig(heid)** *zie*
—**moedig(heid).**
zadel selle *v* ; (*pak*—) bât ; (*muz.*) sillet *m* ; *vast
in het — zitten*, être bien en selle ; *iem. weer in
het — helpen*, remettre qn en selle ; *iem. uit
het — lichten*, désarçonner qn ; (*fig.*) évincer
qn. ▼—**dak** toit *m* en bâtière. ▼—**dek**
couverture de selle, housse *v.* ▼—**en** seller ;
(*v. lastdier*) bâter. ▼—**maker** sellier.
▼—**makerij** sellerie *v.* ▼—**riem** sangle *v.*
▼—**tuig** harnais *m.* ▼—**vast** ferme sur les
étriers ; (*fig.*) ferré (sur).
zag/en scier ; *op de viool —*, racler du violon.
▼—**er** scieur ; racleur de *v.* ▼—**erij** scierie *v.*
zak 1 sac *m* ; **2** (*in kledingstuk*) poche *v* ; *—
met klep*, poche *v* à rabat ; (*in vest*) gousset
m ; **3** (*v. biljart*) blouse *v* ; **4** (*scheldw.*) con *m* ;
papieren —, cornet *m* ; *in zijn — steken*,
empocher ; *die kan je in je — steken !*, attrape
ça !, c'est une pierre dans ton jardin ; *met pak
en —*, avec armes et bagages ; *op — hebben*,
avoir un sac en poche. **zak ...** de poche. ▼—**agenda**
agenda *m* de poche. ▼—**boekje** carnet ; (*mil.*)
livret *m.* ▼—**doek** mouchoir *m.*
zakelijk I *bn* **1** objectif ; **2** essentiel, concis,
précis ; **3** réel ; *— argument*, argument *m*
topique. **II** *bw* objectivement ; *kort en —*,
succinctement. ▼—**heid** objectivité *v* ; esprit
réaliste, sens pratique *m.* ▼**zaken/kabinet**
cabinet *m* d'affaires. ▼—**lunch** déjeuner *m*
d'affaires. ▼—**man** homme d'affaires.
▼—**reis** voyage *m* d'affaires. ▼—**wereld**
monde *m* des affaires. ▼—**wijk** quartier *m*
commerçant.
zak/formaat format de poche, petit format *m.*
▼—**geld** monnaie *v* de poche. ▼—**jurk**
robe-sac *v.* ▼—**kammetje** peigne *m* de
poche.
zakken I *on.w* **1** baisser ; descendre ; tomber ;
2 (*— in*) s'enfoncer (dans) ; **3** (*ineen—*)
s'affaisser ; **4** (*v. examen*) échouer, être
refusé ; *laten —*, coller. **II** *zn* : *het —*, la baisse ;
l'échec *m* (à l'examen).
zak/kenlinnen toile *v* à sac, treillis *m.*
▼—**kenrollen** vol *m* à la tire. ▼—**kenroller**
pickpocket, voleur *m* à la tire. ▼—**klep** patte *v.*
▼—**lantaarn** lampe *v* de poche. ▼—**lopen** *zn*
course *v* en sac. ▼—**mes** canif *m.* ▼—**radio**
récepteur *m* de poche. ▼—**rekenmachine**
calculateur *m* de poche. ▼—**uitgave** édition *v*
de poche. ▼—**woordenboek** dictionnaire *m*
de poche.
zalf onguent *m.* ▼—**achtig** onctueux.
▼—**achtigheid** onctuosité *v.* ▼—**pot** pot *m* à
onguent.
zalig 1 heureux, bienheureux ; **2** (*fam.*)
délicieux ; *—!*, chic!, chouette! ; *— einde*, fin
v chrétienne ; *een — nieuwjaar*, une bonne et
heureuse année ; *— verklaren*, béatifier ; *—
worden*, être sauvé. ▼—**e** bienheureux *m*,
-euse *v.* ▼—**er** feu, d'heureuse mémoire ; *mijn
moeder —*, ma sainte mère. ▼—**heid**
1 béatitude *v*, salut *m* ; **2** (*fam.*) délices *v mv* ;
de eeuwige —, le salut éternel. ▼—**makend**
qui assure le salut. ▼**Z**—**maker** Sauveur,
Rédempteur. ▼—**spreking** : *de acht —en*, les
huit béatitudes *v mv.* ▼—**verklaring**

béatification v.
zalm saumon m. ▼—**forel** truite v saumonée.
▼—**kleur** couleur v de saumon. ▼—**kleurig**
saumon. ▼—**visserij** pêche v du saumon.
zalv/en oindre; tot koning —, sacrer roi; iem.'s
handen —, graisser la patte à qn. ▼—**end** l bn
onctueux. ll bw onctueusement. ▼—**ing**
onction v.
zamen : te —, ensemble; zie ook **samen**.
zand sable m; fijn —, sablon m; grof —,
gravier m; — er over l, brisons là l; iem. — in
de ogen strooien, jeter de la poudre aux yeux
à qn; in het — vastraken, s'ensabler.
▼—**aardappel** pomme v de terre des sables.
▼—**bad** bain m de sable. ▼—**bak** sablière v;
(v. kinderen) stand m de sable. ▼—**bank**
banc m de sable. ▼—**blad** feuille v basse.
▼—**bodem** fond m sablonneux. ▼—**boer**
sablonneur. ▼—**duin** dune v de sable.
▼—**erig** sableux. ▼—**gebakje,** —**koekje**
sablé m. ▼—**groeve** sablonnière; gravière v.
▼—**grond** terrain sablonneux, sable m;
sables m mv. ▼—**heuvel** colline v de sable.
▼—**korrel** grain m de sable. ▼—**loper** sablier
m. ▼—**man** marchand m de sable. ▼—**pad**
sentier m de sable. ▼—**plaat** 1 banc m de
sable; 2 (v. riviermond) barre v. ▼—**schipper**
sablonnier. ▼—**schuit** bateau m à sable.
▼—**steen** grès m. ▼—**storm** tempête v de
sable. ▼—**straal** jet m de sable. ▼—**streek**
pays m sablonneux. ▼—**strooier** sablière v.
▼—**taart** (je) sablé m. ▼—**trein** train m de
ballast. ▼—**verstuiving** sables m mv
mouvants, dunes v mv mouvantes. ▼—**weg**
chemin m sablonneux. ▼—**woestijn** désert
m de sable. ▼—**wolk** nuage m de sable
mouvant. ▼—**zak** sac m à (of de) sable; (mil.)
sac en terre. ▼—**zuiger** drague v suceuse.
zang chant m. ▼—**boek** livre m de chant.
▼—**cursus** cours m de chant. ▼—**er**
chanteur; (kerk—) chantre m. ▼—**eres**
chanteuse; (—kunstenares) cantatrice v.
▼—**erig** l bn chantant, mélodieux. ll bw
mélodieusement. ▼—**erigheid** harmonie v;
caractère m chantant. ▼—**ersfeest** concours
m de chant. ▼—**koor** chœur m; (rk) maîtrise
v. ▼—**leraar,** — lerares professeur m de
chant. ▼—**les** leçon v de chant. ▼—**muziek**
musique v vocale. ▼—**nummer** numéro -,
tour m de chant. ▼—**onderwijs**
enseignement m du chant. ▼—**school** école
de chant; (rk) manécanterie v. ▼—**stem**
1 voix musicale; 2 partie v de chant.
▼—**uitvoering** concert m vocal.
▼—**vereniging** société v chorale. ▼—**vogel**
oiseau m chanteur. ▼—**wedstrijd** concours
m de chant. ▼—**wijze** manière v de chanter.
zanik rabâcheur m, -euse v. ▼—**en** rabâcher;
— over iets, rabâcher qc; (fam.) en avoir marre de qc;
zich — eten, manger tout son soûl.
zaterdag samedi m. ▼—**s** l bn du samedi.
ll bw le samedi; tout les samedis.
zatheid 1 satiété v; 2 ivresse v.
ze elle(s), ils; la, les, leur; — zeggen, on dit.
zebra zèbre m; als een — gestreept, zébré v.
▼—**pad** passage m zébré.
zede coutume v; usage m; —n, mœurs v mv.
▼—**lijk** bn (& bw) moral (ement).
▼—**lijkheid** moralité v. ▼—**loos** bn (& bw)
immoral (ement). ▼—**loosheid** immoralité v.
▼**zeden/bederf** corruption -, dépravation
des mœurs, décadence v morale.
▼—**bedervend,** —**bederver** corrupteur (m).
▼—**kunde** éthique; morale v. ▼—**kundig** bn
(& bw) éthique (ment). ▼—**kwetsend**
contraire aux bonnes mœurs, immoral.
▼—**leer** (traité m de) morale v. ▼—**les**
1 leçon de morale; 2 morale v (d'une fable
etc.). ▼—**meester** censeur m. ▼—**misdrijf**
crime m contre les mœurs. ▼—**politie** brigade v
des mœurs. ▼—**spreuk** maxime v de
morale. ▼—**wet** loi v morale.
zedig bn (& bw) modeste (ment), réservé,

décent; pudique. ▼—**heid** modestie, réserve,
décence; pudicité v.
zee 1 mer v; 2 (overslaand) coup m de mer;
3 (fig.) océan; torrent m; in volle —, en pleine
mer, au large; — bouwen, tenir la mer; —
kiezen, prendre la mer; aan —, au bord de la
mer; recht door — gaan, marcher droitement;
over —, ter —, par mer, sur mer. ▼—**arm** bras
m de mer. ▼—**assurantie** assurances v mv
maritimes. ▼—**atlas** atlas m maritime, -
nautique. ▼—**baars** bar m. ▼—**bad** bain m de
mer. ▼—**badplaats** bain m de mer, station v
balnéaire. ▼—**banket** hareng m. ▼—**benen :**
— hebben, avoir le pied marin. ▼—**beving** ras
de marée, séisme m sous-marin. ▼—**bodem**
fond m de la mer. ▼—**boezem** golfe v.
▼—**bonk** loup m de mer. ▼—**brasem** pagel
m; rode —, daurade v. ▼—**breker** jetée v.
▼—**dienst** marine v. ▼—**dijk** digue v (de
mer). ▼—**dorp** village m maritime. ▼—**ëngte**
détroit m.
zeef crible, tamis m; door de — wrijven,
passer par le tamis à purée. ▼—**doek** étamine
v. ▼—**druk** sérigraphie v. ▼—**je** passoire v.
▼—**vormig** cribleux.
zee/gat chenal m, passe v. ▼—**gebied** eaux v
mv territoriales. ▼—**gebruiken** usages m mv
maritimes. ▼—**gedrocht** monstre m marin.
▼—**gevaar** risques m mv maritimes.
▼—**gevecht** combat m naval. ▼—**gewest**
province v maritime. ▼—**gezicht** 1 vue sur la
mer; 2 (schilderij) marine v. ▼—**god** dieu
marin. ▼—**godin** déesse marine. ▼—**golf**
golfe m. ▼—**gras** zostère v; (als vulsel) crin m
végétal. ▼—**groen** vert de mer, glauque,
(licht) céladon. ▼—**handel** commerce m
maritime. ▼—**haven** port m de mer, -
maritime. ▼—**heerschappij** empire m de la
mer. ▼—**held** héros m de la mer. ▼—**hond**
phoque m. ▼—**hoofd** jetée v, môle m.
▼—**kaart** carte v marine. ▼—**kaartenboek**
routier m. ▼—**kant** bord de la mer, rivage m.
▼—**kapitein** capitaine m au long cours; - de
valsseau. ▼—**kasteel** château m flottant.
▼—**klimaat** climat m maritime. ▼—**koe**
vache v marine, lamentin m. ▼—**kompas**
compas m de mer. ▼—**krab** crabe m.
▼—**kreeft** homard m; (zonder scharen)
langouste v; Noorse —, langoustine v.
▼—**kust** côte v, rivage m. ▼—**kwal** méduse v.
zeel sangle v.
Zeeland la Zélande; Nieuw —,
Nouvelle-Zélande v.
zee/leeuw otarie v. ▼—**leven** vie v sur mer.
▼—**lieden** gens de mer, marins m mv.
▼—**loods** pilote hauturier.
zeelt tanche v.
zee/lucht air m de mer. ▼—**lui** zie —lieden.
zeem peau v de chamois.
zee/macht forces v mv navales, marine v.
▼—**makelaar** courtier maritime. ▼—**man**
homme de mer, marin. ▼—**manschap**
connaissances v mv nautiques, navigation v;
(fig.) savoir-faire m; — gebruiken, louvoyer.
▼—**manshuis** maison v des marins, maison v
de refuge pour les marins. ▼—**mansknoop**
nœud m marin. ▼—**manskunst** navigation v.
▼—**meermin** sirène v. ▼—**meeuw** mouette
v; grote —, goéland m. ▼—**mijl** mille marin.
zeem/le(d)er peau v de chamois. ▼—**leren**
— handschoenen, gants m mv de chamois.
zee/mogendheid puissance v maritime.
▼—**monster** monstre m marin.
zeen tendon; nerf m.
zee/natie nation v maritime. ▼—**nimf** néréide
v. ▼—**officier** officier de marine. ▼—**oorlog**
guerre v navale; - sur mer.
zeep savon m; groene —, savon noir; een stuk
—, un pain de savon, une savonnette.
zeepaardje cheval marin, hippocampe m.
zeepachtig savonneux, saponacé.
zeepaling congre m.
zeep/bak boîte v à savon; -je, porte-savon
m. ▼—**bel** bulle v de savon. ▼—**doos** boîte v à
savon. ▼—**fabriek** savonnerie v.
▼—**fabrikant** savonnier. ▼—**kwast** blaireau

m.

zee/plaats ville *v* maritime. ▼—**plant** plante *v* marine. ▼—**polis** police *v* maritime.
zeepoplossing solution *v* de savon.
zeepost poste *v* maritime ; *per* —, par voie de mer.
zeep/pasta pâte *v* de savon. ▼—**poeder** savon *m* en poudre ; (*was*—) lessive *v*. ▼—**sop** eau *v* savonneuse. ▼—**vlokken** savon *m* en flocons. ▼—**zieder** savonnier. ▼—**ziederij** savonnerie *v*.
zeer I *bn* qui fait mal, douloureux, malade ; — *doen*, faire mal. II *bw* bien, très, fort, extrêmement ; (*fam.*) tout plein ; *al te* —, trop. III *zn* mal *m*, douleur *v* ; (*kindertaal*) bobo *m*.
zee/raad conseil *m* de marine. ▼—**ramp** sinistre *m* maritime. ▼—**recht** droit *m* maritime. ▼—**reis** voyage *m* sur mer ; traversée *v*.
zeer/geleerd très savant, - docte ; (*spot*) doctissime. ▼—**hoofdig** teigneux.
zee/risico risques *m mv* de mer. ▼—**rob** 1 phoque ; 2 (*fig.*) loup *m* de mer. ▼—**rover** pirate, corsaire *m*. ▼—**roverij** piraterie *v*.
zeerst *om het* —, à l'envi, à qui mieux mieux ; *ten* —, au plus haut point, infiniment.
zee/schade avarie *v*. ▼—**scheepvaart** navigation *v* maritime. ▼—**schelp** coquillage *m*. ▼—**schilder** peintre *m* de marines, mariniste *m*. ▼—**schip** navire *m*. ▼—**schuim** écume *v* de mer. ▼—**schuimer** pirate *m*. ▼—**slag** bataille *v* navale. ▼—**sluis** écluse *v* de mer. ▼—**soldaat** *zie* **marinier**. ▼—**spiegel** niveau *m* de la mer. ▼—**stad** ville *v* maritime. ▼—**ster** astérie *v*. ▼—**stilte** calme *m* (de mer), bonace *v*. ▼—**straat** détroit *m*. ▼—**strijd** combat *m* naval. ▼—**stroming** courant *m* (maritime). ▼—**stuk** marine *v*. ▼—**term** terme *m* de marine. ▼—**tijdingen** nouvelles *v mv* maritimes. ▼—**tje** coup *m* de mer ; *een* — *overkrijgen*, embarquer un coup de mer. ▼—**tocht** voyage *m* par mer ; expédition maritime. ▼—**transport** transport *m* par mer.
Zeeuw Zélandais *m*. ▼—**s** zélandais ; *een Z*—*e*, une Zélandaise.
zee/vaarder marin, navigateur. ▼—**vaart** navigation *v* maritime. ▼—**vaartkunde** science *v* -, art *m* nautique. ▼—**vaartschool** école *v* navale. ▼—**varend** navigateur, -trice ; — *volk*, peuple *m* de navigateurs. ▼—**vast** bien arrimé, - assujetti. ▼—**verkenner** scout marin. ▼—**verzekering** assurance *v* maritime.
zeevis poisson *m* de mer, marée *v*. ▼—**ser** marin pêcheur. ▼—**serij** pêche *v* maritime. ▼—**verkoper** mareyeur.
zee/vlak surface *v* de la mer. ▼—**vogel** oiseau *m* de mer. ▼—**volk** gens *m mv* de mer. ▼—**vracht** fret *m*. ▼—**waardig** navigable, en état de tenir la mer. ▼—**waardigheid** navigabilité *v*. ▼—**waarts** vers la mer. ▼—**water** eau *v* de mer. ▼—**weg** voie *v* de mer. ▼—**wering** digue *v*, ouvrage *m* de défense contre la mer. ▼—**wet** loi *v* maritime. ▼—**wezen** marine *v*, art *m* nautique. ▼—**wier** algue *v* marine. ▼—**wind** vent *m* de mer. ▼—**ziek** souffrant du mal de mer ; — *zijn*, avoir le mal de mer. ▼—**ziekte** mal *m* de mer. ▼—**zout** sel *m* marin.
zege victoire *v*, triomphe *m* ; *de* — *behalen* (*op*), remporter la victoire (sur). ▼—**boog** arc *m* de triomphe. ▼—**kar** char *m* de triomphe. ▼—**krans** couronne *v* triomphale. ▼—**kreet** cri *m* de victoire.
zegel 1 cachet ; 2 (*ambts*—) sceau ; 3 (*jur.*) scellé ; 4 (*gezegeld papier*) timbre *m* mobile ; *zijn* — *aan iets hechten*, mettre son sceau à qc ; *op* —, sur papier timbré. ▼—**afdruk** empreinte *v* de sceau, sceau *m*. ▼—**belasting** droit *m* de timbre. ▼—**bewaarder** garde *m* des sceaux. ▼—**en** cacheter ; sceller ; timbrer. ▼—**kantoor** bureau *m* du timbre. ▼—**kosten** droits *m mv* de timbre. ▼—**lak** cire *v* à cacheter. ▼—**lood** plomb *m*. ▼—**recht** droit *m* de timbre. ▼—**ring** chevalière *v*.

▼—**verbreking** bris *m* de scellés. ▼—**wet** loi *v* sur le timbre.
zegen 1 bénédiction *v* ; salut *m* ; 2 (*net*) seine *v* ; — *aanbrengen*, porter bonheur ; *veel heil en* —, mes meilleurs vœux. ▼—**bede** bénédiction *v*, vœu *m* pour le bonheur de qn. ▼—**en** bénir, donner la bénédiction (à) ; *gezegend zijn met*, jouir de ; *gezegend met aardse goederen*, comblé. ▼—**ing** bénédiction *v* ; bienfait *m* (de la civilisation). ▼—**rijk** heureux, bienfaisant. ▼—**wens** *zie* —**bede**.
zege/palm palme *v* (de la victoire). ▼—**praal** triomphe *m*, victoire *v*. ▼—**pralen** triompher (de). ▼—**pralend** *bn* (*& bw*) victorieux, triomphal(ement). ▼—**teken** trophée *m*. ▼—**tocht** marche *v* triomphale. ▼—**vieren** triompher (de), vaincre. ▼—**vierend** *zie* —**pralend**. ▼—**vuur** feu *m* de joie. ▼—**wagen** char *m* de victoire. ▼—**zuil** colonne *v* triomphale.
zeggen I *ov.w* dire ; *zeg* (*eens*), dites (donc) ; *zegge f 200.—*, soit 200 fls ; *beter gezegd*, pour mieux dire ; *eerlijk gezegd*, à vrai dire ; *laat je dat gezegd zijn*, tenez-vous le pour dit ; *onder ons gezegd*, soit dit entre nous ; *zo terloops gezegd*, soit dit en passant ; *zo gezegd, zo gedaan*, aussitôt dit, aussitôt fait ; *naar men zegt*, à ce qu'on dit ; *dat zegt men niet*, cela ne se dit pas ; *zegt u dat wel*, c'est le cas de le dire ; *dat kan ik u niet* —, je ne saurais vous le dire ; *dat laat ik me niet* —, je proteste ; *dat wil dus* — *dat …?*, est-ce à dire que … ? ; *je zou* — *dat het suiker was*, on dirait du sucre ; *hoe kunt u het* —?, pouvez-vous dire ? ; *daar zeg je zo iets*, c'est une idée ; *jij hebt hier niets te* —, vous n'avez pas d'ordres à donner ici ; *dat wil zo veel* — *als dat*, cela revient à dire que ; *dat zegt wat*, cela en dit long ; *wat ik* — *wil*, à propos ; *dat wil wat* —, c'est beaucoup dire ; *om zo te* —, pour ainsi dire, comme qui dirait ; *op alles wat te* — *hebben*, trouver à redire à tout ; *daar is niets tegen te* —, il n'y a rien à dire à cela ; *daar is alles voor te* —, il y a tout à dire en faveur de cela ; *wat u zegt !*, tout de même ! II *zn* dire(s) *m* (*mv*) ; *naar* (*volgens*) *zijn* —, à ce qu'il dit ; *naar het* — *van*, au dire de ; *je hebt het maar voor het* —, vous n'avez qu'à dire. ▼—**zeg/genschap** autorité *v*, pouvoir *m*. ▼—**ger** (—**ster**) diseur (-euse *v*). ▼—**ging** 1 diction, élocution ; 2 expression, phrase *v*. ▼—**gingskracht** éloquence ; énergie *v* d'expression. ▼—**sman** : *wie is uw* —?, de qui tenez-vous cela ? ▼—**swijs**, —**swijze** dicton *m* ; expression *v*.
zeil 1 (*mar.*) voile *v* ; 2 (*dek*—) bâche *v*, 3 (*vloer*—) linoléum *m* ; 4 (*scherm*) tente ; toile-abri *v* ; *alle* —*en bijzetten*, mettre toutes voiles dehors ; *onder* — *gaan*, mettre à la voile, appareiller ; (*fig.*) s'assoupir. ▼—**boot** bateau *m* à voiles, voilier *m*. ▼—**club** cercle *m* de voile. ▼—**cursus** stage *m* de voile ; *een* — *volgen*, suivre un stage de voile. ▼—**doek** 1 toile à voiles ; 2 toile *v* cirée. ▼—**en** I *on.w* 1 faire de la voile, naviguer ; 2 (*v. dronkaard*) zigzaguer. II *ov.w* : *in de grond* —, couler bas. III *zn* voile *v*. ▼—— **en roeivereniging** cercle *m* nautique. ▼—**er** 1 voilier ; 2 (*persoon*) yacht(s)man ; plaisancier. ▼—**jacht** yacht *m* à voiles. ▼—**klaar** en partance ; — *maken*, appareiller. ▼—**oppervlak** surface *v* de voilure. ▼—**pet** casquette *v* de marin. ▼—**plank** planche *v* à voile. ▼—**schip** voilier *m*. ▼—**school** école *v* de voile. ▼—**sport** voile *v*, yachting *m* ; *aan* — *doen*, faire de la voile, - du yachting. ▼—**tocht** promenade *v* (*of excursion*) *v* en bateau à voiles. ▼—**tuig** voilure *v*. ▼—**vaart** navigation *v* à voiles. ▼—**vereniging** cercle *m* nautique, yacht-club *m*. ▼—**wedstrijd** régates *v mv*. ▼—**weer** temps *m* propre à faire voile.
zeis faux *v* ; *met de* — *afmaaien*, faucher.
zeker I *bn* 1 certain ; 2 (*onbep.*) certain ; 3 (*stellig*) assuré, positif ; *een* — *Dubois*, un nommé Dubois ; *een* — *iemand*, la personne

que vous savez ; quelqu'un ; *een — iets*, un je ne sais quoi ; *ik ben er — van*, j'en suis sûr ; *ik ben er — van dat*, je suis sûr que ; *op —e dag*, un (beau) jour ; *in —e zin*, en quelque sorte ; *zoveel is — dat . . .*, toujours est-il que . . . ; *het —e voor het onzekere nemen*, prendre le plus sûr. **II** *bw* **1** certainement ; **2** (parler) avec assurance, d'un ton assuré ; **3** (*veronderstellend*) sans doute ; *— l*, assurément ; certes, bien sûr ; parfaitement ; *dat is — niet gemakkelijk*, ce ne doit pas être facile ; *wel — l*, mais oui l ; (*na ontkenning*) mais si l ; *— waar*, très vrai. ▼**zekerheid 1** certitude ; **2** (*onbezorgdheid*) sécurité ; *maatschappelijke —*, sécurité *v* sociale. **3** (*veiligheid*) sûreté ; **4** garantie ; **5** (*v. toon*) assurance *v* ; *met — zeggen*, dire à coup sûr ; *voor alle —*, pour plus de sûreté = *—shalve*. ▼**—stelling** garantie *v*. ▼**zekering** fusible, plomb *m* ; *automatische —*, disjoncteur *m* automatique.

zeld/en rarement, peu ; *niet —*, (assez) souvent ; *— of nooit*, rarement, autant dire jamais. ▼**—zaam 1** rare ; **2** (*buitengewoon*) curieux, étrange ; *zeldzamer worden*, se raréfier ; *het zeldzamer worden*, la raréfaction. ▼**—zaamheid 1** rareté ; **2** singularité ; **3** (*ding*) curiosité *v*.

zelf même ; *de hoffelijkheid —*, la courtoisie même ; *jij —*, toi-même ; *dat gaat van—*, cela va tout seul ; *dat spreekt van—*, cela va sans dire ; *zij doet het —*, elle le fait elle-même ; *— zien*, voir par soi-même ; *gemakkelijk — te leggen*, facile à poser vous-même. ▼**—bedienings(zaak)** self-service, libre service *m*. ▼**—bedrog**, —begoocheling illusion *v* (qu'on se fait). ▼**—beheersing** maîtrise *v* de soi ; *zijn — verliezen*, perdre son sang-froid ; *— tonen*, se maîtriser ; *zijn — terugvinden*, se reprendre. ▼**—behoud** conservation *v* ; *zucht tot —*, instinct *m* de la conservation. ▼**—bekrachtigend** : *—e rem*, servo-frein *m*. ▼**—beperking** limitation *v* qu'on s'impose.

zelfbeschikking autodétermination *v*. ▼**—s**recht droit *m* d'autodétermination. **zelf/beschouwing** introspection *v*. ▼**—beschuldiging** auto-accusation *v*. ▼**—bestuiving** autofécondation *v*. **zelf/besturend** autonome. ▼**—bestuur** autonomie ; autogestion *v*. **zelfbevrediging** masturbation *v*. **zelfbevruchting** autofécondation *v*, autogamie *v*. **zelfbewust I** *bn* conscient (de sa valeur). **II** *bw* avec assurance. ▼**—heid** assurance *v*. ▼**—zijn** conscience *v* de soi-même. **zelfcontrole** contrôle *m* de soi. **zelfde** même ; *dat is het —*, c'est la même chose ; *van het —*, pareillement, je vous en souhaite autant. **zelf/doener** bricoleur *m*. ▼**—dragend** autoporteur, autoportant. **zelfgenoegzaam I** *bn* suffisant ; se suffisant à soi-même. **II** *bw* d'un air suffisant. ▼**—heid** suffisance *v*. **zelfinductie** selfinduction *v*. ▼**—klos** self *v*. **zelfingenomen** présomptueux. ▼**—heid** présomption *v*. **zelf/kant** lisière *v* ; *aan de — der samenleving*, en marge de la société. ▼**—kastijding** mortification *v*. ▼**—kennis** connaissance *v* de soi-même. ▼**—klevend** autoadhésif, autocollant. ▼**—kopiërend** autocopiant. ▼**—kwelling** tourment *m* qu'on se donne. **zelfmoord** suicide *m* ; *een — begaan*, se suicider. ▼**—enaar**, —enares suicide *m & v* ; (*dood*) suicidé(e) *m* (*v*). **zelf/onderricht** autodidaxie, étude *v* personnelle ; *methode voor —*, méthode *v* pour apprendre tout seul. ▼**—ontbranding** inflammation -, (*met knal*) déflagration *v* spontanée. ▼**—opoffering** dévouement *v*, sacrifice *m* de soi-même. ▼**—overschatting** présomption *v*. ▼**—overwinning** victoire *v* sur soi-même. ▼**—portret** autoportrait *m*.

▼**—registrerend** enregistreur. ▼**—regulerend** autorégulateur. ▼**—reinigend** autonettoyant. ▼**—respect** respect *m* de soi-même ; dignité ; fierté *v*. ▼**—rijzend** fermentant ; *— bakmeel*, poudre *v* de levain. **zelfs** même ; *— als*, lors même que. **zelfsmer/end** autolubrifiant. ▼**—ing** graissage *m* automatique. **zelfstandig I** *bn* indépendant ; *— naamwoord*, substantif *m* ; *de kleine —en*, les petites entreprises *v mv*. **II** *bw* : *— denken*, penser par soi-même ; *— gebruikt*, employé substantivement ; *— kunnende optreden*, pouvant prendre la direction. ▼**—heid 1** indépendance, autonomie ; **2** (*stof*) substance *v*. **zelf/starter** démarreur *m* automatique. ▼**—strijd** lutte *v* intérieure. ▼**—strijkend** autorepassant. ▼**—studie** *zie* —onderricht. ▼**—tucht** autodiscipline *v*. ▼**—verblinding** aveuglement *m*. ▼**—verbranding 1** combustion *v* spontanée ; **2** suicide *m* par le feu. ▼**—verdediging** autodéfense *v* ; *geval van —*, cas *m* de légitime défense. ▼**—verheffing** orgueil *m*, vanité *v*. ▼**—verloochening** abnégation *v*. ▼**—verminking** automutilation *v*. ▼**—vernedering** humiliation *v* volontaire. ▼**—vertrouwen** confiance *v* en soi-même, assurance *v*, aplomb *m* ; *vol —*, assuré. ▼**—verwijt** reproches *m mv* qu'on se fait. ▼**—verzekerd** imperturbable ; assuré. **zelfvoldaan** satisfait de soi-même. ▼**—heid** suffisance *v*. **zelfvoldoening** satisfaction *v* de soi-même. **zelfwerk/end** automatique. ▼**—zaamheid 1** automatisme *m* ; **2** activité *v* individuelle, effort *m* personnel. **zelfzucht** égoïsme *m*. ▼**—ig** *bn* (& *bw*) égoïste(ment).

zemelen I *zn* son *m*. **II** *on.w* **1** parler d'un accent traînant ; **2** rabâcher.

zemen I *ov.w* **1** nettoyer, frotter avec une peau de chamois ; **2** chamoiser. **II** *bn* de chamois.

zend/brief mandement *m*, (*Bijbel*) épître *v*. ▼**—eling** missionnaire *m & v*. ▼**—en** envoyer, expédier ; *om iem. —*, envoyer chercher qn. ▼**—ontvangtoestel** émetteur-récepteur *m*. ▼**—er 1** expéditeur ; **2** (*radio*) poste *m* émetteur. ▼**—ergroep** chaîne *v*. ▼**—ing 1** envoi *m*, expédition ; **2** (*opdracht*) mission ; **3** ambassade ; **4** (*godsd.*) mission *v*. ▼**—ingswerk** œuvre *v* missionnaire. ▼**—mast** antenne *v*. ▼**—station** poste *m* émetteur. ▼**—tijd** temps *m* d'émission ; *— gereserveerd voor 1 persoon of groep*, créneau *m*.

zeng/en flamber, griller, roussir. ▼**—ing** flambage *m*.

zenig tendineux ; nerveux.

zenuw nerf *m* ; *het op de —en krijgen*, avoir une crise de nerfs ; *op zijn van de —en*, être à bout de nerfs. ▼**—aandoening** affection *v* nerveuse. ▼**—aanval** crise *v* de nerfs. ▼**—achtig I** *bn* nerveux ; *dat maakt hem —*, cela lui donne sur les nerfs. **II** *bw* nerveusement. ▼**—achtigheid** nervosité *v*. ▼**—arts** neurologiste *m*. ▼**—beroerte** apoplexie *v* nerveuse. ▼**—cel** cellule *v* nerveuse. ▼**—centrum** centre *m* nerveux. ▼**—enoorlog** guerre *v* des nerfs. ▼**—gestel** système *m* nerveux. ▼**—inrichting** clinique *v* neurologique. ▼**—knoop** ganglion *m* nerveux. ▼**—koorts** fièvre *v* nerveuse. ▼**—kwaal** affection nerveuse, névrose *v*. ▼**—lijder(es)** névropathe *m & v*, névrosé(e) *m* (*v*). ▼**—middel** nervin, sédatif *m*. ▼**—ontsteking** névrite *v*. ▼**—pees** paquet *m* de nerfs. ▼**—pijn** névralgie *v*. ▼**—schok** choc *m* nerveux. ▼**—spanning** tension *v* nerveuse. ▼**—stelsel** *zie* —gestel. ▼**—sterkend** nervin. ▼**—trekking** contraction *v* nerveuse, tic *m*. ▼**—ziek** névropathe. ▼**—ziekte** maladie des nerfs, névrose *v*. ▼**—zwak** neurasthénique. ▼**—zwakte** neurasthénie *v*.

zep/en savonner. ▼—erig saponacé.
zerk dalle; pierre v tombale.
zes six; *dubbele* — *gooien*, amener double-six; *van* —*sen klaar zijn*, être apte à tout, être éveillé. ▼—daagse course v de six jours. ▼—de sixième; *Karel de* —, Charles six; *de* — *juni*, le six juin; *ten* —, sixièmement. ▼—dubbel sextuple. ▼—hoek, —hoekig hexagone (m). ▼—honderd six cents; — *en tien*, six cent dix. ▼—jarig de six ans. ▼—maandelijks semestriel. ▼—motorig hexamoteur. ▼—tal demi-douzaine v. ▼—tien seize. ▼—tiende seizième; *Lodewijk de* —, Louis seize; *de* — *januari*, le seize janvier.
zestig soixante. ▼—er, —jarig sexagénaire. ▼—pluskaart: — *voor dames*, carte v vermeil. ▼—ste soixantième. ▼—tal soixantaine v.
zes/vlak hexaèdre; cube m. ▼—voud sextuple m. ▼—voudig sextuple; — *nemen*, sextupler.
zet 1 coup m; 2 (*duw*) poussée v; 3 (*sprong*) bond, élan, saut m; *domme* —, pas m de clerc; gaffe v; *fijne* —, trait m piquant; *geestige* —, saillie v; *gemene* —, crasse v; *een* —*je geven*, pousser; donner un coup d'épaule. ▼—baas gérant m; (*fig.*) homme de paille.
zetel siège; fauteuil m; résidence v. ▼—en siéger; résider.
zet/fout coquille v. ▼—machine linotype m.
zet/meel amidon m, fécule v. ▼—meelsuiker glucose v. ▼—pil suppositoire m. ▼—sel 1 (*drank*) infusion; 2 (*v. drukkers*) composition v; 3 (*grondsop*) dépôt, marc m.
zetten I ov.w 1 mettre, placer, poser; appuyer (contre = *tegen*); 2 (*drukkerij*) composer; 3 (*med.*) remettre (une jambe); réduire (une hernie); 4 faire (du thé etc.); 5 (*invatten*) enchâsser, monter, sertir (un diamant); (*in lijst*) encadrer; 6 (*doen zitten*) asseoir; 7 *kunnen* —, souffrir; 8 (*muz.*) arranger (pour piano); *hoger* (*lager*) —, hausser (baisser); *een blij gezicht* —, prendre un air joyeux; *zijn handtekening* — (*onder*), apposer sa signature (à); *aan de mond* —, porter à la bouche; (*v. blaasinstrument*) emboucher; *iets in elkaar* —, monter, ajuster; arranger (une fête); mettre sur pied (un programme); *in de krant laten* —, faire insérer; *in de zon* —, exposer au soleil; *op muziek* —, mettre (qc) en musique; *iem. uit zijn woning, uit het land* —, expulser qn; *uit zijn hoofd* —, bannir. II zich — 1 s'asseoir; 2 (*v. muur*) se tasser; 3 (*v. vogel*) se poser; 4 (*v. vrucht*) nouer; *zich over iets heen* —, se consoler de qc, faire son deuil de qc; *zich voor iets* —, se mettre sérieusement à qc. III *zin* composition v.
▼zetter 1 compositeur; 2 (*v. juwelen*) sertisseur. ▼—ij atelier m de composition.
▼zetting 1 (*muz.*) arrangement (pour); 2 (*v. juwelen*) sertissage m; (*wijze v.* —) sertissure v.
zeug 1 truie, coche; 2 cloporte v.
zeulen traîner.
zeuntje petit mousse m.
zeur rabâcheur m, -euse v. ▼—en rabâcher; *tegen iem. over iets* —, rabattre les oreilles à qn de qc. ▼—ig I bn rabâcheur, importun. II bw d'un ton traînard. ▼—kous, —piet zie zeur.
zeven I ov.w cribler, tamiser. II telw. sept. ▼—de septième; *de* — *januari*, le sept janvier; *Hendrik de* —, Henri sept; *een* —, un septième; *ten* —, septièmement. ▼—gesternte pléiade v. ▼—jarig de sept ans; — *ambt*, septennat m. ▼—klapper pétard m. ▼—mijlslaarzen bottes v mpl de sept lieues. ▼—tien dix-sept. ▼—tiende dix-septième; *Lodewijk de* —, Louis dix-sept; *de* — *mei*, le dix-sept mai. ▼—tig soixante-dix; *eenen*—, soixante et onze. ▼—tiger, —tigjarig septuagénaire. ▼—voud, —voudig septuple (m).
zever bave v. ▼—aar enfant baveux. ▼—en baver.

zich se, soi; — *zelf*, soi-même; — *zelf zijn*, être soi; *bij* (*in*) — *zelf zeggen*, se dire à part soi; *op* — *zelf*, en soi; *uit* — *zelf*, par lui-même, spontanément.
zicht 1 sape v; 2 vue; 3 visibilité v; *in het* —, en vue; *op* — à vue; *op* — *vragen*, demander à condition; *vier dagen na* —, (à) quatre jours de vue; *zonder* — *vliegen*, voler dans le noir. ▼—baar I bn visible; évident, manifeste. II bw visiblement, à vue d'œil. ▼—baarheid visibilité v. ▼—wissel effet m à vue. ▼—zending envoi m à condition.
ziedaar voilà.
zied/en I ov.w faire bouillir; raffiner (du sucre). II on.w bouillir. ▼—endheet tout bouillant; brûlant.
ziehier voici, voilà, tenez.
ziek malade; souffrant, (*fam.*) pas bien; — *melden*, porter malade; — *worden*, tomber malade; *zich* — *lachen*, se tordre (de rire). ▼—bed lit m de malade; (*fig.*) maladie v; *van het* — *opkomen*, relever de maladie; *bij het* —, au chevet du malade. ▼—e malade m & v; (*v.*) — *zijn*, patient(e) (*voor -, na operatie*) patient(e) m & v. ▼—elijk maladif; (*fig. ook*) morbide. ▼—elijkheid état m maladif, mauvaise santé, alanguissement m. ▼zieken/appel aux malades. ▼—auto ambulance v. ▼—bezoek visite v des malades. ▼—boeg infirmerie v. ▼—drager brancardier. ▼—fonds assurance-maladie v. ▼—huis hôpital m. ▼—rapport visite v du major. ▼—stoel chaise v longue. ▼—transport transport m de malades. ▼—trein train-hôpital m. ▼—verpleger, —verpleegster infirmier m, -ière v. ▼—verpleging 1 soins m mv médicaux; 2 (*—huis*) infirmerie; clinique (particulière); maison v de santé. ▼—wagen voiture v d'ambulance. ▼—zaal infirmerie, salle v d'hôpital. ▼—zuster sœur infirmière.
ziekte maladie, affection, indisposition v; *een* — *onder de leden hebben*, couver une maladie; *wegens* —, pour cause de maladie; *een* — *oplopen*, attraper une maladie; *aan een* — *lijden*, souffrir d'une maladie. ▼—beeld syndrome m. ▼—geval cas m de maladie. ▼—kiem microbe m, bactérie v pathogène. ▼—kiemvrij stérilisé. ▼—nkunde, —nleer pathologie v. ▼—proces cours (d'une maladie), processus m. ▼—stof agent m pathogène. ▼—tabel table v de morbidité. ▼—toestand état m du malade; - de la maladie. ▼—verlof congé m de maladie; *met* — *gaan*, aller en congé de maladie; *met* — *sturen*, renvoyer en congé de maladie. ▼—verloop marche v de la maladie. ▼—verschijnsel symptôme m. ▼—verwekkend pathogène. ▼—verzekering assurance-maladie v. ▼—verzuim absentéisme m par maladie.
ziel âme v; — *van een fles*, cul m; *arme* —, pauvre homme, pauvre femme; *er was geen levende* —, il n'y avait âme qui vive; *zijn* — *in lijdzaamheid bezitten*, exercer sa patience; *met zijn* — *onder de arm lopen*, ne savoir que faire; *naar* — *en lichaam*, physiquement et moralement; *ter* — *e zijn*, avoir rendu l'âme; *iem. op zijn* — *geven*, flanquer une raclée à qn. ▼—egrootheid grandeur d'âme, magnanimité v. ▼—eheil salut m de l'âme. ▼—eleed, —esmart affliction, peine v du cœur. ▼—eleven vie v intérieure. ▼—emis messe v des morts. ▼—erust 1 quiétude v; 2 (*v. overledene*) repos m de l'âme. ▼—estrijd combat m intérieur.
zielig bn (& bw) pitoyable(ment), triste(ment).
ziel/kunde psychologie v. ▼—kundig bn (& bw) psychologique(ment). ▼—kundige psychologue m. ▼—loos sans vie. ▼—roerend pathétique. ▼—sbedroefd profondément affligé; — *zijn*, avoir la mort dans l'âme. ▼—sgraag de tout cœur. ▼—skracht énergie, force v morale. ▼—sverhuizing métempsycose;

transmigration v des âmes. ▼—**svermogen** faculté v de l'âme. ▼—**sverrukking** extase v. ▼—**sziekte** psychose v ; *specialist voor* —*n*, psychiatre m. ▼—**stogen** agoniser, être à l'agonie. ▼—**stogend** mourant, moribond. ▼—**verheffend** élevant, sublime. ▼—**szorg** charge v d'âmes ; pastorale v. ▼—**szorger** qui a charge d'âmes.

zien I *ov.w* 1 voir ; 2 (*bemerken*) apercevoir ; 3 (*onderscheiden*) distinguer ; *graag* — *dat*, aimer que ; *hij ziet niets*, 1 il ne voit rien ; 2 (*door duisternis*) il n'y voit pas ; *je moet* — *te slagen*, il faut tâcher de réussir ; *iem. niet kunnen* —, ne pouvoir sentir qn ; *laten* —, faire voir, montrer ; présenter (des documents) ; *met eigen ogen* —, voir de ses propres yeux ; — *naar*, regarder (qc) ; *die kamer ziet op de tuin*, cette chambre donne sur le jardin ; *te* — *zijn*, 1 être visible ; 2 se voir ; *dat is niet meer te* —, il n'y paraît plus ; *hij ziet het niet meer zitten*, il ne voit plus d'issue, - de solution ; il n'y croit plus. II *on.w* **goed** —, slecht —, avoir la vue bonne, - mauvaise ; *kun je nog* — ?, y voyez-vous encore ? ; *bleek* —, être pâle ; *scherp* —, avoir la vue perçante ; *ver* —, voir de loin ; *laat eens* —, voyons voir. III *zn* : *tot* —s, au (plaisir de vous) revoir, à bientôt ; (*fam.*) salut ; ciao. ▼**zien/derogen** à vue d'œil. ▼—**er** prophète m. ▼—**swijze** manière v de voir, opinion v.

zier petit peu m ; *geen* —, rien du tout.

ziezo c'est cela !, ça y est !, voilà ! ; — *dat is klaar !*, voilà qui est fait !

ziften cribler, tamiser ; (*fig.*) chicaner sur.

zigeuner(in) bohémien(ne), tzigane m (en v).

zigzag zigzag m. ▼—**sgewijs** en zigzag, en lacet ; — *gaan*, zigzaguer.

zij I *vnw* elle, ils, elles, eux ; — *die*, ceux qui. II *zn* 1 fille ; (*v. dier*) femelle v ; 2 (*kant*) côté m ; — *aan* —, côte à côte. ▼—**altaar** petit autel m. ▼—**beuk** bas côté m.

zij(de) 1 côté, flanc m ; 2 (— *spek*) flèche v ; *goede* — (*v. stof*), endroit m ; *verkeerde* — (*v. stof*), envers m ; *aan deze* —, de ce côté ; *en deçà (de)* ; *aan gene* —, de l'autre côté ; *au delà (de)* ; *op* — *zetten*, déplacer, ranger (de côté) ; (*fig.*) écarter ; *ter* —, à part ; *iem. ter* — *staan*, assister, seconder qn ; *van ter* —, de côté, de profil ; 3 (*stof*) soie v ; *ruwe* —, soie écrue. ▼—**achtig** soyeux. ▼—**fabriek** soierie v. ▼—**handel** commerce m de soieries.

zijdelings I *bn* 1 de côté, latéral ; 2 (— *verwant*) collatéral ; 3 (*fig.*) indirect. II *bw* de côté ; indirectement.

zijde/n 1 de soie ; 2 (*fig.*) soyeux, satiné ; — *stoffen*, soieries v mv. ▼—**papier** papier m de soie ▼—**rups** ver à soie, bombyx m. ▼—**teelt** sériciculture v.

zij/deur porte v latérale. ▼—**galerij** galerie v latérale. ▼—**gang** 1 couloir latéral ; 2 détour m. ▼—**gebouw** aile, dépendance v.

zijgen filtrer, couler ; *neer*—, s'affaisser.

zijig soyeux ; (*fig.*) mou.

zij/ingang entrée v latérale. ▼—**kamer** chambre v à côté, antichambre v. ▼—**kanaal** canal m latéral. ▼—**kant** côté m (latéral). ▼—**laan** 1 (*evenwijdig*) contre-allée ; 2 (*dwars*) allée v transversale. ▼—**leuning** accotoir, bras m. ▼—**licht** 1 jour m de côté ; 2 (*luchtv., mar.*) feu m de position. ▼—**lijn** 1 (*v. spoor*) voie v latérale ; embranchement m ; 2 touche v ; *over de* — *gaan*, *over de* — *schoppen*, sortir - ; *botter en touche*. 3 = —**linie** ligne v collatérale. ▼—**muur** mur m de côté.

zijn I *on.w* être, exister ; *hij is hem*, c'est lui ; *er is, er* —, il y a ; *zij* — *er*, 1 ils y sont ; 2 ils ont réussi ; *daar* — *ze*, les voilà ; *hoe is het met hem?*, comment va-t-il? ; *wat is er?*, qu'y a-t-il? ; *het kan wel* —, cela se peut ; *daar is niets van aan*, il n'y a rien ; *het is met hem als met mij*, il en est de lui comme de moi ; *het is van hout*, c'est en bois ; *dat is van* — à moi ; cela m'appartient ; *dat beeld is van* — (*gemaakt door*) R., cette statue est de R. ;

twintig jaar —, avoir vingt ans ; *koud* —, avoir froid ; *het is warm*, il fait chaud ; *er* — *soldaten aangekomen*, il est arrivé des soldats. II *zn* être m, existence v. III *vhw* son, sa, ses ; *de* (*het*) —, le sien, la sienne ; — *arm breken*, se casser le bras ; *een denkbeeld tot het* —*e maken*, faire sienne une idée ; *tot de* —*e maken*, épouser. ▼**zijnent** : *te* —, chez lui, en son domicile. ▼—**wege** de sa part. ▼—**wille** : *om* —, pour l'amour de lui. ▼**zijnerzijds** de son côté.

zij/pad sentier m de traverse. ▼—**raam** fenêtre v latérale ; (*v. wagen*) glace v latérale. ▼—**rivier** affluent m. ▼—**span(wagen)** side-car m. ▼—**spoor** voie v de garage. ▼—**sprong** bond de côté, écart m. ▼—**straat** 1 rue latérale ; 2 (*dwars*) rue v de traverse. ▼—**stuk** pièce v latérale, - de côté. ▼—**tak** 1 (*v. boom*) branche, ramification v ; 2 (*v. rivier*) affluent, bras ; 3 (*v. spoor*) embranchement m ; 4 (*familie*) branche v collatérale. ▼—**waarts** I *bn* de côté, latéral. II *bw* de côté. ▼—**wand** paroi v latérale. ▼—**weg** chemin de traverse ; détour m. ▼—**wind** vent m de côté. ▼—**zak** poche v de côté.

zilt(ig) salé, salin, saumâtre ; *het* —*e nat*, l'onde v amère. ▼—**heid** goût m salé ; salure v.

zilver 1 argent m ; 2 (—*werk*) argenterie, vaisselle v plate ; *verguld* —, vermeil m. ▼**zilver...** (*in ss*) d'argent. ▼—**achtig** argenté ; 2 (*v. geluid*) argentin. ▼—**blank** argenté ▼—**bon** petite coupure v. ▼—**en** 1 d'argent ; (*fig.*) argenté ; 2 (*v. klank*) argentin ; — *bruiloft*, noces v mv d'argent. ▼—**erts** minerai m d'argent. ▼—**gehalte** titre m (de l'argent). ▼—**geld** argent m ; monnaie v blanche ; *in* — *betalen*, payer en argent. ▼—**goed** argenterie v. ▼—**grijs** gris argentin. ▼—**houdend** argentifère. ▼—**kleurig** argenté. ▼—**ling** sicle m. ▼—**meeuw** mouette v argentée. ▼—**mijn** mine v d'argent. ▼—**papier** papier m d'argent, - d'étain. ▼—**populier** peuplier blanc, ypréau m. ▼—**smid** orfèvre m. ▼—**stuk** pièce v d'argent. ▼—**vos** renard m argenté. ▼—**werk** argenterie v. ▼—**wit** argenté.

zin 1 sens m ; 2 (*betekenis*) sens m, portée, signification ; 3 (*lust*) envie v, goût m, volonté ; 4 (*vol*—) phrase ; proposition v ; — *voor het schone*, sens esthétique ; *iem.* — *doen*, faire les volontés de qn ; *zijn eigen* — *doen*, (en) faire à sa tête ; *iem. zijn* — *geven*, céder devant qn ; — *hebben om*, avoir envie de ; *dat zou geen* — *hebben*, cela n'aurait aucune raison d'être ; *wat heeft het voor* — *ruzie te maken ?*, à quoi sert de se quereller ? ; *zij heeft geen* — *in dansen*, elle n'a pas l'humeur à la danse ; *als je er* — *in hebt*, si le cœur vous en dit ; *heb je er* — *in ?*, cela vous dit quelque chose ? ; *zijn* —*nen zetten op*, tourner toutes ses pensées vers ; *zijn* —*nen verzetten*, se distraire ; *niet bij* —*nen zijn*, être insensé ; *in die* —, dans ce sens ; *in eigenlijke (figuurlijke)* —, au sens propre (figuré) ; *in zekere* —, en un sens, en quelque sorte ; *iets in de* — *hebben*, méditer qc ; *dat is niet naar de* — *van mejuffrouw*, ce n'est pas du goût de mademoiselle ; *is het naar uw* — ?, vous le trouvez à votre goût ?, ça vous plaît-il ? ; *het iem. naar de* — *maken*, contenter qn ; *tegen* — *zijn* —, contre son gré ; *iets van* —s *zijn*, avoir l'intention de... ; *vreselijk* — *hebben in*, avoir une fringale de.

zindelijk *bn* (& *bw*) propre(ment). ▼—**heid** propreté v.

zing/en I *ww* chanter ; *van het blad* —, chanter à livre ouvert ; *iem. in slaap* —, endormir qn en chantant. II *zn* chant m. ▼—**end** chantant ; (*messe v*) chanté(e).

zingenot plaisir m des sens, volupté v.

zink *zn* — —**en** I *bn* de (*of* en) zinc. II *on.w* 1 s'enfoncer ; 2 (*mar.*) couler, sombrer ; *doen* —, *tot* — *brengen*, couler ; *in elkaar* —, s'affaisser ; *de moed laten* —, perdre courage. ▼—**houdend** zincifère. ▼—**mijn** mine v de

zinc. ▼—plaat plaque v de zinc. ▼—put
puisard m. ▼—stuk matelas m de fascinage.
▼—werker zingueur v de
zinc.

zinledig, zinloos vide de sens, inepte.
▼—heid inanité, ineptie v.

zinne/beeld emblème, symbole m, allégorie v.
▼—beeldig bn (& bw) symbolique(ment),
allégorique(ment). ▼—lijk I bn 1 sensuel, des
sens ; 2 (waarneembaar) sensible. II bw
sensuellement ; par les sens. ▼—loos fou,
insensé. ▼—loosheid démence, folie v.
▼—loze aliéné(e) m (v).

zin/nen : — op, méditer, préparer. ▼—nig I bn
sensé, raisonnable. II bw raisonnablement,
d'une manière sensée. ▼—rijk ingénieux,
profond. —saccent accent m de phrase.
—sbedrog, —sbegoocheling illusion,
hallucination v. —sbouw construction v de
la phrase. ▼—snede phrase v.
▼—sontleding analyse v (logique).
—spelen : — op, faire allusion à. ▼—speling
allusion v. ▼—spreuk devise ; maxime,
sentence v. ▼—storend qui altère le sens de
la phrase. ▼—sverband contexte m.
—sverbijstering aliénation v mentale.
—swending tournure v. —tuig sens m.
▼—tuiglijk sensoriel.

zion/isme sionisme m. ▼—ist sioniste m.
▼—istisch sioniste.

zit séance. (v. ruiter) assiette v ; een hele —,
tout un voyage. ▼—bad bain m de siège.
▼—bank banc m. ▼—dag jour m de séance,
- d'audience. ▼—hoek coin m intime. ▼—je
coin m ; een aardig —, une jolie garniture (de
salon etc.). ▼—kamer salle v de séjour,
living-room m. ▼—kuil fosse v de
conversation. ▼—kussen coussin-siège m.
▼—plaats siège m ; place v assise ; zie ook
plaats. ▼—slaapkamer
salle-de-séjour-chambre-à-coucher v ; studio
m. ▼—staking grève v d'occupation.
—stok canne-siège v.

zitten I on.w 1 être assis ; être, se tenir ; 2 (v.
vogels enz.) être posé ; (hoog op een tak) être
perché ; 3 (in gevangenis) faire de la prison ;
4 (v. kleding) aller ; 5 (v. schilder) poser ;
6 (zitting houden) siéger ; dat zit nog, c'est
une question, c'est à voir ; die zit !, touché ! ; zit
je daar goed ?, vous êtes bien là ? ; hoe zit dat ?,
comment cela se fait-il ? ; los —, ne pas tenir ;
je zit te veel, vous êtes trop sédentaire ; blijven
—, 1 rester assis ; 2 (school) redoubler sa
classe ; 3 (op bal) faire tapisserie ; 4 (geen
man krijgen) coiffer sainte Catherine ; blijven
—!, — blijven !, assis ! ; ze zijn met die
goederen blijven —, ces articles leur sont
restés pour compte ; zij is met drie kinderen
blijven —, elle est restée avec trois enfants sur
le bras ; ze kon niet stil blijven —, elle ne tenait
pas en place ; gaan — 1 s'asseoir, prendre
place ; 2 (v. vogel) se poser, se percher ; laten
— 1 faire asseoir ; 2 faire redoubler sa classe ;
3 (fig.) planter là ; abandonner ; hij zal het
daarbij niet laten —, il ne s'en tiendra pas là ;
daar zit iets achter, il y a quelque chose
là-dessous ; bij elkaar —, être ensemble ; daar
zit niet veel bij, ce n'est pas un aigle ; in het
bestuur —, être du bureau ; waar zit hem dat
toch in ?, het — zit hem daarin dat, cela tient à ce que ; hij zit er mee, il
est bien ennuyé, il ne sait qu'en faire ; met —
en opstaan stemmen, voter par assis et levé ;
dat zit er weer op, ça y est ; voilà qui est fait ;
dat zit erin, c'est possible ; c'est à attendre ;
c'est faisable. II zn : het —, la position assise ;
het — blijven, le redoublement de la classe.
▼zitt/enblijver redoublant m. ▼—end assis ;
(v. leven, werk) sédentaire. ▼—ing 1 (v.
stoel) siège m ; 2 (jur.) audience ;
3 (vergadering) séance ; 4 (reeks) session v ;
— hebben, devoir assister à une séance ;
gezamenlijke —, séance conjointe ; —
hebben in, faire partie de ; — houden, tenir
séance, siéger. ▼—ingsjaar session v.
▼zitvlak derrière, séant m.

zo I bw 1 ainsi, comme cela, de la sorte ;
2 (even—) aussi, autant, comme ; 3 (—zeer)
si, tellement, tant ; 4 (—dadelijk) aussitôt ; —,
ben je daar, ah, te voilà ! ; —, wist je het niet ?,
vraiment, vous ne le saviez pas ? ; houd jij er
ook van ? nee, niet zo, vous l'aimez aussi ?
non, pas tellement ; niet — groot als, pas
(aus)si grand que ; ik ben niet — dom om te
veel te roken, je suis pas assez bête pour
fumer trop ; — goed als niets, si peu que rien,
autant dire rien ; ik heb —'n honger !, j'ai si
faim ; — iemand, un tel homme ; —iets, une
telle chose ; — iets moois, quelque chose de
si beau ; — maar drinken uit, boire à même (la
bouteille) ; — maar bijten in, mordre à même
(la poire) ; — maar !, comme ça !, pour rien ! ;
— uit Parijs, tout frais arrivé de Paris ; hoe — ?,
comment (cela) ? ; om — te zeggen, pour
ainsi dire ; si l'on peut dire ; het maar — laten,
laisser les choses en l'état ; net —, exactement
de la même manière ; ik blijf net — lief thuis,
j'aime autant rester à la maison ; al is hij nog
— gelukkig, si heureux qu'il puisse être, tout
heureux qu'il soit. II vw 1 (even) comme ;
2 (indien) si ; — al, si tant est que (met
subj.) ; — ja, si oui ; — niet, sinon ; — nodig,
au besoin. III zie zooi.

zoals comme, ainsi que, tel que.

zodanig I bn tel, pareil ; semblable. II bw
tellement ; à tel point ; als —, en tant que
tel(le).

zodat de sorte que, si bien que.

zode plaque v de gazon ; —n steken, lever des
gazons ; met —n beleggen, gazonner.

zodiak zodiaque m. ▼—aal — licht, lumière v
zodiacale.

zodoende ainsi, de cette manière.

zodra aussitôt que, dès que ; — mogelijk,
aussitôt que possible ; niet — was hij hier, of
..., il ne fut pas plus tôt ici que ....

zoek égaré ; — raken, s'égarer, se perdre ; op
— naar, en quête de, à la recherche de.
▼—brengen perdre. ▼—en I ov.w chercher ;
fouiller (sa poche) ; dat had ik niet achter haar
gezocht, je ne l'en croyais pas capable ; — te,
s'efforcer de, chercher à. II on.w : — naar,
chercher, se mettre en quête de. III zn : het —,
la recherche. ▼—er, —ster 1 chercheur m,
-euse v ; 2 (aan fototoestel) viseur m.
▼—licht projecteur m. ▼—maken perdre ;
égarer. ▼—signaal signal m de recherche.

zoel tiède ; accablant, lourd. ▼—heid tiédeur v.

zoem/en v bourdonner, vrombir. ▼—er vibreur
m. ▼—ertoon bourdonnement m ; (telefoon)
tonalité v.

zoen 1 baiser m ; 2 (verzoening) réconciliation
v ; een — geven aan, embrasser. ▼—dood
mort v expiatoire. ▼—en embrasser, donner
un baiser à ; elkaar —, s'embrasser. ▼—offer
sacrifice m expiatoire.

zoet I bn 1 doux ; sucré ; 2 (braaf) gentil, sage ;
— houden, amuser (les enfants) ; — maken,
zie —en ; — smaken, avoir un goût sucre.
II bw 1 doucement ; 2 sagement. III zn
douceur v. ▼—elijk I bn doucereux. II bw
douceureusement. ▼—en 1 sucrer ;
2 (polijsten) adoucir. ▼—heid 1 goût m
sucré ; 2 douceur ; 3 sagesse v. ▼—hout
réglisse v ; stuk —, bâton m de réglisse. ▼—ig
douceâtre, doucereux. ▼—igheid (lekkers)
sucreries v mv. ▼—jes doucement.
▼—middel édulcorant m. ▼—sappig I bn
douceâtre ; (fig.) doucereux. II vw
douceureusement. ▼—sappigheid caractère
m doucereux. ▼—water eau v douce.
▼—zuur I bn aigre-doux. II zn pickles m mv.

zoëven tout à l'heure, tantôt ; hij is —
vertrokken, il vient de partir.

zog 1 lait m maternel, - de femme ; 2 (mar.)
sillage m ; in iem. — varen, se mettre à la
remorque de qn. ▼—en I ov.w allaiter. II zn :
het —, l'allaitement m.

zoge/naamd prétendu ; soi-disant ; (nep)
bidon. ▼—zegd pour ainsi dire, autant dire.

zogoed : — als, aussi bien que ; comme,
autant dire ; — als dood, mort ou peu s'en

faut.
zolang aussi longtemps -, tant que; *tot* —, d'ici là.
zolder 1 grenier; **2** (*—ing*) plafond; **3** (*vloer*) plancher *m*. ▼**—gat** trappe *v*. ▼**—ing** plafond *m*. ▼**—kamer** mansarde *v*. ▼**—licht** lucarne; chatière *v*. ▼**—luik** trappe *v*. ▼**—schuit** bateau *m* ponté. ▼**—trap** escalier *m* de grenier. ▼**—verdieping** étage *m* des combles.
zomen ourler.
zomer été *m*; *des* —*s*, en été, l'été. ▼**zomer**..., d'été, estival. ▼**—dag** jour *m* d'été. ▼**—dienst** service *m* d'été. ▼**—en**: *het zomert*, on sent déjà l'été. ▼**—gast** estivant *m*. ▼**—goed** vêtements *m mv* d'été. ▼**—hitte** grandes chaleurs *v mv*. ▼**—huisje** maison *v* de campagne. ▼**—kamp** camp *m* d'été. ▼**—peil** niveau d'été, étiage *m*. ▼**—s** d'été, estival. ▼**—seizoen** saison *v* d'été. ▼**—sproeten** taches *v mv* de rousseur. ▼**—stof** étoffe *v* claire. ▼**—tijd 1** été *m*; **2** heure *v* d'été. ▼**—vakantie** vacances *v mv* d'été, grandes vacances. ▼**—verblijf 1** séjour *m* d'été; **2** maison *v* de campagne; **3** (être en) villégiature. ▼**—zonnestilstand** solstice *m* d'été.
zomin — *als*, aussi peu que, pas plus que.
zon soleil *m*; *de* — *schijnt*, il fait du soleil; *de* — *schieten*, prendre la hauteur du soleil; *in de* —, au -, dans le -, sous le soleil; *in de* — *te drogen hangen*, mettre au soleil; *hij kan de* — *niet in het water zien schijnen*, il est jaloux.
zondaar pécheur. ▼**—sbankje** sellette *v*.
zondag dimanche *m*; *des* —*s*, le dimanche; *om de andere* —, un dimanche sur deux; *op zon- en feestdagen*, les dimanches et jours fériés. ▼**—avond** dimanche soir *m*. ▼**—morgen** dimanche matin *m*. ▼**—s** *I bn* du dimanche; des dimanches, dominical. II *bw* le dimanche, les dimanches; *op zijn* —, endimanché; *hij is een* —, il est né coiffé. ▼**—skind** enfant né un dimanche; *hij is een* —, il est né coiffé. ▼**—smis** messe *v* du dimanche. ▼**—srijder** chauffeur *m* du dimanche. ▼**—srust** repos *m* dominical. ▼**—sschool** école *v* du dimanche. ▼**—swet** loi *v* sur le repos dominical.
zondares pécheresse. ▼**zonde** péché *m*; *dagelijkse* —, péché véniel; *het is* — *van*, c'est dommage pour. ▼**—bok** bouc *m* émissaire; (*fig.*) souffre-douleur *m*. ▼**—loos** sans péché, impeccable.
zonder sans; — *dat*, sans que (*met subj.*); *zij kan* —, elle s'en passe; — *meer*, tout court; *niet* — *gevaar zijn*, ne pas laisser d'être dangereux.
zonderling I *bn* bizarre, singulier. II *bw* singulièrement. III *zn* original *m*; *het* —*e*, la bizarrerie; ce qui est étrange.
zond/eval péché *m* originel. ▼**—ig 1** enclin au péché; **2** coupable; *een mens*, pécheur *m*, pécheresse *v*; *een* — *leven leiden*, vivre dans le péché. ▼**—igen** pécher. ▼**—igheid** peccabilité, dépravation *v*. ▼**—vloed** déluge *m*.
zone zone *v*.
zonkant côté *m* ensoleillé. ▼**zonne/bad** bain *m* de soleil. ▼**—baden** prendre un bain de soleil. ▼**—batterij** pile *v* solaire. ▼**—blind I** *zn* persienne; jalousie. II *bn* ébloui par le soleil. ▼**—brand** coup *m* de soleil. ▼**—brandcrème** crème *v* solaire. ▼**—bril** lunettes *v mv* de soleil. ▼**—dak** vélum *m*; marquise *v*. ▼**—énergie** énergie *v* solaire; houille *v* d'or. ▼**—geiser** chauffe-eau *m* solaire. ▼**—hitte** ardeur *v* du soleil. ▼**—hoed** chapeau *m* de paille. ▼**—jaar** année *v* solaire. ▼**—klaar I** *bn* clair comme le jour, évident. II *bw* manifestement. ▼**—koning** Roi-Soleil.
zonnen s'exposer au soleil; faire le lézard.
zonne/paneel capteur *m* plan; collecteur *m* solaire. ▼**—scherm 1** ombrelle *v*, parasol *m*; **2** (*aan raam*) marquise; **3** (*v. café*) tente *v*. ▼**—schijn** soleil *m*; *in de* — *gaan zitten*, s'asseoir au soleil. ▼**—spectrum** spectre *m* solaire. ▼**—stand** position *v*. du s. ▼**—steek**

coup *m* de soleil, insolation *v*. ▼**—stelsel** système *m* solaire. ▼**—straal** rayon *m* du soleil. ▼**—tent** tente-abri *v*; (*v. boot*) tendelet *m*. ▼**—tje** soleil *m*; *iem. in het* — *zetten*, **1** vanter les mérites de qn; **2** se payer la tête de qn. ▼**—warmte** chaleur *v* solaire. ▼**—wijzer** cadran *m* solaire. ▼**—zon/nig** ensoleillé; (*fig.*) radieux; — *weer*, temps *m* de soleil. ▼**—sondergang** coucher *m* du soleil. ▼**—sopgang** lever *m* du soleil. ▼**—sverduistering** éclipse *v* de soleil.
zoogdier mammifère *m*.
zooi *zn* quantité, foule *v*; *een* — *vis*, une friture; *de hele* —, tout le bazar; toute la bande; *een hele* —, une foule, une quantité.
zool 1 plante du pied; **2** semelle *v*. ▼**—beslag** protège-semelles *m*. ▼**—ganger** plantigrade *m*. ▼**—leer** cuir *m* à semelles.
zoöl/ogie zoologie *v*. ▼**—ogisch** zoologique. ▼**—oog** zoologiste *m*.
zoom 1 ourlet, bord *m*; **2** (*v. bos*) lisière *v*; **3** zoom *m*. ▼**—en 1** régler le zoom; **2** prendre des vues en s'approchant l'objet à l'aide du zoom. ▼**—lens** zoom *m*. ▼**—lint** cordonnet, liséré *m*.
zoon fils; *de verloren* —, l'enfant *m* prodigue.
zootje quantité *v*; *het* —, le ramassis; *wat een* —!, quelle bande!
zorg 1 souci *m*, inquiétude *v*; **2** (*verzorging*) soin *m*; sollicitude *v*; **3** fauteuil *m*; *het zal mij een* — *zijn*, c'est le cadet de mes soucis; — *besteden aan iets*, mettre beaucoup de soin à qc; soigner (son style etc.); — *dragen*, prendre soin (de); — *hebben over*, avoir des soucis au sujet de, s'alarmer de; *vol* — *over*, soucieux au sujet de. ▼**—barend** alarmant, inquiétant. ▼**—(e)lijk** critique, inquiétant. ▼**—(e)lijkheid** condition *v* critique. ▼**—eloos I** *bn* **1** insouciant; **2** nonchalant. II *bw* sans souci; nonchalamment. ▼**—eloosheid** insouciance; nonchalance *v*. ▼**—en** avoir (of prendre) soin de; soigner; *daar zorg ik voor*, je m'en charge, je m'en occupe; *voor zich zelf* (*kunnen*) —, pourvoir à ses besoins; se suffire à soi-même; *zorg dat je sigaretten hebt*, arrange-toi pour avoir des cigarettes; *zorg dat hij het krijgt*, faites en sorte qu'il le reçoive. ▼**—stoel** fauteuil *m*. ▼**—vuldig 1** *bn* soigneux; consciencieux; (*v. opvoeding*) soigné. II *bw* soigneusement. ▼**—vuldigheid** soin *m*. ▼**—wekkend** alarmant, inquiétant. ▼**—zaam(heid)** *zie* **—vuldig(heid)**.
zot I *bn* **1** (*dom*) sot, stupide; **2** (*grappig*) fou, folle. II *bn* sottement, follement. III *zn* **1** sot, imbécile; **2** bouffon *m*. ▼**—heid 1** folie, sottise; **2** bouffonnerie *v*. ▼**—ternij** sottise *v*. ▼**—tin** sotte, folle *v*.
zout I *zn* sel *m*; *in het* — *leggen*, saler. II *bn* salé, salin. ▼**—achtig** salin. ▼**—arm** pauvre en sel; déchloruré modéré. ▼**—bad** bain *m* salé. ▼**—eloos** sans sel; (*fig.*) fade, insipide. ▼**—eloosheid** fadeur, insipidité *v*. ▼**—en I** *ov.w* saler. II *zn*: *het* —, le salage. ▼**—er** saleur *m*. ▼**—evis** morue *v* salée. ▼**—geest** esprit *m* de sel. ▼**—gehalte** salinité *v*. ▼**—houdend** salifère. ▼**—loos** sans sel, désodé; — *dieet*, régime *m* déchloruré strict. ▼**—meer** lac *m* salant. ▼**—mijn** mine *v* de sel. ▼**—oplossing** solution *v* saline. ▼**—pan** saline *v*. ▼**—sel** salière *v* triple. ▼**—strooien** salage *m* (de la voie publique). ▼**—te** salinité *v*. ▼**—vat** —, vaatje salière *v*. ▼**—vlees** bœuf *m* salé. ▼**—water** eau *v* salée. ▼**—winning** saliculture *v*; (*plek*) salinage *m*. ▼**—zak 1** sac à sel; **2** (*fig.*) bûche *v*. ▼**—zieder** saunier *m*. ▼**—ziederij** saunerie *v*. ▼**—zuur 1** *zn* acide *m* chlorhydrique. II *bn*: *zoutzure kalk*, chlorure *v* de chaux.
zoveel tant, autant, tellement; — *te meer*, *omdat*, d'autant plus que; — *mogelijk*, autant que possible; — *bloemen*, *dat*, tant de fleurs que; — *is zeker dat*, tant il y a que. ▼**—ste** tantième; *voor de* — *maal*, une fois de plus; *de* — *der maand*, le quantième du mois.
zo/ver(re) jusque là; — *zijn we nog niet*,

nous n'en sommes pas là; *voor* (*in*) — *als*, en tant que; *voor* —, pour autant que; *voor* — *het mogelijk is*, dans la mesure du possible; *voor* — *ik weet*, que je sache; *voor we* — *zijn*, d'ici là. ▼—*wat* à peu près, quasi, quasiment, un peu. ▼—*wel* aussi (bien); — *als*, de même que. ▼—*zeer* tellement, autant; *niet* — *om... als wel*, (non) pas tant pour... que pour.

zucht 1 soupir; 2 désir (de), instinct (de), goût *m* (de); manie, rage *v*; — *naar vrijheid*, amour *m* de la liberté. ▼—*en* soupirer; gémir; — *naar*, aspirer à; — *onder*, gémir sous. ▼—*je* soupir, souffle *m* (de vent).

zuid I *zn* sud *m*. II *bn en bw* sud; *de wind is* —, le vent est (au) sud; — *ten westen*, sud quart sud-ouest. ▼Z—-**Afrika** l'Afrique *v* du Sud. ▼Z—**afrikaans** sud-africain. ▼Z—-**Amerika** l'Amérique *v* du Sud. ▼Z—**amerikaans** sud-américain. ▼Z—-**Brabant** le Brabant *m* méridional. ▼—**einde** côté *m* sud, pointe *v* sud. ▼—**elijk** sud, méridional; *er dan*, plus au sud que; — *liggen van*, être au sud de. ▼—*en* sud, midi *m*; *in het* — *van Frankrijk*, dans le Midi (de la France); *ten* — *van*, au sud de. ▼—**enwind** vent *m* du sud. ▼—**erbreedte** latitude *v* sud. ▼—**erkeerkring** tropique *m* du Capricorne. ▼Z—**erkruis** Croix *v* du Sud. ▼Z—**erzee** Zuyderzée *m*. ▼Z—-**Holland** la Hollande méridionale. ▼—**kant**, —**zijde** côté *m* sud. ▼—**kust** côte *v* sud, - méridionale. ▼Z—-**Limburg** le Limbourg *m* méridional. ▼—**oost(en)** sud-est *m*. ▼—**oostelijk** au sud-est (de), du sud-est. ▼—**pool** pôle *m* sud, - antarctique. ▼—**vruchten** agrumes *m mv*. ▼—**waarts** vers le sud. ▼—**west(en)**, —**westelijk** sud-ouest *m*. ▼—**wester** suroît *m*. ▼Z—**zee**, **Stille** — (Océan) Pacifique *m*. ▼—**zuidoost** sud-sud-est. ▼—**zuidwest** s.-s.-ouest.

zuigeling nourrisson, enfant *m* à la mamelle. ▼—**enkliniek** consultation *v* de nourrissons; clinique *v* pédiatrique. ▼—**enzorg** puériculture *v*. ▼**zuig/en** I *ov.w* 1 sucer; 2 (*aan moederborst*) téter; 3 (*in—*, *op—*) absorber, aspirer, boire, pomper; *iets uit zijn duim* —, inventer qc. II *on.w* sucer, téter; (*v.water*) avoir un fort courant; — *op*, sucer. ▼—**er** 1 suceur; 2 (*tech.*) piston *m*. ▼—**erklep** soupape *v* d'aspiration. ▼—**erslag** coup *m* de piston. ▼—**erstang** tige *v* de piston. ▼—**erveer** segment *m* de piston. ▼—**fles** biberon *m*. ▼—**glas** tire-lait *m*. ▼—**ing** succion, aspiration *v*; (*om vliegtuig*) remous *m*. ▼—**kracht** force *v* aspiratrice. ▼—**napje** pelote adhésive, ventouse *v*; suçoir *m*. ▼—**perspomp** pompe aspirante (et) foulante. ▼—**pijp** tuyau *m* d'aspiration. ▼—**pomp** pompe *v* aspirante. ▼—**slang** tuyau *m* d'aspiration. ▼—**snuit** suçoir *m*.

zuil 1 colonne; 2 pile *v* (- de Volta; -atomique). ▼—**engalerij**, —**engang** péristyle *m*; *overdekte* —, portique *m*. ▼—**enrij** colonnade *v*.

zuinig I *bn* 1 économe; (*karig*) parcimonieux; 2 (*v. kachel bijv.*) économique; — *zijn met*, ménager, être économe de. II *bw* économiquement; — *kijken*, avoir un air pincé. ▼—**heid** économie; (*karigheid*) parcimonie *v*.

zuip/en boire avec excès, se soûler. ▼—**er** soûlard *m*. ▼—**partij** beuverie *v*.

zuivel laitage *m*; produits *m mv* de laiterie. ▼—**bereiding** fabrication *v* des produits de laiterie. ▼—**boer** laitier *m*. ▼—**consulent** conseiller *m* laitier. ▼—**fabriek** laiterie *v* mécanique. ▼—**industrie** industrie *v* laitière. ▼—**produkt** produit *m* laitier; *verkoper van* —*en*, crémier *m*; *winkel voor* —*en*, crémerie *v*. ▼—**school** école *v* de laiterie.

zuiver I *bn* 1 pur; (*helder*) clair; propre, net; 2 (*netto*) net; 3 (*muz.*) juste; 4 (*fig.*) pur, chaste; —*e uitspraak*, prononciation *v*

correcte; — *in de leer*, orthodoxe. II *bw* purement; *de zaak* — *stellen*, poser la question avec netteté; — *zingen*, chanter juste. ▼—**aar** 1 nettoyeur; 2 puriste *m*. ▼—**en** 1 *ov.w* nettoyer, laver, purifier; épurer (la langue; une association). II *zich* — *van* (*blaam*) se laver de. ▼—**end** dépuratif. ▼—**heid** pureté, propreté, netteté; (*v. zang*) justesse *v*; *deugd van* —, vertu *v* de chasteté. ▼—**ing** purification *v*, lavage *m*; (*pol.*) épuration, purge *v*. ▼—**ingsactie** nettoyage *m*. ▼—**ingsinstallatie** station *v* d'épuration. ▼—**ingsmiddel** dépuratif *m*. ▼—**ingszout** bicarbonate *m* de soude.

zulk tel, pareil; —*e mooie bloemen*, de si belles fleurs. —**s** cela, une telle chose.

zullen 1 *hij zal bouwen*, il bâtira; *hij zou bouwen*, il bâtirait; *wat zou dat?*, et puis après?; 2 *aller*; *hij zou juist vertrekken toen ...*, il allait partir lorsque ...; 3 *devoir*; *hij zal* (*zeker*) *komen*, il doit venir; *hij zal zich wel vergist hebben*, il a dû se tromper; 4 *je zult gehoorzamen*, vous obéirez; *je veux que vous obéissiez*.

zult fromage *m* de tête. ▼—**en** mariner, saler.

zur/en *ov.w* aigrir, vinaigrer. II *on.w* s'aigrir. ▼—**ig** aigrelet, acidulé. ▼—**igheid** acidité *v*.

zuring oseille *v*. ▼—**zout** sel *m* d'oseille.

zus I *bw* ainsi, de cette manière; *nu eens* —, *dan weer zo*, tantôt (comme) ceci, tantôt (comme) cela. II *zn* petite sœur.

zuster sœur; (*pop.*) frangine; (*liefde—*) sœur de charité; (*verpleegster*) infirmière *v*. ▼—**huis** 1 maison *v* de religieuses; pavillon *m* des infirmières; 2 maison *v* affiliée. ▼—**liefde** affection *v* d'une sœur. ▼—**lijk** I *bn* comme des sœurs. II *bw en onz.w* sœur, soeur. ▼—**school** école *v* des sœurs. ▼—**stad** ville *v* jumelle.

zuur I *bn* aigre, acide; (*fig.*) 1 (*v. leven*) dur, pénible; 2 (*v. persoon*) renfrogné; — *worden* (*v. melk*), tourner; *zure melk*, lait *m* tourné; *zure saus*, sauce *v* à la vinaigrette; — *maken*, acidifier; *iem. het leven* — *maken*, rendre la vie dure à qn. II *bw* péniblement. III *zn* 1 (*azijn*) vinaigre *m*; 2 (*inmaak*) condiments *m mv* au vinaigre; 3 (*maag—*) aigreurs *v mv* d'estomac; 4 (*chem.*) acide *m*; *in het* —, au vinaigre. ▼—**deeg**, —**desem** levain *m*. ▼—**heid** aigreur, acidité *v*. ▼—**kool** choucroute *v*. ▼—**muil**, —**pruim** grincheux *m*, -euse *v*. ▼—**stel** porte-pickles *m*. ▼—**stof** oxygène *m*. ▼—**stofapparaat** masque *m* à oxygène. ▼—**stofcilinder** bouteille *v* d'oxygène. ▼—**stoftent** tente *v* à oxygène. ▼—**stofverbinding** oxyde *m*. ▼—**tje** bonbon *m* acidulé. ▼—**zoet** aigre-doux.

zwaai tour, virement *m*; (*mar.*) évitage *m*. ▼—**en** I *ov.w* agiter, brandir; *de scepter* —, régner. II *on.w* 1 être agité; 2 tituber; zigzaguer; *met de armen* —, gesticuler. ▼—**licht** feu *m* (intermittent) tournant; gyrophare *m*.

zwaan cygne *m*.

zwaar I *bn* lourd, pesant; fort, grand; gros; difficile, grave; *zware sigaar*, cigare *m* fort; *zware arbeid*, travail *m* de force; *zware straf*, peine *v* sévère; *zware taak*, tâche *v* ardue; — *weer*, gros temps *m*; — *maken*, alourdir; —*der worden*, augmenter (de qqs kilos); (*v. zaak*) s'alourdir; (*v. persoon*) prendre de l'embonpoint; — *vallen* être difficile, en coûter; — *op de hand*, 1 (*v. paard*) lourd à la main; 2 (*fig.*) qui voit toujours des inconvénients; assommant, pesant. II *bw* lourdement; gravement.

zwaard 1 épée; 2 (*mar.*) dérive *v*; *met het* — *in de hand sterven*, mourir debout; *honger is een scherp* —, ventre affamé n'a point d'oreilles. ▼—**lelie** glaïeul *m*. ▼—**vis** espadon *m*, épée *v* de mer.

zwaar/gebouwd de forte carrure. ▼—**lijvig** corpulent; (*v. vrouw*) fort. ▼—**lijvigheid** corpulence, obésité *v*. ▼—**moedig** *bn* (*& bw*) mélancolique(ment). ▼—**moedigheid** mélancolie *v*. ▼—**te** 1 pesanteur; poids *m*; 2 (*loomheid*) lourdeur; 3 (*nat.*) gravité *v*;

4 (*ernst*) gravité v. ▼—**tekracht** force de gravité, gravitation v. ▼—**telijn** médiane v. ▼—**tepunt** centre m de gravité ; essentiel m. ▼—**tillend** facilement découragé ; — *zijn*, broyer du noir. ▼—**tillendheid** tendance v à s'exagérer les difficultés. ▼—**wichtig I** bn important. **II** bw pesamment. ▼—**wichtigheid** importance v.

zwabber 1 (*bezem*) faubert m, vadrouille v ; **2** (*fig.*) noceur m ; *aan de* — *zijn*, vadrouiller. ▼—**en I** ov.w fauberter. **II** on.w (*fig.*) vadrouiller.

zwachtel bandage m, bande v. ▼—**en** bander, envelopper. ▼—**ing** pansement m.

zwadder bave v ; venin m.

zwager beau-frère.

zwak I bn faible, débile ; (*v. gezondheid*) délicat ; *hij heeft een* —*ke maag*, il a l'estomac fragile ; *een* — *ogenblik*, un moment de faiblesse ; — *worden*, s'affaiblir ; *dat is zijn* —*ke plek*, c'est là que le bât le blesse. **II** zn faible m ; *iem. in zijn* — *tasten*, prendre qn par son faible. ▼—**heid** faiblesse, débilité ; impuissance v. ▼—**hoofdig** faible d'esprit. ▼—**hoofdigheid** faiblesse v d'esprit. ▼—**jes** faiblement, mollement ; *hij is nog* —, il est encore faible. ▼—**keling** faible m. ▼—**stroom** courant m faible. ▼—**te** zie —**heid**. ▼—**zinnig** handicapé mental = ▼—**zinnige**. ▼—**zinnigheid** débilité v mentale.

zwalken : *op zee*—, courir les mers.

zwaluw hirondelle v ; *een* — *maakt geen zomer*, une hirondelle ne fait pas le printemps. ▼—**staart 1** queue d'hirondelle ; **2** (*houtverbinding*) queue d'aronde ; **3** (*v. jas*) queue v de pie ; **4** (*v. gas*) papillon m.

zwam 1 (*paddestoel*) agaric, champignon ; **2** (*stof*) amadou m. ▼—**men** rabâcher, blaguer ; *in de ruimte* —, se perdre dans le bleu. ▼—**neus** radoteur m.

zwanezang chant m du cygne.

zwang : *in* —, d'usage ; *in* — *komen*, prendre faveur ; (*v. gebruik*) s'établir.

zwanger enceinte, grosse ; **7** *maanden* —, grosse de 7 mois ; — *maken*, rendre enceinte ; — *worden*, tomber enceinte ; — *gaan van*, être gros de ; méditer, préparer. ▼—**schap** grossesse v. ▼—**schapsgymnastiek** gymnastique v prénatale. ▼—**schapsonderbreking** interruption v de grossesse. ▼—**schapsverlof** congé m de maternité.

zwarigheid difficulté v ; inconvénient m.

zwart I bn noir ; (*her.*) sable ; —*e handel*, marché m noir ; — *kopen*, acheter au noir ; *alles* — *inzien*, broyer du noir ; *iem.* — *maken*, diffamer qn ; — *verven*, (*met kwast*) peindre-, (*in vloeistof*) teindre en noir ; — *worden*, (se) noircir ; *het zag er* — *van*, l'endroit était noir de ... **II** zn noir ; — *speelt*, les Noirs jouent ; *het* — *op wit hebben*, l'avoir par écrit ; *in het* — *gekleed*, vêtu de noir. ▼—**bont** pie-noir. ▼—**bruin** d'un brun noirâtre ; (*v. paard*) bai foncé. ▼—**e** noir(e) m (v). ▼—**gallig** atrabilaire, mélancolique. ▼—**galligheid** humeur atrabilaire, mélancolie v. ▼—**gerokt** en habit noir. ▼—**gestreept** rayé de noir. ▼—**gevlekt** tacheté de noir. ▼—**handelaar** mercanti ; trafiquant m. ▼—**harig** aux cheveux noirs ; (*v. dier*) aux poils noirs. ▼—**krijttekening** dessin m au crayon noir. ▼—**oog** aux yeux noirs. ▼—**witfoto** photo v en blanc et noir.

zwavel soufre m ; *met* — *behandelen*, sulfurer. ▼—**achtig** sulfureux. ▼—**bad** bain m sulfureux. ▼—**bron** eaux v mv sulfureuses. ▼—**damp** vapeur v de soufre. ▼—**en** soufrer, sulfurer. ▼—**ig** sulfureux. ▼—**kleurig** soufré. ▼—**koolstof** sulfure m de carbone. ▼—**koolzuur** acide m sulfocarbonique. ▼—**lucht** odeur v de soufre. ▼—**waterstof** hydrogène m sulfuré. ▼—**waterstofgas** acide m sulfhydrique. ▼—**zalf** onguent m de soufre. ▼—**zuur I** zn acide m sulfurique. **II** bn sulfurique. ▼—**zuurzout** sulfate m.

Zweden la Suède. ▼**Zweed** Suédois. ▼—**s** suédois ; *een Z*—*e*, une Suédoise.

zweef/baan téléférique m. ▼—**bom** bombe v planante. ▼—**brug** pont m transbordeur. ▼—**duik** saut m de l'ange. ▼—**molen** pas m de géant. ▼—**rek** trapèze m. ▼—**schroef** hélice v de sustentation. ▼—**spoor** zie —**baan**. ▼—**toestel** planeur m. ▼—**vliegen** vol m à voile. ▼—**vlieger**, —**vliegtuig** planeur m. ▼—**vlucht** vol m plané.

zweem ombre v, soupçon m.

zweep fouet m ; (*dresseer*—) chambrière v ; *met de* — *geven*, donner le fouet à ; *met de* — *klappen*, faire claquer le fouet. ▼—**slag** coup m de fouet. ▼—**tol** sabot m.

zweer ulcère m ; —*tje*, pustule v.

zweet 1 sueur, transpiration v ; **2** (*vet, vochtuitslag*) suint m ; *het koude* — *brak hem uit*, il en avait des sueurs froides ; *nat zijn van het* —, être en nage ; *zich in het* — *werken*, se mettre en sueur. ▼—**bad** étuve v, bain m de vapeur ; sauna m. ▼—**doek** suaire m. ▼—**drank** potion v sudorifique. ▼—**kamer** étuve v. ▼—**kamertje** salle v d'attente pour les candidats à un examen. ▼—**klier** glande v sudoripare. ▼—**kuur** cure v par la sudation. ▼—**voet** : —*en* (*en* —*handen*) sueurs v mv des pieds (et des mains).

zwelg/en avaler ; — *in*, s'enivrer de. ▼—**partij** orgie v.

zwell/en (s')enfler, se gonfler ; grossir ; *doen* —, enfler, gonfler ; *gezwollen ogen*, yeux bouffis. ▼—**ing** enflure v, enflement, gonflement m ; tuméfaction v.

zwem/bad piscine v. ▼—**broekje** slip m de bain. ▼—**club** cercle m de natation. ▼—**diploma** brevet m de natation.

zwemen : — *naar*, ressembler à ; friser.

zwem/gordel ceinture v de natation. ▼—**inrichting** piscine v. ▼—**kampioenschap** championnat m de natation. ▼—**kunst** natation v. ▼—**les** leçon v de natation. ▼—**men I** on.w nager ; (*fig.*) flotter, nager (dans ses vêtements) ; *onder water* —, nager entre deux eaux ; *op de zij* —, nager à la marinière ; *over een kanaal* —, traverser un canal à la nage ; *hij gaat* —, il va se baigner. **II** zn natation ; nage v ; *reddend* —, natation v de sauvetage. ▼—**mer**, —**ster** nageur, -euse. ▼—**oefening** exercice m de natation. ▼—**pak** maillot m de bain. ▼—**school** école v de natation. ▼—**slag** brasse, coupe v. ▼—**vest** gilet m de sauvetage. ▼—**vlies** membrane natatoire, palmure v. ▼—**voet** pied m palmé; (*rubber*—), palme v. ▼—**vogel** oiseau m aquatique. ▼—**wedstrijd** concours m de natation.

zwendel escroquerie v. ▼—**aar** escroc, chevalier m d'industrie. ▼—**en** duper le public.

zwengel 1 (*kruk*) manivelle ; **2** (*molen*—) aile v ; **3** (*pomp*—) bras m ; **4** (*wip*) bascule v.

zwenk/en I on.w tourner, virer, faire volteface ; (*mil.*) faire une conversion, évoluer. **II** ov.w agiter ; faire tourner. ▼—**ing** virement m, volte-face v ; (*v. auto*) virage m ; (*mil.*) conversion v, évolution v ; *een* — *naar rechts maken*, faire un ... à-droite.

zwepen I ov.w fouetter. **II** zn fouettement m.

zweren I ov.w on.w **1** jurer, prêter serment ; **2** jurer, blasphémer ; **3** (*etteren*) suppurer ; — *bij*, jurer par.

zwerf/blokken blocs m mv erratiques. ▼—**ster** rôdeuse, vagabonde v. ▼—**stroom** courant m vagabond. ▼—**tocht** course v vagabonde.

zwerm (*v. bijen*) essaim ; (*v. vogels*) volée ; nuée v. ▼—**en 1** (*v. bijen*) essaimer ; **2** (*fig.*) — *om*, s'empresser autour de, entourer.

zwerv/en I on.w errer ; courir le monde ; vagabonder. **II** zn vagabondage m. ▼—**end** errant, nomade ; vagabond. ▼—**er** vagabond m.

zwet/en 1 suer, transpirer ; — *op*, peiner sur ; **2** (*v. kaas*) pleurer ; (*v. muur*) suinter. ▼—**erig**

moite, suant. ▼—**ing 1** sueur, transpiration ;
(*med.*) sudation *v* ; **2** (*v. muur*) suintement *m*.
zwets/en 1 bavarder, jaser ; **2** (*pochen*) se
vanter, blaguer. ▼—**er** blagueur, fanfaron *m*.
zwev/en planer, être suspendu en l'air, se
balancer ; flotter ; (*fig.*) marcher d'un pas
léger ; — *tussen leven en dood*, être entre la
vie et la mort ; *voor de geest* —, être présent à
l'esprit ; *voor de ogen* —, flotter devant les
yeux. ▼—**end** en suspension, flottant ; aérien ;
(*jur.*) pendant. ▼—**ing** (*elektr. en muz.*)
battement *m*.
zwezerik ris *m* (de veau).
zwichten céder (à), plier (devant) ; se rendre
(à un argument) ; *voor niemand* —, ne le
céder à personne.
zwiep/en 1 se balancer ; **2** faire ressort, être
élastique, fouetter. ▼—**ing 1** balancement ;
2 (*mar.*) fouet *m*.
zwier 1 (*sierlijkheid*) élégance, désinvolture,
grâce ; **2** (*opschik*) parure *v* ; *aan de* — *zijn*,
faire la noce. ▼—**en 1** tourner, virer ; **2** faire la
noce. ▼—**ig I** *bn* élégant ; gracieux ; (*v. stijl*)
fleuri. **II** *bw* élégamment. ▼—**igheid**
désinvolture, élégance *v* fastueuse.
zwijg/en I *on.w* se taire, garder le silence ;
over iets —, passer qc sous silence ; *zwijg
daarvan*, ne m'en parlez pas ; *doen* —, faire
taire ; *tot* — *brengen*, réduire au silence ; *wie
zwijgt stemt toe*, qui ne dit mot, consent. **II** *zn*
silence *m* ; *iem. het* — *opleggen*, imposer

silence à qn. ▼—**end** silencieux ; muet ; —
aanhoren, écouter en silence. ▼—**er** taciturne
m ; *Willem de Z*—, Guillaume le Taciturne.
▼—**zaam** taciturne.
zwijm syncope *v* ; *in* — *vallen*, s'évanouir.
▼—**el** ivresse *v*, vertige *m*. ▼—**eldronken** pris
de vertige. ▼—**elen 1** avoir des vertiges ;
2 s'extasier ; *doen* —, enivrer.
zwijn cochon, porc ; *wild* —, sanglier *m* ;
2 (*fam.*) veine *v* ; **3** (*fig.*) cochon *m*. ▼—**eboel**
cochonnerie *v*. ▼—**ejacht** chasse *v* au
sanglier. ▼—**en 1** vivre dans la débauche ;
2 (*fam.*) avoir de la veine. ▼—**enhoeder**
porcher *m*. ▼—**erij** cochonnerie *v*. ▼—**estal**
porcherie *v*. ▼—**sborstels** soies *v mv* de porc.
▼—**sleer** peau *v* de truie. ▼—**tje 1** cochon *m*
de lait ; **2** aubaine *v*.
zwik 1 entorse, foulure *v* ; **2** (*spon*) fausset *m*.
▼—**je** : *het hele* —, tout le barda ; toute la
bande. ▼—**ken I** *on.w* se déhancher ;
2 (*verstuiken*) se faire une entorse. **II** *ov.w* :
laten —, briser les reins à. ▼—**king** entorse *v*.
Zwitser Suisse *m*. ▼—**land** la Suisse ;
Confédération *v* helvétique ; *Frans* —, la
Suisse romande. ▼—**s** suisse, helvétique.
zwoeg/en I *on.w* **1** peiner ; **2** (*hijgen*) haleter.
II *zn* labeur *m*. ▼—**er** trimeur.
zwoel 1 lourd, étouffant ; **2** (*fig.*) sensuel.
▼—**heid 1** temps *m* lourd ; **2** sensualité *v*.
zwoerd, zwoord couenne *v*.

PRISMA
PRAKTISCHE POCKETS

Over alle denkbare onderwerpen

Sport
Spellen en spelen
Koken
Zelfkennis
Muziek
Geschiedenis
Tuinieren
Planten en bloemen
binnenshuis
Gezondheid
Dieren houden
verzorgen
Spraakkunsten vreemde
talen
en vele andere hobby's
en interessesferen

PRISMA
POCKET

Bij de boekhandel

Wereldliteratuur in
pockets
Met auteurs als...

PRISMA
KLASSIEKEN

Jane Austen
Honoré de Balzac
Emily en
Charlotte Brontë
Joseph Conrad
Daniel Defoe
Charles Dickens
Gustave Flaubert
Theodor Fontane
Johann Wolfgang Goethe
Henry James
Multatuli
Arthur Schnitzler
Stendhal
Mark Twain
Oscar Wilde
Emile Zola
en vele anderen

PRISMA
POCKET

Bij de boekhandel

Onze grote schrijvers
vanaf de tachtigers

PRISMA
NEDERLANDSE
KLASSIEKEN

Met auteurs als:

Arnold Aletrino
Carry van Bruggen
Conrad Busken Huet
Frans Coenen
Louis Couperus
Marcellus Emants
Rhijnvis Feith
Jacob Israel de Haan
Herman Heijermans
Jac. van Looy
Johan de Meester
Frans Netscher
en anderen

PRISMA
POCKET

Bij de boekhandel

Stuk voor stuk
voortreffe-lijk
en superspannend

PRISMA
DETECTIVE

Van geliefde auteurs als:

John Franklin Bardin
Paula Gosling
Tim Heald
Richard Hoyt
Ngaio Marsh
Margaret Millar
Robert B. Parker
Ellery Queen
Ruth Rendell
Dorothy L. Sayers
Josephine Tey
Edgar Wallace
en anderen

PRISMA
POCKET

Bij de boekhandel